# 공기업 합격을 위한 추가 혜택 6종

### 본 교재 인강 20% 할인쿠폰
**K8KB94A489D7C000**

### 기초 경영학 인강 20% 할인쿠폰
**5C0B9567K3A65000**

### 기초 경영학 용어 인강 20% 할인쿠폰
**259394A620932000**

해커스잡 사이트(ejob.Hackers.com) 접속 후 로그인 ▶ 사이트 메인 우측 상단 [나의 정보] 클릭 ▶ [나의 쿠폰 - 쿠폰/수강권 등록]에 위 쿠폰번호 입력 ▶ 강의 결제 시 쿠폰 적용

* 쿠폰 유효기간: 2027년 12월 31일까지(ID당 1회에 한해 등록 가능)
* 본 교재 인강 외 이벤트 강의·프로모션 강의 적용불가 / 쿠폰 중복할인 불가

### 시험장까지 가져가는 경영학 핵심이론/OX 정리노트 (PDF)
**2PAT75QBE53X45UZ**

해커스잡 사이트(ejob.Hackers.com) 접속 후 로그인 ▶ 사이트 메인 중앙 [교재정보 - 교재 무료자료] 클릭 ▶ 교재 확인 후 이용하길 원하는 무료자료의 [다운로드] 버튼 클릭 ▶ 위 쿠폰번호 입력 후 다운로드

* 쿠폰 유효기간: 2027년 12월 31일까지

### NCS 온라인 모의고사 응시권
**K7CC94A7B26E5000**

### 경영학 온라인 모의고사 응시권
**C9F99555K45B9000**

해커스잡 사이트(ejob.Hackers.com) 접속 후 로그인 ▶ 사이트 메인 우측 상단 [나의 정보] 클릭 ▶ [나의 쿠폰 - 쿠폰/수강권 등록]에 위 쿠폰번호 입력 ▶ [마이클래스 - 모의고사]에서 응시 가능

* 쿠폰 유효기간: 2027년 12월 31일까지(ID당 1회에 한해 등록 가능)
* 쿠폰 등록 시점 직후부터 30일 이내 PC에서 응시 가능합니다.

* 이 외 쿠폰 관련 문의는 해커스 고객센터(02-537-5000)로 연락 바랍니다.

**취업강의 1위, 해커스잡 ejob.Hackers.com**

헤럴드 선정 2018 대학생 선호 브랜드 대상 '취업강의' 부문 1위

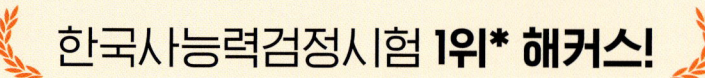

# 해커스 한국사능력검정시험 교재 시리즈

*주간동아 선정 2022 올해의 교육 브랜드 파워 온·오프라인 한국사능력검정시험 부문 1위

**빈출 개념과 기출 분석으로
기초부터 문제 해결력까지**
꽉 잡는 기본서

해커스 한국사능력검정시험
한권합격 심화 [1·2·3급]

**스토리와 마인드맵으로 개념잡고!
기출문제로 점수잡고!**

해커스 한국사능력검정시험
2주 합격 심화 [1·2·3급] 기본 [4·5·6급]

**시대별/회차별 기출문제로
한 번에 합격 달성!**

해커스 한국사능력검정시험
시대별/회차별 기출문제집 심화 [1·2·3급]

**개념 정리부터 실전까지!
한권완성 기출문제집**

해커스 한국사능력검정시험
한권완성 기출 500제 기본 [4·5·6급]

**빈출 개념과 기출 선택지로
빠르게 합격 달성!**

해커스 한국사능력검정시험
초단기 5일 합격 심화 [1·2·3급]
기선제압 막판 3일 합격 심화 [1·2·3급]

해커스공기업
쉽게 끝내는
**경영학**

기본서 | 2권

해커스

## 이인호

**약력**

연세대학교 일반대학원 경영학과 졸업(경영학 박사)
연세대학교 경영대학 경영학과 객원교수
한국경영학회 평생회원
이인호 경영연구소 대표
경영지도사/유통관리사(2급)/중등학교 정교사(1급) 자격 보유

현 | 해커스군무원 경영학 강의
현 | 해커스잡 공기업 경영학 강의
현 | 해커스경영아카데미 경영학 강의
현 | 해커스금융 매경TEST/유통관리사 강의
현 | 프라임 법학원 공인노무사 경영학 강의

**저서**

해커스군무원 이인호 경영학 기본서
해커스군무원 이인호 경영학 FINAL 봉투모의고사
해커스공기업 쉽게 끝내는 경영학 기본서
해커스 유통관리사 2급
해커스 매경TEST
이인호 군무원 객관식 경영학 2500제, 도서출판 새흐름
이인호 공기업 경영학 실전모의고사, 도서출판 새흐름

# 공기업 경영학 전공 시험 합격 비법, 해커스가 알려드립니다.

*"비전공자한테는 어렵지 않을까요?"*
*"많은 양의 경영학 공부는 어떻게 해야 하나요?"*

많은 학습자가 공기업 경영학 전공 시험의 학습방법을 몰라 위와 같은 질문을 합니다.
방대한 양과 어려운 내용 때문에 어떻게 학습해야 할지 갈피를 잡지 못하고
막연한 두려움을 갖는 학습자들을 보며 해커스는 고민했습니다.
해커스는 공기업 경영학 전공 시험 합격자들의 학습방법과 최신 출제 경향을
면밀히 분석하여 단기 완성 비법을 이 책에 모두 담았습니다.

『해커스공기업 쉽게 끝내는 경영학 기본서』
**전공 시험 합격 비법**

1. 시험에 항상 출제되는 주요 이론을 체계적으로 학습한다.
2. 다양한 출제예상문제를 통해 실전 감각을 키운다.
3. 시험 직전까지 '시험장까지 가져가는 경영학 핵심이론/OX 정리노트
   (PDF)'로 핵심 내용을 최종 점검한다.

**이 책을 통해 공기업 경영학 전공 시험을 준비하는 수험생들 모두
합격의 기쁨을 누리시기 바랍니다.**

# 목차

## 1권

| | |
|---|---|
| 이 책의 구성 | 8 |
| PART별 요약정리 | 10 |

## PART 01 경영학 입문

### CHAPTER 01 경영학의 기초개념

| | |
|---|---|
| 제1절 경영학과 경영의사결정 | 26 |
| 제2절 경영의 구성요소와 원리 | 31 |
| 제3절 경영학의 발전과정 | 35 |
| 출제예상문제 | 45 |

### CHAPTER 02 경영자와 기업

| | |
|---|---|
| 제1절 경영자 | 89 |
| 제2절 기업 | 92 |
| 제3절 기업집단화 | 97 |
| 출제예상문제 | 102 |

### CHAPTER 03 경영관리

| | |
|---|---|
| 제1절 계획화 | 137 |
| 제2절 조직화 | 139 |
| 제3절 지휘와 통제 | 147 |
| 출제예상문제 | 149 |

### CHATPER 04 경영전략

| | |
|---|---|
| 제1절 경영전략의 기초개념 | 168 |
| 제2절 전략분석 | 170 |
| 제3절 전략수립 | 175 |
| 제4절 전략실행 - 사업포트폴리오 분석 | 177 |
| 제5절 전략통제 - 균형성과표 | 181 |
| 제6절 경영혁신 | 182 |
| 출제예상문제 | 187 |

## PART 02 조직행동론

### CHAPTER 01 조직행동론의 기초개념

| | |
|---|---|
| 제1절 조직 | 234 |
| 제2절 조직행동론 | 237 |
| 출제예상문제 | 239 |

### CHAPTER 02 개인수준에서의 행동

| | |
|---|---|
| 제1절 성격 | 243 |
| 제2절 가치관과 감정 | 246 |
| 제3절 지각 | 248 |
| 제4절 학습 | 255 |
| 제5절 태도 | 260 |
| 제6절 동기부여 | 266 |
| 출제예상문제 | 276 |

## CHAPTER 03 집단수준에서의 행동
제1절 집단행동 312
제2절 의사소통과 집단의사결정 320
제3절 리더십 329
출제예상문제 343

## CHAPTER 04 조직수준에서의 행동
제1절 조직설계 392
제2절 조직문화와 조직개발 396
출제예상문제 404

# PART 03 인적자원관리

## CHAPTER 01 인적자원관리의 기초개념
제1절 인적자원관리의 의의와 구성 416
제2절 인적자원관리의 변화와 전략적 인적자원관리 419
출제예상문제 423

## CHAPTER 02 인적자원의 조달
제1절 직무관리 426
제2절 확보관리 434
출제예상문제 442

## CHAPTER 03 인적자원의 개발
제1절 교육훈련과 경력개발 468
제2절 전환배치와 승진 476
출제예상문제 480

## CHAPTER 04 인적자원의 평가와 보상
제1절 인사평가 489
제2절 보상관리 494
출제예상문제 506

## CHAPTER 05 인적자원의 유지 및 방출
제1절 인적자원의 유지 - 유지관리 528
제2절 인적자원의 방출 - 이직관리 535
출제예상문제 538

# 목차

## 2권

**PART별 요약정리**     556

## PART 04 생산운영관리

### CHAPTER 01 생산운영관리의 기초개념
제1절 생산운영관리와 생산시스템     572
제2절 서비스 운영관리     574
출제예상문제     576

### CHAPTER 02 생산전략
제1절 경쟁우선순위     581
제2절 흐름전략     584
출제예상문제     586

### CHAPTER 03 생산시스템의 설계
제1절 제품개발     590
제2절 공정설계     595
제3절 배치설계     599
제4절 생산능력과 입지     603
출제예상문제     608

### CHAPTER 04 생산시스템의 운영 및 통제
제1절 수요예측     628
제2절 생산계획     632
제3절 재고관리     637
제4절 품질경영     642
제5절 적시생산시스템과 공급사슬관리     653
출제예상문제     661

## PART 05 마케팅

### CHAPTER 01 마케팅의 기초개념
제1절 마케팅과 마케팅개념     742
제2절 마케팅의 과정과 구성     745
출제예상문제     747

### CHAPTER 02 마케팅 기회분석
제1절 마케팅조사     752
제2절 소비자행동분석     759
출제예상문제     771

### CHAPTER 03 마케팅 전략
제1절 STP 전략     788
제2절 기타 마케팅 전략     796
출제예상문제     804

## CHAPTER 04 마케팅믹스

| | |
|---|---|
| 제1절 제품 | 841 |
| 제2절 가격 | 853 |
| 제3절 유통 | 860 |
| 제4절 촉진 | 870 |
| 출제예상문제 | 884 |

## CHAPTER 05 마케팅 영역의 확장

| | |
|---|---|
| 제1절 고객관계관리와 고객경험관리 | 943 |
| 제2절 다양한 마케팅활동 | 946 |
| 출제예상문제 | 952 |

## CHAPTER 02 회계학

| | |
|---|---|
| 제1절 회계학의 기초개념 | 1059 |
| 제2절 재무제표 - 재무상태표와 포괄손익계산서 | 1063 |
| 제3절 다양한 회계처리 | 1068 |
| 출제예상문제 | 1074 |

## CHAPTER 03 경영정보시스템

| | |
|---|---|
| 제1절 경영정보시스템의 기초개념 | 1118 |
| 제2절 데이터베이스와 정보시스템 보안 | 1122 |
| 출제예상문제 | 1125 |

# PART 06 재무관리 · 회계학 · 경영정보시스템

## CHAPTER 01 재무관리

| | |
|---|---|
| 제1절 재무관리의 기초개념 | 972 |
| 제2절 자본의 조달 | 973 |
| 제3절 자본예산 | 977 |
| 제4절 손익분기점 분석과 레버리지 분석 | 981 |
| 제5절 포트폴리오 이론과 자본자산가격결정모형 | 983 |
| 제6절 재무비율분석 | 987 |
| 제7절 파생상품 | 989 |
| 출제예상문제 | 992 |

[온라인 제공]
**시험장까지 가져가는
경영학 핵심이론/OX 정리노트(PDF)**
핵심이론 정리 + O/X 문제

# PART별 요약정리

## PART 04 생산운영관리

**생산운영관리의 기초개념**

- 서비스 운영관리
  - **서비스 - 공정 매트릭스(Schmenner):** 관여와 개별화 정도·노동집약정도 ⇒ 서비스 공장, 서비스 숍, 대량 서비스, 전문 서비스
  - **디커플링:** 고객과 많이 접촉하는 요소와 적게 접촉하는 요소 ⇒ 서비스 시설의 배치, 서비스인력의 배치
  - **서비스 패키지:** 서비스제공과 함께 제공되는 유형인 재화의 묶음 ⇒ 촉진제품, 지원시설, 명시적 서비스, 묵시적 서비스
  - **대기행렬모형:** 상충관계를 가지는 대기비용과 서비스비용의 합을 최소화시키는 서비스시설의 규모(경로의 수)를 결정 ⇒ 켄달 표기법

**생산전략**

- 경쟁우선 순위
  - **원가:** 저원가 생산
  - **품질:** 고성능설계(프로세스 품질), 일관된 품질(제품 품질)
  - **시간:** 빠른 인도시간, 적시인도, 개발속도
  - **유연성:** 수량유연성, 고객화

- 흐름전략
  - **라인흐름전략:** 대량의 표준화된 제품, 저원가에 대한 강조, 긴 제품수명주기, 늦은 퇴출에 대한 대응, 일관된 품질, 짧은 인도시간
  - **유연흐름전략:** 소량의 고객화된 제품, 수량유연성과 고객화 강조, 짧은 제품수명주기, 빠른 퇴출에 대한 대응, 고성능설계, 긴 인도시간

## 생산시스템의 설계

- **제품개발**
  - **제품개발과정**: 고객의 욕구파악 및 아이디어 창출 → 제품 선정(대략적 제품개념, 시장분석) → 예비제품 설계(원형제작) → 최종제품 설계(기능설계, 형태설계, 생산설계)
  - **제품설계의 개선**: 원가와 가치, 동시 설계(병렬적 설계과정 + 프로젝트팀 조직), 품질기능전개(의사소통의 표준화, 품질의 집), 로버스트 설계, 제조용이성 설계, 환경친화형 설계, 서비스청사진
  - **기술경영**: 기술의 S-curve / 기술융합과 창조적 파괴

- **공정설계**
  - **공정설계의 과정**: 제품분석 → 제조 - 구매의사결정 → 공정선택 → 공정계획
  - **제품의 흐름에 따른 공정의 분류**: 프로젝트공정, 단속생산공정(개별작업공정, 뱃치공정), 연속생산공정(라인공정, 연속공정)
  - **고객 주문에 대응하는 방법에 따른 공정의 분류**: 주문생산공정(MTO), 조립생산공정(MTA), 재고생산공정(MTS)
  - **제품 - 공정행렬**: 공정선택은 동태적인 문제

- **배치설계**
  - **공정별 배치**: 유연흐름(다품종 소량), 범용기계설비 ⇒ 공정 중심
  - **제품별 배치**: 라인흐름(소품종 대량), 전용기계설비 ⇒ 제품 중심
  - **혼합형 배치**: OWMM(U자형 배치, 제품별 배치의 보완), GT(GT 셀, 공정별 배치의 보완)
  - **위치고정형 배치**: 제품(재공품)의 이동을 최소화 + 작업 이동

**생산시스템의 운영 및 통제**

- **생산능력**
  - **생산능력의 측정**: 재화는 산출척도, 서비스는 투입척도
  - **생산능력의 유형**: 최대생산능력, 유효생산능력, 실제생산능력
  - **생산능력 활용정도의 측정**: 생산능력 이용률(실제생산능력 / 최대생산능력), 생산능력 효율성(실제생산능력 / 유효생산능력)
  - **초과생산능력(capacity cushion)**: 생산능력의 활용정도가 100%에서 떨어진 정도 ⇒ 여유생산능력
  - **최적조업도**: 규모의 경제와 규모의 비경제가 만나는 조업도 수준
  - **생산능력의 확장**: 수요선도전략, 수요추종전략, 수요지연전략

- **입지**
  - **정성적 방법**: 서열법, 점수법(요소분석방법)
  - **정량적 방법**: 총비용비교법, 입지손익분기분석법(고정비와 변동비, 생산능력 고려), 수송법, 부하량 – 거리기법(무게중심법)

- **수요예측**
  - **수요의 특성**: 독립수요와 종속수요, 시계열 특성(수평, 추세, 주기변화, 확률적 변동)
  - **정성적 수요예측기법**: 시장조사법, 판매원추정법, 경영자판단법, 델파이법, 수명주기유추법 등
  - **정량적 수요예측기법**: 시계열 분석법(이동평균법, 지수평활법, 계절모형), 인과관계분석법(회귀분석, 판별분석)
  - **수요예측기법의 선택**: 정확성, 간편성, 충실성 ⇒ 조합예측, 초점예측
  - **예측오차**: 편량오차와 확률적 오차 ⇒ 누적예측오차, 평균절대오차, 평균제곱오차, 표준편차 등

## 생산계획
- **총괄생산계획**: 추종전략, 평준화전략
- **기준생산계획(MPS)**: 총괄생산계획을 분해 또는 구체화한 생산계획
- **일정계획**: 제조업(Gantt chart), 서비스업(약정, 예약, 주문적체, 가격차별)
- **자재소요계획(MRP)**: 종속수요, 구성요소(MPS, BOM, IR), MRP → MRP II → ERP

## 재고관리
- **재고모형**: 경제적 주문량(EOQ) 모형(재고유지비용 + 주문비용), 경제적 생산량(EPQ) 모형(재고유지비용 + 작업준비비용), 단일기간 재고모형(재고잉여비용 + 재고부족비용)
- **재고통제시스템**: P 시스템(변동주문량, 고정주문간격, 주기조사, 높은 안전재고), Q 시스템(고정주문량, 변동주문간격, 연속조사, 낮은 안전재고), ABC 재고관리시스템(재고가액 기준)

## 품질경영
- **Garvin**: 성능, 특징, 일치성, 신뢰성, 내구성, 서비스 편의성, 심미성, 인지품질
- **Kano 모형**: 매력적 품질요소, 일원적 품질요소, 당연적 품질요소
- **SERVQUAL**: 서비스 갭 모형(서비스 품질 = 기대품질과 경험품질의 차이) ⇒ RATER
- **품질삼위일체(Juran)**: 품질계획, 품질개선, 품질통제
- **품질원가(PAF 모형, Juran)**: 예방비용, 평가비용, 실패비용(내부실패비용, 외부실패비용)
- **종합적 품질경영(TQM)**: 고객만족 = 종업원 참여 + 지속적 개선(kaizen) ⇒ Deming Wheel(plan → do → check → act)
- **품질관리도구**: 체크시트, 히스토그램, 파레토 도표, 원인결과도표, 품질분임조, 싱고시스템, 품질기능전개 등
- **통계적 품질관리(SQC)**: 산출물 변동의 원인(공통원인, 이상원인), 품질검사(전수검사, 표본검사), 관리도(공정능력, 변량관리도와 속성관리도), Taguchi의 품질공학, 식스 시그마 운동(3.4ppm, DMAIC)
- **국제품질표준**: ISO 9000(품질프로그램의 문서화에 대한 표준), ISO 14000(자연환경), ISO 26000(기업의 사회적 책임), ISO 27000(기업의 정보보안시스템), ISO 31000(기업의 위험관리)
- **말콤 볼드리지 국가품질상**: 리더십, 전략적 계획, 고객과 시장중심, 정보분석, 인적자원중심, 프로세스 관리, 사업결과 등

### 적시생산 시스템
- Toyota system, 무재고 시스템, Pull system, Kanban system, Andon system
- Pull 방식의 자재흐름, 일관되게 높은 품질과 예방적 유지보수, 작업장 간 부하 균일화(heijunka), 부품과 작업방식의 표준화, 라인흐름과 노동력의 유연성(OWMM), 생산자동화(jidoka), 작은 로트(lot) 크기, 공급업체와의 유대 강화(VMI)

### 공급사슬관리
- **공급사슬**: 생산시스템 + 유통시스템 ⇒ 효율적 공급사슬(원가)과 반응적 공급사슬(유연성)
- **채찍효과(bullwhip effect)**: 중복수요예측, 일괄주문처리, 가격변동, 결품예방경쟁 ⇒ 불확실성의 제거, 변동폭의 감소, 전략적 파트너십(정보의 공유), 리드타임 단축
- **공급사슬의 통합**: 독립적 공급사슬 주체들 → 내부통합 → 공급사슬 통합
- **성과의 측정**: 재고관련 지표(평균 총 재고가치, 재고공급일수, 재고회전율), 재무지표와의 연계(자산회전율, 현금회수기간), 공급사슬 운영참고 모형(계획, 조달, 생산, 배송, 반품)
- **대량고객화**: Mass production(원가) + Customization(고객화) ⇒ 지연전략
- **효율적 고객대응**: 효율적인 매장구색, 효율적인 재고보충, 효율적인 판매촉진, 효율적인 신제품 도입 ⇒ 크로스 도킹, 공급자 재고관리(VMI)
- **기타 SCM 실행 프로그램**: 유니트 로드 시스템, CPFR, 3PL, RFID 시스템과 바코드 시스템

# PART 05 마케팅

## 마케팅의 기초개념

### 마케팅과 마케팅개념

- **마케팅의 범위**: 소비재, 산업재, 서비스
- **마케팅개념의 변화**: 생산개념(초과수요) → 제품개념(품질향상) → 판매개념(초과공급) → 마케팅개념(고객욕구 파악) → 사회지향적 마케팅개념(기업의 사회적 책임)
- **마케팅의 유형**: 고압적 마케팅(판매개념, 선형 마케팅, 후행적 마케팅), 저압적 마케팅(마케팅개념, 순환 마케팅, 선행적 마케팅)

## 마케팅 기회분석

### 마케팅조사

- **마케팅조사의 유형**: 시장분석을 위한 조사, 마케팅 프로그램 개발을 위한 조사, 마케팅 프로그램 통제를 위한 조사, 마케팅 성과측정을 위한 조사
- **마케팅조사과정**: 문제의 파악 및 조사목적의 설정(탐색조사, 기술조사, 인과조사) → 마케팅조사설계 → 자료의 수집과 분석 → 보고서 작성
- **마케팅조사설계**: 표본설계(확률표본추출, 비확률표본추출), 자료의 유형(1차 자료와 2차 자료), 1차 자료의 수집방법(우편조사법, 전화면접법, 대인면접법, 표적집단면접법, 실험조사법)
- **조사자료의 측정**: 명목척도(성별분류, 상표분류, 판매지역 분류 등), 서열척도(선호순위, 사회계층 등), 등간척도(온도, 주가지수, 환율과 같은 각종 지수), 비율척도(절대적 크기를 비교 ⇒ 시장점유율)
- **마케팅정보시스템**: 내부정보시스템, 고객정보시스템, 마케팅인텔리전스시스템(2차자료), 마케팅조사시스템(1차자료), 마케팅의사결정지원시스템

### 소비자행동 분석

- 소비자행동 = 구매의사결정과정
- **관여도**: 소비자가 특정 제품에 대해 가지는 중요성, 관심도와 자신과 관련되었다고 지각하는 정도 ⇒ 고관여와 저관여
- **관여도에 따른 소비자행동의 유형**: 포괄적 문제해결, 제한적 문제해결(수정재구매), 일상적 문제해결(자동재구매)
- **관여도와 상표 간 차이에 따른 소비자행동의 유형**: 복잡한 구매행동, 부조화 감소 구매행동, 다양성추구 구매행동, 습관적 구매행동
- **구매의사결정과정**: 욕구(필요)인식 → 정보탐색(내부탐색, 외부탐색) → 대안평가(보완적 평가방식, 비보완적 평가방식) → 구매결정 → 구매 후 행동

## 마케팅 전략

### STP 전략

- **시장세분화**(**측정가능성, 충분한 규모, 접근가능성, 차별적 반응, 신뢰성, 실행가능성**): 지리적 기준(국가, 지방, 지역, 인구밀도, 도시규모, 기후 등), 인구통계적 기준(연령, 성별, 가족구성원의 수, 가족생애주기, 소득, 직업, 교육수준, 종교, 인종, 국적 등), 심리특성적 기준(사회계층, 라이프스타일, 개성 등), 구매행동적 기준(구매 또는 사용상황, 소비자가 추구하는 편익, 제품의 사용경험, 충성도 및 태도 등) ⇒ 고객선호도에 따른 시장유형(동질적 선호패턴, 확산된 선호패턴, 군집화 선호패턴)
- **3C 분석**: company, customer, competitor
- **목표시장 선정**: 비차별적 마케팅, 차별적 마케팅, 집중적 마케팅
- **포지셔닝**: 포지셔닝기법(다차원척도법, 컨조인트 분석), 포지셔닝전략(제품속성, 사용상황, 제품사용자, 경쟁제품) ⇒ 차별점(제품 차별화, 서비스 차별화, 인적 차별화, 이미지 차별화)과 동등점

### 기타 마케팅 전략

- **수요상황별 마케팅전략**: 전환마케팅(부정적 수요), 개발마케팅(잠재적 수요), 자극마케팅(무수요), 재마케팅(감퇴적 수요), 동시마케팅(불규칙수요), 유지마케팅(완전수요), 역마케팅(초과수요), 대항마케팅(불건전수요)
- **사업포트폴리오전략**: SBU ⇒ BCG Matrix, GE Matrix
- **성장전략(제품-시장 매트릭스)**: 시장침투전략, 제품개발전략, 시장개발전략, 다각화전략(집중적 다각화, 수평적 다각화, 복합적 다각화)
- **제품수명주기 전략**: 도입기 → 성장기 → 성숙기 → 쇠퇴기
- **경쟁적 마케팅전략**: 시장선도자, 시장도전자, 시장추종자, 시장적소자
- **해외시장 진출전략**: 수출에 의한 진출(간접수출, 직접수출), 계약에 의한 진출(라이선싱, 프랜차이징, 국제하청계약, 턴키 프로젝트, 경영관리계약), 직접투자에 의한 진출(단독투자, 합작투자)

## 마케팅 믹스

**제품**

- **제품개념의 수준(Kotler)**: 핵심제품(핵심편익), 실제(유형)제품(제품특징, 디자인, 품질수준, 브랜드명, 포장 등), 확장제품(설치서비스, A/S, 보증, 배달, 신용카드 등)
- **구매욕구에 따른 제품의 분류**: 기능적 제품, 감각적(쾌락적) 제품, 상징적 제품
- **소비재의 유형**: 편의품, 선매품, 전문품, 미탐색품
- **산업재의 유형**: 자재와 부품, 자본재, 소모품
- **포장의 특성**: 시각적 소구, 정보, 감성적 소구, 취급용이성 ⇒ VIEW
- **신제품개발전략**: 선제적 개발전략, 대응적 개발전략
- **신제품개발과정**: 고객의 욕구파악 및 아이디어 창출 → 아이디어 평가 → 제품개념개발과 평가 → 마케팅전략개발 → 사업분석 → 제품개발 → 시험마케팅 → 상품화
- **신제품수용과정**: 인지 → 관심 → 평가 → 시용구매 → 수용
- **소비자수용속도(Rogers, 신상품 확산)**: 혁신수용층, 조기수용층, 조기다수수용층, 후기다수수용층, 후발(지각)수용층
- **제품믹스**: 폭(width), 길이(length), 깊이(depth)
- **상표개발**: 라인(계열)확장, 상표확장(연장), 복수상표, 신상표
- **상표주체의 결정**: 제조업자상표, 유통업자상표, 무상표, 공동상표
- **브랜드자산의 구성요소(Aaker)**: 브랜드 충성도, 브랜드 인지도, 지각된 품질, 브랜드 연상(이미지), 기타 독점적 브랜드자산
- **브랜드자산의 관리**: 브랜드 인지도(재인과 회상)와 브랜드 이미지(호의적, 강력함, 독특함)

**가격**
- **가격결정요인**: 수요, 원가, 경쟁환경, 법적요인
- **가격목표**: 매출중심적 가격목표, 이윤중심적 가격목표, 현상유지적 가격목표, 기타 가격목표
- **가격결정요인과 가격전략**: 수요중심 가격전략(price - margin = cost), 원가중심 가격전략(cost + margin = price), 경쟁중심 가격전략(상대적 고가전략, 상대적 저가전략, 대등가격전략)
- **신제품과 가격전략**: 초기 고가전략(스키밍전략), 초기 저가전략(시장침투 가격전략), 탄력가격전략
- **제품믹스와 가격전략**: 제품라인 가격전략, 사양제품 가격전략, 종속제품 가격전략, 묶음제품 가격전략
- **소비자심리와 가격전략**: 명성가격, 관습가격, 준거가격, 유보가격과 최저수용가격, 단수가격
- **촉진과 가격전략**: 유인가격, 특별행사가격, 현금보상
- **지역과 가격전략**: 생산지인도가격, 균일운송가격, 구역가격, 기점가격, 운송비제거가격
- **가격조정**: 현금할인, 수량할인, 기능할인, 계절할인, 공제
- **가격이론**: 프로스펙트이론(준거의존성, 민감도 체감성, 손실회피성), 웨버의 법칙, 최소인식가능차이

## 유통경로

- **중간상의 필요성**: 시간적 효용, 장소적 효용, 소유효용, 구색전환, 총거래수 최소의 원리
- **유통경로의 기능**: 거래기능(판매기능, 구매기능), 물적유통기능(보관기능, 운송기능), 조성기능(위험부담기능, 금융기능, 정보제공기능, 구색확보기능 등)
- **유통경로구성원**: 도매상(상인도매상, 대리점과 브로커, 제조업자 판매지점 및 사무소 등), 소매상(점포 소매상, 무점포 소매상)
- **경로구조(경로길이)의 결정**: 시장요인, 제품요인, 기업요인, 경로구성원 요인
- **유통경로전략**: 개방적(집중적) 경로전략(편의품), 선택적 경로전략(선매품), 전속적(배타적) 경로전략(전문품)
- **유통경로상 갈등**: 목표불일치, 역할(영역)불일치, 지각불일치 ⇒ 수평적 갈등과 수직적 갈등
- **유통경로시스템**: 전통적 유통경로시스템, 수평적 마케팅시스템(공생마케팅), 수직적 마케팅시스템(기업형 VMS, 계약형 VMS, 관리형 VMS), 복수유통경로시스템, 역유통경로시스템
- **상권분석**: 대조표법, 유추법, 중심지이론, 소매중력법칙, 선택공리, 허프의 법칙 등

## 촉진

- **광고**: 공중제시성, 보급성, 증폭표현성, 비인성 ⇒ 소비재 마케팅에 가장 적합한 촉진수단
- **PR**: 저비용, 신뢰성
- **인적판매**: 개인적 접촉, 쌍방향 의사소통, 고비용, 최종구매행동 자극 ⇒ 산업재 마케팅에 가장 적합한 촉진수단
- **판매촉진**: 단기적인 동기부여수단 ⇒ 소비자 판매촉진과 유통기관 판매촉진

## 마케팅 영역의 확장

### 고객관계관리

- **의의**: 고객들과의 장기적 관계를 구축하고 충성도를 제고시킴으로써 고객의 생애가치를 극대화하는 것 ⇒ 일대일(개인화) 마케팅, 쌍방향 의사소통, 데이터베이스 마케팅(빅 데이터 분석과 데이터마이닝)
- **고객과의 관계**: 용의자 → 잠재고객 → 사용자 → 고객 → 옹호자
- **고객관계관리전략**: 고객활성화 전략, 애호도 제고전략, 교차판매전략, 상향판매전략
- **고객자산**: 기업의 모든 고객들이 가지는 생애가치를 합친 것 ⇒ 객관적 가치, 브랜드 가치, 관계 가치

### 인터넷 마케팅

- **의의**: 인터넷을 기반으로 하여 마케팅활동을 수행하는 사이버공간상의 마케팅
- **전자상거래**: B2C, C2B, C2C, B2B, B2G, P2P, B2E, O2O(옴니채널)

### 기타 마케팅

- **앰부시 마케팅**: 월드컵이나 올림픽 등의 공식후원사가 아닌 기업들이 그 로고를 정식으로 사용하지 않고 비슷한 언어적 유희 등을 교묘히 활용하여 수행되는 마케팅
- **바이럴 마케팅**: 네티즌들이 이메일이나 블로그, 핸드폰 등 전파가 가능한 매체를 통해 자발적으로 특정 기업이나 제품을 홍보할 수 있도록 제작하여 널리 퍼뜨리는 마케팅
- **버즈 마케팅**: 인적인 네트워크를 통하여 소비자에게 상품정보를 전달하는 마케팅
- **뉴로 마케팅**: 소비자의 무의식에서 나오는 감정과 구매행위를 뇌과학을 통해 분석해 기업마케팅에 적용하는 기법으로 디자인, 광고 등이 소비자의 잠재의식에 미치는 영향을 측정하는 마케팅
- **캐즘 마케팅**: 첨단기술제품이 선보이는 초기시장에서 주류시장으로 넘어가는 과도기에 일시적으로 수요가 정체되거나 후퇴하는 단절현상을 가리켜 캐즘(chasm)이라고 하는데 이를 다루는 마케팅
- **넛지 마케팅**: 사람들을 원하는 방향으로 유도하되 선택의 자유는 여전히 개인에게 준다는 마케팅
- **코즈 마케팅**: 기업의 이익 추구를 위해 사회적인 이슈를 활용하는 것

# PART 06 재무관리 · 회계학 · 경영정보시스템

## 재무관리

- **기초개념**
  - **목표**: 주식가치의 극대화, 기업가치의 극대화
  - **화폐의 시간가치**: 미래가치와 현재가치 ⇒ 유동성 선호

- **자본의 조달**
  - **효율적 시장가설**: 약형 효율적 시장가설, 준강형 효율적 시장가설, 강형 효율적 시장가설
  - **자본조달활동**: 직접금융을 통한 자본조달(보통주, 우선주, 회사채, 기업어음 등의 발행)과 간접금융을 통한 자본조달(은행차입, 매입채무, 기업어음 할인 등)
  - **자본비용**: 타인자본비용과 자기자본비용
  - **자본구조**: 타인자본과 자기자본의 구성비율
  - **자본구조이론**: MM 이론, MM 수정이론(법인세 고려), 자본조달순서이론(내부유보자금 → 부채발행 → 신주발행)

- **자본예산**
  - **투자안들 간의 상호관계**: 독립적 투자안과 상호배타적 투자안
  - **영업현금흐름의 추정**: 세후영업이익과 감가상각비의 합
  - **투자안의 경제성 분석**: 할인모형(순현재가치법, 내부수익률법, 수익성지수법)과 비할인모형(회계적이익률법, 회수기간법)

- **손익분기점 분석과 레버리지 분석**
  - **손익분기점 분석**: 매출액과 비용이 일치하는 매출수준 또는 생산수준
  - **레버리지 분석**: 영업레버리지도와 재무레버리지도 ⇒ 결합레버리지도

### 포트폴리오이론과 자본자산가격결정모형

- **위험**: 체계적 위험(분산불가능위험, 시장위험, 베타위험)과 비체계적 위험(분산가능위험, 기업 고유의 위험)
- **위험에 대한 투자자의 유형**: 위험회피형, 위험중립형, 위험선호형
- **평균 - 분산기준**: 미래수익률에 대한 전체 확률분포와 관계없이 확률분포의 평균(기댓값)과 분산만을 이용하여 기대효용극대화기준에 의한 선택과 동일한 선택을 할 수 있도록 해 주는 기준 ⇒ 지배원리
- **포트폴리오 이론**: 위험자산만 존재하는 상태에서 포트폴리오를 구성하여 투자하는 경우의 최적선택과정을 설명하는 이론 ⇒ 위험분산효과
- **자본자산가격결정모형(CAPM)**: 자본시장선(CML)과 증권시장선(SML)

### 재무비율분석

- **수익성비율**: 매출액영업이익률, 매출액순이익률, 자기자본이익률(ROE), 총자본(총자산)순이익률(ROA)
- **성장성비율**: 매출액증가율, 순이익증가율, 총자산증가율
- **활동성비율**: 총자본(총자산)회전율, 매출채권회전율, 재고자산회전율
- **안전성비율**: 유동성비율(유동비율, 당좌비율)과 안정성비율(부채비율, 자기자본비율, 이자보상비율)
- **시장가치비율**: 주가수익비율(PER), 주가 대 장부가치비율(PBR)

### 파생상품

- **옵션**: 미리 정해진 조건에 따라 일정한 기간 내에 상품이나 유가증권 등의 특정자산을 사거나 팔 수 있는 권리(콜옵션과 풋옵션) ⇒ 유럽형 옵션과 미국형 옵션
- **스왑**: 계약조건 등에 따라 일정시점에 자금교환을 통해서 이루어지는 금융기법 ⇒ 금리스왑, 통화스왑 등
- **선물**: 상품이나 금융자산을 미리 결정된 가격으로 미래 일정시점에 인수도할 것을 약속하는 거래

# 회계학

## 기초개념

- **분류**: 재무회계와 관리회계
- **회계정보의 질적 특성(일반회계기준)**: 목적적합성(예측가치, 피드백가치, 적시성)과 신뢰성(표현의 충실성, 검증가능성, 중립성)
- **회계정보의 질적 특성(한국채택국제회계기준)**: 근본적 질적 특성(목적적합성, 충실한 표현)과 보강적 질적 특성(비교가능성, 검증가능성, 적시성, 이해가능성)
- **회계의 순환과정**: 거래의 인식 → 거래분개 → 원장전기 → 수정전시산표 작성 → 결산정리사항(수정분개) → 수정후시산표(정산표) 작성 → 재무제표 작성
- **기업의 재무상태**: 자산 = 부채 + 자본
- **회계상 거래**: 기업의 경영활동에서 자산, 부채, 자본, 수익, 비용의 증감·변화를 일으키는 것 ⇒ 화폐금액으로 신뢰성있게 측정가능
- **재무제표의 종류**: 재무상태표(자산, 부채, 자본), 포괄손익계산서(수익, 비용), 현금흐름표(영업활동, 투자활동, 재무활동), 자본변동표, 주석
- **회계감사**: 독립된 제3자가 타인이 작성한 회계기록을 검토하고 회계기록의 적정성에 대하여 의견을 제시하는 것 ⇒ 적정의견, 한정의견, 부적정의견, 의견거절

## 다양한 회계처리

- **지출**: 자본적 지출(자산의 용역잠재력을 현저히 증가시키는 지출 ⇒ 원가배분)과 수익적 지출(당기의 회계기간에 대하여만 효익을 주는 지출 ⇒ 비용처리)
- **감가상각방법**: 정액법, 정률법, 이중체감법, 연수합계법, 생산량비례법
- **재고자산의 취득원가**: 매입원가, 전환원가 및 재고자산을 현재의 장소에 현재의 상태로 이르게 하는 데 발생한 모든 원가를 포함
- **재고자산의 수량결정**: 계속기록법과 실지재고조사법(실사법)
- **단위당 취득원가의 결정**: 선입선출법, 후입선출법, 가중평균법
- **매출원가**: 기초상품재고액 + 순매입액 - 기말상품재고액
- **판매가능자산**: 기초상품재고액 + 순매입액

취업강의 1위, 해커스잡
**ejob.Hackers.com**

해커스공기업 쉽게 끝내는 경영학 기본서

# PART 04
# 생산운영관리

**CHAPTER 01** 생산운영관리의 기초개념
**CHAPTER 02** 생산전략
**CHAPTER 03** 생산시스템의 설계
**CHATPER 04** 생산시스템의 운영 및 통제

# CHAPTER 01 생산운영관리의 기초개념

## 제1절 생산운영관리와 생산시스템

### 1 생산운영관리

#### 1. 의의
생산운영관리(operations management)는 원재료를 투입하여 고객에게 필요한 재화나 서비스와 같은 산출물을 생산하는 활동과 관련된 의사결정을 말한다. 따라서 생산운영관리에서는 생산전략과 생산시스템의 설계(design), 운영(operation), 통제(control) 등과 같은 다양한 관리활동을 강조한다. 대부분의 기업은 기업이 가지고 있는 다양한 형태의 자원(resources)을 활용하여 제품(유형의 재화와 무형의 서비스를 포함)을 생산하고 이를 고객에게 전달하는 활동들을 수행하는데, 이러한 과정의 설계, 운영 및 개선과 관련된 의사결정을 그 내용으로 하고 있는 분야가 바로 '생산운영관리'라고 할 수 있다.

#### 2. 구조
생산운영관리는 생산전략과 생산시스템이라는 두 가지 측면에서 이해할 수 있다. 생산전략(production strategy)은 생산운영관리와 관련된 활동을 수행하는 과정에서 기준과 같은 역할을 수행한다. 기업의 목적(objectives)이나 비전(vision)을 달성하는 데 가장 상위의 개념이 기업전략인 것과 마찬가지로, 생산운영관리에서는 생산전략이 가장 상위의 개념이 되는 것이다. 즉, 생산관리자는 기업이 전략과 경쟁우선순위를 결정하는 데 참여하고, 이를 통해 결정된 생산전략을 기반으로 하여 제품중심(product-focused)이나 공정중심(process-focused) 중 어떤 것을 중심으로 생산시스템(production system)을 구축하고 운영해야 할지를 결정하게 된다. 즉, 생산시스템은 생산전략을 수행하는 구체적인 수단이 되는 것이다.

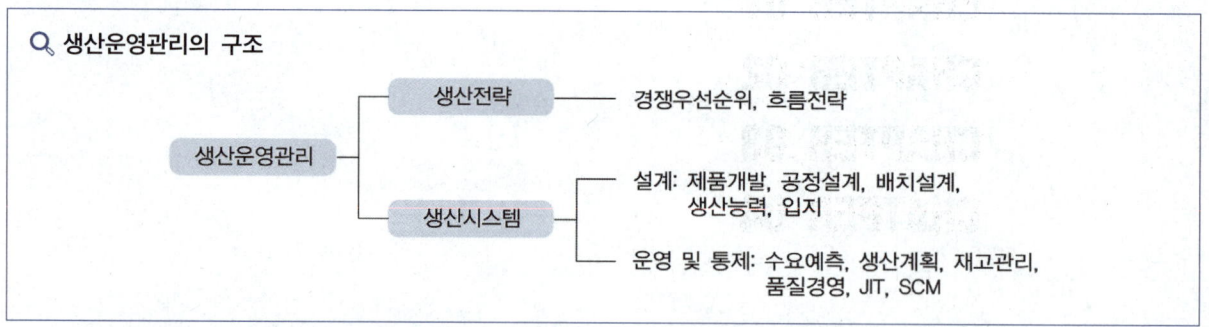

생산운영관리의 구조
- 생산운영관리
  - 생산전략 — 경쟁우선순위, 흐름전략
  - 생산시스템
    - 설계: 제품개발, 공정설계, 배치설계, 생산능력, 입지
    - 운영 및 통제: 수요예측, 생산계획, 재고관리, 품질경영, JIT, SCM

## 2 생산시스템

### 1. 의의

생산시스템이란 생산과정을 시스템적 관점에서 접근하는 개념을 말한다. 여기서 생산과정은 기업이 원자재를 제품으로 만드는 과정에서 가치가 증가됨을 의미하고, 시스템은 생산과정을 부분최적화의 관점이 아닌 전체최적화의 관점에서 접근하고자 하는 것을 의미한다.

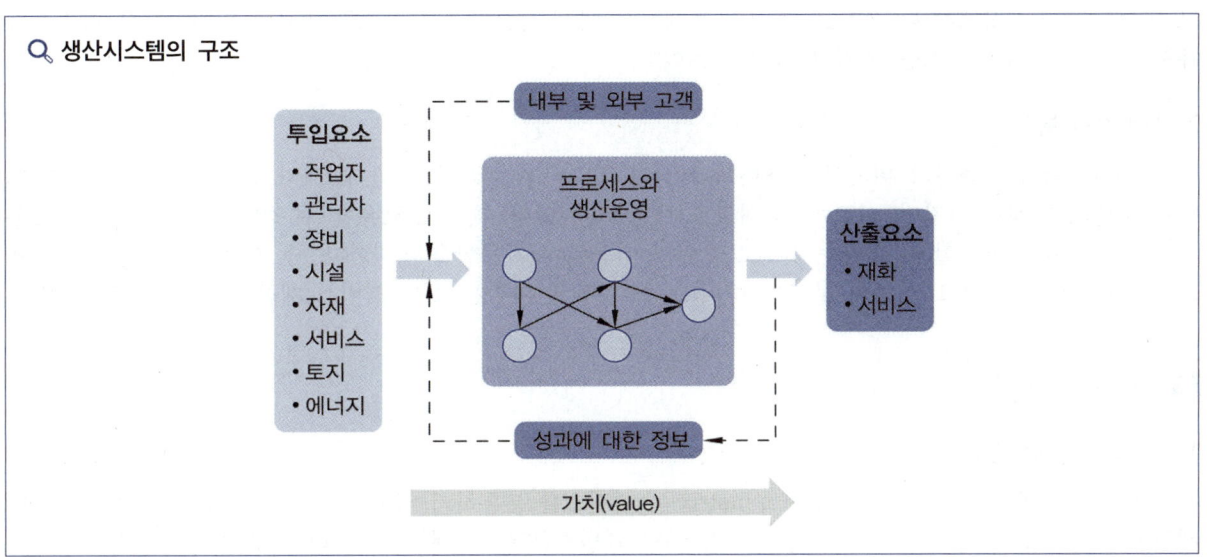

### 2. 구성요소

생산시스템은 투입요소(input)와 변환과정(transformation process), 산출물(output), 고객과 외부환경을 연결하는 정보흐름(feedback) 등으로 구성된다.

#### (1) 투입요소

자원(resources)과 동일한 개념으로 인적자원(작업자와 경영자), 자본(장비와 설비), 구입 원자재와 서비스, 토지, 에너지 등이 포함된다.

#### (2) 변환과정

하나 이상의 투입요소를 변환하여 생산된 산출물을 고객에게 제공하는 활동들을 의미하는데, 이 과정에서 가치창출도 동시에 일어난다.

#### (3) 산출물

변환과정을 통해 발생한 유형의 재화(goods)와 무형의 서비스(service)의 두 종류로 구분할 수 있다.

#### (4) 정보흐름

생산시스템에 영향을 미치는 환경요소와 지속적인 상호작용을 통해 정보를 교환하는 개방시스템이라고 할 수 있다.

## 제2절 서비스 운영관리

### 1 의의

#### 1. 개념

서비스 운영관리(service management)는 생산시스템의 변환과정을 통해 발생한 무형의 서비스를 대상으로 하는 관리방식을 말한다. 서비스 기업의 문제점에 대한 집중연구가 필요한 이유는 일반적으로 서비스가 유형의 재화와 다른 특징을 가지고 있기 때문이다.

#### 2. 서비스의 특징

서비스의 개념을 이해하기 위해서는 재화의 특징과 비교하여 이해해야 한다. 서비스는 일반적으로 형태가 없는 무형의 특징을 가지며, 이로 인해 재고로 보유할 수 없다. 재고로 보유할 수 없다는 것은 시간적 효용과 장소적 효용을 제공할 수 없다는 것으로 보관과 이동이 불가능함을 의미한다. 즉, 서비스는 생산과 동시에 소비가 이루어져야 하고, 이동이 불가능하기 때문에 고객과 가까운 곳에 서비스 제공시설이 위치해야 한다.

### 2 서비스의 분류

#### 1. 서비스 - 공정 매트릭스

서비스 - 공정 매트릭스(service-process matrix)는 서비스를 분류하기 위해 슈메너(Schmenner)가 1986년에 제안한 모형으로 서비스를 관여(또는 상호작용)와 개별화(또는 고객화) 정도라는 측면과 노동집약정도라는 측면의 두 가지 기준을 사용하여 서비스 공장(service factory), 서비스 숍(service shop), 대량 서비스(mass service), 전문서비스(professional service)의 4가지 유형으로 구분하였다.

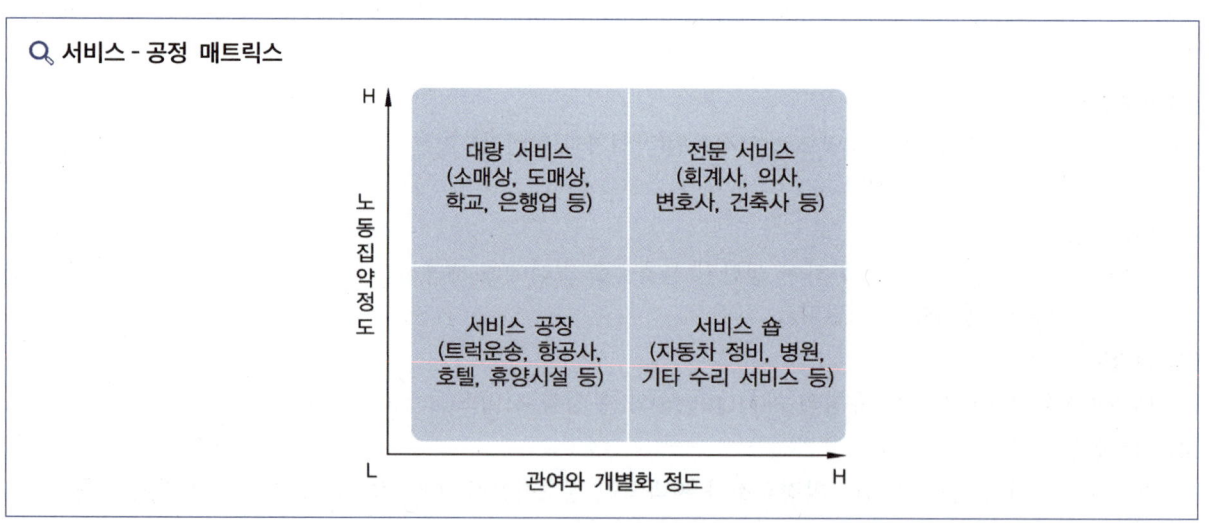

#### 2. 디커플링

디커플링(decoupling)은 서비스에 고객과 많이 접촉하는 요소와 적게 접촉하는 요소가 있다면 이 활동들을 서로 다른 업무로 분리하여 서로 다른 직원들이 맡게 해야 한다는 것을 말한다. 즉, 직접적인 고객접촉이 불필요한 부분을 백오피스(back office)로 분리하는 경우로, 학교의 학생서비스센터나 은행의 백오피스가 그 예시이다.

따라서 디커플링을 위해서는 인적자원의 운영이 중요한 문제가 되는데, 고객접촉이 많은 업무를 위해서는 원만한 인간관계와 대인접촉 기술을 갖춘 사람이 필요하며, 비접촉 업무를 위해서는 기술력과 분석력을 갖춘 사람이 필요하다. 기업들이 디커플링을 통해 기대하는 가장 큰 효과는 기업의 효율성 향상을 들 수 있는데, 고객들의 요구가 잠재적으로 업무에 방해될 수 있는 영역에서 고객과의 접촉이 없는 곳으로 옮기면 생산이 훨씬 부드럽게 진행될 수 있으며, 한 사람이 몇 가지 제한된 일을 계속해서 반복하다 보면 그 일을 수행하는 과정이 훨씬 효율적으로 변화되어 품질의 일관성을 높이고 비용을 절감하는 효과를 볼 수 있다. 하지만 이러한 디커플링은 때때로 비용을 증가시키기도 한다. 특히, 운송비용과 실질적인 실행비용이 증가할 때, 고객과 많이 접촉하는 직원들의 유휴시간이 많을 경우, 디커플링된 업무가 서로 중복될 경우, 직원 수를 줄이지 않은 상태에서 고객접촉이 많은 직원들의 업무량이 감소된 경우 등에서 오히려 비용이 증가할 수 있다.

## 3 서비스 패키지와 대기행렬모형

### 1. 서비스 패키지

서비스 패키지(service package)란 서비스 제공과 함께 제공되는 유형인 재화의 묶음을 말하는데, 이러한 서비스 패키지는 각각 두 가지 요소로 구성된다. 재화 부분은 서비스가 제공되기 이전에 서비스 장소의 물리적 자원을 의미하는 지원시설(예 호텔 건물)과 구매자가 구입하거나 소비하는 재화 또는 고객에게 제공되는 품목을 의미하는 촉진제품(예 비누와 화장지)으로 구성되며, 서비스 부분은 감각으로 쉽게 관찰할 수 있고 서비스의 핵심적 특징으로 이루어지는 효익을 의미하는 명시적 서비스(예 편안하고 안락한 잠자리)와 서비스의 부차적 특징으로 느끼는 심리적인 효익을 의미하는 묵시적 서비스(예 직원의 친절함)로 구성된다.

### 2. 대기행렬모형

대기행렬모형은 고객과 서비스 시설과의 관계를 설명하기 위해 확률이론을 적용하여 모형을 작성하고, 고객의 도착상황에 대응할 수 있는 적절한 경제적 규모(서비스 시설의 규모)를 결정하기 위한 기법을 말한다. 여기서 대기행렬(waiting line 또는 queue)은 시스템 내에서 서비스를 받기 위해 기다리고 있는 고객의 줄을 의미한다. 즉, 대기행렬모형의 목적은 고객만족 차원에서 대기시간(비용) 최소화라는 기업의 목표와 인력과 자원 할당을 위한 서비스 비용의 최소화라는 두 가지 상충하는 목표를 고려하여 총비용을 최소화하는 최적 서비스 시설의 규모(경로의 수)를 결정하는 데 있다. 이러한 대기행렬모형은 경로와 단계의 수에 따라 단일경로·단일단계모형, 다수경로·단일단계모형, 단일경로·다수단계모형 및 다수경로·다수단계모형으로 분류될 수 있는데, 여기서 경로란 서비스 시설의 수를 의미하고, 단계란 서비스 시설을 구성하는 구성요소의 수를 의미한다. 또한, 켄달(Kendall)은 대기행렬모형의 가정에 기초하여 대기행렬모형을 표기할 수 있는 표기법을 고안하였는데, 이를 켄달 표기법(Kendall notation)이라고 한다.

🔍 **대기행렬모형의 구조**

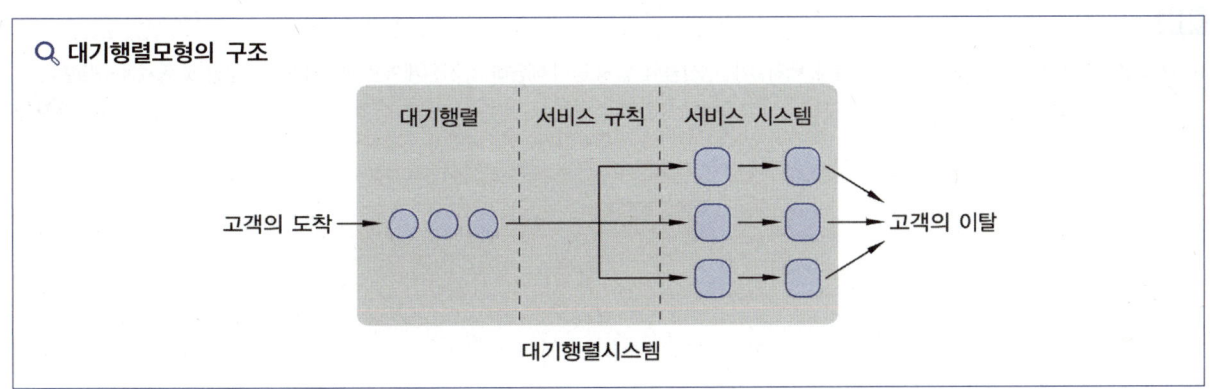

# 출제예상문제

CHAPTER 01 생산운영관리의 기초개념

### 4지선다형

**01** ☐☐☐ 2022년 군무원 9급 기출

다음 중에서 생산관리의 목적으로 가장 옳지 않은 것은?

① 원가절감  ② 최고의 품질
③ 유연성 확보  ④ 촉진강화

**해설**
촉진강화는 생산관리의 목적이 아니라 마케팅의 목적으로 보는 것이 타당하다.

정답 ④

**02** ☐☐☐ 2021년 군무원 9급 기출

생산시스템 설계과정에 해당하지 않는 것은?

① 생산입지선정  ② 자원계획
③ 설비배치  ④ 제품설계

**해설**
생산시스템의 설계과정에는 제품개발, 공정설계, 배치설계, 생산능력, 입지 등이 해당하고, 자원계획은 생산시스템의 운영 및 통제에 해당한다.

정답 ②

## 03 ☐☐☐ 2024년 군무원 7급 기출

다음 중 슈머너(R. W. Schmenner)가 제시한 서비스 프로세스 매트릭스에 대한 설명으로 가장 적절하지 않은 것은?

|  |  | 고객과의 상호작용 및 고객화 정도 | |
|---|---|---|---|
|  |  | 저 | 고 |
| 노동집약정도의 정도 | 저 | (가) | (나) |
|  | 고 | (다) | (라) |

① (가)유형은 유형제품의 생산공장처럼 표준화된 서비스를 대량을 공급하며, 항공사와 호텔이 포함된다.
② (나)유형에는 병원, 자동차 정비소 등이 포함된다.
③ (다)유형에는 도·소매점, 학교, 은행 등이 포함된다.
④ (라)유형에는 전문적인 교육을 받은 서비스 제공자가 고객의 일반적 요구에 맞는 서비스를 제공한다.

**해설**

(가)유형은 서비스 공장, (나)유형은 서비스 숍, (다)유형은 대량서비스, (라)유형은 전문서비스이다. 따라서 (라)유형에는 전문적인 교육을 받은 서비스 제공자가 고객의 일반적 요구가 아니라 고객화된 요구에 맞는 서비스를 제공한다.

**정답 ④**

## 04 ☐☐☐ 2010년 국가직 7급 기출

대기행렬은 은행이나 공항 등에서 고객들이 도착하여 자신이 원하는 서비스가 끝날 때까지 기다리는 행렬이다. 대기행렬모형에 대한 설명으로 옳지 않은 것은?

① 대기행렬모형은 대기시간 최소화와 비용 최소화라는 두 가지 상충되는 목표를 고려하여 총비용을 최소화하는 최적 서비스 시설의 수를 결정하는 데 있다.
② 대기행렬모형의 구조는 고객도착과 대기행렬로 구성된다.
③ 대기행렬모형의 종류에는 단일경로 단일단계, 단일경로 다수단계, 다수경로 단일단계, 다수경로 다수단계가 있다.
④ 대기행렬시스템에 도착하는 고객은 일정한 원칙없이 무작위로 도착한다고 가정하며, 일반적으로 포아송분포(Poisson distribution)가 널리 사용된다.

**해설**

대기행렬모형의 구조는 고객도착, 대기행렬, 서비스 시스템(서비스 제공자), 고객이탈로 구성된다.

**정답 ②**

## 5지선다형

**01** ☐☐☐ 2015년 공인노무사 기출

생산관리의 전형적인 목표(과업)로 옳지 않은 것은?

① 촉진강화
② 품질향상
③ 원가절감
④ 납기준수
⑤ 유연성제고

**해설**

촉진강화는 생산관리의 목표가 아니라 마케팅의 목표라고 할 수 있다.

**정답 ①**

---

**02** ☐☐☐ 2020년 가맹거래사 기출

생산관리의 목표에 해당하지 않는 것은?

① 원가우위
② 고객만족을 통한 순현가 극대화
③ 품질우위
④ 납기준수 및 단축
⑤ 생산시스템의 유연성 향상

**해설**

고객만족을 통한 순현가 극대화는 생산관리의 목표에 해당하지 않는다.

**정답 ②**

---

**03** ☐☐☐ 2012년 가맹거래사 기출

생산운영관리의 전형적 목표가 아닌 것은?

① 매출액 대비 제조원가 비율을 현행 60%에서 2년 뒤 50%로 낮춘다.
② 생산능력의 10% 변경기간을 현행 6개월에서 2년 뒤 2개월로 단축한다.
③ 재가공 및 재검사 비율을 현행 0.2%에서 2년 뒤 0.1%로 낮춘다.
④ 재고보충을 위한 리드타임을 현행 2주에서 2년 뒤 1주로 단축한다.
⑤ A제품의 시장침투율을 현행 15%에서 2년 뒤 30%로 증대한다.

**해설**

특정 제품의 시장침투율을 증대시키는 것은 생산운영관리의 목표라기보다는 마케팅의 목표로 보는 것이 적절하다.

**정답 ⑤**

## 04 2016년 공인노무사 기출

생산시스템 설계에 해당하는 것은?

① 일정관리  ② 시설입지  ③ 재고관리
④ 품질관리  ⑤ 수요예측

**해설**

생산시스템의 설계에 해당하는 의사결정에는 제품개발, 공정설계, 배치설계, 생산능력, 입지 등이 있다.

**정답 ②**

## 05 한국철도공사 기출동형

다음 중 서비스 숍(service shop)에 해당하는 것은 무엇인가?

① 항공사  ② 호텔  ③ 소매업
④ 변호사  ⑤ 병원

**해설**

병원은 서비스 숍에 해당한다.
① 항공사는 서비스 공장에 해당한다.
② 호텔은 서비스 공장에 해당한다.
③ 소매업은 대량 서비스에 해당한다.
④ 변호사는 전문 서비스에 해당한다.
서비스-공정 매트릭스는 서비스를 관여(또는 상호작용)와 개별화(또는 고객화) 정도라는 측면과 노동집약정도라는 측면의 두 가지 기준을 사용하여 서비스 공장(service factory), 서비스 숍(service shop), 대량 서비스(mass service), 전문 서비스(professional service)의 4가지 유형으로 구분하였다.

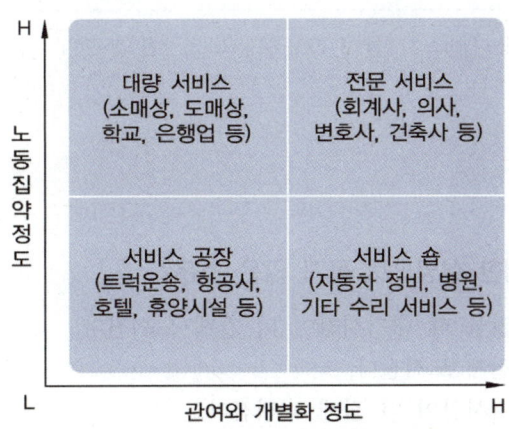

**정답 ⑤**

## 06 ☐☐☐ 한국농어촌공사 기출동형

**다음 중 서비스 운영관리(service management)에 대한 설명으로 옳지 않은 것은?**

① 서비스는 소멸성의 특징을 가지지만, 서비스를 소비한 결과인 서비스 효과는 지속성의 특징이 있다.
② 슈메너(Schmenner)는 서비스를 관여와 개별화 정도라는 기준과 노동집약정도라는 기준을 사용하여 4가지로 구분하였다.
③ 디커플링(decoupling)은 서비스 시설의 배치설계나 인적자원의 배치 등에 영향을 미친다.
④ 서비스 패키지(service package)는 명시적 서비스, 묵시적 서비스, 촉진제품, 지원시설 등으로 구성된다.
⑤ 대기행렬모형은 서비스 시설과 관련된 서비스 비용을 최소화시킴으로써 서비스 전달의 효율성을 최대화시키기 위한 모형이다.

**해설**
대기행렬모형은 고객만족 차원에서 대기시간(비용) 최소화라는 기업의 목표와 인력과 자원 할당을 위한 비용의 최소화라는 두 가지 상충하는 목표를 고려하는 총비용(대기비용과 서비스 비용의 합)을 최소화하는 최적 서비스 시설의 규모(경로의 수)를 결정하는 것이 목적이다    **정답 ⑤**


## 07 ☐☐☐ 한국철도공사 기출동형

**다음 중 대기행렬모형(waiting line model)에 대한 설명으로 옳지 않은 것은?**

① 대기행렬은 서비스에 대한 수요와 이를 제공하는 시스템 능력이 시간적으로 불일치하기 때문에 발생한다.
② 단계는 서비스 시설의 수를 의미하고, 경로는 서비스 시설을 구성하는 구성요소의 수를 의미한다.
③ 일반적으로 수요나 서비스 시간에 변동이 없고 충분한 용량이 제공된다면 대기행렬은 발생할 수 없다.
④ 대기행렬모형은 서비스업과 제조업 모두 적용할 수 있다.
⑤ 대기행렬모형을 표시하는 방법으로 켄달 표기법(Kendall notation)을 주로 사용한다.

**해설**
경로는 서비스 시설의 수를 의미하고, 단계는 서비스 시설을 구성하는 구성요소의 수를 의미한다.    **정답 ②**


## 08 ☐☐☐ 한국철도공사 기출동형

**다음 중 심리적 대기시간에 대한 설명으로 옳지 않은 것은?**

① 대기 중에 아무 일도 하지 않을 때 대기시간이 더 길게 느껴진다.
② 불공정하면 대기시간이 더 길게 느껴진다.
③ 서비스의 가치가 적으면 대기시간이 더 길게 느껴진다.
④ 서비스가 지체되는 원인을 알면 대기시간이 더 길게 느껴진다.
⑤ 주문하지 않고 대기하면 대기시간이 더 길게 느껴진다.

**해설**
서비스가 지체되는 원인을 알면 대기시간이 더 짧게 느껴진다.    **정답 ④**

# CHAPTER 02 생산전략

## 제1절 경쟁우선순위

### 1 의의

#### 1. 개념

경쟁우선순위(competitive advantages)란 기업의 장기적인 목표와 함께 시장의 요구를 충족시키기 위해서 필요한 역량을 말한다. 이를 고객의 입장에서 정의하면 고객이 원하는 것을 의미한다고 할 수 있다. 현대기업의 생산전략은 고객지향을 그 목표로 하고 있기 때문에 기업은 시장분석을 통해 각각의 세분시장에서 경쟁우위를 확보하기 위해 추구해야 할 시장의 요구를 파악하고, 이를 기업의 각 기능분야가 추구해야 할 역량으로 변환하기 위한 노력은 필수적이다.

#### 2. 유형

**(1) 원가**

원가(cost)란 경쟁기업보다 저원가로 제품을 생산하는 기업의 능력을 말한다. 가격을 낮추면 재화와 서비스에 대한 수요는 증가하지만, 재화나 서비스를 낮은 원가로 생산할 수 없다면 동시에 이익이 낮아지게 될 것이다. 따라서 원가에 기초하여 경쟁하려면 생산부문은 노무비, 원자재 구입원가, 불량품 폐기, 간접비 등을 줄이는 데 노력을 집중하여 단위당 원가를 줄여야 한다.

**(2) 품질**

품질(quality)은 다양하게 정의할 수 있지만, 일반적으로 고객만족의 정도를 말한다. 고객들이 만족을 느끼는 위치는 생산과정과 생산 이후로 구분되며, 생산과정의 품질측정을 고성능 설계(high-performance design)라고 하고, 생산 이후의 품질측정을 일관된 품질(consistent quality)이라고 한다.

① **고성능 설계(설계품질)**: 프로세스의 품질과 관련된 측면으로 무결점 제품을 생산하는 것을 말한다. 즉, 우수한 성능, 엄격한 허용오차, 높은 내구성, 영업부문이나 서비스센터 종업원들의 숙련도, 고객에 대한 친절한 지원(판매 후 고객지원이나 고객 금융의 주선) 등을 포함한다.

② **일관된 품질(적합품질)**: 제품의 품질과 관련된 측면으로 제품이 설계된 사양에 일치하는 정도를 말한다. 일관된 품질에 기초하여 경쟁하기 위해서는 오류를 감소시킬 수 있도록 생산시스템을 설계하고 감시할 필요가 있다.

**(3) 시간**

① **빠른 인도시간**: 인도시간을 최소화하는 경쟁우선순위를 말한다. 여기서, 인도시간은 재화나 서비스를 고객에게 인도할 때까지 소요되는 시간을 의미하는데, 이를 리드타임(lead time)이라고도 한다. 리드타임은 해당 기업이 추구하는 경쟁우선순위에 따라 재고를 보유하거나 여유생산능력을 보유함으로써 줄일 수 있다. 또한, 리드타임은 고객의 주문시점부터 재화나 서비스를 고객에게 인도할 때까지 소요되는 시간을 의미하는 주문 리드타임과 생산개시 시점부터 재화나 서비스를 고객에게 인도할 때까지 소요되는 시간을 의미하는 생산(제조) 리드타임으로 구분할 수 있다.

② **적시인도**: 고객이 원하는 시점에 제품을 전달하는 능력을 말한다. 일반적으로 적시인도는 약속된 납품시간(납기)을 엄수하는 빈도를 의미하기 때문에 소비자와 약속한 납기에 제품을 인도하는 비율로 측정한다.

③ **개발속도**: 초기의 아이디어 창출부터 최종 설계 및 생산까지의 시간을 말한다. 이는 **신제품이 얼마나 빨리 시장에 진입하는가**를 측정하며, 신제품을 시장에 처음 도입하는 기업 입장에서는 경쟁에서의 우위를 점할 수 있도록 해준다.

### (4) 유연성

유연성(flexibility)이란 **변화에 대응하는 기업의 능력**을 말한다. 유연성은 변화의 형태에 따라 수량 변화에 대한 수량유연성(volume flexibility)과 고객욕구 변화에 대한 고객화(customization)로 구분할 수 있다.

① **수량유연성**: 급격한 수요변동에 대응하기 위해서 산출량을 늘리거나 줄일 수 있는 능력을 말한다. 이러한 수량유연성은 개발속도나 빠른 인도시간과 같은 다른 경쟁우선순위를 달성하게 하는 중요한 운영능력이라고 할 수 있으며, 일반적으로 기업이 가지고 있는 **초과생산능력이나 재고를 통해 달성 가능**하다.

② **고객화**: **개별적인 고객의 독특한 요구**와 계속적으로 변화하는 제품설계를 충족시킬 수 있는 기업의 능력을 말한다. 고객화는 특히 고객의 특정한 요구를 처리하거나 설계를 변경할 수 있을 만큼 생산 시스템이 유연해야 함을 의미하기도 한다.

## 2 경쟁우선순위 간의 관계

### 1. 상충모형

상충모형이란 일반적으로 생산설비는 다양한 경쟁우위요소를 동시에 수행할 수 없으며, 어떤 경쟁우위요소를 달성하기 위해서는 다른 경쟁우위요소를 포기해야 하는 **상충적인 관계**를 가지고 있다는 것을 의미한다. 원가와 품질의 경우에는 품질을 높이려면 원가가 높아지고 원가를 낮추려면 품질이 떨어지게 되며, 납기와 재고의 경우에는 납기를 줄이려면 재고에 대한 투자를 늘려야 하고 재고에 대한 투자를 줄이면 납기가 길어질 수 있다. 따라서 상충모형에 의하면, **원가, 품질, 신뢰성, 유연성 등과 같은 경쟁우위요소들 중에서 어느 하나의 능력에 초점을 맞추어 기업의 관심과 자원을 집중시켜야 한다.**

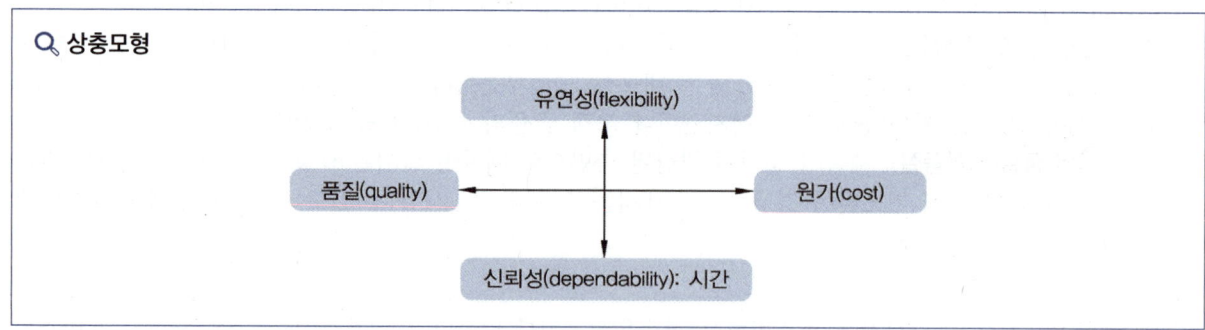

## 2. 누적모형

누적모형이란 어떤 기업이 경쟁우선순위로 유연성을 원한다면 그 이전에 품질, 신뢰성, 원가효율성에 대한 능력이 선행되어야 한다는 모형을 말하는데, 추후에 모래성 모형(sand-cone model)으로 발전하였다. 누적모형에 따르면 품질향상이 다른 능력의 기초가 되며, 그 다음에 신뢰성의 능력이 추가될 수 있다. 품질과 신뢰성의 능력이 증가하면 원가효율성이 향상되고, 마지막으로 유연성의 능력이 달성된다.

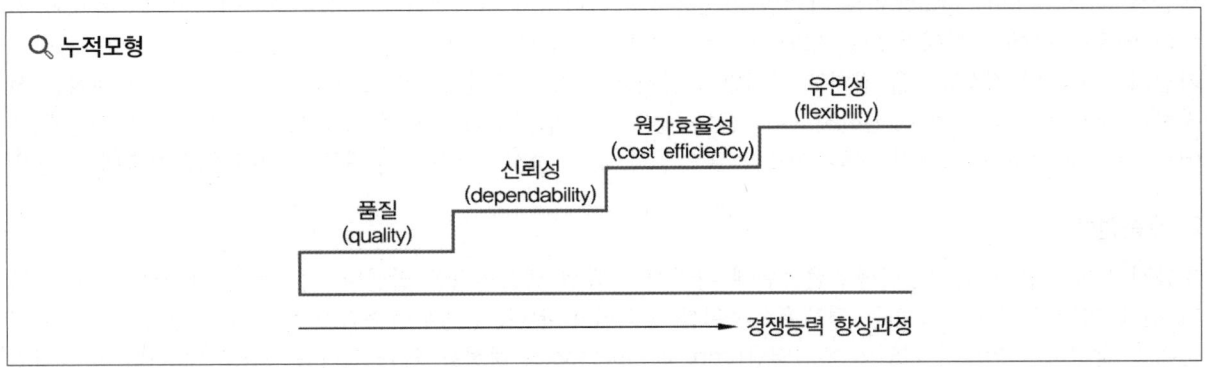

## 3. 경쟁우선순위의 선택

상황에 따라서는 모든 경쟁우선순위를 동시에 향상시킬 수 있는데, 불량품을 줄이고 품질을 향상시킴으로써 기업은 비용을 줄이고 생산성을 높이면서 인도시간을 단축시킴으로써 이들을 모두 동시에 달성할 수 있다. 그러나 어느 한 경쟁우선순위의 개선이 계속되어 어느 수준 이상이 되면 다른 경쟁우선순위와의 상충관계가 발생하게 되고, 이러한 경우에는 기업이 강조하고 싶은 경쟁우선순위를 선택해야만 한다. 때에 따라서는 특정한 경쟁우선순위가 특정 세분시장에서 사업을 하기 위해 필요한 최소요건이 되기 때문에 상충관계를 적용할 수 없는 경우도 있는데, 이러한 최소요건을 주문획득 자격요건(order qualifier)이라고 한다. 이러한 상황에서는 특정 차원에서 어느 수준 이상의 성과를 보이지 못하는 재화나 서비스에 대해서는 고객이 주문을 하지 않을 것이다. 주문획득 자격요건을 만족시킨다고 해서 시장에서의 성공을 보장할 수는 없다. 이는 오직 기업으로 하여금 경쟁할 수 있는 자격을 준 것에 불과하다.

## 제2절 흐름전략

### 1 생산전략과 흐름전략

#### 1. 생산전략
생산전략(operations strategy)은 기업의 기능전략의 하나로서 사업전략의 핵심부문이며, 기업의 목표와 전략의 테두리 속에서 전체적으로 조화되는 생산능력을 개발하고 전개하는 것을 말한다. 따라서 생산전략은 기업의 장기적인 경쟁전략을 최대로 지원함과 동시에 기업의 생산자원을 사용하기 위한 정책 및 계획을 설정하는 것과 관련되어 있고, 생산전략이 기업전략 또는 사업전략과 일관된 내용으로 잘 수립되고 구현될 때에는 저렴한 제조비, 고품질 제품, 제조상 유연성과 같은 경쟁우위를 제공해주어 경쟁력을 창출하게 된다.

#### 2. 흐름전략
흐름전략(flow strategy)은 **경쟁우선순위에 따라서 수립된 생산전략**을 말한다. 기업들은 생산전략을 수립하기 전에 기업이 목적으로 하는 경쟁우선순위를 선택하게 된다. 경쟁우선순위가 선택되면 선택된 경쟁우선순위를 달성하기 위하여 기업의 핵심역량(core competencies)형성을 위한 전략을 수립하게 된다. 일반적으로 기업에서 고려되는 대표적인 경쟁우선순위는 **원가(cost)** 와 **유연성(flexibility)** 이 있으며, 이에 따라 **라인흐름전략**과 **유연흐름전략**이 결정된다.

### 2 유형

흐름전략은 추구하는 경쟁우선순위에 따라 원가를 경쟁우선순위로 하는 라인흐름전략과 유연성을 경쟁우선순위로 하는 유연흐름전략으로 구분할 수 있으며, 중간형태인 중간흐름전략도 있다.

**흐름전략의 비교**

| 구분 | 라인흐름전략 | 유연흐름전략 |
| --- | --- | --- |
| 제품 | 대량의 표준화된 제품 | 소량의 고객화된 제품 |
| 경쟁우선순위 | 저원가 강조 | 수량유연성과 고객화 강조 |
| 제품수명주기 | 긴 제품수명주기 | 짧은 제품수명주기 |
| 대응방식 | 늦은 퇴출에 대한 대응 | 빠른 퇴출에 대한 대응 |
| 품질 | 일관된 품질 | 고성능 설계 |
| 인도시간 | 짧은 인도시간 | 긴 인도시간 |

⇩
중간흐름전략

## 1. 라인흐름전략

라인흐름전략(product-focused strategy)은 고도로 자동화된 설비를 이용하여 소수의 표준화된 제품을 대량으로 생산하는 전략으로, 원가를 경쟁우선순위로 선택하는 생산전략을 말한다. 라인흐름전략에서는 장비와 인력이 재화와 서비스 중심으로 조직되며, 소수의 표준화된 제품을 대량으로 생산하는 데 적합한 고도로 자동화된 설비 이용이 가능해진다. 특히, 라인흐름전략을 선택하는 공장을 집중화 공장(focused factory)이라고 하는데, 이는 각 공장이나 설비에 단 하나의 사명(mission)만을 부여함으로써 이에 생산능력을 집중하는 것을 의미하고 '한 공장이 모든 분야에서 좋은 성과를 낼 수 없다'는 개념과 '단순성과 반복은 능력을 향상시킨다'는 개념을 포함하고 있다.

## 2. 중간흐름전략

중간흐름전략(intermediate flow strategy)은 라인흐름전략과 유연흐름전략의 중간형태를 말한다. 생산량은 상대적으로 많으므로 다수의 주문을 동시에 처리할 수 있고, 수요가 충분히 예측가능하다면 사전에 몇몇의 표준화된 제품과 부품을 생산할 수 있다. 중간흐름전략을 취하게 되면 **대량고객화(mass customization)**를 달성할 수 있는데, 대량고객화란 정보기술과 유연성 있는 생산공정의 이용이 용이해짐에 따라 개별 고객에게 상대적으로 낮은 비용 또는 합리적인 원가를 실현함과 동시에 대량으로 제품을 개별화 또는 고객화하여 제공하는 것을 의미한다.

## 3. 유연흐름전략

유연흐름전략(process-focused strategy)은 제품을 주문생산이나 고객화하여 소량생산하는 전략으로, 유연성 또는 고객화를 경쟁우선순위로 선택하는 생산전략을 말한다. 유연흐름전략을 사용하는 기업은 고객화된 재화와 서비스를 광범위하게 소량으로 생산하고, 여러 종류의 기계와 작업자들을 하나의 공정으로 묶어 특정한 기능을 요구하는 모든 재화와 서비스를 다룰 수 있으며, 이러한 기능을 필요로 하는 모든 재화와 서비스들이 이 공정을 지나가게 된다.

## 출제예상문제

**CHAPTER 02 생산전략**

### 4지선다형

**01** ☐☐☐ 2021년 군무원 7급 기출

생산전략과 경쟁우선순위에 대한 설명으로 가장 옳지 않은 것은?

① 품질(quality)경쟁력은 산출된 제품과 설계된 사양의 일치 정도인 설계품질(quality of design)의 측면으로 생각해 볼 수 있다.
② 유연성(flexibility)경쟁력은 제품 수량의 유연성과 고객화의 2가지 측면으로 구분할 수 있으며, 고객이 원하는 시점에 제품을 전달하는 능력은 적시인도(on-time delivery)를 의미한다.
③ 경쟁우선순위의 상충모형에서는 품질(quality)은 원가(cost)와 상충되며 신뢰성(reliability)은 유연성(flexibility)과 상충되는 관계를 가진다.
④ 라인흐름전략(product-focused strategy)은 저원가에 대한 강조를 중요시 여기며 대량의 표준화된 제품을 만들기 위한 전략이다.

**해설**

품질(quality)경쟁력은 산출된 제품과 설계된 사양의 일치 정도인 적합품질(quality of conformance)의 측면으로 생각해 볼 수 있다. **정답** ①

## 02 ☐☐☐ 2016년 서울시 7급 기출

원가(cost)를 경쟁우선순위(competitive priority)로 하는 제조업체가 가지는 일반적인 특징으로 가장 옳은 것은?

① 다품종 소량생산체제를 가지고 있다.
② 다양한 일을 처리할 수 있도록 작업자들을 교차훈련시킨다.
③ 생산라인 자동화를 위한 투자가 비교적 많이 이루어진다.
④ 고객맞춤형 제품을 주력으로 생산한다.

### 해설
① 소품종 대량생산체제를 가지고 있다.
② 전문화를 강조한다.
④ 고객맞춤형 제품을 주력으로 생산하는 것은 고객화(customization)를 경쟁우선순위로 하는 경우이다.

정답 ③

## 03 ☐☐☐ 2015년 국가직 7급 기출

커피를 생산하는 기업의 경쟁우위 확보를 위한 수단 및 효과에 대한 설명으로 옳지 않은 것은?

① 제품 생산 프로세스를 바꾸어 동일품질의 제품을 생산하는 데 걸리는 시간을 단축하였다.
② 모든 구성원을 대상으로 종합적 품질경영에 참여하도록 독려하여 고객만족도를 향상시켰다.
③ 신기술 도입으로 원두 가공방식을 수정하여 커피의 품질을 향상시켰다.
④ 제품을 납품하는 대형마트의 재고시스템과 연계된 생산시스템을 도입하여 재고회전율을 낮췄다.

### 해설
재고회전률은 매출액(또는 매출원가)을 평균재고로 나누어 계산한다. 재고회전률이 높으면 그만큼 제품이 잘 팔리고 있다는 의미이고 장사가 잘 된다고 할 수 있다. 따라서 재고회전률을 낮췄다는 것은 경쟁우위확보를 했다고 볼 수 없다.

정답 ④

## 5지선다형

**01** ☐☐☐ 2024년 공인노무사 기출

기업에서 생산목표상의 경쟁우선순위에 해당하지 않는 것은?

① 기술
② 품질
③ 원가
④ 시간
⑤ 유연성

**해설**

기업에서 생산목표상의 경쟁우선순위에는 원가, 품질, 시간, 유연성이 있다. 따라서 기술은 기업에서 생산목표상의 경쟁우선순위에 해당하지 않는다.

정답 ①

**02** ☐☐☐ 한국도로공사 기출동형

다음 중 시간(time)과 관련된 경쟁우선순위에 대한 설명으로 옳지 않은 것은?

① 빠른 인도시간은 인도시간을 최소화하는 경쟁우선순위를 말한다.
② 적시인도는 고객이 원하는 시점에 제품을 전달하는 능력을 말한다.
③ 적시인도는 소비자와 약속한 납기에 제품을 인도하는 비율로 측정한다.
④ 빠른 인도시간보다 적시인도를 경쟁우선순위로 채택하는 기업이 재고나 여유생산능력을 보유하는 것의 의미가 더 크다.
⑤ 개발속도는 신제품이 얼마나 빨리 시장에 진입하는가를 측정한다.

**해설**

기업이 재고를 보유하거나 여유생산능력을 보유함으로써 인도시간을 줄일 수 있기 때문에 적시인도보다는 빠른 인도시간을 추구하는 경우에 재고나 여유생산능력의 의미가 더 크다.

정답 ④

## 03 □□□ 서울주택도시공사 기출동형

경쟁우선순위 간의 관계를 설명하는 대표적인 모형에는 상충모형과 누적모형이 있다. 다음 중 나머지와 성격이 다른 하나는?

① 일반적으로 생산설비는 다양한 경쟁우위요소를 동시에 수행할 수 없다.
② 어떤 경쟁우위요소를 달성하기 위해서는 다른 경쟁우위요소를 포기해야 하는 상충적인 관계를 가진다.
③ 어떤 기업이 경쟁우선순위로 유연성을 원한다면 그 이전에 품질, 신뢰성, 원가효율성에 대한 능력이 선행되어야 한다.
④ 원가, 품질, 신뢰성, 유연성 등과 같은 경쟁우위요소들 중에서 어느 하나의 능력에 초점을 맞추어 기업의 관심과 자원을 집중시켜야 한다.
⑤ 원가와 품질의 경우에는 품질을 높이려면 원가가 높아지고 원가를 낮추려면 품질이 떨어지게 된다.

**해설**

누적모형에 대한 설명이다.
①, ②, ④, ⑤ 상충모형에 대한 설명이다.

정답 ③

## 04 □□□ 한국철도공사 기출동형

다음 중 생산전략에서 흐름전략에 대한 설명으로 옳지 않은 것은?

① 생산시스템에서의 흐름은 크게 유연흐름전략과 라인흐름전략으로 구분할 수 있다.
② 중간적 성격을 가지는 경우에는 중간흐름전략으로 별도 구분할 수 있다.
③ 유연흐름전략은 라인흐름전략에 비해 리드타임이 상대적으로 길다.
④ 동일한 제품을 생산하는 경우에는 유연흐름전략이 라인흐름전략보다 생산원가가 더 낮다.
⑤ 품질 측면에서는 유연흐름전략은 고성능 설계, 라인흐름전략은 일관된 품질의 확보가 중요하다.

**해설**

라인흐름전략은 규모의 경제에 가까운 개념으로, 단일제품을 대량으로 생산함으로써 리드타임도 줄이고 생산원가를 낮추는 것을 목표로 한다.

정답 ④

# CHAPTER 03 생산시스템의 설계

## 제1절 제품개발

### 1 의의

#### 1. 개념
신제품의 개발은 기업의 중요한 과제들의 하나로서 향후 이루어질 기업의 생산, 조달, 물류, 판매과정에 많은 영향을 미치게 된다는 점에서 전략적이고 체계적인 접근이 요구된다. 즉, 신제품과 관련된 사항이 확정되면 제품의 기술적인 특성에 따라서 생산라인이 재배치되고 필요한 부품의 조달이 계획되어야 하며 일련의 마케팅활동 또한 조정될 수도 있을 것이다. 또한, 제품개발의 속도가 빨라지고 소비자의 기호가 다양해짐에 따라 제품의 수명주기(product life cycle)는 지속적으로 짧아지게 되고, 이에 따라 기업의 제품개발능력은 기업의 성장가능성을 예견하는 데 중요한 지표가 된다.

#### 2. 제품개발과정

**(1) 고객의 욕구파악 및 아이디어 창출**
고객의 충족되지 않은 욕구를 이해하고 이를 충족시키기 위한 아이디어를 창출하는 단계이다. 아이디어는 그 성격에 따라 기존 제품의 간단한 수정이나 새로운 기능의 추가로 실현할 수 있는 아이디어와 전혀 새로운 제품의 개발을 요구하는 아이디어가 있다. 또한, 아이디어는 제조기술의 변경이나 신기술의 개발로 연결되기도 한다.

**(2) 제품 선정**
여러 아이디어 중 시장잠재력, 재무적 타당성 및 생산적합성 등의 평가를 충족시키는 최상의 아이디어를 선정하는 과정으로 대략적 제품개념(product concept)이 정의되고, 시장분석을 비롯하여 여러 가지 분석과 타당성 조사를 실시하게 된다.

**(3) 예비제품 설계**
개발이 승인된 제품 개념은 설계부서로 전달되어 예비 및 세부설계가 개발되는데, 도면상의 설계를 실물로 만들어 보는 원형제작(prototyping)의 과정을 거치게 된다. 일반적으로 원형제작은 최종 확정 전까지 여러 번 반복되고 적지 않은 시간이 소요되는데 CAD(computer aided design)를 통한 모형제작은 외형테스트와 변경에 걸리는 시간을 줄여줄 뿐만 아니라, 제품에 관한 제반 정보를 데이터베이스화하여 쓸 수 있다는 장점이 있다.

**(4) 최종제품 설계**
① **기능설계**: 제품이 어떤 성능을 지니며 이 성능들이 어떻게 작동될 것인가를 규정하는 과정으로 신뢰성(reliability)과 유지보수성(maintainability)을 기준으로 하게 된다. 신뢰성은 제품을 일정기간 동안 고장 없이 사용할 수 있는 수준을 말하고, 유지보수성은 제품의 수리 및 보수가 얼마나 저렴하고 용이하게 될 수 있는지의 수준을 말한다.
② **형태설계**: 제품의 모양, 색깔, 크기 등과 같은 외형과 관련된 설계로, 소비자의 제품 이용성(usability)을 높이고 제품의 고유 이미지를 형성하게 된다.

③ **생산설계**: 형태설계와 밀접한 관련을 가지며, 제품을 생산하는 데 있어서의 용이성과 그로 인한 비용 절감에 관심을 두게 되는데, 이를 위해 단순화(simplification), 표준화(standardization), 모듈러 설계(modular design) 등의 방법을 사용하게 된다. **단순화**는 제품을 생산하는 데 필요한 부품, 중간 조립품 혹은 옵션의 수를 줄이는 것을 의미하고, **표준화**는 부품의 크기, 모양, 성능 및 기타의 특징들을 규정하는 과정으로 표준화된 부품의 사용을 통하여 부품 설계시간의 감소, 부품의 대량생산과 구매로 인한 비용 절감, 구매와 자재 취급의 용이, 품질검사 노력의 절감 등의 효과가 있다. **모듈러 설계**는 제품계열에 있는 여러 가지 상이한 제품에 사용될 수 있는 일련의 기본적인 부품(또는 모듈)을 설계하는 것을 말하는데, 이를 통해 **대량고객화(mass customization)**의 개념을 달성할 수 있다.

### 3. 제품개발과 제품설계

제품개발과 제품설계는 구분되어야 할 개념으로 제품설계는 제품개발과정의 한 단계로 이해할 수 있으며, 보다 나은 제품설계는 시장성과 생산가능성을 높여 줄 수 있다. 통상적인 제품개발과정은 아이디어 창출과 제품선정, 예비제품 설계 및 최종제품 설계로 요약될 수 있다. 선택된 아이디어를 바탕으로 마케팅부서는 시장성을 염두에 두고 제품설계에 임하는 반면, 생산부서는 제안된 설계가 원활히 생산될 수 있는지를 고려한다. 복잡한 설계는 생산과정에서의 비용을 높여 가격경쟁력을 떨어뜨릴 수 있다. 따라서 설계과정에서 **마케팅과 생산부서와의 긴밀한 의사소통은 필수적**이다.

## 2 제품설계의 개선

### 1. 원가와 가치

제품설계의 개선성과를 측정하는 대표적인 지표에는 원가(cost)와 가치(value)가 있다. 원가와 가치 사이에는 차이가 있는데, **원가는 재화 또는 서비스를 만들기 위해 사용된 자원을 화폐로 환산한 값**을 의미하고, **객관적**인 특징을 가지고 있다. 그러나 **가치**[90]는 재화나 서비스의 유용성에 대해 소비자가 인지하는 정도로 '**효용(benefit)/원가(cost)**'로 정의할 수 있고, **주관적**인 특징을 가지고 있다.

### 2. 동시설계

**(1) 의의**

동시설계(concurrent design)는 **동시공학(concurrent engineering)**이라고도 하는데, 개별부서에 의해서 이루어지는 순차적 설계과정을 **설계팀에 의해 동시에 이루어지도록 하는 설계과정의 변화**를 의미한다. 즉, 제품설계와 공정설계를 마케팅, 엔지니어링, 생산부서 간의 공통의 활동으로 통합하고자 하는 개념을 의미한다. 이는 제품의 설계, 기술, 생산, 마케팅, 서비스 등의 전 과정을 거쳐 서로 다른 부서로부터 **다기능 팀(multi-functional team)**을 구성하고, 팀워크를 중시하여 함께 협력하는 제품개발 방식으로서 **병렬적 설계과정**으로 이해할 수 있다.

**(2) 장단점**

동시설계는 제품개발과정에 필요한 모든 과정이 참여하기 때문에 개발과정을 단축시키고 시행착오로 인한 재작업률을 줄일 수 있는 장점이 있는 반면에, 많은 과업이 병렬적으로 수행되기 때문에 일정계획이 더 복잡해질 수 있다는 단점이 있다.

---

[90] 가치를 분석하는 대표적인 기법에는 가치공학(value engineering)과 가치분석(value analysis)이 있다. 가치공학은 제품을 선정하고 설계할 때 사용하는 기법으로 제품을 설계할 때 엔지니어는 반드시 사용한 부품과 원자재가 비용에 어떤 영향을 끼쳤는지를 고려하여야 한다. 이에 반해, 가치분석은 가치공학과는 달리 생산과정에서 발생하는 비용을 줄이기 위해 사용하는 기법이다. 따라서 기존 제품에 적용되면 가치분석이고, 신제품에 적용되면 가치공학이라고 한다.

## 3. 품질기능전개

### (1) 의의
품질기능전개(quality function deployment, QFD)는 **고객의 요구를 설계나 생산에서 사용하는 기술적 특성과 연결하여 기업의 각 부서에 전달될 수 있게 하는 기법**으로 표준화된 의사소통을 위한 방법을 말한다. 품질기능전개는 전자, 가전, 의류, 장비 및 서비스 산업에서 널리 이용되고 있으며, 제품설계 뿐만 아니라 신제품 도입에도 사용된다. 또한, 품질기능전개는 **품질개선의 방법**으로 이해되기도 한다.

### (2) 품질의 집
품질의 집(house of quality)은 품질기능전개의 개념을 구현하기 위한 도구로서 **표준화된 문서양식을** 말한다. 품질의 집은 행렬의 형태로 행렬의 왼쪽에는 고객의 요구를 나열하고 행렬의 위쪽에는 기술적 특성을 나열하며, 행렬의 안쪽에는 고객의 요구가 각각의 기술적 특성과 어떠한 관련이 있는지 나타내는 기호를 표시한다.

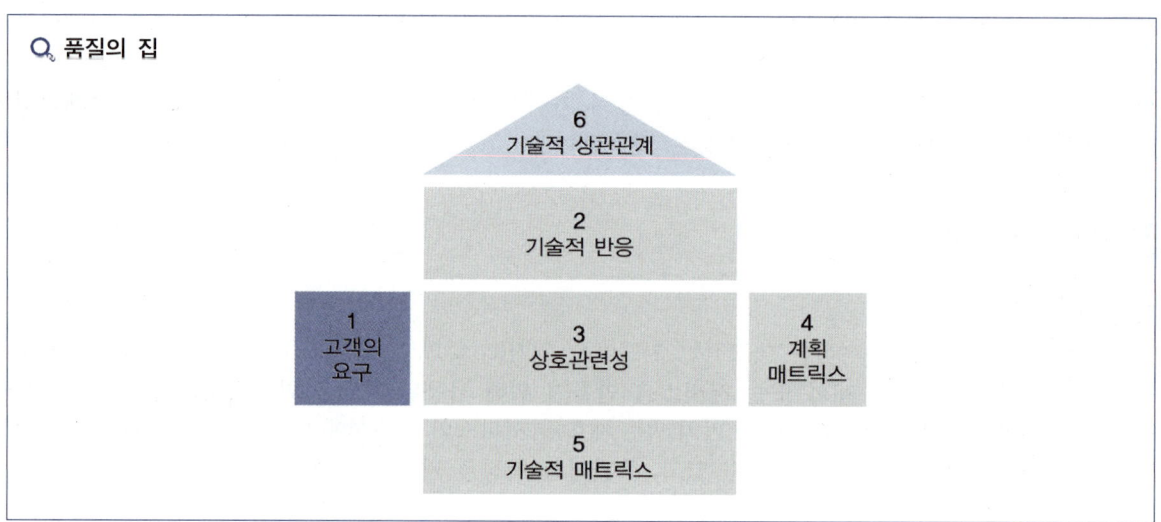

## 4. 로버스트 설계(강건설계)

로버스트 설계(robust design)는 **제품이 노이즈(noise)에 둔감한, 즉 노이즈에 의한 영향을 받지 않거나 덜 받도록 하는 설계**를 의미한다. 즉, 불리한 작업조건과 환경에서도 지속적으로 성능특성이 균일한 제품이 생산되도록 설계하는 것을 말한다. 일반적으로 기업은 노이즈를 발견하였을 때 노이즈를 제거하거나 차단하는 방법을 강구하지만, 그것이 불가능한 경우에는 노이즈에 의한 영향을 없애거나 줄일 방법을 찾게 된다. 즉, 노이즈는 그대로 두고 제품이 그 노이즈에 둔감하도록 설계하는 것이다. 이를 통해 노이즈를 제거하거나 차단하기 위해 생산공정을 재설계하는 종래의 방법보다는 비용이 덜 들게 된다.

## 5. 제조용이성 설계

제조용이성 설계(design for manufacturability, DFM)는 **제품의 생산이 용이하고 경제적으로 이루어질 수 있도록 하는 제품설계**를 말한다. 이는 제품설계가 제품생산과정에 미치는 영향을 미리 고려하여 제조에 용이한 제품 및 설계특성을 확인하고, 제작 및 조립에 용이한 부품을 설계하는 데 초점을 맞추며, 제품설계와 공정설계를 통합하게 된다. 또한, 생산설계에 있어서의 **단순화(simplification)와 모듈화(modularization)는 제조용이성 설계를 실현하기 위한 방법**이라고 할 수 있다.

## 6. 환경친화형 설계

환경친화형 설계(design for environment, DFE)는 재생된 부품을 이용할 수 있도록 제품을 설계하거나 소비자가 소비한 후 기업이 제품을 수거하여 사용가능한 부품을 손쉽게 재활용할 수 있도록 제품을 설계하는 것을 말한다. 이는 불필요한 포장을 최소화하고 필요한 자재와 에너지의 소비를 최소화하는 것을 그 내용으로 한다.

## 7. 서비스청사진

무형적인 서비스도 사전에 계획되고 설계되어야 하며, 기존의 서비스도 재화와 마찬가지로 지속적 개선이 필요하다. 서비스의 설계나 개선을 위해서는 관계자들 사이에 명확히 소통될 수 있는 서비스 설계도가 필요한데, 이것이 서비스청사진(service blueprint)이다. 이는 고객이 경험하는 서비스사이클의 각 단계를 여러 서비스제공자가 취하는 개별적 조치들과 연관시켜 작성한 흐름도이다. 서비스청사진의 특징 중 하나는 가시선을 기준으로 서비스 프로세스에 포함된 일련의 서비스 활동을 두 부분으로 나눈다는 것이다. 가시선 위에 있는 현장활동은 고객이 눈으로 볼 수 있는 부분이고, 가시선 아래에 있는 후방활동은 서비스 임무의 달성을 위해 꼭 필요하지만 고객의 눈에는 보이지 않는 부분이다. 일반적으로 가시선은 현장업무와 후방업무를 물리적으로 구분하는 시설물이나 경계선이 되는 경우가 많다.

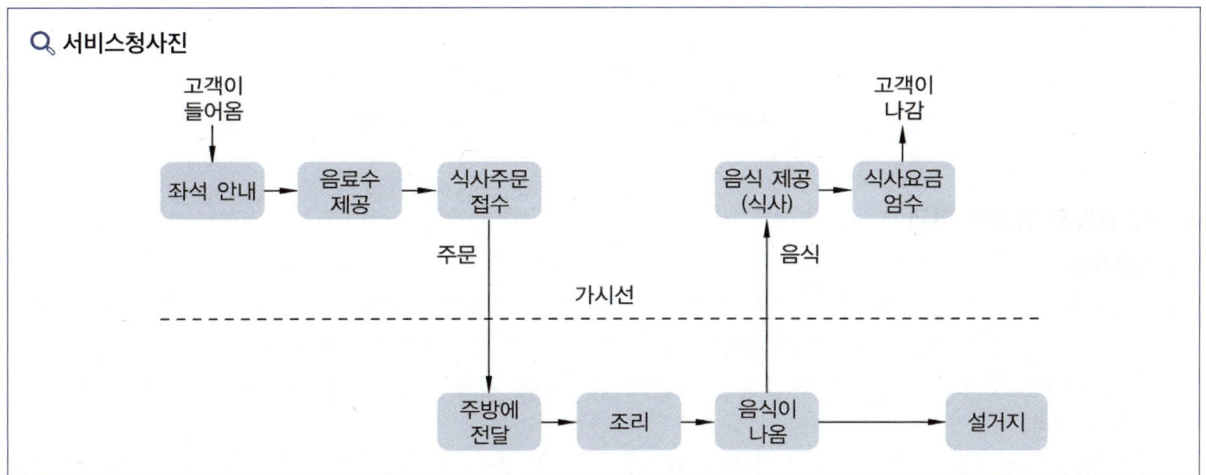

## ③ 기술경영

### 1. 의의

기술경영(technology management)은 R&D, 엔지니어링, 경영진이 모두 연계되어 새로운 기술적 역량을 계획하고 실행함으로써 기업전략 및 생산전략을 달성하는 것을 말한다. 여기서 기술은 재화와 서비스를 생산하기 위해 이용되는 모든 노하우, 물리적인 실체 및 절차를 말한다.

## 2. 기술의 S-curve

대부분의 기술들은 시간에 따른 기술수준의 진보 정도가 S자 곡선모양을 하고 있다. 그래프에서 가로축을 시간 또는 노력으로 놓고 세로축을 기술수준이라고 놓았을 때, 처음 얼마간은 기술수준이 느리게 진보되는 모습을 보인다. 그러다가 어느 순간 그 수준이 급속도로 진보되다가 다시 그 정도가 감소된다. 기술의 처음 단계에서 기술수준의 진보가 느리게 진행되는 것은 그 기술의 기초가 충분히 이해되지 않았기 때문이다. 그러다가 일단 기업이 그 기술에 대한 이해를 충분히 한 후에는 기술수준의 진보는 급속도로 이루어지게 된다. 그러나 어떤 시점이 되면 기술수준의 진보속도는 감소하게 된다. 그 순간이 기술의 한계점이 되며, 한 기술이 자기 고유의 한계점에 도달하게 되면 기술진보 단위당 한계비용이 증가하게 되고, 결국 S-curve는 평평하게 된다.

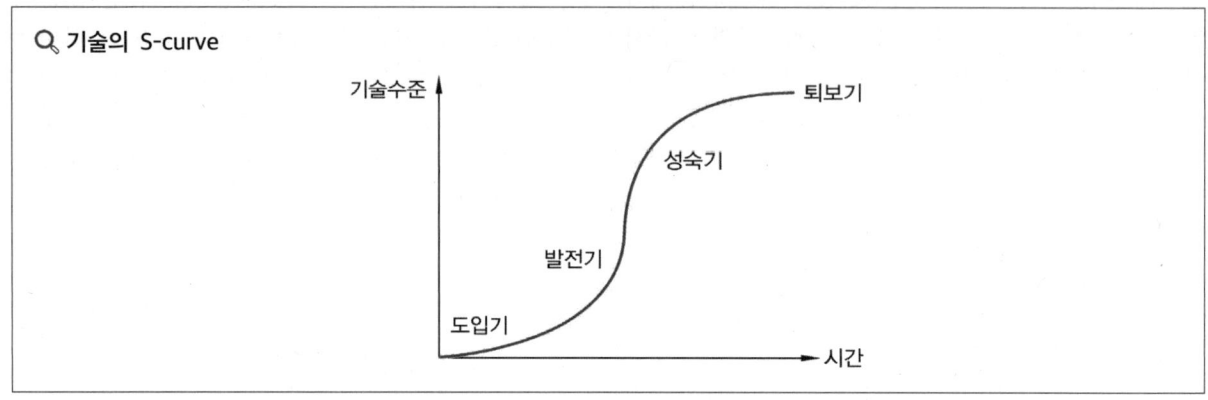

## 3. 기술융합과 창조적 파괴

### (1) 기술융합

기술융합(technology fusion)이란 몇 개의 기존기술들을 혼용하여 새로운 기술과 제품을 만들어 내는 것을 말한다. 일반적으로 시장에 존재하는 많은 제품 중 소수의 제품만이 완전히 새로운 기술을 이용하여 만들어진 것이고, 대부분의 제품들은 기존에 존재하는 기술들을 응용한 제품이라고 할 수 있다.

### (2) 창조적 파괴

일반적으로 신기술의 출현은 기존기술과 신기술 사이의 충돌이 발생하고 이로 인해 파괴적인 결과를 초래하게 된다. 기존기술과 신기술의 충돌로 인한 파괴적인 결과는 긍정적 측면과 부정적 측면을 동시에 가지는데, 긍정적 측면을 강조하여 창조적 파괴(creative destruction)라고 한다.[91]

---

[91] 클레이튼 크리스텐슨(Clayton Christensen)에 따르면 혁신에는 존속적 혁신과 파괴적 혁신이 있다. 존속적 혁신은 기존 제품과 서비스를 점진적으로 개선해 더 나은 성능을 원하는 고객을 대상으로 높은 가격에 제공하는 전략이다. 반면 파괴적 혁신은 단순하고 저렴한 제품 또는 서비스로 시장 밑바닥을 공략해 기존 시장을 파괴하고 시장을 장악하는 전략이다. 이 개념에 따르면 경영이 잘 이루어지고 평판이 좋은 기존 기업들은 재화와 서비스를 점진적으로 개선하는 방식으로 존속적 혁신을 거듭하다가 고객의 필요를 지나치게 앞서 나가게 된다. 이때 기존 기업이 간과했던 시장 밑바닥의 수요를 노려 파괴적 혁신 기업이 시장에 진입하고, 적당한 수준의 기능을 저렴하게 공급하며 발판을 확보한다. 이에 성공한 진입기업은 점차 기존 기업의 주류 고객층의 요구에 부합하는 제품도 제공함으로써 주류 고객층이 진입기업 제품으로 전향하게 해 시장을 장악한다.

## 제2절 공정설계

### 1 의의

#### 1. 개념
공정(process)은 원재료를 투입하여 제품을 산출하기까지 필요한 모든 작업의 유기적 집합체를 의미하고, 공정설계(process design)는 제품설계가 완료된 후 설계된 제품을 효율적으로 생산할 수 있도록 생산공정을 구체적으로 계획하는 것을 의미한다. 따라서 제품의 품질수준은 제품설계와 공정설계의 결과에 따라 결정된다.

#### 2. 과정
공정설계는 조립도표, 작업공정도표, 공정흐름도표 등의 도구를 사용하여 제품을 분석하는 과정부터 제조 - 구매 의사결정(make or buy decision making), 공정선택, 공정계획의 순서대로 이루어진다. 이 과정에서 '제조 - 구매 의사결정'은 어떤 품목을 생산하고 구매할 것인가와 관련된 의사결정으로 제조 및 구매와 관련된 비용, 기업이 현재 보유하고 있는 생산능력, 품질의 통제, 공급업체와의 관계 등의 요인을 고려하여 **제조 - 구매 의사결정**을 내려야 한다. 공정선택에 관한 의사결정은 생산부문의 원가, 품질, 납기 및 유연성에 영향을 미치며, 이는 전략적 의사결정에 해당한다. 또한, 공정을 결정할 때는 시장여건, 자본, 노동력의 이용가능성과 비용, 각 공정에 요구되는 관리기술, 원자재의 이용가능성과 가격, 공정 및 제품에 관련된 기술의 상태 등을 고려하게 된다.

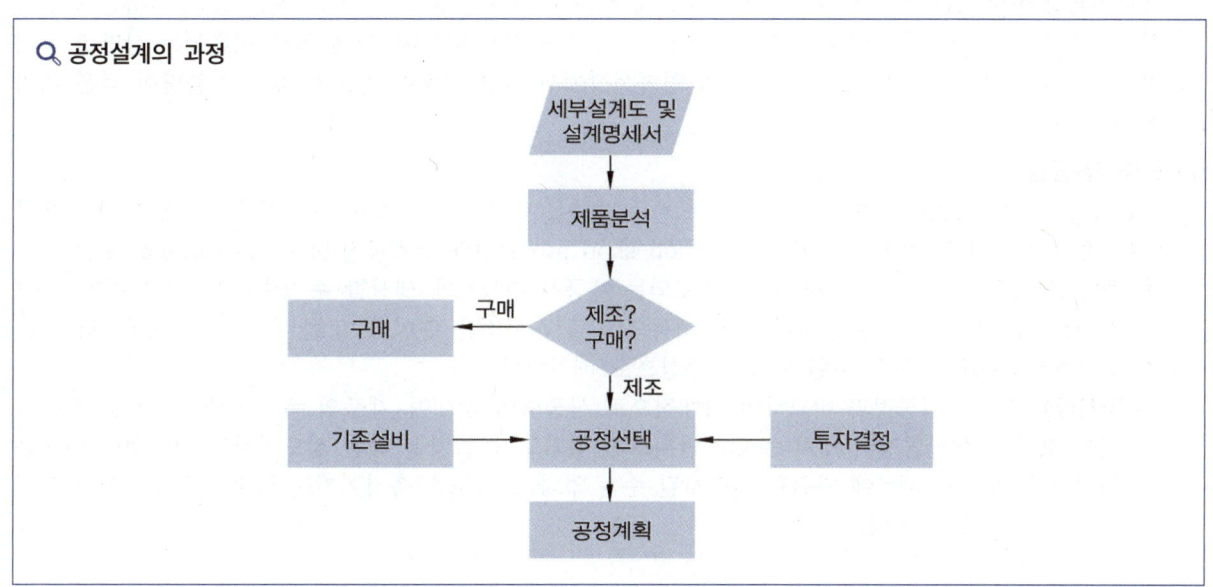

공정설계의 과정

## 2 공정의 분류

### 1. 제품의 흐름에 따른 분류

공정을 분류하는 가장 대표적인 기준은 제품의 흐름에 따라 공정을 분류하는 것이다. 제품의 흐름에 따라 공정을 분류한다는 것은 생산시스템이 추구하는 경쟁우선순위에 따라 공정을 분류한다는 것을 의미한다.

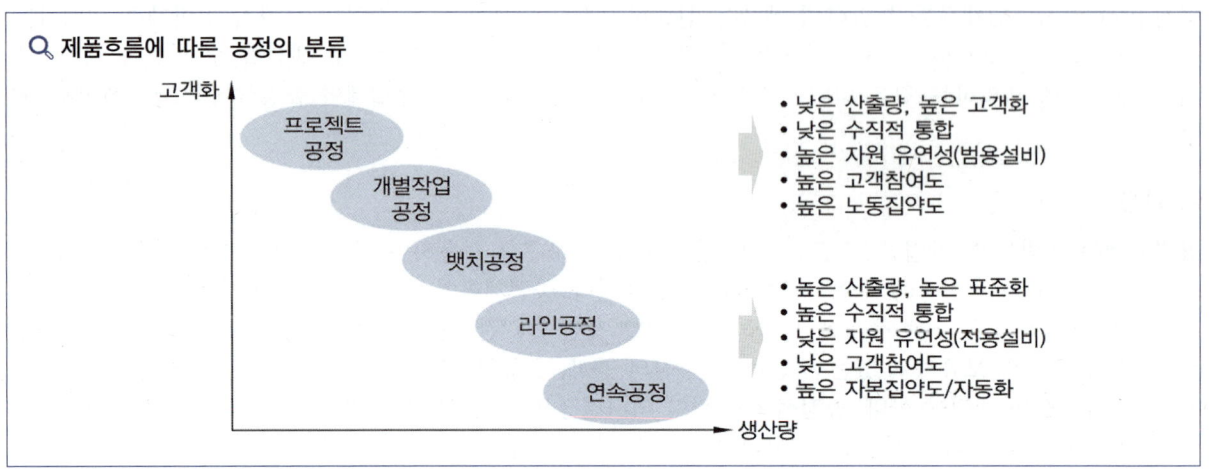

**(1) 프로젝트공정**

프로젝트공정(project process)은 고객의 주문에 따라 일정기간 동안에 단일 상품만을 생산하는 공정의 형태를 말한다. 이는 대상 업무의 **고객화** 정도가 높고 범위가 넓으며, 과제 완료 이후에는 상당한 양의 자원이 자유롭다는 특성을 보이며, 공정의 연속선상에서 가장 고객화 정도가 높고 산출량이 적은 위치에 있다.

**(2) 단속생산공정**

단속생산공정(intermittent production process)은 제품을 단속적으로 그룹 또는 뱃치(batch) 단위로 생산하는 공정의 형태를 말하고, 개별작업공정(job-shop process)과 뱃치공정(batch process)을 포함한다.
① **개별작업공정**: 어느 정도의 산출량이 확보되는 제품을 다양하게 생산할 수 있는 유연성을 가지며, 고객화는 상대적으로 높은 편이며 개별 제품의 산출량은 적은 편이다. 또한, 주로 유연흐름전략 또는 중간흐름전략을 택하고 자원을 공정 중심으로 배치한다.
② **뱃치공정**: 개별작업공정과 비교하여 상대적으로 산출량이 많으며, 제품의 폭이 매우 넓지 않다는 차이를 보인다. 생산공정이 뱃치(batch) 단위로 진행되고, 산출량은 중간 정도이지만 다양성이 아직은 높기 때문에 특정 제품에 자원을 전담시킬 수는 없다. 흐름도 단속적이기는 하지만 일부에서는 라인 흐름을 찾을 수도 있다.

### (3) 연속생산공정

연속생산공정(continuous production process)은 표준화된 제품을 대량으로 생산하는 공정의 형태로 라인공정(line process)과 연속공정(continuous process)으로 구분할 수 있다.

① **라인공정**: 산출량이 많은 편이며 제품이 표준화되어있기 때문에 자원이 제품 중심으로 조직화된다. 이와 같은 형태의 라인공정을 **대량생산**(mass production)이라고도 부르며, 주로 라인흐름전략에 적합하게 된다.

② **연속공정**: 제품의 흐름이 경직되어 있으며, 산출량이 많고 제품의 표준화가 매우 높은 쪽의 극단에 위치한다. 따라서 생산시스템이 일련의 연결된 작업이 아니고 전체가 하나의 독립적인 개체가 되며 자본집약도가 매우 높고 가동률이 높다. 따라서 연속공정은 대개 제조업에서 이용되며 라인흐름전략에 적합하다.

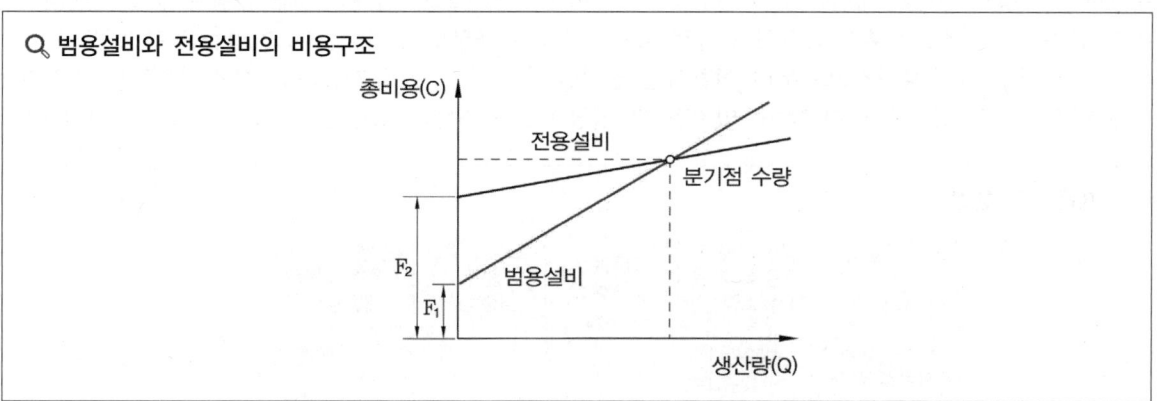

## 2. 고객 주문에 대응하는 방법에 따른 분류

### (1) 주문생산공정

주문생산공정(make-to-order process)은 고객의 주문에 대응해서 생산하는 방식을 말한다. 수요변화에 대한 유연성은 좋지만, 비용적 측면에서 비효율적일 수도 있다. 이는 유연흐름의 제조업체들이 많이 사용하는데, 고객의 사양에 맞춰 제품을 생산하여 높은 수준의 **고객화**를 제공할 수 있기 때문이다.

### (2) 조립생산공정

조립생산공정(make-to-assembly process)은 수요예측을 토대로 하여 중간조립품과 구성품을 생산하고 고객의 주문에 따라 최종제품을 생산하는 형태로 **주문생산과 재고생산의 중간 형태**를 말하며, **대량고객화**(mass customization)를 위한 공정이라고 할 수 있다. 이는 많은 옵션 때문에 품목의 종류는 많으나 상대적으로 적은 수의 주요 부품으로 고객주문에 맞춰 조립할 수 있는 경우에 적용된다.

### (3) 재고생산공정

재고생산공정(make-to-stock process)은 품목을 재고로 보유함으로써 즉각적인 납품요구에 대응하여 인도시간을 줄이는 것을 말한다. 즉, 시장의 수요를 고려하여 표준화된 제품계열을 재고의 형태로 보유함으로써 원가절감을 꾀할 수 있다. 상대적으로 적은 수의 **표준화된 제품을 대량으로 생산하는 라인흐름형태**의 제조업체들은 수요를 상당히 정확하게 예측할 수 있기 때문에 이 공정을 사용할 수 있으며, 이러한 기업들이 추구하는 경쟁우선순위는 **일관된 품질과 원가**이다. 그러나 수요의 변화에 대응하는 유연성의 측면에서는 비효율적이라는 단점을 가지고 있다.

## 3 제품 - 공정전략

### 1. 공정의 결정

공정은 시간의 흐름에 따라 한 단계에서 다른 단계로 계속해서 변화하는 역동적 성격을 가지고 있기 때문에 공정의 결정은 본질적으로 동태적인 문제에 해당한다.

### 2. 제품 - 공정행렬

제품 - 공정행렬(product - process matrix)은 헤이즈와 휠라이트(Hayes & Wheelwright)가 공정과 제품 간의 관계를 행렬의 형태로 표현한 것을 말한다. 행렬상의 제품 측면에는 좌측에서 우측으로 제품수명주기가 전개되고, 제품구조는 개별 제품의 소량생산으로부터 표준제품의 대량생산으로 이동한다. 행렬상의 공정 측면에는 공정의 형태가 개별작업(job shop)으로부터 연속공정으로 전개되는데, 공정은 행렬 상단의 유동적이고 신축적인 공정으로부터 하단의 효율적이고 표준화된 공정으로 이동한다. 기업들은 경쟁업체와 차별화하기 위해서 행렬의 대각선으로부터 이탈하는 전략을 추진하는 것이 가능하고, 대각선으로부터 멀리 이탈할수록 차별화의 정도를 크게 할 수 있지만 그 성공여부는 기업의 경쟁능력에 따라 크게 달라질 수 있다.

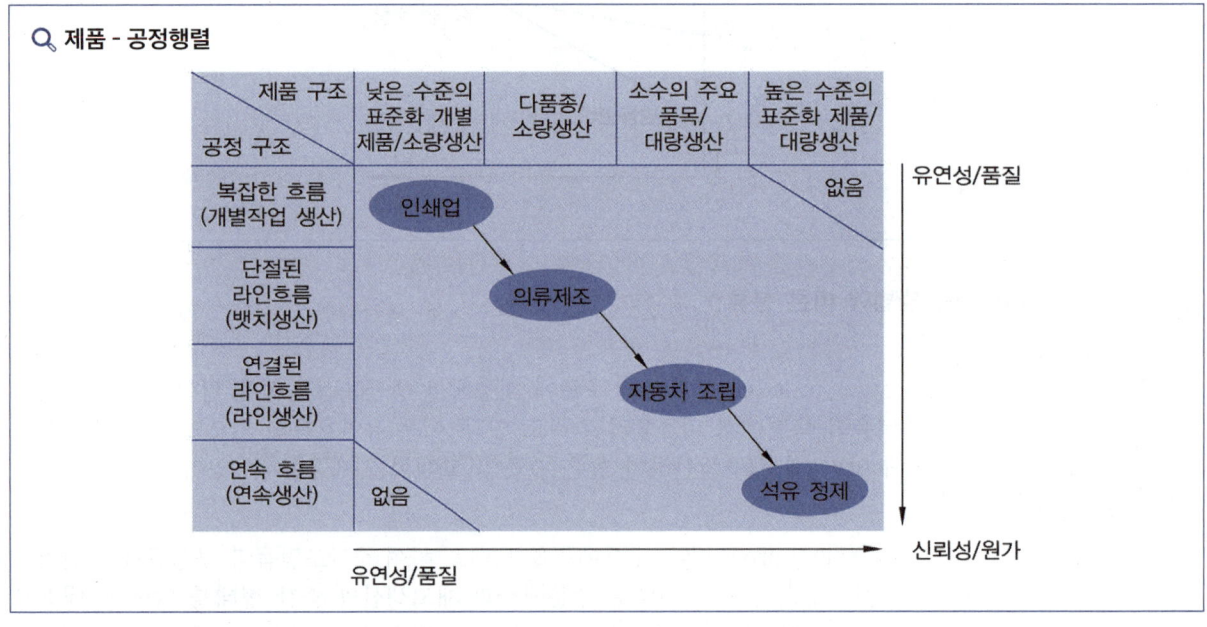

## 제3절 배치설계

### 1 의의

#### 1. 개념

배치설계(layout)는 시스템을 통하는 고객이나 자재의 흐름에 알맞도록 작업장, 시설, 작업부서 등을 물리적으로 배열하는 것을 말한다. 배치설계의 목적은 작업자들과 장비가 가장 효율적이고 효과적으로 운용될 수 있도록 하는 것으로 작업장의 효율적 연계, 생산설비의 효율적 이용, 자재취급비용과 운반비용의 감소, 기계·인원·공간의 이용률 향상, 물리적·심리적 작업환경의 개선, 장래 배치변경의 용이성 등을 실현할 수 있도록 설계한다.

#### 2. 형태

배치설계의 형태는 생산시스템의 공정 또는 운영형태 등에 의해 영향을 받으며 무수히 많은 배치설계의 형태가 존재할 수 있으나, 일반적으로 배치설계의 형태는 **공정별 배치, 제품별 배치, 혼합형 배치, 위치고정형 배치** 등으로 구분할 수 있다. 특히 가장 기본이 되는 배치설계의 형태는 공정별 배치와 제품별 배치가 있는데, 생산량이 적은 경우에는 범용설비를 사용하는 공정별 배치를 사용하고 생산량이 많은 경우에는 전용설비를 사용하는 제품별 배치를 사용하는 것이 일반적이다.

### 2 공정별 배치

#### 1. 의의

공정별 배치(process layout)는 유사한 기능을 수행하는 기계나 장비 또는 부서들을 한 곳에 묶어 배치하는 **형태**를 말한다. 예를 들어, 수술기능은 수술실에 묶어서 배치하고, 응급기능은 응급실에 묶어서 배치하는 병원 내부의 시설 배치가 가장 대표적인 것이다. 공정별 배치는 작업기능의 종류에 따라 공정(기계와 인원)들을 분류하고, 같은 종류의 작업기능을 갖는 공정들을 한 곳에 모아 배치하는 형태이기 때문에 **기능별 배치(functional layout)**라고도 한다. 소량생산, 제품의 다양성 등이 필요한 **유연흐름전략**을 사용하는 기업에서는 공정을 중심으로 인력 및 장비 등의 자원을 편성하게 되며, 많은 종류의 제품을 생산하거나 다양한 고객에게 서비스를 제공하기 위해 동일한 작업을 수행해야 하는 경우가 일반적이기 때문에 **다품종 소량생산**의 형태에 적합하다. 또한, 공정별 배치에서는 일반적으로 **범용기계설비**가 사용된다. **종합병원**이나 **테마파크(theme park)**의 배치설계가 가장 대표적인 공정별 배치의 예이다.

#### 2. 장단점

**(1) 장점**

① 인력과 장비는 범용으로 자본집약 정도가 낮고, 이로 인해 초기투자비용이 작다.
② 제품구성의 변화나 새로운 마케팅전략에 대한 유연성이 높다.
③ 다양한 제품과 다기능적인 작업을 할 수 있어 직무만족이 높다.
④ 종업원의 감독이 전문화된다.

(2) 단점
① 한 제품에서 다른 제품으로 전환하는 과정에서 손실되는 시간이 크고, 작업속도가 낮아지는 경향이 있기 때문에 대기시간이 길어서 총생산시간이 길어진다.
② 생산과정에서 발생하는 재공품의 동선이 복잡하기 때문에 작업장 간의 거리가 길어져 자재이동의 거리가 길어진다.
③ 많은 종류의 재고가 필요하여 공간과 자본이 묶이게 된다.
④ 다양한 제품을 생산하기 때문에 생산계획과 통제가 어렵다.
⑤ 직무의 다양성이 요구되기 때문에 숙련된 다기능 작업자가 필요하고, 이로 인한 비용부담이 커진다.

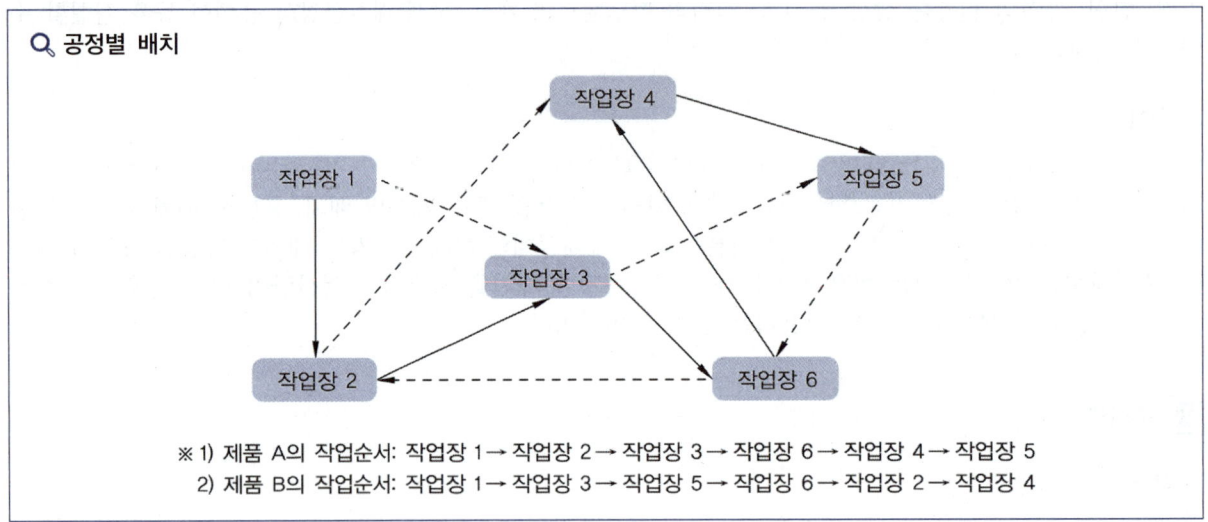

공정별 배치

※ 1) 제품 A의 작업순서: 작업장 1 → 작업장 2 → 작업장 3 → 작업장 6 → 작업장 4 → 작업장 5
2) 제품 B의 작업순서: 작업장 1 → 작업장 3 → 작업장 5 → 작업장 6 → 작업장 2 → 작업장 4

## 3 제품별 배치

### 1. 의의

제품별 배치(product layout)는 **제품의 유형에 관계없이 제품이 만들어지는 생산순서에 따라서 기계 및 설비를 배열하는 배치형태**를 말하며, 자재의 흐름은 공정별 배치와는 달리 일직선의 형태를 보이는 것이 일반적이다. 반복적이고 연속적인 생산이 필요한 **라인흐름전략**을 사용하는 기업에서는 특정 제품에 자원을 전담시키게 되며, 제품의 작업순서에 따라 기계설비를 배치하는 형태를 취하게 된다. 따라서 **단일품종의 대량생산, 연속적 생산**에서와 같이 제품의 표준화 정도가 높은 경우에 많이 이용되는 배치형태로 **자본집약적인 전용 설비**를 사용하게 된다. **자동차 생산라인**의 배치설계가 가장 대표적인 제품별 배치의 예이다.

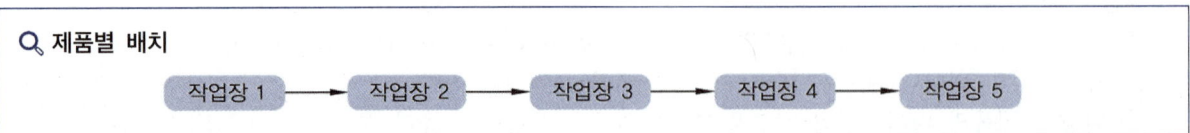

제품별 배치

## 2. 장단점

### (1) 장점
① 한 제품에서 다른 제품으로 전환하는 과정에서 손실되는 시간이 적어 대기시간이 줄어들고 생산속도가 빠르다.
② 생산과정에서 발생하는 재공품의 동선이 단순하기 때문에 작업장 간의 거리가 짧아져 자재운반거리가 짧아진다.
③ 단위당 생산비용이 저렴하고, 생산계획과 통제가 용이하다.

### (2) 단점
① 상대적으로 초기에 많은 투자가 필요하다.
② 제품디자인의 변경이 있는 경우에 그 변경이 쉽지 않아 유연성이 떨어진다.
③ 단순작업으로 인해 작업자의 직무만족이 저하될 수 있다.
④ 종업원이 수행하는 과업의 전문화로 인해 생산라인의 일부에 문제가 발생하는 경우 생산라인의 전체에 영향을 준다.

## 3. 라인밸런싱

라인밸런싱(line-balancing)은 **작업부하가 적절하게 조화된 작업장을 만들기 위해서 최소 개수의 작업장으로 원하는 산출을 얻도록 작업장에 작업을 할당하는 과정으로 공정 내의 각 작업장별로 과업들을 수행하는 데 거의 동일한 시간이 소요되도록 하는 것**을 말한다. 이는 **각 작업장에서 생산주기시간(cycle time)에 거의 가까운 시간이 소요되도록 과업을 할당함으로써 유휴시간(idle time) 또는 작업공전(starving)을 최소화하여 작업자와 설비의 이용도를 높이고자 하는 것**을 목적으로 한다. 여기서 **생산주기시간**은 각 작업장에서 한 단위 생산에 허락된 최대한의 시간이다. 만약 한 작업장이 한 작업요소를 완료하는 데 주기시간 이상의 시간이 걸린다면 그 작업장은 그 라인의 바람직한 산출률을 달성하는 데 장애가 되는 **병목공정**이 된다. 제품별 배치에서는 생산물의 흐름이 일정하므로 각 공정 간의 생산능력과 공정의 흐름이 균형을 이루지 못할 때에는 공정의 정체현상이 발생할 수 있기 때문에 라인밸런싱의 문제가 중요하게 된다.

> 🔍 **병목공정**
>
>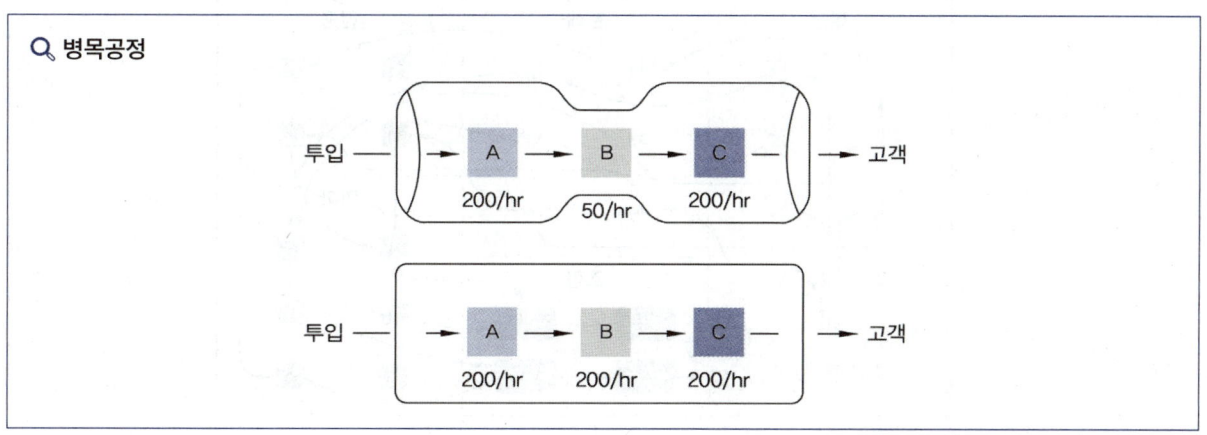

## 4 혼합형 배치(셀형 배치)

### 1. 의의

현실적으로 유연흐름전략과 라인흐름전략의 요소를 결합하는 흐름전략이 많이 존재하기 때문에 일부는 공정별로 배치하고, 일부는 제품별로 배치하는 중간적 전략인 혼합형 배치(hybrid layout)를 사용하게 된다. 혼합형 배치의 가장 대표적인 예로는 다수기계보유 작업방식과 그룹 테크놀로지가 있다.

### 2. 유형

**(1) 다수기계보유 작업방식**

다수기계보유 작업방식(one worker, multiple machines, OWMM)은 **한 작업자가 여러 대의 기계를 동시에 운영하여 흐름 생산을 달성하고자 하는 방식**을 말하는데, **U자형 배치**라고도 한다. 다수기계보유 작업방식을 도입하면 노동력 절감뿐만 아니라 자재가 대기상태로 묶여 있지 않고 다음 공정으로 이동하기 때문에 재고감소효과도 있다.

**(2) 그룹 테크놀로지(집단가공법)**

그룹 테크놀로지(group technology, GT)는 **유사한 특성을 지닌 제품이나 부품을 크기, 모양, 필요작업, 경로상의 유사점, 수요 등의 요인에 기초하여 하나의 군(family)으로 분류하고 이를 생산하는 기계의 군을 별도로 운영하는 것**을 말한다. 즉, GT는 특정부품군의 생산에 필요한 기계들을 모아 가공진행순으로 배치한 것인데, GT의 기법은 **공정별 배치를 기본으로 하고 일부를 제품별 배치를 적용**한 형태라고 할 수 있으며, 제품별 배치를 적용한 작업장을 GT 셀(cell)이라고 한다. GT를 적용함으로써 얻게 되는 장점으로는 작업준비시간의 감소, 자동화의 기회 증대, 재공품 재고의 감축, 자재 이동의 감소 등의 효과가 있지만, 부품 분류에 따른 업무가 증가할 수 있으며, 기계설비의 중복투자가 발생하고 기계설비의 전용에 어려움이 생길 수 있다.

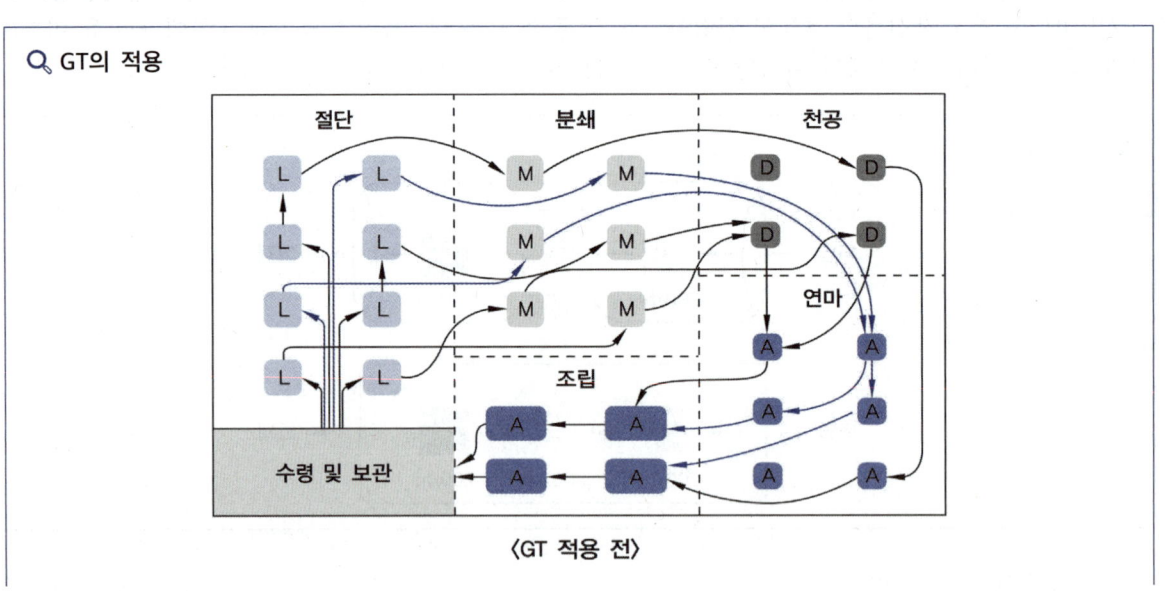

GT의 적용

〈GT 적용 전〉

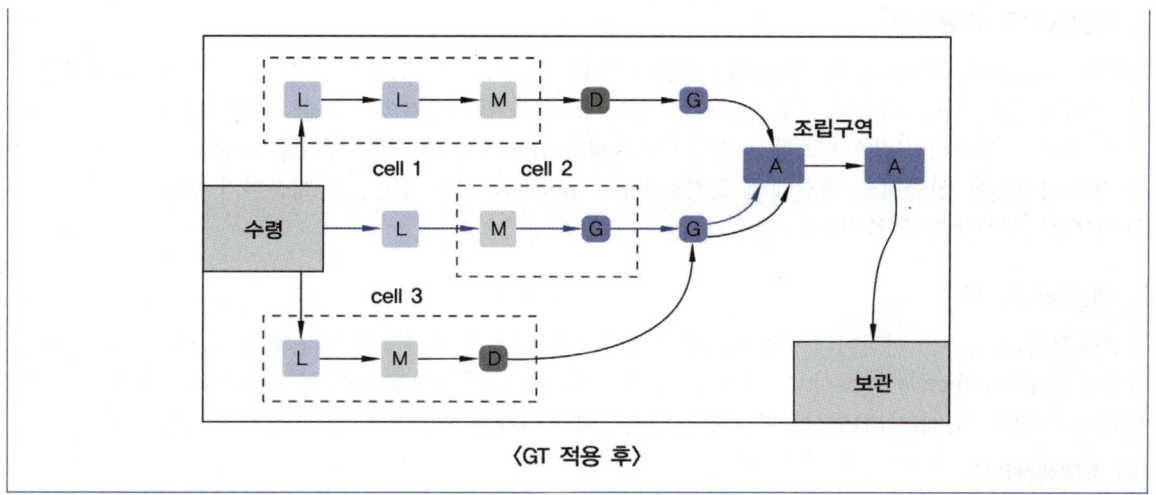

〈GT 적용 후〉

## 5 위치고정형 배치

### 1. 의의

위치고정형 배치(fixed position layout)는 제품(재공품)이 한 위치에 고정되어 있고 작업자와 장비가 제품이 있는 위치로 이동하여 작업을 수행하게 되며, 제품의 이동횟수를 최소화하기 위한 배치형태를 말한다.

### 2. 적용사례

비행기, 선박, 열차 등의 생산 및 댐 건설과 같이 중간제품 또는 제품의 이동이 어려운 제품생산에 활용되는 배치형태이다.

## 제4절 생산능력과 입지

## 1 생산능력

### 1. 의의

생산능력계획은 기업의 생산능력(capacity)을 장기적인 관점에서 확정하는 것을 의미한다. 즉, 생산능력계획은 기업의 장기적인 경쟁전략을 최대로 지원해줄 수 있도록 자원에 대한 전반적인 생산능력수준을 확정하는 것을 목적으로 한다. 만약 어떤 기업이 생산능력을 너무 많이 보유하고 있다면 재고수준이 증가하거나 자원을 과소 이용하는 결과를 초래하게 되고, 반대로 생산능력을 너무 적게 보유하고 있다면 경쟁업체에 고객을 빼앗기거나 하청을 이용하게 된다.

## 2. 생산능력의 측정기준

형태를 가지는 재화(goods)를 생산하는 생산시스템은 생산능력의 척도를 결정하는 데 어려움이 없다. 그러나 형태가 없는 서비스(service)를 생산하는 생산시스템은 생산능력의 척도를 결정하는 것이 쉽지 않다. 따라서 재화를 생산하는 생산시스템은 산출척도(output measure)로 생산능력을 측정하고, 서비스를 생산하는 생산시스템은 산출척도 대신에 투입척도(input measure), 즉 서비스를 제공하기 위해서 투입되는 자원의 양으로 생산능력을 측정하는 경우가 많다.

## 3. 생산능력의 유형

생산능력은 측정하는 시점이나 생산시스템이 직면하고 있는 경영환경에 따라 최대생산능력(peak capacity), 유효생산능력(effective capacity), 실제생산능력(actual capacity)으로 구분할 수 있다. 이러한 유형의 생산능력 사이에는 '최대(설계)생산능력 ≧ 유효생산능력 ≧ 실제생산능력'과 같은 관계가 성립한다.

### (1) 최대생산능력
설계생산능력(design capacity)이라고도 하는데, 생산시스템이 이상적인 조건하에서 달성할 수 있는 최대산출량을 말한다.

### (2) 유효생산능력
정상적인 조건(주어진 품질표준, 일정상의 제약, 기계의 유지보수, 노동력의 능력 및 제품믹스)하에서 생산시스템이 경제적으로 지탱할 수 있는 최대산출량을 의미한다. 대다수의 설비에는 여러 가지 생산활동이 있으며, 이들의 유효생산능력은 일정하지 않은 것이 보통이고 이로 인해 병목이 발생한다. 이때 병목(bottleneck)이란 생산활동 중 유효생산능력이 가장 낮아 전체 생산시스템의 산출률을 제한하는 부분을 말한다.

### (3) 실제생산능력
생산시스템이 실제로 달성하는 산출량을 말한다.

## 4. 생산능력 활용정도의 측정

생산능력의 활용정도를 간단하게 정리하면 '사후적 개념/사전적 개념'이라고 정의할 수 있다. 여기서 사후적 개념이란 생산시스템이 가동된 후에 측정되는 개념으로 실제생산능력이 여기에 해당된다. 이에 반해 사전적 개념이란 생산시스템이 가동되기 이전에 측정되는 개념으로 최대생산능력과 유효생산능력이 여기에 해당된다.

### (1) 생산능력 이용률
'실제생산능력/최대(설계)생산능력'으로 정의할 수 있으며, 기업이 최대생산능력에 얼마나 근사하게 공급능력을 이용하고 있는가를 측정하는 것으로서 백분율(%)로 표현된다.

### (2) 생산능력 효율성
'실제생산능력/유효생산능력'으로 정의할 수 있으며, 기업이 생산시스템을 얼마나 잘 이용하고 있는가에 대한 단기 및 중기의 척도로서 백분율(%)로 표현된다.

## 5. 초과생산능력

초과생산능력(capacity cushion)이란 생산능력의 활용정도가 100%에서 떨어진 정도를 의미하는데, 여유(잉여)생산능력이라고도 한다. 이러한 초과생산능력은 수요와 밀접한 관련이 있는데, 그 특징은 다음과 같다.

(1) 수요의 변동이 심한 경우에 기업은 큰 초과생산능력을 가져가는 것이 바람직하다.

(2) 미래의 수요가 불확실한 경우에 기업은 큰 초과생산능력을 가져가는 것이 바람직하다.

(3) 전체 수요는 안정적이라고 해도 제품구성의 변화에 따라 작업부하 한 작업장에서 다른 곳으로 예측할 수 없게 변할 수 있으며, 고객화의 수준이 높아져도 수요의 불확실성은 높아지게 된다. 따라서 기업은 이러한 경우에 큰 초과생산능력을 가져가는 것이 바람직하다.

## 6. 최적조업도

### (1) 의의

최적조업도(best operating level)는 단위당 평균원가가 최소인 산출량을 의미하며, 공정을 설계하는 시점에서의 목표생산능력수준이다. 조업도와 비용 사이에는 밀접한 관계가 있는데, 생산시스템이 과소 이용되어서 산출량이 최적조업수준 이하로 떨어지는 경우에는 단위당 고정비가 상승하여 단위당 평균원가가 증가하게 되고, 생산시스템이 과대 이용되어서 산출량이 최적조업수준 이상일 경우에도 잔업, 장비마모의 증가 및 불량률의 증가로 인해서 단위당 평균원가가 증가하게 된다. 즉 최적조업도는 규모의 경제와 규모의 비경제가 만나는 점이 된다.

### (2) 규모의 경제와 규모의 비경제

규모의 경제(economies of scale)에서는 생산시스템의 규모가 커지고 생산량이 증가하게 되면, 추가적인 생산량이 고정비를 흡수하게 됨으로써 단위당 고정비용이 줄게 되어 단위당 원가가 감소하게 된다. 반면에, 일정 생산수준 이상을 초과하게 되면 생산시스템이 수용할 수 있는 한계를 초과하게 되고, 이로 인해 규모의 비경제(diseconomies of scale)가 발생하게 된다.

## 7. 생산능력의 확장전략

일반적으로 기업은 시간이 지남에 따라 수요가 증가하는 환경에 직면하게 된다. 이러한 수요를 충족시키기 위해서 기업은 생산능력을 확장할 필요성이 제기되는데, 그 형태는 수요선도전략, 수요추종전략, 수요지연전략이 있다.

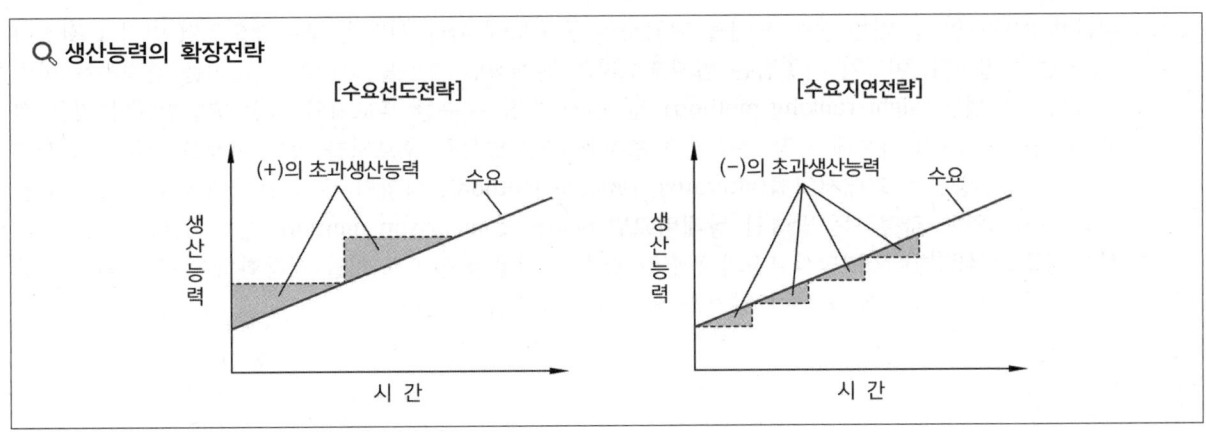

생산능력의 확장전략

### (1) 수요선도전략
수요선도전략은 **수요가 증가할 것으로 예상하고 생산능력을 미리 확장하는 전략으로 정(+)의 초과생산능력을 유지하는 전략**을 의미한다. 이 전략은 생산능력의 확장을 자주 하지는 않지만 큰 규모로 하는 전략이다. 이러한 전략유형은 **공격적인 전략**으로 기업으로 하여금 생산능력이 제한된 경쟁업체의 고객을 끌어올 수 있도록 하거나, 성장시장에서 경쟁업체로부터 시장점유율을 유지할 수 있도록 해준다.

### (2) 수요추종전략
수요추종전략은 **수요증가 패턴에 따라 점진적으로 생산능력을 확장시키는 전략**을 의미한다. 이 전략은 생산능력과 수요예측을 연계시켜서 시간의 흐름에 따라 적절한 규모의 생산능력을 유지하고자 하는 전략이다. 따라서 수요추종전략은 **재고와 재고부족을 통해서 수요를 충족시키는 전략**이라고 할 수 있으며, 일반적으로 수요선도전략이나 수요지연전략과 비교하여 확장량이 작고 확장주기가 짧다.

### (3) 수요지연전략
수요지연전략은 수요선도전략과 반대 개념이며, 아주 보수적인 의사결정의 형태로 **두고보기(wait & see)전략**이라고도 한다. 이러한 전략을 사용하는 기업은 부(-)의 초과생산능력을 추구하기 때문에 **재고부족(stock-out)**이 발생할 가능성이 높지만, **생산능력 이용률과 투자수익률을 제고**시킬 수 있다. 따라서 기존 생산능력이 과소로 이용되는 것을 최소화할 수 있지만 장기적으로는 시장점유율을 하락시킬 수 있다.

## 2 입지

### 1. 의의
입지(location)는 기업의 생산활동이 위치할 지리적 장소를 선정하는 것을 의미하는데, 장소적 적합성에 대한 분석 및 평가를 통해 생산활동을 수행하는 데 가장 좋은 최적 입지를 선택하는 것을 말한다. 즉, 제품의 최종소비지에 대한 수송과 저장창고의 입지 등을 고려하여 시설의 위치를 결정하는 것이다. 입지문제는 **제조 – 운송 – 분배의 총괄적 시스템과 유기적으로 연결**되어 있으며, 일단 입지 의사결정이 이루어지면 막대한 설비투자가 필요하기 때문에 입지와 관련된 의사결정은 **장기적이고 전략적인 의사결정**이 된다.

### 2. 입지의 결정

#### (1) 정성적 방법
① **서열법**: 계량화할 수 없는 **질적 요인**을 파악하여 **중요도에 따라 서열을 부여함으로써** 입지를 결정하는 방법을 말한다. 이러한 서열법은 입지후보지의 전체적인 측면을 고려하여 순위를 결정하는 방법인 **단순서열법(straight ranking method)**, 맨 먼저 가장 우수한 후보지와 가장 열등한 후보지를 뽑은 후, 남은 후보지 가운데 가장 우수한 후보지와 가장 열등한 후보지를 뽑는 과정을 반복하여 서열을 결정하는 방법인 **교대서열법(alterative ranking method)**, 임의의 두 후보지에 대한 상호비교를 반복하여 서열을 결정하는 방법인 **쌍대비교법(paired comparison method)** 등이 있다.

② **점수법(요소분석방법)**: 입지의사결정과 관련된 **질적 요인**을 선정하고 이를 **계량화**하여 각 요인을 가중평균하여 계산한 점수에 의하여 입지를 선정하는 방법을 말한다.

### (2) 정량적 방법
① **총비용비교법**: 입지후보지별로 입지의사결정에 수반되는 총비용을 비교하여 총비용이 최소가 되는 곳을 입지로 결정하는 방법을 말한다.
② **입지손익분기분석법**: 입지가능한 장소에 대해 입지요인 중 비용요인을 고정비적인 성격의 비용과 변동비적인 성격의 비용으로 구분하고, 입지를 고려하는 생산시스템의 생산능력을 고려하여 최소비용이 되는 장소를 입지로 결정하는 방법을 말한다. 이는 공장이나 창고의 입지와 같이 시설의 위치에 따라 수요의 변동이 발생하지 않고 입지에 따라 수송비와 같은 변동비의 변동이 큰 경우 유용한 방법이다.

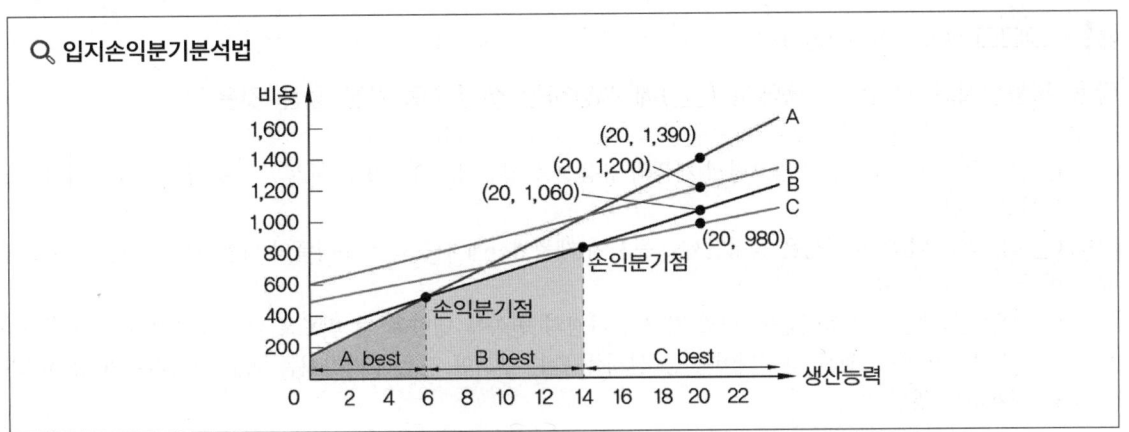

③ **수송법**: 다수의 공장과 다수의 시장을 보유하고 있는 기업이 기존의 공장에 추가로 새로운 공장을 입지하고자 할 때 사용하는 기법을 말한다. 이는 **총수송비를 최소화시킬 수 있는 장소에 공장입지를 결정하는 방법**으로 총비용 중 수송비용의 비중이 큰 경우에 유용하다.
④ **부하량-거리기법(무게중심법)**: 근접성 요인에 기초를 두어 입지를 평가하는 수학적 모형으로 설비를 출입하는 총가중이동량을 최소화하는 위치를 선택하는 방법을 말한다. 이러한 부하량-거리기법을 입지의사결정에 사용하기 위해서는 거리를 측정하는 문제가 발생되는데, 이를 위해서 유클리드 거리(Euclidean distance) 또는 직선거리(linear distance)와 직각거리(rectilinear distance) 등이 사용된다.

### 3. 방법의 선택

입지결정방법은 미리 선정된 후보지만을 고려하는 경우와 후보지를 미리 선정하지 않는 경우가 있을 수 있다. 후보지를 미리 선정하지 않는 경우에는 수요지가 결정된 상태에서 입지하는 시설과 수요지 간의 거리에 따른 비용함수를 설정하고 이 비용함수를 최소화하는 장소를 선정한다. 만약, 선정된 장소가 입지에 부적합한 장소로 판단되면 또 다른 장소를 찾게 된다. 이에 반하여 한정된 후보지만을 고려하는 경우에는 입지가능한 한정된 수의 장소를 미리 선정하고 이러한 한정된 장소에 대해서 평가기준에 따라 평가하고 입지선정을 한다. 한정된 후보지만 고려하여 입지의사결정을 하는 대표적인 예로는 '입지손익분기분석법'과 '점수법' 등이 있으며, 후보지를 미리 선정하지 않고 입지의사결정을 하는 대표적인 예로는 '부하량-거리기법' 등이 있다.

## 출제예상문제

**CHAPTER 03 생산시스템의 설계**

### 4지선다형

**01** ☐☐☐ 2022년 군무원 7급 기출

다음 제품설계와 관련된 내용에서 (___)에 해당하는 설명으로 가장 옳은 것은?

> ㄱ. (___)은(는) 원가를 올리지 않으면서 제품의 유용성을 향상시키거나 또는 제품의 유용성을 감소시키지 않으면서 원가를 절감하는 방법이다.
> ㄴ. (___)은(는) 제품의 다양성은 높이면서도 동시에 제품생산에 사용되는 구성품의 다양성은 낮추는 제품설계 방법이다.
> ㄷ. (___)은(는) 제품의 성능특성이 제조 및 사용환경의 변화에 영향을 덜 받도록 제품을 설계하는 방법이다.
> ㄹ. (___)은(는) 마케팅, 생산, 엔지니어링 등 신제품 관련 부서와 경우에 따라서는 외부 공급자까지 참여시켜 제품을 설계하는 방법이다.

① ㄱ(가치분석), ㄴ(모듈러 설계), ㄷ(로버스트 설계), ㄹ(동시공학)
② ㄱ(로버스트 설계), ㄴ(모듈러 설계), ㄷ(가치분석), ㄹ(동시공학)
③ ㄱ(동시공학), ㄴ(가치분석), ㄷ(모듈러 설계), ㄹ(로버스트 설계)
④ ㄱ(동시공학), ㄴ(로버스트 설계), ㄷ(가치분석), ㄹ(모듈러 설계)

**해설**

①이 옳은 연결이다.

**정답 ①**

## 02 □□□ 2021년 군무원 7급 기출

**제품설계의 방법에 대한 설명으로 가장 옳지 않은 것은?**

① 최종제품 설계는 기능설계, 형태설계, 생산설계로 구분하며 그중 형태설계는 제품의 모양, 색깔, 크기 등과 같은 외형과 관련된 설계이다.
② 가치분석(value analysis)은 불필요하게 원가를 유발하는 요소를 제거하고자 하는 방법을 의미한다.
③ 동시공학(concurrent engineering)은 제품개발 속도를 줄이기 위해 각 분야의 전문가들이 기능식 팀(functional team)을 구성하고 모든 업무를 각자 동시에 진행하는 제품개발방식이다.
④ 품질기능전개(QFD)는 품질개선의 방법으로 표준화된 의사소통을 통해 고객의 요구를 각 단계에서 전달하는 기법으로 시행착오를 줄이는 데 그 목적이 있다.

### 해설
동시공학은 개별부서에 의해서 이루어지는 순차적 설계과정을 설계팀에 의해 동시에 이루어지도록 하는 설계과정의 변화를 의미한다. 즉, 제품설계와 공정설계를 마케팅, 엔지니어링, 생산부서 간의 공통의 활동으로 통합하고자 하는 개념을 의미한다. 이는 제품의 설계, 기술, 생산, 마케팅, 서비스 등의 전 과정을 거쳐 서로 다른 부서로부터 다기능팀(multi-functional team)을 구성하고 팀워크를 중시하여 함께 협력하는 제품개발방식으로 병렬적 설계과정으로 이해할 수 있다. 따라서 동시공학은 기능식 팀이 아니라 프로젝트 팀(다기능팀)이 구성된다.

**정답 ③**

## 03 □□□ 2018년 서울시 7급 기출

**제품설계방법 중 하나로서 추상적인 고객의 욕구, 필요성, 기호 등을 설계, 생산에서 적용할 수 있는 구체적인 기술적 명세로 전환시키는 기법은?**

① 품질기능전개(quality function deployment)
② 가치공학(value engineering)
③ 동시공학(concurrent engineering)
④ 모듈러 설계(modular design)

### 해설
② 가치공학은 제품을 선정하고 설계할 때 사용하는 기법으로, 제품을 설계할 때 엔지니어는 반드시 사용한 부품과 원자재가 비용에 어떤 영향을 끼쳤는지를 고려하여야 한다. 이에 반해, 가치분석은 가치공학과는 달리 생산과정에서 발생하는 비용을 줄이기 위해 사용하는 기법이다. 따라서 기존 제품에 적용되면 가치분석이고, 신제품에 적용되면 가치공학이라고 한다.
③ 동시공학은 개별부서에 의해서 이루어지는 순차적 설계과정을 설계팀에 의해 동시에 이루어지도록 하는 설계과정의 변화를 의미한다. 즉, 제품설계와 공정설계를 마케팅, 엔지니어링, 생산부서 간의 공통의 활동으로 통합하고자 하는 개념을 의미한다.
④ 모듈러 설계(modular design)는 제품계열에 있는 여러 가지 상이한 제품에 사용될 수 있는 일련의 기본적인 부품(또는 모듈)을 설계하는 것을 말한다. 대량고객화(mass customization)에 적합한 설계이다.

**정답 ①**

## 04 □□□ 한국소비자원 기출동형

**다음에서 설명하고 있는 것은 무엇인가?**

> • 제품이나 공정을 처음부터 환경변화, 노이즈에 의한 영향을 받지 않거나 덜 받도록 설계하는 것을 의미한다.
> • 불리한 작업조건과 환경조건하에서도 지속적으로 성능특성이 균일한 제품이 생산되도록 설계하는 것을 말한다.

① 품질의 집(house of quality)
② 모듈러 설계(modular design)
③ 가치공학(value engineering)
④ 로버스트 설계(robust design)

**해설**

로버스트 설계(robust design)에 대한 설명이다.

정답 ④

## 05 □□□ 2016년 국가직 7급 기출

**서비스 단계별 '고객의 행동, 종업원의 행동, 종업원 지원 프로세스'를 가시선을 기준으로 나누어서 제시하는 플로우 차트(flow chart)는?**

① 피쉬본 다이어그램(Fishbone Diagram)
② LOB(Line of Balance)
③ 간트 차트(Gant Chart)
④ 서비스 청사진(Service Blueprint)

**해설**

서비스 청사진(Service Blueprint)은 서비스 가치가 제공되는 전 과정을 이용자와 제공자의 모든 관점에서 시각화 시켜놓은 서비스의 단순화된 설계도를 의미한다. 서비스 전달과정에 필요한 관계자들의 역할과 서비스 단계의 흐름 등 서비스 전반을 이해할 수 있게 하기 위하여 개선점이나 평가방법에 대한 착안점을 제공하는 것을 목표로 한다.
① 피쉬본 다이어그램(Fishbone Diagram)은 문제발생의 원인이 되는 여러 항목들을 연결하여 문제해결을 위한 노력을 체계화하는 데 도움을 주기 위해 발생한 결과에 따른 그 원인들을 각각 연결시켜 가장 근본적인 원인 또는 잠재적인 원인을 발견하기 위한 방법을 말한다.
② LOB(Line of Balance)는 작업부하가 적절하게 조화된 작업장을 만들기 위해서 최소 개수의 작업장으로 원하는 산출을 얻도록 작업장에 작업을 할당하는 과정으로 공정 내의 각 작업장별로 과업들을 수행하는 데 거의 동일한 시간이 소요되도록 하는 것을 말한다. 이는 각 작업장에서 생산주기시간(cycle time)에 거의 가까운 시간이 소요되도록 과업을 할당함으로써 유휴시간(idle time) 또는 작업공전(starving)을 최소화하여 작업자와 설비의 이용도를 높이고자 하는 것을 목적으로 한다.
③ 간트(Gantt)는 작업의 흐름을 조정하는 그래픽적 수단으로 작업공정이나 제품별로 계획된 작업의 실제 진행상황을 도표화함으로써 전체적인 기간관리를 가능하게 하는 막대도표인 간트 차트(Gantt chart)를 만들었다.

정답 ④

## 06  2017년 국가직 7급 기출

**기업의 연구개발(R&D) 활동에 대한 설명으로 옳지 않은 것은?**

① 기술을 조달하는 전략은 자체 연구개발, 기술제휴, 기술도입(구입) 등으로 분류된다.
② 시장견인(Market Pull) 혹은 수요견인(Demand Pull)은 소비자의 요구가 기술개발의 동인이 된다는 것이다.
③ 연구개발은 일반적으로 기초연구(Basic Research), 개발연구(Development Research), 응용연구(Apply Research) 순서로 수행된다.
④ 기술 S-Curve란 특정기술이 발전하는 과정은 도입기, 발전기, 성숙기 및 쇠퇴기를 거치면서 S자 모양을 띤다는 기술예측모형이다.

**해설**

연구개발은 일반적으로 기초연구, 응용연구, 개발연구의 순서로 수행된다. 기초연구란 지식의 진보를 목적으로 행하는 연구로, 특정 응용을 노리지 않는 것 또는 특정 사업적 목적 없이 과학 지식의 진보를 목적으로 하는 연구 활동을 말한다. 응용연구란 지식의 진보를 목적으로 행하는 연구로, 실제 응용을 직접 노리는 연구 활동, 또는 제품과 공정에서 특정 상업적 목적을 가지고 행한 연구 활동을 말한다. 개발연구란 기초연구 및 응용연구 등에 의한 기존 지식을 활용해 새로운 재료, 장치, 제품, 시스템, 공정 등 도입 또는 개량을 목적으로 한 연구 활동을 의미한다.   **정답 ③**

## 07  한국서부발전 기출동형

**다음 중 공정설계에 대한 설명으로 옳지 않은 것은?**

① 프로젝트 공정은 고객주문에 따라 일정기간 동안 단일상품만을 생산한다.
② 묶음생산공정은 제품을 단속적으로 그룹 단위로 생산한다.
③ 대량생산공정은 대규모시장을 대상으로 차별적 제품을 대량으로 생산한다.
④ 연속생산공정은 고도로 표준화된 제품을 대량으로 생산한다.

**해설**

대량생산공정은 대규모시장을 대상으로 표준화된 제품을 대량으로 생산한다.   **정답 ③**

## 08  2020년 국가직 7급 기출

**시장의 수요 변동성에 의한 위험에 대응하기 위하여 다양한 제조전략을 활용할 수 있는데, 동일한 제품에 대하여 고객의 주문 시점부터 제품의 인도 시점까지인 리드타임(lead-time)이 가장 긴 제조전략은?**

① 재고생산(make-to-stock)
② 주문생산(make-to-order)
③ 재고조립생산(assemble-to-stock)
④ 주문조립생산(assemble-to-order)

**해설**

일반적으로 고객화를 추구하는 유연흐름전략으로 갈수록 리드타임은 길어지고, 원가를 추구하는 라인흐름전략으로 갈수록 리드타임은 짧아진다. 따라서 리드타임이 가장 긴 제조전략은 유연흐름전략에 해당하는 주문생산(make-to-order)이 된다.   **정답 ②**

## 09 ☐☐☐ 2012년 국가직 7급 기출

**주문생산(make-to-order)공정과 재고생산(make-to-stock)공정의 특성에 대한 설명으로 옳지 않은 것은?**

① 재고생산공정은 푸쉬(push)생산공정이라고도 하며, 계획된 생산일정에 따라 재고생산이 이루어진다.
② 다른 조건들이 동일하다면, 생산되는 제품이 다양할수록 재고생산공정을 선택하는 것이 유리하다.
③ 다른 조건들이 동일하다면, 수요 불확실성이 높을수록 주문생산공정을 선택하는 것이 유리하다.
④ 다른 조건들이 동일하다면, 단위당 제조원가가 클수록 주문생산공정을 선택하는 것이 유리하다.

**해설**

다른 조건들이 동일하다면, 생산되는 제품이 다양할수록 주문생산공정을 선택하는 것이 유리하다.

정답 ②

## 10 ☐☐☐ 2019년 국가직 7급 기출

**설비배치에 대한 설명으로 옳은 것은?**

① 같은 기능을 갖는 기계를 작업장(workstation)에 모아 놓은 방식으로, 모든 작업자가 유사한 작업을 수행하는 방식을 제품별 배치(product layout)라고 한다.
② 반복적이고 연속적으로 제품을 생산하는 공정형태이며, 가공 혹은 조립에 필요한 기계를 일렬로 배치하여 모든 기계를 순차적으로 거치면서 제품이 완성되는 방식을 공정별 배치(process layout)라고 한다.
③ 제품별 배치와 공정별 배치 등을 혼합한 형태로 준비시간과 대기시간 단축의 장점이 있는 방식을 셀 배치(cellular layout)라고 한다.
④ TV를 제작하는 데 있어 섀시 조립, 회로기판 장착, 브라운관 장착, 스피커 장착, 외장박스 장착, 최종검사 등을 거치는 방식을 고정형 배치(fixed position layout)라고 한다.

**해설**

① 같은 기능을 갖는 기계를 작업장(workstation)에 모아 놓은 방식으로, 모든 작업자가 유사한 작업을 수행하는 방식을 공정별 배치(process layout)라고 한다.
② 반복적이고 연속적으로 제품을 생산하는 공정형태이며, 가공 혹은 조립에 필요한 기계를 일렬로 배치하여 모든 기계를 순차적으로 거치면서 제품이 완성되는 방식을 제품별 배치(product layout)라고 한다.
④ 고정형 배치(fixed position layout)는 제품(재공품)의 이동을 최소화시키고 작업(공정)을 이동시키는 배치형태로 선박이나 항공기 건조, 댐 건설 등에 활용된다.

정답 ③

## 11 2016년 서울시 7급 기출

**설비배치의 유형 중 공정별 배치와 제품별 배치를 비교한 것으로 옳은 것은?**

① 제품별 배치는 다양한 제품을 소량으로 생산하는 경우에 적합하다.
② 공정별 배치는 제품별 배치에 비해 생산속도가 빠르며 생산설비의 효율성이 높다.
③ 특정 제품만을 생산하기 위한 전용생산라인은 제품별 배치에 해당한다.
④ 공정별 배치는 제품의 공정 순서에 따라 일자형의 형태를 취하는 것이 보통이다.

**해설**

① 제품별 배치는 소품종 대량생산에 적합하며, 공정별 배치는 다품종 소량생산에 적합하다.
② 제품별 배치가 공정별 배치에 비해서 생산속도가 빠르며 생산설비의 효율성이 높다고 할 수 있다.
④ 제품의 공정 순서에 따라 일자형의 형태를 취하는 것은 제품별 배치에 해당된다.

정답 ③

## 12 2011년 국가직 7급 기출

**제품별 배치(product layout)와 공정별 배치(process layout)에 대한 설명으로 가장 적절하지 않은 것은?**

① 대량생산을 통한 규모의 경제(economies of scale)를 추구하는 경우에는 제품별 배치가 보다 바람직하다.
② 다양한 제품 생산을 위하여 제조유연성을 추구하는 경우에는 공정별 배치가 보다 바람직하다.
③ 연속흐름(continuous flow) 생산공정을 구현하고자 할 경우에는 제품별 배치가 보다 바람직하다.
④ 제품생산의 효율성을 제고하고, 재공품 재고를 줄이고자 할 경우에는 공정별 배치가 보다 바람직하다.

**해설**

제품생산의 효율성을 제고하고, 재공품 재고를 줄이고자 할 경우에는 제품별 배치가 보다 바람직하다.

정답 ④

## 13 한국소비자원 기출동형

**다음 중 공정별 배치에 대한 설명으로 옳지 않은 것은?**

① 기능별 배치라고도 한다.
② 주문생산방식에는 적합하지 않다.
③ 대기시간 및 이동시간이 길다.
④ 다양한 제품을 생산할 수 있다.

**해설**

공정별 배치(process layout)는 유사한 기능을 수행하는 기계나 장비 또는 부서들을 한 곳에 묶어 배치하는 형태를 말한다. 또한, 소량생산, 제품의 다양성 등이 필요한 유연흐름전략을 사용하는 기업에서는 공정을 중심으로 인력 및 장비 등의 자원을 편성하게 되며, 많은 종류의 제품을 생산하거나 다양한 고객에게 서비스를 제공하기 위해 동일한 작업을 수행해야 하는 경우가 일반적이기 때문에 다품종 소량생산의 형태에 적합하다. 또한, 공정별 배치에서는 일반적으로 범용기계설비가 사용되며, 종합병원이나 테마파크(theme park)의 배치설계가 가장 대표적인 공정별 배치의 예이다. 따라서 공정별 배치는 주문생산방식에 적합한 배치설계이다.

정답 ②

**14** ☐☐☐ 서울교통공사 기출동형

다음 중 제품별 배치의 장단점으로 옳지 않은 것은?

① 과업의 다양화로 작업자에게 더 큰 흥미와 만족을 줄 수 있다.
② 생산계획 및 통제가 비교적 단순하다.
③ 물량의 변화나 제품의 설계 변경에 유연하게 반응할 수 없다.
④ 프로세스가 상호의존적이므로 고장이나 무단결근에 매우 취약하다.

**해설**

공정별 배치의 장점에 해당하는 설명이다. 제품별 배치(product layout)는 제품의 유형에 관계없이 제품이 만들어지는 생산순서에 따라서 기계 및 설비를 배열하는 배치형태를 말하며, 자재의 흐름은 공정별 배치와 달리 일직선의 형태를 보이는 것이 일반적이다. **정답 ①**


**15** ☐☐☐ 2016년 국가직 7급 기출

생산시설 배치(facility layout)에 대한 설명으로 옳지 않은 것은?

① 제품형 시설배치(product layout)는 특정 제품을 생산하는 데 필요한 작업순서에 따라 시설을 배치하는 방식을 말한다.
② 공정형 시설배치(process layout)는 다품종 소량생산에 적합하고 범용기계 설비의 배치에 많이 이용된다.
③ 항공기, 선박의 생산에 효과적인 생산시설 배치의 유형은 고정형 시설배치(fixed-position layout)이다.
④ 제품형 시설배치는 재공품 재고의 수준이 상대적으로 높으며 작업기술이 복잡하다.

**해설**

제품형 시설배치(제품별 배치)는 재공품 재고의 수준이 상대적으로 낮다. **정답 ④**


**16** ☐☐☐ 2023년 국가직 7급 기출

라인밸런싱(line balancing)에 대한 설명으로 옳지 않은 것은?

① 라인밸런싱의 목표는 유휴시간을 최소화하는 것이다.
② 단위기간 내 목표생산량이 증가하면 생산주기(cycle time)도 증가한다.
③ 라인밸런싱은 제품별 배치의 설계를 위해 사용한다.
④ 밸런스 지체(balance delay)가 감소하면 라인효율(efficiency)은 증가한다.

**해설**

생산주기(cycle time)는 각 작업장에서 한 단위 생산에 허락된 최대한의 시간이다. 따라서 단위기간 내 목표생산량이 증가하면 생산주기(cycle time)는 감소한다. **정답 ②**

## 17 한국소비자원 기출동형

제품조립생산라인이 (가) → (나) → (다) 순서로 진행된다면 전체공정에서 하루 8시간 작업기준 1일 생산량은 얼마인가? (단, 다른 변수는 없는 것으로 가정한다.)

| 작업공정 | (가) | (나) | (다) |
|---|---|---|---|
| 작업수행시간 | 15분 | 10분 | 5분 |

① 16개
② 32개
③ 48개
④ 96개

**해설**

(가), (나), (다) 공정 중에서 병목공정은 (가) 공정이 되기 때문에 해당 제품조립생산라인은 1시간에 4개를 생산하게 된다. 따라서 하루 8시간 작업 기준 1일 생산량은 4 × 8 = 32이다.

**정답 ②**

## 18 2008년 국가직 7급 기출

병목작업장이란 처리능력 이상으로 가동되고 있어 언제나 하나 이상의 작업이 대기 중인 작업장을 말한다. 병목작업장이 어디인지 찾아내고 거기에 생산능력을 추가하여 공정의 흐름을 개선함으로써 조직 전체의 최적화를 추구하는 이론은?

① 제약이론(theory of constraints)
② 공급체인관리(supply chain management)
③ 고객관계관리(customer relationship management)
④ 전사적 자원관리(enterprise resource planning)

**해설**

병목작업장이 어디인지 찾아내고 거기에 생산능력을 추가하여 공정의 흐름을 개선함으로써 조직 전체의 최적화를 추구하는 이론은 제약이론이다. 제약이론은 조직의 목표를 달성하는 데 제약이 되는 요인을 찾아 집중적으로 개선함으로써 단기간에 가시적인 경영개선 성과가 나타나고, 장기적으로는 지속적인 경영개선을 추구하여 기업목표를 달성하는 데 필요한 전체최적화를 달성하는 프로세스 중심의 경영혁신기법을 의미한다.

**정답 ①**

## 19  2018년 서울시 7급 기출

기업의 성과측정기준으로 <보기>와 같은 세 가지 운영적 지표를 사용하여야 한다고 주장하는 생산이론은?

<보기>
- 판매를 통하여 시스템에 의해 창출된 돈
- 판매를 목적으로 한 물건들을 구매하는 데 투자된 모든 돈
- 재고를 산출로 전환하는 데 시스템이 소비하는 모든 돈

① 린 생산이론(lean manufacturing)
② 제약이론(theory of constraints)
③ 식스시그마(six sigma)
④ 가치분석(value analysis)

**해설**

제약이론이란 조직의 목표를 달성하는 데 제약이 되는 요인을 찾아 집중적으로 개선함으로써 단기간에 가시적인 경영개선 성과가 나타나고 장기적으로는 지속적인 경영개선을 추구하여 기업목표를 달성하는 데 필요한 전체최적화를 달성하는 프로세스중심의 경영혁신기법을 의미한다. 제약이론에서는 기업의 성과측정 기준으로 판매를 통하여 시스템에 의해 창출된 돈(throughput), 판매를 목적으로 한 물건들을 구매하는 데 투자된 모든 돈(투자규모), 재고를 산출로 전환하는 데 시스템이 소비하는 모든 돈(운영비용)의 운영적 지표를 사용해야 한다고 주장한다.

정답 ②

## 20  2017년 국가직 7급 기출

다음과 같이 순서의 변경이 가능한 7개의 작업요소로 구성된 조립라인에서 시간당 20개의 제품을 생산한다. 공정균형화(Line-Balancing)를 고려한 주기시간(Cycle Time)과 공정효율(Efficiency)은?

| 작업요소 | 시간(초) |
|---|---|
| A | 100 |
| B | 90 |
| C | 45 |
| D | 110 |
| E | 50 |
| F | 100 |
| G | 85 |

① 110초, 약 81%
② 110초, 약 107%
③ 180초, 약 81%
④ 180초, 약 107%

**해설**

주기시간은 각 작업장에서 한 단위를 생산하는 데 소요되는 최대한의 시간을 의미하고, 해당 조립라인에서 시간당 20개의 제품을 생산하기 때문에 제품 한 단위를 생산하는 데 소요되는 시간은 3분이 된다. 즉 주기시간은 180초가 된다. 그런데 총 작업시간이 580초이기 때문에 필요한 작업장은 580초를 180초로 나눈 3.22가 되어 최소한 4개의 작업장이 필요하다. 그리고 라인효율은 총 작업시간을 (작업장수 × 주기시간)으로 나누어 계산하기 때문에 580초를 (4 × 180초)로 나누어 계산한 약 80.56%이다.

정답 ③

## 21 ☐☐☐ 2024년 군무원 7급 기출

**다음은 생산능력(production capacity)에 관한 여러 설명들이다. 이들 중 가장 적절한 것은?**

① 유효생산능력(effective capacity)은 설비의 설계명세서에 명시되어 있는 생산능력으로, 설비 운영의 내적·외적 요인에 영향을 받지 않고 생산 가능한 최대 생산량이다.
② 규모의 경제(economies of scale)란 생산량의 증가 등으로 인해 단위당 변동비가 줄어들어 단위당 평균원가가 감소하는 현상을 의미한다.
③ 최적 조업도는 단위당 고정원가가 최소로 되는 산출량을 말한다.
④ 유효생산능력(effective capacity)은 설계생산능력(design capacity)을 초과할 수 없다.

### 해설

① 설비의 설계명세서에 명시되어 있는 생산능력으로, 설비 운영의 내적·외적 요인에 영향을 받지 않고 생산 가능한 최대 생산량은 유효생산능력(effective capacity)이 아니라 설계생산능력(design capacity)이다.
② 규모의 경제(economies of scale)란 생산량의 증가 등으로 인해 단위당 변동비가 아니라 단위당 고정비가 줄어들어 단위당 평균원가가 감소하는 현상을 의미한다.
③ 최적 조업도는 단위당 고정원가가 아니라 단위당 평균원가가 최소로 되는 산출량을 말한다.

정답 ④

## 22 ☐☐☐ 2021년 군무원 7급 기출

**생산능력(capacity)에 대한 설명으로 가장 옳지 않은 것은?**

① 규모의 경제(economic of scale)는 생산량이 고정비를 흡수하게 됨으로써 단위당 고정비용이 감소하는 것을 의미한다.
② 실제생산능력(actual output rate)은 생산시스템이 실제로 달성하는 산출량이다.
③ 병목(bottleneck)을 고려한 정상적인 조건하에서 보여지는 산출량은 유효생산능력(effective capacity)이다.
④ 생산능력 이용률(capacity utilization)은 설계생산능력(design capacity)이 커지면 함께 증가한다.

### 해설

생산능력 이용률은 '실제생산능력/최대(설계)생산능력'으로 정의할 수 있다. 따라서 설계생산능력이 커지면 생산능력 이용률은 감소한다.

정답 ④

## 23 ☐☐☐ 2007년 국가직 7급 기출

**(주)한국산업의 공장은 한 작업자가 1시간에 20개의 제품을 생산하도록 설계되어 있다. 이번 달 가동률은 80%이며, 생산량은 8,000개였다. 작업자가 5명이고, 하루 8시간, 한 달에 25일 작업한다고 할 때, 이 공장의 생산효율은?**

① 40%   ② 50%
③ 70%   ④ 80%

### 해설

유효생산능력은 '5명 × 8시간 × 20개 × 25일 × 80%'를 계산한 16,000개이다. 그런데, 실제로 생산된 생산량은 8,000개였기 때문에 생산효율은 8,000개를 16,000개로 나눈 50%이다.

정답 ②

## 24 ☐☐☐ 2021년 군무원 7급 기출

**규모의 불경제(diseconomies of scale)의 원인으로 가장 적절하지 않은 것은?**

① 설비규모의 과도한 복잡성에서 초래되는 비효율성
② 과도한 안전 비용에서 초래되는 비효율성
③ 과도한 고정비에서 초래되는 비효율성
④ 과도한 근로인력 규모에서 초래되는 비효율성

**해설**

일정 생산수준 이상을 초과하게 되면 생산시스템이 수용할 수 있는 한계를 초과하게 되고, 이로 인해 규모의 불경제가 발생하게 된다. 따라서 주어진 보기 중에서 과도한 고정비에서 초래되는 비효율성은 규모의 불경제의 원인으로 적절하지 않다. **정답 ③**

## 25 ☐☐☐ 2020년 국가직 7급 기출

**시설의 입지를 결정하는 모형에 대한 설명으로 옳지 않은 것은?**

① 중심지법(centroid, center of gravity)은 새로운 시설과 기존 시설들과의 거리 및 수송할 물량을 평가요소로 활용한다.
② 요인평점법(factor-rating)은 각 입지 요인의 상대적 중요도를 반영한 가중치를 활용하여 양적 및 질적 요인을 함께 고려할 수 있다.
③ 수송계획법(transportation method)은 선형계획법의 한 유형으로 최소비용법(minimum cell cost method), 보겔의 추정법(Vogel's approximation method) 등으로 초기해를 도출한 후 수정배분법(modified distribution method) 등으로 최적해를 도출하는 방법이다.
④ 손익분기점분석법(break-even analysis)은 총생산비용과 총수익의 상관관계를 이용하여 수요가 최대가 되는 최적 입지를 찾는 분석법이다.

**해설**

손익분기점분석법은 입지가능한 장소에 대해 입지요인 중 비용요인을 고정비적인 성격의 비용과 변동비적인 성격의 비용으로 구분하고, 입지를 고려하는 생산시스템의 생산능력을 고려하여 최소비용이 되는 장소를 입지로 결정하는 방법을 말한다. **정답 ④**

## 26 ☐☐☐ 2018년 국가직 7급 기출

**생산입지에 대한 설명으로 옳지 않은 것은?**

① 유사업체들이 이미 생산설비를 가동하고 있다면 원자재 공급업체 확보가 용이하다.
② 완제품의 수송비용이 많이 드는 경우에는 완제품 조립공장을 원자재 산지 근처에 두는 것이 유리하다.
③ 지역별로 생활수준, 취업률, 노동인력의 숙련도 등이 다르기 때문에 임금수준의 격차가 발생한다.
④ 원자재의 부피가 크거나 무겁다면 원자재 가공공장은 원자재 산지 근처에 두는 것이 유리하다.

**해설**

완제품의 수송비용이 많이 드는 경우에는 완제품 조립공장을 원자재 산지 근처에 두게 되면 완제품을 수송하는 데 비용이 많이 들기 때문에 최종소비지에 근접하게 두는 것이 적절하다. **정답 ②**

## 5지선다형

**01** ☐☐☐ 2020년 경영지도사 기출

**많은 개별 고객들의 요구를 만족시키기 위해 제품들을 맞춤화하여 생산하는 것은?**

① 서비타이제이션(servitization)
② 가치 공학(value engineering)
③ 린 생산(lean production)
④ 매스 커스터마이제이션(mass customization)
⑤ 대량 생산(mass production)

**해설**

① 서비타이제이션(servitization)은 재화와 서비스의 결합(product servitization), 서비스의 상품화(service productization), 그리고 기존 서비스와 신규 서비스의 결합 현상을 포괄하는 개념이다.
② 가치 공학(value engineering)은 제품을 선정하고 설계할 때 사용하는 기법으로 제품을 설계할 때 엔지니어는 반드시 사용한 부품과 원자재가 비용에 어떤 영향을 끼쳤는지를 고려하여야 한다. 이에 반해, 가치분석은 가치공학과는 달리 생산과정에서 발생하는 비용을 줄이기 위해 사용하는 기법이다. 따라서 기존 제품에 적용되면 가치분석이고, 신제품에 적용되면 가치공학이라고 한다.
③ 린 생산(lean production)은 적시생산시스템과 유사한 개념이다.

**정답 ④**

---

**02** ☐☐☐ 한국농어촌공사 기출동형

**다음에서 설명하는 제품 설계방식으로 옳은 것은?**

> 고객이 표현하거나 숨겨져 있는 요구사항을 찾아내고, 그것을 프로세스와 실행방안으로 변형시켜 조직을 통해 실현하는 것이다. 이 방식의 궁극적인 목적은 신제품의 기획 및 설계 단계에서부터 고객의 욕구를 반영함과 동시에 개발기간을 단축하는 것이다.

① 품질기능전개(quality functional deployment)
② 모듈러 설계(modular design)
③ 가치공학(value engineering)
④ 제조용이성설계(design for manufacturability)
⑤ 제조물 책임(product liability)

**해설**

② 모듈러 설계(modular design)는 제품계열에 있는 여러 가지 상이한 제품에 사용될 수 있는 일련의 기본적인 부품(또는 모듈)을 설계하는 것이다.
③ 가치를 분석하는 대표적인 기법에는 가치공학(value engineering)과 가치분석(value analysis)이 있다. 가치공학은 제품을 선정하고 설계할 때 사용하는 기법으로 제품을 설계할 때 엔지니어는 반드시 사용한 부품과 원자재가 비용에 어떤 영향을 끼쳤는지를 고려하여야 한다. 이에 반해, 가치분석은 가치공학과는 달리 생산과정에서 발생하는 비용을 줄이기 위해 사용하는 기법이다. 따라서 기존 제품에 적용되면 가치분석이고, 신제품에 적용되면 가치공학이라고 한다.
④ 제조용이성설계(design for manufacturability)는 제품의 생산이 용이하고 경제적으로 이루어질 수 있도록 하는 제품설계이다.
⑤ 제조물 책임(product liability)은 제조하고 판매하는 물건들에 있을 수 있는 결함에 대한 제조업자와 판매업자의 책임이다.

**정답 ①**

## 03 ☐☐☐ 2021년 가맹거래사 기출

**제품과 서비스 설계에 관한 설명으로 옳지 않은 것은?**

① 동시공학(concurrent engineering)은 제품 및 서비스 개발과 관련된 다양한 부서원들이 공동 참여하는 방식이다.
② 품질기능전개(quality function deployment)는 고객의 요구사항을 설계특성으로 변환하는 방법이다.
③ 가치분석/가치공학(value analysis/value engineering)은 제품의 가치를 증대시키기 위한 체계적 방법이다.
④ 모듈화설계(modular design)는 구성품의 다양성을 높여 완제품의 다양성을 낮추는 방법이다.
⑤ 강건설계(robust design)는 제품이 작동환경의 영향을 덜 받고 기능하도록 하는 방법이다.

**해설**

모듈화설계(modular design)는 제품계열에 있는 여러 가지 상이한 제품에 사용될 수 있는 일련의 기본적인 부품(또는 모듈)을 설계하는 것을 말하는데, 이를 통해 대량고객화(mass customization)의 개념을 달성할 수 있다. 따라서 모듈화설계를 통해 완제품의 다양성을 높일 수 있다.

정답 ④

## 04 ☐☐☐ 2019년 가맹거래사 기출

**제품설계과정에서 활용되는 방법과 이에 관한 설명의 연결이 옳은 것은?**

> ㄱ. 가치분석(VA)
> ㄴ. 품질기능전개(QFD)
> ㄷ. 모듈러 설계(modular design)

> a. 낮은 부품다양성으로 높은 제품다양성을 추구하는 방법
> b. 제품의 원가대비 기능의 비율을 개선하려는 체계적 노력
> c. 고객의 다양한 요구사항과 제품의 기능적 요소들을 상호 연결

① ㄱ: a, ㄴ: b, ㄷ: c
② ㄱ: a, ㄴ: c, ㄷ: b
③ ㄱ: b, ㄴ: a, ㄷ: c
④ ㄱ: b, ㄴ: c, ㄷ: a
⑤ ㄱ: c, ㄴ: a, ㄷ: b

**해설**

낮은 부품다양성으로 높은 제품다양성을 추구하는 방법은 모듈러 설계(ㄷ)이고, 제품의 원가대비 기능의 비율을 개선하려는 체계적 노력은 가치분석(ㄱ)에 해당하며, 고객의 다양한 요구사항과 제품의 기능적 요소들을 상호 연결은 품질기능전개(ㄴ)이다.

정답 ④

## 05 ☐☐☐ 2024년 공인노무사 기출

**가치분석/가치공학분석에서 사용하는 브레인스토밍(brainstorming)의 주제로 옳지 않은 것은?**

① 불필요한 제품의 특성은 없는가?
② 추가되어야 할 공정은 없는가?
③ 무게를 줄일 수는 없는가?
④ 두 개 이상의 부품을 하나로 결합할 수 없는가?
⑤ 제거되어야 할 비표준화된 부품은 없는가?

> **해설**
>
> 가치를 분석하는 대표적인 기법에는 가치공학(value engineering)과 가치분석(value analysis)이 있다. 가치공학은 제품을 선정하고 설계할 때 사용하는 기법으로 제품을 설계할 때 엔지니어는 반드시 사용한 부품과 원자재가 비용에 어떤 영향을 끼쳤는지를 고려하여야 한다. 이에 반해, 가치분석은 가치공학과는 달리 생산과정에서 발생하는 비용을 줄이기 위해 사용하는 기법이다. 따라서 기존 제품에 적용되면 가치분석이고, 신제품에 적용되면 가치공학이라고 한다. 이러한 관점에서 공정을 추가하는 것은 비용을 증가시키기 때문에 가치분석/가치공학분석에서 사용하는 브레인스토밍(brainstorming)의 주제로 옳지 않다.
>
> **정답 ②**

## 06 ☐☐☐ 2013년 가맹거래사 기출

**제품의 디자인에서 생산에 이르기까지 각 과정의 설계 작업을 동시에 수행함으로써 생산리드타임을 획기적으로 단축시키는 기법은?**

① 벤치마킹(benchmarking)
② 리엔지니어링(reengineering)
③ 리스트럭처링(resturcturing)
④ 콘커런트 엔지니어링(concurrent engineering)
⑤ 다운사이징(downsizing)

> **해설**
>
> 제품의 디자인에서 생산에 이르기까지 각 과정의 설계 작업을 동시에 수행함으로써 생산리드타임을 획기적으로 단축시키는 기법은 콘커런트 엔지니어링(concurrent engineering)이다.
>
> **정답 ④**

## 07 · 2023년 공인노무사 기출

**제품설계 기법에 관한 설명으로 옳은 것은?**

① 동시공학은 부품이나 중간 조립품의 호환성과 공용화를 높여서 생산원가를 절감하는 기법이다.
② 모듈러 설계는 불필요한 원가요인을 발굴하여 제거함으로써 제품의 가치를 높이는 기법이다.
③ 가치공학은 신제품 출시과정을 병렬적으로 진행하여 신제품 출시기간을 단축하는 기법이다.
④ 품질기능전개는 소비자의 요구사항을 체계적으로 제품의 기술적 설계에 반영하는 과정이다.
⑤ 가치분석은 제품이나 공정을 처음부터 환경변화의 영향을 덜 받도록 설계하는 것이다.

**해설**

① 부품이나 중간 조립품의 호환성과 공용화를 높여서 생산원가를 절감하는 기법은 모듈러 설계이다.
② 불필요한 원가요인을 발굴하여 제거함으로써 제품의 가치를 높이는 기법은 가치분석 또는 가치공학이다. 일반적으로 기존 제품에 적용되면 가치분석이고, 신제품에 적용되면 가치공학이라고 한다.
③ 신제품 출시과정을 병렬적으로 진행하여 신제품 출시기간을 단축하는 기법은 동시공학 또는 동시설계이다.
⑤ 제품이나 공정을 처음부터 환경변화의 영향을 덜 받도록 설계하는 것은 강건설계(robust design)이다.

**정답 ④**

## 08 · 2018년 가맹거래사 기출

**제품설계 및 개발에 관한 설명으로 옳지 않은 것은?**

① 제조용이성설계(DFM): 제품의 생산이 용이하고 경제적으로 이뤄질 수 있도록 하는 제품설계 방법
② 품질기능전개(QFD): 고객의 요구사항을 제품이나 서비스의 설계명세에 반영하는 방법
③ 로버스트 설계(robust design): 제품의 성능 특성이 제조 및 사용 환경의 변화에 민감하도록 설계하는 방법
④ 모듈러 설계(modular design): 제품의 다양성을 높이면서 동시에 제품라인의 생산에 사용되는 구성품의 수를 최소화하는 제품설계 방법
⑤ 가치분석(VA): 기능적 요구조건을 충족시키는 범위 내에서 불필요하게 원가를 유발하는 요소를 제거하고자 하는 체계적인 방법

**해설**

로버스트 설계(robust design)는 제품의 성능 특성이 제조 및 사용 환경의 변화에 둔감하도록 설계하는 방법이다.

**정답 ③**

## 09 ☐☐☐ 2017년 경영지도사 기출

제품 설계 시 제품의 변동을 일으키는 원인인 노이즈를 제거하거나 차단하는 대신에 노이즈에 대한 영향을 없애거나 줄이도록 하는 설계방법은?

① 손실함수(loss function) 설계
② 로버스트(robust) 설계
③ 프로젝트(project) 설계
④ 학습곡선(learning curve) 설계
⑤ 동시공학(concurrent engineering) 설계

> 해설
>
> 제품 설계 시 제품의 변동을 일으키는 원인인 노이즈를 제거하거나 차단하는 대신에 노이즈에 대한 영향을 없애거나 줄이도록 하는 설계방법은 로버스트(robust) 설계이다.
>
> 정답 ②

## 10 ☐☐☐ 2016년 가맹거래사 기출

고객의 요구를 기술적 특성과 연결시켜 제품에 반영하는 기법은?

① 품질기능전개(QFD)
② 동시공학(CE)
③ 가치분석(VA)
④ 가치공학(VE)
⑤ 유연생산시스템(FMS)

> 해설
>
> 고객의 요구를 기술적 특성과 연결시켜 제품에 반영하는 기법은 품질기능전개(QFD)이다. 품질기능전개는 고객의 요구를 설계나 생산에서 사용하는 기술적 특성과 연결하여 기업의 각 부서에 전달될 수 있게 하는 기법으로 표준화된 의사소통을 위한 방법을 말한다. 품질기능전개는 제품설계뿐만 아니라 신제품 도입에도 사용되며, 품질개선의 방법으로 이해되기도 한다. 품질기능전개의 개념을 구현하기 위한 도구인 품질의 집(house of quality)은 표준화된 문서양식을 말한다.
>
> 정답 ①

## 11 ☐☐☐ 2023년 가맹거래사 기출

품질의 집(house of quality) 구성요소가 아닌 것은?

① 고객요구사항
② 제품의 기술특성
③ 기술특성에 관한 경쟁사의 설계목표
④ 고객요구사항과 기술특성의 상관관계
⑤ 고객요구사항에 관한 자사와 경쟁사 수준 평가

> 해설
>
> 기술특성에 관한 경쟁사의 설계목표는 품질의 집의 구성요소에 해당하지 않는다.
>
> 정답 ③

## 12  2022년 경영지도사 기출

다음과 같은 제품개발이 의미하는 혁신 형태는?

- HDTV 등장
- 스마트폰 지문 기술 도입
- 자동차 전후방 카메라 설치

① 파괴적 혁신  ② 점진적 혁신  ③ 디자인 혁신
④ 사업 혁신  ⑤ 조직 혁신

**해설**

클레이튼 크리스텐슨(Clayton Christensen)에 따르면 혁신에는 존속적(점진적) 혁신과 파괴적(급진적) 혁신이 있다. 존속적 혁신은 기존 제품과 서비스를 점진적으로 개선해 더 나은 성능을 원하는 고객을 대상으로 높은 가격에 제공하는 전략이다. 반면 파괴적 혁신은 단순하고 저렴한 제품 또는 서비스로 시장 밑바닥을 공략해 기존 시장을 파괴하고 시장을 장악하는 전략이다. 이 개념에 따르면 경영이 잘 이루어지고 평판이 좋은 기존 기업들은 재화와 서비스를 점진적으로 개선하는 방식으로 존속적 혁신을 거듭하다가 고객의 필요를 지나치게 앞서 나가게 된다. 따라서 주어진 내용은 파괴적 혁신과 점진적 혁신 중에 점진적 혁신에 해당한다.

정답 ②

## 13  한국철도공사 기출동형

다음 중 표준화된 주문생산공정의 일종으로, 한 가지 제품을 일괄적으로 생산한 뒤 다른 제품을 같은 생산라인에서 만드는 방식은 무엇인가?

① 뱃치(batch)공정  ② 개별작업(job shop)공정  ③ 프로젝트(project)공정
④ 연속(continuous)공정  ⑤ 라인(line)공정

**해설**

표준화된 주문생산공정의 일종으로, 한 가지 제품을 일괄적으로 생산한 뒤 다른 제품을 같은 생산라인에서 만드는 방식은 뱃치(batch)공정이다.

정답 ①

## 14  2016년 경영지도사 기출

다음은 어떤 생산공정에 관한 설명인가?

- 고객의 주문에 따라 일정기간 동안에 정해진 제품만을 생산한다.
- 이 공정의 예로는 건축, 선박제조, 신제품 개발 등이 있다.

① 프로젝트공정  ② 대량생산공정  ③ 유연생산공정
④ 자동생산공정  ⑤ 연속생산공정

**해설**

프로젝트공정(project process)은 고객의 주문에 따라 일정기간 동안에 단일 상품만을 생산하는 공정의 형태를 의미한다. 이는 대상 업무의 고객화 정도가 높고 범위가 넓으며, 과제 완료 이후에는 상당한 양의 자원이 자유롭다는 특성을 보이며, 공정의 연속선상에서 가장 고객화 정도가 높고 산출량이 적은 위치에 있다.

정답 ①

## 15 □□□ 2016년 경영지도사 기출

**공장 내 설비 배치에 관한 설명으로 옳지 않은 것은?**

① 공정별 배치는 비슷한 작업을 수행하는 기계, 활동들을 그룹별로 모아 놓은 것으로 개별주문생산시스템에 적합하다.
② 제품별 배치는 공정의 순서에 따라 배치하는 것으로 연속적인 대량생산에 적합하고, 재공품과 물류비 감소 및 생산 통제가 용이하다.
③ 위치고정형 배치는 대단위 제품들을 한 곳에 모아 놓고 조립하는 형태로 프로젝트 기법을 활용하여 생산계획과 통제를 한다.
④ 혼합형 배치는 공정과 제품요소를 동시에 혼합하는 것으로 소품종 대량생산의 경우에 적합하다.
⑤ 프로세스별 배치는 특정제품을 생산하는 일련의 고정된 순서에 의해 배치하는 것으로 주로 특수화된 공구와 장치 생산에 적합하다.

**해설**

현실적으로 유연흐름전략과 라인흐름전략의 요소를 결합하는 흐름전략이 많이 존재하기 때문에 일부는 공정별로 배치하고, 일부는 제품별로 배치하는 중간적 전략인 혼합형 배치를 사용하게 된다. 혼합형 배치의 가장 대표적인 예로는 다수기계보유 작업방식(OWMM)과 그룹 테크놀로지(GT)가 있다. 소품종 대량생산의 경우에 적합한 배치는 제품별 배치이다. **정답 ④**

## 16 □□□ 2018년 가맹거래사 기출

**GT(group technology)에 관한 설명으로 옳은 것은?**

① 다품종 소량생산에서 유사한 가공물들을 집약·가공할 수 있도록 부품설계, 작업표준, 가공 등을 계통화시켜 생산효율을 높이는 기법
② 설계와 관련된 엔지니어링 지식을 병렬적으로 통합하는 기법
③ 제품설계, 공정설계, 생산을 완전히 통합하는 기법
④ 원가절감과 기능개선을 목적으로 가치를 향상시키는 기법
⑤ 기업전체의 경영자원을 최적으로 활용하기 위하여 업무 기능의 효율화를 추구하는 기법

**해설**

GT(group technology)는 유사한 특성을 지닌 제품이나 부품을 크기, 모양, 필요작업, 경로상의 유사점, 수요 등의 요인에 기초하여 하나의 군(family)으로 분류하고 이를 생산하는 기계의 군을 별도로 운영하는 것을 의미한다. 따라서 GT에 관한 설명으로 옳은 것은 ①이다. **정답 ①**

**17** ☐☐☐ 2022년 가맹거래사 기출

**제조기업의 능력 계획에 비해 서비스기업의 능력 계획에서 추가적으로 고려하여야 할 사항으로 옳지 않은 것은?**

① 서비스 위치
② 높은 수요변동성
③ 서비스 능력 가동률
④ 서비스 시간
⑤ 규모의 경제

> **해설**
> 규모의 경제는 생산량이 증가함에 따라 단위당 생산원가가 절감되는 현상이다. 그러나 서비스기업은 원칙적으로 대량생산이 불가능하기 때문에 규모의 경제를 고려할 수는 없다.
> **정답 ⑤**

**18** ☐☐☐ 대구환경공단 기출동형

**다음 중 생산능력에 대한 설명으로 옳지 않은 것은?**

① 유효생산능력은 정상적인 조건에서 주어진 기간 동안 어떤 프로세스의 최대 산출량이다.
② 생산능력이 실제수요보다 클 경우 공급과잉이 일어나며, 과도한 생산은 업체 간 출혈경쟁을 초래할 수 있다.
③ 생산능력 측정지표 중 이용률은 실제 산출량을 유효생산능력으로 나눈 값이다.
④ 가동률이 높다는 것은 구축된 설비, 인력, 자원이 효율적으로 활용되고 있다는 것을 의미한다.
⑤ 생산능력 측정 지표 중 효율성은 목표 산출량을 고려한 것으로, 실제 생산현장에서는 가동률보다 효율성을 더욱 중시한다.

> **해설**
> 생산능력 측정지표 중 이용률은 실제 산출량을 설계생산능력으로 나눈 값이고, 실제 산출량을 유효생산능력으로 나눈 값은 효율성이다.
> **정답 ③**

## 19  2019년 가맹거래사 기출

(주)가맹이 전자제품 조립공장 입지를 선정하기 위해 다음과 같이 3가지 대안에 관한 정보를 파악하였을 때, 입지대안 비교 결과로 옳지 않은 것은?

| 대안 | 고정비(원) | 단위당 변동비(원) |
|---|---|---|
| 1 | 4,000 | 10 |
| 2 | 2,000 | 20 |
| 3 | 1,000 | 40 |

① 생산량이 40단위라면 대안 2와 대안 3의 입지비용은 동일하다.
② 생산량이 70단위라면 대안 2가 가장 유리하다.
③ 생산량이 100단위라면 대안 1과 대안 3의 입지비용은 동일하다.
④ 생산량이 200단위라면 대안 1과 대안 2의 입지비용은 동일하다.
⑤ 생산량이 210단위라면 대안 1이 가장 유리하다.

**해설**

대안 1의 입지비용은 4,000원 + 10원 × Q이고, 대안 2의 입지비용은 2,000원 + 20원 × Q이며, 대안 3의 입지비용은 1,000원 + 40원 × Q이다. 대안 2와 대안 3의 입지비용이 동일한 생산량은 50단위이다.
② 생산량이 70단위라면 대안 1의 입지비용은 4,700원이고, 대안 2의 입지비용은 3,400원이며, 대안 3의 입지비용은 3,800원이다. 따라서 대안 2의 입지비용이 제일 저렴하기 때문에 가장 유리하다.
③ 4,000원 + 10원 × Q = 1,000원 + 40원 × Q이다. 따라서 Q는 100단위이다.
④ 4,000원 + 10원 × Q = 2,000원 + 20원 × Q이다. 따라서 Q는 200단위이다.
⑤ 생산량이 210단위라면 대안 1의 입지비용은 6,100원이고, 대안 2의 입지비용은 6,200원이며, 대안 3의 입지비용은 9,400원이다. 따라서 대안 1의 입지비용이 제일 저렴하기 때문에 가장 유리하다.

**정답 ①**

## 20  2015년 가맹거래사 기출

**서비스시설과 관련된 입지요인이 아닌 것은?**

① 고객과의 근접성
② 생산능력
③ 경쟁업자의 위치
④ 부지의 위치
⑤ 시장의 근접성과 운송비

**해설**

생산능력은 생산시스템의 규모를 의미하기 때문에 입지와 관련된 요인으로 보기 어렵다.

**정답 ②**

# CHAPTER 04 생산시스템의 운영 및 통제

## 제1절 수요예측

### 1 수요

#### 1. 수요의 유형

수요는 고객들이 직접 요구하는 제품의 수요인 독립수요(independent demand)와 독립수요로부터 파생되는 수요인 종속수요(dependent demand)로 구분할 수 있다. 예를 들어, 고객이 자전거를 수요할 때 자전거 자체에 대한 수요가 독립수요에 해당하며, 자전거를 구성하는 앞바퀴나 뒷바퀴와 같은 품목에 대한 수요가 종속수요에 해당한다. 일반적으로 기업은 종속수요에 대해서는 이를 충족시키는 방법 외에는 다른 방법이 없지만, 독립수요에 대해서는 대응이 가능하다. 따라서 수요예측의 대상이 되는 수요는 독립수요이다.

#### 2. 수요의 특성: 시계열 특성

제품의 수요는 시간의 흐름에 따라 일정한 패턴을 가지는 시계열자료(time series data)의 특성을 가진다. 이러한 시계열 특성은 일정한 간격의 시간을 두고 자료를 수집하기 때문에 시간의 흐름에 따른 변화를 파악할 수 있도록 해준다. 수요의 시계열 특성은 수평(horizontal), 추세(trend), 주기변화(periodic change), 확률적 변동(random) 등이 있지만, 수요는 다수의 시계열 유형이 조합을 이루어 나타나는 것이 일반적이다.

(1) 수평

　일정한 평균을 중심으로 한 수요자료의 움직임이다.

(2) 추세

　시간에 따른 평균의 구조적인 또는 지속적인 증가나 감소를 보이는 수요자료의 움직임이다.

(3) 주기변화

　일정한 주기를 가지고 변화하는 수요자료의 움직임이다. 주기변화는 수요의 반복적 증가나 감소의 형태로 단기적인 변화에 해당하는 계절적(seasonal) 변화와 장기에 걸쳐 점진적인 증가나 감소가 반복되는 특성으로 경기변동이나 제품의 수명주기에 영향을 받는 수요의 특성인 순환적(cyclical) 변화가 있다.

(4) 확률적 변동

　우연에 의한 변동으로 무작위적인 특성을 가지기 때문에 예측이 불가능한 수요자료의 움직임이다.

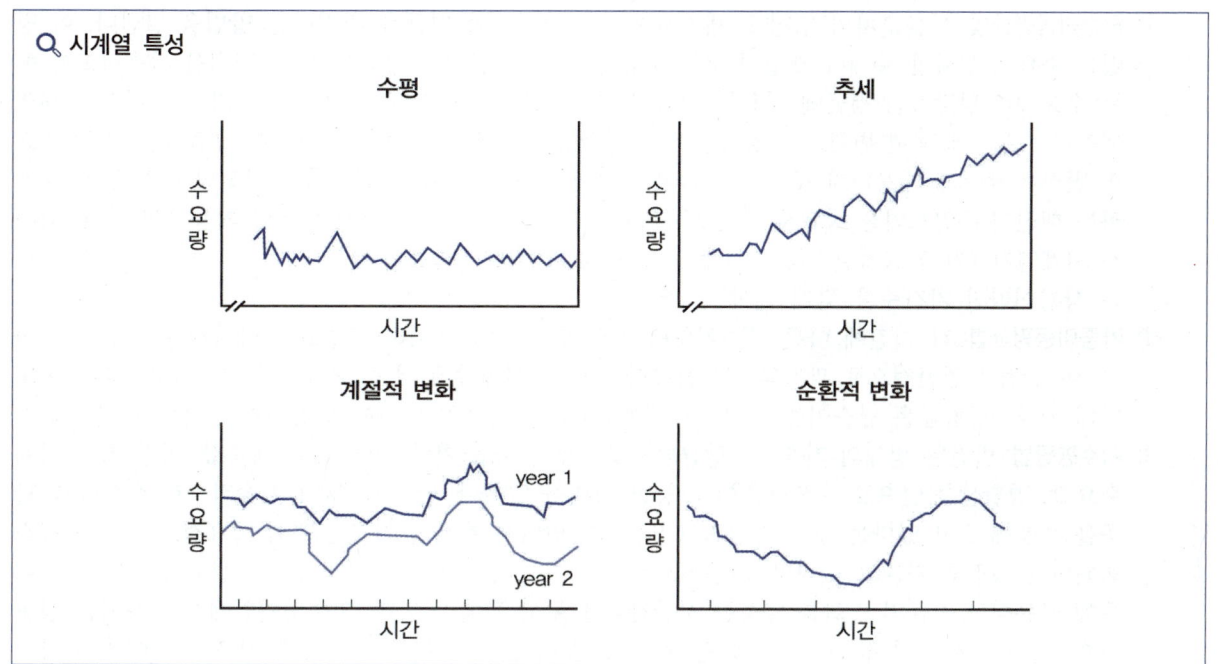

## 2 수요예측

### 1. 수요예측기법의 종류

**(1) 정성적 방법**

정성적 방법(qualitative method)은 조직 내외의 사람들의 경험이나 견해와 같은 주관적 요소를 사용하는 예측기법을 말하며, **시장조사법, 판매원 추정법, 경영자 판단법, 델파이법, 수명주기유추법** 등의 방법이 있다. 정성적 방법은 직관이나 판단에 의존하기 때문에 일반적으로 자료가 제한적이거나 구할 수 없는 경우 또는 자료가 있더라도 더 이상 의미가 없는 경우에 사용한다. 이 방법은 관련 정보량과 예측 담당자의 능력 및 경험에 따라서 예측의 질이 크게 달라지며 기존의 자료가 별 소용이 없는 상황에서 장기 전망을 하는 경우나 수요 관련 정보가 없는 신제품을 도입할 때 종종 사용된다.

**(2) 정량적 방법**

정량적 방법(quantitative method)은 계량적 방법이라고도 하는데, 과거의 수요와 관련된 계량적인 자료들을 사용하여 미래에 대한 수요를 예측하는 기법을 말하며, **시계열분석법**(time-series analysis)과 **인과관계분석법**(causal method) 등의 방법이 있다. 이 예측방법은 수학적 기법으로서 과거자료에 근거한다. 시계열분석법은 미래는 과거의 연장이라는 가정에 기초하기 때문에 과거 시계열자료를 사용하여 미래를 예측한다. 시계열분석법에 해당하는 방법으로는 **이동평균법**(moving average method), **지수평활법**(exponential smoothing method), **계절모형**(seasonal method), **박스-젠킨스법**(Box-Jenkins method) 등이 있다. 이에 반해 인과관계분석법은 하나 또는 그 이상의 요인이 수요에 영향을 미친다고 가정하기 때문에 이 요인들을 이용하여 미래를 예측한다. 이러한 정량적 방법은 과거자료에 의존하여 예측이 이루어지기 때문에 예측기간이 길수록 정확성이 떨어진다. 인과관계분석법에 해당하는 방법으로는 **선형회귀분석**(linear regression analysis), **판별분석**(discriminant analysis) 등이 있다.

① **단순이동평균법**: 확률오차의 영향을 제거하여 수요시계열의 평균을 추정하는 방법을 말한다. 이 방법은 수요에 명확한 추세나 계절적 영향이 없을 때 유용한 예측방법이다. 이 방법을 사용하고자 하는 수요예측 담당자는 평균에 사용할 과거의 기간수를 결정해야 하는데, 기간수가 길어지면 미래의 예측치는 우연에 의한 변화를 반영하는 폭이 줄어들어 안정적인 예측이 가능한 장점이 있지만, 수요의 변화에 빠르게 대응하지 못하는 단점이 있다. 반면에, 기간수가 짧아지면 시장의 변화에 잘 대응하는 대신에 우연요인을 상쇄시키지 못하므로 시장의 변화에 과민하게 반응할 가능성이 있다. 따라서 시계열자료가 안정적일수록 기간수를 길게 하고, 시계열자료의 평균치가 계속 변동할지도 모르는 상황이라면 기간수를 짧게 해야 한다.

② **가중이동평균법**: 각 기간에 다른 가중치(가중치의 합은 1)를 부여하여 수요를 예측하는 방법을 말한다. 이 방법은 일반적으로 과거의 실제값보다 최근의 실제값에 더 큰 가중치를 부여하게 되며, 이로 인해 가중이동평균은 단순이동평균보다 시계열자료의 평균치 변화에 민감하게 반응할 수 있다.

③ **지수평활법**: 발전된 형태의 가중이동평균법으로 3개의 자료(지난 기에 구한 예측값, 이번 기의 실제 수요값, 평활상수)만으로 수요예측이 가능한 방법을 말한다. 단, 과거부터 지속적으로 수요예측 활동을 수행해 오고 있다는 것을 가정하고 있다. 이 방법은 계산이 쉽다는 점과 필요정보의 양이 최소화된다는 장점을 가지고 있지만, 기본적으로 수요가 안정적이라는 가정하에서 설계된 방법이기 때문에 근본적인 평균의 변화를 일정한 시간간격을 두고 뒤따라 간다. 지수평활법에서 사용되는 평활상수는 0과 1 사이의 값($0 \leq \alpha \leq 1$)을 가지며, 값이 클수록 최근의 수요를 강조하고 이에 따라서 실제 수요의 평균값 변화에 보다 민감하게 반응하며 값이 작아지면 그 반대가 된다. 따라서 평활상수는 가중치의 개념과 오차에 대한 조정변수의 개념을 동시에 포함하고 있다. 또한, 평활상수는 수요예측담당자의 주관적인 판단이나 직관에 의해 결정된다.

$$F_{t+1} = \alpha D_t + (1-\alpha) F_t = F_t + \alpha (D_t - F_t)$$

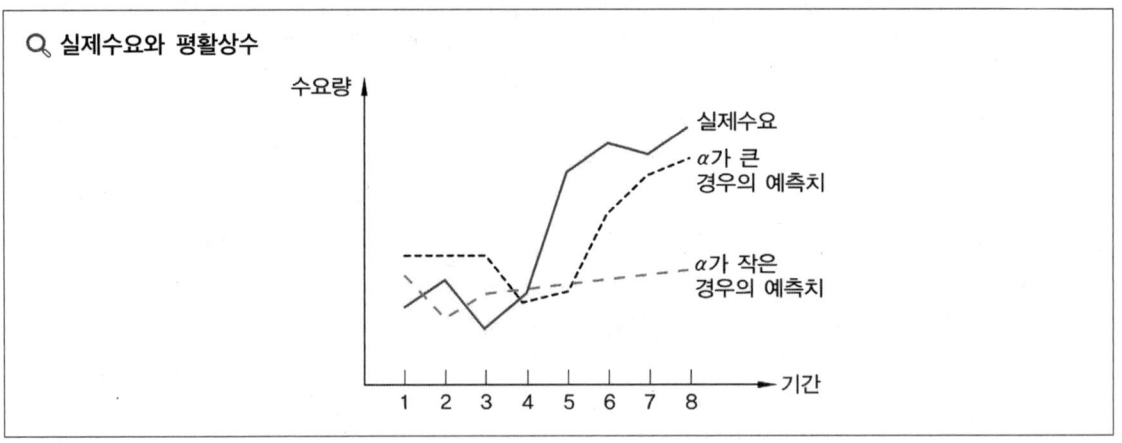

실제수요와 평활상수

④ **계절모형**: 계절적 패턴이 있는 시계열의 예측에 이용되는 기법 중 가장 대표적인 모형으로, **가법계절모형**(additive seasonal method)과 **승법계절모형**(multiplicative seasonal method)이 있다. 여기서 가법계절모형은 계절적 영향이 평균수요에 상관없이 상수라는 가정에 근거하여 1계절 평균수요에 일정한 계절적 요소를 더해 주는 계절모형이고, 승법계절모형은 계절적 변동이 수요의 크기에 비례함을 가정하여 계절요소를 1계절 평균수요에 곱해 주는 계절모형이다.

⑤ **선형회귀분석**: 과거의 수요자료가 어떤 변수와 선형관계가 있다고 가정하여 **경영자가 예측하고자 하는 변수인 종속변수와 과거의 수요자료에 그 영향이 반영되어 있는 독립변수와의 일차식으로 표현**하여 수요를 예측하는 방법을 말한다. 이러한 일차식은 'Y = aX + b'의 형태로 표시할 수 있으며, X는 독립변수, Y는 종속변수, a는 회귀선의 기울기, b는 회귀선이 $Y$축과 교차하는 점을 의미한다. 이러한 선형회귀선을 도출하기 위해서는 **최소자승법(최소제곱법)**을 이용하게 되며, 사용되는 독립변수의 개수에 따라 독립변수가 하나의 경우인 **단순회귀분석**(simple regression analysis)과 독립변수가 여러 개의 경우인 **다중회귀분석**(multiple regression analysis)으로 구분할 수 있다. 최소자승법은 실제 자료의 각 점과 회귀선과의 편차를 제곱한 합을 최소화하는 a와 b의 값을 찾는 방법이다.

⑥ **판별분석**: 두 개 이상의 독립변수들이 **범주화된 종속변수에 어떠한 영향을 미치는가를 알아보기 위한 분석방법**을 말한다. 회귀분석은 독립변수와 종속변수가 모두 연속적인 변수인 데 반하여, **판별분석은 종속변수가 이산적·불연속적인 범주형 변수이다.**

## 2. 수요예측기법의 선택

### (1) 선택기준

① **정확성**: 예측기법을 통해 도출된 결과가 실제 수요와 차이가 크지 않아야 한다는 것으로 예측기법이 가져야 할 가장 중요한 기준이다.
② **간편성**: 예측기법이 이해하기 쉽고 사용하기에 간편함을 의미한다. 너무 복잡한 예측기법은 사용하기에 어렵고 발생하는 비용도 크다.
③ **충실성**: 예측이 자료의 급격한 변동에 대해서도 쉽게 변동하지 않는 것을 의미하며, 예측의 안정성이라고도 한다.

### (2) 예측오차

예측기법의 평가기준 중 정확성을 평가하는 가장 일반적인 기준이 바로 예측오차이다. 예측오차(forecasting error)는 일정기간의 **실제수요값과 예측값의 차이**를 말한다. 예측에는 항상 오차가 있기 마련인데, 예측오차에는 통제가능한 요인에 의해 발생하는 **편량오차**(bias error)와 통제불가능한 요인에 의해 발생하는 **확률적 오차**(random error)가 있다. 일반적으로 기업의 입장에서 편량오차를 감소시키는 것은 어렵지 않지만 확률적 오차를 감소시키는 것은 어렵다. 이러한 예측오차를 측정하는 척도[92]는 다음과 같다.

① **누적예측오차**(cumulative sum of forecasting error, CFE): 예측오차의 합계를 의미하며, 누적예측오차의 계산과정에서 양(+)의 값을 갖는 오차와 음(-)의 값을 갖는 오차가 서로 상쇄되므로 **예측의 편량**(bias)을 측정하는 데 유용한 지표이다. 누적예측오차의 값이 양(+)의 값을 갖는 것은 수요예측기법의 과소예측을 의미하고, 음(-)의 값을 갖는 것은 수요예측기법의 과대예측을 의미한다.

---

[92] 추적지표(tracking signal)는 예측기법이 실제수요변화를 정확히 예측하고 있는지를 나타내는 지표로 누적예측오차(CFE)를 평균절대오차(MAD)로 나누어 계산한다.

② 평균절대오차(mean absolute deviation, MAD): 일정기간 동안 발생한 오차의 절대값을 단순히 평균한 것을 의미하는데, 경영자가 이해하기 쉽다는 이유로 예측오차의 측정에 많이 사용되는 방법이다. **이 값이 작으면 예측값이 정확한 것이고, 반대로 이 값이 크면 예측의 오류가 큰 것이다.** 평균절대오차와 유사한 개념으로 **평균제곱오차**(mean square error, MSE), **표준편차**(standard deviation)도 많이 사용된다.

### 3. 복수기법의 사용

수요예측기법을 사용하여 수요를 예측하는 방법에는 하나의 기법을 사용하는 방법과 복수기법을 사용하는 방법이 있다. 복수기법을 사용하는 경우에는 도출된 수요예측값을 결합하거나 선택하는 문제가 발생하게 되는데, 그 방법에는 조합예측(combination forecasting)과 초점예측(focus forecasting)이 있다.

#### (1) 조합예측

복수기법을 통해 얻은 개별 수요예측값들을 **평균하여 최종 예측값으로 결합**하는 방법이다.

#### (2) 초점예측

개별 기법에 의하여 도출된 수요예측값들 중에서 **가장 최선의 예측값을 최종 예측값으로 선택**하는 방법이다.

## 제2절 생산계획

### 1 총괄생산계획과 기준생산계획

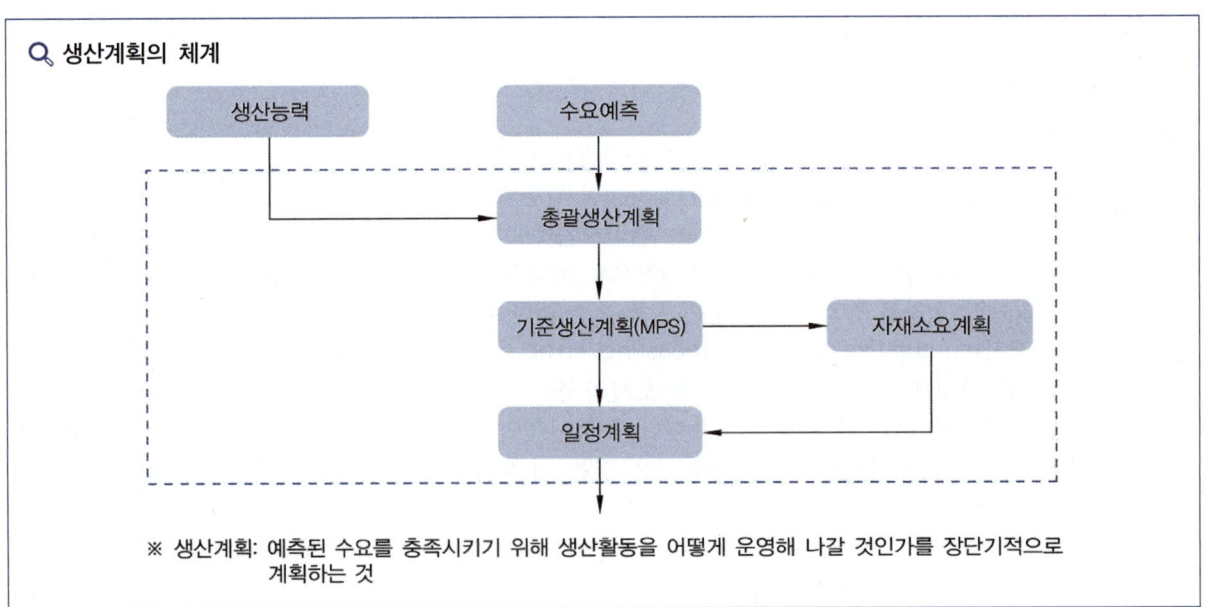

## 1. 총괄생산계획

### (1) 의의

생산계획은 예측된 수요를 충족시키기 위해 생산활동을 어떻게 운영해나갈 것인가를 장·단기적으로 계획하는 것으로 기업이 재화나 서비스를 효율적으로 생산하기 위해 인적·물적 생산요소를 어떻게 활용할 것인가에 대한 계획을 수립하는 것을 말한다. 이러한 생산계획 중 **최상위 생산계획**이라고 할 수 있는 총괄생산계획(aggregate production planning)은 보통 2개월에서 1년까지의 중기 또는 중·단기 계획으로서 기업의 생산능력을 거시적으로 파악하여 총괄적 관점에서 시간적으로 제품의 수량적 조정을 시도하는 방법을 말하는데, 수요나 주문의 시간적·수량적 요건을 만족시킬 수 있도록 생산시스템의 능력(생산율, 고용수준, 재고수준 등)을 조정해나가는 계획을 의미한다.

### (2) 총괄생산계획의 운영

① **추종전략**: 계획기간 동안 고용수준(생산능력수준)이나 산출률을 달리해서 수요를 맞추는 방법을 말한다. 즉, 주문량의 변화에 따라 충원과 해고 등을 통해 고용수준을 변화시켜 주문량 변화에 따라 생산율을 맞춰 가는 전략이다.

② **평준화전략**: 재고를 이용하여 고용수준이나 산출률을 조정하지 않고 유지하는 방법을 말한다. 즉, 일정한 생산율에 맞추어 인력수준을 안정적으로 유지하는 전략으로 생산량이 수요에 부족하거나 남으면 재고수준, 추후 납품량, 그리고 판매포기 등의 방법으로 조절해나가는 방법이다.

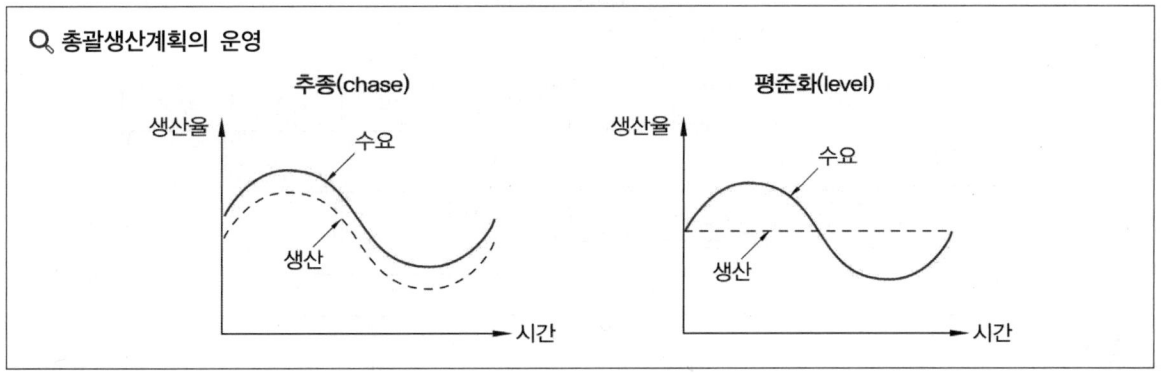

## 2. 기준생산계획

생산계획을 추진하는 데 필요한 노동력이나 자재의 양, 재고소요량 등을 결정하기 위해 **총괄생산계획을 보다 구체적으로 분해하는 것**을 기준생산계획 또는 주일정계획 또는 대일정계획(master production schedule, MPS)이라고 한다. 총괄생산계획에서 산출된 총괄된 단위를 실제로 생산되어야 할 제품 단위로 전환하게 된다. 기준생산계획은 특정 제품의 필요량과 시기에 관한 것이며 그 자체가 생산에 대한 계획을 의미하는 것은 아니다. 즉, 예상 판매량을 초과하는 재고가 존재한다면 생산할 필요가 없다.

## 2 일정계획

### 1. 의의

일정계획(operations schedule)이란 **기준생산계획(MPS)을 시행하기 위한 단기계획**을 의미한다. 이러한 일정계획은 생산시스템의 관점에서 생산시점을 결정하는 것이라고 할 수 있는데, 이러한 문제는 해당 생산시스템이 창출하는 산출의 형태와 밀접하게 관련되어있기 때문에 제조업에서의 일정계획과 서비스업에서의 일정계획은 차이점을 가지게 된다.

## 2. 제조업의 일정계획

생산계획은 총괄생산계획에 의해 기준생산계획이 수립되며 기준생산계획에 의해 일정계획과 자재소요계획이 수립되는데, 제조업에서는 일정계획과 관련하여 **간트차트(Gantt chart)**를 많이 활용한다. 간트(Gantt)는 **작업의 흐름을 조정하는 그래프적 수단으로, 작업공정이나 제품별로 계획된 작업의 실제 진행상황을 도표화함으로써 전체적인 기간관리를 가능하게 하는 막대도표**인 간트차트(Gantt chart)를 만들었다. 시간의 흐름에 따른 특정 작업장의 작업순서를 나타내거나 시스템 내의 작업흐름을 관찰하는 데 유용한 도구로서, 제조현장에서 일정관리를 위한 **기술적 도구(descriptive method)**로 많이 활용되고 있다.

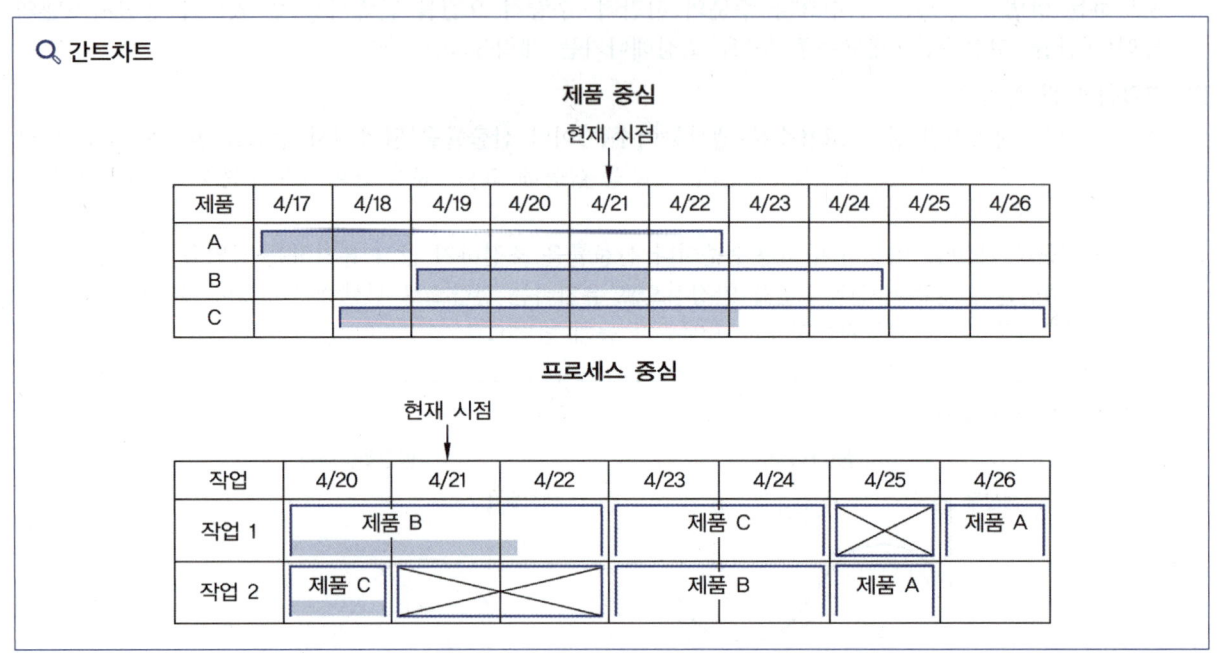

### 🔍 예제

다음의 표와 같은 활동(activity)들로 이루어진 프로젝트를 보면 각 활동들은 추가적인 비용 지출을 통해 정상완료시간에서 1일씩 단축이 가능하다. 표에서 정상완료시간은 추가적인 비용 지출 없이 각 활동들을 종료하는 데 필요한 시간이고, 단축시간당 비용은 각 활동의 완료시간을 1일 단축하기 위해 추가적으로 발생되는 비용을 의미한다. 이 프로젝트를 34일 내에 완료하고자 할 때 추가적으로 지출해야 하는 최소 비용은?

| 활동 | 직전 선행활동 | 정상완료시간(단위: 일) | 단축시간당 비용(단위: 백만 원) |
|---|---|---|---|
| A | - | 10 | 10 |
| B | A | 15 | 4 |
| C | A | 10 | 4 |
| D | A | 10 | 3 |
| E | C | 5 | 5 |
| F | D | 4 | 2 |
| G | B, E, F | 10 | 9 |

① 0원  
② 2백만 원  
③ 4백만 원  
④ 8백만 원

> **해설**
>
> 현재 상태에서 프로젝트의 수행과정은 아래의 그림과 같다.
>
>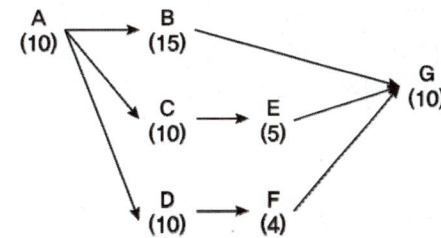
>
> 그림에서 괄호 안의 숫자는 각 활동별 소요시간이며, 현재 상태에서 전체 프로젝트는 35일이 소요된다. 여기서 34일 내에 프로젝트를 수행하기 위해서는 1일을 줄여야 하고, 1일을 줄이는 방법과 비용은 다음과 같다.
> (1) A 활동의 시간을 줄이는 방법: 10백만 원
> (2) G 활동의 시간을 줄이는 방법: 9백만 원
> (3) B 활동의 시간과 C 활동의 시간을 줄이는 방법: 8백만 원
> (4) B 활동의 시간과 E 활동의 시간을 줄이는 방법: 9백만 원
> 따라서 가장 적은 비용이 소요되는 방법은 B 활동의 시간과 C 활동의 시간을 줄이는 방법이며, 이때의 비용은 8백만 원이다.  **정답 ④**

### 3. 서비스업의 일정계획

#### (1) 고객수요의 일정계획

서비스는 형태를 가지지 않기 때문에 생산시점과 소비시점이 일치하는 특징을 가지게 된다. 따라서 서비스업의 일정계획은 생산시점을 결정하는 것보다 소비시점이 결정되는 것이 더 중요하기 때문에 고객수요의 일정을 조정하는 것에 많은 초점이 맞추어져 있다. 즉, **약정**(appointments), **예약**(reservation), **주문적체**(backlog), **가격차별**(price discrimination) 등의 방법을 이용하여 서비스 수요를 조절하고 이에 따라 일정계획을 수립하게 된다.

① **약정**: 소비자가 소비할 서비스의 양과 시점을 미리 결정하는 고객수요의 일정계획을 의미한다.
② **예약**: 소비자가 서비스를 소비하기 전에 서비스 시설의 점유를 미리 결정하는 고객수요의 일정계획을 의미한다.
③ **주문적체**: 초과수요상황에서 사용가능한 고객수요의 일정계획의 방법으로 대기행렬(waiting line)을 통해 주문을 쌓아두는 방법이다.
④ **가격차별**: 동일한 서비스를 제공한다는 전제하에서 시간대별로 서비스의 가격을 달리 책정하는 고객수요의 일정계획을 의미한다.

#### (2) 서비스 인력의 일정계획

작업자가 늘 일정한 요일에 출근하고 일정한 요일에 휴무하도록 일정을 계획하는 **고정일정계획**(fixed schedule)과 작업자들의 근무일과 휴무일에 변화를 주도록 일정을 계획하는 **순환일정계획**(rotating schedule) 등이 있다.

## 3 자재소요계획

### 1. 의의
자재소요계획(material requirements planning, MRP)은 대부분의 완제품은 여러 가지의 부품으로 구성되어 있고, 이에 따른 자재의 소요가 독립적인 것이 아니라 종속적으로 발생하는 **종속수요의 성격을 띤다는 점에 착안한** 계획방법을 말한다. 따라서 기업은 자재소요계획을 통해 제품의 종속수요를 파악하기 때문에 기업이 재고를 줄이고, 노동력과 설비를 잘 활용하고, 고객서비스를 개선할 수 있도록 해준다.

### 2. 기본요소

**(1) 기준생산계획(MPS)**
특정 기간 내에 최종품목을 얼마나 생산할 것인가를 자세히 정한 것으로 **총괄생산계획을 구체적인 제품별 생산일정으로 풀어낸** 것이다. 이러한 기준생산계획은 단기계획을 위한 기초라고 할 수 있다.

**(2) 자재명세서(BOM)**
**해당 품목의 모든 부품, 상위품목과 부품 간의 관계 그리고 엔지니어링과 공정설계를 위한 부품 사용량 등을 기록한** 것을 말한다. 부품의 보충일정은 상위품목의 생산일정에 따라 결정되기 때문에 **상위품목 - 부품관계에 관한 정확한 정보가 필요**한데, 이러한 문제는 자재명세서를 통해 해결된다.

**(3) 재고기록(IR)**
어떤 품목의 로트 크기, 리드 타임과 함께 기간별 총소요량, 예정입고, 예상보유재고, 계획입고, 계획발주 등의 자료를 담고 있는 기록을 말한다.

### 3. 발전과정
자재소요계획은 **정보기술의 활용과 그 적용영역이 확대**되어 감에 따라 자재소요계획(material requirements planning, MRP) → 제조자원계획(manufacturing resource planning, MRP Ⅱ) → 전사적 자원관리(enterprise resource planning, ERP)의 순으로 발전되어 왔다.

**(1) 자재소요계획**
재고를 줄일 목적으로 개발된 **단순한 자재관리**를 위한 시스템이다.

**(2) 제조자원계획**
자재뿐만 아니라 **생산에 필요한 모든 자원**을 효율적으로 관리하기 위해서 자재소요계획을 확대시킨 개념이다.

**(3) 전사적 자원관리**
어느 한 부문에서 자료가 입력되면 다른 관리부문에서 필요한 정보를 공유할 수 있도록 설계된 시스템으로 **생산관리 업무는 물론 제품이나 공정의 설계, 재무 및 회계, 마케팅, 인사 등 순수한 관리부문과 경영지원 기능을 포괄**한다.

## 제3절 재고관리

### 1 의의

**1. 재고**

**(1) 의의**

재고(inventory)는 계획의 오차, 수요와 공급의 예상치 못한 불규칙한 변동 등이 발생하는 미래에 사용하기 위해 비축하고 있는, 즉 불확실성에 대비하기 위해 기업이 가지고 있는 유형의 것을 의미한다. 재고에는 **원자재(raw materials), 재공품(work in process), 완제품(finished goods)** 등이 있으며, 재고의 기능은 다음과 같다.

① **기대되는 수요를 충족시킨다.**
② 생산공정의 **계속적 조업**을 가능하게 한다.
③ **생산 - 유통시스템의 구성요소를 분리**한다. 재공품 형태의 재고를 가지고 있는 구성요소를 생산시스템의 일부로 간주하고, 완제품 형태의 재고를 가지고 있는 구성요소를 유통시스템의 일부로 간주한다.
④ 안전재고(safety stock)를 통해 **재고부족(stock-out)을 방지**한다.
⑤ **투기적 기능**을 한다.

**(2) 유형**

① **완충재고(decoupling stock): 작업의 독립성을 유지하기 위해 보유하는 재고**이다.
② **안전재고(safety stock): 수요의 불확실성에 대비하여 보유하는 재고**이며, 완충재고(buffer stock)라고도 한다. 안전재고는 품절 및 미납주문을 예방하고 납기준수와 고객서비스 향상을 위해 필요하지만, 재고유지비의 부담이 크다.
③ **예비(예상)재고(anticipation stock):** 계절적으로 수요가 절정에 이를 때를 예상하여 제품이나 자재를 비축하거나 계획적으로 공장의 가동을 중지할 때를 대비하여 **자재나 제품을 사전에 마련할 때 발생하는 재고**이다.
④ **주기재고(cycle stock):** 기업에서는 경제적 주문량(생산량)을 확보하려고 당장 필요한 것보다 많은 양을 구입하거나 생산한다. 예를 들어, **연간 주문(생산준비)횟수를 줄여서 주문(작업준비)비용을 절감**하려면 1회 주문량(생산량)이 늘어나는데, 이로 인해 발생하는 재고가 주기재고 또는 로트사이즈 재고이다.
⑤ **수송(운송)재고(transportation stock): 대금을 지불한 물품으로 수송 중에 있는 재고**를 말한다. 따라서 수송(운송)재고는 조달기간과 함수관계에 있다.

**2. 재고관리**

재고관리(inventory management)는 **재고관련비용의 합을 최소화**하기 위해 **1회 주문량 또는 생산량, 주문 또는 생산시점, 재고수준 등을 결정하고 유지하는 것**을 말한다. 기업은 다양한 이유로 인해 재고를 보유하고자 하는 욕구와 재고를 보유하지 않으려는 욕구를 동시에 가지게 된다. 기업이 재고를 보유하고자 하는 이유와 재고를 보유하지 않으려는 이유는 다음과 같다.

**(1) 재고감축요인**

이자 또는 기회비용, 보관비용, 처리비용, 세금, 보험료, 훼손비용 등

**(2) 재고비축요인**

고객의 주문에 신속한 대응가능, 주문비용, 작업준비비용, 수송비용, 구입비용 등

## 2 재고모형

### 1. 경제적 주문량 모형

**(1) 의의**

경제적 주문량(economic order quantity, EOQ)이란 일정기간 동안 발생하는 **재고유지비용과 주문비용의 합을 최소화시키는 1회 주문량**을 의미하며, 경제적 주문량 모형은 이러한 주문량을 재고관리에 응용하고자 하는 모형을 말한다. 경제적 주문량 모형이 처음 발표된 이후에 다양한 가정이 추가되어 발전되었는데, 가장 처음 발표된 전통적인 경제적 주문량 모형의 가정은 다음과 같다.

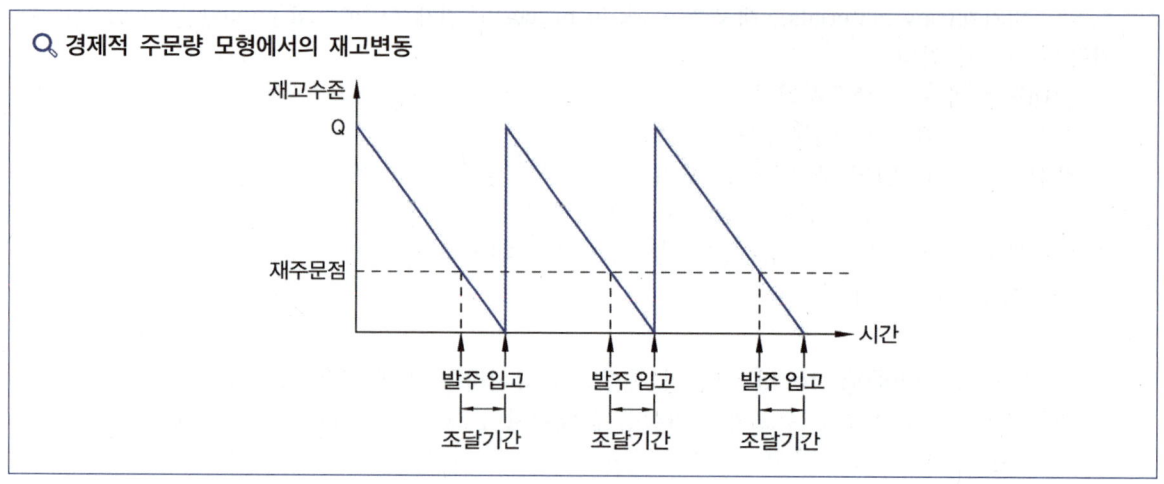

① 단일 품목만 고려하고 있다.
② 일정기간 동안의 전체 수요량은 알려져 있다.
③ 조달기간은 일정하다고 가정한다. 조달기간이 0인 경우는 주문시점과 입고시점이 일치하게 된다.
④ 수량할인과 가격할인은 존재하지 않는다. 그러나 **수량할인 또는 가격할인이 존재하는 경우에 다수의 경제적 주문량 모형을 결합하여 그 문제를 해결하는 것이 가능**할 수 있다. 또한, 수량할인과 가격할인이 존재하지 않는다고 가정하기 때문에 구입가격을 고려할 필요가 없다.
⑤ 주문량은 일시에 보충된다.
⑥ 재고관련비용은 재고유지비용과 주문비용만 존재한다.

**(2) 수학적 도출**

경제적 주문량 모형은 재고관련비용에는 재고유지비용과 주문비용만 존재한다는 가정에서 출발한다. 경제적 주문량을 도출하기 위한 수학적 도출과정은 다음과 같다.

① 연간 재고유지비용 = 평균재고($\frac{Q}{2}$) × 단위당 유지비($H$)

② 연간 주문비용 = 연간 주문횟수($\frac{D}{Q}$) × 1회 주문비($O$) ⇒ 주문간격은 연간 주문횟수의 역수($\frac{Q}{D}$)

③ 총비용 = 연간 재고유지비용 + 연간 주문비용

④ 재고관련비용이 최소가 되는 점은 **한계비용(marginal cost, MC)이 0이 되는 점**이며, **한계비용은 총비용을 미분한 값**이 된다.

⑤ $EOQ = \sqrt{\dfrac{2DO}{H}}$

### (3) 도형적 해석

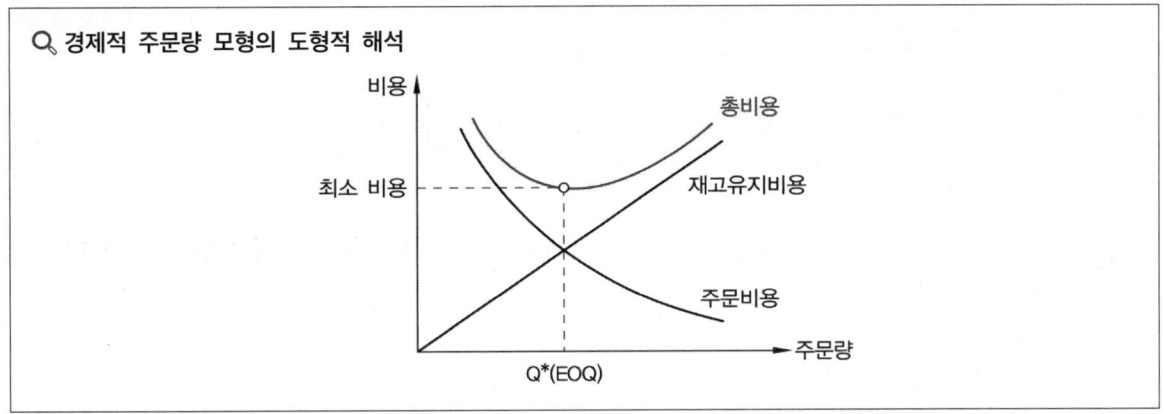

경제적 주문량 모형의 도형적 해석

경제적 주문량 모형은 재고관련비용에는 재고유지비용과 주문비용만 존재한다고 가정하는데, 재고유지비용은 주문량이 증가함에 따라 우상향의 형태를 보이고 주문비용은 우하향의 형태를 보인다. 따라서 재고유지비용과 주문비용을 합한 총비용은 U자형의 곡선이 되고, 그 비용이 최소가 되는 점에서 경제적 주문량이 결정된다. 또한, 전통적인 경제적 주문량 모형에서는 재고유지비용과 주문비용이 일치하는 점에서 경제적 주문량이 결정된다.

## 2. 경제적 생산량 모형

### (1) 의의

경제적 생산량(economic production quantity, EPQ)이란 재고가 점진적으로 보충되는 경우에 비용을 최소화하는 1회 생산량을 의미한다. 경제적 생산량 모형은 경제적 주문량 모형과 달리 재고가 한 번에 확보되는 것이 아니라 일정한 제조기간 동안 연속적으로 생산되어 재고가 점진적으로 보충된다고 가정한다. 경제적 주문량 모형에서는 재고관련비용을 재고유지비용과 주문비용으로 가정하지만, 경제적 생산량 모형에서는 주문활동이 없기 때문에 재고관련비용을 재고유지비용과 작업준비비용(set-up cost)으로 가정한다.

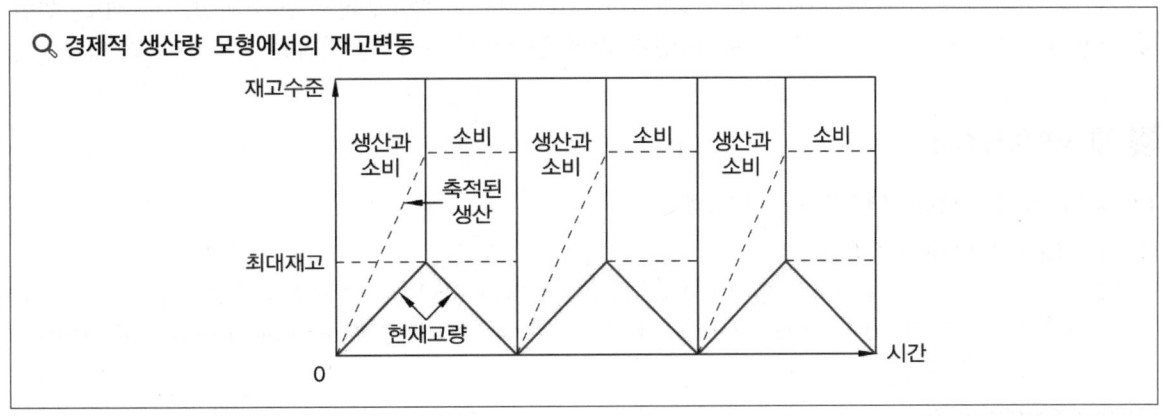

경제적 생산량 모형에서의 재고변동

### (2) 수학적 도출

경제적 생산량 모형은 재고관련비용에는 재고유지비용과 작업준비비용만 존재한다는 가정에서 출발한다. 경제적 생산량을 도출하기 위한 수학적 도출과정은 다음과 같다.

① 총비용 = 재고유지비용 + 작업준비비용 = $(\frac{I_{max}}{2}) \times H + \frac{D}{Q} \times S$

② $I_{max} = \frac{Q}{p} \times (p-u)$

③ 재고관련비용이 최소가 되는 점은 한계비용(marginal cost, MC)이 0이 되는 점이며, 한계비용은 총비용을 미분한 값이 된다.

④ $EPQ = \sqrt{\frac{2DS}{H}} \times \sqrt{\frac{p}{(p-u)}}$

📋 **경제적 주문량 모형과 경제적 생산량 모형**

| 구분 | 경제적 주문량 모형 | 경제적 생산량 모형 |
|---|---|---|
| 재고관련비용 | 재고유지비용과 주문비용 | 재고유지비용과 작업준비비용 |
| 재고의 보충 | 일시에 보충 | 점진적으로 보충 |
| 대상 | 상기업에 적용 | 제조기업에 적용 |
| 주문량(생산량) 결정 | $EOQ = \sqrt{\frac{2DO}{H}}$ | $EPQ = \sqrt{\frac{2DS}{H}} \times \sqrt{\frac{p}{(p-u)}}$ |

## 3. 단일기간 재고모형

단일기간 재고모형(single-period inventory model)은 신문팔이모형(news-vendor model)이라고도 하는데, 재고부족비용(고객의 상실과 판매손실의 기회비용에 해당하는 실현되지 못한 이익으로 단위당 수익과 단위당 비용의 차)과 재고잉여비용(판매되지 않아 남아 있는 품목에 대한 비용으로 단위당 구매비용과 단위당 잔여가치의 차)의 합을 최소화하는 재고수준 또는 주문량을 결정하는 모형을 말한다. 단일기간 재고모형에서 재고수준을 선택하는 것은 지렛대의 균형을 잡는 것과 유사하다. 즉, 지렛대의 한쪽 끝에는 단위당 재고부족비용이 있고, 다른 한쪽 끝에는 단위당 재고잉여비용이 있다고 생각할 수 있다. 따라서 최적재고수준은 지렛대의 균형을 잡는 받침과 같다. 이러한 단일기간 재고모형은 부패성 물질(과일, 꽃, 채소, 생선 등)과 사용기간이 한정된 품목(신문, 잡지, 비행기 좌석 등)의 재고관리에 적합한 재고관리모형이다.

## 3 재고통제시스템

### 1. 주기조사(P)시스템과 연속조사(Q)시스템

#### (1) 주기조사(P)시스템

주기조사시스템은 재고수준을 연속적으로 조사하는 것이 아니라 주기적으로 조사하는 것을 말하는데, 고정간격 재주문(fixed interval reorder)시스템 또는 주기적 재주문(periodic reorder)시스템이라고도 한다.

#### (2) 연속조사(Q)시스템

경제적 주문량 모형은 주문량에 대한 의사결정은 가능하지만, 주문시기에 대한 의사결정은 불가능하다. 물론, 경제적 주문량 모형을 통해 구한 주문량과 조달기간을 고려하여 재주문점을 결정할 수 있지만, 경제적 주문량 모형에서는 일정기간의 수요와 조달기간이 일정하다고 가정하고 있기 때문에 현실적 의미에서 재주문점을 결정하는 것이 쉽지 않다.

이를 극복하기 위해 일정한 재고수준에서 고정량을 주문하는 재고통제시스템이 생겨나게 되는데, 이를 **연속조사시스템**이라고 한다. 또한 경제적 주문량 모형은 연속조사시스템 중 수요량과 조달기간이 일정한 경우의 한 형태라고 볼 수 있다.[93]

### ▣ P시스템과 Q시스템

| 구분 | P시스템 | Q시스템 |
|---|---|---|
| 주문간격 | 고정 | 변동 |
| 주문량 | 변동 | 고정 |
| 재고조사 | 정기적(주기조사) | 계속적(연속조사) |
| 안전재고 | 큼 | 작음 |
| 구입단가 | 낮음 | 높음 |

## 2. ABC 재고통제시스템

ABC 재고통제시스템은 각 재고품목별로 그 가치나 중요성이 동일하지 않다는 점에서 출발하여 **각 재고품목의 중요성 측정기준(재고가액)**에 의하여 재고품목을 3가지로 차별화하여 고가품목에 통제능력을 많이 배분하는 재고통제시스템을 말한다. ABC 재고통제시스템에 의해 A 그룹으로 분류되는 재고품목은 재고부족관련비용 및 유지비용이 크고, C 그룹으로 분류되는 재고품목은 재고부족관련비용 및 유지비용이 적다. 따라서 A 그룹으로 갈수록 재고부족을 막기 위해 주문주기가 짧아지게 된다.

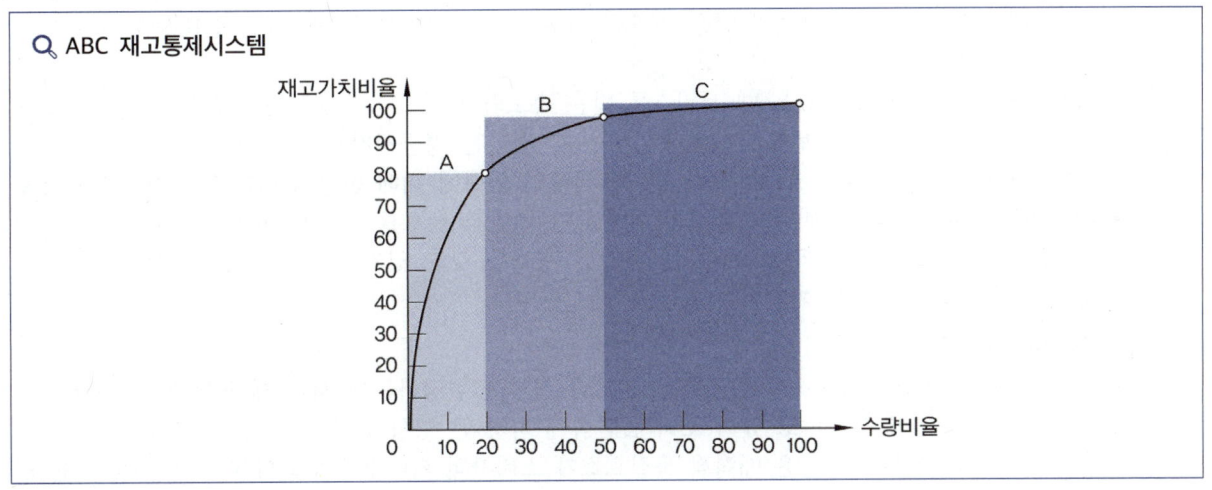

ABC 재고통제시스템

---

93) 투빈시스템(two-bin system)은 동일 재고품목을 2개의 상자에 따로 보관하여 재고를 통제하는 시스템으로 연속조사(Q)시스템을 응용한 가시적(visible) 시스템을 말한다. 1개의 상자에 있는 재고가 고갈되면 재고를 주문하고 그 재고가 조달되는 기간 동안에 나머지 1개의 상자에 있는 재고를 사용하는 방법이다. 재고기록을 유지할 필요가 없어 시행이 간편하고, 볼트, 너트, 사무용품 등과 같이 수요가 균일한 저가품에 사용한다. 또한, 일반적으로 재고과잉이 되기 쉽지만, 저가품이기 때문에 추가적인 유지비 부담이 그리 크지 않다.

## 제4절 품질경영

### 1 의의

#### 1. 품질

**(1) 가빈(Garvin)의 품질측정**

① **성능**: 제품의 기본적 운영특성을 말하는 것으로 대부분 객관적으로 측정가능한 성격을 가지고 있다.

② **특징**: 제품이 가지는 기본적인 기능 외에 이를 보완해주기 위한 **추가적인 기능**을 의미한다. 하지만, 현실적으로 기본적인 운영특성인 성능과 특징을 명확하게 구별한다는 것이 그렇게 쉬운 일은 아니다. 또한, 특징은 개인적인 요구에 따라서 매우 유동적이다.

③ **일치성**: 제품이 명세서의 규격과 일치하는 정확도를 의미한다. 이는 **적합품질**이라고도 하는데, 생산하는 제품의 품질이 설계사항에 어느 정도로 부합하는지의 정도를 의미한다.

④ **신뢰성**: 특정 기간 동안 적정한 보존활동을 통해 **제품이 고장 나지 않을 확률**을 의미한다. 신뢰성을 측정할 수 있는 척도로는 최초의 고장이 발생할 때까지의 평균시간, 고장과 고장 사이의 평균시간 및 특정 단위시간당 고장률과 같은 것들이 있지만, 즉시 소비되는 재화나 서비스와 같은 경우에는 전혀 유효하지 않을 수 있다. 일반적으로 신뢰성은 제품에 대한 무상보증기간에 영향을 주게 되는데, **신뢰성이 높은 제품일수록 무상보증기간은 길어진다.**

⑤ **내구성**: 일반적으로 제품수명의 척도로서 제품이 성능을 제대로 발휘하는 **수명의 길이**로 측정된다. 즉, 제품이 사용될 수 없을 때까지 얻을 수 있는 총사용량을 의미하며, 내구성은 신뢰성과 매우 밀접한 관계를 가지고 있다.

⑥ **서비스 편의성**: 제품이 고장 났을 때 서비스를 받는 속도와 서비스를 수행하는 사람의 능력과 행동을 의미하며, 서비스의 속도는 **반응시간이나 수리까지 걸리는 평균시간으로 측정**한다.

⑦ **심미성**: 사용자가 외양, 질감, 색채, 소리, 맛 등 **제품의 외형에 대해 반응**을 나타내는 차원으로 **매우 주관적인 품질요소**이다. 이러한 심미성은 개인적인 판단과 선호를 그대로 반영하게 된다.

⑧ **인지품질**: 소비자가 재화나 서비스에 대한 완전한 정보를 갖고 있지 못하므로 **광고, 상표, 명성 등 간접적인 측정에 기초하여 지각하는 품질**을 의미한다.

**(2) 카노 모형(Kano model)**

카노 모형(Kano model)은 품질속성이 지니는 진부화 경향을 설명하는 단서를 제공해 주며, 주관적 측면과 객관적 측면을 함께 고려하고 있어 소비자 만족에 가장 큰 영향을 주는 특성을 규명하는 것을 가능하게 한다. 여기서 진부화 경향은 매력적 품질요소가 소비자의 기대수준 변화에 따라 일원적 또는 당연적 품질요소로 옮겨질 수 있는 현상을 의미하며, 카노 모형이 구분한 세 가지의 품질요소는 다음과 같다.[94]

① **매력적 품질요소**: 고객이 기대하지 못했던 것을 충족시켜 주거나 고객의 기대를 훨씬 초과하는 만족을 주는 품질요소이다. 즉, **동기요인에 대응하는 품질특성으로 충족이 되면 만족을 주지만 그렇지 않더라도 불만족을 유발하지 않는 품질요소**를 말한다. 일반적으로 고객은 이러한 품질특성의 존재를 모르거나 기대하지 못했기 때문에 충족이 되지 않더라도 불만을 느끼지 않는다.

② **일원적 품질요소**: **충족되면 만족하고 충족되지 않으면 불만족이 증대되는 품질요소**이다.

---

[94] 이러한 3가지 주요한 품질특성 외에도 무관심 품질요소와 역 품질요소와 같은 특성이 더 존재할 수 있다. 무관심 품질요소는 충족여부가 만족과 불만족에 영향을 미치지 않는 품질요소를 말하고, 역 품질요소는 충족이 되면 오히려 불만을 일으키고 충족이 되지 않으면 만족하는 품질요소로서 일원적 품질요소에 반대되는 품질요소를 말한다.

③ 당연적 품질요소: 위생요인에 대응하는 품질특성으로 충족이 되면 당연한 것으로 받아들이기 때문에 별다른 만족을 주지 못하는 반면에 충족이 되지 않으면 불만을 일으키는 품질요소를 말한다.

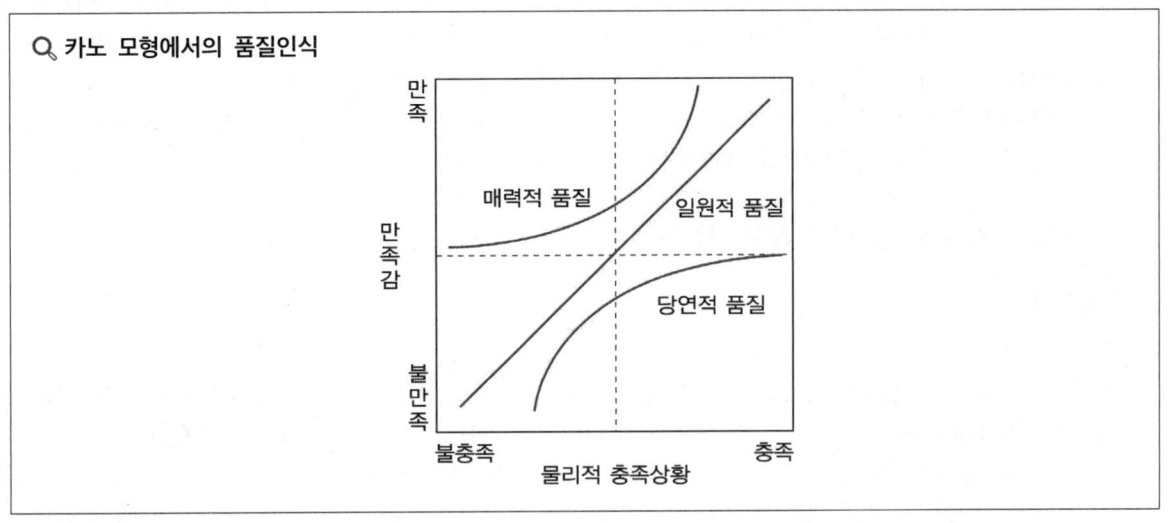

카노 모형에서의 품질인식

(3) 서비스품질(SERVQUAL)

미국을 중심으로 소비자관점에서 서비스품질을 이해하기 위한 많은 노력의 하나로 파라슈라만(A. Parasuraman), 자이사믈(V. Zeithaml), 베리(L. Berry)(PZB)에 의해 SERVQUAL 척도가 개발되었다. 서비스품질에 대한 소비자평가는 '서비스 행위에 대한 소비자의 기대'와 '실제 서비스에 대한 인식'을 비교하는 것이라는 인식에 기초하여 서비스 품질에 대한 소비자의 판단기준을 대표하는 세부속성들을 파악하고 이에 대한 기대와 인식수준을 측정하는 다섯 가지 차원을 개발하였다. 서비스품질의 다섯 가지 차원은 신뢰성(reliability), 보증성(assurance), 유형성(tangibility), 감정이입(empathy), 응답성(responsiveness)이며, 머리 글자만 모아서 'RATER'라고 한다.

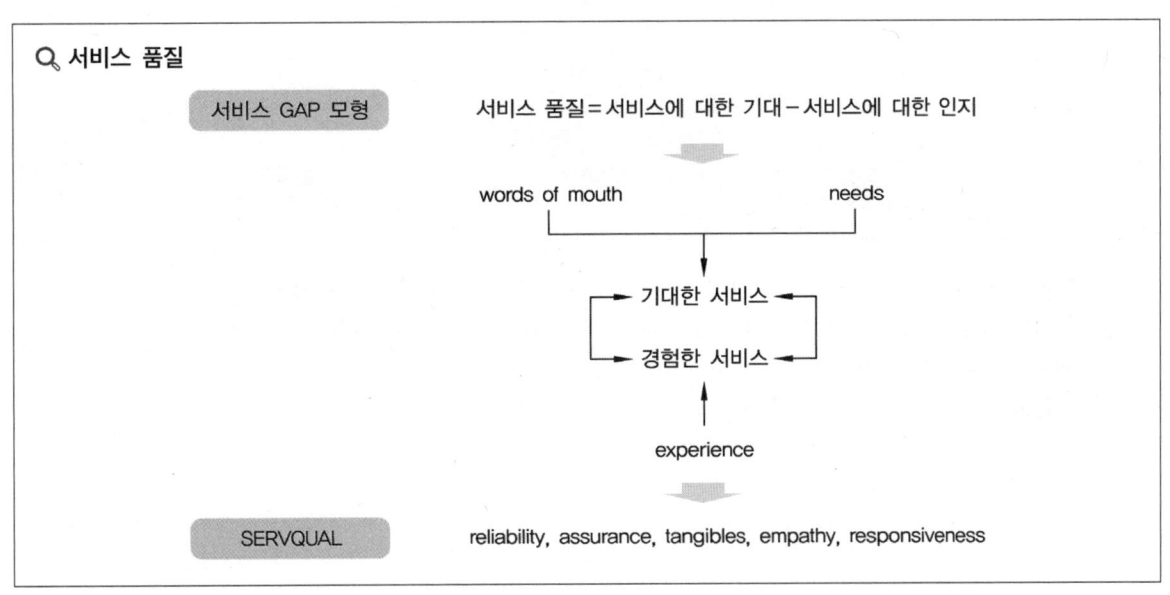

서비스 품질

① **신뢰성**: 서비스를 믿을 만하게 그리고 정확하게 수행하는 능력으로 고객의 기대에 지속적으로 부응하는 것이다. 즉, **약속된 서비스를 믿을 수 있고, 정확하게 수행할 수 있는 능력**을 말한다.
② **보증성**: 서비스 제공자가 자신의 능력수준을 고객에게 알리고 필요한 예의를 갖추어 서비스를 제공하는 능력을 말한다. 즉, **직원의 지식과 예절 및 신뢰와 확신을 줄 수 있는 능력**을 말한다.
③ **유형성**: **물리적 시설이나 설비, 직원 및 의사소통도구의 외관** 등을 말한다.
④ **감정이입**: 고객의 요구를 이해하고 의사소통을 하면서 고객에게 기울이는 개별적인 배려나 주의를 말한다. 즉, **기업이 고객에게 제공하는 개별적 관심과 배려**를 말하며, 이는 근접성, 의사소통, 고객이해력 등을 포괄하고 있다.
⑤ **응답성**: **자진해서 고객을 돕고 신속한 서비스를 제공하려는 의지**를 말한다.

## 2. 품질경영

### (1) 의의

쥬란(Juran)은 **품질삼위일체(quality trilogy)**의 개념을 통해 품질경영이란 **품질계획(quality planning), 품질개선(quality improvement), 품질통제(quality control)**이 세 가지 활동이 균형을 이루고 있는 기업활동이라고 주장하였다. 그러나 대부분의 경영자들은 품질계획이나 품질개선에 더 많은 노력을 기울여야 한다는 사실을 잘 알고 있으면서도 실제로는 안정적인 기업의 운영을 위해 품질통제에 더 많은 노력을 기울이고 있다. 따라서 이러한 전통적인 품질관리의 모순을 타파하기 위해서는 품질경영활동을 **통제지향의 활동에서 기업문화/행동변화 지향의 활동으로 변화**시켜야 한다.

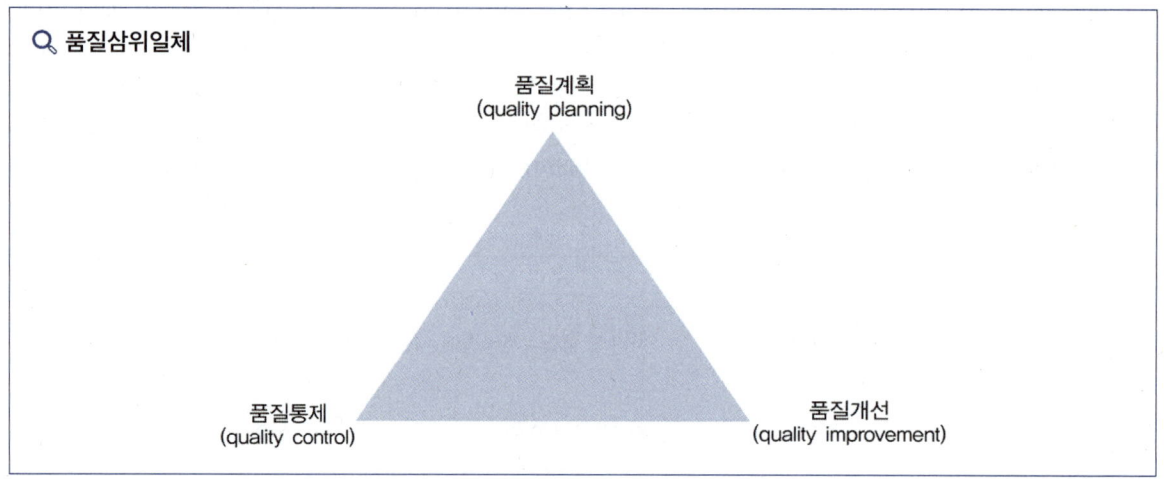

① **품질계획**: 고객과 그들의 요구사항, 전달프로세스를 규명하고 충족시키는 방안을 찾는 과정이다.
② **품질개선**: 품질이 지속적으로 개선되도록 뒷받침을 해주는 지원과정을 시행하는 과정이다. 품질개선에는 자원할당, 인력배치 및 훈련, 조직구축 등이 포함된다.
③ **품질통제**: 고객의 요구사항과 비교하여 실제 제품과의 차이를 검토하고 평가하는 과정이다. 품질통제에는 발견된 문제를 수정 또는 해결하는 것도 포함된다.

## (2) 품질원가

쥬란(Juran)은 품질경영에 필요한 비용을 예방원가(prevention cost), 평가원가(appraisal cost), 실패원가(failure cost)로 구분하고[95], 그중에 예방원가가 가장 저렴하기 때문에 **예방활동에 치중해야 함을 강조**하였다.

① **예방원가**: **결함이 발생하기 전에 이를 방지하는 것과 관련된 비용**을 말한다. 이는 불량의 원인을 제거하기 위한 업무프로세스의 재설계비용, 생산이 용이하게 제품을 설계하는 비용, 지속적인 개선활동을 위해 종업원을 교육시키는 비용 및 품질향상을 위해 공급자와 협력하는 비용 등을 포함한다.

② **평가원가**: **생산시스템에서 얻은 품질수준을 평가하는 데 필요한 비용**을 말하는데, 품질예방활동을 통해 품질이 향상되면 평가비용이 감소하게 된다.

③ **실패원가**: **실제로 불량이 발견됨으로써 발생하는 비용**을 의미한다. 이러한 실패비용은 불량의 발견시점에 따라 내부 실패비용(internal failure cost)과 외부 실패비용(external failure cost)으로 구분할 수 있다. **내부 실패비용**은 재화나 서비스의 생산과정 중에서 발생하는 결함에 기인하는 비용으로 결함 있는 제품을 폐기함으로써 발생하는 수율손실과 결함이 있는 제품을 보완하기 위한 재작업비용 등을 포함하며, **외부 실패비용**은 제품이 고객에게 전달된 후에 결함이 발견되었을 때 발생하는 비용으로 보증서비스와 소송비용까지 포함한다.

## 2 종합적 품질경영

### 1. 의의

종합적 품질경영(total quality management, TQM)은 고객지향 품질경영을 위해 품질관리 분야뿐만 아니라 마케팅, 엔지니어링, 생산, 노사관계 등 기업의 모든 분야로 확대하여 기업의 조직 및 구성원 모두가 품질경영의 실천자가 되어야 한다는 것을 전제하며, 다음과 특징을 가진다.

(1) 품질은 **고객(내부고객과 외부고객)**에 의하여 정의된다.

(2) **종업원 참여**와 **지속적인 개선**을 강조한다.

(3) TQM이 성공을 거두기 위해서는 **최고경영자의 장기적인 열의(commitment)**가 필수적이다.

(4) 결과보다는 **과정을 중시**한다.

(5) TQM은 몇몇 품질프로그램의 집합이 아니라 **일종의 경영시스템**이다.

(6) **인간위주** 경영시스템(people focused management system)을 지향한다.

### 2. 종업원 참여와 지속적 개선

#### (1) 종업원 참여

모든 종업원에게 품질의 중요성에 대한 인식을 주입시키고 이들이 제품품질을 개선할 수 있도록 **동기를 부여하는 것**을 의미한다. 따라서 종합적 품질경영에서는 **경영자를 포함한 모든 사람**이 품질의 전반적인 개선에 공헌해야만 한다.

#### (2) 지속적 개선

**생산과정을 개선하기 위한 방법을 지속적으로 찾아야 한다는 것**으로 **카이젠(kaizen)**이라고도 한다. 이 개념에는 투입물을 산출물로 변환시키는 과정과 관련된 모든 요소를 향상시키는 활동으로 벤치마킹할 우수사례를 찾는 것과 프로세스에 종업원의 주인의식을 주입하는 것을 포함하며, 장비, 작업방법, 재료, 사람 등 모든 요소가 지속적인 개선의 대상이 될 수 있다.

---

[95] 예방원가와 평가원가를 합쳐 통제원가라고 한다.

### 3. 문제해결 프로세스(Deming Wheel)

**(1) 계획(plan)**

개선을 필요로 하는 프로세스를 선택한 후에 자료를 수집하여 프로세스를 정의하고 개선목표설정 및 개선계획을 수립한다.

**(2) 실행(do)**

계획을 실행하며 진척도를 감시한다. 즉, 계획단계에서 수립한 개선계획을 개선목표에 맞게 실행한다.

**(3) 검토(check)**

계획단계에서 수립한 목표와 실행단계의 결과가 얼마나 일치하였는지를 평가한다. 계획과의 격차가 매우 크다면 이 단계에서 계획을 다시 검토하거나 프로젝트를 종료할 수도 있다.

**(4) 조치(act)**

실행단계의 결과가 목표와 일치했다면 수정된 프로세스를 표준화하여 이를 사용하는 종업원들에게 교육 및 훈련을 실시한다.

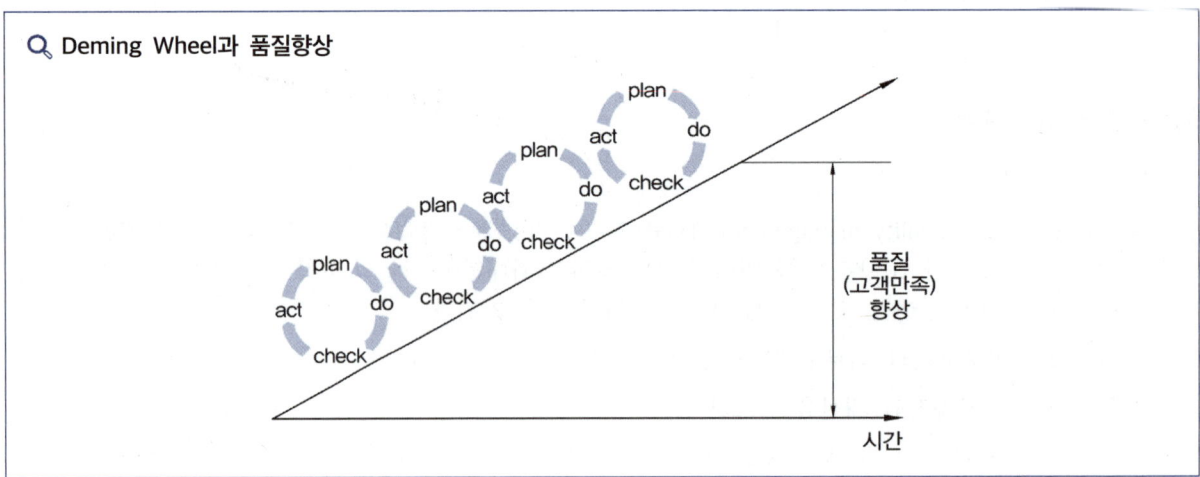

Deming Wheel과 품질향상

## 3 품질관리도구

### 1. 체크시트

체크시트(check sheet)는 **품질과 관련된 어떤 제품 또는 서비스의 특성에 대한 발생빈도를 기록하기 위한 양식**을 말한다. 이때 특정 속성은 질량, 지름, 시간, 길이 등과 같이 연속적인 측정이 가능할 수도 있고, 도색의 불량, 악취, 불손한 고객응대, 윤활유 과다 등과 같이 '예/아니오'로 대답할 수 있는 경우도 있다.

### 2. 파레토 도표

파레토 도표(Pareto diagram)는 **원인들을 가로축을 따라 발생빈도의 내림차순으로 표시한 막대그래프의 형태**로 20%의 중요한 소수가 불량의 80%를 발생시킨다는 **80-20 규칙(파레토 법칙)**[96]**을 표시해주는 도표**로서 문제를 유발하는 여러 요인들 중에서 가장 중요한 요인을 추출하기 위한 기법을 말한다.

---

[96] 파레토 법칙의 반대되는 개념으로 롱테일 법칙이 있다. 롱테일(long tail)은 작은 결과들로 이루어진 다수의 원인들을 의미한다.

## 3. 원인결과도표

원인결과도표(cause & effect diagram)는 **이시가와 도표(Ishikawa diagram)** 또는 **생선뼈 도표(fish-bone diagram)**라고도 한다. 문제발생의 원인이 되는 여러 항목들을 연결하여 문제해결을 위한 노력을 체계화하는 데 도움을 주기 위해, 발생한 결과에 따른 그 원인들을 각각 연결시켜 **가장 근본적인 원인 또는 잠재적인 원인**을 발견하기 위한 방법을 말한다. 주요원인에는 **4M(man, machine, method, material)과 환경(environment)** 등이 있다.

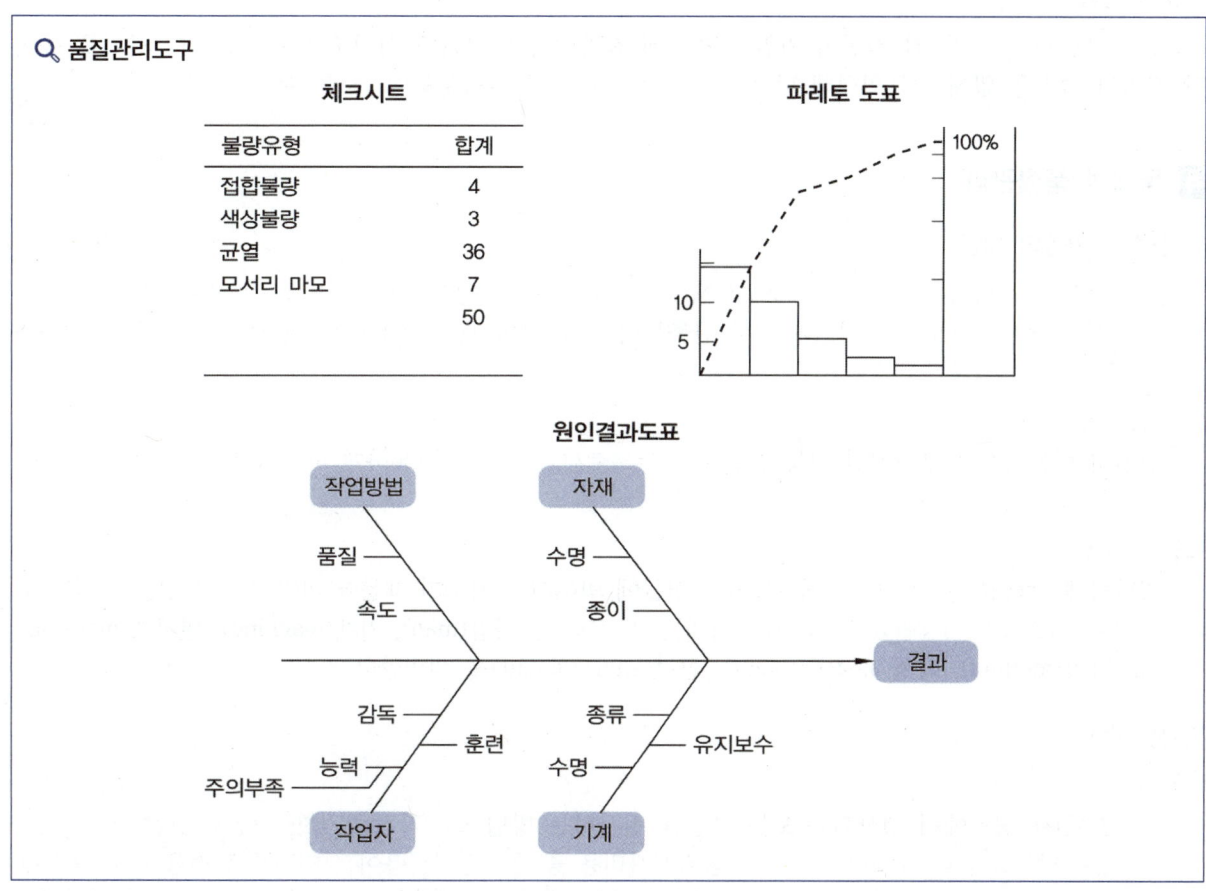

## 4. 품질분임조

품질분임조(quality circle, QC)는 품질향상 및 공정개선의 방법을 연구하기 위해 주기적으로 모임을 가지는 **다수 근로자들로 구성된 소집단**을 말한다. 이는 기업이 조직구성원들에게 품질에 관한 사고를 가지도록 유도하는 조직론적 방법 중 하나이며, 보통 지속적 개선을 위한 팀에 비해 **비구조적이며 비공식적인 특성**을 지니고 있다. 품질분임조와 팀 간의 가장 큰 차이는 집단에게 부여된 권한의 크기이다. 즉, 업무추진과정에 있어서 지속적 개선팀이 상당한 권한을 위임받는 데 비해 품질분임조에는 **약간의 권한만이 부여**된다.

## 5. 싱고시스템

싱고시스템(Shingo system)은 **종업원의 실수에 기인한 오류발생**으로부터 종업원을 예방하는 특별한 도구이자 체크리스트인 **포카요케(poka-yoke)**를 사용하여 결함을 예방하기 위한 시스템을 말한다.

## 6. 품질기능전개

품질기능전개(quality function deployment, QFD)는 고객의 요구를 설계나 생산에서 사용하는 기술적 특성과 연결하여 기업의 각 부서에 전달될 수 있게 하는 기법으로 표준화된 의사소통을 위한 방법을 말한다. 품질기능전개의 개념을 구현하기 위한 도구로써 품질의 집(house of quality)이라는 표준화된 문서양식을 사용한다.

## 7. ZD 운동

ZD(zero defect) 운동은 전 직원이 기업의 경영에 참가한다는 의식을 심어줌으로써 그들의 사기를 높여 전 직원의 결점을 없애도록 협력해 나가는 운동을 말하며 무결점운동이라고도 한다.

# 4 통계적 품질관리

## 1. 산출물 변동의 원인

산출물의 변동은 공통원인(common causes)에 의한 변동과 이상원인(assignable causes)에 의한 변동으로 나눌 수 있다. 일반적으로 공통원인에 의한 산출물의 변동은 회피할 수 없지만, 이상원인에 의한 산출물의 변동은 회피할 수 있다.

### (1) 공통원인
완전히 확률적이고 우연적인 변동의 원천으로 프로세스 자체에 고유하게 내재되어있는 변동이기 때문에 현재의 공정으로는 이를 회피할 수 없다.

### (2) 이상원인
명확하게 밝혀낼 수 있으며 통제가능한 요인들에 의해서 야기되기 때문에 파악해서 제거할 수 있는 요인이다. 대표적인 이상원인으로는 5M1E가 있는데, 5M1E는 사람(man), 기계(machine), 원자재(material), 생산방법(method), 측정(measurement), 환경(environment)을 의미한다.

## 2. 품질검사

### (1) 의의
① 전수검사: 공정에서 생산되는 모든 제품을 검사하는 방법으로 가장 완벽한 품질검사방법이다. 불량품이 발생했을 때 발생하는 비용과 품질검사비용 중 품질검사비용이 상대적으로 적을 때 사용한다.
② 표본검사: 로트(lot)로부터 표본을 추출하여 이를 검사한 결과를 미리 정해둔 판정기준과 비교하여 그 로트의 품질을 합격 또는 불합격으로 판정하는 품질검사방법이다. 표본검사를 하게 되면 검사비용을 줄일 수 있는 장점을 가지고 있지만, 나쁜 품질의 로트는 합격시키고 좋은 품질의 로트를 불합격시킬 수 있는 위험을 배제할 수 없다는 단점을 가지고 있다.[97]

### (2) 검사특성곡선
검사특성곡선(operating characteristic curve, OC curve)은 로트의 불량률과 그러한 불량률을 갖는 로트가 표본검사에서 합격으로 판정될 확률과의 관계를 나타낸 곡선을 말한다. 표본검사의 중요한 특징은 좋은 품질의 로트와 나쁜 품질의 로트를 어떻게 구별하는가 하는 것인데, 이를 설명 가능하게 해주는 것이 바로 검사특성곡선이다.

---

[97] 합격으로 판정해야 할 로트를 불합격으로 처리할 가능성을 생산자 위험(producer's risk)이라고 하고, 불합격으로 판정해야 할 로트를 합격으로 처리할 가능성을 소비자 위험(consumer's risk)이라고 한다.

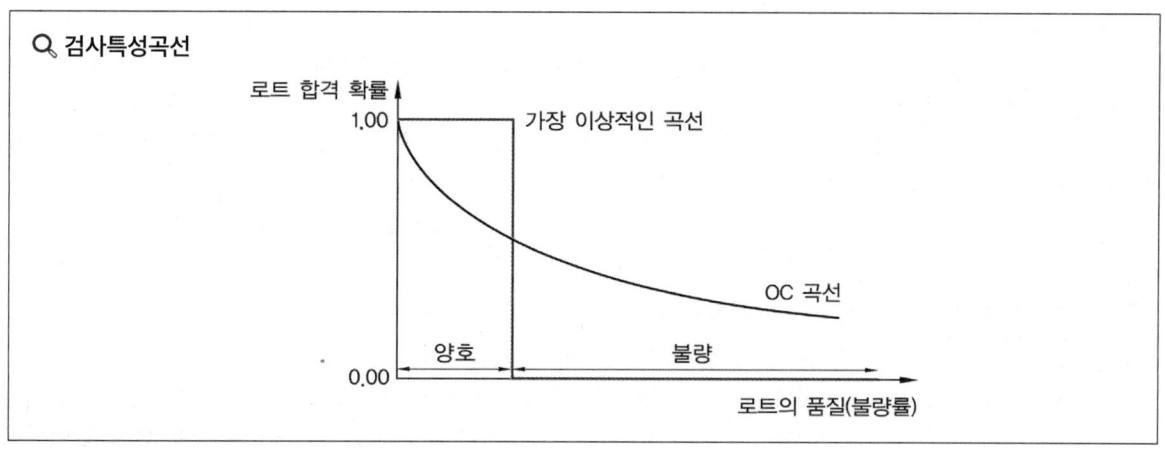

### (3) 제조물 책임

제조물 책임(product liability)은 제조하고 판매하는 물건들에 있을 수 있는 결함에 대한 제조업자와 판매업자의 책임을 의미한다. 그러나 우리나라 「제조물 책임법」상 제조업자가 해당 제조물을 공급하지 아니하였다는 사실, 제조업자가 해당 제조물을 공급한 당시의 과학·기술 수준으로는 결함의 존재를 발견할 수 없었다는 사실, 제조물의 결함이 제조업자가 해당 제조물을 공급한 당시의 법령에서 정하는 기준을 준수함으로써 발생하였다는 사실, 원재료나 부품의 경우에는 그 원재료나 부품을 사용한 제조물 제조업자의 설계 또는 제작에 관한 지시로 인하여 결함이 발생하였다는 사실을 입증한 경우에는 손해배상 책임을 면제한다.

## 3. 관리도

### (1) 의의

관리도(control chart)는 관측값이 정상적인지, 비정상적인지를 결정하기 위해서 표본으로부터 얻어낸 품질측정값을 시간의 순서에 따라 표시하는 도표를 의미한다. 이러한 관리도는 **관리상한선**(upper control line, UCL), **관리하한선**(lower control line, LCL), **명목값**(nominal value)/**중심선**(center line)으로 구성된다. 관리상한선에서 관리하한선을 뺀 값을 **규격범위**라고 하고, 규격중심에서 규격한계(관리상한선 또는 관리하한선)까지의 거리를 **규격한계의 폭**이라고 한다.

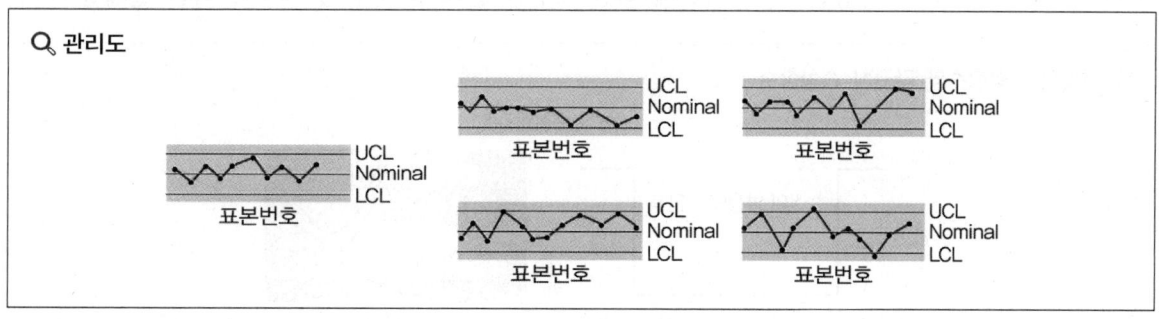

### (2) 공정능력

공정능력(process capability)이란 **생산공정이 얼마나 균일한 품질의 제품을 생산할 수 있는지를 반영하는 공정의 고유능력**을 의미한다. 즉, 생산공정이 제품의 설계사양에 맞게 생산할 수 있음을 의미한다. 따라서 **공정분포의 극값이 설계사양의 상한값과 하한값 사이에 들어오면 해당 공정은 능력이 있다**는 것이다. 이러한 공정능력을 측정하기 위해 공정능력비율(process capability ratio) 또는 공정능력지수(process capability index)라는 개념이 사용되는데, 이는 '**(상한값-하한값)/6σ**'로 정의된다.

### (3) 유형

① **변량(계량형)관리도**: 길이나 무게처럼 연속적 값을 갖는 변수에 대한 측정치를 다루는 관리도이다. 프로세스의 변동성을 관리하기 위한 $R$-관리도와 평균을 관리하는 $\overline{X}$-관리도가 있다.

② **속성(계수형)관리도**: 불량개수나 등급 구분처럼 불연속적(이산적) 값을 갖는 변수에 대한 측정치를 다루는 관리도이다. 프로세스에서 생산된 제품의 불량률을 통제하는 데 사용되는 **p-관리도(이항분포)** 와 한 개의 제품에 복수의 불량(결점)이 가능할 때 불량(결점)의 수를 확인하기 위해 사용되는 **c-관리도(포아송분포)** 가 있다.

📋 **관리도의 유형**

| 유형 | 데이터의 종류 | 관리도 | 확률분포 |
|---|---|---|---|
| 계량형(변량)<br>관리도 | 길이, 무게, 강도, 화학성분, 압력, 수율, 생산량 등 | $\overline{X}$ - 관리도(평균) | 정규분포 |
| | | $R$ - 관리도(범위) | |
| 계수형(속성)<br>관리도 | 불량률 | $P$ - 관리도 | 이항분포 |
| | 불량품 개수 | $NP$ - 관리도 | |
| | 결점(불량)수(표본크기가 같을 때) | $C$ - 관리도 | 포아송분포 |
| | 단위당 결점(불량)수(단위가 다를 때) | $U$ - 관리도 | |

## 4. 품질공학

**다구치(Taguchi)**는 품질향상을 위해서는 제품설계 및 공정설계 단계에서부터 노력이 필요하며 전통적 견해와 달리 **품질특성치가 규격한계 내에 들어오더라도 목표치에 정확하게 일치하지 않는 한 이미 손실이 발생한 것으로 간주**하였다. 따라서 다구치는 로버스트 설계(robust design)의 개념을 주장하게 되는데, 이는 **제품이 노이즈(noise)에 둔감한, 즉 노이즈에 의한 영향을 받지 않거나 덜 받도록 하는 설계**를 의미한다.

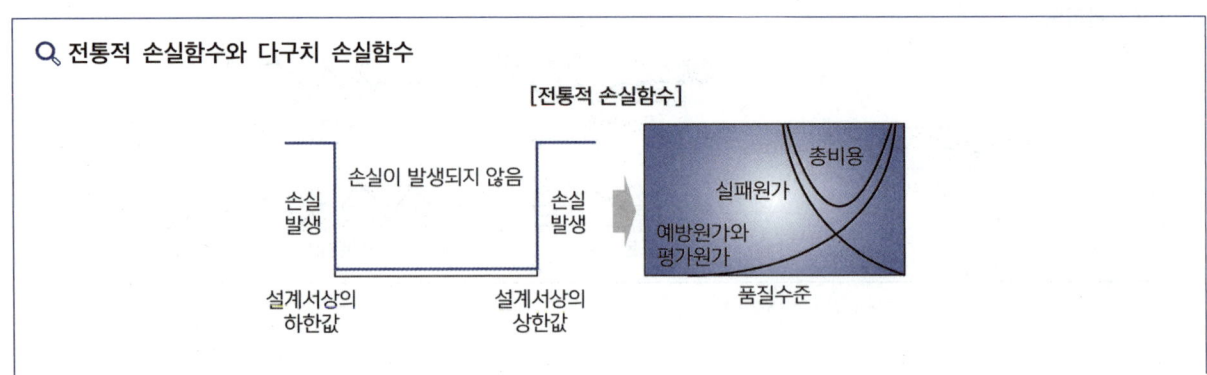

🔍 **전통적 손실함수와 다구치 손실함수**

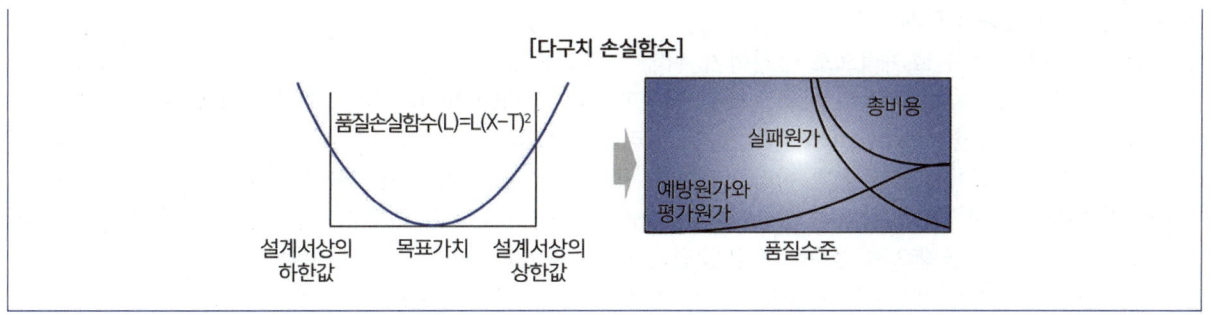

## 5. 식스 시그마(six sigma) 운동

### (1) 의의

식스 시그마는 1987년 모토롤라에 근무하던 마이켈 해리(Mikel Harry)에 의해 창안된 개념으로 실제 업무상 실현될 수 있는 가장 낮은 수준의 불량을 말한다. 즉, 식스 시그마 운동은 제품설계 제조품질의 산포를 최소화해 규격의 상한과 하한이 품질의 중심으로부터 '식스 시그마'의 거리에 있도록 하는 것을 목표로 하고 있다. 이는 통계학적으로 무결점(zero defect)에 가까운 99.9999998%의 품질수준(2 ppb)을 의미하는데, 통상 3.4 ppm 정도의 품질수준을 식스 시그마의 수준으로 간주한다.

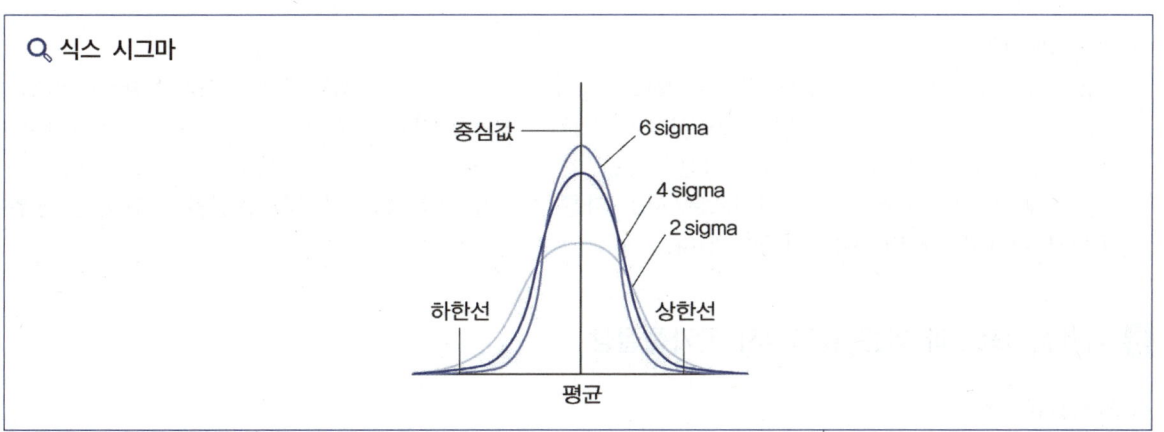

### (2) 시그마와 시그마수준

식스 시그마의 통계적 의미는 산포를 줄이는 것이다. 산포란 데이터가 흩어진 정도를 의미하는데, 품질특성치들이 서로 비슷한 값들을 가지면 산포가 작은 것이고 들쭉날쭉하면 산포가 큰 것이다. 따라서 시그마는 산포의 크기를 나타내는 수치이며, 시그마 값이 크다는 것은 산포가 크다는 의미이기 때문에 시그마 값은 작을수록 좋다. 식스 시그마에서는 품질수준을 '시그마'가 아니라 '시그마 수준'으로 나타낸다. 시그마 수준(sigma level)은 규격중심(명목값 또는 목표치)에서 규격한계까지의 거리가 표준편차(시그마 값)의 몇 배인지를 나타낸다. 결국 시그마 값이 작아지면 시그마 수준은 높아지고 규격한계를 벗어난 불량품이 나올 확률은 줄어든다.

### (3) 식스 시그마 운동의 단계

식스 시그마 운동을 효과적으로 추진하기 위해 고객만족의 관점에서 출발하여 프로세스의 문제를 찾아 통계적 사고로 문제를 해결하는 품질개선 작업과정을 '정의(definition) → 측정(measurement) → 분석(analysis) → 개선(improvement) → 통제·관리(control)'의 5단계로 나누어 실시하고 있는데, 첫 글자를 따서 'DMAIC'이라고 부른다. 이러한 절차를 통해 식스 시그마의 개념을 도입하게 되면 불량은 단순히 감소하지 않고 한 번 급격히 상승하다가 감소하는 과정을 거치게 된다. 이는 식스 시그마의 도입 초기에는 그때까지 불량으로 간주되지 않았던 것이 불량으로 인식되기 때문이다. 또한, 식스 시그마에서는 개선의 전문가를 양성하고 이들을 활용하기 위한 자격제도(벨트제도)를 운영하고 있다. 식스 시그마 전문가[98]의 직책은 높은 직책부터 '챔피언(champion) - 마스터 블랙벨트(master black belt) - 블랙벨트(black belt) - 그린벨트(green belt) - 화이트벨트(white belt)'의 순이다.

① **챔피언**: 경영간부로서 식스시그마 추진에 필요한 자원을 할당하고, 블랙벨트의 개선프로젝트 수행을 뒷받침한다. 또한, 성과에 따른 보상을 실시한다.
② **마스터 블랙벨트**: 교육 및 지도 전문요원으로 블랙벨트나 그린벨트 등의 품질요원의 양성교육을 담당하고, 블랙벨트의 활동을 지도 및 지원한다.
③ **블랙벨트**: 개선프로젝트 추진책임자로 식스시그마 개선 프로젝트의 실무 책임자로서 활동한다.
④ **그린벨트**: 현업담당자로 블랙벨트의 개선 프로젝트에 참여하거나 상대적으로 작은 규모의 프로젝트를 책임지고 수행한다.

### (4) DPU와 DPO

식스 시그마에서는 제품단위당 결함수(defects per unit, DPU) 대신 불량발생기회당 결함수(defects per opportunity, DPO)를 측정한다. 식스 시그마 수준은 거의 무결점에 가까운 높은 수준의 품질이기 때문에 불량발생기회당 결함수(DPO) 대신 100만 기회당 결함수를 나타내는 DPMO(defects per million opportunities)가 사용된다. 일반적으로 서로 다른 제품을 생산하는 공정의 품질을 비교하는 경우에는 DPU보다 DPO가 더 좋은 기준이 된다.

## 5 국제품질표준과 말콤 볼드리지 국가품질상

### 1. 국제품질표준

#### (1) ISO 9000

1987년에 제정되어 100개국 이상에서 사용되고 있는 품질 프로그램의 문서화에 대한 표준을 의미한다. 그 인증과정은 기업이 자격을 가진 외부 심사관에게 자료를 제시하여 이 표준에 대한 인증을 획득하게 되고, 인증이 되면 기업의 이름이 이 목록에 추가되고 고객들로 하여금 어떤 기업이 어떤 수준의 품질수준으로 인증되었는지에 대한 정보를 제공하게 된다. ISO 9000의 인증이 제품의 실제 품질에 대해서는 아무런 시사점이 없으나, 그 기업이 자신이 주장하는 품질에 대해 입증할 자료를 제시할 수 있다는 측면에서 객관성 확보의 측면이 강하다고 할 수 있다(document what you do and then do as you documented).

---

[98] 벨트제에서 조심하여야 할 부분은 통상 고위 간부가 맡는 챔피언을 제외하고, 마스터 블랙벨트, 블랙벨트, 그린벨트와 같은 벨트의 자격은 직위와는 상관없이 교육이수정도와 그들이 맡은 역할에 의해 결정된다는 점이다. 즉 블랙벨트가 반드시 그린벨트의 상위직급인 것은 아니고, 마스터 블랙벨트가 반드시 블랙벨트의 상사인 것도 아니다.

### ISO 9000의 구성

| ISO | 내용 |
|---|---|
| 9000 | 전반적인 개괄사항으로 표준들의 선택과 사용에 대한 안내사항을 수록 |
| 9001 | • 제품의 설계, 생산, 설치, 서비스를 하는 기업에 대한 품질 프로그램의 20가지 측면에 초점을 둔 표준<br>• 경영자의 책임, 품질시스템의 문서화, 구매, 제품설계, 검사, 훈련, 교정조치 등을 포함<br>• 가장 포괄적이고 달성하기 어려운 표준 |
| 9002 | ISO 9001+고객의 설계에 따라 생산하거나 설계와 서비스 활동이 다른 사업장에서 행해지는 기업에 적용 |
| 9003 | • 범위에서 가장 제한적<br>• 생산프로세스만 다룸 |
| 9004 | 기타 표준들을 해석하는 안내 지침을 포함 |

### (2) ISO 14000

ISO 14000은 **원재료의 사용과 유해물질의 생성, 처리, 폐기를 지속적으로 요구하는 표준**이며, 환경성과 측면에서 성과를 지속적으로 개선하는 계획을 수립할 것을 요구한다. 이는 환경경영시스템, 환경성과평가, 환경용어, 수명주기평가 등으로 구성되어 있다.

### (3) 기타 국제품질표준

① ISO 26000: **기업의 사회적 책임**(social responsibility)을 인증범위로 하는 국제품질표준이다.
② ISO 27000: **기업의 정보보안 시스템**(information security system)을 인증범위로 하는 국제품질표준이다.
③ ISO 31000: **기업의 위험관리**(risk management)를 인증범위로 하는 국제품질표준이다.

## 2. 말콤 볼드리지 국가품질상

1987년 8월 20일 당시 로널드 레이건 대통령에 의해 최종적으로 승인된 말콤 볼드리지 국가품질개선법에 의하여 제정된 상으로, 1981년부터 1987년까지 미국의 상무부 장관으로 재직하면서 정부의 장기적 능률 및 효율 향상에 크게 기여했던 말콤 볼드리지(Malcolm Baldridge)의 이름을 딴 것이다. 평가기준으로는 **리더십, 전략적 계획, 고객과 시장중심, 정보분석, 인적자원중심, 프로세스 관리, 사업결과** 등의 항목이 있다.

# 제5절 적시생산시스템과 공급사슬관리

## 1 적시생산시스템

### 1. 의의

적시생산시스템(just-in-time production system, JIT) 또는 린 생산시스템(lean production system)은 **필요한 자재를 원하는 수준의 품질로 필요한 수량만큼 원하는 시점에서 조달하는 적시공급에 의한 생산방식을** 말한다. 적시생산시스템은 대량생산방식으로 표현되는 **포드시스템**(Ford system)의 단점을 보완한 방법이라고 할 수 있으며, **도요타 시스템**(Toyota system), 무재고 시스템, 풀(pull) 시스템, 간반(kanban) 시스템, 안돈(andon) 시스템의 개념들이 포함되어 있다.

### (1) 도요타 시스템
일본의 도요타 자동차회사에서 처음으로 개발한 방식으로 대량생산방식에 그 뿌리를 두고 있다.

### (2) 무재고 시스템
불량으로 인한 폐기 및 재작업은 전혀 허용하지 않고, 과다한 재고를 보유하는 것은 경영성과를 저해하는 요인[99]으로 간주하기 때문에 재고를 최소로 유지한다.

### (3) 풀 시스템
제품에 대한 수요가 파악되면 생산계획이 세워지고 생산계획에 따라 제조공정의 역순으로 거꾸로 올라가면서 원재료나 부품의 수요를 파악하여 필요한 양만큼 원재료나 부품을 조달한다.

### (4) 간반 시스템
의사소통에 소요되는 시간을 최소화시키기 위해 의사소통을 위한 도구인 간반을 사용한다.

### (5) 안돈 시스템
생산라인에서 작업 중인 작업자는 문제가 발생하면 램프에 불이 들어오게 해서 최대한 빨리 문제를 해결할 수 있도록 도와주는 시스템이다. 여기서 안돈은 각 공정의 정상작동 여부를 램프로 표시한 것을 말한다.

## 2. 특징

### (1) 풀 방식의 자재흐름
생산시스템은 고객의 주문 이전에 생산을 개시하는 **푸시(push) 방식**과 고객의 주문에 의해 생산을 개시하는 **풀(pull) 방식**으로 나눌 수 있다. 적시생산시스템에서는 풀 방식을 사용하며, 푸시 방식의 가장 대표적인 예에는 MRP 시스템이 있다. 적시생산시스템에서는 풀 방식의 자재흐름을 효율적으로 구현하기 위해 간반 시스템(kanban system)을 사용한다.

#### 📖 JIT 시스템과 MRP 시스템

| 구분 | JIT 시스템 | MRP 시스템 |
| --- | --- | --- |
| 자재계획 | Pull System | Push System |
| 재고 | 무재고 | 안전재고 |
| Lot 크기[100] | 꼭 필요한 양만 보충(최소 보충량) | EOQ 모형에 근거하여 결정 |
| 조달기간 | 최대한 짧게 유지 | 필요한 조달기간을 인정 |
| 자재대기 | 자재의 대기행렬을 제거 | 자재의 대기는 필요한 투자 |
| 공급자 관계 | 공급자와 협력관계를 유지 | 다수의 공급자를 통한 경쟁의 유지 |
| 품질 | 완전한 품질을 강조 | 약간의 불량을 허용 |
| 작업자 | 합의에 의한 경영 | 명령에 의한 경영 |
| 보전활동 | 지속적인 보전활동 수행 | 필요한 때만 보전활동 수행 |

---

99) 도요타 생산시스템에서 정의한 7가지 낭비유형에는 불량의 낭비, 재고의 낭비, 과잉생산의 낭비, 가공의 낭비, 동작의 낭비, 운반의 낭비, 대기의 낭비가 있다.

100) 자재소요계획(MRP)은 비반복적 생산에서 효과가 높고, 적시생산시스템(JIT)은 반복적 생산에 효과가 높다. 반복적 생산은 상대적으로 많은 양을 짧은 시간에 불연속적으로 반복하여 생산하는 방식을 의미하는데, 이는 로트의 크기와 관련되어 있다. 동일한 전체 생산량을 가정했을 때 로트의 크기가 작으면 생산횟수가 많아져야 하고 그만큼 반복을 많이 해야 한다. 즉 로트의 크기가 작으면 상대적으로 반복적 생산을 해야 하는 것이다.

### (2) 일관되게 높은 품질과 예방적 유지보수

자재흐름의 균일화를 위해 불량과 재작업을 제거하기 위한 노력을 실시하고, 제품을 제품명세서대로 생산한다. 고품질을 유지하기 위한 하나의 방법으로 경영진은 품질에 문제가 생기면 작업자들이 스위치를 눌러 전체 생산라인을 정지시킬 수 있도록 권한을 부여하였다.

### (3) 작업장 간 부하 균일화

생산계획단계에서 작업장별 부하를 고려하여 작업장 간 부하를 균일화시킨다. 개별 작업장의 부하가 일별로 균일할수록 적시생산시스템이 잘 운영된다. 균일한 작업부하(heijunka, 생산평준화)를 유지하기 위해서는 품종구성과 생산량을 항상 비슷하게 함으로써 작업장의 일별 수요를 균일하게 해야 한다.

### (4) 부품과 작업방식의 표준화

부품 공유화 또는 모듈화라고 불리는 부품 표준화를 통해 생산의 반복성을 증가시킨다. 즉, 작업자들은 표준화된 작업방식으로 표준업무를 연속적으로 반복하게 되고, 반복횟수가 늘어감에 따라 작업자들은 효율적인 작업방법을 익히게 되고 결국 생산성이 높아진다. 부품과 제품의 표준화는 생산성 향상과 재고감축이라는 적시생산시스템의 목표를 달성하는 데 도움이 된다.

### (5) 라인흐름과 노동력의 유연성

라인흐름은 가동횟수를 감소시키며, 제품별 배치를 통해 가동준비시간을 완전히 감소시킬 수 있다. 반면에, 작업자들을 작업장 간에 자유롭게 이동배치함으로써 완충재고 없이 병목현상을 줄일 수 있으며, 직무순환을 통해 지루함을 감소시킬 수 있다.

이에 대한 접근으로 다수기계보유방식(one worker, multiple machine, OWMM)이 있는데, 작업자 한 명이 여러 기계를 담당하고, 한 번에 한 대씩 순차적으로 운전한다. 이렇게 하면 똑같은 제품을 반복적으로 만들기 때문에 가동준비시간을 최소화할 수 있다. 다수기계보유방식은 한 사람 또는 소수의 작업자가 다수의 공정을 담당하여 제품을 생산하는 방식으로 셀(cell) 생산방식이라고도 하며, 이와 같은 셀을 공장 내 공장(factory in factory)이라고 한다.

### (6) 생산자동화

적시생산시스템은 재고감축으로 발생하는 여유자금을 원가절감을 위한 자동화(jidoka)에 투자할 수 있으며, 이로 인해 결국 이익이 증가되거나 가격인하로 인해 시장점유율이 올라갈 것이고, 경우에 따라서는 두 가지 효과가 모두 나타날 수 있다.

### (7) 작은 로트(lot) 크기

작은 로트 크기를 유지하면 재고수준을 감소시킬 수 있다. 즉, 적시생산시스템 사용자들은 재고를 완충용으로 보유하지 않으며, 가능한 한 작은 로트 크기로 재고를 유지한다. 이러한 작은 로트 크기는 주기재고(cycle inventory)를 감소하게 하고, 리드타임을 감소시키며, 생산시스템에서 작업부하를 균일화하는데 도움이 된다. 그러나 이러한 로트 크기의 감축은 가동준비횟수의 증가라는 문제를 초래하기도 한다.

### (8) 공급업체와의 유대강화

적시생산시스템은 매우 작은 수준의 재고로 운영되기 때문에 공급업체와의 긴밀한 관계유지가 필수적이다. 이를 위해 공급업체의 수를 줄이고, 지역적으로 가까운 공급업체를 활용하여 공급업체와의 관계를 개선시킬 수 있다. 이러한 공급업체와의 유대강화는 공급업체의 직원이 구매업체(생산업체)에 상주하면서 구매업체(생산업체)의 재고를 관리하는 공급자 재고관리(vendor-managed inventory, VMI)의 개념으로 발전된다.

## 2 공급사슬관리

### 1. 공급사슬과 채찍효과

**(1) 공급사슬**

공급사슬(supply chain)은 가치사슬과 유사한 개념으로 자재가 재화나 서비스로 전환되는 과정(공급자, 제조)과 재화나 서비스가 고객에게 전달되는 모든 과정(운송 및 보관, 유통 및 판매)에 있는 구성체(요소) 사이의 상호연결된 사슬을 의미한다.

① **효율적 공급사슬**: 자재와 서비스의 흐름을 조화시켜 재고를 최소화하고 공급사슬상에서 기업의 효율성을 극대화시키고자 하는 것을 말한다. 효율적 공급사슬은 자재와 서비스의 효율적인 흐름에 초점을 두어서 재고를 최소화한다. 시장 특성 때문에 재화나 서비스의 디자인이 오래 가고, 신제품이 자주 나오지 않으며, 다양성이 별로 없다. 이런 시장에서는 보통 가격이 주문획득에 결정적인 역할을 하기 때문에 공헌이익이 낮고 효율성이 중요해진다. 결과적으로 기업의 경쟁우선순위로는 **저원가 생산, 일관된 품질(품질균일성), 적시인도(납기 준수)** 등이 있다.

② **반응적 공급사슬**: 수요의 불확실성에 대비할 수 있도록 재고와 생산능력을 적절히 배치시켜 시장수요에 신속하게 반응하고자 하는 것을 말한다. 따라서 반응적 공급사슬은 재화와 서비스가 다양하고 수요예측이 어려운 환경에 적합하며, 반응시간을 줄이는 데에 초점을 두어서 재고를 쌓아두었다가 헐값에 할인판매하는 것을 줄이려고 한다. 이러한 기업들은 경쟁력을 유지하기 위해서 신제품을 끊임없이 발표해야 하지만, 이로 인해 높은 공헌이익을 누릴 수 있다. 전형적인 경쟁우선순위로는 **개발속도, 빠른 인도시간(신속한 납기), 고객화, 수량 유연성, 고성능 설계품질** 등이 있다.

**효율적 공급사슬과 반응적 공급사슬**

| 요인과 요소 | | 효율적 공급사슬 | 반응적 공급사슬 |
|---|---|---|---|
| 환경 | 수요 | 낮은 예측오차 | 예측 불가능, 높은 예측오차 |
| | 경쟁우위요소 | 저원가 생산,<br>일관된 품질(품질균일성),<br>적시인도(납기 준수) | 개발속도,<br>빠른 인도시간(신속한 납기), 고객화,<br>수량유연성, 고성능 설계 |
| | 신제품 도입 | 간헐적 | 빈번 |
| | 단위당 공헌이익(가격) | 낮음 | 높음 |
| | 제품다양성 | 낮음 | 높음 |
| 설계 | 생산전략 | 재고생산전략 | 주문조립전략, 주문생산전략 |
| | 여유생산능력 | 낮음 | 높음 |
| | 재고투자 | 낮음(높은 재고회전율) | 신속한 납기가 가능할 정도 |

▶ 효율적 공급사슬과 반응적 공급사슬의 중간형태인 린(lean) 공급사슬도 있음

**(2) 채찍효과**

채찍효과(bullwhip effect)는 공급사슬 하류(소비자 방향 또는 전방)의 소규모 수요변동이 공급사슬 상류(공급업체 방향 또는 후방)로 갈수록 그 변동폭이 점점 증가해가는 모습을 묘사적으로 명명한 것으로, 수요왜곡의 정도가 증폭되어가는 현상을 의미한다. 그 원인으로는 **중복수요예측(multiple forecasting), 일괄주문처리(order batching), 가격변동(price fluctuation), 배급게임으로 인한 결품예방경쟁(shortage gaming)** 등이 있으며, 해결방법으로는 **불확실성의 제거, 변동폭의 감소, 전략적 파트너쉽(정보의 공유), 리드타임 단축** 등이 있다.

① **중복수요예측**: 주문량이 최종 수요에 비해 과장된 형태로 공급자에게 전달되는 경우를 의미한다. 이러한 현상은 정보왜곡과 관련되어 있는데, 공급사슬 상류로 갈수록 심해진다.
② **일괄주문처리**: 소매점은 주문처리비용의 절감을 위해 몇 개의 고객수요를 묶어서 한 번에 많은 양을 주문하고자 한다.
③ **가격변동**: 소매상은 가격이 낮을 때 제품을 구입하여 축적하고 가격이 높을 때는 주문하지 않으려는 경향을 가지게 된다.
④ **배급게임으로 인한 결품예방경쟁**: 일반적으로 공급물량이 부족하면 주문량에 비례하여 공급물량을 할당하게 되는데, 주문량이 많은 쪽에 우선 공급하는 것을 배급게임(rationing game)이라고 한다. 따라서 공급물량의 부족이 예상되는 경우에 경영자들은 공급받지 못할 것에 대비하여 필요한 것보다 주문량을 늘려 가수요를 발생시킨다.

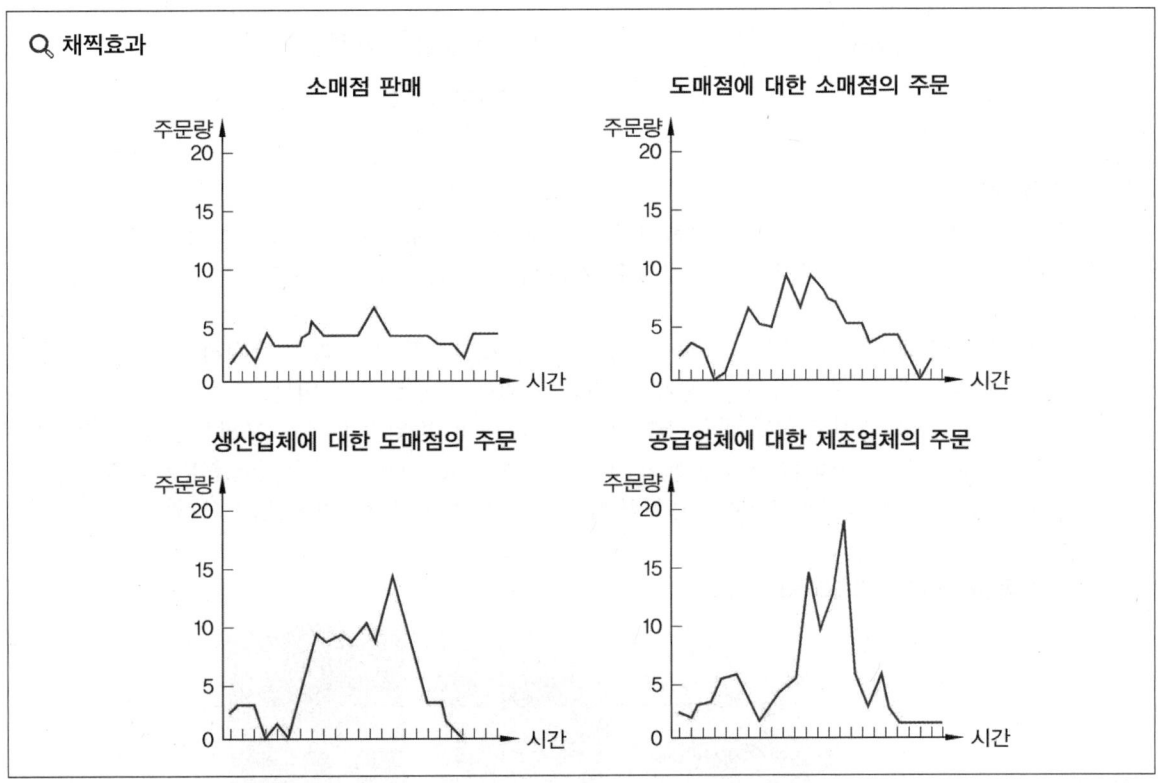

## 2. 공급사슬관리

### (1) 의의

공급사슬관리(supply chain management, SCM)는 부분최적화보다는 **공급사슬 전체의 관점에서 정보의 공유와 공급사슬 흐름의 개선을 통해 공급사슬 전체의 효율성**을 제고시키고자 하는 것으로 공급사슬상에 흐르는 물자, 정보, 현금의 흐름을 관리함으로써 장기적인 기업의 경쟁우위를 향상시키는 것을 목적으로 한다. 이러한 공급사슬관리의 특징은 다음과 같다.
① 프로세스 간 연계적 작동을 하는 **상호작용시스템**이다.
② 수요에는 불확실성이 존재하기 때문에 수요변동이 **채찍효과**와 같은 특징을 따른다.
③ 공급사슬에서의 시간지체(time lag)는 수요와 재고의 변동을 초래하기 때문에 전체 리드타임을 줄이고 모든 개체가 실제 수요정보를 피드백하는 것이 공급사슬의 효율을 증가시키는 가장 좋은 방법이다.

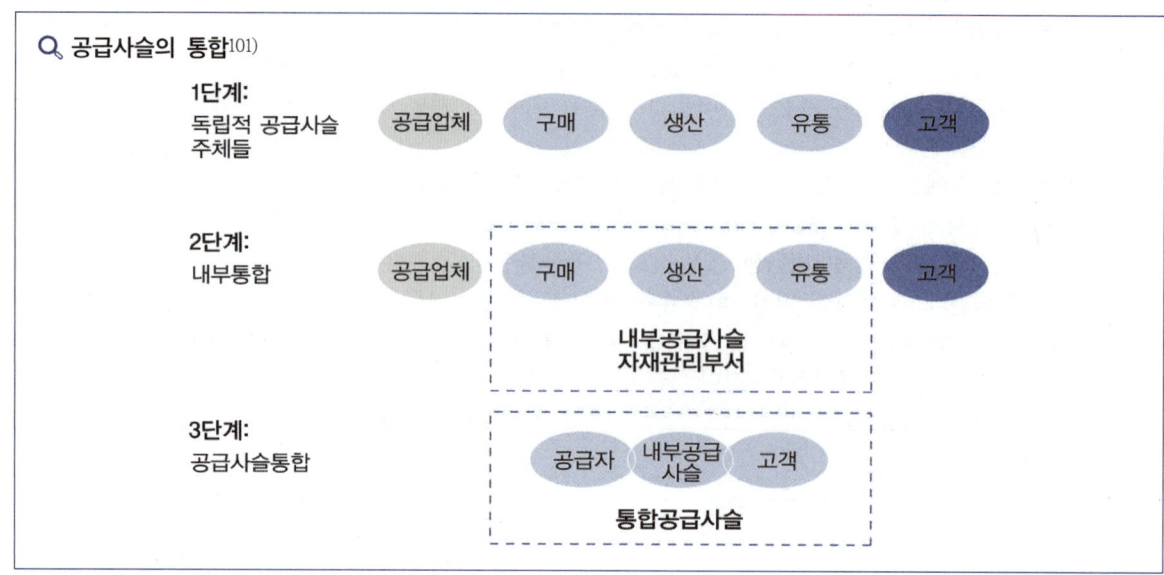

### (2) 성과의 측정
① **성과측정지표**: 공급사슬관리의 성과측정지표는 재고관련 지표와 재무지표가 대표적이다. 재고관련 지표에는 평균 총 재고가치, 재고공급일수, 재고회전율 등이 있고, 재무지표는 자산회전율, 현금회수기간 등이 있다.

② **공급사슬운영참고모형(SCOR)**: 공급사슬통합과 그 구성요소들의 성과를 측정하기 위한 모형으로 공급사슬관리의 진단, 벤치마킹, 프로세스 개선을 위한 도구로 사용되는 모형이다. 즉, SCC(supply chain council)에 의해 정립된 공급사슬 프로세스의 모든 범위와 단계를 포괄하는 참조 모형으로 공급사슬운영참고 모형(supply chain operations reference, SCOR)은 공급사슬운영을 계획(plan), 조달(source), 생산(make), 배송(delivery), 반품/회수(return)의 다섯 가지 범주로 분리하였다.

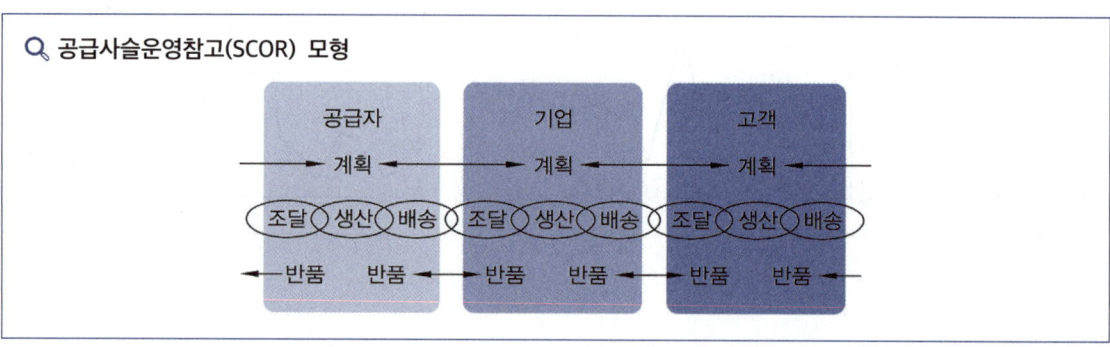

---

101) 공급사슬의 통합을 방해하는 요인에는 사일로 심리(silo mentality), 정보 가시성(visibility)의 부족, 신뢰의 부족, 지식의 부족 등이 있다.

## 3. 공급사슬관리 실행 프로그램

### (1) 대량고객화

대량고객화(mass customization)는 각기 다른 고객들에게 매우 고객화된 제품을 저렴한 가격에 제공하는 기업의 능력을 의미하는데, 효과적인 대량고객화의 핵심은 공급네트워크에서 특정 고객을 위해 제품을 차별화하는 것을 최대한 **지연**(postponement)하는 것이다. 이를 위해 기업들은 제품설계, 생산프로세스와 제품의 유통, 전체 공급네트워크를 다시 생각하고 통합해야 한다. 이런 포괄적인 접근을 채택함으로써 기업들은 최대한 효율적으로 운영하고 최적의 재고량으로 고객의 주문을 신속하게 만족시킬 수 있다.

### (2) 신속반응시스템

신속반응시스템(quick response system)은 **생산에서 판매까지 소요되는 시간을 단축하여 시장변화에 보다 민감하게 대응할 수 있도록 하는 시스템**을 의미한다. 이러한 신속반응시스템을 효율적으로 운영하기 위해서는 다음의 세 가지 조건이 충족되어야 한다.

① 제조업자와 소매업자 사이에 동반자 관계를 구축하여 각각의 POS(point on sales) 자료 등을 공유한다.
② 제조업자와 소매업자가 공통의 코드로 정보교환을 할 수 있도록 시스템을 정비한다.
③ 정보기술의 활용을 통해 무서류 발주, 납품, 청구, 지불이 이루어질 수 있도록 한다.

### (3) 효율적 고객대응 시스템

① **효율적인 매장구색**: 매장진열과 점포의 효과적인 관리를 통해 수익성을 극대화하고자 하는 것으로 점포공간의 효과적인 활용은 상품진열과 판매효과를 향상시킨다. 즉, 단위면적당 재고회전율 증가 및 매출증대의 이점을 얻을 수 있다.
② **효율적인 재고보충**: 시스템의 공급사슬에서 불필요한 비용요소를 제거하려는 노력을 의미하는 것으로, 이렇게 절감된 비용을 소비자 혜택으로 돌려주고 적절한 제품을 적절한 장소와 시간에 적절한 양을 가장 효율적인 방식으로 공급하는 데 모든 초점을 맞추게 된다. 이로 인해 주문의 자동화, 상품 파손율 감소 및 소매재고 감소의 이점을 얻을 수 있다.
③ **효율적인 판매촉진**: 거래일정을 단순화하고 구매에서 판매로 초점을 바꾸도록 하는 것을 목적으로 한다. 이로 인해 보관, 운송, 제조 등의 관리 효율화, 공급업체 재고 및 보관비용의 감소 등을 꾀할 수 있다.
④ **효율적인 신제품 도입**: 성공적인 신제품과 서비스의 도입은 추가적인 수입을 가져오기도 하며, 이를 통해 신제품 출시 실패율을 감소시킬 수 있고, 제품의 가치를 증대시킬 수 있다.

### (4) 크로스 도킹

크로스 도킹(cross-docking)은 **판매자가 수송된 상품을 입고시키지 않고 물류센터에서 파레트 단위나 상자단위로 바꾸어 소매업자에게 바로 배송하는 것**을 의미한다.

### (5) 공급자 재고관리

공급자 재고관리(vendor-managed inventory, VMI)는 재고관리의 주체와 관련된 개념으로, **생산자의 재고가 공급자에 의해서 관리되는 방식**을 의미한다. VMI를 구축하면 컴퓨터의 발주처리비용이 필요 없게 되고 제품의 리드타임 단축과 대폭적인 재고감소를 실현할 수 있다. 즉, **채찍효과를 완화**시킬 수 있다.

### (6) 유니트 로드 시스템

유니트 로드 시스템(unit-load system)은 화물수송 시 개개의 화물을 하나의 유니트(unit)로 묶어 유니트를 일관되게 이용하여 출발지에서 도착지까지의 **수송, 하역, 보관의 각 단계에서 작업의 효율화를 도모하기 위한 시스템**을 말한다. 이는 하역 및 환적시간의 단축, 검품작업의 감소, 화물분실 및 손상 감소의 효과가 있다.

### (7) CPFR(Collaborative planning, forecasting and replenishment)

만일 특정한 제품에 대한 고객의 수요가 많다고 할지라도, 한 제품을 필요 이상으로 많이 보유하고 있는 것은 판매의 증진에 아무런 도움을 주지 못한다. 그래서 소매상은 그들의 공급자와 강력한 관계를 유지하고 자동주문 프로세스를 구축하는 것이 필요한데 이러한 상황을 해결하기 위해서 등장한 개념이 CPFR이다. CPFR은 공급사슬 내 기업들이 동시에 비용을 절감할 수 있고, 고객서비스를 개선할 수 있다. 협력업체 파트너 간 미래 사건에 대한 그들의 계획을 공유하고, 계획과의 차이 또는 변화가 발생할 경우 예외 과정을 통해 처리하게 되며, 그들이 실행하기 전에 이러한 문제를 해결함으로써 두 파트너가 대응할 수 있는 시간을 갖는다. 이로 인해 공급업자는 판촉주문을 미리 받을 수 있어서 재고관리를 잘 할 수 있으며, 보다 적은 양의 안전재고를 유지할 수 있게 된다. 소매상은 공급문제에 대한 영향을 감소시키기 위해 제품믹스를 변경할 수 있게 되어 양측 파트너 모두 이익을 얻고, 고객은 저가의 제품으로 이익을 얻게 된다.

### (8) 제3자 물류

화주기업이 고객서비스의 향상, 물류관련 비용의 절감 및 물류활동에 대한 운영효율의 향상 등을 목적으로 공급사슬의 전체 또는 일부를 특정 물류전문업체에게 **위탁(outsourcing)**하는 경우를 말하고, 이를 담당하는 물류전문업체를 **3PL업체**라고 부른다. 일반적으로 3PL업체들은 화주들을 위한 창고관리, 제품배송, 차량관리 등의 분야에서 주문충족, 재고관리 등의 분야까지 다양한 분야의 서비스를 제공하고 있다.

### (9) RFID 시스템과 바코드 시스템

① **RFID 시스템**: **무선 주파수(radio frequency)**를 이용하여 **대상(물건, 사람 등)을 식별**할 수 있는 기술로서, 안테나와 칩으로 구성된 RF 태그에 사용목적에 알맞은 정보를 저장하여 적용대상에 부착한 후 판독기에 해당하는 RFID 리더를 통해 정보를 인식하는 방법으로 활용된다. 교통카드, 주차관리, 도서관리, 출입통제용 카드, 동물식별 등에 응용되고 있다. 이러한 RFID 시스템은 태그(tag), 안테나(antenna), 리더(reader), 호스트(host)로 구성된다.

② **바코드 시스템**: 유통과정에서 상품의 취급을 자동화하기 위해 상품의 생산자, 품명, 가격 등을 나타내는 일정한 코드를 각 품목의 표찰에 표시해 놓고 필요에 따라 전자탐지장치(electronic scanner)로 신속·정확히 읽혀 판매 및 재고관리의 효율성을 제고하기 위한 **방법**이다. 이러한 바코드 시스템의 채택은 대규모 슈퍼마켓에서 계산대 업무를 신속하게 만들고 재고관리를 용이하게 할 뿐 아니라 품목별 가격표시 등의 비용을 절감시켜 준다. 그러나 소비자 입장에서는 점포 내에서 또는 구매 후 가정에서 가격을 참조할 수 없다는 문제가 있다.

**RFID 시스템과 바코드 시스템**

| 기준 | RFID 시스템 | 바코드 시스템 |
| --- | --- | --- |
| 인식방법 | 무선(read/write) | 광학식(read only) |
| 정보량 | 수천 단어 | 수십 단어 |
| 인식거리 | 최대 100m | 최대 수십 cm |
| 인식속도 | 최대 수백 개 | 개별 스캐닝 |
| 관리수준 | 개개 상품(일련번호) | 상품 그룹 |

# 출제예상문제

CHAPTER 04 생산시스템의 운영 및 통제

## 4지선다형

**01** ☐☐☐ 2022년 군무원 9급 기출

다음 중 시계열분석기법에 속하는 수요예측방법과 가장 옳지 않은 것은?

① 델파이법
② 이동평균법
③ 지수평활법
④ 추세분석법

**해설**

델파이법은 수요예측기법 중 정성적 방법에 해당한다.

정답 ①

**02** ☐☐☐ 서울교통공사 기출동형

다음 중 수요예측기법에 대한 설명으로 옳지 않은 것은?

① 가중이동평균법보다 최근 수요에 가중치를 높게 두는 단순이동평균법의 예측치가 수요변동을 더 빨리 따라갈 수 있다.
② 지수평활법은 1년치의 자료만 있어도 예측 가능한 모형이다.
③ 시계열분석은 독립변수를 시간으로 보고 있으며, 인과관계분석은 독립변수를 인과요인으로 보고 있다.
④ 시계열분석에서 추세요인이란 중·장기적인 변동을 나타내는 것이다.

**해설**

단순이동평균법은 확률오차의 영향을 제거하여 수요시계열의 평균을 추정하는 방법이고, 가중이동평균법은 각 기간에 다른 가중치(가중치의 합은 1)를 부여하여 수요를 예측하는 방법이다. 따라서 단순이동평균법보다 최근 수요에 가중치를 높게 두는 가중이동평균법의 예측치가 수요변동을 더 빨리 따라갈 수 있다.

정답 ①

## 03  2019년 서울시 7급 기출

**정성적 예측방법 중 하나인 델파이법(Delphi method)에 대한 설명으로 가장 옳은 것은?**

① 다수의 전문가들로 전문가그룹을 구성하고 이들에게 수차례에 걸쳐 설문지를 배부하여 예측사안에 대해 의견을 수렴하는 방법이다.
② 사내 다양한 부서로부터 경험과 지식이 풍부한 전문가들로 위원회를 구성하여 자유토론을 통해 의견일치를 도출하는 방법이다.
③ 실제 조사하고자 하는 내용에 대한 가설을 세우고 설문지, 인터뷰 등을 통해 자료를 수집해서 가설을 검증하는 방법이다.
④ 판매원들로 하여금 그들이 담당하고 있는 지역 내의 수요를 예측하게 한 다음, 모든 판매원들이 예측한 자료를 종합하여 전체 수요를 예측하는 방법이다.

### 해설

델파이법은 전문가집단의 의견과 판단을 추출하고 종합하기 위하여 동일한 전문가집단에게 설문조사를 실시하여 집단의 의견을 종합하고 정리하는 방법이다. 이러한 델파이법은 순환적 집단의사결정과정의 의미를 가지는 정성적 예측방법에 해당하기 때문에 ①이 델파이법에 대한 옳은 설명이 된다.
② 사내 다양한 부서로부터 경험과 지식이 풍부한 전문가들로 위원회를 구성하여 자유토론을 통해 의견일치를 도출하는 방법은 브레인스토밍에 해당된다.
③ 실제 조사하고자 하는 내용에 대한 가설을 세우고 설문지, 인터뷰 등을 통해 자료를 수집해서 가설을 검증하는 방법은 설문조사법에 해당된다.
④ 판매원들로 하여금 그들이 담당하고 있는 지역 내의 수요를 예측하게 한 다음, 모든 판매원들이 예측한 자료를 종합하여 전체 수요를 예측하는 방법은 판매원 추정법이다.

**정답 ①**

## 04  2023년 서울시 7급 기출

**수요예측 기법에 대한 설명으로 가장 옳지 않은 것은?**

① 시계열분석법은 정량적 수요예측 기법 중 하나로 시계열 데이터를 구성하는 수준, 추세, 계절성 성분 이외 불규칙 성분에 대한 발생 이유를 설명하려는 기법이다.
② 유추법, 델파이 기법 등은 정성적 수요예측 기법으로 신제품, 신시장 등 과거 수요자료가 충분히 축적되어 있지 않을 때 적합한 기법이다.
③ 예측오차의 측정지표로서 추적지표(tracking signal)는 수요의 상황 혹은 하향 변화에 따라 예측평균값이 편향 없이 잘 따라가고 있는지 여부를 측정하기 위한 지표이다.
④ 단순 지수평활법에서는 최근 기간의 예측 수요, 최근 기간의 실제 수요, 평활상수 등 세 가지 요소만 있으면 다음 기간 수요를 예측할 수 있다.

### 해설

시계열분석법은 정량적 수요예측 기법 중 하나로 시계열 데이터를 구성하는 수준, 추세, 계절성 성분 등을 설명하려는 기법이고, 수준, 추세, 계절성 성분 이외 불규칙 성분에 대해서는 예측이 불가능하다.

**정답 ①**

## 05 ☐☐☐ 2016년 서울시 7급 기출

**수요예측에 대한 설명으로 가장 옳은 것은?**

① 전문가 그룹에 대해 설문조사를 하는 델파이법은 대표적인 정량적(quantitative) 예측기법이다.
② 종속변수가 독립변수를 설명하는 능력은 결정계수의 크기로 측정한다.
③ 단순이동평균법(simple moving average method)에서 이동평균기간을 길게 잡을수록 최근의 추세변화에 민감하게 반응할 수 있다.
④ 인과형 예측모형의 대표적인 기법으로 회귀분석을 들 수 있다.

### 해설

① 델파이법은 정성적 예측기법이다.
② 결정계수의 크기는 독립변수가 종속변수를 설명하는 능력을 의미한다.
③ 단순이동평균법에서 이동평균기간을 짧게 잡아야 최근의 변화를 반영할 수 있다.

**정답 ④**

## 06 ☐☐☐ 2015년 국가직 7급 기출

**수요예측기법(demand forecasting technique)의 평가에 대한 설명으로 옳은 것은?**

① 수요예측과정에서 발생하는 예측오차들(forecasting errors)의 합은 영(zero)에 수렴하는 것이 바람직하다.
② 평균절대편차(mean absolute deviation)는 편차들의 평균이 사전에 설정한 절댓값을 초과하는지 여부를 평가하는 방법이다.
③ 평균제곱오차(mean squared error)는 매 기간 발생하는 수요예측오차를 제곱한 값들의 평균으로, 영(zero)에서 멀어질수록 바람직하다.
④ n기간 동안(단, n ≥ 2) 예측오차들의 합이 영(zero)이라면 동일 기간 평균절대편차값도 반드시 영(zero)이 된다.

### 해설

② 평균절대편차(mean absolute deviation)는 편차들의 평균이 사전에 설정한 절댓값을 초과하는지 여부를 평가하는 방법이 아니라 관측치와 평균의 차이의 절댓값으로 표현되는 편차의 산술평균을 의미한다.
③ 평균제곱오차(mean squared error)는 매 기간 발생하는 수요예측오차를 제곱한 값들의 평균으로, 영(zero)에 가까워질수록 편차가 작다는 의미이다. 즉 영(zero)에 가까워질수록 수요예측의 정확도가 높다는 의미이기 때문에 바람직하다고 할 수 있다.
④ n기간 동안(단, n≥2) 예측오차들의 합이 영(zero)이라면 동일 기간 평균절대편차값도 반드시 영(zero)이 되는 것은 아니다. 예측오차의 종류 중 평균오차는 절댓값의 의미도 없고 제곱의 의미도 반영되지 않았기 때문에 평균오차의 값이 0이 나오더라도 평균절대편차값은 0이 나오지 않을 수 있다.

**정답 ①**

## 07 2017년 서울시 7급 기출

**다음 중 시계열 수요예측 기법에 대한 설명으로 가장 옳은 것은?**

① 과거에 발생하지 않았던 요소를 고려하여 미래의 수요를 예측한다.
② 시계열 수요예측 기법에는 델파이 방법과 회귀분석 방법 등이 있다.
③ 일반적으로 시계열은 추세, 계절적 요소, 주기 등과 같은 패턴을 갖는다.
④ 전략적 계획을 수립하는 데 필요한 장기적인 시장수요를 파악하기 위하여 주로 사용된다.

### 해설
① 시계열 수요예측 기법은 과거의 자료에 근거하여 예측이 이루어지기 때문에 과거에 발생하지 않았던 요소를 고려하여 미래의 수요를 예측한다는 설명은 옳지 않다.
② 델파이 방법은 정성적 방법에 해당하고, 회귀분석 방법은 인과관계분석법에 해당한다.
④ 시계열 수요예측 기법은 장기적인 수요와 단기적인 수요 모두에 사용할 수 있다.

정답 ③

## 08 2013년 국가직 7급 기출

**수요예측기법들에 대한 설명으로 옳은 것은?**

① 지수평활법은 평활상수가 클수록 최근 자료에 더 높은 가중치를 부여한다.
② 회귀분석법은 실제치와 예측치의 오차를 자승한 값의 총합계가 최대화되도록 회귀계수를 추정한다.
③ 이동평균법은 과거의 모든 자료를 반영하고, 최근 자료일수록 가중치를 낮게 부여한다.
④ 이동평균법은 이동평균의 계산에 사용되는 과거자료의 개수(n)가 클수록 수요예측의 정확도가 높아진다.

### 해설
② 회귀분석법은 실제치와 예측치의 오차를 자승한 값의 총합계가 최소화되도록 회귀계수를 추정한다.
③ 이동평균법은 일반적으로 최근 자료일수록 가중치를 높게 부여한다.
④ 이동평균법은 이동평균의 계산에 사용되는 과거자료의 개수(n)가 클수록 수요예측의 안정성이 높아진다.

정답 ①

## 09 2019년 국가직 7급 기출

**이번 달의 수요 예측치가 1,000개이고 실제 수요는 900개일 때, 지수평활법을 이용하여 다음 달의 수요 예측치를 계산하면? (단, 평활상수($\alpha$)는 0.1이다.)**

① 990개
② 1,090개
③ 1,100개
④ 1,190개

### 해설
$F_{t+1} = \alpha D_t + (1-\alpha) F_t = F_t + \alpha(D_t - F_t)$. 따라서 1,000 + 0.1 × (900 − 1,000) = 990개이다.

정답 ①

## 10  2021년 국가직 7급 기출

**2021년도 자료에 대한 수요예측 설명으로 옳은 것은?**

| 기간(t) | 예측치(F) | 실제수요(Y) | 오차(= Y - F) |
|---|---|---|---|
| 1월 | 130 | 110 | -20 |
| 2월 | 100 | 120 | 20 |
| 3월 | 100 | 130 | 30 |
| 4월 | 130 | 140 | 10 |

① 바로 직전 기간에 주어진 자료(4월)만을 가지고 지수평활법(평활상수 = 0.2)을 적용하여 2021년 5월의 수요를 예측하면 128이다.
② 최근 3개월 단순이동평균법(SMA)을 적용하여 2021년 5월의 수요를 예측하면 110이다.
③ 4개월(1~4월) 동안의 수요예측에 대한 평균절대편차(MAD)는 15이다.
④ 4개월(1~4월) 동안의 수요예측에 대한 추적지표(TS)는 2이다.

### 해설

추적지표는 누적예측오차를 평균절대편차로 나눈 값이다. 누적예측오차는 오차를 전부 더한 값이다. 따라서 4개월(1~4월) 동안의 수요예측에 대한 추적지표(TS)는 40을 20으로 나눈 2이다.
① 지수평활법은 $F_{t+1} = F_t + \alpha \times (D_t - F_t)$로 구하기 때문에 바로 직전 기간에 주어진 자료(4월)만을 가지고 지수평활법(평활상수 = 0.2)을 적용하여 2021년 5월의 수요를 예측하면 '130 + 0.2 × 10'으로 계산한 132가 된다.
② 최근 3개월 단순이동평균법(SMA)을 적용하여 2021년 5월의 수요를 예측하면 2월, 3월, 4월의 실제수요를 단순평균하여 '(120 + 130 + 140)/3'으로 계산한 130이다.
③ 평균절대편차는 절대편차를 평균한 것이다. 따라서 4개월(1~4월) 동안의 수요예측에 대한 평균절대편차(MAD)는 20이다.

**정답 ④**

## 11  2021년 군무원 7급 기출

**다음 중 총괄생산계획에서 고려하지 않는 비용으로 옳은 것은?**

① 채용과 해고비용
② 재고유지비용
③ 초과근무비용
④ 생산입지 선정비용

### 해설

총괄생산계획은 수요나 주문의 시간적·수량적 요건을 만족시킬 수 있도록 생산시스템의 능력(생산율, 고용수준, 재고수준 등)을 조정해나가는 계획을 의미한다. 따라서 생산입지 선정비용은 총괄생산계획에서 고려하는 비용에 포함되지 않는다.

**정답 ④**

## 12 ☐☐☐ 2023년 국가직 7급 기출

**총괄생산계획에서 고려되는 비용에 대한 설명으로 옳지 않은 것은?**

① 기본 생산비용은 주어진 기간 내에 제품을 생산하는 데 소요되는 고정비 및 변동비 등을 의미한다.
② 생산율 변경비용은 생산율 변화에 따른 인력 충원, 해고, 교육 훈련 등에 소요되는 비용을 의미한다.
③ 재고유지비용에는 원자재 및 완제품 등 유형자원에 묶여 있는 자본비용과 보관, 보험, 세금, 손괴 및 진부화에 따른 비용이 포함된다.
④ 재고부족비용은 산출이 용이한 비용으로 납품 지연으로 발생하는 생산 촉진비용, 판매기회 상실에 따른 비용 등을 의미한다.

**해설**

재고부족비용은 수요량이 공급량을 초과할 때 발생하는 비용으로 납품 지연으로 발생하는 생산 촉진비용, 판매기회 상실에 따른 비용 등을 의미한다. 따라서 재고부족비용은 정확한 산출이 쉽지 않다.

**정답 ④**

## 13 ☐☐☐ 2022년 국가직 7급 기출

**총괄생산계획(aggregate production planning: APP)의 수립전략에 대한 설명으로 옳은 것은?**

① 수요 추종 전략(chase strategy)은 수요의 변동을 반영하여 제품 생산율을 조정하므로 급증하는 수요에 최적화된 전략이다.
② 평준화 전략(level strategy)은 일정 기간 동안 균등한 양을 생산하여 재고가 발생하지 않는 전략이다.
③ 혼합 전략(mixed strategy)은 수요 추종 전략과 평준화 전략을 혼합하여 실행이 복잡하므로 실제로 활용되지 않는다.
④ 고용수준 변경이나 생산율 변경에 의한 비용은 수요 추종 전략에서 가장 많이 발생하고, 재고 비용이나 납기지연 비용은 평준화 전략에서 가장 많이 발생한다.

**해설**

① 수요 추종 전략은 수요의 변동을 반영하여 제품 생산율을 조정하는 전략이지만, 급증하는 수요에 최적화된 전략인 것은 아니다.
② 평준화 전략(level strategy)은 일정 기간 동안 균등한 양을 생산하여 재고와 재고 부족이 발생하는 전략이다.
③ 혼합 전략은 실제로 활용된다.

**정답 ④**

## 14 □□□ 2011년 국가직 7급 기출

**총괄생산계획(aggregate production planning)에 대한 설명으로 옳은 것은?**

① 총괄생산계획은 자재소요계획(material requirement planning)을 바탕으로 장기 생산계획을 수립하는 과정이다.
② 총괄생산계획에서 평준화전략(level strategy)은 재고수준을 연중 일정하게 유지하고자 하는 전략이다.
③ 총괄생산계획은 제품군에 대한 생산계획으로 추후 개별제품의 주일정계획(master production schedule)으로 분해된다.
④ 총괄생산계획에서 추종전략(chase strategy)은 고객주문의 변화에 따라 재고수준을 기간별로 조정하고자 하는 전략이다.

### 해설

① 자재소요계획은 총괄생산계획이 수립된 이후에 수립되기 때문에 총괄생산계획이 자재소요계획을 바탕으로 할 수 없다.
② 총괄생산계획에서 평준화전략(level strategy)은 산출수준이나 고용수준을 연중 일정하게 유지하고자 하는 전략이다.
④ 총괄생산계획에서 추종전략(chase strategy)은 고객주문의 변화에 따라 산출수준이나 고용수준을 기간별로 조정하고자 하는 전략이다.

정답 ③

## 15 □□□ 2014년 국가직 7급 기출

**인쇄소에 대기작업이 3개 있고, 이들의 예상 작업시간과 납기시간은 다음 표와 같다.**

| 작업 | 작업시간 | 납기시간 |
| --- | --- | --- |
| 가 | 4 | 6 |
| 나 | 4 | 5 |
| 다 | 5 | 9 |

**긴급률(critical ratio) 규칙에 따라 작업을 진행하였다면 평균납기지연시간은?**

① 1.5시간
② 2.0시간
③ 2.5시간
④ 3.5시간

### 해설

긴급률이란 납기시간을 작업시간으로 나누어 계산한 값이다. 따라서 각 작업별 긴급률을 계산하면 작업(가)는 6 ÷ 4(= 1.5), 작업(나)는 5 ÷ 4(= 1.25), 작업(다)는 9 ÷ 5(= 1.8)이고, 긴급률이 낮은 작업부터 작업을 실시하여야 한다. 해당 작업은 (나)(가)(다)의 순서대로 진행되어야 하며, 이 경우에 작업(나)는 4시간 후에 작업이 종료되기 때문에 납기지연시간은 존재하지 않는다. 그러나 작업(가)는 작업(나)가 끝난 후에 작업이 개시되기 때문에 8시간 후에 작업이 종료되며 납기시간을 2시간 지연하게 되고, 작업(다)는 작업(가)가 끝난 후에 작업이 개시되기 때문에 13시간 후에 작업이 종료되며 납기시간을 4시간 지연하게 된다. 따라서 전체 납기지연시간은 6시간이며 이를 작업수로 나눈 평균납기지연시간은 2시간이다.

정답 ②

## 16  2023년 서울시 7급 기출

프로젝트 일정관리를 위한 PERT/CPM 방법론에서 주경로(critical path)에 대한 설명으로 가장 옳지 않은 것은?

① 프로젝트를 구성하는 활동들의 관계를 네트워크로 나타냈을 때, 시점 마디로부터 종점 마디에 이르기까지의 최장 경로를 말한다.
② 주경로를 구성하는 활동 중 여유시간이 있는 활동의 소요시간을 단축하면 프로젝트 일정을 단축할 수 있다.
③ 조기시작지점(early start)과 만기시작시점(late start) 간의 차이가 없는 활동들을 구성된다.
④ 주경로가 많이 존재할수록 프로젝트 일정관리에 더 많은 노력이 요구된다.

**해설**

주경로를 구성하는 활동 중 여유시간이 없는 활동의 소요시간을 단축하면 프로젝트 일정을 단축할 수 있다.

정답 ②

## 17  2017년 서울시 7급 기출

다음 표에는 어떤 프로젝트를 구성하고 있는 작업(activity)들과 관련 정보가 정리되어 있다. 이 프로젝트의 주공정경로(critical path)의 길이는 얼마인가?

| 작업(activity) | 선행 작업 | 수행시간 |
| --- | --- | --- |
| A | - | 13 |
| B | A | 8 |
| C | A | 7 |
| D | B, C | 7 |
| E | B, C | 8 |
| F | D, E | 3 |
| G | D | 5 |

① 31시간  ② 32시간
③ 33시간  ④ 34시간

**해설**

표에서 제시된 자료를 통해 네트워크를 작성하면 다음과 같다.

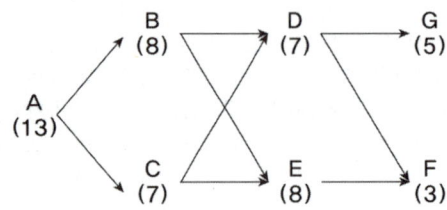

또한, 주공정경로(critical path)는 그 공정상에 있는 모든 활동을 완료하는 데 소요되는 시간이 가장 긴 경로이다. 따라서 주공정경로는 A → B → D → G가 되기 때문에 소요시간은 33시간(= 13시간 + 8시간 + 7시간 + 5시간)이 된다.

정답 ③

## 18 □□□ 2016년 서울시 7급 기출

프로젝트 일정관리 방법론인 PERT/CPM에서 주공정경로(critical path)에 대한 설명으로 가장 옳은 것은?

① 프로젝트를 완료하는 데 소요되는 시간이 가장 짧은 경로를 주공정경로라고 한다.
② 주공정경로는 여유시간(slack time)이 0보다 큰 활동들을 연결한 경로이다.
③ 주공정경로상의 활동들은 일정 부분 지연이 되더라도 전체 프로젝트 일정에는 영향이 발생하지 않는다.
④ 여유시간이 0인 활동들이 많을수록 일정관리가 더욱 어려워진다.

### 해설
① 공정상에 있는 모든 활동을 완료하는 데 소요되는 기간이 가장 긴 공정이 주공정경로이다.
② 주공정경로는 여유시간이 0인 단계를 차례로 연결함으로써 구할 수 있다.
③ 주공정경로상에 있는 활동, 즉 주공정 활동(주요활동) 가운데 어느 하나가 지연이 되면 전체 프로젝트 완료가 그만큼 지연이 된다.
정답 ④

## 19 □□□ 서울교통공사 기출동형

다음 중 MRP에 대한 설명으로 옳지 않은 것은?

① MRP의 효율적 적용을 위해서는 제조공정이 독립적이어야 한다.
② 전체 품목들은 저장이 가능해야 하며, 매출행위가 있어야 한다.
③ MRP에서 제공되는 발주시기와 발주량은 각 작업장에서 우선순위를 결정하는 데 매우 유용하다.
④ MRP는 ERP가 실시간 데이터를 획득하고 가용하지 못했기 때문에 이에 보완하여 등장하였다.

### 해설
자재소요계획(material requirements planning, MRP)은 대부분의 완제품은 여러 가지의 부품으로 구성되어 있고, 이에 따른 자재의 소요가 독립적인 것이 아니라, 종속적으로 발생하는 종속수요의 성격을 띤다는 점에 착안한 계획방법을 말한다. 자재소요계획은 정보기술의 활용으로 인해 그 적용영역이 확대되어 감에 따라 자재소요계획(material requirements planning, MRP), 제조자원계획(manufacturing resource planning, MRP II), 전사적 자원관리(enterprise resource planning, ERP)의 순으로 발전되어 왔다. 따라서 MRP가 ERP를 보완하여 등장하였다는 설명은 옳지 않다.
정답 ④

## 20 □□□ 2011년 국가직 7급 기출

자재소요계획(material requirement planning)을 수립하기 위해 필요한 3대 투입요소에 해당되지 않는 것은?

① 주일정계획(master production schedule)
② 자재명세서(bill of material)
③ 재고기록철(inventory record file)
④ 부하계획(loading)

### 해설
자재소요계획은 주일정계획, 자재명세서, 재고기록철을 기본요소로 한다.
정답 ④

## 21 ☐☐☐ 2014년 국가직 7급 기출

**자재소요계획(Material Requirement Planning: MRP)과 관련된 설명으로 옳은 것은?**

① MRP는 풀생산방식(pull system)의 전형적 예로서 시장 수요가 생산을 촉발시키는 시스템이다.
② MRP는 독립수요(independent demand)를 갖는 부품들의 생산수량과 생산시기를 결정하는 방법이다.
③ 자재명세서(bill of materials)의 각 부품별 계획주문발주시기를 근거로 MRP를 수립한다.
④ 대생산일정계획(master production schedule)의 완제품 생산일정과 생산수량에 관한 정보를 근거로 MRP를 수립한다.

**해설**
① MRP는 푸시생산방식(push system)의 전형적 예이다.
② MRP는 종속수요(dependent demand)를 갖는 부품들의 생산수량과 생산시기를 결정하는 방법이다.
③ 자재명세서(bill of materials)는 독립수요와 종속수요의 관계를 명시한 문서이다.

정답 ④

## 22 ☐☐☐ 2021년 군무원 9급 기출

**전사적 자원관리(ERP)의 장점으로 가장 옳지 않은 것은?**

① 경영자원의 통합적 관리
② 자원의 생산성 극대화
③ 차별화된 현지 생산
④ 즉각적인 의사결정 지원

**해설**
전사적 자원관리는 어느 한 부문에서 자료가 입력되면 다른 관리부문에서 필요한 정보를 공유할 수 있도록 설계된 시스템으로 생산관리 업무는 물론 제품이나 공정의 설계, 재무 및 회계, 마케팅, 인사 등 순수한 관리부문과 경영지원 기능을 포괄한다. 따라서 주어진 보기 중에 차별화된 현지 생산은 전사적 자원관리의 장점으로 옳지 않다.

정답 ③

## 23 ☐☐☐ 2008년 국가직 7급 기출

**전사적 자원관리(ERP) 시스템을 도입하려는 배경으로 적절하지 않은 것은?**

① 기업의 전산 유지 비용을 절감하는 효과를 기대
② 다양한 소비자의 요구에 대한 기업의 전사적 대응이 필요
③ 조직의 리엔지니어링을 도입하는 실천수단으로 활용될 수 있다는 기대감
④ 급격하게 길어지는 제품의 라이프사이클(product life cycle)에 대한 대응이 필요

**해설**
전사적 자원관리는 기업이 주요한 비즈니스를 관리하고 경영기능이 제대로 발휘하도록 지원하는 통합 프로그램으로 업무기능의 실시간 모니터링을 통해 상품의 질, 가용성, 고객만족, 성과, 수익성과 같은 업무기능의 핵심요소를 적시에 분석하는 것을 가능하게 한다. 따라서 전사적 자원관리의 도입배경 중에 하나는 급격하게 '짧아지는' 제품의 라이프사이클에 대한 대응이 필요하기 때문이다.

정답 ④

## 24 □□□ 2024년 군무원 9급 기출

**다음 중 안전재고에 대한 설명으로 가장 적절한 것은?**

① 바쁜 크리스마스 판매 시즌이나 세일행사 기간과 같이 수요가 높아질 것으로 예상되는 기간 동안 수요를 충족시킬 수 있는 재고를 말한다.
② 예상하지 못한 공급이나 생산 문제가 일어나거나 수요가 예상보다 높을 때 수요를 충족시키기 위해서 보유하는 재고이다.
③ 기업이 구매나 생산을 하고 다음번 구매나 생산할 기간까지 유지할 수 있는 충분한 양을 구매하거나 생산할 때 발생한다.
④ 기업들이 가격 인상이나 공급축소 등을 대비하여 물품을 비축해 놓을 때 생성되는 재고이다.

**해설**

①과 ④는 예비(예상)재고, ③은 주기재고에 대한 설명이다.

정답 ②

## 25 □□□ 2013년 국가직 7급 기출

**보유 목적에 따른 재고 유형에 대한 설명으로 옳지 않은 것은?**

① 작업의 독립성을 유지하기 위해 보유하는 것은 완충(decoupling)재고이다.
② 생산준비비용이나 주문비용을 줄이기 위해 보유하는 것은 경제(economic) 재고이다.
③ 수요의 불확실성에 대비하기 위해 추가적으로 보유하는 것은 안전(safety) 재고이다.
④ 계절에 따른 수요 변화에 대응하기 위해 보유하는 것은 비축(anticipation) 재고이다.

**해설**

생산준비비용이나 주문비용을 줄이기 위해 보유하는 재고의 종류는 주기재고이다.

정답 ②

## 26 □□□ 2022년 군무원 9급 기출

**다음 중 재고관련비용의 유형에 대한 설명으로 가장 옳지 않은 것은?**

① 품목비용: 재고품목 그 자체의 구매비용 또는 생산비용
② 주문비용: 재고품목을 외부에 주문할 때 발생하는 경비와 관리비
③ 재고유지비용: 한 번의 조업을 위한 생산설비의 가동준비에 소요되는 비용
④ 재고부족비용: 재고가 소진된 후 보충될 때까지 기다리는 과정에서 발생하는 비용

**해설**

재고유지비용은 재고를 보유함으로써 발생하는 비용을 의미하며, 이자, 보험료, 세금, 감가상각비, 진부화비용, 손상비용, 도난비용, 파손비용, 입고비 등과 같은 비용과 재고투자에 묶인 자금에 대한 기회비용을 포함한다. 그리고 한 번의 조업을 위한 생산설비의 가동준비에 소요되는 비용은 작업(가동)준비비용이다.

정답 ③

## 27 2018년 서울시 7급 기출

**재고관리에 대한 설명으로 가장 옳지 않은 것은?**

① 안전재고(safety stock)는 일정기간의 평균수요를 충족시키기 위해 보관하는 재고이다.
② 1일 수요량은 연간 수요량을 연간 작업일수로 나누어 계산한다.
③ 경제적 생산량(EPQ) 모형에서는 연간 생산량이 수요량을 초과하는 것으로 가정한다.
④ 경제적 주문량(EOQ)은 연간 재고보관비용과 주문비용의 합을 최소화하는 1회당 주문량이다.

**해설**
안전재고는 수요의 불확실성에 대비하여 보유하는 재고이며, 완충재고(buffer stock)라고도 한다.

정답 ①

## 28 2023년 서울시 7급 기출

**재고관리에서 경제적주문량(EOQ)에 대한 설명으로 가장 옳은 것은?**

① 1회 주문비용이 증가하면 최적주문량도 증가하지만 재주문점은 변동하지 않는다.
② 제품 단위당 재고유지비용이 증가하면 최적주문량은 증가하며 재주문점은 감소한다.
③ 재주문점은 리드타임의 기대수요가 높을수록 증가하지만 안전재고와는 관련이 없다.
④ 연간 재고유지비용은 주문량에 반비례하며, 연간 주문비용은 주문량에 선형적으로 비례한다.

**해설**
② 제품 단위당 재고유지비용이 증가하면 최적주문량은 감소하며 재주문점은 변동하지 않는다.
③ 재주문점은 리드타임의 기대수요가 높을수록 증가하고, 안전재고와는 관련이 있다. 재주문점은 최적주문량의 크기와는 관련이 없고 리드타임과 안전재고에 영향을 받는다.
④ 연간 재고유지비용은 평균재고에 비례하기 때문에 주문량에 비례하며, 연간 주문비용은 주문량에 비선형적으로 반비례하고 주문횟수에 선형적으로 비례한다.

정답 ①

## 29 2023년 군무원 7급 기출

**다음 중 재고관리의 접근방법으로서 경제적 주문량(EOQ: Economic Order Quantity) 산출 시 적용되는 기본 가정에 해당하지 않는 것은?**

① 제품의 수요가 일정하고 균일하다.
② 조달기간이 일정하며 조달이 일시에 이루어진다.
③ 품절이나 과잉재고가 허용된다.
④ 주문비와 재고유지비가 일정하며 재고유지비는 평균재고에 기초를 둔다.

**해설**
경제적 주문량은 안전재고를 고려하지 않기 때문에 품절이나 과잉재고가 고려되지 않는다.

정답 ③

## 30 ☐☐☐ 2019년 서울시 7급 기출

EOQ(Economic Order Quantity) 모형의 가정으로 가장 옳지 않은 것은?

① 단위기간 동안에 발생하는 수요율은 일정하며 확정적이다.
② 제품의 주문은 로트(lot)단위로 이루어지며, 로트 크기에 제약이 없다.
③ 주문리드타임(lead time)은 일정하고 주문한 양은 정확하게 공급받을 수 있다.
④ 동일한 공급업체에 대해 여러 개의 품목을 주문하는 경우 이를 결합해서 주문한다.

**해설**

해리스(Harris)가 제시한 EOQ 모형의 가정은 다음과 같다.
1. 단일 품목만 고려하고 있다.
2. 일정기간 동안의 전체 수요량은 알려져 있다.
3. 조달기간은 일정하다고 가정한다. 조달기간이 0인 경우는 주문시점과 입고시점이 일치하게 된다.
4. 수량할인과 가격할인은 존재하지 않는다.
5. 주문량은 일시에 보충된다.
6. 재고관련비용은 재고유지비용과 주문비용만 존재한다.
따라서 동일한 공급업체에 대해 여러 개의 품목을 주문하는 경우 이를 결합해서 주문하는 것은 EOQ 모형의 가정으로 옳지 않다.

**정답 ④**

## 31 ☐☐☐ 2017년 서울시 7급 기출

기본 경제적 주문량(EOQ) 모형에 관한 설명으로 옳지 않은 것은?

① 기본 경제적 주문량 모형에서는 주문은 한 번에 배달되고, 주문량에 따른 수량 할인은 없다고 가정한다.
② 기본 경제적 주문량 모형에서 재주문점(reorder point)은 리드타임에 일일 수요를 곱하여 구할 수 있다.
③ 기본 경제적 주문량 모형에서 발주비용은 발주량과 선형의 역비례 관계를 갖는다.
④ 기본 경제적 주문량 모형에서 주문사이클은 주문량을 연간 수요량으로 나눈 후 연간 조업일수를 곱하여 구할 수 있다.

**해설**

발주비용은 '주문횟수($\frac{D}{Q}$) × 1회 주문비'로 계산한다. 따라서 발주비용과 발주량은 역비례의 관계를 갖지만, 선형관계는 아니다.

**정답 ③**

## 32 ☐☐☐ 2010년 국가직 7급 기출

기업은 영업활동을 수행하면서 최소의 비용으로 재고자산을 관리하려 한다. 다음 중 재고관련 비용을 최소화시키는 경제적 주문량(EOQ) 모형의 기본적인 가정에 속하지 않는 것은?

① 단위당 재고유지비용은 일정하다.
② 재고조달기간이 정확히 지켜진다.
③ 재고자산의 사용률은 일정하며 알려져 있다.
④ 재고자산의 단위당 구입원가는 일정하다.

**해설**

기본적인 경제적 주문량(EOQ) 모형에서는 수량할인이나 가격할인이 존재하지 않는다고 가정하고 있기 때문에 재고자산의 단위당 구입원가를 고려하지 않는다.

**정답 ④**

## 33. 2009년 국가직 7급 기출

기업은 어떤 자재를 필요할 때마다 구매할 수도 있으나 이럴 경우 구매요청에 따른 번거로움과 구매처리 비용 등이 많이 발생한다. 그렇다고 한꺼번에 1년치를 주문하면 재고유지비용이 많이 든다. 따라서 주문비용과 재고유지비용을 고려하여 일정량 만큼씩 구매하는 것이 경제적이다. 다음과 같은 자료가 주어져 있을 경우 경제적 주문량은?

- 자재의 구입원가 = 40,000원/단위
- 연간재고유지비용 = 2,000원/단위
- 연간수요량 = 20,000단위
- 주문비용 = 2,000원/회

① 200단위
② 300단위
③ 약 333단위
④ 400단위

**해설**

경제적 주문량(EOQ)은 $\sqrt{\dfrac{2DO}{H}}$ 로 구한다. 여기서 D는 연간수요량을 의미하고, O는 1회 주문비용을 의미하며, H는 단위당 재고유지비용을 의미한다. 따라서 경제적 주문량(EOQ)은 $\sqrt{\dfrac{2 \times 20,000 \times 2,000}{2,000}}$ 로 계산하면 200단위이다.

정답 ①

## 34. 2020년 서울시 7급 기출

재고관리 모형에 대한 설명으로 가장 옳지 않은 것은?

① 재고 모형을 이용하여 수요와 조달기간에 대한 계량적인 확률 수요를 도출할 수 있다.
② 시장의 수요에 대비할 수 있도록 적시에 적량의 재고를 보유해야 한다.
③ 고객이 서비스를 요청하여 제공 완료까지의 조달기간을 확정적 모형을 통해 확률분포로 계산한다.
④ 재고의 과다한 보유 및 부족 현상을 관리하기 위해 주문량과 시점을 결정해야 한다.

**해설**

확률분포를 이용하는 것은 확정적 모형이 아니라 확률적 모형이다.

정답 ③

## 35. 2019년 국가직 7급 기출

재고와 재고관리에 대한 설명으로 옳지 않은 것은?

① ABC 재고관리 시스템은 재고품목을 연간 사용횟수에 따라 A등급, B등급, C등급으로 구분한다.
② 경제적 주문량(EOQ) 모형은 확정적 재고관리모형에 속한다.
③ 조달기간의 수요변동에 대비하여 보유하는 부가적 재고를 안전재고라고 한다.
④ 경제적 생산량(EPQ) 모형은 주문량이 한 번에 모두 도착하는 것을 전제로 하지 않는다.

**해설**

ABC 재고통제시스템은 각 재고품목별로 그 가치나 중요성이 동일하지 않다는 점에서 출발하여 각 재고품목의 중요성 측정기준(재고가액)에 의하여 재고품목을 3가지로 차별화하여 고가 품목에 통제능력을 많이 배분하는 재고통제시스템을 말한다.

정답 ①

## 36 ☐☐☐ 2019년 서울시 7급 기출

**재고관리 Q 시스템에 대한 설명으로 가장 옳지 않은 것은?**

① 주기적으로 재고를 보충하기 때문에 관리하기가 쉽다.
② 품목별로 조사 빈도를 달리할 수 있다.
③ 고정 로트크기는 수량할인으로 나타나기도 한다.
④ 안전재고 수준이 낮아져서 비용을 절감할 수도 있다.

**해설**

Q 시스템은 발주기준을 수량으로 사용하는 시스템이고, P 시스템은 발주기준을 시간으로 사용하는 시스템이다. 따라서 주기적으로 재고를 보충하는 재고관리 시스템은 P 시스템이 된다. **정답 ①**

---

## 37 ☐☐☐ 2014년 국가직 7급 기출

**효율적 재고(inventory)관리에 대한 설명으로 옳지 않은 것은?**

① 다른 조건들이 동일하다면, 주문간격(order interval)이 길수록 평균재고량이 증가한다.
② 다른 조건들이 동일하다면, 주문에 대한 배달소요시간이 길수록 재주문점(reorder point)은 증가한다.
③ 다른 조건들이 동일하다면, 주문비용(ordering cost)이 증가할수록 회당 주문량은 감소한다.
④ 다른 조건들이 동일하다면, 평균재고량이 증가할수록 재고회전율(inventory turnover)은 감소한다.

**해설**

다른 조건들이 동일하다면, 주문비용(ordering cost)이 증가할수록 회당 주문량은 증가한다. **정답 ③**

---

## 38 ☐☐☐ 2023년 국가직 7급 기출

**재고관리에 대한 설명으로 옳은 것은?**

① 경제적 주문량(EOQ) 모형은 총비용인 재고유지비용, 주문비용, 재고부족비용의 합을 최소로 만들어 주는 주문량을 찾는 것이다.
② 경제적 생산량(EPQ) 모형에서 다른 조건이 일정하다면, 1일 재고수요량이 증가하면 총비용은 감소한다.
③ ABC 재고관리법에서 A 품목군에 비해 C 품목군의 통제수준이 더 강하다.
④ 고정주문량 모형은 고정기간 모형에 비하여 평균적으로 더 많은 안전재고를 보유한다.

**해설**

경제적 생산량(EPQ) 모형에서 다른 조건이 일정하다면, 1일 재고수요량이 증가하면 재고수준이 감소하기 때문에 총비용은 감소한다.
① 경제적 주문량(EOQ) 모형은 총비용인 재고유지비용, 주문비용의 합을 최소로 만들어 주는 주문량을 찾는 것이다. 경제적 주문량 모형에서는 재고부족비용을 고려하지 않는다.
③ ABC 재고관리법에서 C 품목군에 비해 A 품목군의 통제수준이 더 강하다.
④ 고정기간 모형(P system)은 고정주문량 모형(Q system)에 비하여 평균적으로 더 많은 안전재고를 보유한다. **정답 ②**

## 39 ☐☐☐ 2023년 군무원 7급 기출

**다음 중 재고관리에 관한 설명으로 가장 적절하지 않은 것은?**

① 정량발주시스템(Q-system)에서는 재고 소진속도가 빨라지면 주문 시기가 빨라진다.
② 정기발주시스템(P-system)에서는 재고조사기간 사이에 재고 소진이 많을수록 많은 양을 주문하게 된다.
③ 투빈시스템(two-bin system)은 정기발주시스템을 시각화한 것이다.
④ ABC재고관리에서 A그룹은 재고 기록이나 조달기간을 엄격히 관리해야 한다.

**해설**

투빈시스템(two-bin system)은 정량발주시스템을 시각화한 것이다.

정답 ③

## 40 ☐☐☐ 2021년 국가직 7급 기출

**재고관리에 대한 설명으로 옳은 것은?**

① 고정주문량 모형은 고정주문주기 모형보다 엄격한 재고관리를 수행하므로 보다 많은 안전재고를 요구한다.
② 경제적 주문량 모형의 경우 재고조달기간은 알려져 있으며, 단위당 재고유지비용은 일정하고, 구입단가는 주문량과 관계없이 일정하고, 재고부족현상은 발생하지 않는다는 가정을 두고 있다.
③ 고정주문량 모형은 주문량이 일정하므로 매 주문시점에서만 재고를 검토하면 된다.
④ 경제적 생산량 모형은 수요가 일정하며, 생산하고자 하는 양이 일시에 전량 생산되어 재고가 보충된다는 가정을 두고 있다.

**해설**

① 고정주문주기 모형(P 시스템)이 고정주문량 모형(Q 시스템)보다 더 많은 안전재고를 요구한다.
③ 고정주문량 모형은 연속조사를 실시하고, 고정주문주기 모형은 주기조사를 실시한다.
④ 경제적 생산량 모형은 수요가 일정하며, 생산하고자 하는 양이 점진적으로 생산되어 재고가 보충된다는 가정을 두고 있다.

정답 ②

## 41 ☐☐☐ 2016년 국가직 7급 기출

재고관리의 P 시스템(P-모형)과 Q 시스템(Q-모형)에 대한 설명으로 옳은 것은?

① Q 시스템은 P 시스템보다 일반적으로 더 많은 안전재고가 필요하다.
② P 시스템에서는 주문시점마다 주문량이 달라지지만 Q 시스템에서는 주문주기가 고정된다.
③ 투-빈(two-bin)법은 재고량을 절반으로 나누어 안전재고를 확보하는 방법으로 P 시스템의 내용을 시각화한 것이다.
④ Q 시스템은 현재의 재고량을 수시로 조사하여 재주문점 도달여부를 판단해야 하므로 관리부담이 많다.

### 해설

① P 시스템이 Q 시스템보다 더 많은 안전재고가 필요하다. Q 시스템은 지속적으로 재고수준을 확인하지만 P 시스템은 주기적으로 재고를 관리하기 때문이다. 즉 일정한 주기기간 동안 재고 고갈이 발생하게 되면 재고보충을 할 방법이 마땅치 않기 때문에 이를 방지하기 위하여 안전재고가 더 많이 필요하다.
② P 시스템에서는 주문시점마다 주문량이 달라지는 것은 맞다. 목표 재고와 현재고와의 차이만큼 주문하기 때문이다. 하지만 주문주기가 고정된 것은 P 시스템이다. Q 시스템에서는 주문량이 고정되어 있다. 즉 재주문점에 도달하면 일정한 양만큼 주문하는 것이 Q 시스템이다.
③ 투-빈(two-bin)법은 재고량을 절반으로 나누어 안전재고를 확보하는 방법으로 P 시스템이 아닌 Q 시스템의 내용을 시각화한 것이다.

정답 ④

## 42 ☐☐☐ 2011년 국가직 7급 기출

A 핸드폰가게의 하루 판매량은 10개로 일정하고, 주문 리드타임은 5일로 일정하다. 현재 이 가게의 재고량이 30개라면 재주문점(reorder point)은?

① 20개
② 30개
③ 50개
④ 80개

### 해설

재주문점은 평균수요(= 일간 평균수요 × 리드타임)에 안전재고를 더해준 값이다. 그러나 문제에서 안전재고에 대한 자료가 주어져 있지 않기 때문에 안전재고를 고려하지 않으면 재주문점은 '10개 × 5일'을 계산한 50개이다.

정답 ③

## 43 ☐☐☐ 2022년 군무원 7급 기출

다음 중 재고(inventory) 및 재고관리에 대한 설명으로 가장 옳지 않은 항목은?

① 재고는 제품의 생산이나 고객 수요의 충족을 위해 보유하고 있는 자재이며, 완제품, 재공품, 각종 원자재 등이 포함된다.
② 재고 관련 비용 중에서 추후납품비용이나 품절비용은 재고부족비용에 해당된다.
③ 경제적 주문량 모형은 연간 주문비용 및 연간 재고유지비용 등의 연간 총비용을 최소화하는 주문량을 산출한다.
④ 일반적으로 고정주문량 모형은 정기주문모형보다 더 많은 안전재고를 요구한다.

### 해설

일반적으로 고정주문량 모형(Q 시스템)은 정기주문모형(P 시스템)보다 더 적은 안전재고를 요구한다.

정답 ④

## 44 □□□ 한국가스공사 기출동형

**다음 중 괄호 안에 들어갈 용어로 옳은 것은?**

> (    )은 재고자산의 품목이 다양한 경우, 이를 효율적으로 관리하기 위하여 재고의 가치나 중요도에 따라 재고자산의 품목을 분류하고, 차별적으로 관리하는 방법이다.

① 투빈시스템
② ABC 재고관리법
③ EOQ 모형
④ MRP

**해설**

① 투빈시스템은 동일 재고품목을 2개의 상자에 따로 보관하여 재고를 통제하는 시스템으로 연속조사(Q)시스템을 응용한 가시적(visible) 시스템을 말한다. 1개의 상자에 있는 재고가 고갈되면 재고를 주문하고 그 재고가 조달되는 기간 동안에 나머지 1개의 상자에 있는 재고를 사용하는 방법이다.
③ 경제적 주문량(economic order quantity, EOQ)이란 일정기간 동안 발생하는 재고유지비용과 주문비용의 합을 최소화시키는 1회 주문량을 의미하며, 경제적 주문량 모형은 이러한 주문량을 재고관리에 응용하고자 하는 모형을 말한다.
④ MRP는 대부분의 완제품은 여러 가지의 부품으로 구성되어 있고, 이에 따른 자재의 소요가 독립적인 것이 아니라 종속적으로 발생하는 종속수요의 성격을 띤다는 점에 착안한 계획방법을 말하며, 재고기록을 기본요소로 가지고 있기 때문에 재고관리의 관점에서도 설명할 수 있다.

정답 ②

## 45 □□□ 2018년 국가직 7급 기출

**재고관리 비용을 최소화하기 위한 재고관리 기법에 해당하지 않는 것은?**

① EOQ(Economic Order Quantity)
② JIT(Just-in-Time)
③ MRP(Material-Requirements Planning)
④ PERT(Program Evaluation and Review Technique)

**해설**

PERT(Program Evaluation and Review Technique)는 프로젝트를 효과적으로 관리하기 위한 기법으로 재고관리 기법과 관련이 없다.
① EOQ는 재고유지비용과 주문비용의 합이 최소가 되는 주문량을 결정하는 기법이다.
② JIT는 필요한 제품을 필요한 시간에 필요한 양만큼만 생산하는 것을 목표로 하는 기법이다.
③ MRP는 완성제품에 필요한 자재를 역으로 계산하여 필요한 만큼의 재고만 유지할 수 있도록 하는 기법이다.

정답 ④

## 46 ☐☐☐ 2022년 군무원 7급 기출

다음 중 서비스 품질의 5가지 차원에 대한 설명으로 가장 옳은 항목은?

① 신뢰성(reliability)은 고객에 대한 배려와 개별적인 관심을 보일 준비자세를 의미한다.
② 공감성(empathy)은 약속한 서비스를 정확하게 수행할 수 있는 능력을 의미한다.
③ 대응성(responsiveness)은 고객을 돕고 신속한 서비스를 제공하겠다는 의지를 의미한다.
④ 확신성(assurance)은 물리적인 시설이나 설비, 직원 등 외형적인 수단을 의미한다.

**해설**

① 신뢰성(reliability)은 약속한 서비스를 정확하게 수행할 수 있는 능력을 의미한다.
② 공감성(empathy)은 고객에 대한 배려와 개별적인 관심을 보일 준비자세를 의미한다.
④ 확신성(assurance)은 직원의 지식과 예절 및 신뢰와 확신을 줄 수 있는 능력을 말한다. 그리고 물리적인 시설이나 설비, 직원 등 외형적인 수단은 유형성(tangibility)이다.

정답 ③

## 47 ☐☐☐ 2012년 국가직 7급 기출

서비스품질을 측정하기 위해 개발된 SERVQUAL 차원과 측정항목의 연결이 옳지 않은 것은?

① 신뢰성(reliability) – 약속 이행정도
② 대응성(responsiveness) – 고객에 대한 배려와 개인적 관심
③ 확신성(assurance) – 예절을 포함한 고객에게 믿음을 주는 정도
④ 유형성(tangibility) – 시설의 청결정도

**해설**

대응성(responsiveness)은 자진해서 고객을 돕고 신속한 서비스를 제공하려는 의지를 말하고, 고객에 대한 배려와 개인적 관심은 감정이입(empathy)을 의미한다.

정답 ②

## 48 ☐☐☐ 2019년 국가직 7급 기출

서비스 품질에 대한 설명으로 옳지 않은 것은?

① 서비스에 대한 고객의 기대는 구전, 개인적 요구, 과거 경험 등의 영향을 받는다.
② PZB는 서비스 품질을 기대 – 성과(인지) 간 격차함수라는 개념으로 인식하였다.
③ 서비스 실패는 인적 과실에서 비롯되는 경우가 많으며, 이 과실은 종업원뿐만 아니라 고객에 의해 발생하기도 한다.
④ 서비스 분야의 포카요케(poka-yoke)는 부득이한 서비스 실수에 대한 검증을 목적으로 활용된다.

**해설**

포카요케(poka-yoke)는 종업원의 실수에 기인한 오류발생으로부터 종업원을 예방하는 특별한 도구이자 체크리스트를 의미한다. 따라서 부득이한 서비스 실수에 대한 검증을 목적으로 활용되는 것이 아니라 서비스 실수를 예방하기 위한 목적으로 활용된다.
② 미국을 중심으로 소비자관점에서 서비스품질을 이해하기 위한 많은 노력의 하나로 Parasuraman, Zeithaml, Berry(PZB)에 의해 SERVQUAL 척도가 개발되었다. 여기서 서비스품질은 '서비스 행위에 대한 소비자의 기대'와 '실제 서비스에 대한 인식'을 비교하는 것이라는 인식에 기초하고 있다. 따라서 옳은 설명이다.

정답 ④

## 49  2021년 군무원 7급 기출

**서비스 품질측정 도구인 SERVQUAL과 종합적 품질경영인 TQM에 대한 설명으로 가장 옳지 않은 것은?**

① SERVQUAL은 기대 서비스와 인지된 서비스 차이를 통해 고객만족을 조사하기 위한 도구이다.
② SERVQUAL의 서비스 품질을 판단하는 차원에는 신뢰성(reliability), 보증성(assurance), 유형성(tangible), 공감성(empathy), 반응성(responsiveness)이 있다.
③ TQM에서 '원천에서의 품질관리(quality at the source)'의 의미는 제품의 원재료 품질이 중요하므로 납품업체의 품질관리에 힘쓰라는 것을 의미한다.
④ TQM은 경영시스템으로 최고경영자의 장기적인 열의가 필요하고 지속적인 개선을 통해 종업원들이 주인의식을 가져야한다.

**해설**

'원천에서의 품질관리(quality at the source)'는 품질문제를 작업현장에서 작업자의 의해 규명하고 해결하되 가급적 생산공정의 초기단계부터 실천해야 한다는 것이다.

정답 ③

## 50  2016년 서울시 7급 기출

**전사적품질경영(TQM)에 대한 설명으로 가장 옳은 것은?**

① TQM은 프로세스의 지속적인 개선을 중요시한다.
② TQM은 경영 전략이라기보다 서비스 품질관리기법이다.
③ TQM은 결과지향적인 경영방식으로 완성품의 검사를 강조한다.
④ TQM은 단기적인 품질혁신 프로그램이다.

**해설**

② TQM은 몇몇 품질프로그램의 집합이 아니라 일종의 경영시스템이다.
③ 결과보다는 과정을 중시한다.
④ TQM이 성공을 거두기 위해서는 최고경영자의 장기적인 열의(commitment)가 필수적이다.

정답 ①

## 51 □□□ 한국소비자원 기출동형

**품질비용을 크게 내부실패비용과 외부실패비용으로 구분할 경우, 내부실패비용으로 옳은 것을 모두 고르면?**

| ㄱ. 설계변경으로 인한 폐품 | ㄴ. 반환품 비용 |
| ㄷ. 제품 및 서비스 처분비용 | ㄹ. 불만조사 |
| ㅁ. 법적 책임비용 | ㅂ. 구매자재 대체비용 |

① ㄱ, ㄴ, ㄹ
② ㄱ, ㄷ, ㅂ
③ ㄴ, ㄹ, ㅁ
④ ㄷ, ㅁ, ㅂ

**해설**

ㄱ, ㄷ, ㅂ 내부실패비용에 해당한다.
ㄴ, ㄹ, ㅁ 외부실패비용에 해당한다.
품질비용 중 실패비용은 실제로 불량이 발견됨으로써 발생하는 비용을 의미한다. 이러한 실패비용은 불량의 발견시점에 따라 내부실패비용과 외부실패비용으로 구분할 수 있다. 내부실패비용은 재화나 서비스의 생산과정 중에서 발생하는 결함에 기인하는 비용으로 결함 있는 제품을 폐기함으로써 발생하는 수율손실과 결함 있는 제품을 보완하기 위한 재작업비용 등이 포함하며, 외부실패비용은 제품이 고객에게 전달된 후에 결함이 발견되었을 때 발생하는 비용으로 보증서비스와 소송비용까지 포함한다.

**정답 ②**

## 52 □□□ 2019년 국가직 7급 기출

**우리나라 「제조물 책임법」상 제조업자의 손해배상책임 대상에 해당하지 않는 것은?**

① 원래 의도한 설계와 다르게 제조되어 안전하지 못하게 된 제조물로 인해 손해가 발생한 경우
② 피해나 위험을 줄이거나 피할 수 있는 합리적 대체설계를 채용하지 않아 안전하지 못하게 된 제조물로 인해 손해가 발생한 경우
③ 피해나 위험을 줄이거나 피할 수 있는 합리적 설명이나 경고를 하지 않은 제조물로 인해 손해가 발생한 경우
④ 제조물을 공급한 당시의 과학·기술 수준으로 발견할 수 없었던 결함으로 인해 손해가 발생한 경우

**해설**

제조물 책임(product liability)은 제조하고 판매하는 물건들에 있을 수 있는 결함에 대한 제조업자와 판매업자의 책임을 의미한다. 그러나 우리나라 「제조물 책임법」상 제조업자가 해당 제조물을 공급하지 아니하였다는 사실, 제조업자가 해당 제조물을 공급한 당시의 과학·기술 수준으로는 결함의 존재를 발견할 수 없었다는 사실, 제조물의 결함이 제조업자가 해당 제조물을 공급한 당시의 법령에서 정하는 기준을 준수함으로써 발생하였다는 사실, 원재료나 부품의 경우에는 그 원재료나 부품을 사용한 제조물 제조업자의 설계 또는 제작에 관한 지시로 인하여 결함이 발생하였다는 사실을 입증한 경우에는 손해배상 책임을 면제한다.

**정답 ④**

## 53. 2013년 국가직 7급 기출

**전사적 품질경영(TQM)에 대한 설명으로 옳지 않은 것은?**

① 고객 만족의 원칙을 바탕으로 품질을 재정의한다.
② 기존의 경영관리방식을 품질 중심으로 통합하여 새롭게 구성한다.
③ 불량률 감소, 원가절감, 품질의 균일화 등을 통해 생산관리의 효율성을 높이는 것이 목표이다.
④ 전략적 차원에서 생산직, 관리자, 최고경영자까지 참여하는 품질운동이다.

**해설**
전사적 품질경영은 기존의 불량률 감소, 원가절감, 품질의 균일화 등을 통해 생산관리의 효율성을 높이는 것을 넘어 궁극적으로는 고객만족이 목표이다.

**정답 ③**

## 54. 2021년 서울시 7급 기출

**<보기>의 내용에 해당하는 품질관리의 기본 도구는?**

<보기>
특정한 문제나 결과를 일으키는 원인들을 그룹별로 분류하여 인과관계를 일목요연하게 보여줌으로써 문제의 근본 원인을 파악하고 해결책을 개발하는 데 도움을 준다. 잠재적 원인을 범주화하고 하부 원인들을 모두 기술한 뒤에 주요한 원인을 찾아나가는 방식으로 활용된다.

① 히스토그램(histogram)
② 파레토 도표(Pareto chart)
③ 피쉬본 다이어그램(fishbone diagram)
④ 관리도(control chart)

**해설**
<보기>에서 설명하고 있는 품질관리의 기본 도구는 피쉬본 다이어그램(fishbone diagram) 또는 원인결과도표 또는 이시가와 도표이다.

**정답 ③**

## 55. 2023년 군무원 7급 기출

**다음 중 통계적 품질관리(SQC: Statistical Quality Control)에서 샘플링 검사(sampling inspection)에 관한 설명으로 가장 적절하지 않은 것은?**

① 샘플링 검사 로트(lot)로부터 추출한 샘플이 판정기준을 충족하지 못하면, 로트 전체를 불합격 판정한다.
② 검사특성곡선(OC Curve)은 로트의 불량률에 대한 합격 판정 확률을 그래프로 표현한 것이다.
③ 합격으로 판정해야 할 로트를 불합격으로 처리할 가능성을 소비자 위험(consumer's risk)이라고 한다.
④ 파괴 검사를 수행해야 하는 경우 샘플링 검사가 효과적이다.

**해설**
합격으로 판정해야 할 로트를 불합격으로 처리할 가능성을 생산자 위험(producer's risk)이라고 한다. 소비자 위험(consumer's risk)은 반대로 불합격으로 판정해야 할 로트를 합격으로 처리할 가능성을 의미한다.

**정답 ③**

## 56 2012년 국가직 7급 기출

**통계적 품질관리(statistical quality control)에 대한 설명으로 옳지 않은 것은?**

① 샘플링(sampling) 검사를 활용하는 품질관리 방식으로 표본수와 크기를 결정해야 한다.
② 관리도(control chart)를 활용하는 품질관리 방식으로 신뢰수준(confidence level)에 따라 관리상한선과 관리하한선이 달라질 수 있다.
③ 샘플링 검사를 활용하여 적은 비용과 시간으로 전체 생산품에서 불량품을 모두 선별하는 것을 목적으로 한다.
④ 관리도를 활용하여 품질변동을 초래하는 우연요인(random cause)과 이상요인(assignable cause) 중 이상요인을 파악하여 관리하고자 하는 기법이다.

**해설**

전체 생산품에서 불량품을 모두 선별하는 것을 목적으로 하는 것은 전수검사에 해당한다.

**정답 ③**

## 57 2009년 국가직 7급 기출

**통계적 공정관리에서 사용되는 관리도에 관한 설명으로 옳은 것으로만 묶은 것은?**

> ㄱ. 생산공정상의 품질변동의 원인을 이상원인과 우연원인으로 구분한다.
> ㄴ. 샘플 평균값이 관리상한선과 관리하한선 안에 위치하면 생산되는 제품의 품질특성은 제품규격에 일치하는 것으로 평가한다.
> ㄷ. 기계설비가 완벽하고 공정이 아무 이상 없이 가동되더라도 그 공정에서 나오는 제품이 똑같을 수는 없다는 기본적인 가정에 그 근거를 둔다.

① ㄱ, ㄴ
② ㄴ, ㄷ
③ ㄱ, ㄷ
④ ㄱ, ㄴ, ㄷ

**해설**

샘플 평균값이 아니라 극값이 관리상한선과 관리하한선 안에 위치하면 생산되는 제품의 품질특성은 제품규격에 일치하는 것으로 평가한다.

**정답 ③**

## 58 ☐☐☐ 2023년 국가직 7급 기출

**품질관리 도구인 관리도에 대한 설명으로 옳은 것은?**

① 관리도는 우연요인에 의한 변동을 감지하는 데 효과적이다.
② p-관리도는 정규분포를 적용하고, c-관리도는 포아송분포를 적용한다.
③ $\overline{X}$-R 관리도는 계량형 관리도에 해당한다.
④ 계수형 관리도는 길이, 무게, 강도 등의 데이터 관리에 적합하다.

**해설**

① 관리도는 관측값이 정상적인지, 비정상적인지를 결정하기 위해서 표본으로부터 얻어낸 품질측정값을 시간의 순서에 따라 표시하는 도표를 의미한다. 따라서 우연요인이 아니라 이상요인에 의한 변동을 감지하는 데 효과적이다.
② p-관리도는 이항분포를 적용하고, c-관리도는 포아송분포를 적용한다.
④ 관리도는 변량(계량형) 관리도와 속성(계수형) 관리도로 구분되는데, 길이, 무게, 강도 등의 데이터 관리에 적합한 것은 변량(계량형) 관리도이다.

**정답 ③**

## 59 ☐☐☐ 2023년 서울시 7급 기출

**품질관리에 대한 설명으로 가장 옳은 것은?**

① 품질비용을 예방·평가·실패비용으로 구분할 때 예방 및 평가비용을 늘리더라도 실패비용에는 영향을 미치지 않는다.
② 식스시그마의 공식적 문제해결 프로세스는 DAMCI로 정의 → 분석 → 측정 → 통제 → 개선의 순서로 진행된다.
③ p-관리도(p-chart)는 측정단위당 발생빈도를 관리하기 위해 사용되며, 기초가 되는 표본분포는 포아송분포이다.
④ 관리도의 종류 중 R-관리도(R-chart)는 변량관리도이며, c-관리도(c-chart)는 속성관리도이다.

**해설**

① 품질비용을 예방·평가·실패비용으로 구분할 때 예방 및 평가비용을 늘리면 실패비용을 줄일 수 있다.
② 식스시그마의 공식적 문제해결 프로세스는 DMAIC로 정의 → 측정 → 분석 → 개선 → 통제의 순서로 진행된다.
③ p-관리도(p-chart)는 프로세스에서 생산된 제품의 불량률을 관리하기 위해 사용되며, 기초가 되는 표본분포는 이항분포이다.

**정답 ④**

## 60 ☐☐☐ 2020년 서울시 7급 기출

**6시그마 경영에 대한 설명으로 가장 옳지 않은 것은?**

① 측정기준은 3.4 DPMO로, 100만 개당 3.4개의 불량 수준이다.
② 추진방법론으로는 DMAIC가 있다.
③ 6시그마는 톱다운(top-down)식으로 추진된다.
④ 추진요원 중 6시그마 추진에 필요한 자원을 할당하는 사업부 책임자는 마스터 블랙벨트이다.

**해설**

추진요원 중 6시그마 추진에 필요한 자원을 할당하는 사업부 책임자는 챔피언이다. 마스터 블랙벨트는 교육 및 지도 전문요원에 해당한다.

**정답 ④**

## 61 2022년 군무원 9급 기출

다음 중 전통적 품질관리(QC)와 전사적품질경영(TQC)에 대한 비교가 가장 옳지 않은 것은?

| 구분 | | 전통적 품질관리(QC) | 전사적 품질경영(TQC) |
|---|---|---|---|
| 가 | 대상 | 제조부문 위주 | 기업 내 전 부문 |
| 나 | 업종 | 모든 업종에 적용됨 | 제조업 중심 |
| 다 | 목표 | 생산관리면에 국한<br>(불량률 감소, 원가절감, 품질의 균일화 등) | 기술혁신, 불량예방, 원가절감 등을 통한 총체적 생산성 향상 및 고객만족 |
| 라 | 성격 | 생산현장에 정통한 품질관리 담당자 중심의 통제 | 생산직, 관리자, 최고경영자까지 전사적으로 참여 |

① 가
② 나
③ 다
④ 라

**해설**
전통적 품질관리(QC)가 제조업 중심이고, 전사적 품질경영(TQC)이 모든 업종에 적용된다. 　　　　　　정답 ②

## 62 2009년 국가직 7급 기출

제품품질을 '제품에 의해 야기된 사회적 손실'로 정의하고, 지속적 품질개선과 원가절감은 기업이 경쟁사회에서 존속하기 위한 필수요건이며, 이를 위한 프로그램은 품질특성의 목표치와의 편차를 끊임없이 감소시켜 나가는 것임을 강조한 사람은?

① 데밍(Deming)
② 쥬란(Juran)
③ 다구치(Taguchi)
④ 크로스비(Crosby)

**해설**
다구치(Taguchi)는 품질향상을 위해서는 제품설계 및 공정설계 단계에서부터 노력이 필요하며 전통적 견해와 달리 품질특성치가 규격한계 내에 들어오더라도 목표치에 정확하게 일치하지 않는 한 이미 손실이 발생한 것으로 간주하였다. 따라서 제품품질을 '제품에 의해 야기된 사회적 손실'로 정의하고, 지속적 품질개선과 원가절감은 기업이 경쟁사회에서 존속하기 위한 필수요건이며, 이를 위한 프로그램은 품질특성의 목표치와의 편차를 끊임없이 감소시켜 나가는 것임을 강조한 사람은 다구치(Taguchi)이다. 　　　　　　정답 ③

## 63 □□□ 2021년 군무원 9급 기출

**품질경영에 관한 설명으로 가장 옳은 것은?**

① 지속적 개선을 위한 도구로 데밍(E. Deming)은 PDAC(Plan-Do-Act-Check)싸이클을 제시하였다.
② 싱고 시스템은 통계적 품질관리 기법을 일본식 용어로 표현한 것이다.
③ 품질과 관련하여 발생하는 비용은 크게 예방 및 검사 등 사전조치에 관련된 비용과 불량이 발생한 이후의 사후조치에 관련된 비용으로 분류해 볼 수 있다.
④ 품질의 집 구축과정은 기대품질과 지각품질의 차이를 측정하고 차이분석을 하는 작업이다.

**해설**

① 지속적 개선을 위한 도구로 데밍(E. Deming)은 PDCA(Plan-Do-Check-Act)싸이클을 제시하였다.
② 싱고 시스템은 종업원의 실수에 기인한 오류발생으로부터 종업원을 예방하는 특별한 도구이자 체크리스트인 포카요케(poka-yoke)를 사용하여 결함을 예방하기 위한 시스템을 말한다.
④ 기대품질과 지각품질의 차이를 측정하고 차이분석을 하는 작업은 서비스 갭(gap) 분석이다.

**정답 ③**

## 64 □□□ 2021년 군무원 9급 기출

**식스 시그마와 관련된 내용으로 옳지 않은 것은?**

① 매우 높은 품질을 확보하기 위한 혁신활동이다.
② 백만 개 중에 8개 정도의 불량만을 허용하는 수준이다.
③ 시그마는 정규분포에서의 표준편차를 의미한다.
④ 모토롤라가 시작해서 GE에 의해 널리 알려졌다.

**해설**

식스 시그마는 통계학적으로 무결점(zero defect)에 가까운 99.9999998%의 품질수준(2 ppb)을 의미하는데, 통상 3.4 ppm 정도의 품질수준을 식스 시그마의 수준으로 간주한다.

**정답 ②**

## 65 ☐☐☐ 2014년 국가직 7급 기출

**6시그마(6 sigma)에 대한 설명으로 옳지 않은 것은?**

① 프로세스에서 불량과 변동성을 최소화하면서 기업의 성과를 최대화하려는 종합적이고 유연한 시스템이다.
② 프로그램의 최고 단계 훈련을 마치고, 프로젝트 팀 지도를 전담하는 직원은 마스터블랙벨트이다.
③ 통계적 프로세스 관리에 크게 의존하며, '정의 - 측정 - 분석 - 개선 - 통제(DMAIC)'의 단계에 걸쳐 추진된다.
④ 제조프로세스에서 기원하였지만 판매, 인적자원, 고객서비스, 재무서비스 부문으로 확대되고 있다.

**해설**

프로그램의 최고 단계 훈련을 마친 것은 챔피언이고, 프로젝트팀 지도를 전담하는 직원은 마스터블랙벨트이다. 즉 챔피언은 식스시그마 활동을 총괄하는 경영진으로서 식스시그마 추진에 필요한 자원을 할당하고 블랙벨트의 개선 프로젝트 수행을 뒷받침한다. 또한, 성과에 따른 보상을 실시한다. 마스터블랙벨트(MBB)는 블랙벨트 및 그린벨트들을 지도하고, 그들이 프로젝트 진행 과정에서 부딪치는 이론적 또는 실무적인 어려움을 풀어주는 해결사 역할을 한다. 마스터블랙벨트의 구체적인 역할은 블랙벨트의 프로젝트 수행에 대한 지도 및 자문, 문제해결 과정에서 발생하는 각종 애로 사항 해결 및 지원, 인력양성을 위한 교육자료 개발, 그리고 새로운 문제해결기법들에 대한 소개 등이 있다. 추가로 벨트제에서 조심하셔야 할 부분은 통상 고위 간부가 맡는 챔피언을 제외하고, 마스터블랙벨트, 블랙벨트, 그린벨트와 같은 벨트의 자격은 직위와는 상관없이 교육이수 정도와 그들이 맡은 역할에 의해 결정된다는 점이다. 즉 블랙벨트가 반드시 그린벨트의 상위직급인 것은 아니고, 마스터블랙벨트가 반드시 블랙벨트의 상사인 것도 아니다.

**정답 ②**

## 66 ☐☐☐ 2018년 서울시 7급 기출

**<보기>는 식스시그마(six sigma) 방법론에서 활용되는 프로세스 성과 개선 5단계(DMAIC)에 관한 설명이다. 이 중 세 번째 단계(A)와 다섯 번째 단계(C)에 해당하는 것은?**

<보기>
(가) 새로운 성과 목표를 달성하기 위하여 기존 방법을 변경하거나 재설계한다.
(나) 프로세스를 관찰하여 높은 성과 수준이 유지되는지 확인한다.
(다) 고객만족에 핵심적인 프로세스 산출의 특징을 결정하고, 이 특징과 프로세스 능력의 격차를 인지한다.
(라) 성과지표에 관련된 자료를 이용하여 프로세스를 분석한다.
(마) 성과격차에 영향을 미치는 프로세스 업무를 계량화한다.

① (A) (가)    (C) (라)
② (A) (나)    (C) (마)
③ (A) (다)    (C) (가)
④ (A) (라)    (C) (나)

**해설**

(가)는 Improve 단계, (나)는 Control 단계, (다)는 Define 단계, (라)는 Analyze 단계, (마)는 Measure 단계이다.

**정답 ④**

## 67 ☐☐☐ 2015년 국가직 7급 기출

주요 국가에서는 제품 및 서비스의 품질을 향상시키기 위해 데밍상 등과 같은 국가품질상을 운영하고 있다. 이러한 시상제도의 목적으로 적절하지 않은 것은?

① 높은 품질 성과를 달성한 제품을 대외적으로 홍보하기 위한 순위 결정
② 품질 향상을 위해 노력하는 기업들을 평가하기 위한 기준 마련
③ 수상 기업의 성공 지식을 다른 기업들에 전파
④ 시상제도를 통해 내부 평가와 품질 향상을 지속하는 데 도움

**해설**

여러 국가에서 운영하고 있는 국가품질상의 목적이 제품을 대외적으로 홍보하기 위한 순위 결정이라는 것은 적절치 않다.

**정답 ①**

## 68 ☐☐☐ 2023년 군무원 9급 기출

다음에서 설명하는 생산시스템으로 가장 적절한 것은?

> 이 생산시스템은 생산활동에서 가치를 부가하지 않는 활동, 자재, 운영 등 낭비의 원천을 제거하여 생산효율을 극대화한다. 프로세스 개선을 통해 제품품질을 향상시킨다. 재고감소를 통한 생산 리드타임 단축으로 고객의 수요변화에 신속히 대응한다.

① 린(Lean) 생산시스템
② ERP 생산시스템
③ MRP 생산시스템
④ Q-system

**해설**

주어진 내용은 린(Lean) 생산시스템에 대한 설명이다. 린(Lean) 생산시스템은 적시생산시스템이라고도 한다.

**정답 ①**

## 69 ☐☐☐ 서울교통공사 기출동형

**다음 중 JIT 시스템이 가지고 있는 목표로 옳지 않은 것은?**

① 제조준비시간을 단축하여 생산의 리드타임을 줄인다.
② 필요한 양만큼의 자재를 조달함으로써 재고를 최소화한다.
③ 최소한의 재고수준을 유지하고 생산라인에 자재 검사를 직접 투입하여 불량품을 최소화한다.
④ 기계설비 및 자재보관장소 등에 대해 전통적 생산시스템을 유지한다.

**해설**

기계설비 및 자재보관장소 등에 대해 전통적 생산시스템을 유지하는 것은 대량생산방식(포드 시스템)에 해당한다.

정답 ④

## 70 ☐☐☐ 서울교통공사 기출동형

**다음 중 적시생산(JIT) 시스템의 특징으로 옳은 것은?**

① 계획을 수행하는 것이 목표이다.
② 조달기간 중의 안전재고를 유지한다.
③ 품질에 있어 약간의 불량은 인정한다.
④ 풀(pull) 방식의 시스템이다.

**해설**

① 낭비를 제거하는 것이 목표이다.
② 불량으로 인한 폐기 및 재작업은 전혀 허용하지 않고, 과다한 재고를 보유하는 것은 경영성과를 저해하는 요인으로 간주하기 때문에 재고를 최소로 유지한다.
③ 일관되게 높은 품질과 예방적 유지보수를 특징으로 하기 때문에 무결점(완전한 품질)을 강조한다.

정답 ④

## 71 ☐☐☐ 한국소비자원 기출동형

**다음 중 JIT 시스템에 대한 설명으로 옳지 않은 것은?**

① JIT 시스템은 제품생산에 요구되는 부품 등 자재를 필요한 시기에 필요한 수량만큼 조달하는 시스템이다.
② JIT 시스템은 풀(pull) 방식의 자재흐름을 사용한다.
③ 공정의 반복성이 적고 자재흐름이 명확하지 않은 기업이 활용하기에 적합하다.
④ 종업원의 참여와 재고감축이 JIT 운영의 핵심이다.

**해설**

공정의 반복성이 높고 자재흐름이 명확한 기업이 활용하기에 적합하다.  정답 ③


## 72 ☐☐☐ 2021년 군무원 9급 기출

**JIT(Just-In Time) 생산시스템의 특징에 해당하지 않는 것은?**

① 적시구매
② 소로트의 반복생산
③ 안전재고의 저장
④ 다기능공의 존재

**해설**

JIT(Just-In Time) 생산시스템은 불량으로 인한 폐기 및 재작업은 전혀 허용하지 않고, 과다한 재고를 보유하는 것은 경영성과를 저해하는 요인으로 간주하기 때문에 재고를 최소로 유지한다.  정답 ③


## 73 ☐☐☐ 2021년 국가직 7급 기출

**적시생산시스템(Just-In-Time Production)에 대한 설명으로 옳은 것은?**

① 로트(lot) 크기를 줄이려고 하며, 소로트생산으로 인한 생산준비비용 최소화와 생산준비시간의 단축이 중요한 과제가 된다.
② 기계설비의 예방보전은 불필요한 자원의 낭비라고 판단하여 기계의 고장수리를 보다 강조한다.
③ 작업자들의 전문화를 강조하기 위하여 작업을 세분화한 후 개별 작업자들에게 할당하며, 다기능 작업자 양성보다 전문적 작업자 양성을 목표로 하고 있다.
④ 생산 목표의 초과 달성으로 인한 과잉재고는 문제가 되지 않으며, 약간의 불량은 인정된다.

**해설**

② 기계의 고장수리를 보다 강조하는 것은 예방보전이 아니라 사후해결(반응적 관리)에 해당한다. 따라서 적시생산시스템은 예방보전을 강조하기 때문에 기계의 고장수리를 강조한다는 것은 옳지 않은 설명이다.
③ 적시생산시스템은 라인흐름과 노동력의 유연성을 강조하고 있기 때문에 다기능 작업자 양성을 목표로 하고 있다.
④ 적시생산시스템은 불량으로 인한 폐기 및 재작업은 전혀 허용하지 않고, 과다한 재고를 보유하는 것은 경영성과를 저해하는 요인으로 간주하기 때문에 재고를 최소로 유지한다. 또한, 무결점(완전한 품질)을 추구하고자 한다.  정답 ①

## 74 □□□ 2018년 서울시 7급 기출

**적시생산방식(JIT)시스템에 대한 설명 중 가장 옳은 것은?**

① 로트(lot)의 크기를 최대화하여 단위 제품당 생산시간과 생산비용을 최소화한다.
② 생산활동에서 낭비적인 요인들을 제거하는 것이 필수적이다.
③ JIT시스템이 원활하게 진행되기 위해서는 제조준비(set-up)시간의 충분한 증가가 먼저 이루어져야 한다.
④ 사전에 수립된 계획에 따라 실제 생산이 이루어지도록 지시하는 일종의 풀(pull)시스템이다.

**해설**

① 적시생산방식(JIT)에서는 로트 크기를 최소화하기 위해 노력한다.
③ 로트 크기를 줄이는 것이 효과가 있기 위해서는 제조준비시간(set-up)을 줄여야 한다.
④ 사전에 수립된 계획에 따라 실제 생산이 이루어지도록 지시하는 시스템은 푸시(push) 시스템이다. 적시생산방식은 주문에 의해 생산을 개시하는 풀(pull) 시스템이다.

**정답 ②**

## 75 □□□ 서울교통공사 기출동형

**다음 중 적시생산(JIT) 시스템의 특징으로 옳지 않은 것은?**

① JIT시스템은 원자재, 부품, 재공품, 완제품 등의 재고를 최소로 유지하면서 적시에 수요를 충족시킬 수 있도록 설계된 시스템이다.
② JIT시스템을 운영하기 위해서는 신뢰할 수 있는 공급자의 확보가 필수적이다.
③ JIT시스템을 효과적으로 운영하기 위해서는 생산의 평준화가 이루어져야 한다.
④ JIT시스템은 안정적인 생산을 위하여 생산준비시간을 충분히 확보하여 불량을 예방하는 것을 중시한다.

**해설**

JIT시스템은 작은 로트(lot) 크기의 특징을 가지기 때문에 생산준비시간을 최소화하고 불량을 예방하는 것을 중시한다.

**정답 ④**

## 76 □□□ 2021년 서울시 7급 기출

**자재소요계획(MRP)과 적시생산시스템(JIT)에 대한 설명으로 가장 옳지 않은 것은?**

① 자재소요계획(MRP)은 주문 생산이나 로트(lot) 생산 등의 비반복적 생산에서 효과가 높다.
② 자재소요계획(MRP)은 푸시(push) 시스템이다.
③ 적시생산시스템(JIT)은 낭비의 제거를 목표로 한다.
④ 적시생산시스템(JIT)은 시각적 통제도구인 칸반을 이용하기 때문에 약간의 불량은 인정한다.

**해설**

적시생산시스템(JIT)은 완전한 품질을 강조하기 때문에 약간의 불량을 인정한다는 설명은 옳지 않다. 또한, 반복적 생산은 상대적으로 많은 양을 짧은 시간에 불연속적으로 반복하여 생산하는 방식을 의미한다. 그리고 동일한 전체 생산량을 가정했을 때 로트의 크기가 작으면 생산횟수가 많아져야 하고 그만큼 반복을 많이 해야 하기 때문에 상대적으로 로트 크기가 큰 자재소요계획(MRP)은 비반복적 생산에 효과가 높고, 상대적으로 로트 크기가 작은 적시생산시스템(JIT)은 반복적 생산에 효과가 높다.

**정답 ④**

## 77 2020년 서울시 7급 기출

재고관리의 전통적 접근과 적시관리(just in time, JIT) 접근에 대한 설명으로 가장 옳은 것은?

|   | 전통적 접근 | JIT 접근 |
|---|---|---|
| ① | 재고는 부채이다 | 재고는 자산이다 |
| ② | 단시간 생산가동한다 | 장시간 생산가동한다 |
| ③ | 조달기간을 단축시킨다 | 조달시간이 길어도 무방하다 |
| ④ | 다수의 공급자로부터 공급받는다 | 단일의 공급자로부터 공급받는다 |

**해설**
④를 제외한 나머지 내용은 전통적 접근과 JIT 접근이 반대로 서술되어 있다.

정답 ④

## 78 2009년 국가직 7급 기출

다음 중 공급사슬상에서 고객으로부터 생산자 방향으로 갈수록 수요의 변동성이 증폭되어 나타나는 현상을 지칭하는 것은?

① 채찍효과(bullwhip effect)
② 가치밀도효과(value density effect)
③ 프로세스지연효과(process postponement effect)
④ 물류고려설계효과(design effect for logistics)

**해설**
공급사슬상에서 고객으로부터 생산자 방향으로 갈수록 수요의 변동성이 증폭되어 나타나는 현상을 지칭하는 것은 채찍효과이다.

정답 ①

## 79 2020년 서울시 7급 기출

공급사슬관리에서 황소채찍효과(bullwhip effect)의 발생 원인으로 가장 거리가 먼 것은?

① 수요정보의 공유
② 뱃치(batch)식 주문
③ 가격할인
④ 공급자의 전략적 분배

**해설**
수요정보의 공유는 황소채찍효과(bullwhip effect)의 발생 원인이 아니라 해결 또는 감소방법이 된다.

정답 ①

## 80 ☐☐☐ 2021년 국가직 7급 기출

**채찍효과(bullwhip effect)의 해결방안으로 옳지 않은 것은?**

① 주문량이나 판매량에 따라서 가격의 조정이 자주 일어나지 않도록 안정적인 가격정책을 수립한다.
② 수요 초과로 인해 물량확보 경쟁이 격해져서 발생하는 채찍효과의 경우 과거 판매실적에 근거한 공급량 배분방식으로 주문량을 부풀리려는 의도를 방지할 수 있다.
③ 공급사슬망의 단계 수 증대 및 확대를 통해 제품을 다양화하며, 참여 구성원의 유연성을 증대시킨다.
④ 수요정보처리의 왜곡을 해결하기 위해 최종 수요정보를 공급사슬의 전체 계층에서 공유한다.

**해설**

채찍효과의 해결방안으로는 불확실성의 제거, 변동폭의 감소, 전략적 파트너십, 리드타임의 단축 등이 있다. 따라서 공급사슬망의 단계 수 증대 및 확대는 리드타임을 증가시키기 때문에 채찍효과의 해결방안으로 옳지 않다. **정답 ③**

## 81 ☐☐☐ 2018년 국가직 7급 기출

**공급사슬상 채찍효과(Bullwhip Effect)가 발생하는 원인으로 옳지 않은 것은?**

① 짧은 리드타임
② 큰 가격 변동
③ 일괄 주문
④ 과잉 주문

**해설**

채찍효과(bullwhip effect)는 공급사슬 하류(소비자 방향 또는 전방)의 소규모 수요변동이 공급사슬 상류(공급업체 방향 또는 후방)로 갈수록 그 변동폭이 점점 증가해 가는 모습을 묘사적으로 명명한 것으로, 수요왜곡의 정도가 증폭되어 가는 현상을 의미한다. 그 원인으로는 중복수요예측(multiple forecasting), 일괄주문처리(order batching), 가격변동(price fluctuation), 결품예방경쟁(shortage gaming) 등이 있으며, 해결방법으로는 불확실성의 제거, 변동폭의 감소, 전략적 파트너십, 리드타임 단축 등이 있다. **정답 ①**

## 82 ☐☐☐ 2022년 군무원 9급 기출

**다음 중 공급사슬관리의 기대효과에 해당하지 않는 것은?**

① 거래 비용의 절감
② 채찍 효과(bullwhip effect)의 증폭
③ 거래의 오류 감소
④ 정보 전달과 처리의 편의성 증대

**해설**

공급사슬관리를 통해 채찍 효과를 감소시킬 수 있다. **정답 ②**

**83** ☐☐☐ 대구도시철도공사 기출동형

## 다음 중 채찍효과의 해결방안으로 옳지 않은 것은?

① 리드타임의 단축  
② 전략적 파트너십 구축  
③ 가격변동성의 감소  
④ 수요정보의 분산화

**해설**

채찍효과(bullwhip effect)는 공급사슬 하류(소비자 방향 또는 전방)의 소규모 수요변동이 공급사슬 상류(공급업체 방향 또는 후방)로 갈수록 그 변동폭이 점점 증가해 가는 모습을 묘사적으로 명명한 것으로, 수요왜곡의 정도가 증폭되어 가는 현상을 의미한다. 그 원인으로는 중복수요예측, 일괄주문처리, 가격변동, 배급게임으로 인한 결품예방경쟁 등이 있으며, 해결방법으로는 불확실성의 제거, 변동폭의 감소, 전략적 파트너십(정보의 공유), 리드타임 단축 등이 있다. 따라서 수요정보의 분산화는 채찍효과의 해결방안이 아니라 채찍효과의 원인이 된다.

**정답 ④**

---

**84** ☐☐☐ 2023년 국가직 7급 기출

## 공급사슬관리에 관한 설명으로 옳지 않은 것은?

① 효율적(efficient) 공급사슬 전략에서는 원가절감에 중점을 두며, 가동률을 높이는 것이 필요하다.
② 반응적(responsive) 공급사슬 전략에서는 신속한 수요대응에 중점을 두며, 여유 생산 능력을 줄이는 것이 필요하다.
③ 재고기간이 짧을수록 재고회전율은 높아진다.
④ 대량 고객화(mass customization)는 대량생산이 주는 이점과 주문 생산의 고객화라는 이점을 동시에 추구한다.

**해설**

반응적 공급사슬 전략은 수요의 불확실성에 대비할 수 있도록 재고와 생산능력을 적절히 배치시켜 시장수요에 신속하게 반응하고자 하는 것을 말한다. 따라서 반응적 공급사슬은 효율적 공급사슬에 비해 높은 여유(초과) 생산능력을 가지게 된다.

**정답 ②**

## 85 ☐☐☐ 2024년 군무원 7급 기출

**다음은 공급망관리 혹은 공급사슬관리(supply chain management, SCM)와 관련된 여러 설명들이다. 이들 중 가장 적절한 것은?**

① 정보와 물류의 리드타임이 길수록 공급사슬 내 채찍효과(bullwhip effect)로 인한 현상은 감소한다.
② 공급자 재고관리를 활용하면, 구매자의 재고유지비용은 빈번한 발주와 리드타임의 증가로 인해 상승하고, 공급자의 수요예측 정확도는 낮아진다.
③ 고객에서부터 공장에 이르기까지 공급의 모든 과정을 고객 관점에서 단순화 및 표준화하고, 정보시스템의 지원을 통해 이 과정을 통합적으로 관리하고자 하는 경영 노력을 SCM이라고 할 수 있다.
④ 대량 고객화(mass customization) 전략은 표준화된 단일품목에 대한 고객수요를 최대한 확대하려는 방향으로 공급 네트워크를 구성하려는 전략이다.

**해설**

① 정보와 물류의 리드타임이 길수록 공급사슬 내 채찍효과(bullwhip effect)로 인한 현상은 증가한다.
② 공급자 재고관리를 활용하면, 구매자의 재고유지비용은 감소하고, 공급자의 수요예측 정확도는 높아진다.
④ 대량 고객화(mass customization) 전략은 각기 다른 고객들에게 매우 고객화된 제품을 저렴한 가격에 제공하는 기업의 능력을 의미하는데, 효과적인 대량고객화의 핵심은 공급네트워크에서 특정 고객을 위해 제품을 차별화하는 것을 최대한 지연(postponement)하는 것이다. 이를 위해 기업들은 제품설계, 생산프로세스와 제품의 유통, 전체 공급네트워크를 다시 생각하고 통합해야 한다. 이런 포괄적인 접근을 채택함으로써 기업들은 최대한 효율적으로 운영하고 최적의 재고량으로 고객의 주문을 신속하게 만족시킬 수 있다.

**정답 ③**

## 86 ☐☐☐ 2022년 군무원 7급 기출

**다음 중 공급사슬관리의 개념과 내용에 대한 설명으로 가장 옳지 않은 항목은?**

① 공급사슬관리는 기업 내 변환과정과 유통망을 거쳐 최종 고객에 이르기까지 자재, 서비스 및 정보의 흐름을 전체 시스템에서 설계하고 관리하는 것이다.
② 채찍효과란 최종 소비자의 수요 변동에 따라 공급사슬의 상류에 있는 주체로 갈수록 하류에 있는 주체로부터 주문을 받는 양의 변동성이 더 커지는 현상을 말한다.
③ 공급사슬의 성과는 총공급사슬원가, 정시납품비율, 재고충족률 등 원가, 품질, 납품, 유연성 및 시간의 측면에서 측정할 수 있다.
④ 공급사슬의 주체들 간 상호작용을 감소시킴으로써 어느 한 주체의 의사결정이 나머지 다른 주체에 영향을 미치지 않는다.

**해설**

공급사슬관리는 부분최적화보다는 공급사슬 전체의 관점에서 정보의 공유와 공급사슬 흐름의 개선을 통해 공급사슬 전체의 효율성을 제고시키고자 하는 것으로 공급사슬상에 흐르는 물자, 정보, 현금의 흐름을 관리함으로써 장기적인 기업의 경쟁우위를 향상시키는 것을 목적으로 한다. 따라서 공급사슬의 주체들 간 상호작용이 증가되고, 이로 인해 어느 한 주체의 의사결정이 나머지 다른 주체에 영향을 미치게 된다.

**정답 ④**

## 87 ☐☐☐ 한국서부발전 기출동형

**다음 중 공급사슬관리에 대한 설명으로 옳지 않은 것은?**

① 원자재의 공급단계부터 제품의 생산단계까지의 과정을 연결시켜 관리하는 것을 의미한다.
② 기업 간 부문까지도 관리의 대상으로 본다.
③ 공급자와 자사, 고객을 모두 통합하여 하나의 사슬로 연결해 통합적으로 관리한다.
④ 공급사슬 상의 인터페이스를 통합해 효율성을 극대화시킨다.

**해설**

공급사슬(supply chain)은 자재가 재화나 서비스로 전환되는 과정(공급자, 제조)과 재화나 서비스가 고객에게 전달되는 모든 과정(운송 및 보관, 유통 및 판매)에 있는 구성체(요소) 사이의 상호연결된 사슬을 의미한다. 따라서 공급사슬관리는 원자재의 공급단계부터 제품의 유통단계까지의 과정을 연결시켜 관리하는 것을 의미한다.

**정답 ①**

## 88 ☐☐☐ 2010년 국가직 7급 기출

**기업의 경쟁력 향상을 위한 핵심 비즈니스 프로세스를 통합하는 과정인 공급사슬관리(supply chain management)에 대한 설명으로 옳지 않은 것은?**

① 공급사슬관리는 부분최적화보다는 정보의 공유와 공급사슬 흐름의 개선을 통하여 공급사슬 전체의 효율성을 제고시키는 것이 목적이다.
② 공급사슬 상에서 수요왜곡의 정도가 증폭되는 채찍효과의 원인으로는 중복수요예측, 일괄주문처리, 제품의 가격변동, 리드타임의 증가 등이 있다.
③ 반응적 공급사슬은 재화와 서비스가 다양하고 수요예측이 어려운 환경에 적합하며, 반응시간을 줄이는 데 초점을 두어 시장수요에 신속하게 반응하고자 하는 것이다.
④ 공급사슬관리는 제품생산에 필요한 자재를 필요한 시각에 필요한 수량만큼 조달하여 낭비적 요소를 근본적으로 제거함으로써 작업자의 능력을 완전하게 활용하여 생산성 향상을 달성하는 관리방식이다.

**해설**

공급사슬관리는 부분최적화보다는 공급사슬 전체의 관점에서 정보의 공유와 공급사슬 흐름의 개선을 통해 공급사슬 전체의 효율성을 제고시키고자 하는 것으로 공급사슬 상에 흐르는 물자, 정보, 현금의 흐름을 관리함으로써 장기적인 기업의 경쟁우위를 향상시키는 것을 목적으로 한다. 또한, 제품생산에 필요한 자재를 필요한 시각에 필요한 수량만큼 조달하여 낭비적 요소를 근본적으로 제거함으로써 작업자의 능력을 완전하게 활용하여 생산성 향상을 달성하는 관리방식은 적시생산시스템(JIT)이다.

**정답 ④**

## 89 ☐☐☐ 2024년 군무원 9급 기출

**다음 중 공급사슬의 유형과 가장 거리가 먼 것은?**

① 파트너십 사슬
② 효율적 사슬
③ 린 사슬
④ 신속대응 사슬

**해설**

공급사슬의 유형에는 효율적 사슬과 신속대응 사슬이 있다. 그리고 효율적 사슬과 신속대응 사슬의 중간형태인 린 사슬이 있다.

**정답 ①**

## 90 □□□ 2023년 군무원 9급 기출

**다음 중 물류관리에 관한 설명으로 가장 거리가 먼 것은?**

① 물류관리의 성과지표에는 매출액 대비 물류비용, 납기 준수율 등이 있다.
② 물류관리의 대상은 하역, 포장, 보관, 운송, 유통가공, 정보 등이다.
③ 제품이 수송 및 배송 활동을 거쳐 소비자에게 전달되는 과정은 인바운드 물류(in-bound logistics)에 해당한다.
④ 생산에 필요한 원자재를 자사 창고나 공장으로 이동하는 활동은 조달물류에 해당한다.

**해설**

제품이 수송 및 배송 활동을 거쳐 소비자에게 전달되는 과정은 아웃바운드 물류(out-bound logistics)에 해당한다. 인바운드 물류(in-bound logistics)는 원자재를 생산장소까지 전달하는 과정이다.

**정답 ③**

## 91 □□□ 2021년 군무원 7급 기출

**공급사슬관리에 대한 설명으로 가장 옳지 않은 것은?**

① 채찍효과(bullwhip effect)는 수요변동의 폭이 소매점, 도매점, 제조사, 공급자의 순으로 점점 커지는 것을 의미한다.
② 지연차별화(delayed differentiation)의 개념은 제품의 차별화가 지연되면 고객의 불만족을 야기하므로 초기에 차별화된 제품 및 서비스를 개발 및 제공하자는 것이다.
③ 신속반응시스템(quick response system)을 갖추기 위해서는 POS(Point Of Sale)이나 EDI(Electronic Data Interchange)와 같이 정보를 신속하게 획득, 공유할 수 있는 프로그램이 필요하다.
④ 판매자가 수송된 상품을 입고시키지 않고 물류센터에서 파레트 단위로 바꾸어 소매업자에게 배송하는 것을 크로스 도킹(cross docking)이라고 한다.

**해설**

지연차별화는 공급네트워크에서 특정 고객을 위해 제품을 차별화하는 것을 최대한 지연하는 것이다. 이를 위해 기업들은 제품설계, 생산프로세스와 제품의 유통, 전체 공급네트워크를 다시 생각하고 통합해야 한다. 이런 포괄적인 접근을 채택함으로써, 기업들은 최대한 효율적으로 운영하고 최저의 재고량으로 고객의 주문을 신속하게 만족시킬 수 있다.

**정답 ②**

## 92 ☐☐☐ 2022년 국가직 7급 기출

공급사슬에서 도매물류센터의 수가 증가하여 소매업체에 가까이 위치함으로써 발생할 수 있는 결과가 아닌 것은?

① 소매업체의 수요변동에 신속하게 대응할 수 있다.
② 도매물류센터의 수가 증가하여 재고 분산 효과와 리스크 풀링(risk-pooling) 효과가 모두 증가할 수 있다.
③ 각 도매물류센터에서 소매업체로 출고되는 물량의 평균수송비용 및 시간이 모두 감소할 수 있다.
④ 각 도매물류센터로 입고되는 물량의 평균수송비용이 증가할 수 있다.

**해설**

리스크 풀링(risk pooling) 효과는 여러 지역의 수요를 하나로 통합했을 때 수요 변동성이 감소하는 것을 의미한다. 따라서 리스크 풀링 효과와 재고 분산 효과가 동시에 증가할 수는 없다. 즉 도매물류센터의 수가 증가하면 재고 분산 효과는 증가하지만, 리스크 풀링(risk-pooling) 효과는 감소한다.

정답 ②

## 93 ☐☐☐ 2020년 국가직 7급 기출

공급사슬관리의 주요 기법에 관한 설명으로 옳지 않은 것은?

① 특화된 제품들에 사용되는 공통부품의 수요 변동성은 특화된 각 제품의 개별 수요 변동성보다 작게 되는 리스크 풀링(risk pooling) 특성을 반영하여 재고관리의 효율성을 높일 수 있다.
② 공급자 재고관리(VMI)는 수요자의 측면에서 공급자가 재고를 추적하고 납품 일정 및 주문량을 결정하여 주문시간비용과 재고유지비용을 줄일 수 있는 방식이다.
③ 생산프로세스에서 제품별로 특화된 부품의 재고량을 줄이기 위하여 제품의 차별화 시점을 최종 단계로 이전시키는 공정 재설계 방안을 지연 차별화(delayed differentiation)라고 한다.
④ 정보공유는 기업 내 생산프로세스의 부서와 팀 실시간으로 정보를 공유함으로써 정보의 지연시간 없이 재고관리와 수요 대비를 가능하게 하는 원동력이다.

**해설**

공급사슬관리에서의 정보공유는 기업 내 생산프로세스의 부서와 팀 실시간으로 정보를 공유하는 것이 아니라 전체 공급사슬의 실시간 정보공유를 의미한다.

정답 ④

## 94 ☐☐☐ 2020년 서울시 7급 기출

제3자 물류(third party logistics, 3PL)에 대한 설명으로 가장 옳지 않은 것은?

① 물류의 전문화로 인해 물류비용이 증가한다.
② 물류 서비스의 수준이 향상된다.
③ 물류의 효율성이 높아진다.
④ 종합물류 서비스를 지향한다.

**해설**

제3자 물류는 물류의 전문화를 통해 물류비용을 감소시킨다.

정답 ①

## 5지선다형

**01** □□□ 2020년 가맹거래사 기출

**생산활동에서 수요예측기법에 관한 설명으로 옳은 것은?**

① 델파이법은 공개적으로 진행되며, 과반수로 결정하는 방법이다.
② 전문가패널법은 비공개적으로 진행되며, 만장일치제로 결정하는 방법이다.
③ 추세분석법, 자료유추법 등은 대표적 시계열분석기법에 해당한다.
④ 가중이동평균법은 단순이동평균법에 비해 환경변화를 민감하게 반영하게 된다.
⑤ 지수평활법은 비교적 장기 자료만으로 수요예측이 가능한 정성적 기법이다.

**해설**

① 델파이법은 특정 문제에 있어서 다수 전문가들의 의견을 종합하여 미래의 상황을 예측하고자 하는 방법으로 비공개적으로 진행된다.
② 전문가패널법은 전문가, 담당자 및 소비자 등으로 위원회를 구성하여 자유롭게 의견을 개진하게 함으로써 결론을 유도하는 방법으로 공개적으로 진행한다.
③ 자료유추법은 시계열분석기법에 해당하지 않는다.
⑤ 지수평활법은 3개의 자료(지난 기에 구한 예측값, 이번 기의 실제 수요값, 평활상수)만으로 수요예측이 가능한 방법이기 때문에 비교적 단기 자료만으로 수요예측이 가능한 정량적 기법이다.

**정답 ④**

**02** □□□ 2013년 공인노무사 기출

**시계열(time series) 분해법은 시계열변동을 4가지 구성요소로 분해하여 수요를 예측하는 방법이다. 4가지 구성요소에 해당하지 않는 것은?**

① 계절(seasonal) 변동
② 추세(trend) 변동
③ 불규칙(irregular) 변동
④ 순환(cyclical) 변동
⑤ 인과(causal) 변동

**해설**

수요의 시계열 특성은 수평(horizontal), 추세(trend), 주기변화(periodic change), 확률적 변동(random) 등이 있지만, 수요는 다수의 시계열 유형이 조합을 이루어 나타나는 것이 일반적이다.

**정답 ⑤**

## 03  한국도로공사 기출동형

**다음 중 수요예측기법에 대한 설명으로 옳지 않은 것은?**

① 정량적 수요예측기법에는 시계열분석법, 인과분석법, 시장조사법이 있다.
② 가중이동평균법을 사용하면 과거 자료 중 최근의 실제치에 더 많은 가중치를 반영할 수 있다.
③ 지수평활법에서 평활상수의 값이 크면 평활효과는 감소한다.
④ 어떤 수요 예측치와 실제치로부터 계산된 평균오차가 0이라는 것이 그 예측이 완벽하게 맞았음을 의미하는 것은 아니다.
⑤ 가법적 계절변동 분석에서는 수요의 평균치가 증가함에 따라 계절적 변동폭이 합산되면서 증가하는 것으로 가정한다.

**해설**

시계열분석법과 인과분석법은 정량적 수요예측기법이 맞지만, 시장조사법은 정성적 수요예측기법이다.

**정답 ①**

## 04  2024년 가맹거래사 기출

**시계열 자료에서 발견할 수 있는 수요 변동의 형태를 모두 고른 것은?**

| ㄱ. 수직적 패턴 | ㄴ. 수평적 패턴 |
|---|---|
| ㄷ. 추세 패턴 | ㄹ. 계절적 패턴 |

① ㄱ, ㄴ   ② ㄱ, ㄹ   ③ ㄴ, ㄷ
④ ㄱ, ㄷ, ㄹ   ⑤ ㄴ, ㄷ, ㄹ

**해설**

수요의 시계열 특성은 수평, 추세, 주기변화, 확률적 변동 등이 있다. 그리고 주기변화는 다시 계절적 변화와 순환적 변화로 구분할 수 있다. 따라서 주어진 내용 중에 시계열 자료에서 발견할 수 있는 수요 변동의 형태에 해당하는 것은 수평적 패턴, 추세 패턴, 계절적 패턴이 된다.

**정답 ⑤**

## 05 □□□ 대구환경공단 기출동형

**다음 중 수요예측기법으로 옳지 않은 것은?**

① 지수평활법
② 시장조사법
③ 계절모형
④ 델파이기법
⑤ 휴리스틱기법

**해설**

휴리스틱기법은 시간이나 정보가 불충분하여 합리적인 판단을 할 수 없거나, 굳이 체계적이고 합리적인 판단을 할 필요가 없는 상황에서 신속하게 사용하는 어림짐작의 기술을 의미한다. 따라서 휴리스틱기법은 수요예측기법으로 보기에 옳지 않다.

**정답 ⑤**

## 06 □□□ 2023년 경영지도사 기출

**공급사슬계획에서 활용하는 정성적 수요예측기법을 모두 고른 것은?**

| ㄱ. 선형회귀분석 | ㄴ. 지수평활법 | ㄷ. 시장조사 |
| ㄹ. 패널동의법 | ㅁ. 이동평균법 | ㅂ. 델파이기법 |

① ㄱ, ㄴ, ㄷ
② ㄱ, ㄹ, ㅁ
③ ㄴ, ㄷ, ㅁ
④ ㄴ, ㅁ, ㅂ
⑤ ㄷ, ㄹ, ㅂ

**해설**

ㄱ, ㄴ, ㅁ은 정량적 수요예측기법에 해당하고, ㄷ, ㄹ, ㅂ은 정성적 수요예측기법에 해당한다.

**정답 ⑤**

## 07 ☐☐☐ 2023년 공인노무사 기출

**다음의 수요예측기법 중 시계열(time series) 예측기법에 해당하는 것을 모두 고른 것은?**

| ㄱ. 이동평균법 | ㄴ. 지수평활법 | ㄷ. 델파이 기법 |

① ㄱ
② ㄴ
③ ㄱ, ㄴ
④ ㄴ, ㄷ
⑤ ㄱ, ㄴ, ㄷ

**해설**

수요예측기법은 정성적 방법과 정량적 방법으로 구분하고, 정량적 방법은 다시 시계열 분석법과 인과관계분석법으로 구분한다. 그리고 시계열 분석법(예측기법)에 해당하는 대표적인 방법에는 이동평균법, 지수평활법, 계절모형, 박스-젠킨스법(Box-Jenkins method) 등이 있다. 그리고 델파이 기법은 정성적 방법에 해당한다.

정답 ③

## 08 ☐☐☐ 한국철도공사 기출동형

**다음 중 수요예측기법에 대한 설명으로 옳지 않은 것은?**

① 회귀분석은 대표적인 시계열분석기법이다.
② 델파이법은 장기예측의 경우에 유용하다.
③ 시계열분석과 인과관계분석은 과거자료를 이용하여 미래를 예측하는 방법이다.
④ 독립변수를 시간으로 보느냐 또는 다른 특정 변수로 보느냐에 따라 시계열분석과 인과관계분석으로 구분된다.
⑤ 지수평활법은 가중이동평균법의 한 형태라고 할 수 있다.

**해설**

회귀분석은 대표적인 인과관계분석기법이다.

정답 ①

## 09 ☐☐☐ 2020년 경영지도사 기출

**생산관리에서 수요예측 방법 중 양적 기법(quantitative method)이 아닌 것은?**

① 이동평균법(moving average)
② 델파이(Delphi) 기법
③ 지수평활법(exponential average)
④ 회귀모형(regression model)
⑤ 시계열분해법(decomposition of a time series)

**해설**

수요예측 방법 중 대표적인 질적 기법은 시장조사법, 판매원추정법, 경영자판단법, 델파이법, 수명주기 유추법 등이 있고, 대표적인 양적 기법에는 이동평균법, 지수평활법, 계절모형 등과 같은 시계열분석법과 회귀분석, 판별분석 등과 같은 인과관계분석법이 있다.

정답 ②

## 10  2019년 공인노무사 기출

수요예측기법 중 인과형 예측기법(causal forecasting methods)에 해당하는 것은?

① 델파이법  ② 패널동의법  ③ 회귀분석법
④ 판매원 의견종합법  ⑤ 자료유추법

**해설**

수요예측기법은 정성적 방법과 정량적 방법으로 구분할 수 있으며, 정량적 방법은 다시 시계열 분석법과 인과관계 분석법(인과형 예측기법)으로 구분할 수 있다. 따라서 델파이법, 패널동의법, 판매원 의견종합법, 자료유추법은 정성적 방법에 해당하고, 회귀분석법은 인관관계 분석법(인과형 예측기법)에 해당한다.

정답 ③

## 11  2024년 공인노무사 기출

최근 5개월간의 실제 제품의 수요에 대한 데이터가 주어져 있다고 할 때, 3개월 가중이동평균법을 적용하여 계산된 5월의 예측 수요 값은? (단, 가중치는 0.6, 0.2, 0.2이다.)

| 구분 | 1월 | 2월 | 3월 | 4월 | 5월 |
|---|---|---|---|---|---|
| 실제수요(개) | 680만 | 820만 | 720만 | 540만 | 590만 |

① 606만 개  ② 632만 개  ③ 658만 개
④ 744만 개  ⑤ 766만 개

**해설**

가중이동평균법에서는 최근 자료에 더 높은 가중치를 부여하기 때문에 3개월 가중이동평균법을 적용하여 5월의 예측 수요 값을 구하면, '820만 개 × 0.2 + 720만 개 × 0.2 + 540만 개 × 0.6'을 계산한 632만 개이다.

정답 ②

## 12  2017년 공인노무사 기출

최근 3개월 자료로 가중이동평균법을 적용할 때, 5월의 예측생산량은? (단, 가중치는 0.5, 0.3, 0.2를 적용한다.)

| 구분 | 1월 | 2월 | 3월 | 4월 |
|---|---|---|---|---|
| 제품생산량(개) | 90만 | 70만 | 90만 | 110만 |

① 87만 개  ② 90만 개  ③ 93만 개
④ 96만 개  ⑤ 99만 개

**해설**

가중이동평균법에서는 최근 자료에 더 높은 가중치를 부여하기 때문에 '70만 개 × 0.2 + 90만 개 × 0.3 + 110만 개 × 0.5'를 계산한 96만 개이다.

정답 ④

## 13  2020년 공인노무사 기출

(주)한국의 연도별 제품 판매량은 다음과 같다. 과거 3년간의 데이터를 바탕으로 단순이동평균법을 적용하였을 때 2020년도의 수요예측량은?

| 연도 | 판매량(개) |
|---|---|
| 2014 | 2,260 |
| 2015 | 2,090 |
| 2016 | 2,110 |
| 2017 | 2,150 |
| 2018 | 2,310 |
| 2019 | 2,410 |

① 2,270　　② 2,280　　③ 2,290
④ 2,300　　⑤ 2,310

### 해설
과거 3년간의 데이터를 바탕으로 단순이동평균법을 적용하여 2020년도의 수요예측량을 구하면 2017년, 2018년, 2019년의 판매량에 대한 평균값으로 구할 수 있다. 따라서 '(2,150 + 2,310 + 2,410) / 3'을 계산한 값이 2,290이 된다.

**정답 ③**

## 14  2017년 경영지도사 기출

A자동차 회사의 3월 판매예측치는 20,000대, 3월 판매실적치는 21,000대이며 지수평활계수는 0.3일 때, 지수평활법을 활용한 4월의 판매예측치는 얼마인가?

① 20,000대　　② 20,100대　　③ 20,200대
④ 20,300대　　⑤ 20,400대

### 해설
$F_{t+1} = \alpha D_t + (1-\alpha)F_t = F_t + \alpha(D_t - F_t)$. 따라서 20,000 + 0.3(21,000 − 20,000) = 20,300이다.

**정답 ④**

## 15  2022년 가맹거래사 기출

(주)가맹의 지난달 A품목 예측 수요가 2,200개이고, 실제 수요가 2,100개로 나타났을 때, 지수평활법으로 이번 달 수요를 예측하니 2,180개가 되었다. 이때 사용한 지수 평활계수는?

① 0.05　　② 0.1　　③ 0.15
④ 0.2　　⑤ 0.25

### 해설
$F_{t+1} = F_t + \alpha \times (D_t - F_t) = 2,200 + \alpha \times (2,100 - 2,200) = 2,180$. 따라서 평활상수는 0.2이다.

**정답 ④**

## 16 ☐☐☐ 2023년 가맹거래사 기출

예측방법이 실제수요의 변화를 정확하게 예측하는지 판단하기 위해 관리한계를 활용하는 예측오차측정방법은?

① 추적지표(tracking signal)
② 평균자승오차(mean squared error)
③ 평균절대편차(mean absolute deviation)
④ 평균절대비율오차(mean absolute percentage error)
⑤ 평균오차(mean error)

**해설**

예측방법이 실제수요의 변화를 정확하게 예측하는지 판단하기 위해 관리한계를 활용하는 예측오차측정방법은 추적지표이다. 즉 추적지표는 예측기법이 실제수요변화를 정확히 예측하고 있는지를 나타내는 지표로 누적예측오차(CFE)를 평균절대오차(MAD)로 나누어 계산한다. **정답 ①**

## 17 ☐☐☐ 2022년 공인노무사 기출

(주)한국의 4개월간 제품 실제 수요량과 예측치가 다음과 같다고 할 때, 평균절대오차(MAD)는?

| 월($t$) | 실제 수요량($D_t$) | 예측치($F_t$) |
|---|---|---|
| 1월 | 200개 | 225개 |
| 2월 | 240개 | 220개 |
| 3월 | 300개 | 285개 |
| 4월 | 270개 | 290개 |

① 2.5
② 10
③ 20
④ 412.5
⑤ 1650

**해설**

평균절대오차(MAD)는 일정기간 동안 발생한 오차의 절댓값을 단순히 평균한 것을 의미한다. 그리고 오차는 실제수요값과 예측값의 차이를 말한다. 따라서 1월의 오차는 −25개, 2월의 오차는 20개, 3월의 오차는 15개, 4월의 오차는 −20개가 되고, 이를 기반으로 평균절대오차를 계산하면 80을 4로 나눈 20이 된다. **정답 ③**

## 18 ☐☐☐ 2017년 경영지도사 기출

변동적 수요에 효과적으로 대처하기 위해 생산자원을 효율적으로 분배하고 비용 최소화를 목적으로 장래 일정기간의 생산율, 고용수준, 재고수준, 잔업 및 하청 등을 중심으로 수립하는 계획은?

① 일정계획
② 자재소요계획
③ 총괄생산계획
④ 주일정계획
⑤ 전략적 능력계획

**해설**

변동적 수요에 효과적으로 대처하기 위해 생산자원을 효율적으로 분배하고 비용 최소화를 목적으로 장래 일정기간의 생산율, 고용수준, 재고수준, 잔업 및 하청 등을 중심으로 수립하는 계획은 총괄생산계획이다. **정답 ③**

## 19 한국마사회 기출동형

**다음 중 총괄생산계획에 대한 설명으로 옳지 않은 것은?**

① 생산율을 일정하게 고정시키면서 재고를 활용하여 수요에 따른 변화를 흡수한다.
② 총괄생산계획은 제품의 생산에만 관여하므로 자금계획, 판매계획, 인력계획, 조달계획 등과는 상관관계가 거의 없다.
③ 총괄생산계획의 결정변수로는 하도급, 재고수준, 생산율의 조정, 노동인력의 조정 등이 있다.
④ 노동력의 규모를 고정시키고 대신에 잔업 또는 단축노무 등으로 인한 생산시간 등을 조절해서 생산율을 변동시킨다.
⑤ 재고기능이 없는 서비스산업에서는 총괄계획이 실질적으로 예산 및 인력계획의 역할을 하게 된다.

**해설**

총괄생산계획은 보통 2개월에서 1년까지의 중기 또는 중·단기 계획으로서 기업의 생산능력을 거시적으로 파악하여 총괄적 관점에서 시간적으로 제품의 수량적 조정을 시도하는 방법을 말하는데, 수요나 주문의 시간적·수량적 요건을 만족시킬 수 있도록 생산시스템의 능력(생산율, 고용수준, 재고수준 등)을 조정해나가는 계획을 의미한다. 따라서 총괄생산계획은 생산능력 등의 영향을 받기 때문에 자금계획, 판매계획, 인력계획, 조달계획 등과 상관관계가 높다.

**정답 ②**

## 20 2024년 경영지도사 기출

**생산계획에 관한 설명으로 옳지 않은 것은?**

① 생산계획은 수요예측 및 판매계획을 토대로 수립된다.
② 생산계획은 생산품종, 생산수량, 생산시기 등을 결정하는 것이다.
③ 총괄생산계획은 개별 제품이 아닌 제품그룹을 대상으로 한다.
④ 주생산계획은 개별 제품별로 생산시기와 생산수량을 결정하는 것이다.
⑤ 생산일정계획은 제품생산에 필요한 부품과 원자재의 종류, 수량, 주문시기 등을 결정하는 과정이다.

**해설**

생산일정계획은 시간이라는 자원을 배분하기 위한 생산계획으로 생산시점을 결정하는 것이라고 할 수 있다. 그리고 제품생산에 필요한 부품과 원자재의 종류, 수량, 주문시기 등을 결정하는 과정은 자재소요계획이다.

**정답 ⑤**

## 21 ☐☐☐ 2023년 가맹거래사 기출

5개 작업이 동일한 순서(기계1 → 기계2)로 두 대의 기계에서 처리되는 경우, 존슨의 규칙(Johnson's rule)을 적용하여 모든 작업의 완료시간을 최소화할 수 있는 작업순서는?

| 작업 | 작업시간 | |
| --- | --- | --- |
| | 기계1 | 기계2 |
| A | 3 | 5 |
| B | 4 | 2 |
| C | 6 | 4 |
| D | 6 | 6 |
| E | 5 | 7 |

① A – B – C – D – E  ② A – B – E – C – D  ③ A – E – D – C – B
④ B – A – C – E – D  ⑤ B – C – A – D – E

### 해설
존슨의 규칙(Johnson's rule)은 공정시간이 짧은 것부터 순서대로 배치하는데, 앞 공정은 앞부터 배치하고 뒷 공정은 뒤부터 배치한다. 존슨의 규칙(Johnson's rule)은 작업장이 두 곳일 때에만 적용할 수 있다. 따라서 기계1(앞 공정)을 기준으로 하면 A – B – E – C – D 또는 A – B – E – D – C의 순서가 되고, 기계2(뒷 공정)를 기준으로 하면 E – D – A – C – B의 순서가 된다. 이를 종합하면, A – E – D – C – B가 된다. **정답 ③**

## 22 ☐☐☐ 2021년 가맹거래사 기출

작업 우선순위를 결정하기 위한 규칙에 관한 설명으로 옳지 않은 것은?

① 최소작업시간(SPT): 작업시간이 짧은 순서대로 처리
② 최소여유시간(STR): 납기일까지 남은 시간이 작은 순서대로 처리
③ 최소납기일(EDD): 납기일이 빠른 순서대로 처리
④ 선입선출(FCFS): 먼저 도착한 순서대로 처리
⑤ 후입선출(LCFS): 늦게 도착한 순서대로 처리

### 해설
최소 여유시간 규칙은 여유시간이 적은 순서로 작업을 진행하는 것을 말하며, 여기서 여유시간은 납기에서 잔여작업일수를 차감한 것이다.

**정답 ②**

## 23 ☐☐☐ 2019년 경영지도사 기출

**다음 분석 기법을 설명하는 용어는?**

- 프로젝트 내 각 활동들의 시간 추정에 확률적 모형을 사용하며, 단계보다 활동을 중심으로 하는 시스템
- 프로젝트 완료를 위한 활동순서를 표시하고, 각 활동과 관련하여 시간과 비용을 나타내는 흐름도표

① Markov chain analysis
② Gantt chart
③ LP(linear programming)
④ PERT(program evaluation & review technique)
⑤ VE(value engineering)

**해설**

해당 내용은 PERT에 대한 설명이다.
① 마코브 체인 분석(Markov chain analysis)은 어떤 변수들이 가지고 있는 과거의 동적 특성을 살펴봄으로써 그 변수들의 미래의 특성을 연속적으로 예측하고자 하는 분석모형이다.
② 간트 차트(Gantt chart)는 작업의 흐름을 조정하는 그래픽적 수단으로 작업공정이나 제품별로 계획된 작업의 실제 진행상황을 도표화함으로써 전체적인 기간관리를 가능하게 하는 막대도표이다.
③ 선형계획(linear programming, LP)은 주어진 하나의 목적을 달성하기 위해서 한정된 자원을 합리적인 방법으로 최적배분하고자 하는 계량적 기법으로 1차식으로 구성된다.
⑤ 가치공학(value engineering, VE)은 제품을 선정하고 설계할 때 사용하는 기법으로 제품을 설계할 때 엔지니어는 반드시 사용한 부품과 원자재가 비용에 어떤 영향을 끼쳤는지를 고려하여야 한다. 이에 반해, 가치분석은 가치공학과는 달리 생산과정에서 발생하는 비용을 줄이기 위해 사용하는 기법이다. 따라서 기존 제품에 적용되면 가치분석이고, 신제품에 적용되면 가치공학이라고 한다.

정답 ④

## 24 ☐☐☐ 2014년 가맹거래사 기출

**활동 A의 활동시간에 대한 낙관적 시간이 5일, 비관적 시간이 27일, 최빈시간이 7일로 추정되는 경우에 PERT/CPM의 확률적 모형에 따른 활동 A의 활동시간에 대한 기대치는? (단, 각 활동시간은 베타분포에 따른다.)**

① 7일  ② 9일  ③ 10일
④ 13일  ⑤ 15일

**해설**

활동시간에 대한 기대치는 '(낙관적 시간 + 4 × 최빈시간 + 비관적 시간) ÷ 6'으로 구한다. 따라서 활동 A의 활동시간에 대한 기대치는 10일이다.

정답 ③

## 25 □□□ 2022년 경영지도사 기출

반제품에 대한 수요 패턴 및 재고통제에 관한 설명으로 옳은 것은?

① 독립적인 재고수요를 따른다.
② 경제적 주문량에 따라 주문을 하여 재고를 통제한다.
③ 자재소요계획을 이용한 단위주문량에 의해 재고를 통제한다.
④ 수요를 파악하기 위해 정교한 예측 기법을 사용한다.
⑤ 수요의 발생 원천이 회사의 통제권 밖에 있기 때문에 기업에서 관리하는 것은 불가능하다.

### 해설
① 반제품은 완전한 제품이 된 것은 아니지만 가공이 일단 완료됨으로써 저장가능하거나 판매가능한 상태에 있는 부품을 말하기 때문에 종속적인 재고수요를 따른다.
② 반제품은 경제적 생산량에 따라 생산을 하여 재고를 통제한다.
④ 수요를 파악하기 위해 정교한 예측 기법을 사용하는 것은 완제품과 같은 독립적인 수요이다.
⑤ 반제품은 수요의 발생 원천이 회사의 통제권 안에 있기 때문에 기업에서 관리하는 것은 가능하다.　　　　　　**정답 ③**

## 26 □□□ 2017년 공인노무사 기출

생산수량과 일정을 토대로 필요한 자재조달 계획을 수립하는 관리시스템은?

① CIM　　② FMS　　③ MRP
④ SCM　　⑤ TQM

### 해설
생산수량과 일정을 토대로 필요한 자재조달 계획을 수립하는 관리시스템은 자재소요계획(MRP)이다. CIM(computer integrated manufacturing), FMS(flexible manufacturing system), MRP(material requirement planning), SCM(supply chain management), TQM(total quality management)　　**정답 ③**

## 27 □□□ 2018년 공인노무사 기출

최종품목 또는 완제품의 주생산일정계획(master production schedule)을 기반으로 제품생산에 필요한 각종 원자재, 부품, 중간조립품의 주문량과 주문시기를 결정하는 재고관리방법은?

① 자재소요계획(MRP)　　② 적시(JIT) 생산시스템　　③ 린(lean) 생산
④ 공급사슬관리(SCM)　　⑤ 칸반(kanban) 시스템

### 해설
자재소요계획(material requirement planning, MRP)이란 대부분의 완제품은 여러 가지의 부품으로 구성되어 있고, 이에 따른 자재의 소요가 독립적인 것이 아니라, 종속적으로 발생하는 종속수요의 성격을 띤다는 점에 착안한 계획방법을 말한다. 자재소요계획의 기본요소로는 기준생산계획(master production schedule, MPS) 자재명세서(bill of material, BOM), 재고기록(inventory records, IR)이 있으며, 자재소요계획은 정보기술의 활용으로 인해 그 적용영역이 확대되어 감에 따라 자재소요계획(material requirement planning, MRP), 제조자원계획(manufacturing resource planning, MRP II), 전사적 자원관리(enterprise resource planning, ERP)의 순으로 발전되어 왔다.　　**정답 ①**

## 28 ☐☐☐ 2018년 경영지도사 기출

자재소요계획(MRP)을 효과적으로 수립하고 원활히 실행하기 위해서 직접적으로 필요한 정보가 아닌 것은?

① 총괄생산계획(aggregate production planning)
② 자재명세서(bill of materials)
③ 재고기록철(inventory record file)
④ 자재조달기간(lead time)
⑤ 주일정계획(master production scheduling)

**해설**

자재소요계획의 기본요소로는 기준생산계획(master production schedule, MPS), 자재명세서(bill of materials, BOM), 재고기록(inventory records, IR)이 있다. 또한, 생산계획은 총괄생산계획 → 주일정계획 또는 기준생산계획(MPS) → 자재소요계획의 순으로 수립되기 때문에 총괄생산계획은 자재소요계획에 직접적으로 필요한 정보라고 보기 어렵다.   **정답 ①**


## 29 ☐☐☐ 2023년 가맹거래사 기출

자재소요계획(MRP)의 입력자료를 모두 고른 것은?

| ㄱ. 주일정계획(MPS) | ㄴ. 자재명세서(BOM) | ㄷ. 재고기록철 |
| ㄹ. 발주계획 보고서 | ㅁ. 예외 보고서 | |

① ㄱ, ㄴ, ㄷ
② ㄱ, ㄴ, ㄹ
③ ㄱ, ㄷ, ㅁ
④ ㄴ, ㄹ, ㅁ
⑤ ㄷ, ㄹ, ㅁ

**해설**

자재소요계획(MRP)의 입력자료는 주일정계획(MPS), 자재명세서(BOM), 재고기록철이 있다.   **정답 ①**


## 30 ☐☐☐ 2012년 가맹거래사 기출

MRP(material requirement planning) 시스템의 3대 입력자료 중 하나로 최종제품으로부터 시작하여 각 상위품목을 한 단위 생산하는 데 필요한 자재명과 소요량을 보여 주는 것은?

① 주일정계획(master production schedule)
② 재고기록철(inventory records file)
③ 생선뼈 다이어그램(fishbone diagram)
④ 공급사슬(supply chain)
⑤ 자재명세서(bill of materials)

**해설**

MRP(material requirement planning) 시스템의 3대 입력자료는 주일정계획, 재고기록철, 자재명세서이다. 이 중 최종제품으로부터 시작하여 각 상위품목을 한 단위 생산하는 데 필요한 자재명과 소요량을 보여 주는 것은 자재명세서(bill of materials)이다.   **정답 ⑤**

## 31  2021년 가맹거래사 기출

제품 A를 1개 만들기 위해서는 2개의 부품 B와 3개의 부품 C가 필요하다. 그리고 1개의 부품 B에는 1개의 부품 D와 2개의 부품 E가 필요하며, 1개의 부품 C에는 3개의 부품 D와 1개의 부품 E가 필요하다. 제품 A를 100개 생산하기 위해 필요한 부품 D와 부품 E의 수량은?

① D: 800개, E: 500개   ② D: 800개, E: 600개   ③ D: 1,000개, E: 600개
④ D: 1,100개, E: 700개   ⑤ D: 1,300개, E: 800개

**해설**

제품 A를 100개 생산하기 위해서는 우선 200개의 부품 B와 300개의 부품 C가 필요하다. 따라서 200개의 부품 B를 생산하기 위해서는 200개의 부품 D와 400개의 부품 E가 필요하고, 300개의 부품 C를 생산하기 위해서는 900개의 부품 D와 300개의 부품 E가 필요하다. 따라서 제품 A를 100개 생산하기 위해 필요한 부품 D는 1,100개이고, 부품 E는 700개이다.   **정답 ④**

## 32  2011년 가맹거래사 기출

최종제품 V의 자재명세서(BOM)가 아래의 그림과 같은 경우, 제품 V를 100개 생산하는 데 소요되는 부품 Z의 소요량은?

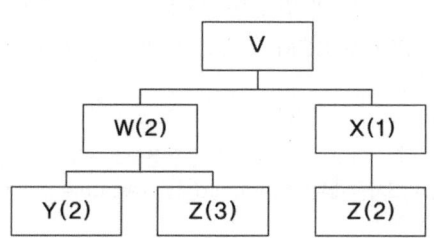

① 300개   ② 500개   ③ 600개
④ 800개   ⑤ 900개

**해설**

제품 V를 100개 생산하기 위해서는 W가 200개 필요하고 X가 100개 필요하다. 그런데, W 200개를 생산하기 위해서는 Z가 600개가 필요하고, X 100개를 생산하기 위해서는 Z가 200개가 필요하다. 따라서 Z는 총 800개가 필요하다.   **정답 ④**

## 33 ☐☐☐ 2020년 경영지도사 기출

기업 내 판매, 생산, 회계, 인사 등 여러 부문의 데이터를 일원화하여 관리함으로써 경영자원을 효율적으로 운용할 수 있도록 하는 기법은?

① 전사적 자원관리(ERP: enterprise resource planning)
② 공급사슬관리(SCM: supply chain management)
③ 자재소요계획(MRP: material requirements planning)
④ PERT(program evaluation and review technique)
⑤ 컴퓨터지원생산(CAM: computer-aided manufacturing)

**해설**

기업 내 판매, 생산, 회계, 인사 등 여러 부문의 데이터를 일원화하여 관리함으로써 경영자원을 효율적으로 운용할 수 있도록 하는 기법은 전사적 자원관리이다.

**정답 ①**

## 34 ☐☐☐ 2024년 경영지도사 기출

전사적 자원관리(ERP) 시스템에 관한 설명으로 옳지 않은 것은?

① 자재, 회계, 구매, 생산, 판매, 인사 등 기업 내 업무의 통합정보시스템을 의미한다.
② 기업 내 각 부문의 데이터를 일원화하여 관리함으로써 경영자원을 계획적이고 효율적으로 운영하도록 해 준다.
③ 선진 프로세스를 내장하고 있는 패키지 도입 시 기업의 업무처리 방식을 최적화하는 데 도움이 될 수 있다.
④ 수주처리에서 출하 및 회계처리까지 일련의 업무통합으로 고객 요구에 신속하고 정확하게 대응할 수 있다.
⑤ 정보기술의 급속한 발전에 따라 ERP를 SCM, CRM 등과 연계시켜 MRP로 진화하고 있다.

**해설**

자재소요계획(material requirement planning, MRP)은 정보기술의 활용으로 인해 그 적용영역이 확대되어 감에 따라 자재소요계획(material requirement planning, MRP), 제조자원계획(manufacturing resource planning, MRP II), 전사적 자원관리(enterprise resource planning, ERP)의 순으로 발전되어 왔다.

**정답 ⑤**

## 35 ☐☐☐ 2017년 공인노무사 기출

전사적 자원관리(ERP) 도입의 효과가 아닌 것은?

① 신기술 수용 및 활용
② 사업장 및 업무통합
③ 고객 이미지 개선
④ 정보 적시 제공
⑤ 업무프로세스 복잡화

**해설**

전사적 자원관리(ERP)는 어느 한 부문에서 자료가 입력되면 다른 관리부문에서 필요한 정보를 공유할 수 있도록 설계된 시스템으로 생산관리 업무는 물론 제품이나 공정의 설계, 재무 및 회계, 마케팅, 인사 등 순수한 관리부문과 경영지원 기능을 포괄한다. 일반적으로 전사적 자원관리는 모든 비즈니스 프로세스를 통합적으로 관리하기 때문에 비즈니스 복잡성을 제거하고 업무효율을 제고할 수 있다.

**정답 ⑤**

## 36  2023년 가맹거래사 기출

ERP(enterprise resource planning) 시스템의 특징에 해당하지 않는 것은?

① 통합 데이터베이스를 매개로 기업의 다양한 업무에 적용이 가능하다.
② 영업, 생산, 구매, 재고, 회계, 인사 등 기업 내 단위업무를 통합적으로 처리한다.
③ 국제적으로 인정된 표준에 맞게 업무프로세스를 구현할 수 있다.
④ 다양한 기능을 내장한 ERP 패키지는 파라미터 지정을 통해 해당 기업에 맞도록 시스템을 적용할 수 있다.
⑤ 기업 업무내용의 외부유출을 방지하기 위해 폐쇄적 구조로 설계되어 시스템 확장이 어렵다.

**해설**

ERP(enterprise resource planning) 시스템은 시스템 확장이 용이하다는 특징을 가진다.     정답 ⑤

## 37  2019년 경영지도사 기출

다음에서 공통으로 설명하는 개념은?

- MRP, MRP Ⅱ를 거치면서 등장하였으며, 전체 기업 내부의 운영효율화를 위해 정보시스템을 활용한다.
- 기업 내 구매, 생산, 물류, 판매, 회계영역의 프로세스를 개선하기 위해 통합된 데이터베이스를 운영한다.

① business intelligence
② customer relationship management
③ enterprise resource planning
④ supplier relationship management
⑤ supply chain management

**해설**

전사적 자원관리(enterprise resource planning, ERP)는 기업이 주요한 비즈니스를 관리하고 경영기능이 제대로 발휘하도록 지원하는 통합 프로그램이다. 따라서 문제에서 제시된 내용은 전사적 자원관리에 대한 설명이 된다.
① 비즈니스 인텔리전스(business intelligence)는 기업에서 데이터를 수집·정리·분석하고 활용하여 효율적인 의사결정을 하도록 하는 애플리케이션과 기술의 집합을 말한다.
② 고객관계관리(customer relationship management)는 고객에 대한 매우 구체적인 정보를 바탕으로 고객 개개인에게 적합한 차별적인 재화 및 서비스를 제공함으로써 고객과의 개인적 관계를 지속적으로 유지하고 새롭게 변화시키려는 일련의 경영활동으로 관계마케팅이라고도 한다.
④ 공급자 관계관리(supplier relationship management)는 기업의 수익성 극대화에 영향을 미치는 외부파트너인 공급자와의 관계를 개선하고 기업경쟁력을 높이는 과정 및 방법을 말한다.
⑤ 공급사슬관리(supply chain management)는 부분최적화보다는 공급사슬 전체의 관점에서 정보의 공유와 공급사슬 흐름의 개선을 통해 공급사슬 전체의 효율성을 제고시키고자 하는 것을 말한다.     정답 ③

## 38  2019년 가맹거래사 기출

**전사적 자원관리(ERP) 시스템의 도입효과로 옳지 않은 것은?**

① 부서 간 실시간 정보공유
② 데이터의 일관성 유지
③ 적시 의사결정 지원
④ 조직의 유연성과 민첩성 증진
⑤ 기존 비즈니스 프로세스 유지

**해설**

전사적 자원관리(ERP) 시스템은 기업이 주요한 비즈니스를 관리하고 경영기능이 제대로 발휘하도록 지원하는 통합 프로그램으로 업무기능의 실시간 모니터링을 통해 상품의 질, 가용성, 고객만족, 성과, 수익성 같은 업무기능의 핵심요소를 적시에 분석하는 것이 가능하다. 따라서 기존 비즈니스 프로세스 유지는 전사적 자원관리(ERP) 시스템의 도입효과로 보기 어렵다.

**정답 ⑤**

## 39  2017년 가맹거래사 기출

**ERP(enterprise resource planning) 시스템에 관한 설명으로 옳지 않은 것은?**

① ERP 시스템은 기능영역 정보시스템들 사이의 커뮤니케이션 결여를 바로 잡고자 하는 것이다.
② ERP 시스템은 기능영역에 걸친 기업성과에 대한 기업정보를 제공하여 관리자의 의사결정능력을 향상시킬 수 있다.
③ ERP 시스템은 비즈니스 프로세스를 통합하여 고객서비스를 개선시킬 수 있다.
④ ERP 시스템을 구축·실행하는 데 초기비용이 적게 소요된다.
⑤ ERP 시스템 도입 후에는 통합 데이터베이스를 운영하게 되어 정보의 공유가 용이해진다.

**해설**

일반적으로 ERP 시스템을 구축·실행하는 데 초기비용이 많이 소요된다.

**정답 ④**

## 40  한국농어촌공사 기출동형

**다음 중 재고에 대한 설명으로 옳지 않은 것은?**

① 재고는 매입수량 및 금액이 재고단가에 영향을 미친다.
② 재고는 제조의 계열화와 평준화를 가능하게 한다.
③ 재고는 수요 폭등에 대비한 완충역할을 한다.
④ 재고를 다량으로 보유할 경우 자금 경색을 완화할 수 있다.
⑤ 조업도의 안정화는 재고관리의 목적 중 하나이다.

**해설**

재고를 다량으로 보유할 경우 자금 경색을 악화시킬 수 있다.

**정답 ④**

## 41 2019년 가맹거래사 기출

재고유형과 이에 관한 설명이 다음과 같을 때, (A), (B), (C)의 내용으로 옳은 것은?

| 재고유형 | 설명 |
| --- | --- |
| 파이프라인 재고 | 공장, 유통센터, 고객 간에 이동 중인 재고 |
| (A) | 경제성을 위해 필요 이상 구입하거나 생산하여 남은 재고 |
| (B) | 수요나 생산의 불확실성에 대비하여 보유하는 재고 |
| (C) | 향후 급격한 수요증가에 대비하여 사전에 확보한 재고 |

① A: 주기재고, B: 안전재고, C: 예비재고
② A: 주기재고, B: 대응재고, C: 예비재고
③ A: 주기재고, B: 예비재고, C: 수요재고
④ A: 필요재고, B: 안전재고, C: 예비재고
⑤ A: 필요재고, B: 예비재고, C: 대응재고

### 해설

경제성을 위해 필요 이상 구입하거나 생산하여 남은 재고는 주기재고를 의미하고, 수요나 생산의 불확실성에 대비하여 보유하는 재고는 안전재고를 의미하며, 향후 급격한 수요증가에 대비하여 사전에 확보한 재고는 예비재고를 의미한다.

**정답 ①**

## 42 2014년 가맹거래사 기출

재고관리에서 재고비축 유인으로 옳지 않은 것은?

① 재고부족비용 감소
② 주문비용 감소
③ 미납주문비용 감소
④ 재고유지비용 감소
⑤ 수송비용 감소

### 해설

재고유지비용은 재고비축 유인이 아니라 재고감축 요인에 해당한다. 일반적으로 재고를 비축하게 되면 재고유지비용이 발생하기 때문에 이러한 관점에서 기업은 재고유지비용을 감소시키기 위해 재고를 감축하고자 한다.

**정답 ④**

## 43 □□□ 2016년 공인노무사 기출

**해리스(Harris)가 제시한 EOQ(경제적 주문량) 모형의 가정으로 옳은 것은?**

① 단일품목만을 대상으로 한다.
② 조달기간은 분기 단위로 변동한다.
③ 수량할인이 적용된다.
④ 연간수요량은 알 수 없다.
⑤ 주문비용은 주문량에 정비례한다.

**해설**

② 조달기간은 일정하다고 가정한다. 조달기간이 0인 경우는 주문시점과 입고시점이 일치하게 된다.
③ 수량할인과 가격할인은 존재하지 않는다.
④ 일정기간 동안의 전체 수요량은 알려져 있다.
⑤ 주문비용은 주문횟수에 정비례한다.

정답 ①

## 44 □□□ 2022년 공인노무사 기출

**경제적 주문량(EOQ)에 관한 설명으로 옳지 않은 것은?**

① 연간 재고유지비용과 연간 주문비용의 합이 최소화되는 주문량을 결정하는 것이다.
② 연간 재고유지비용과 연간 주문비용이 같아지는 지점에서 결정된다.
③ 연간 주문비용이 감소하면 경제적 주문량이 감소한다.
④ 연간 재고유지비용이 감소하면 경제적 주문량이 감소한다.
⑤ 연간 수요량이 증가하면 경제적 주문량이 증가한다.

**해설**

연간 주문비용은 우하향의 곡선으로 나타나고 연간 재고유지비용은 우상향의 직선으로 나타나기 때문에 연간 주문비용이 감소하면 경제적 주문량은 감소하고, 연간 재고유지비용이 감소하면 경제적 주문량은 증가한다.

정답 ④

## 45 □□□ 2024년 가맹거래사 기출

**경제적 주문량 모형(EOQ)에 관한 설명으로 옳지 않은 것은? (단, 다른 조건이 동일하다고 가정한다.)**

① 연간 수요가 감소하면, 경제적 주문량은 감소한다.
② 재고유지비용이 감소하면, 경제적 주문량은 감소한다.
③ 재고유지비용이 감소하면, 재고회전율은 감소한다.
④ 주문비용이 감소하면, 재고회전율은 증가한다.
⑤ 주문비용이 감소하면, 공급주수(weeks of supply)는 감소한다.

**해설**

경제적 주문량 모형(EOQ)에서 재고유지비용이 감소하면 경제적 주문량은 증가한다. 그리고 경제적 주문량이 증가하면 재고회전율은 감소한다. 또한, 주문비용이 감소하면 경제적 주문량이 감소하기 때문에 재고회전율은 증가하고, 공급주수(주문간격)는 감소한다.

정답 ②

## 46 서울주택도시공사 기출동형

다음 중 경제적 주문량(EOQ)의 가정으로 옳지 않은 것은?

① 리드타임은 일정하며, 확정적이다.
② 생산, 수송 및 주문의 로트 크기 등에 제한이 없다.
③ 주문량은 일시에 전량 입고된다.
④ 재고주문 및 주문 잔고는 발생하지 않는다.
⑤ 수요율은 일정하지 않으며, 비확정적이다.

**해설**

경제적 주문량(EOQ)에서 수요율은 일정하고, 확정적이다.    정답 ⑤

## 47 2019년 공인노무사 기출

(주)한국의 A부품에 대한 연간수요는 4,000개이며, A부품 구입가격은 단위당 8,000원이다. 1회당 주문비용은 4,000원이고, 단위당 연간 재고유지비용은 구입가격의 10%일 때 A부품의 경제적 주문량(EOQ)은?

① 100개    ② 200개    ③ 300개
④ 400개    ⑤ 600개

**해설**

경제적 주문량(EOQ)은 $\sqrt{\frac{2DO}{H}}$로 구한다. 여기서 D는 연간수요량을 의미하고, O는 1회 주문비용을 의미하며, H는 단위당 재고유지비용을 의미한다. 따라서 경제적 주문량(EOQ)은 $\sqrt{\frac{2 \times 4,000 \times 4,000}{8,000 \times 10\%}}$로 계산하면 200개이다.    정답 ②

## 48 2018년 공인노무사 기출

A점포의 연간 자전거 판매수량은 500대이고, 한 번 주문할 때 소요되는 주문비용은 10만 원이다. 자전거 한 대의 구입가격은 15만 원이며, 재고 유지를 위해 매년 부담하는 비용은 대당 1만 원이다. A점포의 경제적 주문량(EOQ)과 최적주문횟수는 각각 얼마인가?

① 50대, 5회    ② 50대, 10회    ③ 100대, 5회
④ 100대, 7회    ⑤ 250대, 2회

**해설**

$EOQ = \sqrt{\frac{2DO}{H}} = \sqrt{\frac{2 \times 500 \times 100,000}{10,000}} = 100$, D = demand, O = ordering cost, H = holding cost. 따라서 주문횟수는 연간 수요를 1회 주문량(EOQ)으로 나누어서 계산하면 5회이다.    정답 ③

## 49 □□□ 2018년 경영지도사 기출

(주)경지사에서는 연중 일정하게 판매되고 있는 A제품에 대하여 해리스(F. W. Harris)의 경제적 주문량 모형을 활용하여 최적의 주문량을 결정하고 있다. 연간 수요는 2,000개이며, 1회 주문비용은 2,500원, 개당 연간 재고유지비용은 250원으로 추산하고 있을 때의 평균재고수준은?

① 50개  ② 100개  ③ 150개
④ 200개  ⑤ 250개

**해설**

$EOQ = \sqrt{\dfrac{2DO}{H}} = \sqrt{\dfrac{2 \times 2,000 \times 2,500}{250}} = 200$, D = demand, O = ordering cost, H = holding cost. 따라서 평균재고는 (기초재고 + 기말재고) / 2로 계산되기 때문에 100(= 200/2)개이다.

정답 ②

## 50 □□□ 2021년 가맹거래사 기출

연간수요가 1,000개, 1회당 주문비용은 50원, 단위당 연간 재고유지비용은 40원이다. 경제적 주문량(EOQ)과 연간 주문비용은 얼마인가?

① 50개, 100원  ② 50개, 500원  ③ 50개, 1,000원
④ 100개, 500원  ⑤ 100개, 1,000원

**해설**

경제적 주문량(EOQ)은 $\sqrt{\dfrac{2DO}{H}}$ 으로 구한다. 여기서 D는 연간수요량을 의미하고, O는 1회 주문비용을 의미하며, H는 단위당 재고유지비용을 의미한다. 따라서 경제적 주문량(EOQ)은 $\sqrt{\dfrac{2 \times 1,000 \times 50}{40}}$ 로 계산하면 50개이다. 그리고 연간 주문비용은 $\dfrac{D}{Q} \times O$ 이므로 $\dfrac{1,000}{50} \times 50$ 로 계산한 1,000원이다.

정답 ③

## 51 □□□ 2023년 가맹거래사 기출

고정주문량모형(Q-모형)과 고정기간모형(P-모형)을 비교한 설명으로 옳지 않은 것은?

① Q-모형은 주문량이 일정하고, P-모형은 주문량이 변동한다.
② Q-모형은 재고량이 재주문점에 이를 때 주문하고, P-모형은 정기적으로 주문한다.
③ Q-모형은 반입·반출 시 재고량을 파악하고, P-모형은 점검시기에 재고량을 파악한다.
④ Q-모형의 재고량이 P-모형의 재고량보다 상대적으로 많다.
⑤ Q-모형은 고가이며 중요한 품목에 활용되고, P-모형은 저가 품목에 활용된다.

**해설**

P-모형이 Q-모형보다 안전재고수준이 높기 때문에 P-모형의 재고량이 Q-모형의 재고량보다 상대적으로 많다.

정답 ④

## 52 ☐☐☐ 2024년 가맹거래사 기출

**수요와 리드타임이 확실한 고정주문량모형(Q-모형)의 재주문점은?**

- 일일수요: 40개
- 보유재고: 10개
- 미납주문: 0개
- 리드타임: 4일
- 예정입고: 200개

① 10개  ② 40개  ③ 160개
④ 200개  ⑤ 210개

**해설**

재주문점은 '일일수요 × 리드타임'으로 구한다. 따라서 재주문점은 160개가 된다.

**정답 ③**

## 53 ☐☐☐ 2022년 가맹거래사 기출

**수요와 리드타임이 일정하다면 재주문점은? (단, 연간 수요의 작업 일수는 250일이다.)**

- 연간 수요: 10,000개
- 단위당 연간 재고 비용: 1,250원
- 제품단가: 150원
- 1회당 주문비용: 50,000원
- 리드타임: 7일

① 40개  ② 220개  ③ 280개
④ 894개  ⑤ 6,258개

**해설**

재주문점은 일간 소요량과 리드타임의 곱으로 계산한다. 그리고 일간 소요량은 연간 수요를 작업 일수를 나누어서 계산한 40개이다. 따라서 재주문점은 280개(= 40개 × 7일)이다.

**정답 ③**

## 54 ☐☐☐ 2018년 공인노무사 기출

**재고품목을 가치나 상대적 중요도에 따라 차별화하여 관리하는 ABC 재고관리에 관한 설명으로 옳은 것은?**

① A등급은 재고가치가 낮은 품목들이 속한다.
② A등급 품목은 로트 크기를 크게 유지한다.
③ C등급 품목은 재고유지비가 높다.
④ ABC등급 분석을 위해 롱테일(long tail) 법칙을 활용한다.
⑤ 가격, 사용량 등을 기준으로 등급을 구분한다.

**해설**

ABC 재고통제시스템은 각 재고품목별로 그 가치나 중요성이 동일하지 않다는 점에서 출발하여 각 재고품목의 중요성 측정기준(재고가액)에 의하여 재고품목을 3가지로 차별화하여 고가 품목에 통제능력을 많이 배분하는 재고통제시스템을 말한다. ABC 재고통제시스템에 의해 A 그룹으로 분류되는 재고품목은 재고부족관련 비용 및 유지비용이 크고, C 그룹으로 분류되는 재고품목은 재고부족관련 비용 및 유지비용이 작다. 따라서 A 그룹으로 갈수록 재고부족을 막기 위해 주문주기가 짧아지게 된다.

**정답 ⑤**

## 55 서울주택도시공사 기출동형

**다음 중 재고관리에 대한 설명으로 옳지 않은 것은?**

① 컴퓨터를 활용해서 최종제품의 생산계획에 맞춰 필요로 하는 부품 및 자재 소요량의 흐름을 종합적으로 관리하는 시스템을 MRP라고 한다.
② Two-Bin 시스템은 주로 저가품에 적용하는 방식이다.
③ ABC 재고관리에서 C 품목은 수량구성 비율이 낮은 반면에 금액구성 비율은 높은 품목이다.
④ 품절비는 재고보다도 수요가 많아 마이너스 재고가 될 시에 발생하는 비용이다.
⑤ 발주비는 제품에 대한 주문행위에 필요로 하는 비용으로 통신, 사무 및 서류처리, 수송이나 수입검사 등으로 인한 작업준비의 비용을 포함한다.

**해설**

ABC 재고관리는 각 재고품목별로 그 가치나 중요성이 동일하지 않다는 점에서 출발하여 각 재고품목의 중요성 측정기준(재고가액)에 의하여 재고품목을 3가지로 차별화하여 고가품목에 통제능력을 많이 배분하는 재고통제시스템을 말한다. 따라서 C 품목은 수량구성 비율이 높은 반면에 금액구성 비율은 낮은 품목이다.

**정답 ③**

## 56 2019년 가맹거래사 기출

**재고관리에 관한 설명으로 옳지 않은 것은?**

① 동일 공급자로부터 여러 품목을 납품받는 경우에 고정주문간격모형이 많이 사용된다.
② 다른 조건이 일정할 때 연간수요가 증가하면 경제적 주문량은 감소한다.
③ 고정주문간격모형은 주문할 때마다 주문량이 일정하지 않을 수 있다.
④ 고정주문량모형은 재고수준이 재주문점에 도달하면 주문하고, 고정주문간격모형은 정해진 시기에 주문한다.
⑤ 고정주문량모형은 주문할 때마다 주문량이 동일하다.

**해설**

다른 조건이 일정할 때 연간수요가 증가하면 경제적 주문량은 증가한다.

**정답 ②**

## 57 한국도로공사 기출동형

다음 중 재고관리의 특성에 대한 설명으로 옳지 않은 것을 모두 고르면?

> ㄱ. 정량발주시스템(Q시스템)은 주문시점마다 재고수준을 결정하고, 정기발주시스템(P시스템)은 재고의 변동이 발생할 때마다 재고수준을 점검한다.
> ㄴ. 단일기간 재고모형은 정기간행물, 부패성 품목 등 수명주기가 짧은 제품의 주문량 결정뿐만 아니라 호텔 객실 등의 초과예약수준 결정에도 활용될 수 있다.
> ㄷ. 서비스수준을 높이기 위해서는 안전재고의 수준을 높여야 한다.
> ㄹ. 경제적 주문량 모형에서 재고관련 총비용은 재고유지비용과 작업준비비용으로 구성된다.
> ㅁ. 안전재고가 0이면 조달기간 중 품절률은 100%이다.

① ㄱ, ㄴ
② ㄱ, ㄷ
③ ㄱ, ㄴ, ㅁ
④ ㄱ, ㄹ, ㅁ
⑤ ㄱ, ㄴ, ㄹ, ㅁ

### 해설

ㄱ. 정기발주시스템(P시스템)은 주문시점마다 재고수준을 결정하고, 정량발주시스템(Q시스템)은 재고의 변동이 발생할 때마다 재고수준을 점검한다.
ㄴ. 단일기간 재고모형에 대해서 옳은 설명이다.
ㄷ. 서비스수준은 재고부족이 발생하지 않을 확률을 의미하므로 서비스수준을 높이기 위해서는 안전재고의 수준을 높여야 한다.
ㄹ. 경제적 주문량 모형에서 재고관련 총비용은 재고유지비용과 주문비용으로 구성되고, 경제적 생산량 모형에서 재고관련 총비용은 재고유지비용과 작업준비비용으로 구성된다.
ㅁ. 안전재고가 0이라고 해서 조달기간 중 품절률이 100%가 되는 것은 아니다.

정답 ④


## 58 한국철도공사 기출동형

카노 모형(Kano model)에서 다음에 해당하는 품질요소는 무엇인가?

> 충분히 충족이 되면 만족하지만 충족이 되지 않아도 불만의 요소가 되지 않으며, 일반적으로 기대되지 않는 요소이다.

① 당연적 품질요소
② 일원적 품질요소
③ 매력적 품질요소
④ 무관심 품질요소
⑤ 역 품질요소

### 해설

매력적 품질요소는 고객이 기대하지 못했던 것을 충족시켜 주거나 고객의 기대를 훨씬 초과하는 만족을 주는 품질요소이다. 즉, 동기요인에 대응하는 품질특성으로 충족이 되면 만족을 주지만 그렇지 않더라도 불만족을 유발하지 않는 품질요소이다. 일반적으로 고객은 이러한 품질특성의 존재를 모르거나 기대하지 못했기 때문에 충족이 되지 않더라도 불만을 느끼지 않는다. 따라서 주어진 내용은 매력적 품질요소에 해당하는 설명이다.
① 당연적 품질요소는 위생요인에 대응하는 품질특성으로 충족이 되면 당연한 것으로 받아들이기 때문에 별다른 만족을 주지 못하는 반면에 충족이 되지 않으면 불만을 일으키는 품질요소이다.
② 일원적 품질요소는 충족되면 만족하고 충족되지 않으면 불만족이 증대되는 품질요소이다.
④ 무관심 품질요소는 충족여부가 만족과 불만족에 영향을 미치지 않는 품질요소이다.
⑤ 역 품질요소는 충족이 되면 오히려 불만을 일으키고 충족이 되지 않으면 만족하는 품질요소로서 일원적 품질요소에 반대되는 품질요소이다.

정답 ③

## 59 ☐☐☐ 2022년 공인노무사 기출

서비스 품질평가에서 사용되는 SERVQUAL 모형의 서비스 차원이 아닌 것은?

① 유형성(tangibles)  ② 신뢰성(reliability)  ③ 반응성(responsiveness)
④ 공감성(empathy)  ⑤ 소멸성(perishability)

**해설**

서비스품질의 다섯 가지 차원은 신뢰성(reliability), 보증성(assurance), 유형성(tangibility), 공감성(empathy), 반응성(responsiveness)이며, 머리 글자만 모아서 'RATER'라고 한다.

**정답 ⑤**


## 60 ☐☐☐ 2024년 경영지도사 기출

서비스품질 평가 요소와 그에 관한 설명으로 옳지 않은 것은?

① 신뢰성 - 약속한 서비스를 정확히 제공하는 능력
② 반응성 - 고객을 도와주려는 의지와 신속히 서비스를 제공하고자 하는 의지
③ 확신성 - 노하우와 능력을 토대로 고객이 안심하고 이용할 수 있도록 믿음을 심어주기 위한 노력
④ 표준성 - 고객에게 제공하는 개별적 배려와 관심 정도
⑤ 유형성 - 물리적 시설, 종업원 복장과 외모, 커뮤니케이션을 위한 각종 도구 등

**해설**

서비스품질의 다섯 가지 차원은 신뢰성(reliability), 보증성 또는 확신성(assurance), 유형성(tangibility), 감정이입(empathy), 반응성(responsiveness)이며, 머리 글자만 모아서 'RATER'라고 한다. 따라서 표준성이 서비스품질을 측정하는 5가지 차원에 해당하지 않고, 고객에게 제공하는 개별적 배려와 관심 정도는 감정이입에 대한 설명이다.

**정답 ④**


## 61 ☐☐☐ 한국철도공사 기출동형

서비스 품질을 평가하는 요소 중 고객에게 언제든지 준비된 서비스를 제공하려는 자세는 무엇인가?

① 신뢰성  ② 확신성  ③ 유형성
④ 공감성  ⑤ 대응성

**해설**

대응성(응답성)은 자진해서 고객을 돕고 신속한 서비스를 제공하려는 의지를 말한다. 따라서 서비스 품질을 평가하는 요소 중 고객에게 언제든지 준비된 서비스를 제공하려는 자세를 나타내는 것은 대응성에 해당한다.
① 신뢰성은 서비스를 믿을 만하게 그리고 정확하게 수행하는 능력으로 고객의 기대에 지속적으로 부응하는 것이다. 즉, 약속된 서비스를 믿을 수 있고, 정확하게 수행할 수 있는 능력이다.
② 확신성(보증성)은 서비스 제공자가 자신의 능력수준을 고객에게 알리고 필요한 예의를 갖추어 서비스를 제공하는 능력이다. 즉, 직원의 지식과 예절 및 신뢰와 확신을 줄 수 있는 능력이다.
③ 유형성은 물리적 시설이나 설비, 직원 및 의사소통도구의 외관 등을 말한다.
④ 공감성(감정이입)은 고객의 요구를 이해하고 의사소통을 하면서 고객에게 기울이는 개별적인 배려나 주의를 말한다. 즉, 공감성(감정이입)은 기업이 고객에게 제공하는 개별적 관심과 배려를 말하며, 이는 근접성, 의사소통, 고객이해력 등을 포괄하고 있다.

**정답 ⑤**

## 62　☐☐☐　2024년 공인노무사 기출

**품질문제와 관련하여 발생하는 외부 실패비용에 해당하지 않는 것은?**

① 고객불만 비용　　② 보증 비용　　③ 반품 비용
④ 스크랩 비용　　⑤ 제조물책임 비용

**해설**

스크랩 비용은 폐기비용을 의미한다. 따라서 스크랩 비용은 내부 실패비용에 해당한다.　　**정답 ④**

## 63　☐☐☐　2012년 가맹거래사 기출

**원자재 수입검사, 공정검사, 완제품검사, 품질연구실 운영 등에 소요되는 품질비용을 지칭하는 용어는?**

① 내부 실패비용(internal failure cost)
② 외부 실패비용(external failure cost)
③ 평가비용(appraisal cost)
④ 예방비용(prevention cost)
⑤ 준비비용(setup cost)

**해설**

원자재 수입검사, 공정검사, 완제품검사, 품질연구실 운영 등에 소요되는 품질비용을 지칭하는 용어는 평가비용(appraisal cost)이다.　　**정답 ③**

## 64　☐☐☐　2021년 가맹거래사 기출

**품질비용에 관한 설명으로 옳지 않은 것은?**

① 품질비용은 100% 완전하지 못한 제품생산으로 인한 비용이다.
② 평가비용은 검사, 측정, 시험 등과 관련한 비용이다.
③ 통제비용은 생산흐름으로부터 불량을 제거하기 위한 활동과 관련된 비용이다.
④ 실패비용은 완성된 제품의 품질이 일정한 수준에 미달함으로써 발생하는 비용이다.
⑤ 외부 실패비용은 폐기, 재작업, 등급 저하와 관련한 비용이다.

**해설**

실패비용은 실제로 불량이 발견됨으로써 발생하는 비용을 의미한다. 이러한 실패비용은 불량의 발견시점에 따라 내부 실패비용과 외부 실패비용으로 구분할 수 있다. 내부 실패비용은 재화나 서비스의 생산과정 중에서 발생하는 결함에 기인하는 비용으로, 결함 있는 제품을 폐기함으로써 발생하는 수율손실과 결함 있는 제품을 보완하기 위한 재작업비용 등을 포함하며, 외부 실패비용은 제품이 고객에게 전달된 후에 결함이 발견되었을 때 발생하는 비용으로, 보증서비스와 소송비용까지 포함한다. 따라서 폐기, 재작업, 등급 저하와 관련한 비용은 외부 실패비용이 아니라 내부 실패비용에 해당한다.　　**정답 ⑤**

## 65 ☐☐☐ 2021년 가맹거래사 기출

**특성요인도(cause-and-effect diagram)에 관한 설명으로 옳은 것은?**

① SIPOC(공급자, 투입, 변환, 산출, 고객) 분석의 일부로 프로세스 단계를 묘사하는 도구
② 품질특성의 발생빈도를 기록하는 데 사용되는 양식
③ 연속적으로 측정되는 품질특성치의 빈도분포
④ 불량의 원인을 세분화하여 원인별 중요도를 파악하는 도구
⑤ 개선하려는 문제의 잠재적 원인을 파악하는 도구

**해설**

특성요인도(cause-and-effect diagram)는 개선하려는 문제의 잠재적 원인을 파악하는 도구에 해당한다.

정답 ⑤

## 66 ☐☐☐ 2020년 공인노무사 기출

**품질의 산포가 우연원인에 의한 것인지, 이상원인에 의한 것인지를 밝혀주는 역할을 하며, 제조공정의 상태를 파악하기 위해 공정관리에 이용되는 것은?**

① 파레토도  ② 관리도  ③ 산포도
④ 특성요인도  ⑤ 히스토그램

**해설**

품질의 산포가 우연원인에 의한 것인지, 이상원인에 의한 것인지를 밝혀주는 역할을 하며, 제조공정의 상태를 파악하기 위해 공정관리에 이용되는 것은 관리도이다. 관리도(control chart)는 관측값이 정상적인지, 비정상적인지를 결정하기 위해서 표본으로부터 얻어낸 품질측정값을 시간의 순서에 따라 표시하는 도표를 의미한다. 또한, 파레토도(Pareto diagram)는 불량발생의 원인들을 발생빈도의 내림차순으로 표시한 막대그래프의 형태로 20%의 중요한 소수가 불량의 80%를 발생시킨다는 80-20 규칙을 표시해주는 도표로써 문제를 유발하는 여러 요인들 중에서 가장 중요한 요인을 추출하기 위한 기법을 말한다.

정답 ②

## 67 ☐☐☐ 2022년 경영지도사 기출

**통계적 품질관리(statistical quality control) 기법에 해당하지 않는 것은?**

① 관리도  ② 파레토도표  ③ 표본검사
④ QC 써클(circle)  ⑤ 도수분포

**해설**

품질분임조(quality circle, QC)는 품질향상 및 공정개선의 방법을 연구하기 위해 주기적으로 모임을 가지는 다수 근로자들로 구성된 소집단을 말한다. 이는 기업이 조직구성원들에게 품질에 관한 사고를 가지도록 유도하는 조직론적 방법 중 하나이며, 보통 지속적 개선을 위한 팀에 비해 비구조적이며 비공식적인 특성을 지니고 있다. 따라서 품질분임조는 통계적 품질관리 기법에 해당하지 않는다.

정답 ④

## 68 ☐☐☐ 2019년 가맹거래사 기출

공정중심이 100이고, 규격하한과 규격상한이 각각 88과 112이며, 표준편차가 4인 공정의 시그마수준은?

① 1
② 3
③ 4
④ 6
⑤ 10

**해설**

시그마 수준은 규격중심에서 규격한계까지의 거리가 표준편차의 몇 배인지를 나타낸다. 따라서 규격중심에서 규격한계까지의 거리가 12가 되기 때문에 시그마 수준은 12를 4로 나눈 3이 된다.

정답 ②

## 69 ☐☐☐ 2022년 가맹거래사 기출

관리도(control chart)에 관한 설명으로 옳은 것은?

① 두 변수 간의 상관관계를 분석하는 도표
② 변동의 공통원인과 이상원인을 구분하는 도표
③ 데이터의 누락이나 오류 제거를 위한 데이터 정리 도표
④ 중요한 원인 요소를 구분하기 위한 도표
⑤ 두 개 또는 그 이상의 특성, 기능, 아이디어 상호 관련 도표

**해설**

관리도는 관측값이 정상적인지, 비정상적인지를 결정하기 위해서 표본으로부터 얻어낸 품질측정값을 시간의 순서에 따라 표시하는 도표를 의미한다. 따라서 관리도는 변동의 공통원인과 이상원인을 구분하는 도표이다.

정답 ②

## 70 ☐☐☐ 2024년 가맹거래사 기출

통계적 품질관리 기법 중 프로세스의 변동성을 모니터링하기 위하여 사용되는 관리도는?

① R-관리도
② $\overline{X}$-관리도
③ p-관리도
④ c-관리도
⑤ Z-관리도

**해설**

프로세스의 변동성을 모니터링하기 위하여 사용되는 관리도는 R-관리도이다. 그리고 $\overline{X}$-관리도는 평균을 관리하고, p-관리도는 프로세스에서 생산된 제품의 불량률을 통제하는데 사용되며, c-관리도는 한 개의 제품에 복수의 불량(결점)이 가능할 때 불량(결점)의 수를 확인하기 위해 사용된다.

정답 ①

## 71 ☐☐☐ 2016년 공인노무사 기출

**다음에서 설명하는 경영혁신 기법으로 옳은 것은?**

> 통계적 품질관리를 기반으로 품질혁신과 고객만족을 달성하기 위하여 전사적으로 실행하는 경영혁신 기법이며 제조과정뿐만 아니라 제품개발, 판매, 서비스, 사무업무 등 거의 모든 분야에서 활용 가능함

① 학습조직(learning organization)
② 다운사이징(downsizing)
③ 리스트럭처링(restructuring)
④ 리엔지니어링(reengineering)
⑤ 6 시그마(six sigma)

**해설**

6 시그마에 대한 설명이다. 6 시그마는 1987년 모토롤라에 근무하던 마이켈 해리(Mikel Harry)에 의해 창안된 개념으로 실제 업무상 실현될 수 있는 가장 낮은 수준의 불량을 의미한다. 즉, 식스 시그마 운동은 제품설계 제조품질의 산포를 최소화해 규격상한과 하한이 품질의 중심으로부터 '식스 시그마'의 거리에 있도록 하는 것을 목표로 하고 있다.

**정답 ⑤**

## 72 ☐☐☐ 2015년 경영지도사 기출

**생산품의 결함발생률을 백만 개 중 3~4개 수준으로 낮추려는 데서 시작된 경영혁신운동으로 '측정'-'분석'-'개선'-'관리'(MAIC)의 과정을 통하여 문제를 찾아 개선해 가는 과정은?**

① 학습조직(Learning organization)
② 리엔지니어링(Reengineering)
③ 식스 시그마(6-Sigma)
④ ERP(Enterprise resource planning)
⑤ BSC(balanced score card)

**해설**

생산품의 결함발생률을 백만 개 중 3~4개 수준으로 낮추려는 데서 시작된 경영혁신운동으로 '측정'-'분석'-'개선'-'관리'(MAIC)의 과정을 통하여 문제를 찾아 개선해 가는 과정은 식스 시그마 운동이다.

**정답 ③**

## 73  2021년 공인노무사 기출

**식스시그마의 성공적 수행을 위한 5단계 활동으로 옳은 순서는?**

① 계획 → 분석 → 측정 → 개선 → 평가
② 계획 → 분석 → 측정 → 평가 → 개선
③ 계획 → 측정 → 평가 → 통제 → 개선
④ 정의 → 측정 → 분석 → 개선 → 통제
⑤ 정의 → 측정 → 평가 → 통제 → 개선

### 해설

식스시그마의 성공적 수행을 위한 5단계 활동(DMAIC)은 '정의(definition) → 측정(measurement) → 분석(analysis) → 개선(improvement) → 통제(control)'의 순이다.

**정답 ④**

## 74  2023년 가맹거래사 기출

**식스시그마 방법론(DMAIC)의 단계와 수행활동의 연결로 옳은 것은?**

① 정의 - 결함원인을 제거하기 위한 방법 규명
② 측정 - 프로세스 변동을 야기하는 핵심변수를 파악함으로써 결함원인 규명
③ 분석 - 프로세스 측정 및 운영 방법 결정
④ 개선 - 고객이 품질에 가장 큰 영향을 미칠 것이라고 생각하는 품질핵심요인 파악
⑤ 통제 - 개선을 유지할 방법 결정

### 해설

① 개선 - 결함원인을 제거하기 위한 방법 규명
② 분석 - 프로세스 변동을 야기하는 핵심변수를 파악함으로써 결함원인 규명
③ 측정 - 프로세스 측정 및 운영 방법 결정
④ 정의 - 고객이 품질에 가장 큰 영향을 미칠 것이라고 생각하는 품질핵심요인 파악

**정답 ⑤**

## 75  2022년 가맹거래사 기출

**6시그마 방법론에 관한 설명으로 옳은 것은?**

① 정의 → 측정 → 개선 → 분석 → 통제의 순서로 이루어진다.
② 품질 개선을 위해 개발된 경영철학으로 정성적인 도구를 주로 사용한다.
③ 6시그마 품질 수준은 100 DPMO(defects per million opportunities)이다.
④ 6시그마는 기업이 원하는 품질 목표를 달성하는 것이다.
⑤ 6시그마의 성공을 위해서는 최고경영자의 참여가 필수적이다.

### 해설

① 정의 → 측정 → 분석 → 개선 → 통제의 순서로 이루어진다.
② 6시그마 방법론은 정량적인 도구를 주로 사용한다.
③ 6시그마 품질 수준은 3.4 DPMO이다.
④ 6시그마는 품질혁신과 고객만족을 달성하기 위해 무결점에 가까운 품질 목표를 달성하는 것이다.

**정답 ⑤**

## 76  2015년 가맹거래사 기출

**6시그마와 TQM을 비교한 설명으로 옳은 것은?**

① 목표설정에서 6시그마는 추상적이면서 정성적이고, TQM은 구체적이면서 정량적이다.
② 방침결정에서 6시그마는 하의상달이고, TQM은 상의하달이다.
③ 6시그마는 불량품의 발생을 줄이고자 하며, TQM은 조직의 모든 구성원들과 자원을 결집한 지속적인 품질개선을 도모한다.
④ 6시그마는 내·외부 고객, 공급자, 종업원, 경영자에 초점을 맞추고, TQM은 통계적 방법을 사용하여 공정성과를 개선하고자 한다.
⑤ 6시그마는 구성원의 자발적 참여를 중시하고, TQM은 체계적이고 의무적인 행동을 강조한다.

**해설**
① 목표설정에서 6시그마는 구체적이면서 정량적이고, TQM은 추상적이면서 정성적이다.
② 방침결정에서 6시그마는 상의하달이고, TQM은 하의상달이다.
④ 6시그마는 통계적 방법을 사용하여 공정성과를 개선하고자 하고, TQM은 내·외부 고객, 공급자, 종업원, 경영자에 초점을 맞추고자 한다.
⑤ 6시그마는 체계적이고 의무적인 행동을 강조하고, TQM은 구성원의 자발적 참여를 중시힌다.

**정답 ③**

## 77  2019년 경영지도사 기출

**기업 환경경영체제를 평가하여 인증하는 국제환경규격은?**

① ISO 9000  ② ISO 14000  ③ ISO 26000
④ ISO 27000  ⑤ ISO 31000

**해설**
기업 환경경영체제를 평가하여 인증하는 국제환경규격은 ISO 14000이다. ISO 9000은 품질프로그램의 문서화에 대한 표준을 의미하고, ISO 26000은 기업의 사회적 책임을 인증범위로 하는 국제품질표준이며, ISO 31000은 기업의 위험관리를 인증범위로 하는 국제품질표준이다. 또한, ISO 27000은 정보보안 시스템을 인증범위로 하는 국제품질표준이다.

**정답 ②**

## 78  2018년 경영지도사 기출

**국제표준화기구(ISO)에서 제정한 기업의 사회적 책임에 관한 국제표준은?**

① ISO 9000  ② ISO 14000  ③ ISO 22000
④ ISO 26000  ⑤ ISO/IEC 27000

**해설**
국제표준화기구(ISO)에서 제정한 기업의 사회적 책임에 관한 국제표준은 ISO 26000이다.

**정답 ④**

## 79 ☐☐☐ 2019년 가맹거래사 기출

식품의 원재료 생산부터 최종 소비자가 섭취하기 전까지 발생할 수 있는 모든 위해요소를 관리함으로써 식품의 안전성을 확보하기 위한 관리체계는?

① HACCP
② QS 9000
③ ISO 9001
④ ISO 14000
⑤ TL 9000

### 해설

식품의 원재료 생산부터 최종 소비자가 섭취하기 전까지 발생할 수 있는 모든 위해요소를 관리함으로써 식품의 안전성을 확보하기 위한 관리체계는 HACCP이다. QS 9000은 미국의 포드, 크라이슬러, 제너럴모터스 등 '자동차 빅3'가 중심으로 개발한 품질시스템이다. 따라서 국내 자동차관련 부품업체가 미국 빅3에 수출하려면 반드시 획득해야 하는 인증제도이다. ISO 9001은 재화 및 서비스에 이르는 전 생산 과정에 걸친 품질보증 체계를 의미한다. 즉 재화 및 서비스 자체에 대한 품질인증이 아니라 제품을 생산·공급하는 품질경영시스템을 평가하여 인증하는 것이다. ISO 14000은 자연환경을 인증범위로 하는 국제품질표준을 의미하고, TL 9000은 품질경영시스템인 'ISO 9001' 국제표준에 근간을 두고 정보통신산업 분야에 필요한 품질요구사항 83개 항목을 추가한 것이다.

정답 ①

## 80 ☐☐☐ 2024년 공인노무사 기출

준비비용이 일정하다고 가정하는 경제적 주문량(EOQ)과는 달리 준비비용을 최대한 줄이고자 하는 시스템은?

① 유연생산시스템(FMS)
② 자재소요관리시스템(MRP)
③ 컴퓨터통합생산시스템(CIM)
④ ABC 재고관리시스템
⑤ 적시생산시스템(JIT)

### 해설

준비비용이 일정하다고 가정하는 경제적 주문량(EOQ)과는 달리 준비비용을 최대한 줄이고자 하는 시스템은 적시생산시스템(JIT)이다. 즉 적시생산시스템 또는 린 생산시스템(lean production system)은 필요한 자재를 원하는 수준의 품질로 필요한 수량만큼 원하는 시점에서 조달하는 적시공급에 의한 생산방식을 말한다. 적시생산시스템은 대량생산방식으로 표현되는 포드시스템(Ford system)의 단점을 보완한 방법이라고 할 수 있으며, 도요타 시스템(Toyota system), 무재고 시스템, 풀(pull) 시스템, 간반(kanban) 시스템, 안돈(andon) 시스템의 개념들이 포함되어 있다.

정답 ⑤

## 81 ☐☐☐ 2020년 경영지도사 기출

생산에 필요한 요소를 제때에 투입함으로써 재고가 없도록 하는 생산 방식은?

① 유연생산시스템(FMS: flexible manufacturing system)
② 컴퓨터 통합생산(CIM: computer integrated manufacturing)
③ 스마트 팩토리(smart factory)
④ 무결점운동(zero defects program)
⑤ 적시생산(JIT: just in time)

**해설**

① 유연생산시스템은 다양한 제품을 높은 생산성으로 유연하게 제조하는 것을 목적으로 생산을 자동화한 시스템을 말한다.
② 컴퓨터 통합생산은 철저한 고객지향에 기반을 두고 제조업의 비즈니스 속도와 유연성 향상을 목표로 삼아 생산·판매·기술 등 각 업무기능의 낭비를 제거하고 업무 자체의 단순화·표준화를 위해 컴퓨터 네트워크로 통합하는 것을 말한다.
③ 스마트 팩토리는 제품 생산의 전 과정이 무선통신으로 연결되어 자동으로 이뤄지는 공장을 말한다.
④ 무결점운동은 작업상 발생하는 모든 결함을 없애는 것이다.

정답 ⑤

## 82 ☐☐☐ 2022년 공인노무사 기출

생산 프로세스에서 낭비를 제거하여 부가가치를 극대화하기 위한 것은?

① 린(lean) 생산
② 자재소요계획(MRP)
③ 장인생산(craft production)
④ 대량고객화(mass customization)
⑤ 오프쇼오링(off-shoring)

**해설**

생산 프로세스에서 낭비를 제거하여 부가가치를 극대화하기 위한 것은 린(lean)생산이다. 추가로 오프쇼오링(off-shoring)은 기업업무의 일부를 해외 기업에 맡겨 처리하는 것을 말한다. 업무의 일부를 국내기업에 맡기는 아웃소싱의 범주를 외국으로 확대했다는 것이 차이점이다. 오프쇼어링 업무의 범위는 확대되는 추세에 있어 초기에는 정보기술(IT) 지원이나 콜센터 등에 한정됐던 것이 디자인, 회계 등 고도의 핵심 업무로까지 확산되고 있다. 글로벌 아웃소싱(global outsourcing)이라고도 한다.

정답 ①

## 83 ☐☐☐ 2023년 가맹거래사 기출

JIT(just in time) 생산방식에서 제거대상으로 제시한 낭비에 해당하지 않는 것은?

① 과잉생산에 의한 낭비  ② 대기시간으로 인한 낭비  ③ 수송으로 인한 낭비
④ 재고부족으로 인한 낭비  ⑤ 제품불량에 의한 낭비

**해설**

JIT 생산방식에서는 재고보유로 인해 발생하는 것들이 낭비에 해당하기 때문에 재고부족은 낭비에 해당하지 않는다.

정답 ④

## 84 ☐☐☐ 2023년 공인노무사 기출

다음 중 도요타 생산시스템에서 정의한 7가지 낭비유형에 해당하는 것을 모두 고른 것은?

> ㄱ. 과잉생산에 의한 낭비  ㄴ. 대기시간으로 인한 낭비
> ㄷ. 재고로 인한 낭비     ㄹ. 작업자 재교육으로 인한 낭비

① ㄱ, ㄴ                ② ㄷ, ㄹ                ③ ㄱ, ㄴ, ㄷ
④ ㄴ, ㄷ, ㄹ            ⑤ ㄱ, ㄴ, ㄷ, ㄹ

**해설**

도요타 생산시스템에서 정의한 7가지 낭비유형에는 불량의 낭비, 재고의 낭비, 과잉생산의 낭비, 가공의 낭비, 동작의 낭비, 운반의 낭비, 대기의 낭비가 있다. 따라서 주어진 내용 중에 작업자 재교육으로 인한 낭비는 도요타 생산시스템에서 정의한 7가지 낭비유형에 해당하지 않는다.  **정답 ③**

## 85 ☐☐☐ 2017년 경영지도사 기출

적시생산시스템(JIT) 구성요소에 해당하지 않는 것은?

① 간반방식        ② 대로트생산       ③ 생산의 평준화
④ 다기능작업      ⑤ 준비시간 최소화

**해설**

적시생산시스템은 풀 방식의 자재흐름, 일관되게 높은 품질과 예방적 유지보수, 작업장 간 부하 균일화(생산의 평준화), 부품과 작업방식의 표준화, 라인흐름과 노동력의 유연성(OWMM, U자형 배치, 셀 생산방식), 생산자동화, 작은 로트(lot) 크기, 공급업체와의 유대강화 등을 특징으로 한다. 또한, 적시생산시스템은 의사소통에 소요되는 시간을 최소화시키기 위해 의사소통을 위한 도구인 간반을 사용하기 때문에 간반 시스템(kanban system)이라고도 한다.  **정답 ②**

## 86 ☐☐☐ 2014년 공인노무사 기출

린(lean) 생산방식의 전제조건이 아닌 것은?

① 작업장 정비         ② 품질경영과 실수방지책 구축    ③ 푸쉬 시스템 도입
④ 생산준비시간 단축   ⑤ 생산스케쥴 평준화와 안정화

**해설**

린(lean) 생산방식은 풀 시스템 도입을 전제조건으로 한다.  **정답 ③**

## 87 2015년 공인노무사 기출

**JIT(just-in-time) 시스템의 특징으로 옳지 않은 것은?**

① 푸쉬(push) 방식이다.
② 필요한 만큼의 자재만을 생산한다.
③ 공급자와 긴밀한 관계를 유지한다.
④ 가능한 한 소량 로트(lot) 크기를 사용하여 재고를 관리한다.
⑤ 생산지시와 자재이동을 가시적으로 통제하기 위한 방법으로 간판(kanban)을 사용한다.

**해설**

JIT는 풀(pull) 방식이다.

정답 ①

## 88 대구환경공단 기출동형

**다음 중 JIT 시스템의 효과로 옳지 않은 것은?**

① 기계준비시간이 감소된다.
② 재촉이나 지연이 제거된다.
③ 적시에 부품이 조달된다.
④ 재고회전율이 작아진다.
⑤ 유휴재고와 창고공간이 축소된다.

**해설**

재고회전율은 매출액을 재고자산으로 나누어 계산하며, JIT 시스템은 불량으로 인한 폐기 및 재작업은 전혀 허용하지 않고, 과다한 재고를 보유하는 것은 경영성과를 저해하는 요인으로 간주하기 때문에 재고를 최소로 유지한다. 따라서 재고회전율이 높아진다.

정답 ④

## 89 한국철도공사 기출동형

**다음 중 적시생산방식의 효과에 대한 설명으로 옳지 않은 것은?**

① 생산성의 향상
② 부품 공급선의 다변화
③ 상호협력적인 작업분위기 조성
④ 재고 및 재고관리비용의 감소
⑤ 리드타임과 준비시간의 감소

**해설**

적시생산방식은 매우 작은 수준의 재고로 운영되기 때문에 공급업체와의 긴밀한 관계유지가 필수적이다. 이를 위해 공급업체의 수를 줄이고, 지역적으로 가까운 공급업체를 활용하여 공급업체와의 관계를 개선시킬 수 있다. 따라서 부품 공급선의 다변화는 적시생산방식의 효과에 해당하지 않는다.

정답 ②

## 90 ☐☐☐ 2017년 가맹거래사 기출

**JIT(just in time) 구매방식의 특징이 아닌 것은?**

① 소량 구매
② 소수의 협력업체
③ 품질과 적정가격에 의한 장기계약
④ 구매에 관한 문서의 최소화
⑤ 적은 납품횟수

**해설**

JIT(just in time)는 작은 로트(lot) 크기를 특징으로 하기 때문에 납품횟수가 증가하게 된다.   정답 ⑤

## 91 ☐☐☐ 2023년 경영지도사 기출

**적시생산시스템(JIT)이 지향하는 목표로 옳지 않은 것은?**

① 제조 준비시간의 단축    ② 충분한 재고의 확보    ③ 리드타임의 단축
④ 자재취급 노력의 경감    ⑤ 불량품의 최소화

**해설**

적시생산시스템(JIT)은 불량으로 인한 폐기 및 재작업은 전혀 허용하지 않고, 과다한 재고를 보유하는 것은 경영성과를 저해하는 요인으로 간주하기 때문에 재고를 최소로 유지한다. 따라서 충분한 재고의 확보는 적시생산시스템(JIT)이 지향하는 목표로 옳지 않다.   정답 ②

## 92 ☐☐☐ 2020년 가맹거래사 기출

**JIT 및 MRP 시스템에 관한 설명으로 옳은 것은?**

① JIT는 재고를 자산으로 인식한다.
② JIT는 계획추진시스템이다.
③ MRP의 관리목표는 재고의 최소화이다.
④ JIT는 생산준비시간과 로트크기를 최소화하고자 한다.
⑤ MRP는 무결점을 지향한다.

**해설**

① MRP는 재고를 자산으로 인식한다.
② MRP는 계획추진시스템이다.
③ JIT의 관리목표는 재고의 최소화이다.
⑤ JIT는 무결점을 지향한다.   정답 ④

## 93  ☐☐☐  2023년 공인노무사 기출

최종소비자의 수요변동 정보가 전달되는 과정에서 지연이나 왜곡현상이 발생하여 재고부족 또는 과잉 문제가 발생하고 공급사슬 상류로 갈수록 수요변동이 증폭되는 현상은?

① 채찍 효과
② 포지셔닝 효과
③ 리스크 풀링 효과
④ 크로스 도킹 효과
⑤ 레버리지 효과

**해설**

최종소비자의 수요변동 정보가 전달되는 과정에서 지연이나 왜곡현상이 발생하여 재고부족 또는 과잉 문제가 발생하고 공급사슬 상류로 갈수록 수요변동이 증폭되는 현상은 채찍 효과이다. 채찍효과(bullwhip effect)는 공급사슬 하류(소비자 방향 또는 전방)의 소규모 수요변동이 공급사슬 상류(공급업체 방향 또는 후방)로 갈수록 그 변동폭이 점점 증가해 가는 모습을 묘사적으로 명명한 것으로, 수요왜곡의 정도가 증폭되어 가는 현상을 의미한다. 그 원인으로는 중복수요예측, 일괄주문처리, 가격변동, 배급게임으로 인한 결품예방경쟁 등이 있으며, 해결방법으로는 불확실성의 제거, 변동폭의 감소, 전략적 파트너십(정보의 공유), 리드타임 단축 등이 있다.
② 포지셔닝(positioning)은 소비자들의 인식 속에 자사의 제품이 경쟁업체의 제품과 비교하여 어느 위치를 차지하고 있는가에 대한 상대적 위치를 탐색하고 자사제품은 경쟁업체의 제품보다 소비자의 기억과 인식 속에서 우위에 있도록 하는 것을 의미한다.
③ 리스크 풀링(risk pooling) 효과는 여러 지역의 수요를 하나로 통합했을 때 수요 변동성이 감소하는 것을 의미한다.
④ 크로스 도킹(cross-docking)은 판매자가 수송된 상품을 입고시키지 않고 물류센터에서 파레트 단위나 상자 단위로 바꾸어 소매업자에게 바로 배송하는 것을 의미한다.
⑤ 레버리지(leverage)는 고정재무비용(이자비용)과 고정영업비용(감가상각비)의 부담 정도를 의미한다. 따라서 레버리지 효과에는 영업레버리지로 인해 매출액의 변화율보다 영업이익의 변화율이 더 크게 나타나는 것을 의미하는 영업레버리지 효과와 재무레버리지로 인해 영업이익의 변화율보다 순이익의 변화율이 더 확대되어 나타나는 것을 의미하는 재무레버리지 효과가 있다. 그리고 이를 결합하여 매출액의 변화율보다 순이익의 변화율이 더 확대되는 것을 결합레버리지 효과라고 한다.

**정답 ①**

## 94  ☐☐☐  2023년 가맹거래사 기출

원자재 조달, 제품 생산, 유통 등을 통해 상품이 고객에게 전달되는 과정을 효율적으로 관리하는 시스템은?

① 공급사슬관리(SCM)
② 고객관계관리(CRM)
③ 공급자재고관리(VMI)
④ 전사적 자원관리(ERP)
⑤ 업무프로세스리엔지니어링(BPR)

**해설**

원자재 조달, 제품 생산, 유통 등을 통해 상품이 고객에게 전달되는 과정을 효율적으로 관리하는 시스템은 공급사슬관리(SCM)이다.

**정답 ①**

## 95  ☐☐☐  2021년 공인노무사 기출

공급자에서 기업 내 변환과정과 유통망을 거쳐 최종 고객에 이르기까지 자재, 제품, 서비스 및 정보의 흐름을 전체 시스템 관점에서 설계하고 관리하는 것은?

① EOQ
② MRP
③ TQM
④ SCM
⑤ FMS

**해설**

공급자에서 기업 내 변환과정과 유통망을 거쳐 최종 고객에 이르기까지 자재, 제품, 서비스 및 정보의 흐름을 전체 시스템 관점에서 설계하고 관리하는 것은 공급사슬관리(supply chain management, SCM)이다.

**정답 ④**

## 96 ☐☐☐ 2019년 경영지도사 기출

**공급사슬 내에서 소비자로부터 생산자로 갈수록 그 주문 변동 폭이 확대되는 것은?**

① 크로스도킹시스템(cross docking system)
② 동기화(synchronization)
③ e-커머스(e-commerce)
④ 채찍효과(bullwhip effect)
⑤ 자동발주시스템(computer assisted ordering)

**해설**

채찍효과(bullwhip effect)는 공급사슬 하류(소비자 방향 또는 전방)의 소규모 수요변동이 공급사슬 상류(공급업체 방향 또는 후방)로 갈수록 그 변동폭이 점점 증가해 가는 모습을 말한다.
① 크로스도킹시스템(cross docking system)은 판매자가 수송된 상품을 입고시키지 않고 물류센터에서 파레트 단위나 상자 단위로 바꾸어 소매업자에게 바로 배송하는 것을 의미한다.
② 동기화(synchronization)는 작업들 사이의 수행시기를 맞추는 것이다.
③ e-커머스(e-commerce)는 인터넷 웹사이트상에 구축된 가상의 상점을 통해 재화와 서비스를 사고파는 모든 행위를 말하며, 전자상거래라고도 한다.
⑤ 자동발주시스템(computer assisted ordering)은 POS를 통해 얻어지는 상품흐름에 대한 정보와 계절적인 요인에 의해 소비자 수요에 영향을 미치는 외부요인에 대한 정보 그리고 실제 재고수준, 상품수령, 안전재고수준에 대한 정보 등을 컴퓨터를 이용하여 통합 및 분석하여 주문서를 작성하는 시스템을 말한다.

정답 ④

## 97 ☐☐☐ 2017년 경영지도사 기출

**공급사슬의 상류로 올라갈수록 수요의 변동폭이 증폭되어 나타나는 현상인 채찍효과(bullwhip effect)의 원인에 해당하지 않는 것은?**

① 수요정보처리과정의 정보왜곡
② 배급게임(rationing game)
③ 일괄주문의 영향
④ 가격변동의 영향
⑤ 실시간 수요정보 공유

**해설**

채찍효과의 원인으로는 중복수요예측, 일괄주문처리, 가격변동, 결품예방경쟁(배급게임) 등이 있으며, 해결방법으로는 불확실성의 제거, 변동폭의 감소, 전략적 파트너십, 리드타임 단축 등이 있다. 따라서 실시간 수요정보 공유는 채찍효과의 원인이 아니라 채찍효과를 해결하는 방법에 해당한다.

정답 ⑤

## 98 ☐☐☐ 2014년 공인노무사 기출

**채찍효과의 발생요인이 아닌 것은?**

① 공급망의 단계별로 이루어지는 수요예측
② 일정기간 예상되는 물량에 대한 일괄주문방식
③ 판촉 및 세일 등으로 인한 가격변동
④ 공급을 초과하는 수요에 따른 구매자 간 힘겨루기
⑤ 전자자료교환 사용

**해설**

전자자료교환 사용은 채찍효과를 해결하는 방법에 해당하고, 나머지가 채찍효과의 발생요인에 해당한다.

정답 ⑤

## 99 ☐☐☐ 2013년 가맹거래사 기출

**라이트(J. N. Wright)가 제시한 채찍효과(bullwhip effect)의 대처방안이 아닌 것은?**

① 수요에 대한 정보를 집중화하여 불확실성을 감소시킨다.
② 고객요구 프로세스의 고유한 변동 폭을 감소시킨다.
③ 안전재고의 양을 감소시키기 위해 리드타임을 단축시킨다.
④ 뱃치(batch) 주문을 실시한다.
⑤ 공급사슬에서 재고를 관리하는 정보를 공유할 수 있는 전략적 파트너십을 구축한다.

**해설**

뱃치(batch) 주문을 실시하는 것은 일괄주문처리를 의미하고, 일괄주문처리는 채찍효과를 발생시키는 원인이 된다.

정답 ④

## 100 ☐☐☐ 2017년 경영지도사 기출

**공급사슬관리(SCM)의 필요성이 증대되고 있는 이유로 볼 수 없는 것은?**

① 생산, 재무, 마케팅 등 기업기능의 독립적 수행 필요 증대
② 아웃소싱(outsourcing)의 증대
③ 고객화 요구 증대
④ 기업 간의 경쟁 치열
⑤ 글로벌화 증대

**해설**

공급사슬관리(SCM)는 부분최적화보다는 공급사슬 전체의 관점에서 정보의 공유와 공급사슬 흐름의 개선을 통해 공급사슬 전체의 효율성을 제고시키고자 하는 것으로 공급사슬상에 흐르는 물자, 정보, 현금의 흐름을 관리함으로써 장기적인 기업의 경쟁우위를 향상시키는 것을 목적으로 한다.

정답 ①

## 101 2016년 경영지도사 기출

**공급사슬관리(SCM)가 중요해지는 이유에 해당하는 것은?**

① 경영환경의 불확실성 증가
② 물류비용의 감소
③ 채찍효과로 인한 예측의 불확실성 감소
④ 기업의 경쟁강도 약화
⑤ 리드타임의 영향력 감소

### 해설

공급사슬관리가 중요해지는 이유로는 제조과정 이외에서 산출되는 높은 부가가치, 수요변동 등 불확실성의 심화, 공급사슬구조의 확대와 복잡화, 고객의 대량고객화 요구 증대 등이 있다.

정답 ①

## 102 2021년 가맹거래사 기출

**공급사슬관리에서 채찍효과를 해결하기 위한 적절한 방법은?**

① 정보시스템을 활용한 공급사슬 구성원 간 정보 공유
② 불확실성에 대비한 대규모 재고 비축
③ 공급자들과 단기계약을 통한 원가 절감
④ 아웃소싱 최소화로 공급불확실성 해소
⑤ 불확실한 수요변화에 대응하기 위한 공급업체의 선적 지연

### 해설

주어진 보기 중에서 공급사슬관리에서 채찍효과를 해결하기 위한 적절한 방법은 '정보시스템을 활용한 공급사슬 구성원 간 정보 공유'가 된다.

정답 ①

## 103 2020년 가맹거래사 기출

**공급사슬관리(SCM)에 관한 설명으로 옳지 않은 것은?**

① 공급사슬은 제품과 서비스를 생산하여 소비자에게 제공하는 일련의 과정이다.
② 공급사슬관리란 공급사슬의 모든 활동을 조정하고 관리하는 것이다.
③ 공급사슬 성과지표에는 배송성과와 환경성과 등이 있다.
④ 반응적 공급사슬은 수요의 불확실성에 대비하여 재고의 크기와 생산능력의 위치를 설정함으로써 시장수요에 민감하게 반응하도록 설계하는 것이다.
⑤ 효율적 공급사슬의 목표는 영업비용을 최소화하기 위해 제품의 물류 및 판매시간을 단축하는 데 있다.

### 해설

효율적 공급사슬(efficient supply chain)은 자재와 서비스의 흐름을 조화시켜 재고를 최소화하고 공급사슬상에서 기업의 효율성을 극대화시키고자 하는 것을 말하며, 저원가 생산, 일관된 품질(적합품질), 적시인도(납기준수) 등이 중요하다. 반응적 공급사슬(responsive supply chain)은 수요의 불확실성에 대비할 수 있도록 재고와 생산능력을 적절히 배치시켜 시장수요에 신속하게 반응하고자 하는 것을 말하며, 개발속도, 빠른 인도시간(신속한 납기), 고객화, 수량 유연성, 고성능 설계(설계품질) 등이 중요하다. 따라서 영업비용을 최소화하기 위해 제품의 물류 및 판매시간을 단축하는 것을 목표로 하는 것은 반응적 공급사슬의 목표이다.

정답 ⑤

## 104 ☐☐☐ 2018년 가맹거래사 기출

**공급사슬 구조 개선방법이 아닌 것은?**

① 주요 제품설계 개선
② 공급사슬의 수직적 통합
③ 아웃소싱
④ 준비 시간의 단축
⑤ 공급사슬의 네트워크의 구성과 입지개선

**해설**

공급사슬관리는 부분최적화보다는 공급사슬 전체의 관점에서 정보의 공유와 공급사슬 흐름의 개선을 통해 공급사슬 전체의 효율성을 제고시키고자 하는 것이다. 따라서 준비 시간의 단축은 부분최적화와 관련되어 있기 때문에 공급사슬 구조 개선방법과는 가장 거리가 멀다.
**정답 ④**

## 105 ☐☐☐ 2024년 공인노무사 기출

**공급사슬관리의 효율성을 측정하는 지표로 옳은 것은?**

① 재고회전율
② 원자재투입량
③ 최종고객주문량
④ 수요통제
⑤ 채찍효과

**해설**

공급사슬관리의 효율성을 측정하는 지표는 재고관련 지표와 재무지표가 대표적이다. 그리고 재고관련 지표에는 평균 총 재고가치, 재고공급일수, 재고회전율 등이 있고, 재무지표는 자산회전율, 현금회수기간 등이 있다. 따라서 주어진 보기 중에 공급사슬관리의 효율성을 측정하는 지표는 재고회전율이 된다.
**정답 ①**

## 106 ☐☐☐ 2024년 경영지도사 기출

**공급사슬관리(SCM)에 관한 설명으로 옳지 않은 것은?**

① 자재 조달에서 제조, 판매, 고객까지 물류 및 정보 흐름을 최적화하는 것을 의미한다.
② 정보공유를 토대로 공급업체, 제조업체, 유통업체 및 소비자를 유기적으로 연결하여 통합적으로 관리하는 시스템을 말한다.
③ 내부 물류 흐름뿐만 아니라 외부 물류 흐름의 통합에도 초점을 두고 있다.
④ 상류 기능과 하류 기능을 유기적으로 연결시켜 주는 것이기 때문에 수직계열화와 같다.
⑤ 공급사슬관리의 확산 배경으로는 인터넷을 비롯한 정보통신기술의 진전을 들 수 있다.

**해설**

공급사슬관리(SCM)를 위해 수직계열화가 이루어질 수 있지만, 공급사슬관리(SCM)와 수직계열화가 동일한 것은 아니다.
**정답 ④**

## 107 ☐☐☐ 2018년 가맹거래사 기출

창고나 물류센터로 입고되는 상품이 곧바로 소매 점포로 배송되는 방식은?

① 동기화
② 채찍효과
③ 최적화 분석
④ 자동발주시스템
⑤ 크로스 도킹 시스템

**해설**

창고나 물류센터로 입고되는 상품이 곧바로 소매 점포로 배송되는 방식은 크로스 도킹 시스템이다.

정답 ⑤

## 108 ☐☐☐ 2019년 경영지도사 기출

정보 사일로(information silo)의 의미는?

① 2개 이상의 독립적인 기업이 특정 시스템을 공유하는 것
② 다양한 업무부서의 활동을 지원하기 위한 정보시스템
③ 서로 다른 정보시스템에서 데이터가 고립되어 상호작용이 어려운 관리시스템
④ 고객과의 상호작용 업무와 관련된 모든 시스템을 연결한 통합관리 시스템
⑤ 고유프로세스, 어플리케이션, 데이터베이스를 단일한 플랫폼으로 연결한 집합체

**해설**

정보 사일로(information silo)는 은행시스템처럼 정보를 다른 시스템과 공유하거나 다른 누군가에게 공개할 수 없는 정보를 관리하는 시스템을 말한다. 따라서 서로 다른 정보시스템에서 데이터가 고립되어 상호작용이 어려운 관리시스템이 정보 사일로에 해당한다.

정답 ③

취업강의 1위, 해커스잡
**ejob.Hackers.com**

해커스공기업 쉽게 끝내는 경영학 기본서

# PART 05

# 마케팅

CHAPTER 01  마케팅의 기초개념
CHAPTER 02  마케팅 기회분석
CHAPTER 03  마케팅 전략
CHATPER 04  마케팅믹스
CHATPER 05  마케팅 영역의 확장

# CHAPTER 01 마케팅의 기초개념

## 제1절 마케팅과 마케팅개념

### 1 마케팅

#### 1. 의의

마케팅(marketing)이란 개인과 조직의 목표를 충족시킬 수 있는 소비자와의 교환(exchange)을 창조하기 위하여 재화 및 서비스에 대한 개념정립, 가격결정, 촉진 및 유통에 대한 계획을 수립하고 이를 수행하는 과정을 말한다. 마케팅이라는 용어는 시장을 의미하는 'market'이라는 단어와 활동을 의미하는 'ing'의 합성어로 해석할 수 있다. 일반적으로 시장이라는 용어는 두 가지 관점에서 해석이 가능한데, 시장을 생산자 또는 판매자와 고객이 만나는 장소라고 정의하는 관점과 시장을 고객의 집단으로 정의하는 관점이 그것이다. 시장에 대한 어떠한 정의를 하더라도 소비자(고객)는 시장을 통해 자신의 욕구를 충족시키기 위해 재화 또는 서비스를 소비하게 되며, 이러한 시장에서 발생되는 일련의 교환활동(exchange activity)이 바로 마케팅의 대상인 것이다.

#### 2. 범위

기업이 생산 및 판매하는 산출물은 유형의 재화와 무형의 서비스로 구분할 수 있으며, 그 형태에 따라 기업이 수행하는 마케팅활동은 달라진다. 특히, 재화는 소비목적에 따라 최종소비를 목적으로 하는 소비재와 중간소비를 목적으로 하는 산업재로 구분할 수 있다. 따라서 마케팅은 그 범위에 따라 소비재 마케팅(consumer goods marketing), 산업재 마케팅(industrial goods marketing), 서비스 마케팅(service marketing)으로 구분할 수 있다.

(1) 소비재 마케팅

　소비재를 대상으로 하는 마케팅활동으로 개인적인 소비를 목적으로 제품을 구매하는 개인과 가정을 대상으로 하는 마케팅을 말한다.

(2) 산업재 마케팅

　산업재를 대상으로 하는 마케팅활동으로 다른 제품을 생산해 낼 목적으로 제품을 구매하는 기업들을 대상으로 하는 마케팅을 말하고, 조직 간 마케팅(business to business marketing)이라고도 한다.

(3) 서비스 마케팅

　서비스를 대상으로 하는 마케팅을 말한다.

### 산업재시장의 특징

| 구분 | 특징 |
|---|---|
| 시장구조와 수요 | 산업재 시장은 더 적은 수 그러나 더 큰 규모의 구매자를 가지고 있음 |
| | 산업재 고객은 지역적으로 더 집중되어 있음 |
| | 산업재 구매자 수요는 최종소비자 수요로부터 나옴 |
| | • 산업재 시장에서의 수요는 더 비탄력적, 즉, 수요가 단기적 가격변화에 덜 영향을 받음<br>• 원자재의 가격하락이 소비자의 제품수요를 증가시킬 만큼의 가격하락으로 연결되지 않는다면 제조업체가 원자재를 더 많이 구입하도록 하지는 않을 것 |
| | • 산업재 시장에서의 수요는 더 변동이 심하고, 더 빨리 변동함<br>• 소비자 수요의 작은 증가가 산업재 수요의 큰 증가를 유발할 수 있음 |
| 구매단위의 성격 | 산업재 구매는 더 많은 의사결정참여자를 포함함 |
| | 산업재 구매는 더 전문적인 구매노력이 수반됨 |
| 의사결정유형과 의사결정과정 | 산업재 구매자는 보통 더 복잡한 구매의사결정에 직면함 |
| | 산업재 구매절차는 더 공식화되어 있음 |
| | 산업재 구매에서는 구매자와 판매자가 긴밀하게 협력하며, 장기적 관계를 형성함 |

## 2 마케팅개념

### 1. 마케팅개념의 변화

#### (1) 생산개념

생산개념(production oriented concept)은 **초과수요상황**에서 생산만 하면 판매가 이루어지는 것은 큰 문제가 되지 않는다는 개념이다. 따라서 기업들은 자연스럽게 생산증가에만 초점을 맞추게 되었고, 생산증가는 바로 이윤확보와 연결되었기 때문에 생산성 향상에 모든 기업의 역량을 집중하게 되었다. 그러나 생산개념의 가장 중요한 문제점은 소비자욕구를 간과하였다는 점이다.

#### (2) 제품개념

제품개념(product oriented concept)은 생산개념에서 판매개념으로 이전되는 과도기적인 개념이다. 제품개념은 **소비자가 제품의 품질에 관심을 가지는 단계**이기 때문에 기업은 품질향상에 초점을 맞추게 되고, 소비자는 좀 더 품질이 좋은 제품을 구매하려고 하였다.

#### (3) 판매개념

판매개념(selling oriented concept)은 **초과공급상황**에서 시장에서의 주도권이 점점 기업으로부터 소비자에게로 넘어가게 되면서, 기업은 대량생산으로 인한 재고가 축적되기 시작하고 이로 인해 기업은 **재고의 소진**에 가장 큰 관심을 가지게 되는 개념이다. 그러나 여전히 소비자의 욕구와 선호에 대해서는 별로 관심을 기울이지 않았다.

### (4) 마케팅개념

마케팅개념(marketing oriented concept)은 고객의 욕구를 파악하여 이에 적절한 마케팅활동이 이루어져야 고객이 제품을 구매하기 때문에 기업은 **시장욕구 파악과 장기적 고객만족에 초점**을 맞추어야 한다는 개념이다. 마케팅개념은 고객의 욕구를 이해하고 반응하는 데 초점을 맞추고 있으며, 모든 기업조직의 활동을 고객의 욕구에 부응하도록 통합하고, 고객의 욕구를 충족시킴으로써 모든 목표를 달성할 수 있다는 점을 강조한다.

### (5) 사회지향적 마케팅개념

사회지향적 마케팅개념(social marketing oriented concept)은 마케팅개념의 장점을 포함하면서 그 한계점을 극복하기 위한 개념이다. 이는 목표시장의 욕구를 파악하고 소비자와 사회복지를 보존 및 향상시킬 수 있는 가치를 전달하는 것이 기업의 목적이 되고, 기업은 장기적 고객만족에 초점을 맞추어 소비자와 사회를 위해 기여하려고 한다는 개념이다. 즉, 사회지향적 마케팅개념은 **마케팅개념에 기업의 사회적 책임이 추가된 개념**이라고 이해할 수 있다.

## 2. 마케팅의 유형

### (1) 고압적 마케팅

고압적 마케팅(push marketing)은 표준화·규격화에 의해 대량으로 생산된 제품을 소비자에게 밀어붙여 판매하는 강압적 전략을 기본방침으로 정하고, 소비자의 욕구는 무시한 채 기업의 내부적인 관점에서 생산가능한 제품들만을 생산하여 판촉활동을 통해 판매하는 마케팅활동을 말한다. 이러한 마케팅은 피드백을 고려하지 않는 **선형 마케팅**으로, 기업 입장에서 생산제품을 강압적으로 판매하는 개념이기 때문에 생산과정 이후에 관심을 가지는 **후행적 마케팅** 노력을 하게 된다. 후행적 마케팅은 생산이 이루어진 후 또는 일정한 제품이 생산된다는 전제하에 수행되는 기능으로 경로, 가격, 촉진, 물적 유통활동 등이 여기에 해당한다. 따라서 고압적 마케팅은 **판매개념에 근거한 마케팅 유형**이라고 할 수 있다.

### (2) 저압적 마케팅

저압적 마케팅(pull marketing)은 기업이 소비자의 욕구를 파악하는 것에 관심을 가지고 고객이 제품의 계획단계에서부터 적극 참여하도록 유도하는 마케팅활동을 말한다. 이러한 마케팅은 피드백을 반영하는 **순환 마케팅**으로, 기업 입장에서 소비자가 원하는 것을 생산하여 판매하는 개념이기 때문에 생산과정 이전에 관심을 가지는 **선행적 마케팅** 노력을 하게 된다. 선행적 마케팅은 생산이 이루어지기 전에 수행되는 마케팅 기능으로 마케팅조사활동(판매 예측), 마케팅계획활동(제품 계획) 등이 여기에 해당한다. 따라서 저압적 마케팅은 **마케팅개념에 근거한 마케팅 유형**이라고 할 수 있다.

## 제2절 마케팅의 과정과 구성

### 1 마케팅의 과정

기업이 수행하는 마케팅활동은 마케팅목표를 달성하기 위해 시장기회의 분석, 목표시장의 선정 및 제품 포지셔닝, 마케팅믹스의 개발 및 활동의 순으로 수행되며 지속적인 조정 및 통제의 과정을 수반하게 된다. 즉, 마케팅활동을 전개하기 위해서는 가장 먼저 목표를 확인하고, 현재의 시장상황에 대한 분석을 실시함으로써 시장에 어떤 기회가 있는지를 파악하게 된다. 그 다음에는 STP전략을 수행함으로써 마케팅활동을 전개할 세분화된 특정 목표시장을 선정한 후에 목표시장 내의 고객들에게 자사의 제품을 위치시키는 절차를 수행하게 된다. 마지막으로 마케팅전략을 수행하기 위한 구체적인 수단이라고 할 수 있는 마케팅믹스를 개발하여 구체적인 마케팅활동을 수행하게 되며, 이 전체의 과정에는 지속적인 조정 및 통제가 필요하게 된다.

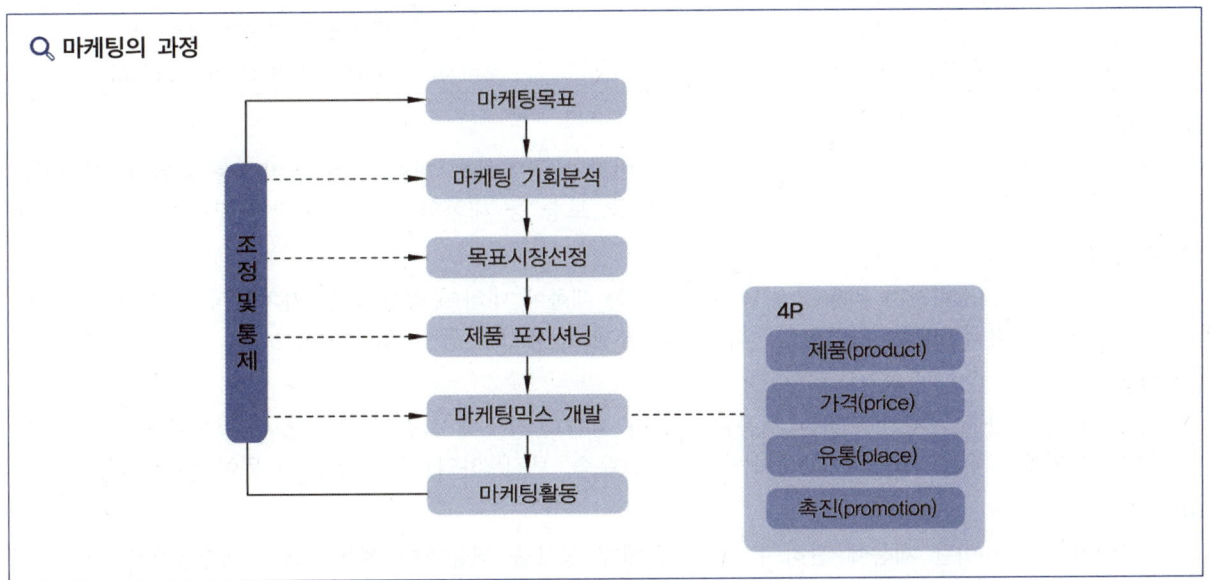

### 2 마케팅의 구성

#### 1. 마케팅목표

마케팅은 시장에서 유통효율을 제고하고 동시에 소비자의 가치창출을 통한 생활의 질(quality of life)이 향상될 수 있도록 시장의 주체인 생산자, 판매자, 소비자, 정부 등이 효율적이고 효과적으로 체계화되도록 하는 것이다. 따라서 **마케팅 관점에서 효율성(efficiency)과 효과성(effectiveness)을 높이는 것**이 마케팅의 목표가 된다.

#### 2. 마케팅전략

마케팅전략(marketing strategy)이란 **마케팅목표를 달성하기 위해서 다양한 마케팅활동을 통합하는 가장 적합한 방법을 찾아 실천하는 과정**을 말한다. 다양한 마케팅전략 중 가장 핵심적인 전략은 시장세분화, 목표시장선정, 위치화로 구성되는 STP전략이며, 그 외에 기업이 직면하고 있는 상황에 따라 성장전략, 사업포트폴리오전략, 제품수명주기전략, 수요상황별 마케팅전략, 경쟁적 마케팅전략, 해외시장 진출전략 등이 있다.

## 3. 마케팅믹스

각 기업들은 자신이 진입할 시장의 특성을 고려하여 한정된 자원을 기반으로 마케팅전략을 추진하게 된다. 이때 활용가능한 마케팅의 요소들을 혼합하여 전략을 수립하게 되는데 이를 마케팅믹스(marketing mix)라고 한다. 기업들이 활용하는 가장 대표적인 마케팅믹스에는 제품, 가격, 유통, 촉진 등이 있는데 이 4가지 모두가 영어 P로 시작하기 때문에 마케팅믹스를 4P라고도 칭한다.[102] 또한, 로터본(Lauterborn)은 4P보다 소비자(고객)의 관점에서 바라본 개념으로 4C를 제시하였는데, 소비자(고객)문제해결(customer solution), 소비자(고객)비용(customer cost), 소비자(고객) 편리성(convenience), 소비자(고객)와의 대화(communication)이다. 이를 4P와 연결시키면 다음과 같다.

| 4P | 4C |
| --- | --- |
| 제품(product) | 소비자(고객)문제해결(customer solution) |
| 가격(price) | 소비자(고객)비용(customer cost) |
| 유통(place) | 소비자(고객) 편리성(convenience) |
| 촉진(promotion) | 소비자(고객)와의 대화(communication) |

### (1) 제품

제품(product)이란 기업과 교환과정을 거쳐 소비자가 구입하는 재화 또는 서비스를 말한다. 여기에는 디자인, 포장, 특성, 서비스, 운송, 배달, A/S, 반품, 보증 등 재화와 서비스에 관한 모든 것이 포함된다.

### (2) 가격

가격(price)이란 소비자가 비용을 지불하고 구입한 제품에 대하여 갖게 되는 가치인식을 말한다. 여기에는 다양한 가격책정방법, 가격할인, 외상판매, 공제, 신용기간 등이 포함된다.

### (3) 유통

유통(place)이란 소비자가 원하는 제품을 필요한 시간과 장소에 적절히 공급할 수 있도록 하는 것을 말한다. 여기에는 유통경로를 포함하여 물적 유통(운송, 보관, 하역) 및 유통전략 등이 포함된다.

### (4) 촉진

촉진(promotion)이란 제품에 관하여 소비자들에게 정보를 제공하여 설득하고 구매활동으로 이어지게 하는 모든 노력을 말한다. 여기에는 광고, PR(public relation), 인적판매, 판매촉진 등이 포함된다.

---

[102] 요즘은 여기에 사람(people), 서비스과정(process), 서비스에 대한 물리적 근거(physical evidence)를 합쳐 7P라고도 한다.

# 출제예상문제

CHAPTER 01 마케팅의 기초개념

## 4지선다형

**01** ☐☐☐ 서울교통공사 기출동형

**다음 중 마케팅에 대한 설명으로 옳지 않은 것은?**

① 소비자에게 최대의 만족을 주고 생산자의 생산목적을 효율적으로 달성시키는 방법이다.
② 넓은 의미로는 '선택에 영향을 미치는 모든 활동'으로 보기도 한다.
③ 기업은 마케팅을 통해 고객과 상호작용하며, 장기적인 우호 관계를 형성한다.
④ 마케팅의 출발은 '무엇을 생산하고 어떻게 생산할 것인가'이다.

### 해설
마케팅의 출발은 고객의 욕구를 파악하는 것이다.

**정답** ④

**02** ☐☐☐ 한국중부발전 기출동형

**다음 중 현대 마케팅에 대한 설명으로 옳지 않은 것은?**

① 마케팅의 핵심은 소비자를 만족시키는 것이다.
② 판매와 촉진이 핵심적인 마케팅수단이다.
③ 전사적이며 통합적인 마케팅을 지향한다.
④ 고객만족을 통해 이익을 추구한다.

### 해설
판매와 촉진이 핵심적인 마케팅수단인 것은 전통적 마케팅에 대한 내용이다.

**정답** ②

## 03 ▢▢▢ 2023년 군무원 9급 기출

**마케팅 철학의 변화 과정을 순서대로 나열한 것으로 가장 적절한 것은?**

① 생산지향 → 판매지향 → 제품지향 → 고객지향 → 사회지향
② 생산지향 → 제품지향 → 판매지향 → 고객지향 → 사회지향
③ 생산지향 → 판매지향 → 고객지향 → 제품지향 → 사회지향
④ 생산지향 → 제품지향 → 고객지향 → 판매지향 → 사회지향

**해설**

마케팅 철학의 변화 과정을 순서대로 나열하면, '생산지향 → 제품지향 → 판매지향 → 고객지향 → 사회지향'의 순이다.

**정답** ②

## 04 ▢▢▢ 한국가스공사 기출동형

**다음 중 마케팅개념의 발전순서에 대한 설명으로 옳은 것은?**

① 마케팅개념은 '생산개념 → 제품개념 → 판매개념 → 마케팅개념 → 사회지향적 마케팅개념'의 순으로 발전하였다.
② 생산개념은 치열한 경쟁상황에 대처하기 위해 경쟁자와 차별화된 제품, 좋은 품질의 제품을 공급하여 구매자를 유인하고자 하는 관리철학이다.
③ 제품개념은 공급이 수요를 초과하는 경우에 경쟁에서 이기기 위하여 광고나 판매원의 노력을 통해 매출액을 높이려는 관리철학이다.
④ 판매개념은 초과수요가 존재하는 판매자 시장에서 기업은 생산만 하면 쉽게 판매할 수 있으므로, 생산성을 높이고 생산량을 증대시키는 데 관심을 두게 되는 관리철학이다.

**해설**

② 치열한 경쟁상황에 대처하기 위해 경쟁자와 차별화된 제품, 좋은 품질의 제품을 공급하여 구매자를 유인하고자 하는 관리철학은 제품개념이다.
③ 공급이 수요를 초과하는 경우에 경쟁에서 이기기 위하여 광고나 판매원의 노력을 통해 매출액을 높이려는 관리철학은 판매개념이다.
④ 초과수요가 존재하는 판매자 시장에서 기업은 생산만 하면 쉽게 판매할 수 있으므로, 생산성을 높이고 생산량을 증대시키는 데 관심을 두게 되는 관리철학은 생산개념이다.

**정답** ①

## 5지선다형

**01** ☐☐☐ 한국마사회 기출동형

다음 중 산업재 시장에 대한 설명으로 옳지 않은 것은?

① 산업재 시장은 구매자들이 지리적으로 분산되어 있다.
② 산업재 시장은 고객기업 및 공급기업 간의 관계가 밀접하다.
③ 산업재 시장은 소수의 대규모 구매자로 구성된다.
④ 산업재 시장은 단기적인 가격의 변화에 영향을 덜 받는 편이다.
⑤ 산업재를 구매해야 하는 입장에서는 복잡한 구매의사결정과정에 직면하게 된다.

**해설**

산업재 시장은 구매자들이 지리적으로 집중되어 있다. **정답** ①

**02** ☐☐☐ 2016년 가맹거래사 기출

기업의 시장지향성 정도에 따른 마케팅 관련 개념의 발전 흐름으로 옳은 것은?

① 생산개념 → 판매개념 → 총체적마케팅개념 → 마케팅개념
② 판매개념 → 생산개념 → 총체적마케팅개념 → 마케팅개념
③ 마케팅개념 → 생산개념 → 판매개념 → 총체적마케팅개념
④ 생산개념 → 판매개념 → 마케팅개념 → 총체적마케팅개념
⑤ 판매개념 → 생산개념 → 마케팅개념 → 총체적마케팅개념

**해설**

기업의 시장지향성 정도에 따른 마케팅 관련 개념은 '생산개념 → 판매개념 → 마케팅개념 → 총체적마케팅개념'의 순으로 발전되었다. **정답** ④

## 03 □□□ 2019년 공인노무사 기출

**생산성을 높이고, 유통을 효율화시키는 등 주로 원가절감에 관심을 갖는 마케팅개념은?**

① 판매 개념
② 생산 개념
③ 관계마케팅 개념
④ 통합마케팅 개념
⑤ 내부마케팅 개념

### 해설

생산 개념은 초과수요상황에서 생산만 하면 판매가 이루어지는 것은 큰 문제가 되지 않는다는 개념이다. 따라서 생산성을 높이고, 유통을 효율화시키는 등 주로 원가절감에 관심을 갖는 마케팅개념은 생산개념이다.
① 판매 개념은 초과공급상황에서 시장에서의 주도권이 점점 기업으로부터 소비자에게로 넘어가게 되면서, 기업은 대량생산으로 인한 재고가 축적되기 시작하고 이로 인해 기업은 재고의 소진에 가장 큰 관심을 가지게 되는 개념이다.
③ 관계마케팅 개념 또는 고객관계관리는 신규고객 확보, 기존고객 유지 및 고객수익성의 증대를 위하여 지속적인 의사소통을 통해 고객행동을 이해하고 영향을 주기 위한 광범위한 접근을 말한다.
④ 통합마케팅 개념은 마케팅을 마케팅 부서에 국한된 기능이 아니라 기업경영에 있어서 종합적인 관점에서 파악하려는 것을 말한다.
⑤ 내부마케팅 개념은 제품을 누구보다도 잘 알아야 하는 내부고객(종업원)에게 교육과 훈련을 통해 동기부여하고 확신을 갖도록 하는 사내 마케팅활동을 말한다.

**정답 ②**

## 04 □□□ 대구환경공단 기출동형

**다음의 각 설명에 해당하는 마케팅 관리 철학을 바르게 연결한 것은?**

<보기>
ㄱ. 기업이 대상으로 하는 목표시장의 욕구를 파악하여 그 욕구를 충족시키는 것
ㄴ. 최고의 품질, 성능, 혁신적 특성을 가진 제품이 될 수 있도록 지속적인 제품개선에 초점을 맞추는 것
ㄷ. 고객만족, 기업이익, 사회복지를 모두 달성하려는 가장 진보된 개념

| | ㄱ | ㄴ | ㄷ |
|---|---|---|---|
| ① | 사회지향적 관리철학 | 제품지향적 관리철학 | 고객지향적 관리철학 |
| ② | 고객지향적 관리철학 | 생산지향적 관리철학 | 사회지향적 관리철학 |
| ③ | 고객지향적 관리철학 | 제품지향적 관리철학 | 사회지향적 관리철학 |
| ④ | 고객지향적 관리철학 | 제품지향적 관리철학 | 판매지향적 관리철학 |
| ⑤ | 제품지향적 관리철학 | 판매지향적 관리철학 | 고객지향적 관리철학 |

### 해설

ㄱ. 기업이 대상으로 하는 목표시장의 욕구를 파악하여 그 욕구를 충족시키는 것은 마케팅개념 또는 고객지향적 관리철학에 해당한다.
ㄴ. 최고의 품질, 성능, 혁신적 특성을 가진 제품이 될 수 있도록 지속적인 제품개선에 초점을 맞추는 것은 제품개념 또는 제품지향적 관리철학에 해당한다.
ㄷ. 고객만족, 기업이익, 사회복지를 모두 달성하려는 가장 진보된 개념은 사회지향적 마케팅개념 또는 사회지향적 관리철학에 해당한다.

**정답 ③**

## 05 ☐☐☐ 2023년 가맹거래사 기출

**마케팅 믹스 4P에 해당하지 않는 것은?**

① Price  ② Product  ③ Place
④ People  ⑤ Promotion

**해설**

마케팅 믹스 4P는 Price, Product, Place, Promotion이다. 여기에 사람(people), 서비스과정(process), 서비스에 대한 물리적 근거(physical evidence)를 합쳐 7P라고도 한다.

정답 ④

## 06 ☐☐☐ 2021년 가맹거래사 기출

**마케팅믹스 4P와 로터본(Lauterborn)의 4C의 대응 관계로 옳지 않은 것은?**

① 4P: 기업관점, 4C: 소비자관점
② 4P: 제품, 4C: 소비자문제해결
③ 4P: 가격, 4C: 소비자비용
④ 4P: 유통, 4C: 유통의 편리성
⑤ 4P: 촉진, 4C: 제품접근성

**해설**

로터본(Lauterborn)의 4C는 4P보다 소비자(고객)의 관점에서 바라본 개념으로 소비자(고객)문제해결(customer solution), 소비자(고객)비용(customer cost), 소비자(고객) 편리성(convenience), 소비자(고객)와의 대화(communication)이다. 이를 4P와 연결시키면 다음과 같다.

| 4P | 4C |
| --- | --- |
| 제품(product) | 소비자(고객)문제해결(customer solution) |
| 가격(price) | 소비자(고객)비용(customer cost) |
| 유통(place) | 소비자(고객) 편리성(convenience) |
| 촉진(promotion) | 소비자(고객)와의 대화(communication) |

정답 ⑤

# CHAPTER 02 마케팅 기회분석

## 제1절 마케팅조사

### 1 의의

#### 1. 개념
마케팅조사(marketing research)는 마케팅의사결정상의 위험과 불확실성을 감소시키기 위해 객관적인 자료를 수집 및 분석하고 이를 의사결정에 유용한 정보로 가공하는 활동을 의미한다. 따라서 마케팅조사는 마케팅 담당자들에게 마케팅의사결정에 필요한 정보를 정확하고 체계적으로 제공함으로써 의사결정의 성공확률을 높여주는 것이다. 즉, 마케팅조사를 통해 획득된 마케팅정보는 다양한 소비자욕구의 정확한 파악을 통해 환경 변화에 유연하게 적응할 수 있는 제품의 생산을 가능하게 하였으며, 비가격 요인에 대한 경쟁이 급격하게 증대되고 있는 시장환경에서 자사 제품의 차별화 및 포지셔닝의 관점에서 효율성 및 효과성을 제고할 수 있도록 지원한다.

#### 2. 유형
기업이 추진하는 마케팅조사의 유형을 살펴보면 시장분석을 위한 조사, 마케팅 프로그램 개발을 위한 조사, 마케팅 프로그램 통제를 위한 조사, 마케팅 성과측정을 위한 조사로 구분할 수 있다.

**(1) 시장분석을 위한 조사**
해당 시장의 기회와 문제점을 확인하고 해당 시장을 이해하기 위한 조사이다. 여기에는 소비자의 특성과 행동에 관한 조사를 비롯하여 시장특성조사, 시장환경조사 등이 포함된다.

**(2) 마케팅 프로그램 개발을 위한 조사**
목표시장의 특성을 명확하게 규명하기 위한 조사이다. 여기에는 시장세분화, 제품, 유통시장, 촉진활동, 인적 판매 및 가격 등에 대한 조사가 포함된다.

**(3) 마케팅 프로그램 통제를 위한 조사**
마케팅 전 과정에 있어서 피드백 역할을 하는 조사이다. 여기에는 마케팅 프로그램 개선 및 수정을 위한 후속조사 등이 포함된다.

**(4) 마케팅 성과측정을 위한 조사**
마케팅 성과를 검증하기 위한 조사이다. 여기에는 시장점유율의 변화, 매출액 변화율, 유통경로의 반응, 소비자의 태도변화 및 이미지 조사 등이 포함된다. 마케팅 성과측정을 위한 조사는 마케팅문제 확인을 위한 조사와 마케팅문제 해결을 위한 조사로 다시 구분할 수 있다.

### 2 마케팅조사과정

마케팅조사는 문제의 파악 및 조사목적의 설정에서 시작하여 마케팅조사에 대한 계획을 수립하는 마케팅조사설계, 계획의 실행이라고 할 수 있는 자료의 수집과 분석 및 보고서 작성의 과정으로 이루어진다.

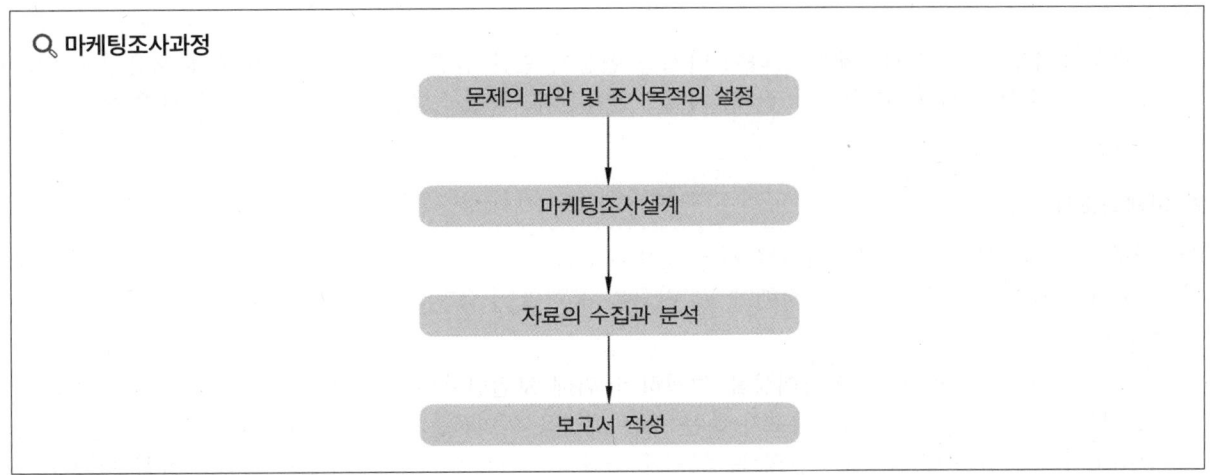

## 1. 문제의 파악 및 조사목적의 설정

마케팅조사의 첫 단계는 기업에서 겪고 있는 다양한 문제들의 원인이 무엇인지 규명하고 마케팅조사문제에 대한 정확한 방향을 설정하는 것이다. 이를 위한 구체적인 방법으로는 탐색조사(exploratory research), 기술조사(descriptive research), 인과조사(causal research) 등이 있다.

### (1) 탐색조사

마케팅조사의 기초단계에서 조사에 대한 아이디어나 전체를 조망하는 통찰력을 얻고자 할 때 사용된다. 특히, 문제에 대한 명확한 개념이 부족할 때 유용하며, 확실한 개념을 확정하거나 조사의 우선순위를 선정하는 데 많은 도움을 준다. 이러한 탐색조사의 대표적인 방법은 다음과 같다.

① **문헌조사**: 기존의 잡지, 학회지, 통계자료 등을 이용하는 탐색조사방법이다.
② **전문가 의견조사**: 조사문제와 관련하여 전문적 지식과 경험을 가지고 있을 것으로 판단되는 사람들의 의견을 청취하는 탐색조사방법이다.
③ **사례연구**: 당면한 마케팅상황과 유사한 사례들을 찾아 이를 분석하는 탐색조사방법이다.
④ **심층면접법**: 전문 면접원이 1명의 피면접자를 대상으로 주제와 관련된 질문 방향을 가지고 깊게 질문해 나가는 탐색조사방법이다. 심층면접을 통해 풍부하고 깊이있는 정보를 도출해 낼 수 있으며, 제품개선방안, 신제품 아이디어, 광고메시지 아이디어 등을 추출해 낼 수 있다. 그러나 응답자의 응답 내용이 매우 다양하므로 충분한 통찰을 얻어내는 데 어려움이 있을 수 있다.
⑤ **표적집단면접법**: 면접진행자가 소수의 조사대상(6~12명)들을 한 장소에 모이게 한 후 조사목적과 관련된 대화를 유도하고 조사대상들이 의견을 제시하는 과정을 통해 자료를 수집하는 탐색조사방법이다.

### (2) 기술조사

마케팅 관련 특정 상황의 발생빈도를 있는 그대로 조사하여 관련 변수들 사이의 상호관계 정도를 파악하고, 마케팅 관련 상황의 미래 예측을 위해 사용된다. 기술조사의 방법으로 패널조사가 있다. 패널(panel)이란 어느 기간 동안 일정하게 유지되는 고정된 표본으로 개인소비자, 가구, 점포 등이 그 구성원이 될 수 있다. 패널에는 순수패널과 혼합패널이 있다. 순수패널 구성원들은 동일한 변수들에 대해 반복적으로 응답하는데 비해, 혼합패널의 경우에는 구성원들을 계속 동일하게 유지하지만 수집되는 정보가 경우에 따라 달라진다. 또한, 기술조사에는 일정한 시간간격을 두고 조사대상을 반복적으로 측정하는 종단조사(longitudinal sectional analysis)와 일정시점의 연구대상 모집단에서 추출된 표본으로부터 자료를 얻어 분석하는 횡단조사(cross sectional analysis) 등이 있다.

### (3) 인과조사

마케팅 변수들 간의 인과관계를 통하여 마케팅 현상에 관한 설명 및 예측을 하기 위해 사용된다. 인과조사에는 대칭적 관계, 비대칭적 관계, 자극 - 반응관계, 특성 - 성향관계, 특성 - 행동관계 등이 포함된다.

## 2. 마케팅조사설계

마케팅조사설계는 마케팅조사문제의 해결에 필요한 자료를 수집 및 분석하기 위한 조사계획을 수립하는 과정이다. 이 단계에서는 표본설계, 수집해야 할 자료의 유형과 수집방법 등에 대한 계획을 수립하게 된다.

### (1) 표본설계

표본설계(sample design)란 조사대상을 결정하기 위해 모집단으로부터 표본을 추출하는 것을 말한다. 조사대상을 결정하는 것은 조사하고자 하는 모든 대상을 의미하는 모집단(population)을 대상으로 하는 전수조사와 모집단 내에서 모집단의 특성을 잘 나타내는 대상을 추출해서 얻은 집단인 표본(sample)을 대상으로 하는 표본조사가 있다. 그러나 일반적으로 모집단을 대상으로 하여 조사를 수행하는 것은 쉽지 않기 때문에 일정한 신뢰도와 오차의 한계 내에서 표본을 추출하여 조사하게 된다. 이러한 표본추출은 '모집단의 결정 → 자료수집방법의 결정 → 표본추출 프레임의 결정 → 표본추출방법의 결정 → 표본크기의 결정 → 표본추출 실행계획의 수립 → 표본추출의 실행' 순으로 이루어지며, 조사자의 임의성을 배제하고 모집단의 구성요소들이 표본으로 선정될 확률이 이미 알려져 있는 확률적 표본추출과 조사자의 주관적인 판단에 의해 표본을 선정하는 비확률적 표본추출이 있다.

#### 표본설계방법

| 구분 | | 특징 |
|---|---|---|
| 확률적 표본추출 | 무작위표본추출 | 모집단의 모든 구성요소들이 각 표본으로 선택될 확률이 동일하도록 표본을 추출 |
| | 층화표본추출 | 모집단을 하위집단으로 구분하고 각 집단에서 무작위로 표본을 추출 |
| | 군집표본추출 | 모집단을 하위집단으로 구분하고 그 중에서 하나의 집단을 선택하여 표본을 추출 |
| 비확률적 표본추출 | 편의표본추출 | 조사자는 정보를 얻기 가장 편리한 구성원을 모집단에서 선정 |
| | 판단표본추출 | 조사자의 판단에 따라 정확한 정보를 줄 것으로 예상되는 모집단 구성원을 조사대상으로 선정 |
| | 할당표본추출 | 조사자가 응답자 범주별로 미리 정해진 수의 사람을 추출 |
| | 눈덩이표본추출 | 조사자가 적절하다고 판단하는 조사대상자들을 선정한 다음에 그들로 하여금 또 다른 조사대상자들을 추천하도록 함 |

① **무작위표본추출(random sampling)**: 표본목록(난수표) 등을 이용하여 각 표본이 동일 발생확률로 선택될 수 있도록 표본을 추출하는 방법이다. 이러한 표본추출은 모집단의 구성요소들이 표본으로 선정될 확률이 동일하기 때문에 표본오차가 작고 신뢰성이 우수하여 통계적 효율성이 높은 것이 장점이지만, 모집단이 클 경우 상대적으로 비용이 많이 들어가는 단점이 있다.

② **층화표본추출(stratified sampling)**: 표본을 모집단에서 직접 선정하는 것이 아니라 규모, 지역, 성별, 나이 등과 같이 동질성을 갖고 있는 여러 하위집단에서 공평하게 표본을 추출하는 방법이다. 이러한 표본추출은 무작위표본추출에 비하여 통계적 효율성이 높은 편이지만, 변수선택에 따른 하위집단의 구분(층화)을 잘못할 경우 신뢰도가 낮아질 수 있다.

③ **군집표본추출(cluster sampling)**: 모집단을 다수의 소집단으로 구분한 후 그 집단 자체를 모두 표본으로 선정하거나 그 중 일부를 표본으로 선정하는 방법이다. 이러한 표본추출은 표본추출에 소요되는 비용이 저렴한 것이 장점이지만, 통계적 효율성이 상대적으로 떨어지는 단점이 있다.

④ **편의표본추출(convenience sampling)**: 조사자가 중요하다고 생각되는 표본을 임의대로 추출하는 방법을 말한다. 이러한 표본추출은 조사비용이 저렴한 것이 장점이지만, 모집단의 대표성이 높지 않다는 단점이 있다. 주로 실제 조사연구보다는 설문지를 사전에 검사하거나 탐색적인 예비조사를 위해 사용된다.
⑤ **판단표본추출(judgement sampling)**: 조사자가 모집단과 그 요소에 대한 자신의 지식, 조사목적의 특성 등에 기초하여 **조사에 가장 적합하다고 판단한 특정 집단을 표본으로 선정하는 방법**을 말한다.
⑥ **할당표본추출(quota sampling)**: 일정한 기준을 가지고 사전에 이미 결정되어 있는 백분율 또는 표본수와 일치하도록 표본을 추출하는 방법을 말한다. 이는 **비확률적 표본추출방법 중 가장 정교한 방법**이다. 모집단을 일정한 기준에 따라 여러 하위집단으로 구분한다는 점에서는 **층화표본추출과 유사하지만 조사자의 주관에 따라 그 기준이 설정된다는 점에서 차이가 있다.** 이러한 표본추출은 자료수집비용이 저렴하고 대표성이 높다는 것이 장점이지만, 모집단 분류에 있어 조사자의 편견이 개입되기 쉽고 오차의 발생가능성이 높은 단점이 있다.
⑦ **눈덩이표본추출(snowball sampling)**: 조사자가 적절하다고 판단하는 조사대상자들을 선정한 다음에 그들로 하여금 또 다른 조사대상자들을 추천하도록 하는 방법이다. 이러한 표본추출은 조사자가 모집단 구성원들 중 극소수 이외에는 누가 표본으로 적절한지를 판단할 수 없는 경우에 사용될 수 있다는 장점이 있지만, 연속적 추천에 의해 선정된 조사대상자들 간에는 동질성이 높을 수 있으나 모집단과는 매우 다른 특성을 가질 수 있다는 단점이 있다.

### (2) 자료의 유형
자료의 유형은 1차 자료(primary data)와 2차 자료(secondary data)로 구분할 수 있다. 1차 자료는 조사자가 당면한 문제를 해결하기 위해서 직접 수집한 자료를 의미하고, 2차 자료는 다른 조사자가 다른 조사목적으로 이미 수집 및 정리하여 문헌으로 제시한 기존의 모든 자료(기업체, 정부기관, 각종 조사기관의 간행물을 비롯한 대부분의 출판물 및 인터넷 자료 등)를 의미한다. 일반적으로 1차 자료는 2차 자료에 비해 획득비용이 비싸지만 정보의 질이 우수하고, 1차 자료의 수집에 앞서 2차 자료를 먼저 수집하고 검토한다. 이는 2차 자료가 1차 자료보다 비용이 저렴하고 신속하게 수집될 수 있기 때문이다.

### (3) 1차 자료의 수집방법
① **우편조사법(mail survey)**: 설문지를 조사대상에게 우편으로 발송하고 응답내용을 기입한 후에 반송용 봉투를 이용하여 회수함으로써 자료를 수집하는 방법이다. 이 방법은 응답자 1인당 비용이 저렴하다는 장점이 있지만, 응답자가 질문내용을 이해하지 못하는 경우 보충설명이 불가능하며 회수율이 낮다는 단점이 있다. 최근에 많이 사용되고 있는 인터넷을 통한 온라인조사도 우편조사법의 범주에 포함된다.
② **전화면접법(telephone interview)**: **전화를 이용**하여 조사대상에게 질문을 통해 자료를 수집하는 방법이다. 이 방법은 빠른 시간 내에 저렴한 비용으로 조사할 수 있다는 장점이 있으나, 응답자로부터 적극적인 협조를 얻기가 어렵고 질문내용이 길어질 경우 성실한 답변을 기대하기가 곤란하다는 단점이 있다.
③ **대인면접법(personal interview)**: 조사대상과의 **대면접촉**을 통해 자료를 수집하는 방법이다. 이 방법은 조사대상에게 보충설명이 가능하고 양질의 자료를 수집할 수 있다는 장점이 있으나, 상대적으로 비용이 많이 들고 조사자의 질문방법과 대화기법 등에 따라서 조사대상의 반응이 달라져 조사결과에 영향을 미칠 수 있다는 단점이 있다.

④ 표적집단면접법(focus group interview, FGI): 면접진행자가 소수의 조사대상(6~12명)들을 한 장소에 모이게 한 후 조사목적과 관련된 대화를 유도하고 조사대상들이 의견을 제시하는 과정을 통해 자료를 수집하는 방법이다. 이 방법은 조사대상들의 자연스러운 대화과정에서 조사목적과 관련된 유용한 정보를 얻거나 설문조사에서 기대하지 못한 결과를 발견하는 것을 목적으로 한다. 표적집단면접법은 설문조사의 사전조사로 활용되기도 하며, 설문조사로 파악할 수 없는 소비자들의 의견을 파악할 수 있기 때문에 신제품 개발 등의 조사에 활용된다.[103]

### (4) 실험조사법

실험조사법(experimental research)는 조사대상을 일정한 장소에 모이게 한 후 다양한 시제품, 광고카피 등을 제시하고 소비자 반응을 조사하여 이를 제품개발이나 광고전략에 활용하는 방법이다. 실험조사법은 조작을 통해 특정 변수를 조사하고자 하는 방법이지만, 조사대상자가 실험목적을 알게 될 경우 조사결과에 영향을 미칠 수 있다. 이 방법은 설문조사보다 변수 간의 관계는 분명하게 알 수 있지만 다양한 상황에도 적용할 수 있는 일반화 면에서는 떨어진다. 또한, 실험설계를 이해하는 데 중요한 개념에는 독립변수, 종속변수, 외생변수가 있다. 외생변수는 종속변수에 영향을 미칠 수 있으나 실험설계에서 독립변수로 설정되지 않은 변수를 의미한다. 실험설계에서 독립변수의 순수한 영향력을 조사하기 위해서는 외생변수가 통제되어야 하는데, 외생변수의 통제란 그 변수들의 값을 동일하게 한다는 의미이다. 물론 실험설계를 할 때 가급적 외생변수를 통제해야겠지만, 현실적으로 모든 외생변수를 완전히 통제하는 것은 거의 불가능하다. 따라서 외생변수는 다음과 같이 실험의 내적타당성을 저해하게 된다.

① **역사적 오염**: 실험기간 동안에 발생하는 외부적 요인이 실험결과에 영향을 미치는 것이다. 예를 들어, 어느 기업이 광고효과 측정을 위해 광고를 하면서 매주 매출추이를 측정하고 있을 때 경쟁기업이 가격을 급격히 낮춘다면 해당 기업의 매출에 영향을 주어 순수한 광고효과 측정이 불가능해지는 것이다.

② **성숙효과**: 종속변수의 변화가 실험변수의 처치와는 무관하게 시간경과에 따라 자연스럽게 이루어지는 것이다. 예를 들어, 어린이들에게 성장에 도움이 되는 영양제를 복용하게 하고, 그 영양제의 성장 촉진효과를 측정한다면 실험기간 동안에 아이들의 자연성장은 성숙효과로 작용한다. 이러한 성숙효과는 실험기간이 길수록 나타날 가능성이 크다.

③ **시험효과**: 시험효과는 주시험효과와 상호작용 시험효과가 있다. **주시험효과**는 첫 번째 처치로 인한 학습효과가 두 번째 처치의 순수한 효과를 왜곡시키는 것이다. 예를 들어, 어떤 제품태도를 시간을 두고 2회 측정하는 경우에 응답자는 두 번째 응답시 자신의 처음 응답을 회상하여 응답할 수 있다. 그리고 **상호작용 시험효과**는 첫 번째 측정이 그 다음의 처치 자체에 영향을 미치는 것이다. 예를 들어, 일정기간 동안의 광고 실행이 브랜드 인지도 향상에 미치는 효과를 측정한다고 할 때, 이를 위하여 어떤 시점에 피실험자들을 대상으로 브랜드 인지도를 측정하고 일정기간 동안 광고를 한 다음 다음 브랜드 인지도를 측정하여 비교할 수 있다. 이 때 피실험자들은 광고노출 이전에 그 브랜드에 대한 인지도를 측정하였기 때문에 나중에 그 광고에 노출될 때 보다 주의를 기울일 수 있다.

④ **측정의 편향**: 측정도구, 측정기법 등의 차이에 의한 편향을 의미한다. 즉 해당 측정도구의 측정결과가 한 쪽으로 치우치는 것이다.

---

[103] 토의그룹에는 조사내용을 잘 알고 토의방향을 인도할 수 있는 사회자(moderator)가 필요하며 조사대상은 동질적이어야 한다. 여러 연령, 직업, 계층이 모여 있으면 대화가 어렵고 향후 마케팅 전략의 수립에도 어려움이 있다. 보통 조사시간은 1~2시간 정도이며, 표적집단 면접이 실행되는 방에는 일방거울(one-way mirror)이 설치되어 조사 의뢰자가 경청하거나 녹음을 한다. 물론, 조사대상들은 이 사실을 몰라야 한다.

⑤ **선택의 편향**: 선택의 편향은 두 가지가 있는데, 조사대상이 모집단을 제대로 대표하지 못하는 편향과 실험집단과 통제집단이 종속변수와 관련하여 처치 이전에 동일하지 않은 편향이다.
⑥ **통계적 회귀**: 개인의 행동 또는 성과가 한 때 극단적이더라도 곧 자신의 평균값으로 돌아가는 경향이다.
⑦ **실험대상의 소멸**: 실험에 참여한 피실험자들 중 일부가 실험기간 동안 실험에서 이탈함으로써 발생하는 것이다.

## 3. 자료의 수집과 분석

자료의 수집과 분석 단계에서는 조사원을 선발하여 교육시키고, 표본계획에 맞는 응답자를 찾아 다양한 방법을 이용하여 자료를 수집한 다음, 수집된 자료의 처리과정을 거쳐 분석가능한 상태로 편집한 후에 그 자료들을 계량화하여 분석한다. 마케팅조사는 연구대상의 속성을 파악한 후 개별 속성의 특성을 반영할 수 있는 숫자를 속성별로 부여하는데, 그 숫자가 갖는 의미에 따라 **명목척도, 서열척도, 등간척도, 비율척도** 등으로 구분한다.[104]

### (1) 명목척도(nominal scale)

측정대상이 속한 범주나 종류를 구분하기 위해 부여된 숫자를 의미하는데, 숫자를 이용하여 대상을 분류 또는 구분하게 된다. 대표적인 예로는 **성별분류, 상표분류, 판매지역 분류** 등이 해당된다.

### (2) 서열척도(ordinal scale)

순위관계를 나타내는 척도를 의미하는데, 숫자의 크기로 서열을 매기게 된다. 대표적인 예로는 선호순위, 사회계층 등이 해당된다.

### (3) 등간척도(interval scale)

속성에 대하여 숫자로 순위를 부여하되 숫자 사이의 간격이 동일한 척도를 의미한다. 대표적인 예로는 온도, 주가지수, 환율과 같은 각종 지수(index) 등이 해당된다.

### (4) 비율척도(ratio scale)

숫자 간 비율이 산술적 의미를 갖는 척도를 의미하는데, 명목, 서열, 간격의 정보에 추가적으로 비율의 정보를 갖는 척도로서 가장 상위의 척도이다. 숫자 간 비율이 동일하기 때문에 숫자들의 비율로 절대적 '0'을 포함하여 절대적 크기를 비교할 수 있다. 대표적인 예로는 **시장점유율**, 키, 무게 등이 해당된다.

## 4. 보고서 작성

자료의 수집 및 분석을 통해 의미 있는 마케팅정보로 가공하는 과정을 마무리하면 마케팅 조사자는 분석될 결과를 문서화하여 서면 또는 구두로 마케팅의사결정자에게 보고한다. 보고서에 의하여 마케팅의사결정자는 마케팅전략을 유지하거나 수정 및 보완하여 후속전략을 고려하게 된다.

---

[104] 척도들은 표현방법에 따라 각각 고유의 척도명을 가지는데, 대표적인 것에는 리커트 척도(Likert scale), 어의차이척도(semantic differential scale), 고정총합법(constant sum method) 등이 있다.
① 리커트 척도: 어떤 진술에 대해 개인이 동의하거나 동의하지 않는 정도를 표시하도록 하는 척도이다.
② 어의차이척도: 서로 상반되는 말을 양쪽 끝에 나타낸 척도이다.
③ 고정총합법: 주어진 대안의 상대적 선호도 또는 속성의 상대적 중요도 총합이 100 또는 1이 되도록 하는 척도이다.

## 3 마케팅정보시스템

### 1. 의의

마케팅정보시스템(marketing information system, MIS)이란 마케팅의사결정자가 마케팅활동을 계획, 실행 및 통제하는 데 도움을 주기 위해 정확한 정보를 적시에 수집, 분류, 평가 및 배분하기 위한 시스템을 의미한다. 이는 사람, 기구, 절차 등을 포함하며 마케팅의사결정자가 필요로 하는 정보욕구를 파악하여 이에 적절한 마케팅정보를 제공하는 것을 목적으로 한다. 마케팅정보시스템은 조직에 추가적인 경쟁력을 제공해주는데, 이의 도입을 통해 얻을 수 있는 효익은 다음과 같다.

(1) 많은 정보의 지속적 수집이 가능하고, 모인 정보를 통합하여 유효하게 관리할 수 있다.

(2) 시장변화에 유연하고 신속한 대응이 가능하며, 효과적인 마케팅계획의 수립 및 통제가 가능하다.

### 2. 구성

마케팅정보시스템은 체계적인 시스템 구조로 이루어져 있으며, 기초적인 자료를 수집, 분석, 자료화하는 과정을 통해 마케팅의사결정자의 의사결정을 돕게 된다. 이러한 마케팅정보시스템은 내부정보시스템(internal information system), 고객정보시스템(customer information system), 마케팅인텔리전스시스템(marketing intelligence system), 마케팅조사시스템(marketing research system), 마케팅의사결정지원시스템(marketing decision support system) 등의 하위시스템으로 구성되어 있다.

(1) 내부정보시스템

기업의 재무제표, 영업보고서, 판매보고서 등과 같이 가장 기초적인 정보를 제공하는 시스템을 의미하고 매출성과, 시장점유율 성과, 가격반응, 광고를 포함한 촉진활동이 마케팅성과에 미치는 효과 등을 파악하여 최적의 마케팅의사결정이 이루어지도록 정보를 지원하는 것을 목적으로 한다. 내부정보시스템은 신속하게 정보를 수집 및 분석할 수 있다는 장점이 있지만, 정확한 마케팅의사결정에 필요한 정보로서는 충분하지 않다는 단점이 있다.

(2) 고객정보시스템

고객 개개인에 대한 자료를 축적한 데이터베이스(database)를 의미한다. 여기에는 인구통계적인 특성, 라이프스타일(life style), 고객이 추구하는 혜택 및 구매 정보 등을 포함하고 있다. 최근 들어, 구매정보는 더욱 세분화되어 제품의 구매일자(recency, R), 구매빈도(frequency, F), 구매금액(monetary value, M)까지 포함하고 있다. 이러한 RFM 정보는 기존고객의 제품에 대한 충성도 제고 및 이탈방지, 신규고객의 유인을 위한 마케팅전략의 수립에 활용된다.

(3) 마케팅인텔리전스시스템

기업의 마케팅환경에서 발생하는 정보(판매직원들의 현장보고, 경쟁기업의 동태 등)를 수집하기 위해 사용하는 절차와 정보원들의 집합을 의미한다. 이는 어떤 일상정보가 필요한지를 결정하여 환경을 조사하고 그 정보를 수집하여 이를 필요로 하는 마케팅의사결정자에게 전달하는 역할을 한다. 기업은 다양한 정보원천을 통해 마케팅인텔리전스시스템에 투입되는 자료를 획득할 수 있다.

### (4) 마케팅조사시스템

내부정보시스템, 고객정보시스템, 마케팅인텔리전스시스템은 다른 목적으로 수집된 2차 자료에 기반하고 있어 당면한 마케팅문제의 해결에 부적절하거나 직접적인 관련성이 높지 않을 수 있다. 따라서 마케팅조사시스템은 당면한 마케팅문제의 해결에 직접적으로 관련된 **1차 자료를 수집하기 위해 주로 도입**된다. 마케팅조사는 기업내부에서 직접 실행되거나 기업외부의 전문기관에 의해 수행될 수 있는데, 바람직한 마케팅조사는 의사결정에 유용한 정보를 체계적이고 객관적으로 수집할 수 있어야 한다.

### (5) 마케팅의사결정지원시스템

마케팅 관리자들이 마케팅 환경으로부터 **수집된 정보를 분석하고 마케팅의사결정과정의 결과를 예측**하는 데 도움이 되는 관련 자료, 보조적인 하드웨어와 소프트웨어 및 분석도구 등을 통합한 시스템을 말한다. 즉, 내부정보시스템, 고객정보시스템, 마케팅인텔리전스시스템, 마케팅조사시스템에 의해 얻어진 자료는 기술적(descriptive) 정보이기 때문에 마케팅의사결정의 결과를 예측하는 데 큰 도움이 되지 않을 수 있다. 이러한 문제를 해결하기 위해 도입된 것이 마케팅의사결정지원시스템이다.

## 제2절 소비자행동분석

### 1 소비자행동

#### 1. 의의

소비자행동(consumer behavior)이란 소비자가 재화와 서비스를 구매할 때 언제, 어디서, 무엇을, 어떻게, 누구로부터 구매하는가 등의 **구매의사결정**을 의미하며, 구매의사결정에 영향을 미치는 모든 요인들을 포함하고 있다. 구매의사결정에 영향을 미치는 요인들로는 구매자의 특성, 판매자의 특성, 제품의 특성, 상황의 특성 등이 있으며, 그 중에서도 구매자의 특성이 가장 중요한 요인이라고 할 수 있다. 구매의사결정에 영향을 미치는 요인들은 사회적 요인, 문화적 요인, 개인적 요인으로도 구분할 수 있으며, **사회적 요인**으로는 사회계층, 준거집단, 가족 등이 있으며, **문화적 요인**으로는 관습, 가치, 도덕 등이 있고, **개인적 요인**으로는 인구통계적 요인, 라이프 스타일(life style)[105], 성격, 학습 등이 있다.

#### 2. 관여도

관여도(involvement)는 소비자가 특정 제품에 대해 가지는 중요성, 관심도와 자신과 관련되었다고 지각하는 **정도**를 의미한다. 따라서 관여도는 상대적이고 주관적인 개념이며, 소비자의 구매의사결정과정이나 정보처리과정에 큰 영향을 미친다. 그 강도에 따라 **고관여**(high involvement)와 **저관여**(low involvement)로 구분할 수 있다[106].

---

[105] 사이코그래픽스(psychographics)는 라이프스타일의 조작적 측정도구로서 소비자연구자들에 의해 널리 사용되는 방법이다. 사이코그래픽스는 소비자의 심리적 과정이나 특성을 나타내는 것으로 라이프스타일을 측정가능한 항목들로써 정의하는 방식을 말한다. 이는 보통 행동(activities), 관심(interests), 의견(opinions)을 의미하는 AIO를 지칭한다.

[106] 관여도는 지속적 관여도(enduring involvement)와 상황적 관여도(situational involvement)로도 구분할 수 있다. 지속적 관여도란 개인이 평소에 특정 제품군에 대해 큰 관심을 보여 오랜 기간 동안 지속적으로 관심을 갖는 것을 말하며, 상황적 관여도란 특정의 구매상황에서 어떤 제품에 대해서 일시적으로 높은 관심을 보이는 것을 말한다. 예를 들어, 와인 애호가는 와인에 대해 높은 지속적 관여도를 보이는 반면, 와인을 별로 좋아하지 않는 소비자가 직장상사에게 선물을 하기 위해 와인을 구매하는 경우에는 일시적으로 와인구매에 대해 높은 상황적 관여도를 보인다.

### (1) 고관여

소비자가 특정 제품의 구매를 중요시하여 오랜 시간 동안 생각하고 정보를 수집하여 구매과정에 깊이 관여하는 경우를 의미한다. 일반적으로 제품의 가격이 비싸며, 고관여하에서의 의사결정은 **확장된 문제해결과정**으로 의사결정의 모든 단계가 포함된다.

### (2) 저관여[107]

소비자가 특정 제품의 구매에 대한 중요도가 낮은 경우를 의미한다. 일반적으로 값이 싸고, 잘못 구매했을 때 위험이 작은 제품의 구매 시에 나타나는 것으로 구매정보처리과정이 간단하고 신속하다. 저관여하의 의사결정은 **축소된 문제해결과정**으로 의사결정의 단계가 생략될 수 있다.

#### 고관여와 저관여의 특징

| 구분 | 고관여 | 저관여 |
| --- | --- | --- |
| 정보탐색 | 소비자는 다양한 정보원을 이용하여 능동적으로 제품 및 상표정보를 탐색하며 탐색동기가 높음 | 소비자의 제품 및 상표탐색은 제한되어 있으며, 구매시점광고의 영향을 많이 받고 탐색동기가 낮음 |
| 인지적 반응 | 소비자는 불일치하는 정보에 저항하고 반박주장을 펼침 | 소비자는 불일치하는 정보를 수동적으로 받아들여 제한된 반박의견만을 가짐 |
| 정보처리과정 | 소비자는 정보처리과정을 철저하게 수행 | 소비자는 정보처리과정을 대충 지나감 |
| 태도변화 | 태도변화는 어렵고 드묾 | 태도변화는 빈번하고 일시적 |
| 반복 | 설득을 위하여 메시지의 수보다 메시지의 내용이 더 중요 | 메시지의 빈번한 반복이 설득을 유도할 수 있음 |
| 인지적 부조화 | 구매 후 부조화[108]가 일반적 | 구매 후 부조화 현상이 적음 |
| 구매 | 비교쇼핑을 선호하며 의사결정을 통해 점포를 선정 | 셀프 서비스(self service)를 선호하고 판매촉진에 이끌려 구매 |
| 구매 후 행동 | 자신이 한 구매에 대해서 인정받고 싶어함 | 불만족한 경우 다른 상표를 구매함 |

---

[107] 크루그만(Krugman)의 저관여 위계는 제품을 인지한 후에 이를 구매 및 사용한 후에 해당 제품에 대한 느낌 또는 태도가 형성된다는 것이다. 반대로 소비자가 제품을 인지한 후 이에 대한 태도를 형성하고 이후 구매까지 이르는 과정은 고관여 제품에 주로 적용된다.

[108] 구매 후 부조화는 소비자가 구매 이후 가질 수 있는 심리적 불편함을 의미한다. 소비자의 구매 후 부조화는 구매결정을 취소할 수 없을 때, 선택한 대안이 갖지 않은 장점을 선택하지 않은 대안이 가지고 있을 때, 마음에 드는 대안들이 여러 개 있을 때, 관여도가 높을 때, 소비자 자신이 전적으로 자기의사에 따라 결정을 하였을 때 등과 같은 경우에 발생할 가능성이 높다. 또한, 이러한 구매 후 부조화를 감소시키는 방법은 다음과 같다.
① 자신이 선택한 대안의 장점을 의식적으로 강화시키고, 단점을 의식적으로 약화시킨다.
② 자신이 선택하지 않은 대안의 장점을 의식적으로 약화시키고, 단점을 의식적으로 강화시킨다.
③ 자신의 선택을 지지하는 정보를 탐색하고, 반박하는 정보를 회피한다.
④ 구매의사결정 자체를 그리 중요하지 않은 것으로 생각한다.

## 3. 관여도에 따른 소비자행동의 유형

소비자행동은 관여도에 따라 포괄적 문제해결(extended problem solving), 제한적 문제해결(limited problem solving), 일상적 문제해결(routinized problem solving)로 구분할 수 있다. 소비자는 관여도가 높을수록 포괄적 문제해결의 행동을 보이며, 관여도가 낮을수록 일상적 문제해결의 행동을 보이게 된다.

### (1) 포괄적 문제해결

포괄적 문제해결(extended problem solving)은 고객들이 신제품을 구매하거나 여러 대체품들에 대한 사전지식이 없고 각 대체품들의 평가기준을 모르는 상황에서 발생한다. 이러한 상황하에서 포괄적인 정보탐색이 일어날 가능성이 있고, 고객은 많은 양의 제품관련정보가 필요하기 때문에 정보탐색과 정보처리활동에 많은 신경을 쓴다. 따라서 구매 후 평가 또한 포괄적이 되는 경향이 있다. 그러므로 마케팅 관리자들은 인적 접촉이나 대중매체를 통해 구매결정의 정당함을 재강화시켜줌으로써 제품에 대한 고객의 구매 후 만족을 높일 수 있다. 조직구매자가 새로운 형태의 제품을 구매할 경우 잘못된 선택의 위험이 매우 높기 때문에 종종 포괄적인 문제해결을 통해 보다 포괄적인 정보탐색을 시작하고, 부적당한 제품을 구매하거나 부적당한 공급자에게 주문을 하는 위험을 최소화하기 위해 대안들을 철저하게 분석한다.

### (2) 제한적 문제해결

제한적 문제해결(limited problem solving)은 고객들이 제품에 대해 제한적이나마 어느 정도의 경험을 가지고 있는 상황에서 일어난다. 일반적으로 이 경우에는 문제해결과 정보탐색의 양이 줄어들며, 구매 후 평가도 포괄적 문제해결에서만큼 심층적인 분석을 하지 않는다. 조직구매에서 일반적으로 나타나는 수정재구매(modified rebuying)도 제한적 문제해결에 해당한다.

### (3) 일상적 문제해결

일상적 문제해결(routinized problem solving)은 고객들이 동일제품을 반복구매하여 그 제품에 대한 상당한 경험을 가지고 있고 제품의 성능에 대해 매우 만족하고 있을 때 일어난다. 이때 고객들은 이미 최상의 제품을 구매하고 있으므로 대안을 탐색할 어떤 충동도 느끼지 않기 때문에 제품구매에 필요한 탐색노력의 양은 최소화된다. 고객들은 특정한 상표의 구매를 선호하기 때문에 상표애호도를 가지고 있다. 그러므로 구매 후 평가에 필요한 심리적 노력의 정도도 상당히 낮을 것이다. 조직의 재구매상황에서 직접적으로 과거의 만족스러운 제품을 공급했던 판매자로부터 자동적으로 재구매를 하는 것이 일상적 문제해결이다.

## 4. 관여도와 상표 간 차이에 따른 소비자행동의 유형

소비자행동은 관여도와 상표 간 차이를 동시에 고려하여 복잡한 구매행동, 다양성추구 구매행동, 부조화감소 구매행동, 습관적 구매행동으로 구분할 수 있다.

**관여도와 상표 간 차이에 따른 소비자행동의 유형**

| 상표 간 차이 \ 관여도 | 고관여 | 저관여 |
|---|---|---|
| 상표 간 큰 차이 | 복잡한 구매행동 | 다양성추구 구매행동 |
| 상표 간 작은 차이 | 부조화감소 구매행동 | 습관적 구매행동 |

### (1) 복잡한 구매행동

복잡한 구매행동(complex buying behavior)이란 **소비자들이 제품의 구매에 있어서 높은 관여를 보이고 각 상표 간 뚜렷한 차이점이 있는 제품을 구매하는 경우에 발생하는 구매행동**을 말한다. 즉, 상표 간 차이가 큰 제품을 구매할 경우에는 제품에 대한 지식과 정보에 근거하여 그 제품에 대해 주관적으로 갖게 되는 신념(인식)을 형성한 후에 그 제품을 좋아하거나 싫어하는 등의 태도를 형성하고 가장 합리적이라고 판단되는 구매대안을 선택하는 학습과정(행동)을 거친다.

### (2) 부조화감소 구매행동

부조화감소 구매행동(dissonance-reducing buying behavior)이란 **소비자들이 제품의 구매에 있어서 비교적 관여도가 높지만, 각 상표 간 차이가 크지 않은 제품을 구매하는 경우에 발생하는 구매행동**을 말한다. 이러한 경우에는 소비자들이 스스로 상표들의 차이를 판단할 수 있는 능력이 부족하기 때문에 소비자들은 유용한 정보를 얻기 위한 노력을 하지만 최종 구매의사결정은 비교적 빨리 이루어진다. 일반적으로 소비자들은 적절한 가격이나 구매 용이성과 같은 내용에 우선적으로 반응하게 되며, 구매를 한 뒤에는 구매한 제품에 대한 불만사항을 발견하거나 구입하지 않은 제품에 대한 호의적인 정보를 얻게 되면 구매 후 부조화를 경험하게 된다. 따라서 소비자는 구매 후 인지부조화를 줄이기 위해 널리 알려진 제품을 구입하여 위험을 줄이려고 노력한다.

### (3) 다양성추구 구매행동

다양성추구 구매행동(variety-seeking buying behavior)이란 **구매하는 제품에 대하여 비교적 저관여 상태이며 제품의 각 상표 간 차이가 뚜렷한 제품을 구매하는 경우에 발생하는 구매행동**을 말한다. 이러한 구매행동을 보이는 소비자들은 잦은 상표전환을 하게 되는데, 상표전환은 기존 상표에 대한 불만족 때문이라기보다는 다양성을 추구하기 위해 일어난다. 또한, 시장선도상표와 추종상표 간의 마케팅전략이 다르게 이루어져야 하는데, 시장선도상표는 넓은 진열면적을 점유하고 재고 부족을 없애고 빈번한 광고를 통하여 소비자로 하여금 습관적 구매를 유도하는 전략을 사용하는 것이 유리하며, 추종상표는 낮은 가격, 할인 쿠폰, 무료샘플 등을 활용하여 시장을 선도하는 제품을 사용하고 있는 소비자들로 하여금 신제품의 시험구매를 하도록 하여 상표전환을 유도하는 전략을 사용하는 것이 유리하다.

### (4) 습관적 구매행동

습관적 구매행동(habitual buying behavior)이란 **제품에 대하여 소비자가 비교적 낮은 관여도를 보이며 제품의 상표 간 차이가 미미할 경우에 발생하는 구매행동**을 말한다. 일반적으로 제품의 가격이 비교적 낮고 일상적으로 빈번히 구매하는 저관여 제품에 대하여 소비자들은 습관적 구매행동을 보인다. 따라서 반복적인 광고를 통해 상표에 대한 확신을 심어주기보다는 상표 친숙성을 이끌어내는 것이 중요하다.

## 5. 관여도와 구매경험에 따른 소비자행동의 유형

소비자행동은 **관여도와 구매경험을** 동시에 고려하여 **복잡한 구매행동, 다양성 추구 구매행동, 브랜드 충성도, 관성적 구매행동**으로 구분할 수 있다.

#### 관여도와 구매경험에 따른 소비자행동의 유형

| 구매경험 \ 관여도 | 고관여 | 저관여 |
|---|---|---|
| 최초구매 | 복잡한 구매행동 | 다양성추구 구매행동 |
| 반복구매 | 브랜드 충성도 | 관성적 구매행동 |

### (1) 복잡한 구매행동
복잡한 구매행동(complex buying behavior)이란 관여도가 높고 새로운 제품을 구매하는 소비자의 구매행동으로 포괄적 문제해결(extended problem solving)을 말한다. 즉 소비자는 브랜드대안들을 자세히 비교·평가한 후에 가장 선호하는 브랜드를 구매한다.

### (2) 브랜드 충성도
브랜드 충성도(brand loyalty)란 고관여 소비자가 구매된 브랜드에 만족하면 그 브랜드에 대해 호의적인 태도를 형성하여 동일한 브랜드를 반복구매하는 것을 말한다. 브랜드 충성도에 의한 구매는 대안평가와 신념형성이라는 인지적 과정을 생략하고 구매욕구가 발생되면 바로 자신이 선호하는 특정 브랜드를 구매하는 것이다.

### (3) 다양성추구 구매행동
다양성추구 구매행동(variety-seeking buying behavior)이란 소비자가 이전에 구매한 브랜드에 싫증이 나서 또는 새로운 것을 추구하려는 의도에서 다른 브랜드로 전환하는 것을 말한다. 기업은 다양성 추구성향을 보이는 고객을 타겟으로 판촉행사를 실시해 자사 제품을 한 번 구매해 보도록 유도할 수 있다. 그러나 다양성추구 구매행동은 새로운 제품을 한 번 시도해 보려는 사람들의 습성이기 때문에 이러한 판촉전략이 단기적 매출만 올릴 뿐 장기적 매출에는 별 영향을 주지 못할 수 있다.

### (4) 관성적 구매행동
관성적 구매행동(inertia buying behavior)이란 제품사용경험이 있는 저관여 소비자가 복잡한 의사결정을 피하기 위해 동일한 브랜드를 반복구매하는 것을 말한다. 관성적 구매행동은 브랜드 충성도와 외형상 유사한 구매행동을 보이지만, 서로 다른 구매행동유형이다. 브랜드 충성도는 소비자가 호의적 태도를 가진 특정 브랜드를 반복구매하는 행동이지만, 관성적 구매행동은 단지 구매노력을 덜기 위해 이전에 구매한 브랜드를 반복구매하는 것으로 저관여 구매상황에서 주로 일어난다. 따라서 관성적 구매행동은 가식적 충성도에 의한 것이다.

## 2 소비자행동분석: 구매의사결정과정

### 1. 의의

소비자행동분석(consumer behavior analysis)이란 소비자의 구매의사결정과정을 분석하는 것을 의미한다. 이를 통해 소비자에게 합리적이고 계획적인 구매행위를 할 수 있도록 도와주고, 기업에게는 복잡한 시장환경하에서 소비자행동에 영향을 미치는 요인을 찾아냄으로써 경쟁기업과 차별화된 전략을 통해 시장기회를 확보할 수 있는 기회를 제공한다. 구매의사결정과정은 욕구(필요)인식, 정보탐색, 대안평가, 구매결정, 구매 후 행동의 순서로 이루어진다. 이러한 구매의사결정과정은 소비자의 관여도에 따라 철저하게 진행되기도 하고 생략되기도 한다.

> 🔍 **구매의사결정과정**
>
> 욕구(필요)인식 → 정보(대안)탐색 → 대안평가 → 구매결정 → 구매 후 행동

## 2. 욕구(필요)인식

소비자는 특정 사안에 대하여 자신의 현재 상태(as is)와 이상적인 상태(to be) 간의 차이를 지각하게 되면 이를 충족시키고자 하는 욕구가 생기게 되는데, 이러한 욕구의 유발로부터 구매의사결정은 시작된다. 이러한 필요인식은 내부요인에 의해 발생하기도 하고 외부요인에 의해 발생하기도 한다. 내부요인은 소비자의 과거 경험, 개성, 생리적 요인 등을 의미하고, 외부요인은 오감을 통한 자극, 홍보 및 판매촉진과 같은 기업의 마케팅활동, 대인관계, 사회적·문화적·정치적 요소, 기술진보 등을 의미한다. 그러나 소비자가 욕구(필요)를 인식했다고 항상 구매의사결정과정을 진행하는 것은 아니며, 욕구(필요)해결에 소요되는 비용보다 문제의 중요성이나 비용이 상대적으로 커야 구매의사결정을 진행하게 되는 것이다.

## 3. 정보(대안)탐색

소비자가 구매의사결정과정을 시작하게 되면 최상의 선택을 위하여 정보를 탐색하게 되고, 이러한 정보탐색을 통해 다양한 대안(고려상표군 등)을 도출하게 된다. 정보탐색은 **내부탐색**과 **외부탐색**으로 나눌 수 있다. 일반적으로 내부탐색비용이 외부탐색비용보다 저렴하기 때문에 소비자들은 **외부탐색보다 내부탐색을 우선적으로 수행한다**.

### (1) 내부탐색

소비자의 기억 속에서 대안을 찾는 방법으로 소비자의 경험이 중요한 탐색의 원천이 되며, 내부탐색을 통해 회상된 브랜드들의 집합을 **상기(환기)상표군(evoked set)**[109]이라고 한다. 소비자는 상기(환기)상표군 내에 있는 상표 대안들 중 하나를 선택할 가능성이 높기 때문에 마케팅관리자는 자사제품이 목표고객집단이 구매시점에 고려하는 상기(환기)상표군에 포함되도록 하기 위해 마케팅노력을 기울여야 하며, 상기(환기)상표군 내에 자사상표가 포함되어 있는지를 정기적으로 조사해야 한다.

### (2) 외부탐색[110]

소비자가 광고, 구전(word of mouth) 등을 통하여 외부로부터 정보를 찾는 과정을 의미한다. 외부정보원천(external information source)에는 **기업제공 정보원천, 소비자 정보원천, 중립적 정보원천** 등이 있다. 기업제공 정보원천에는 광고, 판매원, 포장과 매장 내의 정보 등이 있으며, 소비자 정보원천에는 가족, 친지, 친구 등의 주변사람으로부터 얻게 되는 구전정보 등이 있다. 중립적 정보원천에는 소비자보호원과 같은 공공기관이나 언론기관의 발행물 등이 있다. 대체로 소비자는 소비자 정보원천과 중립적 정보원천으로부터 얻는 정보를 기업제공 정보원천보다 신뢰하는 경향이 있기 때문에 마케팅관리자는 자사제품에 대한 긍정적 구전이 이루어지도록 고객만족관리에 유의하고 정부기관, 언론기관과의 공중관계(public relations) 구축에 노력을 기울여야 한다. 상기상표군에 외부탐색과정을 통해 새로이 추가되는 상표들을 합친 것을 **고려상표군(consideration set)**이라고 한다.

---

[109] 상기상표군은 소비자가 내부탐색을 할 때 기존에 알고 있던 상표들 중 회상되는 일부 상표군을 의미한다. 그리 중요하지 않은 의사결정이거나 상기상표군 속에 바로 구매할 수 있을 정도로 만족스러운 상표가 있다면 바로 구매하겠지만, 그렇지 않은 경우에는 외부탐색으로 이어지게 된다.

[110] 외부탐색은 수동적인 탐색이라고 할 수 있는 강화된 주의(heightened attention)와 능동적 정보탐색(active information search)으로 구분할 수 있는데, 강화된 주의는 소비자가 자신의 문제와 관련된 정보에 노출될 때마다 상당한 주의를 기울이는 것이고, 능동적 정보탐색은 보다 적극적으로 나서서 정보를 탐색하는 것이다.

## 4. 대안평가

소비자들은 평가기준과 평가방식을 결정하여 각 대안들을 비교평가하게 된다. 여기서 평가기준은 소비자의 내면적 구매목적 및 동기가 반영된 제품구매의 목적과 그 제품으로부터 얻고자 하는 효익에 의해서 결정되는데, 그 기준은 객관적일 수도 있고 주관적일 수도 있다. 또한, 대안을 평가하는 대표적인 방식은 보완적 평가방식과 비보완적 평가방식으로 구분할 수 있다.

### (1) 보완적 평가방식

보완적 평가방식(compensatory rule)이란 **대안을 평가함에 있어 여러 가지 대안을 여러 가지 중요한 평가기준을 사용하여 종합적으로 비교 및 평가하는 방식**을 의미한다. 즉, 평가하고자 하는 제품들의 중요 속성들을 나열하고 평가할 때 특정 제품이 어떤 평가요소에서 낮은 점수를 받았다 하더라도 다른 평가요소에서는 높은 점수를 받아 만회되고 보완되는 방식을 의미한다. 보완적 평가방식은 기대가치의 개념(각 대안별로 기대가치를 구하고 기대가치가 최대인 대안을 선택)을 많이 사용하는데, 구체적인 방법으로는 **다속성태도 모형**(multi-attribute attitude model), **다속성태도 확장모형, 의도적(계획된) 행동 모형** 등이 있다.

① **다속성태도 모형**: 피쉬바인(Fishbein)이 주장한 이론으로 **소비자가 여러 제품들을 평가할 때 각 속성의 중요도에 따라 가중치를 부여한 기대가치(대상에 대한 태도)를 구하고 이를 최대화시켜주는 대안을 선택하는 평가모형**을 말한다. 다속성태도 모형에 따르면, 고객은 먼저 내적 또는 외적 정보탐색을 통하여 상표에 관한 중요한 신념들의 집합을 형성한다. 각각의 신념에 할당되는 확률값은 제품이 그러한 속성을 갖는다는 고객의 확신 정도를 반영하고 각각의 신념은 고객의 선호에 의해 평가된다. 따라서 이 모형은 매우 높은 예측타당성을 가지고 있다. 예를 들어, 어떤 소비자가 디지털 카메라를 구입한다고 가정하고, 검토 중인 제품은 A, B, C, D의 4종류이며, 사진선명도, 촬영속도, 크기, 구입가격 등 4가지의 속성을 고려해서 10점 만점으로 평가하고자 한다. 소비자는 이 4가지 속성의 가중치를 각각 40%, 30%, 20%, 10%로 부여한다면 다음과 같은 종합적인 태도점수를 얻을 수 있다.

| 신념들의 집합 | 사진선명도 | 촬영속도 | 크기 | 구입가격 | 종합태도점수 |
|---|---|---|---|---|---|
| 확신 정도 | 40% | 30% | 20% | 10% | |
| 제품 A | 10 | 8 | 6 | 4 | 8.0* |
| 제품 B | 8 | 9 | 6 | 5 | 7.6 |
| 제품 C | 8 | 8 | 9 | 4 | 7.8 |
| 제품 D | 8 | 7 | 5 | 9 | 7.2 |

*제품 A의 종합태도점수: 10×0.4 + 8×0.3 + 6×0.2 + 4×0.1 = 8.0

② **다속성태도 확장모형**: **소비자의 행동의도**(behavioral intension, BI)**가 소비자의 행동에 대한 태도**(attitude toward the behavior, A)**와 사회의 주관적 규범**(subjective norm, SN)**에 의해서 결정**(BI = A + SN)**된다는 모형**이다. 피쉬바인과 아젠(Ajzen)의 공동연구를 통해 기존의 다속성태도 모형을 확장한 모형으로 합리적 행동이론(theory of reasoned action, TRA)이라고도 한다.

③ **의도적(계획된) 행동모형**: 행동에 대한 태도와 주관적 규범뿐만 아니라 **지각된 행동통제**가 행동의도에 영향을 미칠 수 있다는 모형이다. 여기서 지각된 행동통제는 개인이 그 행동을 수행하는 것을 얼마나 쉽게 생각하는가를 말한다. 즉 **행동의도는 태도, 주관적 규범, 지각된 행동통제의 함수**이며, 행동은 행동의도와 실제적 행동통제의 함수이다.

### (2) 비보완적 평가방식

비보완적 평가방식(noncompensatory rule)은 보완적 평가방식과 달리 한 평가기준에서 약점(낮은 점수)이 다른 평가기준에서의 강점(높은 점수)으로 보완되지 않는 방식을 의미한다. 이는 보완적 평가방식보다 대안평가에 소요되는 시간과 비용이라는 측면에서 우수하다. 비보완적 방식에는 사전식(lexicographic rule), 속성제거식(aspect model filtering rule), 결합식(conjunctive rule), 분리식(disjunctive rule) 등의 방법이 있다.

① **사전식**: 사전을 찾는 방법처럼 소비자가 구매대안에 대한 최고의 우선순위를 먼저 결정하고 만약 동순위라면 차선의 우선순위에 따라 대안을 다시 평가하는 방식이다.
② **속성제거식**: 소비자가 구매대안에 대하여 최고 우선순위를 먼저 정하고, 특정 속성에 대해 최저수용기준을 설정하여 그 기준을 만족시키지 못하는 대안을 순차적으로 제거해 최종 대안이 남을 때까지 계속 평가하는 방식이다.
③ **결합식**: 소비자가 각 속성에 대하여 최소한의 평가기준점을 선정하고, 이 평가기준을 만족하지 못한 대안은 모두 탈락시키는 평가방식이다.
④ **분리식**: 소비자가 정한 최소기준 중의 하나라도 만족시키는 대안은 모두 선택집합에 포함시키는 평가방식이다.

## 5. 구매결정

소비자가 여러 대안의 평가과정을 통해 각 제품에 대한 평가를 마치게 되면 가장 선호하는 제품에 대하여 구매의도를 형성하게 되고 구매를 행동으로 옮기게 된다. 그러나 구매의도가 형성되었다고 해서 즉시 구매로 연결되는 것은 아니다. 소비자는 내부탐색과 외부탐색으로부터 찾은 대안들을 평가하고 이를 통해 제품에 대한 태도를 가지게 되고 이후에 구매를 하게 되는데 가족, 준거집단, 사회문화적 영향, 구매시점에서의 경쟁사 광고 등에 의해 최종선택이 변할 수 있다. 따라서 마케팅 관리자는 구매시점의 매장관리 및 광고에도 세심한 주의를 기울여야 한다.

## 6. 구매 후 행동

소비자는 제품의 구매시점이나 사용 중에 만족 또는 불만족을 느끼게 되는데, 이러한 현상은 구매 이전의 기대감과 구매 후 제품사용에 대해서 소비자가 느끼는 성과의 불일치 정도의 크기[111]에 따라 결정된다. 이와 같은 심리적 갈등을 구매 후 인지부조화라고 하는데, 일반적으로 소비자는 인지부조화 상태가 되면 나름대로 이를 해소하기 위해 다양한 노력을 하게 된다. 즉, 소비자가 제품을 구입한 후에 그 결과에 대하여 만족할 경우에는 긍정적 구매태도가 형성되어 재구매행동으로 이어지지만, 불만족할 경우에는 인지부조화가 발생하고 이를 적극적으로 해소하기 위해 노력하거나 다양한 불만족행동으로 이어져 재구매행동을 자제한다.

---

[111] 객관적으로 동일한 성과이더라도 지각된 성과는 기대에 영향을 받을 수 있는데, 이와 관련하여 개인은 다음의 세 가지 중 한 가지를 경험하게 된다.
　① 동화효과(assimilation effect): 성과가 기대와 다를 경우 소비자는 그 성과를 기대에 동화시켜(기대의 방향으로) 지각하는 것이다.
　② 대조효과(contrast effect): 성과가 기대에 미치지 못하는 경우 분노를 느껴 성과를 실제보다 더 낮게, 성과가 기대를 초과하는 경우에는 실제보다 더 높게 평가하는 것을 말한다.
　③ 동화 - 대조효과(assimilation-contrast effect): 소비자는 불일치에 대한 허용범위를 설정하며, 불일치의 정도가 작아 허용범위 내에 들면 기대와 별 차이가 없는 것으로 받아들이고(동화효과), 불일치의 정도가 커서 허용범위를 초과하게 되면 그 차이를 더 크게 지각한다는 것(대조효과)이다.

## 3 소비자 정보처리과정

### 1. 의의

소비자가 의사결정을 위하여 정보를 탐색하고 처리하는 경우, 정보처리과정을 통하여 형성 또는 변화된 신념과 태도는 제품의사결정에 이용된다. 우연적으로 정보를 접하게 되어 정보처리를 하는 경우, 형성된 신념과 태도는 기억에 저장되었다가 차후 관련 의사결정시 내부탐색에 의해 이용되기도 한다. 이와 같이 마케팅 자극에 대한 노출, 주의, 이해, 태도, 기억의 과정을 정보처리과정이라고 한다. 이러한 정보처리과정은 '노출 → 감지 → 주의 → 이해 → 기억'의 순으로 이루어진다.

### 2. 정보처리과정

**(1) 노출**

정보처리과정은 소비자가 마케팅 자극에 노출되는 것으로부터 시작된다. 노출(exposure)은 우연적 노출과 의도적 노출로 나눌 수 있다. **우연적 노출**은 소비자가 의도하지 않은 상태에서 정보에 노출되는 것을 의미하고, **의도적 노출**은 문제를 인식한 소비자가 의사결정과정에서 외부탐색에 의해 정보를 접하는 것을 의미한다.

**(2) 감지**

소비자의 노출된 자극에 대한 인지는 자극강도의 크기나 변화의 정도에 따라 달라진다. 감지(sensation)는 자극의 강도가 어느 정도 강해져 감각기억이 그 자극을 알아차리는 것을 말한다.

**(3) 주의**

주의(attention)는 소비자가 노출된 마케팅정보에 주목하는 과정이다. 정보처리 관점으로 주의는 소비자의 심리적 자원을 특정 대상에 사용하는 것을 의미한다. 소비자는 매일 많은 양의 마케팅 자극에 노출되기 때문에 모든 대상에 주의를 기울이지는 않는다. 소비자의 대상에 대한 주의는 관여도[112], 신념 등과 같은 특성에 따라 달라질 수 있고, 마케팅 자극에 대한 주의의 정도는 자극의 특성에 영향을 받는다.

**(4) 이해**

이해(comprehension)는 유입된 정보의 내용을 조직화하고 그 정보의 의미를 해석하는 것이다. 이러한 단계를 각각 지각적 조직화와 지각적 해석이라고 한다. 지각적 조직화(perceptual organization)는 정보처리 대상의 여러 요소들을 따로따로 지각하지 않고 통합하여 지각하는 메커니즘을 의미하고, **지각적 해석(perceptual interpretation)**[113]은 통합·조직화된 지각대상에 주관적으로 의미를 부여하는 것이다. 소비자는 대상물을 지각할 때 유입 자극물과 관련하여 기억에 저장하고 있던 정보에 근거하여 해석한다. 해석된 정보는 기억에 저장되며, 제품속성에 대한 신념이나 태도에도 영향을 줄 수 있다.[114]

---

[112] 자신과의 관련성이 높은 정보에는 주의를 기울이고 그렇지 않은 정보에는 주의를 기울이지 않는 메커니즘을 지각적 경계(perceptual vigilance)라고 한다.

[113] 지각적 해석에는 지각적 범주화와 지각적 추론의 두 가지 기본원리가 적용된다. 지각적 범주화는 소비자가 기억 속에 가지고 있는 범주와 관련된 지식을 이용하여 새로운 마케팅 자극을 이해하는 과정을 의미하고, 제품범주는 유사한 대안들로 구성되어 있다. 그리고 지각적 추론은 대안의 속성을 평가할 때 직접적인 평가를 하지 않고 다른 정보를 이용하여 추론하는 것을 의미한다. 이때 추론의 방향은 소비자가 가지고 있는 지식이나 신념에 의해 결정된다.

[114] 프레이밍 효과: 프레이밍은 특정한 프레임(frame)을 이용하여 소비자가 정보를 지각하고 평가하는 것을 의미한다. 따라서 프레이밍 효과는 동일한 문제라도 어떤 방식으로 제시하는가에 따라 사람들의 판단과 선택이 달라지는 인식왜곡현상이다.

### (5) 기억

기억(memory)은 단기기억과 장기기억이 있다. **단기기억**은 정보처리의 기능을 가지며 **장기기억**은 정보저장의 기능을 갖는다. 즉 장기기억에는 소비자가 정보처리과정과 의사결정과정에서 획득한 정보가 저장되어 있는데, 소비자가 주의를 기울인 정보, 제품속성에 대한 신념, 제품에 대한 태도 등과 같이 정보처리과정에서 획득한 다양한 정보가 장기기억에 저장된다. 또한, 의사결정과정에서 새롭게 탐색한 제품정보, 제품구매 및 사용 경험, 제품에 대한 만족도 등도 장기기억에 저장되는 정보이다. 장기기억에 저장된 정보는 정보처리과정과 의사결정과정에서 인출되어 사용된다[115].

## 4 소비자행동모형

### 1. 의의

소비자행동모형은 소비자가 제품을 선택하고 구매행동으로 연결되기까지의 여러 요인들을 가정하고 그 결과를 이론적으로 설명하는 모형을 말한다. 즉 소비자행동모형은 소비자행동에 내포된 많은 변수들과 변수들의 성격 및 이들 변수 간의 상호작용에 의하여 발생한 소비자행동을 체계적으로 도식화하여 설명한 모형이다.

### 2. 주요모형

#### (1) 정교화가능성모형

정교화가능성모형은 페티(Petty)와 카치오포(Cacioppo)가 제안한 정보처리의 이중경로모형이다. 소비자가 정보를 처리하는 경로를 **중심경로**(central route)와 **주변경로**(peripheral route)로 구분하고, 두 가지 경로 중 어떤 경로를 이용해 정보를 처리하느냐에 따라서 적합한 정보가 달라질 수 있다고 가정하였다. 정보가 어떤 경로로 처리되는지는 정보의 질이나 관여도에 의해 결정되는데, 정보에 대해 **고관여인 경우는 중심경로를 이용**하고 정보에 대해 **저관여인 경우는 주변경로를 이용**한다. 일반적으로 태도변화라는 관점에서 중심경로를 이용하는 경우에 태도가 더 안정적이다.

#### (2) 니코시아(Nicosia) 모형

니코시아 모형이란 소비자행동은 소비자의사결정과정의 결과로 파악할 수 있다고 전제하여 소비행동에 있어서의 영향요인을 파악하고, 요인 간의 관계를 규명하기 위하여 컴퓨터흐름도법을 사용하여 구매의사결정과정을 제시한 모형을 말한다. 그러나 너무 단순하여 소비자의 구매의사결정과정을 설명하기에는 부족하고 오직 한 가지의 제한된 상태인 **광고에의 노출과 그에 대한 소비자의 태도형성만을 설명**하고 있을 뿐, 광고에 대한 노출이 없이 소비자가 자동적으로 보이는 반응에 대해서는 언급이 없다.

---

115) 소비자가 의사결정 시 정보를 인출해내지 못하는 경우를 설명해 주는 대표적인 이론에는 쇠퇴이론과 방해이론이 있다. 쇠퇴이론은 기억의 자국이 시간이 경과함에 따라 서서히 사라진다는 것이고, 방해이론은 특정 정보를 인출하고자 할 때 다른 정보가 방해한다는 것이다. 그리고 정보인출의 방해에는 과거에 저장된 정보가 보다 최근에 저장된 정보의 인출을 방해하는 선입정보방해와 보다 최근에 저장된 정보가 이보다 먼저 저장된 정보의 인출을 방해하는 후입정보방해가 있다.

### (3) 기대 불일치 모형

올리버(Oliver)에 의해 제안된 기대 불일치 모형은 소비자의 만족과 불만족 결정과 관련하여 가장 넓게 받아들여지고 있는 이론이다. 기대 불일치 모형에 의하면 소비자의 만족과 불만족은 세 가지 요인에 의해 결정된다.

① **일치/불일치**: 사전 기대와 지각된 성과와의 차이에 관한 것이다. **단순한 일치**는 소비자가 성과를 기대와 같은 수준에서 지각하는 것이고, **긍정적 불일치**는 성과를 기대보다 높은 수준에서 지각하는 것이다. 이 경우 소비자는 만족할 가능성이 높으며, 특히 긍정적 불일치 수준이 높을수록 더 만족할 것이다. **부정적 불일치**는 소비자가 성과를 기대보다 낮은 수준에서 지각하는 것이며, 부정적 불일치가 클수록 불만족할 것이다.

② **지각된 성과**: 제품성과에 대한 소비자의 지각으로, 주관적으로 판단되므로 동일한 제품에 대한 성과지각은 소비자에 따라 얼마든지 다를 수 있다. 지각된 성과는 기대와의 일치/불일치를 통해 만족과 불만족에 영향을 미치는 동시에 직접적으로 영향을 미칠 수 있다. 즉 기대 불일치 정도가 같더라도 지각된 성과 자체가 만족에 영향을 미칠 수 있다.

③ **기대**: 제품의 구매 이전에 소비자가 예상하는 제품성과 수준을 말한다. 제품성과에 대한 기대수준은 과거경험, 유사한 타제품에 대한 경험, 촉진변수, 소비자의 특성으로부터 영향을 받는다.

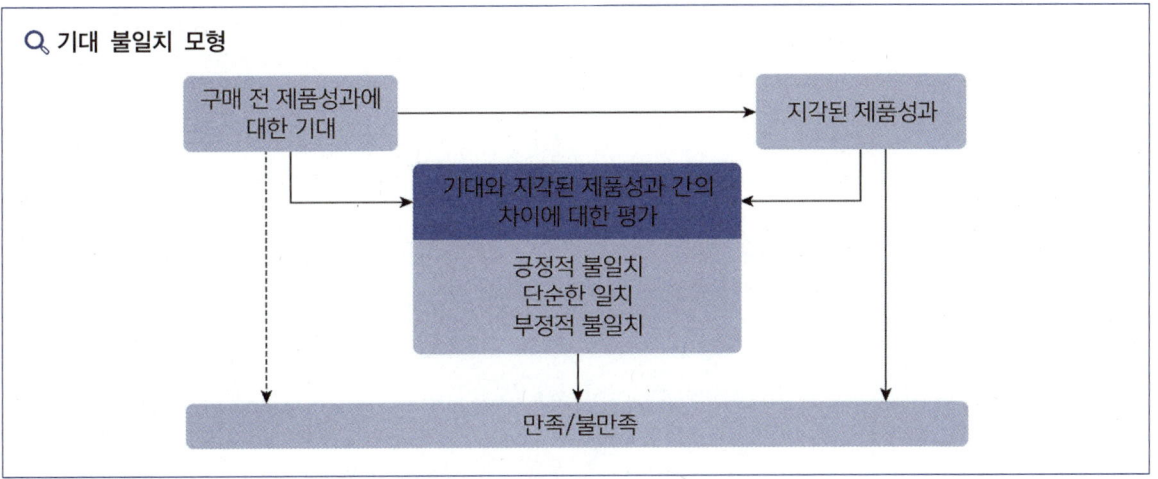

기대 불일치 모형

### (4) 사회판단이론

쉐리프(Sherif)가 주장한 사회판단이론은 **개인이 설득메시지에 노출되었을 때, 그 메시지가 수용영역에 속하면 설득이 이루어지고, 거부영역에 속하면 설득이 이루어지지 않으며, 중립영역에 속하면 수용도 아니지만 그렇다고 거부도 아닌 입장을 취한다는 것**이다. 따라서 소비자는 메시지가 수용영역에 해당하면 설득메시지를 태도에 반영하여 태도가 설득메시지 방향으로 변화하는데, 이를 **동화효과**라 한다. 반대로 기존태도 또는 신념에 상반되는 메시지, 즉 거부영역에 해당하는 메시지는 실제보다 더 부정적으로 해석할 수 있는데, 이를 **대조효과**라 한다. 또한, 사회판단이론에 따르면 설득메세지의 수용영역과 거부영역의 크기는 메시지에 대한 개인의 관여정도에 의해 결정된다. 개인은 한 대상에 대한 관여도가 높을수록 자신의 의견을 강하게 가지는 경향이 있으며, 자신의 의견에 반하는 설득메시지에 대해서는 수용영역이 좁고 거부영역이 넓다. 따라서 어떤 제품군에 높게 관여된 소비자가 비호의적 태도를 갖는 브랜드에 대한 설득메시지에 노출되더라도 기존의 태도가 변화될 가능성은 낮다. 이에 반해 관여도가 낮은 개인은 설득메시지에 대한 수용영역이 넓고 거부영역이 좁다. 따라서 저관여 소비자는 자신이 비호의적인 태도를 갖는 브랜드의 설득메시지에 노출될 때 그 정보를 비교적 쉽게 수용하며 이에 따라 태도가 비교적 쉽게 변화될 수 있다.

## 관여도와 사회판단이론

| 구분 | 고관여 소비자 | 저관여 소비자 |
|---|---|---|
| 수용영역 | 좁음 | 넓음 |
| 수용가능한 브랜드 대안의 수 | 적음 | 많음 |
| 고려하는 속성의 수 | 많음 | 적음 |
| 브랜드전환 가능성 | 낮음 | 높음 |

# 출제예상문제

CHAPTER 02 마케팅 기회분석

## 4지선다형

**01** ☐☐☐ 2023년 군무원 7급 기출

**다음 중 확률표본추출방법에 해당하는 것은?**

① 층화표본추출(stratified sampling)
② 편의표본추출(convenience sampling)
③ 판단표본추출(judgmental sampling)
④ 할당표본추출(quota sampling)

**해설**

확률표본추출방법에는 무작위표본추출, 층화표본추출, 군집표본추출 등이 있고, 비확률표본추출방법에는 편의표본추출, 판단표본추출, 할당표본추출, 눈덩이표본추출 등이 있다.

**정답 ①**

**02** ☐☐☐ 한국가스공사 기출동형

**다음에서 설명하는 내용과 가장 관련이 없는 것은 무엇인가?**

- 조사대상의 표본추출 확률을 모르는 상태에서의 표본추출방법이다.
- 추출된 표본의 대표성이 약하며 분석결과를 일반화하기가 어렵다.

① 편의표본추출
② 층화표본추출
③ 할당표본추출
④ 판단표본추출

**해설**

제시된 내용은 비확률적 표본추출에 대한 설명이다. 따라서 확률적 표본추출에 해당하는 층화표본추출은 제시된 내용과 관련이 없다.

**정답 ②**

**03** ☐☐☐ 2021년 국가직 7급 기출

**군집표본추출(cluster sampling)에 대한 설명으로 옳은 것은?**

① 비확률표본추출이다.
② 모집단의 특성을 반영하도록 미리 할당된 비율에 따라 표본을 추출하는 것이다.
③ 모집단을 서로 상이한 소집단들로 나누고, 각 소집단으로부터 표본을 단순 무작위추출하는 방법이다.
④ 모집단을 어떤 기준변수에 따라 서로 상이한 소집단들로 나누는 데까지는 층화표본추출과 같다.

**해설**

① 군집표본추출은 확률표본추출에 해당한다.
② 모집단의 특성을 반영하도록 미리 할당된 비율에 따라 표본을 추출하는 것은 할당표본추출이다.
③ 모집단을 서로 상이한 소집단들로 나누고, 각 소집단으로부터 표본을 단순 무작위추출하는 방법은 층화표본추출이다.

**정답 ④**

## 04 ☐☐☐ 2016년 국가직 7급 기출

**표본추출방법에 대한 설명으로 옳지 않은 것은?**

① 단순무작위표본추출법, 군집표본추출법, 층화표본추출법은 확률표본추출방법에 해당한다.
② 모집단의 특성을 반영하도록 미리 할당된 비율에 따라 표본을 추출하는 할당표본추출은 비확률표본추출에 해당한다.
③ 조사자가 표본선정의 편리성에 중점을 두고 조사자 임의대로 표본을 선정하는 방법은 편의표본추출법이다.
④ 모집단을 서로 배타적이고 포괄적인 소그룹으로 구분한 다음 각 소그룹별로 단순 무작위 표본추출하는 방법은 판단표본추출방법이다.

### 해설

모집단을 서로 배타적이고 포괄적인 소그룹으로 구분한 다음 각 소그룹별로 단순 무작위 표본추출하는 방법은 층화표본추출방법이다. 판단표본추출방법은 조사자가 조사목적에 적합하다고 판단하는 대상을 선택하거나 표본의 선택기준을 정해놓고 선택된 표본에 대한 자료를 검토해 가장 적합한 대상을 선별하는 방법이다. 따라서 연구자의 주관적 판단이 중요하다. **정답 ④**

## 05 ☐☐☐ 2012년 국가직 7급 기출

**마케팅 조사(marketing research)를 위한 표본추출 방법 중에서 할당 표본추출(quota sampling) 방법에 대한 설명으로 옳은 것은?**

① 확률 표본추출 방법 중의 하나이다.
② 모집단 내의 각 대상이 표본에 추출될 확률이 모두 동일한 방법이다.
③ 모집단의 특성을 반영하도록 통제 특성별로 미리 정해진 비율만큼 표본을 추출하는 방법이다.
④ 모집단을 어떤 기준에 따라 상이한 소집단으로 나누고 각 소집단으로부터 표본을 무작위로 추출하는 방법이다.

### 해설

① 할당 표본추출 방법은 비확률 표본추출 방법 중의 하나이다.
② 모집단 내의 각 대상이 표본에 추출될 확률이 모두 동일한 방법은 무작위 표본추출 방법이다.
④ 모집단을 어떤 기준에 따라 상이한 소집단으로 나누고 각 소집단으로부터 표본을 무작위로 추출하는 방법은 층화 표본추출 방법이다. **정답 ③**

## 06 ☐☐☐ 서울교통공사 기출동형

**다음 중 1차 자료와 2차 자료를 비교한 내용으로 옳지 않은 것은?**

① 1차 자료는 다른 문제해결을 위해 수집된 자료이고, 2차 자료는 당면한 문제해결을 위해 수집된 자료이다.
② 1차 자료는 조사자가 직접 수집한 자료이고, 2차 자료는 타인에 의해 수집된 자료이다.
③ 1차 자료의 수집비용이 2차 자료의 수집비용보다 높은 편이다.
④ 1차 자료의 수집기간이 2차 자료의 수집기간보다 긴 편이다.

### 해설

1차 자료는 당면한 문제해결을 위해 수집된 자료이고, 2차 자료는 다른 문제해결을 위해 수집된 자료이다. **정답 ①**

## 07 ☐☐☐ 2022년 국가직 7급 기출

**자료의 척도에 대한 설명으로 옳은 것은?**

① 간격척도(interval scales)는 응답대안을 상호배타적으로 분류하기 위해 각각의 응답대안에 임의로 숫자를 부여하는 척도이다.
② 학급에서 키 순서를 기준으로 학생들에게 번호를 부여하는 방식은 명목척도(norminal scales)의 적용이다.
③ 비율척도(ratio scales)에는 절대 0점이 있어 각 척도점의 의미를 누구나 동일하게 받아들인다.
④ 서열척도(ordinal scales)는 조사대상들의 특성을 서열로 나타낸 것이며 대표적인 예로 '온도'가 있다.

**해설**

① 응답대안을 상호배타적으로 분류하기 위해 각각의 응답대안에 임의로 숫자를 부여하는 척도는 명목척도이다.
② 학급에서 키 순서를 기준으로 학생들에게 번호를 부여하는 방식은 서열척도의 적용이다.
④ 서열척도는 조사대상들의 특성을 서열로 나타낸 것이며 대표적인 예로 '선호순위', '사회계층' 등이 있고, '온도'는 간격(등간)척도에 해당한다.

**정답 ③**


## 08 ☐☐☐ 서울교통공사 기출동형

**다음에서 설명하는 척도의 형태는 무엇인가?**

> 제품의 선호도 등과 같이 측정결과의 대소관계는 알 수 있지만, 그 사이의 거리를 측정할 수는 없다.

① 명목척도(nominal scale)
② 서열척도(ordinal scale)
③ 등간척도(interval scale)
④ 비율척도(ratio scale)

**해설**

① 명목척도는 측정대상이 속한 범주나 종류를 구분하기 위해 부여된 숫자를 의미하며, 숫자를 이용하여 대상을 분류 또는 구분할 수 있다.
③ 등간척도는 속성에 대하여 숫자로 순위를 부여하되 숫자 사이의 간격이 동일한 척도를 의미한다.
④ 비율척도는 숫자 간 비율이 산술적 의미를 갖는 척도를 의미하며, 숫자 간 비율이 동일하기 때문에 숫자들의 비율로 절대적 크기를 비교할 수 있다.

**정답 ②**


## 09 ☐☐☐ 한국서부발전 기출동형

**다음에서 설명하는 척도의 형태는 무엇인가?**

> A 사는 최근 판매하고 있는 시장의 브랜드 선호순서를 파악해 포지셔닝전략을 수립하고자 한다. 이에 대한 상대적인 위치를 나타낼 수 있는 브랜드 선호순서를 확인하기 위해 척도를 활용하였다.

① 명목척도(nominal scale)
② 서열척도(ordinal scale)
③ 등간척도(interval scale)
④ 비율척도(ratio scale)

**해설**

제시된 내용은 순서를 파악하는 것과 관련되어 있기 때문에 서열척도가 활용된 사례이다.

**정답 ②**

## 10 □□□ 서울교통공사 기출동형

**다음 중 마케팅조사에 대한 설명으로 옳지 않은 것은?**

① 전수조사는 표본조사에 비해 적은 비용으로 전체의 특성을 파악할 수 있다는 장점이 있다.
② 자료의 유형에는 조사자가 직접 수집한 1차 자료와 다른 목적을 위해 이미 수집된 2차 자료가 있다.
③ 명목척도는 관찰대상을 상호 배타적인 범주로 구분하기 위하여 사용하는 척도이다.
④ 표본선정이란 의사결정에 필요한 정보를 제공해 줄 수 있는 조사대상을 선정하는 것이다.

**해설**

표본조사는 전수조사에 비해 적은 비용으로 전체의 특성을 파악할 수 있다는 장점이 있다.                                                        정답 ①


## 11 □□□ 2024년 군무원 7급 기출

**다음 마케팅 조사와 관련된 여러 설명들 중 가장 적절한 설명은?**

① 등간척도(interval scale)는 속성의 절대적 크기를 측정하기 때문에 사칙연산이 가능하다.
② 외적 타당성(external validity)이란 실험 결과를 실험실 밖의 실제상황에서 어느 정도까지 설명력 있게 확대 적용할 수 있느냐의 정도를 나타내는 지표를 말한다.
③ 표적 집단 면접(focus group interview), 문헌조사, 전문가 의견조사는 기술조사 방법(descriptive research method)에 해당한다.
④ 전화 설문 기법(telephone survey technique)은 표본 범주를 통제하기가 용이하다.

**해설**

① 절대적 크기를 측정하는 것은 비율척도(ratio scale)이다.
③ 표적 집단 면접(focus group interview), 문헌조사, 전문가 의견조사는 탐색조사 방법(exploratory research method)에 해당한다.
④ 전화 설문 기법(telephone survey technique)은 표본 범주를 통제하기가 쉽지 않다.                                                      정답 ②


## 12 □□□ 2024년 군무원 9급 기출

**다음 중 소비자행동의 영향요인으로 개인 심리적 요인과 가장 거리가 먼 것은?**

① 라이프스타일             ② 학습
③ 가치                    ④ 가족

**해설**

소비자행동의 영향요인으로 개인 심리적 요인과 가장 거리가 먼 것은 가족이다.                                                          정답 ④

## 13 □□□ 2020년 국가직 7급 기출

소비자행동 모델에 대한 설명으로 옳지 않은 것은?

① 포괄적 문제해결행동은 소비자가 제품부류에 대한 사전지식이 충분하고 대체품들의 평가기준을 잘 알고 있을 때 주로 발생한다.
② 한정적 문제해결행동은 소비자가 내적탐색과 더불어 외적탐색도 할 수 있으며, 조직의 수정재구매와 유사하다.
③ 자동적(일상적) 문제해결행동은 소비자가 동일제품을 반복 구매하여 그 제품에 대한 상당한 경험이 있고 만족하는 경우에 발생한다.
④ 조직의 단순재구매는 구매조건의 변경이나 경쟁입찰 없이 반복적으로 발생하는 구매상황을 의미한다.

**해설**

소비자행동은 관여도에 따라 포괄적 문제해결, 한정적(제한적) 문제해결, 일상적 문제해결로 구분할 수 있다. 소비자는 관여도가 높을수록 포괄적 문제해결의 행동을 보이며, 관여도가 낮을수록 일상적 문제해결의 행동을 보이게 된다. 따라서 포괄적 문제해결은 고객들이 신제품을 구매하거나 여러 대체품들에 대한 사전지식이 없고 각 대체품들의 평가기준을 모르는 상황에서 발생한다.  **정답 ①**

## 14 □□□ 2023년 국가직 7급 기출

소비자 정보탐색에 대한 설명으로 옳은 것은?

① 제한적 문제해결(limited problem solving)에서는 외적 정보탐색을 하지 않는다.
② 포괄적 문제해결(extensive problem solving)에서는 외적 정보탐색을 하지 않는다.
③ 능동적 정보탐색(active information search)은 내적 정보탐색이다.
④ 강화된 주의(heightened attention)는 외적 정보탐색이다.

**해설**

강화된 주의는 소비자가 자신의 문제와 관련된 정보에 노출될 때마다 상당한 주의를 기울이는 것으로 외적 정보탐색이다.
①, ② 제한적 문제해결과 포괄적 문제해결 모두 내적 정보탐색과 외적 정보탐색을 한다.
③ 능동적 정보탐색은 보다 적극적으로 나서서 정보를 탐색하는 것으로 외적 정보탐색이다.  **정답 ④**

## 15 □□□ 2017년 서울시 7급 기출

제품에 대하여 소비자가 비교적 낮은 관여도(Involvement)를 보이며 브랜드 간의 차이가 미미할 경우에 취할 수 있는 소비자 구매행동은?

① 복잡한 구매행동(complex buying behavior)
② 부조화 감소 구매행동(dissonance-reducing buying behavior)
③ 다양성 추구 구매행동(variety-seeking buying behavior)
④ 습관적 구매행동(habitual buying behavior)

**해설**

제품에 대하여 소비자가 비교적 낮은 관여도(Involvement)를 보이며 브랜드 간의 차이가 미미할 경우에 취할 수 있는 소비자 구매행동은 습관적 구매행동이다.  **정답 ④**

## 16  2016년 서울시 7급 기출

**관여도에 따른 소비자 구매행동 유형에 대한 설명으로 옳은 것은?**

① 저관여 제품이고 제품특성 차이가 작을 때 소비자는 다양성(Variety-Seeking) 추구 구매 행동을 보인다.
② 고관여 제품이고 제품특성 차이가 클 때 소비자는 습관적(Habitual) 구매 행동을 보인다.
③ 저관여 제품이고 제품특성 차이가 클 때 소비자는 복잡한(Complex) 구매 행동을 보인다.
④ 고관여 제품이고 제품특성 차이가 작을 때 소비자는 부조화 감소(Dissonance-Reducing) 구매 행동을 보인다.

### 해설

① 저관여 제품이고 제품특성 차이가 작을 때 소비자는 습관적 구매 행동을 보인다.
② 고관여 제품이고 제품특성 차이가 클 때 소비자는 복잡한 구매 행동을 보인다.
③ 저관여 제품이고 제품특성 차이가 클 때 소비자는 다양성 추구 구매 행동을 보인다.

**정답 ④**

## 17  한국중부발전 기출동형

**다음 사례를 소비자 구매의사결정과정의 순서대로 바르게 나열한 것은?**

> ㄱ. 구매하지 않은 브랜드의 소비자평가가 낮게 나왔다는 기사를 찾아 보았다.
> ㄴ. 나의 자동차가 너무 낡았다는 생각이 들었다.
> ㄷ. 인터넷을 통해 자동차광고를 유심히 살펴보았다.
> ㄹ. 대리점에 갔지만 구매하고자 하는 제품이 없어 다른 제품을 구매하였다.
> ㅁ. 가격이 싼 제품과 디자인이 예쁜 제품을 비교하였다.

① ㄴ → ㄷ → ㅁ → ㄹ → ㄱ
② ㄴ → ㄹ → ㅁ → ㄷ → ㄱ
③ ㄷ → ㄱ → ㄴ → ㅁ → ㄹ
④ ㄷ → ㄴ → ㄱ → ㄹ → ㅁ

### 해설

ㄱ은 구매 후 행동, ㄴ은 욕구(필요)인식, ㄷ은 정보(대안)탐색, ㄹ은 구매결정, ㅁ은 대안평가에 해당한다. 따라서, 소비자 구매의사결정과정의 순서는 'ㄴ → ㄷ → ㅁ → ㄹ → ㄱ'이다.

**정답 ①**

## 18 한국가스공사 기출동형

**소비자의 구매의사결정과정이 다음과 같을 때, 이에 대한 설명으로 옳은 것은?**

> 욕구(필요)인식 → 정보(대안)탐색 → 대안평가 → 구매 → 구매 후 행동

① 욕구(필요)인식은 '욕구의 환기'라고도 하며, 여기서 욕구란 충족되거나 지각되지 않은 욕구를 말한다.
② 저관여일 경우에는 정보(대안)탐색과 대안평가 단계를 생략하고, 욕구(필요)인식 단계에서 바로 구매결정 단계로 이어질 수 있다.
③ 소비자가 취하는 행동특성들을 이해함으로써 단계별로 마케팅전략을 어떻게 펼칠 것인지를 시사한다는 점에서 대안평가 단계가 가장 중요하다.
④ 구매결정 이전부터 구매 이후 공유하는 단계에 이르기까지 소비자가 영향을 받고 이용하는 미디어는 그 유형이 한정되어 있다.

**해설**

① 욕구(필요)인식은 '욕구의 환기'라고도 하며, 여기서 욕구란 충족되지 않은 지각된 욕구를 말한다.
③ 소비자가 취하는 행동특성들을 이해함으로써 단계별로 마케팅전략을 어떻게 펼칠 것인지를 시사한다는 점에서 구매 후 행동 단계가 가장 중요하다.
④ 구매결정 이전부터 구매 이후 공유하는 단계에 이르기까지 소비자가 영향을 받고 이용하는 미디어는 그 유형이 한정되어 있지 않다. **정답 ②**

## 19 서울교통공사 기출동형

**다음 중 피쉬바인(Fishbein)의 다속성태도 모형에 대한 설명으로 옳지 않은 것은?**

① 소비자의 태도형성을 브랜드의 속성과 편익에 대한 소비자의 신념의 함수로 설명하였다.
② 대안별 평가를 하고 그 평가결과가 가장 큰 대안을 선택하는 모형이다.
③ 이후 확장된 피쉬바인 모델로 발전하였다.
④ 평가점수가 동일한 대안은 소비자가 느끼는 속성이 동일한 것이다.

**해설**

평가점수는 소비자의 종합적인 태도점수를 의미하기 때문에 대안의 평가점수가 동일하다고 해서 소비자가 느끼는 속성이 동일한 것은 아니다.
**정답 ④**

## 20 ☐☐☐ 2022년 국가직 7급 기출

**소비자의 대안평가 방식 중 비보상적 방식에 대한 설명으로 옳은 것은?**

① 분리식(disjunctive rule)은 모든 속성에서 최소한의 수용기준을 설정하고, 그 기준을 만족시키는 대안 중 평가 점수가 가장 높은 대안을 선택하는 방식이다.
② 결합식(conjunctive rule)은 모든 속성에서 수용 가능한 최소 수준을 설정하고, 단 하나의 기준이라도 충족시키지 못하면 제거하는 방식이다.
③ 순차적 제거식(sequential elimination rule)은 모든 속성에서 최소 어느 정도는 되어야 한다는 수용기준을 설정하고, 평가 점수가 가장 낮은 대안부터 제거해 나가는 방식이다.
④ 사전편집식(lexicographic rule)은 복수의 대안이 하나의 기준에서 동등한 평가를 받을 때, 사전과 마찬가지로 가나다 순으로 대안을 선택하는 방식이다.

### 해설

① 분리식은 소비자가 정한 최소기준 중의 하나라도 만족시키는 대안은 모두 선택집합에 포함시키는 방식이다.
③ 순차적 제거식은 소비자가 구매대안에 대하여 최고 우선순위를 먼저 정하고, 특정 속성에 대해 최저수용기준을 설정하여 그 기준을 만족시키지 못하는 대안을 순차적으로 제거해 최종 대안이 남을 때까지 계속 평가하는 방식이다.
④ 사전편집식은 사전을 찾는 방법처럼 소비자가 구매대안에 대한 최고의 우선순위를 먼저 결정하고 만약 동순위라면 차선의 우선순위에 따라 대안을 다시 평가하는 방식이다.

**정답 ②**

## 21 ☐☐☐ 2019년 서울시 7급 기출

표는 음료를 구매하고자 하는 갑(甲) 소비자의 음료선택과 관련된 속성의 중요도와 각 속성별 브랜드 평가에 대한 내용이다. 중요도가 높을수록 해당 속성을 중요하게 여기는 것이고, 속성별 평가 점수가 높을수록 해당 브랜드의 속성에 대해 우수하게 평가하는 것을 의미한다. 갑 소비자가 대안평가 방법 중 사전편집식 방식(lexicographic rule)을 이용할 때, 갑 소비자가 선택할 하나의 브랜드는?

| 제품속성 | 중요도 | 속성별 평가 | | | |
|---|---|---|---|---|---|
| | | A 브랜드 | B 브랜드 | C 브랜드 | D 브랜드 |
| 맛 | 0.6 | 4 | 4 | 2 | 3 |
| 향기 | 0.3 | 3 | 2 | 3 | 1 |
| 가격 | 0.1 | 1 | 2 | 3 | 5 |

① A 브랜드
② B 브랜드
③ C 브랜드
④ D 브랜드

### 해설

제품속성별 중요도를 기준으로 우선순위를 정하면 '맛 → 향기 → 가격'의 순서가 되고, 사전편집식 방식을 사용하게 되면 '맛 → 향기 → 가격'의 순서를 기준으로 브랜드를 선택하게 된다. 따라서 먼저 "맛"을 기준으로 선택하면 A 브랜드와 B 브랜드가 선택되고, 이 두 개의 브랜드를 두 번째 기준인 "향기"를 기준으로 선택하면 A 브랜드가 선택되기 때문에 최종적으로 A 브랜드가 선택된다.

**정답 ①**

## 22 대전도시철도공사 기출동형

소비자 A가 아래와 같은 표를 만들어 두 노트북 제품에 대한 평가를 하고자 할 때, 다음 설명 중 옳지 않은 것은?

| 속성 | 가중치 | 평가점수 | |
|---|---|---|---|
| | | 가 제품 | 나 제품 |
| 브랜드 가치 | 20% | 70 | 60 |
| 디자인 | 40% | 90 | 80 |
| 가격 | 30% | 50 | 80 |
| 성능 | 10% | 80 | 70 |

① 위와 같이 평가를 내리는 기법을 다속성태도 모형이라고 한다.
② 가 제품의 총점은 73점이다.
③ 나 제품의 총점은 74점이다.
④ 가중치의 배분에 따라 총점은 서로 다르게 나올 수 있다.

**해설**

가 제품의 총점은 (70 × 20%) + (90 × 40%) + (50 × 30%) + (80 × 10%) = 73점이고, 나 제품의 총점은 (60 × 20%) + (80 × 40%) + (80 × 30%) + (70 × 10%) = 75점이다.

**정답 ③**

## 23 2016년 국가직 7급 기출

홍길동은 다속성태도모형에 기반해 자동차에 대한 태도를 형성한다. 중요도가 높을수록 해당 속성을 중요하게 여기는 것이고 속성별 브랜드의 평가 점수가 높을수록 해당 브랜드의 속성에 대해 우수하게 평가하는 것이다. 다음은 홍길동의 자동차 선택과 관련된 속성의 중요도 및 각 속성별 브랜드 평가에 대한 내용이다. 홍길동이 가장 선호하는 자동차 브랜드는?

| | | 제품 속성 | | |
|---|---|---|---|---|
| | | 가격 | 성능 | 스타일 |
| 중요도 | | 0.5 | 0.3 | 0.2 |
| 속성별 평가 | A 브랜드 | 4 | 6 | 8 |
| | B 브랜드 | 5 | 5 | 6 |
| | C 브랜드 | 3 | 7 | 6 |
| | D 브랜드 | 4 | 7 | 5 |

① A 브랜드
② B 브랜드
③ C 브랜드
④ D 브랜드

**해설**

① A 브랜드: 4 × 0.5 + 6 × 0.3 + 8 × 0.2 = 5.4
② B 브랜드: 5 × 0.5 + 5 × 0.3 + 6 × 0.2 = 5.2
③ C 브랜드: 3 × 0.5 + 7 × 0.3 + 6 × 0.2 = 4.8
④ D 브랜드: 4 × 0.5 + 7 × 0.3 + 5 × 0.2 = 5.1
따라서 홍길동이 가장 선호하는 자동차 브랜드는 A 브랜드이다.

**정답 ①**

## 24  ☐☐☐ 2012년 국가직 7급 기출

소비자 구매 의사결정과정 중 인지부조화(cognitive dissonance)와 관련이 깊은 단계는?

① 욕구의 발생
② 정보의 탐색
③ 대안의 평가
④ 구매 후 행동

**해설**

소비자는 제품의 구매시점이나 사용 중에 만족 또는 불만족을 느끼게 되는데, 이러한 현상은 구매 이전의 기대감과 구매 후 제품사용에 대해서 소비자가 느끼는 성과의 불일치 정도의 크기에 따라 결정된다. 이와 같은 심리적 갈등을 구매 후 인지부조화라고 하는데, 일반적으로 소비자는 인지부조화 상태가 되면 나름대로 이를 해소하기 위해 다양한 노력을 하게 된다. 즉, 소비자가 제품을 구입한 후에 그 결과에 대하여 만족할 경우에는 긍정적 구매태도가 형성되어 재구매행동으로 이어지지만, 불만족할 경우에는 인지부조화가 발생하고 이를 적극적으로 해소하기 위해 노력하거나 다양한 불만족행동으로 이어져 재구매행동을 자제한다. 따라서 소비자 구매 의사결정과정 중 인지부조화와 관련이 깊은 단계는 '구매 후 행동'이다.

정답 ④

## 25  ☐☐☐ 2020년 서울시 7급 기출

소비자들의 불만족에 관해 다룬 귀인이론(Attribution Theory)에 대한 설명으로 가장 옳지 않은 것은?

① 불만족을 일으킨 사건의 원인이 일시적인 것이라고 생각하면 불만족의 크기는 줄어든다.
② 결과에 대한 원인을 찾는 과정은 크게 내적 귀인과 외적 귀인이 있다.
③ 불만족의 원인을 기업이 통제 가능한 것이라고 생각할 때 불만족의 크기가 커진다.
④ 불만족의 원인에 대해 외적 귀인을 할 때 불만족의 크기는 줄어든다.

**해설**

불만족의 원인에 대해 내적 귀인을 할 때 불만족의 크기는 줄어든다.

정답 ④

## 26  ☐☐☐ 2024년 군무원 7급 기출

다음 중 소비자의 구매 의사결정에 대한 설명으로 가장 적절한 것은?

① 정교화 가능성 모형(elaboration likelihood model)에 따르면, 소비자의 정보처리 경로는 중심경로(central route) - 중간경로(middle route) - 주변경로(peripheral route)로 구분된다.
② 기대불일치모형(expectation disconfirmation model)에 의하면, 만족과 불만족은 소비자가 제품 사용 후 내린 평가가 기대 이상이냐 기대보다 못하냐에 따라 결정된다는 것이다.
③ 소비자의 구매 의사결정과정에서 '구매 후 과정'과 관련하여, 귀인이론(attribution theory)은 구매 후 소비자가 불만족 원인이 일시적이고, 기업이 통제불가능한 것이었고, 기업의 잘못으로 일어났다고 소비자가 생각할수록 불만족할 가능성이 높다.
④ 구매하기로 선택한 대안이 갖지 못한 장점을 선택하지 않은 대안이 갖고 있을 때, 구매 후 부조화(postpurchase dissonance) 현상은 크게 발생하지 않는다.

**해설**

① 정교화 가능성 모형(elaboration likelihood model)에 따르면, 소비자의 정보처리 경로는 중심경로(central route) - 주변경로(peripheral route)로 구분되고, 중간경로(middle route)는 없다.
③ 소비자의 구매 의사결정과정에서 '구매 후 과정'과 관련하여, 귀인이론(attribution theory)은 구매 후 소비자가 불만족 원인이 지속적이고, 기업이 통제가능한 것이었고, 기업의 잘못으로 일어났다고 소비자가 생각할수록 불만족할 가능성이 높다.
④ 구매하기로 선택한 대안이 갖지 못한 장점을 선택하지 않은 대안이 갖고 있을 때, 구매 후 부조화(postpurchase dissonance) 현상은 크게 발생한다.

정답 ②

## 27 2021년 국가직 7급 기출

소비자행동에서 저관여 상황과 고관여 상황의 태도 형성 및 변화의 차이를 통합하여 설명하는 것으로 옳은 것은?

① 다속성태도모형(multi-attribute model)
② 정교화가능성모형(elaboration likelihood model)
③ 연상(association)에 의한 태도모형
④ 단순노출효과(mere exposure effect)

> **해설**
> 정교화가능성모형은 페티(Petty)와 카치오포(Caccioppo)가 제안한 정보처리의 이중경로모형이다. 소비자가 정보를 처리하는 경로를 중심경로와 주변경로로 구분하고, 두 가지 경로 중 어떤 경로를 이용해 정보를 처리하느냐에 따라서 적합한 정보가 달라질 수 있다고 가정하였다. 정보가 어떤 경로로 처리되는지는 정보의 질이나 관여도에 의해 결정되는데, 정보에 대해 고관여인 경우는 중심경로를 이용하고 정보에 대해 저관여인 경우는 주변경로를 이용한다. 일반적으로 태도변화라는 관점에서 중심경로를 이용하는 경우에 태도가 더 안정적이다.
> **정답 ②**

## 28 2023년 군무원 7급 기출

소비자행동에서 다음과 같은 현상을 가장 적절하게 설명하는 것은?

> 새로 출시된 자동차의 디자인이 처음에는 마음에 들지 않았지만, 계속 보다 보니 조금씩 호감도가 증가한다.

① 휴리스틱(heuristic)
② 프로스펙트 이론(prospect theory)
③ 사회판단이론(social judgment theory)
④ 단순노출효과(mere-exposure effect)

> **해설**
> 새로 출시된 자동차의 디자인이 처음에는 마음에 들지 않았지만, 계속 보다 보니 조금씩 호감도가 증가하는 것은 단순노출효과이다.
> ① 휴리스틱(heuristic)은 시간이나 정보가 불충분하여 합리적인 판단을 할 수 없거나, 굳이 체계적이고 합리적인 판단을 할 필요가 없는 상황에서 신속하게 사용하는 어림짐작의 기술을 의미한다.
> ② 프로스펙트 이론(prospect theory)은 사람들은 이득보다 손실에 더 민감하고, 기준점을 중심으로 이득과 손해를 평가하며 이득과 손해 모두 효용이 체감한다는 것을 가정하는 이론을 의미한다. 즉 소비자는 절대치가 아닌 상대적인 변화에 민감하게 반응한다는 것이다.
> ③ 사회판단이론(social judgment theory)은 개인이 설득메시지에 노출되었을 때, 그 메시지가 수용영역에 속하면 설득이 이루어지고, 거부영역에 속하면 설득이 이루어지지 않으며, 중립영역에 속하면 수용도 아니지만 그렇다고 거부도 아닌 입장을 취한다는 것이다.
> **정답 ④**

## 5지선다형

**01** □□□ 2015년 가맹거래사 기출

조사방법 중 탐색적(exploratory) 방법이 아닌 것은?

① 인과관계조사
② 심층면접법
③ 문헌조사
④ 전문가의견조사
⑤ 표적집단면접법

**해설**

조사방법은 탐색조사(exploratory research), 기술조사(descriptive research), 인과조사(causal research) 등이 있으며, 탐색조사에는 문헌조사, 전문가 의견조사, 표적집단면접법, 사례연구 등이 있다. 따라서 인과관계조사는 탐색적 방법에 해당하지 않는다. **정답 ①**

**02** □□□ 2024년 가맹거래사 기출

확률표본추출방법으로 옳은 것은?

① 층화표본추출
② 할당표본추출
③ 편의표본추출
④ 판단표본추출
⑤ 눈덩이표본추출

**해설**

확률표본추출방법에는 무작위표본추출, 층화표본추출, 군집표본추출 등이 있고, 비확률표본추출방법에는 편의표본추출, 판단표본추출, 할당표본추출, 눈덩이표본추출 등이 있다. **정답 ①**

**03** □□□ 2023년 가맹거래사 기출

비확률표본추출방법에 해당하는 것은?

① 할당표본추출법
② 단순무작위표본추출법
③ 체계적 표본추출법
④ 층화표본추출법
⑤ 군집표본추출법

**해설**

확률표본추출방법에는 단순무작위표본추출법, 층화표본추출법, 군집표본추출법 등이 있고, 비확률표본추출방법에는 편의표본추출법, 판단표본추출법, 할당표본추출법, 눈덩이표본추출법 등이 있다. **정답 ①**

## 04 ☐☐☐ 서울주택도시공사 기출동형

**다음 표본추출방법 중 비확률적 표본추출방법을 모두 고르면?**

> ㄱ. 편의표본추출법(convenience sampling)
> ㄴ. 체계적 표본추출법(systematic sampling)
> ㄷ. 군집표본추출법(cluster sampling)
> ㄹ. 판단표본추출법(judgement sampling)
> ㅁ. 단순무작위 표본추출법(simple sampling)
> ㅂ. 할당표본추출법(quota sampling)

① ㄱ, ㄴ, ㅁ  ② ㄱ, ㄹ, ㅂ  ③ ㄴ, ㄷ, ㅁ
④ ㄷ, ㄹ, ㅁ  ⑤ ㄹ, ㅁ, ㅂ

**해설**

ㄱ, ㄹ, ㅂ 비확률적 표본추출방법에 해당한다.
ㄴ, ㄷ, ㅁ 확률적 표본추출방법에 해당한다.

정답 ②

## 05 ☐☐☐ 2020년 가맹거래사 기출

**마케팅조사 자료수집 시 다음에 해당하는 표본추출방법은?**

> • 추출된 표본이 모집단을 대표하지 못할 수도 있다.
> • 표본추출비용이 거의 발생하지 않고 절차가 간단하다.
> • 조사자나 면접원이 편리한 장소와 시간에 접촉하기 쉬운 대상들을 표본으로 추출한다.

① 편의표본추출  ② 군집표본추출  ③ 층화표본추출
④ 할당표본추출  ⑤ 판단표본추출

**해설**

해당 설명은 편의표본추출에 해당한다.

정답 ①

## 06 ☐☐☐ 한국마사회 기출동형

**다음 중 자료수집방식에 대한 설명으로 옳지 않은 것은?**

① 1차 자료는 2차 자료에 비해 자료에 대한 신뢰도가 낮다.
② 2차 자료는 기존에 조사된 모든 자료를 의미한다.
③ 1차 자료는 시간 및 비용 등이 많이 소요된다는 문제점이 있다.
④ 2차 자료는 1차 자료에 비해 자료의 취득이 용이하다.
⑤ 1차 자료는 수집된 자료를 의사결정이 필요한 시기에 적절히 활용할 수 있다.

**해설**

1차 자료는 2차 자료에 비해 자료에 대한 신뢰도가 높다.

정답 ①

## 07 □□□ 서울주택도시공사 기출동형

**다음 중 마케팅조사에 대한 설명으로 가장 옳지 않은 것은?**

① 관찰법은 피관찰자 자신이 관찰되고 있다는 사실을 모르게 하는 것이 중요하다.
② 전화면접법은 시각적인 자료의 활용이 어렵다.
③ 우편조사법은 응답자들이 질문에 대한 순서를 무시할 가능성이 높다.
④ 2차 자료는 현재 수행 중인 조사목적을 달성하기 위해 직접 수집한 자료를 말한다.
⑤ 면접법은 융통성이 높은 방법이지만, 시간 및 비용 등이 많이 발생하여 소규모표본을 사용하는 경우가 많다.

**해설**

현재 수행 중인 조사목적을 달성하기 위해 직접 수집한 자료는 1차 자료이고, 2차 자료는 다른 조사자가 다른 조사목적으로 이미 수집 및 정리하여 문헌으로 제시한 기존의 모든 자료(기업체, 정부기관, 각종 조사기관의 간행물을 비롯한 대부분의 출판물 및 인터넷 자료 등)를 말한다. **정답 ④**

## 08 □□□ 2014년 가맹거래사 기출

**소수의 응답자들을 대상으로 한 장소에서 주어진 주제에 대하여 자유롭게 토론을 하여 자료를 수집하는 방법은?**

① 표적집단면접법　　② 문헌조사　　③ 델파이법
④ 사례조사　　⑤ 기술조사

**해설**

소수의 응답자들을 대상으로 한 장소에서 주어진 주제에 대하여 자유롭게 토론을 하여 자료를 수집하는 방법은 표적집단면접법이다. **정답 ①**

## 09 □□□ 2024년 가맹거래사 기출

**소비자행동에 영향을 미치는 요인 중 소비자의 활동, 관심, 의견 등을 조사하여 파악되는 것은?**

① 사회계층　　② 준거집단　　③ 문화
④ 라이프스타일　　⑤ 가족

**해설**

소비자의 활동(activities), 관심(interests), 의견(opinions) 등을 AIO라고 하고, AIO는 라이프스타일을 측정하기 위한 항목에 해당한다. 따라서 소비자행동에 영향을 미치는 요인 중 소비자의 활동, 관심, 의견 등을 조사하여 파악되는 것은 라이프스타일이다. **정답 ④**

## 10 □□□ 2021년 가맹거래사 기출

### 소비자의 구매의사결정과정을 순서대로 나열한 것은?

① 정보탐색 → 문제인식 → 구매 → 대안평가 → 구매 후 행동
② 문제인식 → 정보탐색 → 대안평가 → 구매 → 구매 후 행동
③ 문제인식 → 대안평가 → 구매 → 정보탐색 → 구매 후 행동
④ 정보탐색 → 문제인식 → 대안평가 → 구매 → 구매 후 행동
⑤ 대안평가 → 정보탐색 → 문제인식 → 구매 → 구매 후 행동

**해설**

소비자의 구매의사결정과정은 '문제인식 → 정보탐색 → 대안평가 → 구매 → 구매 후 행동'의 순서이다.

**정답 ②**

## 11 □□□ 한국농어촌공사 기출동형

### 다음은 소비자 구매의사결정과정의 단계 중 어떤 단계에 해당하는가?

이 단계는 소비자가 점포, 제품 및 구매에 대해 더 많은 것을 알고자 하는 의도적 노력이라고 할 수 있다. 소비자가 제품에 대한 사전지식과 정보를 많이 가지고 있거나 구매 경험이 많은 경우에는 기억 내에 저장된 평가기준, 대체안들을 이용하게 되지만, 사전지식이나 경험이 부족한 경우에는 추가적으로 외부 정보를 이용하게 된다.

① 욕구(필요)인식  ② 대안평가  ③ 정보탐색
④ 구매결정  ⑤ 구매 후 행동

**해설**

제시된 내용은 '정보(대안)탐색'의 단계에 해당한다.

**정답 ③**

## 12 □□□ 2019년 가맹거래사 기출

### 소비자의 관여도(involvement)에 관한 설명으로 옳지 않은 것은?

① 제품에 대한 관심이 많을수록 관여도가 높아진다.
② 제품의 구매가 중요하고 지각된 위험이 높을수록 관여도가 높아진다.
③ 관여도가 높을수록 소비자는 신중하게 의사결정을 하려고 한다.
④ 다양성 추구(variety seeking) 구매행동은 관여도가 높을 때 나타날 수 있다.
⑤ 인지부조화 감소(dissonance reduction) 구매행동은 관여도가 높을 때 나타날 수 있다.

**해설**

관여도는 소비자가 특정 제품에 대해 가지는 중요성, 관심도와 자신과 관련되었다고 지각하는 정도를 의미한다. 다양성 추구(variety seeking) 구매행동은 관여도가 낮으면서 상표 간 차이가 클 때 나타난다.

**정답 ④**

**13** ☐☐☐ 2012년 가맹거래사 기출

**소비자구매행태를 고관여와 저관여로 구분한 설명으로 옳지 않은 것은?**

① 다양성을 추구하는 행태를 보인다면 저관여 구매행태이다.
② 복잡한 구매행태를 보인다면 고관여 구매행태이다.
③ 구매 후 부조화 감소는 주로 고관여 구매행태에서 나타난다.
④ 습관적 구매는 저관여 구매행태에 속한다.
⑤ 충동구매는 고관여 구매행태이다.

**해설**

충동구매는 저관여 구매행태이다. 정답 ⑤


**14** ☐☐☐ 2016년 공인노무사 기출

**제품구매에 대한 심리적 불편을 겪게 되는 인지부조화(cognitive dissonance)에 관한 설명으로 옳은 것은?**

① 반품이나 환불이 가능할 때 많이 발생한다.
② 구매제품의 만족수준에 정비례하여 발생한다.
③ 고관여 제품에 많이 발생한다.
④ 제품구매 전에 경험하는 긴장감과 걱정의 감정을 뜻한다.
⑤ 사후서비스(A/S)가 좋을수록 많이 발생한다.

**해설**

① 반품이나 환불이 불가능할 때 많이 발생한다.
② 구매제품의 만족수준에 반비례하여 발생한다.
④ 제품구매 후에 경험하는 긴장감과 걱정의 감정을 뜻한다.
⑤ 사후서비스(A/S)가 좋을수록 적게 발생한다. 정답 ③

**15** ☐☐☐ 2016년 가맹거래사 기출

**소비자의 지각과정 순서로 옳은 것은?**

① 주의 → 노출 → 해석 → 수용
② 주의 → 노출 → 수용 → 해석
③ 노출 → 해석 → 주의 → 수용
④ 노출 → 주의 → 수용 → 해석
⑤ 노출 → 주의 → 해석 → 수용

> **해설**
>
> 소비자의 지각과정은 '노출 → 주의 → 해석 → 수용'의 순서로 이루어진다.
>
> 정답 ⑤

**16** ☐☐☐ 2023년 가맹거래사 기출

**소비자의 정보처리과정에 관한 설명 중 옳지 않은 것은?**

① 정보처리과정은 노출 → 이해(해석) → 주의 → 기억 순으로 진행된다.
② 노출은 자극이 감각기관에 들어오는 것이다.
③ 이해(해석)는 유입된 정보를 조직하고 그 의미를 해석하는 것이다.
④ 주의는 정보처리자원을 특정 자극에 집중하는 인지작용이다.
⑤ 기억은 처리된 정보를 저장하는 것이다.

> **해설**
>
> 정보처리과정은 '노출 → 감지 → 주의 → 이해 → 기억'의 순으로 이루어진다.
>
> 정답 ①

# CHAPTER 03 마케팅 전략

## 제1절 STP 전략

### 1 시장세분화

**1. 의의**

**(1) 개념**

시장세분화(market segmentation)란 전체시장을 일정한 기준에 의해 동질적인 세분시장으로 구분하는 과정을 의미한다. 전체시장을 복수의 세분시장으로 나누는 이유는 다양한 소비자욕구를 고려하지 않고 하나의 제품만으로는 시장에서 경쟁우위를 확보하기 어렵기 때문이다. 기업들은 규모가 크고 이질적인 소비자들로 구성된 전체시장을 작은 규모의 동질적인 세분시장들로 나눔으로써, 각 세분시장의 독특한 욕구에 맞는 제품과 마케팅 프로그램을 가지고 보다 효율적·효과적으로 세분시장에 접근할 수 있다. 즉, 같은 세분시장에 속한 소비자들은 기업의 마케팅활동에 비슷한 반응을 나타내며, 기업의 자원과 능력은 한계가 있기 때문에 기업은 시장세분화를 통해 고객을 유사한 고객집단별로 분류함으로써 차별화 전략을 효과적으로 수행할 수 있다. 시장세분화를 실시하는 구체적인 목적은 다음과 같다.

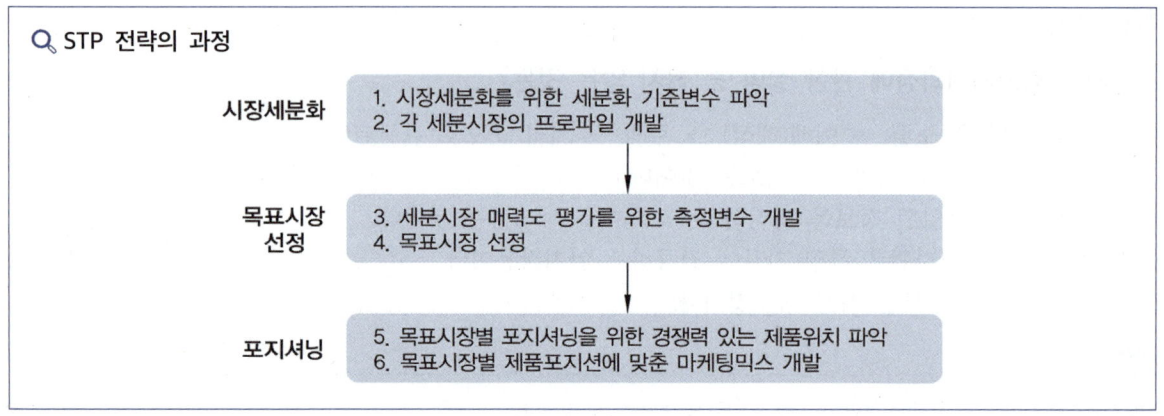

① 기업은 시장세분화를 통해 **다양한 소비자욕구를 보다 잘 충족시킬 수 있다.** 즉, 하나의 제품으로 전체시장을 공략하기보다 각 세분시장이 원하는 차별적인 제품의 개발을 통해 소비자의 다양한 욕구를 충족시켜 줄 수 있는 것이다.
② 기업은 시장세분화를 통해 **잠재되어 있는 고객의 욕구를 발견하여 새로운 시장을 개발할 수 있다.**
③ 기업은 **각 세분시장에 적합한 상표를 개발함으로써 제품시장에서 높은 매출과 점유율을 실현할 수 있다.** 기업은 각 상표별로 표적세분시장과 차별점을 구분함으로써 자사 상표들 간에 발생할 수 있는 불필요한 경쟁을 피하고 전체시장에서 높은 매출을 실현할 수 있다.

### (2) 바람직한 시장세분화가 갖추어야 할 조건

효과적인 시장세분화가 이루어지기 위해서는 각각의 세분시장은 측정가능성(measurability), 충분한 규모(substantial size), 접근가능성(accessibility), 차별적 반응 또는 유효성(validity), 신뢰성(reliability), 실행가능성(actionability)의 요건을 갖추어야 한다.

① **측정가능성**: 세분시장의 크기가 측정가능해야 한다. 마케팅관리자는 각 세분시장 내 소비자의 인구통계적 특성이나 라이프 스타일 등을 파악할 수 있어야 목표시장에 대한 차별적 마케팅 전략수립이 가능하다. 만약 세분시장 내 고객의 수가 얼마나 되고, 어떤 특성을 가지고 있는지를 모른다면 고객의 욕구에 맞는 제품개발이나 판매촉진 전략을 세우는 것이 불가능하며, 제품이 개발되더라도 소비자에게 효과적으로 접근할 수 없을 것이다.

② **충분한 규모**: 세분시장은 독자적인 마케팅 프로그램을 실행할 수 있을 정도의 충분한 수익성과 가치가 보장되어야 한다. 즉, 각 세분시장은 충분한(substantial) 시장규모를 가져야 한다. 특정 세분시장의 고객욕구가 다른 세분시장과 상이하다 하더라도 고객의 수나 예상되는 매출이 충분치 못하다면 세분시장으로서의 매력도를 상실하게 된다.

③ **접근가능성**: 각 세분시장에 대한 접근이 용이하도록(accessible) 시장세분화가 이루어져야 한다. 세분시장 내 고객들에게 자사제품정보를 전달하기 위한 마케팅 커뮤니케이션 방법을 개발할 수 없다면 적절한 시장세분화가 이루어진 것으로 보기 어렵다.

④ **차별적 반응(유효성)**: 고객의 개별적인 특징, 촉진활동의 탄력성 정도를 나타낼 수 있어야 한다. 즉, 각 세분시장은 서로 이질적(heterogeneous)인 소비자욕구를 가져야 하고, 각 세분시장은 마케팅믹스에 대해 서로 다른 반응을 보여야 한다. 기업은 전체시장을 세분화하고 선정된 세분시장에서 제품개발, 광고, 판매촉진, 유통망 개척 등을 실행하는 데 있어 많은 투자를 필요로 한다. 따라서 한 세분시장의 고객욕구가 다른 세분시장과 별 차이가 없다면 굳이 시장을 구분하여 별도의 마케팅 노력을 기울일 필요가 없다. 따라서 특정 세분시장의 소비자욕구가 다른 세분시장을 겨냥한 제품으로 충족시킬 수 없을 정도로 상이한 경우에만 세분시장으로서의 의미를 갖는다.

⑤ **신뢰성**: 각 세분시장은 일정기간에 걸쳐서 일관된 특성, 즉 변동가능성이 낮아야 한다.

⑥ **실행가능성**: 세분시장을 공략하기 위한 **효과적인 마케팅 프로그램**을 개발할 수 있어야 한다.

## 2. 시장세분화기준

시장을 세분화하는 기준으로 어떠한 기준이 사용되더라도 시장세분화는 기업전략목표와 부합되어야 하고, 세분화된 시장별로 상이한 욕구와 소비패턴이 존재해야 하며, 마케팅 전략이나 프로그램을 통해 차별화 전략을 구체적으로 실현할 수 있어야 한다.

### (1) 지리적 기준

지리적 기준이란 국가, 지방, 지역, 인구밀도, 도시규모, 기후 등에 의한 시장세분화기준을 말한다. 지리적 기준에 의한 시장세분화는 다른 기준보다 시장을 구분하는 것이 편리하다는 장점이 있으며, 각 지역마다 소비자들 간의 뚜렷한 차이가 나타나는 경우에 매우 효과적인 시장세분화 방법이다. 우리나라와 같이 소비자들의 지역적 차이가 적은 시장은 큰 의미가 없지만 미국과 같이 넓은 지역을 가진 국가는 지역에 따라 제품 구매패턴이 다르게 나타날 수 있다. 예를 들어, 디자인 제품에 있어서 동부는 전통적인 스타일이 선호되지만, 서부는 실용적이고 유행에 민감한 제품이 선호된다.

### (2) 인구통계적 기준

인구통계적 기준이란 연령, 성별, 가족구성원의 수, 가족 생애주기, 소득, 직업, 교육수준, 종교, 인종 및 국적 등과 같은 인구통계상의 변수들에 의한 시장세분화기준을 말한다. 이러한 인구통계적 기준에 의한 시장세분화는 측정이 용이하기 때문에 보편적으로 사용되는 시장세분화 방법이다. 또한, 두 개 또는 그 이상의 인구특성 변수들을 결합한 시장세분화도 가능하다.

**(3) 심리특성적 기준**

심리특성적 기준이란 사회계층[116], 라이프스타일(life style) 및 개성 등과 같은 심리특성에 의한 시장세분화기준을 말한다. 이러한 심리특성에 의한 세분화는 동일한 인구통계적 기준에 속한 사람들이라도 서로 다른 심리적인 집단을 형성할 수도 있기 때문에 중요하다. 자동차 시장에서 보수-전통형 라이프스타일을 가진 소비자들보다 유행-개방형 라이프스타일을 가진 소비자들이 스포츠카를 구매할 확률이 높고, 사회계층이 높을수록 최고급 승용차를 구매할 확률이 높다.

**(4) 구매행동적 기준**

구매행동적 기준이란 구매 또는 사용상황, 소비자가 추구하는 편익(benefit), 제품의 사용경험, 충성도 및 태도 등과 같은 소비자와 상품과의 관계에 초점을 맞춘 시장세분화기준을 말한다. 소비자가 추구하는 편익에 따른 시장세분화의 예는 샴푸 시장에서 찾을 수 있는데, 샴푸 시장에서 소비자들이 추구하는 편익은 여러 가지가 있지만, 크게 겸용, 비듬제거, 영양모발 세분시장으로 구분하는 경우가 이에 해당된다. 제품의 사용경험에 따른 시장세분화의 예는 PC를 판매할 때 구매경험이 많은 소비자와 초보자에게 각각 다른 광고 전략을 구사하는 경우가 있는데, 구매경험이 많은 소비자에게는 속성 중심의 광고 전략이 필요하고 초보자에게는 제조업체의 신뢰성(브랜드 이미지, 제품 디자인, 시장점유율 등)을 강조하는 광고가 효과적일 것이다.

## 2 목표시장의 선정

### 1. 의의

목표시장의 선정(targeting)은 구분된 세분시장들 중에서 한 개 또는 다수의 세분시장을 선택하여 마케팅 역량을 집중시키는 것을 말한다. 목표시장을 선정하기 위해서는 세분시장의 규모와 성장성, 상대적 경쟁력, 자사와의 적합성 등과 같은 세분시장의 매력도를 평가하는 것이 중요하다. 기업들은 목표시장을 선정하기 위해 각 세분시장별 매력도를 평가하게 되는데 고객(customer), 경쟁기업(competitor) 및 자사(company) 등의 내용을 고려하게 되고 이러한 분석을 3C분석이라고 한다. 이러한 세분시장별 매력도 평가의 과정을 통해 기업들은 목표시장을 선정하게 된다.

### 2. 경쟁자의 분석

**(1) 경쟁의 범위**

① **제품형태에 의한 경쟁**: 동일한 제품형태에 의해 발생하는 경쟁으로 경쟁을 가장 좁게 보는 관점이다. 이 경쟁을 흔히 상표에 의한 경쟁이라고 하며, 동일한 세분시장 내에서 현재의 주요 경쟁자가 누구인지를 파악하는 것이다. 예를 들어, 코카콜라와 펩시콜라의 경쟁이 여기에 해당한다.

② **제품범주에 의한 경쟁**: 유사한 속성을 가진 제품을 경쟁자로 파악하는 방법이다. 이 수준의 경쟁을 마케팅 의사결정자들이 가장 일반적인 경쟁집합이라고 생각한다. 예를 들어, 코카콜라와 칠성사이다의 관계와 같이 청량음료시장에서의 경쟁이 여기에 해당한다.

③ **본원적 효익에 의한 경쟁**: 소비자의 동일한 욕구를 충족시키는 제품 모두를 경쟁관계에 있다고 하는 관점이다. 예를 들어, 갈증해소라는 소비자들의 욕구에 초점을 맞춘다면 청량음료의 경쟁제품은 쥬스, 생수, 맥주 등이 될 것이다.

④ **예산 경쟁**: 가장 포괄적이고 넓은 의미의 경쟁으로 소비자가 예산을 어떤 제품에 사용할 것인가에 관한 것이다. 즉, 소비자의 한정된 예산을 확보하기 위하여 경쟁하는 모든 제품들이 경쟁관계에 있다고 파악하는 것이다.

---

[116] 사회계층은 인구통계적 기준으로 분류될 수도 있다.

### (2) 경쟁자의 분석방법

목표시장을 선정하기 전에 세분화된 시장을 비교평가하기 위하여 3C분석을 수행하게 되는데, 특히 경쟁자에 대한 분석은 무엇보다 중요하다. 경쟁자를 파악하는 대표적인 방법에는 **기업중심적인 방법**과 **고객중심적인 방법**이 있다. 기업중심적인 방법에는 표준산업분류, 기술적인 대체가능성 등을 이용하는 방법이 있고, 고객중심적인 방법은 지각도(perceptual map) 또는 포지셔닝맵(positioning map), 상품제거(product deletion), 사용상황별 대체 등과 같은 **고객지각에 기초한 방법**과 상표전환 매트릭스(brand switching matrix), 수요의 교차탄력성(cross-elasticity of demand) 등과 같은 **고객행동에 기초한 방법**이 있다. 또한, 경쟁자를 분석할 때는 마케팅 근시안(marketing myopia)에 빠지지 않도록 주의해야 하는데, **마케팅 근시안**이란 마케팅 전반의 종합적인 관점에서 대상을 바라보는 것이 아니라 기업이 중시하는 어느 한 부분만을 바라 보는 것을 의미한다. 또한, 어떤 기업은 현재의 직접적인 경쟁기업보다 새로운 기술이나 유통방식 등으로 갑자기 부상한 새로운 기업에 의해 시장의 위치를 상실하는 경우도 있는데, 이처럼 잠재적인 경쟁기업을 무시하고 현재의 경쟁기업에 대해서만 신경쓰는 경향을 **경쟁기업 근시안**(competitor myopia)이라고 한다.

### (3) 기업중심적인 방법

① **표준산업분류**: 경쟁자를 파악하는 가장 쉬운 방법은 자사의 제품이 속한 표준산업분류(SIC code)를 이용하는 방법이 있다. 이 방법들은 사용이 용이하고 정확한 경쟁형태가 밝혀지지 않았을 때 유용하지만, 본원적 효익 경쟁과 예산 경쟁에 대한 고려가 없어 장기적·포괄적인 경쟁관계를 파악하는 데는 적절하지 않다.

② **기술적인 대체가능성**: 대체품의 기술적 유사성을 기초로 경쟁관계를 파악하는 것도 경쟁자를 파악하는 방법이 된다. 이 방법은 기업의 입장만을 고려하고 있기 때문에 고객이 각 제품들에 대해 어떻게 느끼고 있는가를 명백히 설명할 수 없으며, 이로 인해 본원적 효익 경쟁과 예산 경쟁수준에서는 경쟁자를 파악할 수 없다.

### (4) 고객중심적인 방법

① **지각도(포지셔닝맵)**: 고객들의 마음속에 여러 상품들이 차지하고 있는 위치를 표시한 그림이다. 이러한 포지셔닝맵에서 각 제품들이 가까이 있을수록 경쟁의 강도가 높고, 멀수록 경쟁강도가 낮아진다고 볼 수 있으며, 이를 통해 마케팅 의사결정자는 본원적 효익에 의한 경쟁까지 파악할 수 있다.

② **상품제거**: 여러 개의 상품들 중에서 응답자가 가장 선호하는 상품을 제거한 다음 나머지 중에서 어떤 상품을 선택할 것인가를 확인하여 경쟁자를 파악하는 방법이다.

③ **사용상황별 대체**: 사용상황별로 대안이 될 수 있는 상품들이 무엇인지를 파악하여 경쟁관계를 추론하는 방법이다.

④ **상표전환 매트릭스**: 구매자들이 한 상표에서 다른 상표로 전환하는 비율을 계산해 놓은 매트릭스이다. 이러한 상표전환 매트릭스를 통한 경쟁자 파악은 경쟁의 범위를 좁게 볼 가능성이 높아 구매빈도가 높은 세분시장에서의 경쟁파악에 사용하는 것이 유용하고, 상표 사이의 대체성 또는 다양성 추구에 관계없이 동일하게 측정되기 때문에 정확한 경쟁의 측정이 이루어지지는 않는다.

⑤ **수요의 교차탄력성**: 어떤 재화의 가격변화가 다른 재화의 수요량에 미치는 영향을 나타내는 지표이다. 이러한 방법은 소비자에 대한 추측이 아니라 실제 소비자들이 어떻게 행동했는가에 따른 측정이기 때문에 매우 유용하다. 그러나 대부분 구매빈도가 높은 비내구재의 경우에만 응용이 가능하고 마케팅 의사결정자에 의해 경쟁집합이 사전에 결정되어야 하기 때문에 제품형태나 제품범주 내에서의 경쟁구조 파악에만 유용하다.

## 3. 유형

### (1) 비차별적 마케팅

비차별적 마케팅(undifferentiated marketing)이란 기업이 세분시장들의 차이를 무시하고 하나의 제품을 가지고 전체시장에 접근하는 방법을 말한다. 즉, 수요의 동질성이 높은 제품에 대해 최대 다수의 구매자를 만족시킬 수 있는 제품과 마케팅믹스를 개발하는 전략으로 제품수명주기상 도입기에 적합하다. 이때 기업의 마케팅활동은 어떤 특정한 집단의 고객들을 대상으로 하는 것이 아니라 전체시장을 대상으로 수행된다. 생필품과 같이 소비자의 기호에 차이가 크지 않은 제품에 적합하며, 저원가 대량생산을 목적으로 한다. 비차별적 마케팅을 구사하는 기업은 고객을 차별화시키지 않더라도 그 기업의 제품을 경쟁자의 제품들과는 차별화시켜야 한다.

### (2) 차별적 마케팅

차별적 마케팅(differentiated marketing)이란 세분화된 시장들 중에서 각 세분시장마다 다른 제품을 가지고 접근하는 방법을 말한다. 즉, 제품의 특성이 차이가 나거나, 시장이 이질적인 경우, 경쟁업자가 적극적으로 차별화 전략을 사용하는 경우에 유리한 전략이다. 이러한 접근방법은 판매잠재성을 최대화할 수 있는 장점이 있지만, 생산비용, 관리비용, 신제품개발비용 등의 마케팅믹스 개발비용이 증가하는 단점이 있다.

### (3) 집중적 마케팅

집중적 마케팅(concentrated marketing)이란 하나의 세분시장에서 하나 또는 그 이상의 제품을 소비자에게 판매하기 위한 방법을 말한다. 즉, 기업의 자원이 한정 또는 제약되어 있는 경우에 주로 사용되는 전략으로, 하나 또는 소수의 적은 시장부문에만 진출하고자 하는 전략이다. 이러한 전략을 사용하는 경우에 전문화의 장점이 있지만, 위험부담이 높고 지나친 세분화로 인한 집중화는 수익성이 악화될 수 있으며, 신제품일 경우에는 시장세분화가 필요하지 않을 수도 있다는 단점이 있다. 또한, 집중적 마케팅을 구사하기 위해서는 기업이 보다 높은 위험을 감수하지 않으면 안 된다.

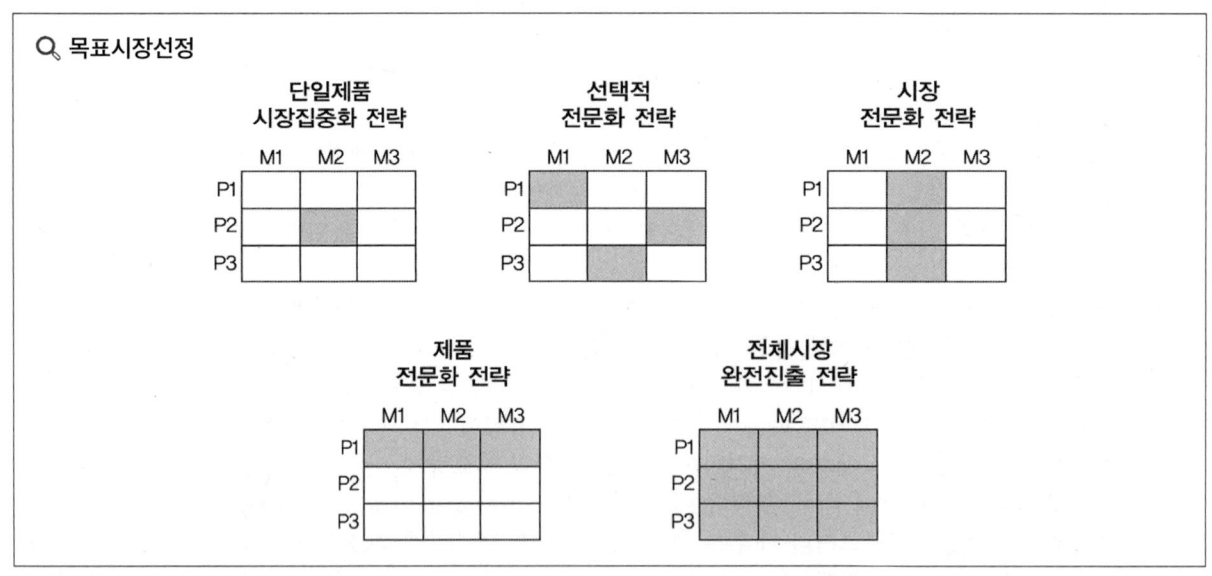

## 3 포지셔닝

### 1. 의의

**(1) 개념**

포지셔닝(positioning)이란 소비자들의 인식 속에 자사의 제품이 경쟁업체의 제품과 비교하여 어느 위치를 차지하고 있는가에 대한 상대적 위치를 탐색하고 자사제품을 경쟁업체의 제품보다 소비자의 기억과 인식 속에서 우위에 있도록 하는 것을 의미한다. 포지셔닝의 핵심은 소비자의 제품에 대한 인식체계를 파악해서 자사제품을 경쟁제품과 다른 적절한 위치에 위치시키는 것인데, 이러한 차별화의 유형에는 제품 차별화, 서비스 차별화, 유통경로 차별화, 인적 차별화, 이미지 차별화 등이 있다. 또한, 기업은 자사 또는 자사제품이 표적시장의 소비자들에게 제공할 수 있는 차별적 가치를 찾아내고 그 가치를 소비자들의 마음속에 자사의 브랜드와 함께 심기 위해 노력한다. 이때 그러한 가치를 고객지향적인 시각에서 몇 개의 단어로 표현한 문구를 가치제안(value proposition)이라고 하는데, 적절한 가치제안을 찾아내는 일은 성공적인 포지셔닝 전략을 위해 매우 중요한 작업이다.

**(2) 과정**

① **소비자분석과 경쟁자의 확인**: 자사제품의 경쟁제품을 구체적으로 파악하고, 추구하는 혜택과 기존의 제품에 대한 불만을 파악하는 과정이다.
② **경쟁제품의 위치분석**: 구체적인 경쟁제품의 파악 및 통계적인 방법을 통하여 포지셔닝맵(positioning map)을 작성한다.
③ **자사제품의 포지셔닝 개발**: 소비자분석과 경쟁제품의 위치분석에 의한 정보를 기반으로 경쟁사의 제품보다 소비자의 욕구를 더욱 충족시킬 수 있도록 자사제품을 포지셔닝하는 과정이다.
④ **포지셔닝의 확인 및 재포지셔닝**: 여러 환경변화와 소비자욕구의 변화 때문에 생기는 수요의 변화를 잘 감지하고 자사제품의 포지셔닝이 적절히 되었는가를 검토하여 현 위치가 맞지 않다면 다시 포지셔닝한다.

**(3) 차별점과 동등점**

차별점(points of difference)은 소비자들이 어떤 특정 브랜드와 관련하여 연상하는 차별적인 긍정적 속성이나 편익을 말하고, 동등점(points of parity)은 소비자들이 어떤 특정 브랜드에 대해서만 가지고 있는 고유의 속성이나 편익연상이 아니라 다른 브랜드들에 대해서도 동시에 가지고 있는 속성이나 편익연상(benefit association)을 말한다. 포지셔닝에서 가장 중요한 부분은 자사제품(브랜드)이 경쟁제품(브랜드)에 비해 가지고 있는 차별점을 찾아내어 소비자들에게 인식시키는 일이다. 그러나 포지셔닝 전략을 수립하고 실행할 때 마케팅 의사결정자들이 일반적으로 당면하게 되는 문제들 중 하나는 자사 브랜드의 차별적인 장점을 소비자들에게 전달할 때 소비자들의 입장에서는 차별점 이외의 다른 속성이나 편익에서는 경쟁제품에 비해 열등할 것이라고 추론할 가능성이 높다는 점이다. 이러한 문제는 특히 시장에서 2위 이하의 위치를 차지하고 있는 브랜드에서 자주 나타나게 되는데, 마케팅 의사결정자의 입장에서는 적절한 차별점을 찾아내는 것도 중요하지만, 차별점 이외의 부분에서도 최소한 경쟁자들과 동등한 속성과 편익(동등점)을 제공할 수 있다는 것을 설득할 수 있어야 한다.

## 2. 기법

자사의 제품을 소비자의 마음속에 위치시키기 위한 포지셔닝기법은 **질적 방법**과 **양적 방법**으로 구분할 수 있다. 질적 방법(qualitative approach)은 관찰법, 표적집단면접법(FGI)과 같은 방법들이 사용되는데, 이러한 접근법은 소비자 반응에 대한 조사자의 해석에 지나치게 의존하고 있으며 소비자 집단으로부터 유용한 반응의 여부는 그 집단에 대한 조사자의 역할에 의존한다. 따라서 특정 제품의 위치를 결정하는 데 질적 방법에만 의존하는 것은 바람직하지 못하고, 양적 방법들이 사용된다. 대표적인 양적 방법(quantitative approach)은 다차원척도법과 컨조인트 분석 등이 있으며, 이 두 가지 방법은 **상호보완적인 방법**이라고 할 수 있다.

### (1) 다차원척도법

다차원척도법(multi-dimensional scaling, MDS)이란 **소비자의 인지상태를 기하학적 공간에 표시하는 기법**을 말한다. 즉, 다차원의 공간에서 소비자의 특정 욕구를 만족시킬 수 있는 제품들에 대한 소비자의 인지사항을 지도화하여 핵심 속성들의 차원을 규명하기 위한 방법이다. 이러한 다차원척도법의 결과로 **포지셔닝맵**(positioning map)을 얻을 수 있으며, 포지셔닝맵(또는 지각도)은 **시장에 출시된 여러 상표들에 대한 소비자의 생각(경쟁상표들에 대한 지각 및 경쟁관계)을 도표상에 표시한 것**을 의미하고, 제품의 주요 속성들이 축이 되며 좌표 공간 내에 소비자의 지각된 특성을 표시한다.

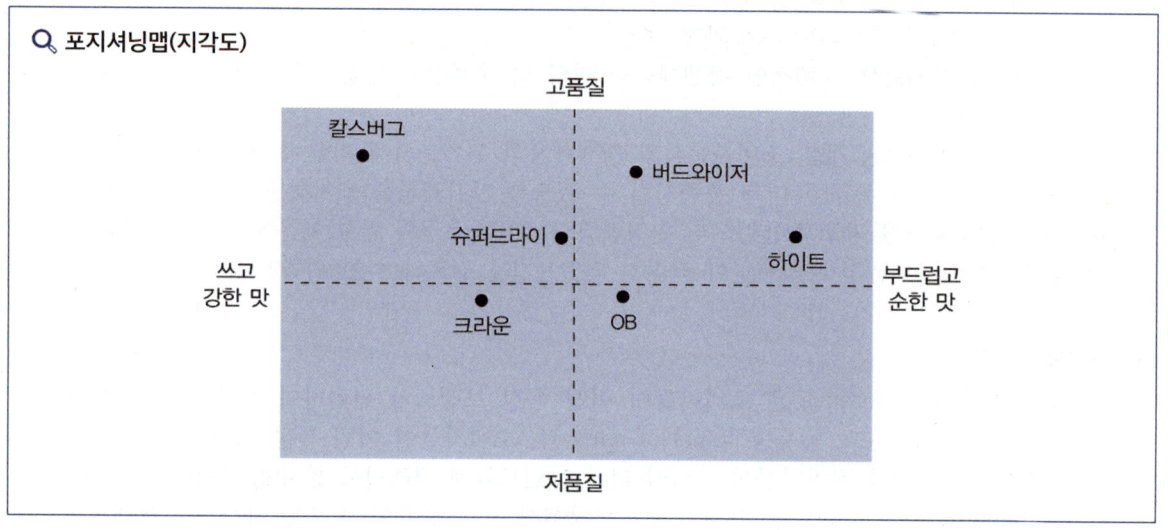

### (2) 컨조인트 분석

컨조인트 분석(conjoint analysis)이란 다양한 제품속성(예 색상)과 각 속성의 수준(예 적색, 흑색, 백색 등)에 대한 상대적 매력도를 평가하여 **최적의 속성조합을 도출해 내기 위한 방법**을 말한다. 이 방법은 다차원척도법과 마찬가지로 제품에 대한 선호가 그 제품의 속성에 의해 묘사될 수 있다는 가정을 하고 있지만, **다차원척도법에서는 소비자로 하여금 제품을 총체적으로 비교하게 하는 반면, 컨조인트 분석에서는 마케팅 관리자가 직접 관리할 수 있는 구체적인 속성을 비교하게 된다.**

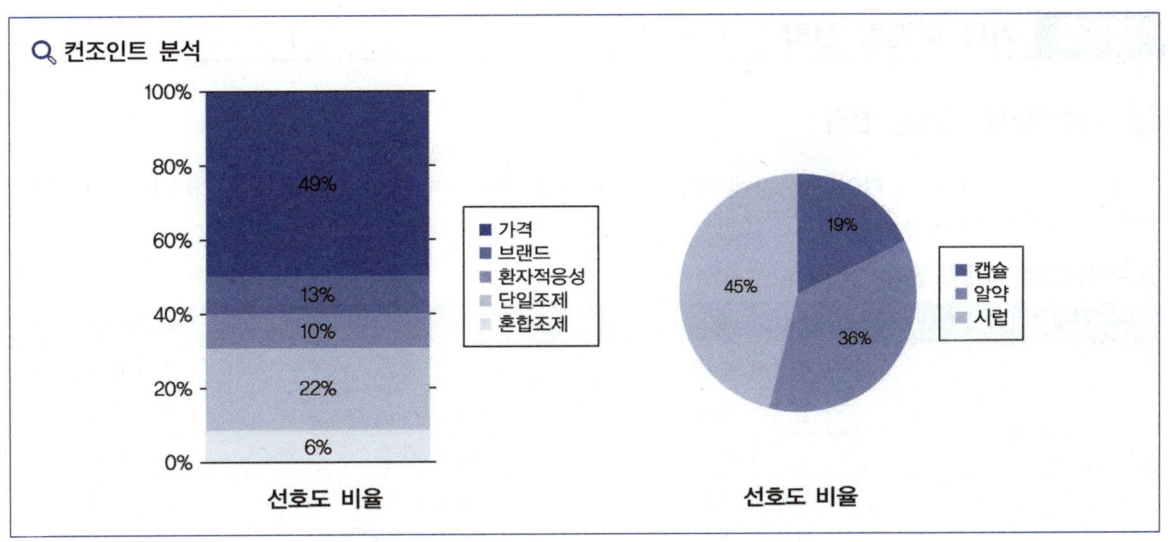

## 3. 전략

포지셔닝은 **기업이 소비자를 설득하는 과정**이라고 할 수 있다. 기업은 소비자를 설득하기 위해 다양한 정보를 전달하게 되는데, 그 정보에 따라 포지셔닝 전략은 제품속성, 사용상황, 제품사용자, 경쟁제품에 의한 포지셔닝 전략 등이 있다.

### (1) 제품속성에 의한 포지셔닝 전략
목표소비자들이 중요하게 생각하는 제품속성에서 자사제품이 차별적 우위를 가지고 있음을 직접 강조하는 방법이다.

### (2) 사용상황에 의한 포지셔닝 전략
제품이 사용될 수 있는 상황과 용도를 자사제품과 연계시켜 소구하고자 하는 제품의 적절한 사용상황을 묘사함으로써 포지셔닝하는 방법이다.

### (3) 제품사용자에 의한 포지셔닝 전략
목표시장 내의 전형적인 소비자를 대상으로 자사제품이 그들에게 적절한 제품이라는 사실을 소구하고 제품이 특정 사용자 계층에 적합하다고 강조하여 포지셔닝하는 방법이다.

### (4) 경쟁제품에 의한 포지셔닝 전략
소비자의 마음속에 강하게 인식되어 있는 경쟁제품에 대한 자사제품의 차별점을 제시하는 방법으로 기업들 간 비교광고가 이에 해당한다.

## 제2절 기타 마케팅 전략

### 1 수요상황별 마케팅 전략

기업은 수요와 관련하여 다양한 상황에 직면하게 되는데, 이러한 다양한 수요상황에 따라 기업의 마케팅 전략은 영향을 받게 된다.

#### 수요상황별 마케팅 전략

| 목적 | 수요상황 | 해결 방법 | 마케팅 전략 |
| --- | --- | --- | --- |
| 수요 확대 | 부정적 수요 | 수요의 전환 | 전환마케팅 |
| | 잠재적 수요 | 수요의 개발 | 개발마케팅 |
| | 무수요 | 수요의 창출 | 자극마케팅 |
| | 감퇴적 수요 | 수요의 부활 | 재마케팅 |
| 수요 안정화 | 불규칙 수요 | 수요·공급시기 일치 | 동시마케팅 |
| | 완전수요 | 수요의 유지 | 유지마케팅 |
| 수요 축소 | 초과수요 | 수요의 감소 | 역마케팅 |
| | 불건전 수요 | 수요의 파괴 | 대항마케팅 |

#### 1. 수요 확대

**(1) 전환마케팅(conversional marketing)**
특정 재화나 서비스를 싫어하거나 부정하는 상황에서 필요한 마케팅을 말한다. 즉, 고객이 구매를 꺼리는 상황인 부정적 수요를 긍정적 수요로 전환시켜 공급수준과 동일한 수준까지 수요를 끌어 올리는 전략이다. 여기서 부정적 수요(negative demand)란 잠재시장의 중요 부분이 특정 재화나 서비스를 싫어하고 이를 회피하려는 상황을 의미한다.

**(2) 개발마케팅(development marketing)**
소비자들의 욕구는 강하지만 재화나 서비스가 현존하지 않는 상황인 잠재적 수요를 실제수요로 바꾸는 전략으로 수요를 개발하는 형태의 마케팅을 말한다. 여기서 잠재적 수요(latent demand)란 명확한 소비자의 욕구는 존재하나 이를 충족할 만한 재화나 서비스가 존재하지 않는 경우를 의미하는데, 이러한 잠재적 수요의 확인은 신제품을 개발할 수 있는 기회를 제공해준다.

**(3) 자극마케팅(stimulation marketing)**
잠재적 시장에서 전혀 관심이나 수요가 없는 무수요를 환경의 변화나 제품에 관한 정보를 유포하여 관심을 불러일으키는 마케팅을 말한다. 여기서 무수요(no demand)란 특정 재화나 서비스에 대하여 지식이나 관심이 전혀 없는 상태를 의미한다.

**(4) 재마케팅(re-marketing)**
수요가 하락하거나 침체되어 있는 상황인 감퇴적 수요를 수요가 침체되거나 하락하기 전 상황으로 복귀시키려는 마케팅을 말한다. 여기서 감퇴적 수요(faltering demand)란 특정 재화나 서비스에 대한 수요가 예전보다 적어지는 상황을 의미한다.

## 2. 수요 안정화

### (1) 동시마케팅(synchro marketing)
수요가 계절적 요인을 내포하거나 공급시기와 수요시기가 맞지 않는 경우 수요와 공급의 시기를 맞추기 위해 불규칙한 수요의 원인을 찾아 수요의 평준화를 모색하는 마케팅을 말한다. 여기서 불규칙 수요(irregular demand)란 현재 수요시기의 패턴이 계절성을 나타내거나 현재의 공급시기 패턴과의 차이로 인해 일시적 변동이 심한 상태를 의미한다.

### (2) 유지마케팅(maintenance marketing)
현재의 수요상황이 기업의 목표에 적절한 수준인 경우에 현 상태의 마케팅활동을 통해 수요를 유지하고 수요의 잠식을 방지하는 마케팅을 말한다. 즉, 완전수요상황에서 기존의 판매수준 또는 시장점유율을 유지하려는 과제를 지닌 마케팅활동을 의미하는데, 완전수요(full demand)란 현재의 수요시기와 수준이 기업이 기대하는 시기와 수준에 맞는 상황을 의미한다.

## 3. 수요 축소

### (1) 역마케팅(de-marketing)
수요가 공급자의 공급능력이나 기대치를 훨씬 상회하고 있는 상황인 초과수요상황을 가격상승 등을 통해 수요 자체를 감소시키거나 없애려는 마케팅을 말한다. 이러한 역마케팅은 부가가치가 높은 분야에 한정된 자원을 집중시키기 위하여 이용되지만, 수요를 줄인다는 측면에서는 마케팅의 본질과 어느 정도 상반되는 개념이라고 할 수 있다.

### (2) 대항마케팅(counter-marketing)
수요 자체가 사회, 기업 및 소비자 측면에서 바람직하지 못한 대상에 대한 수요(불건전 수요)일 때 이러한 재화나 서비스에 대한 수요를 없애는 마케팅을 말한다. 이러한 마케팅은 기업이 제공하는 특정 재화나 서비스의 품질이나 사용이 바람직하지 않기 때문에 수요를 억제해야 한다고 판단되는 상황에서 정부나 공익단체의 주도하에 주로 시행되지만, 최근에는 기업의 사회적 책임이 강조되면서 기업이 참여하기도 한다.

# 2 사업포트폴리오 전략

## 1. 의의

사업포트폴리오 전략(business portfolio strategy)이란 관련된 제품이나 사업들을 묶어 별도의 사업부로 분류하여 수행되는 전략을 의미한다. 여기서 사업포트폴리오를 구성하는 개별사업부를 전략사업단위라고 하는데, 전략사업단위(strategic business unit, SBU)란 최고경영자로부터 권한을 위임받고 경영성과에 대해서 책임을 지는 독립적 사업단위를 의미한다. 이러한 전략사업단위의 규모나 범위는 기업의 전체 규모, 기업이 취급하는 제품의 특성 등에 영향을 받게 된다. 따라서 사업포트폴리오 전략을 수행하는 기업들은 현재 운영 중인 사업부 중에서 전략적 측면을 고려하여 해당 사업부의 유지 및 철수에 대한 의사결정을 내리는 과정이 필요하게 된다. 따라서 현 사업부들의 위치와 성과를 분석하고 평가하는 과정이 필수적이라고 할 수 있는데, 이를 위한 분석기법을 사업포트폴리오 분석(business portfolio analysis)이라고 한다.

## 2. 사업포트폴리오 분석

### (1) BCG 매트릭스

하나의 축에 **상대적 시장점유율**을, 또 다른 하나의 축에 **시장(산업)성장률**을 나타내어 각 사업단위의 경쟁적 지위를 알아볼 수 있게 설계되어 있으며, 조직의 모든 SBU들은 그의 시장점유율과 성장률에 따라 매트릭스상의 한 곳에 위치하게 된다.

### (2) 전략적 사업계획 그리드

GE는 매년 판매, 이윤, 투자수익률을 기준으로 각 제품을 평가하고, 그 제품이 속하는 산업을 기술적 요구, 시장점유율, 경쟁상태, 산업에서의 종업원 충성도 및 사회적 요구 등을 기준으로 그 산업을 평가하여 하나의 축에 해당 산업에 있어서 **사업부(SBU)의 강점(strength)**과 또 다른 하나의 축에 **산업의 매력도(attractiveness)**를 나타내어 고·중·저로 평가하고 신호등과 같은 색깔이나 빗금으로 표시한다.

## 3 성장전략: 제품 - 시장 매트릭스

기업의 마케팅 관리자는 마케팅목표를 명확히 설정하고 그 목표에 대한 마케팅 전략을 구체적으로 수립해야 한다. 구체적인 마케팅목표에는 이익증대, 판매량증대, 시장점유율확대, 신제품홍보 등이 있는데, 이는 대부분 기업의 성장과 관련되어 있는 마케팅목표들이다. 그런데 기업은 이러한 목표들을 시장과 제품을 통해 달성하게 되는데, 이러한 이유에서 여기서는 **앤소프(Ansoff)**가 주장하는 성장전략에 대해서 살펴보고자 한다.

### 제품 - 시장 매트릭스

| 시장＼제품 | 기존 제품 | 새로운 제품 |
|---|---|---|
| 기존 시장 | 시장침투 전략<br>(점포확대 및 판매촉진) | 제품개발 전략<br>(기능 추가 신제품) |
| 새로운 시장 | 시장개발 전략<br>(수출 및 신시장 개척) | 다각화 전략 |

### 1. 시장침투 전략

시장침투 전략(market penetration)이란 **기존 고객으로 하여금 더욱 많이 이용하게 하거나 경쟁기업의 고객을 자사의 고객으로 유도하는 등 기존 제품으로 기존 시장에서 승부하여 시장점유율, 판매량을 제고하는 전략**을 의미한다. 일반적으로 시장침투의 목적은 기존의 시장에서 추가적인 매출을 올리는 데 있으며 가장 보수적인 성장 전략이라고 할 수 있다. 이 방법은 단기 또는 중기적으로 볼 때 가장 안정적이고 수익률이 높은 대안이기는 하지만, 끊임없이 변화하는 소비자의 욕구를 고려하여 반드시 지속적인 노력이 따라야 성공할 수 있다.

### 2. 제품개발 전략

제품개발 전략(product development)이란 **기존 시장에서 신제품을 출시하는 전략**을 의미한다. 여기서 마케팅 관점에서의 신제품이란 고객이 새롭다고 느끼는 것을 의미한다. 단순한 브랜드의 변경부터 콘텐츠의 변형, 쌍방향 커뮤니케이션 방법의 변화, 디자인의 변화 등 고객이 새롭다고 느끼면 모두 신제품이다. 따라서 기업에서는 새롭게 느끼지만, 고객이 새롭다고 느끼지 못하는 경우에는 신제품이라고 볼 수 없다.

## 3. 시장개발 전략

시장개발 전략(market development)이란 **기존 제품으로 새로운 시장을 창출하는 전략**을 의미한다. 새로운 시장의 진출은 같은 기업이라 하더라도 어떤 지역으로 진출하느냐에 따라 사업의 성패가 달라지며, 같은 진출국에서도 진출 시기에 따라 제품의 성공확률이 다양하게 나타날 수 있다. 시장개발은 인터넷을 통해 시장범위를 글로벌시장으로 확대한다든가, 새로운 고객욕구를 기존 제품으로 소구하여 시장을 창출하는 것 등을 포함한다.

## 4. 다각화 전략

다각화 전략(diversification)이란 **새로운 시장에 새로운 제품을 출시하는 전략**을 의미한다. 4가지 유형 중 가장 위험이 높은 전략이지만 특정 시점에서는 특정 기업에게 가장 적합하고 합리적인 성장 전략이 될 수도 있다. 이러한 다각화 전략은 기존 사업과 관련된 사업범위로 제휴 또는 흡수합병 등의 네트워크를 형성하는 **관련다각화**를 통해 시너지효과를 누리는 전략과 완전히 무관한 사업을 전개하는 **비관련다각화**로 구분할 수 있다. 또한, 관련다각화에는 **집중적 다각화**와 **수평적 다각화** 등이 있으며, 비관련다각화는 **복합적 다각화**가 있다.

### (1) 집중적 다각화

**기존 제품에서 활용했던 기술과 마케팅 전략, 기존의 유통채널 등에 새로운 제품을 추가하여 성장하는 전략**이다. Apple 컴퓨터가 iPhone을 개발하여 이동통신시장에 진입한 경우가 이에 해당한다.

### (2) 수평적 다각화

**확보된 기존 고객을 기반으로 하여 전혀 새로운 사업에 뛰어들어 기존 고객의 욕구를 충족시킬 수 있는 제품으로 다각화를 추구하는 전략**이다. 은행이 기존 고객을 대상으로 하여 보험상품을 판매하는 경우가 이에 해당한다.

### (3) 복합적 다각화

**기존 제품이나 기술, 노하우(know-how) 등과 전혀 관련이 없는 별개의 새로운 시장에서 새로운 제품 및 고객에게 접근하여 성장하려는 전략**이다. 이를 **콩글로메리트(conglomerate)**라고도 하며, 선박회사가 금융회사를 인수하여 새로운 사업에 참여하는 경우가 이에 해당한다.

## 4 제품수명주기 전략

### 1. 의의

제품수명주기(product life cycle, PLC)는 **제품이 시장에 진입하여 퇴출될 때까지의 순환사이클**을 말하는데, 일반적으로 '**도입기 - 성장기 - 성숙기 - 쇠퇴기**'로 구성되어 있다. 또한, 제품수명주기 전략이란 이러한 제품수명주기에 따라 기업이 수행하는 마케팅 전략을 말하는데, 기업이 판매하는 제품이 어떤 제품수명주기에 위치하느냐에 따라 수립 또는 실행되는 마케팅 전략은 차이가 난다.

### 제품수명주기별 특징

| 구분 | 도입기 | 성장기 | 성숙기 | 쇠퇴기 |
| --- | --- | --- | --- | --- |
| 판매 | 적다 | 급속성장 | 최대판매 | 감소 |
| 원가(고객당) | 높다 | 평균 | 낮다 | 낮다 |
| 이익 | 적다(또는 적자) | 증대 | 높다 | 감소 |
| 경쟁업자 | 적다 | 점차 증대 | 점차 감소 | 감소 |

## 2. 제품수명주기별 마케팅 전략

### (1) 도입기

도입기(introduction)는 신제품이 처음으로 소개되는 시기를 말한다. 이 시기는 일반적으로 경쟁자의 수가 많지 않음에도 불구하고, 소비자에게 잘 알려져 있지 않기 때문에 제품의 가격은 높은 편이지만 이윤의 폭은 그리 크지 않다. 또한, 이 시기의 소비자층은 혁신층(innovator) 또는 조기수용층(early adopter)이 대부분이기 때문에 판매량이 많지는 않으며, 기업은 구매수요를 발굴하는 것을 마케팅목표로 하여 제품의 품질관리와 유통채널확보에 주력해야 한다. 이 시기에 적절한 가격 전략으로는 제조원가에 부대비용을 포함한 원가가산가격 전략이 있다.

### (2) 성장기

성장기(growth)는 소비자의 구전효과(word of mouth)가 확대되면서 제품이 보다 널리 알려지고 판매성장이 가속화되는 시기를 말한다. 이 시기는 매출이 증가함에 따라 조업도가 높아지고 대량생산 및 경험효과 등에 의하여 제조원가가 급속히 감소하기 때문에 이윤이 증가하는 시기이다. 이 시기에는 경쟁자들이 시장에 지속적으로 진입을 시작하기 때문에 기업은 제품의 신뢰성 및 제품의 차별화가 중요하며, 시장점유율의 급속한 성장을 최대한 지속시키기 위해 노력해야 한다. 따라서 이 시기의 마케팅목표는 시장점유율을 확대하는 것이 되고, 이 시기에 적절한 가격 전략으로는 시장침투가격 전략이 있다.

### (3) 성숙기

성숙기(maturity)는 다수의 경쟁자들이 시장에 진입하여 시장성장이 한계에 도달하면서 판매가 둔화되기 시작하는 시기를 말한다. 이 시기는 매출과 이익이 극대화되었다가 감소하는 추세를 보이기 때문에 기업은 시장, 제품 및 마케팅믹스를 수정하는 전략을 수행하고, 상표 및 모델의 다양화를 추구해야 한다. 따라서 이 시기의 마케팅목표는 기존 시장점유율을 유지하는 것이 되고, 이 시기에 적절한 가격 전략으로는 경쟁대응가격 전략이 있다.

### (4) 쇠퇴기

쇠퇴기(decline)는 새로운 기술개발, 소비자의 기호변화, 신제품의 출시 등으로 인해 판매량이 급격하게 감소하는 시기를 말한다. 이 시기는 유휴시설이 증가하고, 가격하락과 이윤감소현상이 발생하기 때문에 기업은 가격인하, 제품폐기 및 회수절차 등의 시장철수 전략을 추진하게 된다. 따라서 이 시기의 마케팅목표는 비용을 최대한 억제하면서 남아 있는 잔존수요로부터 최대한의 수확(harvest)을 극대화하는 것이 된다.

**제품수명주기별 마케팅 전략**

| 구분 | 도입기 | 성장기 | 성숙기 | 쇠퇴기 |
| --- | --- | --- | --- | --- |
| 마케팅 목적 | 제품인지와 사용의 증대 | 시장점유율의 확대 | 이익의 극대화와 시장점유율 방어 | 비용절감과 투자회수 |
| 제품 | 기초제품의 제공 | 제품의 확대 | 제품의 다양화 | 취약제품의 폐기 |
| 가격 | 원가가산가격 전략 | 시장침투가격 전략 | 경쟁대응가격 전략 | 가격인하 전략 |
| 유통 | 선택적 유통 | 개방적 유통 | 개방적 유통 | 선택적 유통(수익성이 적은 경로의 폐쇄) |
| 광고 | 조기수용층과 취급점의 제품인지도 형성 | 대중시장에서의 지명과 관심의 형성 | 상표차이와 혜택의 강조 | 상표충성도가 높은 고객의 유지에 필요한 수준으로 줄임 |
| 판매촉진 | 시용구매확보를 위한 강력한 판매촉진 전개 | 수요확대에 따른 판매촉진의 감소 | 상표전환을 유도하기 위한 판매촉진 증대 | 최저수준으로 감소 |

## 3. 한계

제품수명주기는 그 분석이 너무 주관적이라는 것과 제품수명의 전반적인 방향에 대해 개략적으로 설명할 수 있지만, **특정 사업에서는 제품수명주기의 시작과 다음 단계로의 변화시점에 관한 정보를 제공해주지 못한다는 한계**를 가지고 있다. 또한, 제품수명주기는 **일반적으로는 S자의 형태**를 보이지만, 기업의 마케팅 전략에 따라 제품수명주기는 변화할 수 있기 때문에 항상 '도입기 - 성장기 - 성숙기 - 쇠퇴기'의 주기를 가지는 것은 아니다.

## 5 경쟁적 마케팅 전략

### 1. 의의

시장 또는 산업 내에는 해당 기업을 포함하여 다수의 경쟁기업들이 존재하게 된다. 따라서 기업들은 경쟁기업과의 관계 속에서 더 높은 시장점유율을 차지하기 위해 많은 노력을 기울이게 되고, 기업들마다 상이한 시장점유율을 차지하게 된다. 이러한 과정을 통해 시장에서는 기업들 간의 경쟁지위가 나타나게 되는데, 경쟁지위에 따라 개별 기업들이 수행하는 마케팅전략은 차이가 난다. 경쟁지위에 따라 기업은 시장선도자, 시장도전자, 시장추종자, 시장적소자 등으로 구분할 수 있다.

### 2. 경쟁지위별 전략

#### (1) 시장선도자

시장선도자(market leader, first mover)란 **표적시장 내에서 가장 큰 시장점유율을 차지하고 있어서 강력한 시장지배력을 행사하는 기업**을 의미한다. 따라서 시장선도자는 표적시장 내 다른 경쟁기업들로부터 도전과 모방의 대상이 되며, 일반적으로 가격의 변화나 신제품 도입, 제품규격 등에서 다른 기업들을 선도하는 것이 특징이다. 시장선도자는 시장지배력이 독보적이기 때문에 안정적인 시장지위를 가질 수 있지만, 항상 자신의 지위를 노리는 도전자들의 공격 때문에 방어전략에 심혈을 기울여야 한다. 또한, 시장선도자는 시장추종자들에게 모방의 대상이 되기도 하고, 시장적소자에게 회피의 대상이 되기도 한다. 따라서 시장선도자는 시장점유율 **방어 전략**을 중심으로 **총시장 확대 전략** 등의 전략이 적합하다.

#### (2) 시장도전자

시장도전자(market challenger)란 **시장점유율을 확보하기 위하여 적극적으로 시장선도자나 경쟁기업을 공격하는 기업**을 의미한다. 따라서 시장도전자는 시장점유율을 높이기 위해 시장선도자를 공격하거나 자신보다 약하고 재정적인 문제를 가지고 있는 기업을 공격하여 공격 및 M&A 전략을 수행하게 된다. 또한, 목적달성을 위해 상대방을 선정한 후에 각각 개별적 마케팅 전략을 구사하기도 하는데, 시장도전자가 사용할 수 있는 **공격 전략**으로는 정면공격(frontal attack), 측면공격(flanking attack), 포위공격(encirclement attack), 우회공격(bypass attack), 게릴라식 공격(guerrilla attack) 등이 있다.

#### (3) 시장추종자

시장추종자(market follower)란 **경쟁기업과 공존하며 현재의 위치에 만족하는 기업들**을 의미한다. 따라서 시장추종자는 시장선도자와 공존을 꾀하면서 현재 상태를 유지하는 것을 목표로 하는 전략을 사용하게 된다. 시장추종자는 시장도전자들의 공격대상이 되기 때문에 시장점유율 유지를 위해 저가 또는 고품질 및 고수준의 서비스를 유지해야 하며, 시장선도자나 시장도전자에게 공격적 측면이 노출되지 않도록 전략을 구사해야 한다.

### (4) 시장적소자

시장적소자(niche marketer)란 주요기업들이 간과하고 있거나 관심을 기울이지 않는 소규모의 세분시장이나 틈새시장을 목표시장으로 정하고 그 시장에서 선도자가 되기 위해 노력하는 기업을 의미한다. 소비자들이 시장적소자를 선호하게 되었을 경우에는 해당 기업은 경쟁기업에 대한 방어전략을 보유해야 한다. 또한, 시장적소자가 성공을 거두기 위해서는 해당 기업이 기술적·자원적으로 충분한 노하우(know-how)를 보유하고 있고, 성장잠재력이 높지만 주요 경쟁자들이 간과하고 있는 **틈새시장(niche-market)**이 존재해야 한다.

## 6 해외시장 진출 전략

### 1. 의의

기업이 해외시장에 진출할 경우, 기업은 해외시장에서 어떠한 방법으로 진출할 것인가를 선택하여야 한다. 일반적으로 그 진출유형은 해외사업의 비중과 해외에 투입한 자원의 비율에 따라 수출에 의한 진출, 계약에 의한 진출, 직접투자에 의한 진출로 구분할 수 있다.

### 2. 해외시장 진출의 유형

#### (1) 수출에 의한 진출

수출에 의한 해외사업의 운영은 일회성 거래의 형태를 띠고 있으며, 단기적이고 위험의 정도가 낮은 가장 단순한 해외시장 진출방식이다. 대부분의 기업은 수출을 통하여 처음으로 국제경영활동에 참가하게 되며, 간접적인 유통경로를 통하여 비교적 적은 비용과 낮은 위험을 부담하고 해외시장에 접근할 수 있다. 수출에 의한 대표적인 진출형태에는 간접수출과 직접수출이 있다.

① **간접수출**: 종합무역상사, 무역대리인(오퍼상), 국내의 중간상 등의 수출중개인을 통한 수출방법이다. 간접수출은 기업이 해외마케팅을 위한 추가적인 인력투입과 고정자본을 투입하지 않아도 되기 때문에 해외사업운영의 위험이나 투자비용을 최소화할 수 있지만, 기업이 얻게 되는 이익도 크지 않다.

② **직접수출**: 수출중개인을 거치지 않고 수출전담부서, 현지 중개상, 별도 판매법인 등을 통해 수출과 관련된 여러 업무를 직접 수행하는 수출방법이다.

#### (2) 계약에 의한 진출

계약에 의한 진출방식은 주로 외국의 현지기업과의 계약에 의해 해외사업을 운영하는 방식으로, 라이선싱(licensing)과 프랜차이징(franchising)이 대표적인 형태이다. 이는 단순한 상품뿐만 아니라 기술이나 산업재산권을 임대 또는 판매하는 것을 포함한다.

① **라이선싱**: 공여기업(licensor)과 수혜기업(licensee) 간에 계약을 통해 공여기업이 보유하고 있는 특허, 기업의 노하우, 등록상표, 기술공정 등과 같은 상업적 자산권을 사용할 수 있는 권리를 수혜기업에게 제공하고 일정한 대가를 받는 계약을 말한다.

② **프랜차이징**: 영업본부(franchisor)가 가맹회사(franchisee)에게 상표의 사용권을 허가해주고 사업체의 조직과 경영방법의 이전을 통해 계속적으로 운영을 지원해주는 방식이다. 가맹회사의 소유권은 독립되어 있으며, 영업본부는 프랜차이징에 대한 수수료를 받고 대개 가맹회사의 운영에 필요한 물품을 공급한다. 프랜차이징은 라이선싱의 한 형태라고 볼 수도 있으나, 일반적으로 프랜차이징이 라이선싱보다 가맹회사의 운영에 보다 강한 통제를 한다.

③ **국제하청계약**: 라이선싱과 직접투자의 절충형으로 해외의 독립된 제조업체로부터 제품을 조달하면서 그 제품을 현지시장이나 제3국에 판매하게 된다.

④ **턴키 프로젝트(turn-key project)**: 생산설비를 건설하고 설비가 가동되어 생산이 개시될 수 있는 시점에서 소유권자에게 넘겨주는 계약형태이다. 턴키 프로젝트는 대규모 사업인 경우가 많아서 소수의 대규모 기업이 시장을 점유하고 있다.

⑤ **경영관리계약**: 해외기업의 일상적인 운영을 관리할 수 있는 권리를 계약하는 것이다. 일반적으로 이 권리에는 새로운 자본투자, 장기부채의 기채, 배당정책, 기본적인 경영정책, 소유권 등에 대한 결정권한은 포함되지 않는다.

### (3) 직접투자에 의한 진출

대부분의 기업은 해외시장에 대한 충분한 지식을 가지고 자본 및 경영능력이 축적되면 해외에 직접투자를 하게 된다. 해외직접투자는 다른 유형의 진출전략보다 해외시장에 투입되는 자원의 규모가 크기 때문에 그 성공여부는 기업 전체에 중대한 영향을 미치게 된다. 따라서 기업측면에서 가장 통제의 정도가 크고 많은 자본과 인적자원이 투입되며 위험이 높은 진출유형이 된다. 직접투자에 의한 진출은 단독투자와 합작투자로 구분할 수 있다.[117]

① **단독투자**: 의결권을 가지는 해외 자회사 주식의 95% 이상을 단독으로 소유하는 형태로 해외에 진출하는 경우를 말한다. 일반적으로 인수합병이나 신설 등의 방법이 이용되고, 기업이 강력한 독점적 우위를 소유하고 있거나 제품이나 기술에 대해 본사의 강력한 통제가 필요한 경우 등에 주로 선호된다. 단독투자는 제품이나 기술에 대해 본사의 강력한 통제가 가능하고 자사의 경영방침을 독자적으로 운영할 수 있으며, 기술이나 노하우의 노출을 방지할 수 있다는 장점이 있다.

② **합작투자**: 2개 이상의 기업이 공동의 소유권을 가지는 해외사업을 추진하는 경우를 말한다. 합작투자는 합작 파트너로부터 현지상황에 대한 정보를 빨리 파악할 수 있으며, 현지의 네트워크 형성에 유리하다는 장점이 있다.

### 📖 더닝(Dunning)의 절충이론

해외직접투자를 하는 기업이 그렇지 않은 기업에 비해 가지고 있는 우위를 소유특유우위, 내부화우위, 입지특유우위로 나누어 설명한다.

| | |
|---|---|
| 소유특유우위 | • 기업 특유의 자산을 소유한 정도<br>• 즉, 현지 기업과 현지에 진출한 기업들이 보유하지 못한 기업 특유의 자산(노하우)을 소유함으로써 이러한 강점을 활용하기 위하여 진출하는 것 |
| 내부화우위 | • 현지 사업에 대한 통제수준의 정도<br>• 즉, 기업이 해외 진출 시 외부거래를 내부거래화함으로써 거래비용을 최소화함은 물론 자원확보, 현지 정부와의 접촉, 각종 세제 혜택 등 여러 가지 측면에서 발생되는 이점을 보유 |
| 입지특유우위 | • 국내보다 좋은 환경의 입지우위<br>• 특정 국가지역에 직접 투자 시 저임금, 노동인력, 생산원료, 원자재 확보의 용이성, 최종소비시장에의 유리한 접근성 및 현지국 정보의 각종 혜택 등의 장점이 존재 |

---

[117] 직접투자에 의한 진출은 그린필드 투자와 브라운필드 투자로도 구분할 수 있다. 그린필드 투자는 회사가 직접 새로운 시장에 자금을 들여 투자하고 운영하는 형태를 의미하고, 브라운필드 투자는 회사가 이미 설립되어 운영하는 회사를 전략과 사업성에 기반하여 인수하고 그 회사의 사업방향에 적합하게 운영하는 형태를 의미한다.

# 출제예상문제

CHAPTER 03 마케팅 전략

## 4지선다형

**01** ☐☐☐ 2022년 군무원 9급 기출

다음 중 시장세분화를 통해 기대할 수 있는 효과에 대한 설명으로 가장 옳지 않은 것은?

① 고객들의 욕구를 보다 잘 이해할 수 있다.
② 마케팅 기회를 더 잘 발견할 수 있다.
③ 시장세분화를 하면 할수록 비용효율성이 높아지기 때문이다.
④ 기업들이 동일한 소비자를 놓고 직접 경쟁하지 않아도 되므로 가격경쟁이 완화될 수 있다.

**해설**

시장세분화를 하게 되면 일반적으로 비용은 증가한다.

정답 ③

**02** ☐☐☐ 2020년 서울시 7급 기출

시장세분화에 대한 설명으로 가장 옳지 않은 것은?

① 세분시장에 대한 접근가능성이 높아야 한다.
② 세분시장 내의 이질성과 세분시장 간의 동질성이 높아야 한다.
③ 시장을 효과적으로 세분화할 수 있는 기준변수를 선택해야 한다.
④ 매스마케팅에 비해 높은 경쟁우위와 새로운 기회의 발견이라는 장점이 있을 수 있다.

**해설**

세분시장 내의 동질성과 세분시장 간의 이질성이 높아야 한다.

정답 ②

**03** ☐☐☐ 2017년 국가직 7급 기출

시장세분화(Market Segmentation)에 대한 설명으로 옳지 않은 것은?

① 사용상황, 사용량, 추구편익, 가족생활주기 등은 시장세분화를 위한 행동적 변수에 속한다.
② 같은 세분시장에 속하는 고객들끼리는 최대한 비슷하여야 하고 서로 다른 세분시장에 속한 고객들끼리는 최대한 달라야 한다.
③ 신제품이 혁신적일수록 너무 일찍 앞서서 시장세분화를 하는 것은 바람직하지 않다.
④ 역세분화(Counter-Segmentation)는 고점유율 회사보다 저점유율 회사에 적합한 방법이다.

**해설**

사용상황, 사용량, 추구편익 등은 시장세분화를 위한 행동적 변수에 속하지만, 가족생활주기는 인구통계적 기준에 해당한다.

정답 ①

## 04 □□□ 2007년 국가직 7급 기출

**시장세분화의 장점이라고 보기 어려운 것은?**

① 시장세분화를 통하여 목표시장을 뚜렷이 설정할 수 있다.
② 마케팅 4P를 목표시장의 요구에 적합하도록 조정할 수 있다.
③ 규모의 경제와 경험 효과를 충분히 활용할 수 있다.
④ 기업의 경쟁적 강약점에 따라 유리한 목표시장을 선택할 수 있다.

**해설**

시장세분화는 전체시장을 일정한 기준에 의해 동질적인 세분시장으로 구분하는 과정을 의미한다. 이러한 시장세분화를 통해 기업들은 규모가 크고 이질적인 소비자들로 구성된 전체시장을 작은 규모의 동질적인 세분시장들로 나눔으로써, 각 세분시장의 독특한 욕구에 맞는 제품과 마케팅 프로그램을 가지고 보다 효율적·효과적으로 세분시장에 접근할 수 있다. 따라서 시장세분화는 규모의 경제와 경험 효과를 충분히 활용할 수 있는 측면과는 거리가 멀다.

**정답 ③**

## 05 □□□ 한국가스공사 기출동형

**다음 중 시장세분화에 대한 설명으로 옳지 않은 것은?**

① 효과적인 시장세분화를 위해서는 세분시장의 규모가 측정 가능해야 한다.
② 시장세분화에서는 동일한 세분시장 내에 있는 소비자들의 이질성이 극대화되도록 해야 한다.
③ 시장세분화 변수로 추구효익을 사용할 때는 세분시장의 규모나 접근가능성을 측정하기 어렵다.
④ 시장을 세분화할 때는 세분시장 특성 모두를 설명할 수 있는 여러 변수를 조합하여 사용해야 한다.

**해설**

시장세분화에서는 동일한 세분시장 내에 있는 소비자들의 동질성이 극대화되도록 해야 하고, 세분시장 간에는 최대한 이질적이어야 한다.

**정답 ②**

## 06 □□□ 서울교통공사 기출동형

**다음 중 시장세분화의 장점에 대한 설명으로 옳지 않은 것은?**

① 소비자의 다양한 요구를 충족시키며 매출액의 증대를 꾀할 수 있다.
② 시장의 세분화를 통하여 마케팅 기회를 탐지할 수 있다.
③ 시장세분화를 통하여 규모의 경제가 발생한다.
④ 제품 및 마케팅 활동이 목표시장의 요구에 적합하도록 조정할 수 있다.

**해설**

시장세분화는 전체시장을 일정한 기준에 의해 동질적인 세분시장으로 구분하는 과정을 의미한다. 시장세분화를 통해 다양한 소비자의 욕구를 파악할 수 있고, 이를 통해 소비자들의 욕구를 충족시킬 수 있을 뿐만 아니라, 자사상표들 간의 불필요한 경쟁을 억제할 수 있다. 따라서 시장세분화를 통해 규모의 경제가 발생한다는 내용은 옳지 않은 설명이다.

**정답 ③**

## 07 · 대구도시철도공사 기출동형

**다음 중 시장세분화에 대한 설명으로 옳지 않은 것은?**

① 시장이란 이질적인 요구를 가진 다양한 소비자들의 집합으로, 시장세분화는 전체시장을 일정한 기준에 따라서 동질적인 세분시장으로 나누는 것을 말한다.
② 인구통계학적 변수 중 하나인 소득은 소비자의 욕구나 구매행동에 가장 큰 영향을 미치는 변수로서, 소득은 곧 구매력을 나타내기 때문에 소비자들 간의 소득차이는 확실한 세분화의 변수가 된다.
③ 세분시장이 갖추어야 할 특징으로의 실행가능성은 세분시장이 하나의 시장으로서 충분히 크거나 수익성이 있는 정도를 말하며, 세분시장은 마케팅 프로그램이 추구할 가치가 있을 만큼의 가능한 한 큰 동질집단이어야 한다.
④ 행동적 변수 중 하나인 사용량은 상품의 사용 정도에 따라 소량, 보통, 대량 사용자 집단으로 세분화되며, 대량 사용자들의 경우 소수이지만 전체 매출액에서 차지하는 비율은 높다.

**해설**

세분시장이 갖추어야 할 특징으로 세분시장이 하나의 시장으로서 충분히 크거나 수익성이 있는 정도를 의미하는 것은 충분한 규모(substantial size)이다. 실행가능성은 세분시장을 공략하기 위한 효과적인 마케팅 프로그램을 개발할 수 있어야 한다는 것이다.

**정답 ③**

## 08 · 2010년 국가직 7급 기출

**시장세분화에 대한 설명으로 적절하지 않은 것은?**

① 효익 세분화 - 소비자들이 제품에서 추구하는 주요 편익에 따라 시장을 나눈다.
② 심리적 세분화 - 연령, 교육수준, 성별, 가족규모 등의 특성에 따라 시장을 나눈다.
③ 지리적 세분화 - 피자헛의 경우 미국 동부지방 주민에게는 치즈, 서부지방 주민에게는 토핑재료, 중서부 주민에게는 두 가지 모두를 더 많이 제공하는 경우처럼 시장을 나눈다.
④ 볼륨 세분화 - 소비자를 대량 이용자, 중간 이용자, 소량 이용자, 비사용자로 나눈다.

**해설**

연령, 교육수준, 성별, 가족규모 등의 특성에 따라 시장을 나누는 것은 인구통계적 세분화에 해당한다.

**정답 ②**

## 09 ☐☐☐ 2013년 국가직 7급 기출

**시장을 세분화하기 위한 행동적 변수들로만 묶인 것은?**

| ㄱ. 가족생애주기 | ㄴ. 개성 |
| ㄷ. 연령 | ㄹ. 사회계층 |
| ㅁ. 추구편익 | ㅂ. 라이프스타일 |
| ㅅ. 상표 애호도 | ㅇ. 사용량 |

① ㄱ, ㄴ, ㄷ
② ㄹ, ㅁ, ㅂ
③ ㅁ, ㅅ, ㅇ
④ ㅂ, ㅅ, ㅇ

**해설**

구매행동적 기준은 구매 또는 사용상황, 소비자가 추구하는 편익(benefit), 제품의 사용경험, 충성도 및 태도 등과 같은 소비자와 상품과의 관계에 초점을 맞춘 시장세분화기준을 말한다. ㄱ, ㄷ은 인구통계학적 기준에 해당하고, ㄴ, ㄹ, ㅂ은 심리특성적 기준에 해당한다. **정답 ③**

## 10 ☐☐☐ 2022년 군무원 7급 기출

**다음은 시장세분화의 기준을 설명하는 내용이다. 아래의 사례에서 가장 옳은 것은?**

- 제품편익: 제품을 구매하고 사용하여 어떤 편익을 얻고자 한다.
- 브랜드 충성도: 어떤 특정 브랜드에 대해 선호하는 심리상태를 말한다.
- 태도: 제품에 대한 소비자의 태도를 조사하여 시장을 세분화할 수 있다.

① 인구통계적 세분화
② 지리적 세분화
③ 행동적 세분화
④ 심리적 특성에 의한 세분화

**해설**

제품편익, 브랜드 충성도, 태도 등은 시장세분화기준 중 구매행동적 기준(행동적 세분화)에 해당한다. **정답 ③**

## 11 ☐☐☐ 2023년 군무원 9급 기출

**다음 중 시장세분화 전략에 대한 설명으로 가장 적절하지 않은 것은?**

① 시장세분화란 시장을 서로 비슷한 요구를 가지는 구매자 집단으로 구분하는 것을 말한다.
② 시장을 고객의 심리적 특성에 따라 구분하기 위해 소비자의 구매 패턴, 소비자가 추구하는 편익 등을 고려한다.
③ 시장세분화 전략에서 인구통계학적 특성이 다른 특성보다 구분하기 용이하기 때문에 가장 많이 사용되는 변수이다.
④ 시장세분화의 기준으로 특정 제품군에서의 소비자 행동에 대한 정보를 사용할 수 있다.

**해설**

소비자의 구매 패턴, 소비자가 추구하는 편익 등은 고객의 심리적 특성이 아니라 구매행동적 기준에 해당한다. **정답 ②**

**12** ☐☐☐ 대전도시철도공사 기출동형

좀 더 장기적이고 제품을 대체할 수 있는 대체품들에 초점이 맞춰져 있으며, 소비자의 동일한 욕구를 충족시키는 제품이나 서비스 모두를 경쟁관계에 있다고 보는 경쟁형태는 무엇인가?

① 본원적 효익에 의한 경쟁
② 예산 경쟁
③ 제품범주에 의한 경쟁
④ 제품형태에 의한 경쟁

**해설**

② 예산 경쟁은 가장 포괄적이고 넓은 의미의 경쟁으로 소비자가 예산을 어떤 제품에 사용할 것인가에 관한 것이다.
③ 제품범주에 의한 경쟁은 유사한 속성을 가진 제품을 경쟁자로 파악하는 방법이다.
④ 제품형태에 의한 경쟁은 동일한 제품형태에 의해 발생하는 경쟁으로 경쟁을 가장 좁게 보는 관점이다.

정답 ①

---

**13** ☐☐☐ 2018년 국가직 7급 기출

세분화된 시장의 차이점을 무시하고 한 제품으로 전체시장을 공략하는 전략은?

① 집중적 마케팅
② 세분화 마케팅
③ 비차별적 마케팅
④ 차별적 마케팅

**해설**

비차별적 마케팅은 기업이 세분시장들의 차이를 무시하고 하나의 제품을 가지고 전체시장에 접근하는 방법을 말한다.
① 집중적 마케팅은 하나의 세분시장에서 하나 또는 그 이상의 제품을 소비자에게 판매하기 위한 방법을 말한다.
② 세분화 마케팅은 시장을 세분화하여 마케팅믹스를 적용하는 전반적 개념을 의미한다.
④ 차별적 마케팅은 세분화된 시장들 중에서 각 세분시장마다 다른 제품을 가지고 접근하는 방법을 말한다.

정답 ③

---

**14** ☐☐☐ 서울교통공사 기출동형

다음 중 마케팅전략에 대한 설명으로 옳지 않은 것은?

① 비차별적 마케팅은 고객욕구의 차이점보다는 공통점에 초점을 맞춘다.
② 차별적 마케팅은 여러 세분시장에서 보다 많은 소비자들을 자사고객으로 확보할 수 있다.
③ 집중적 마케팅은 자원이 제한되어 있는 많은 기업들 사이에서 낮은 시장점유율을 추구하려는 전략이다.
④ 지역 마케팅은 규모의 경제를 감소시켜 제조와 마케팅 비용이 상승할 수 있다.

**해설**

집중적 마케팅은 하나의 세분시장에서 하나 또는 그 이상의 제품을 소비자에게 판매하기 위한 방법을 말한다. 즉 기업의 자원이 한정 또는 제약되어 있는 경우에 주로 사용되는 전략으로, 하나 또는 소수의 적은 시장부문에만 진출하고자 하는 전략이다. 따라서 집중적 마케팅은 특수한 경우가 아니라면 일반적으로 기업이 낮은 시장점유율을 추구하려는 전략을 구사하는 경우는 없다.

정답 ③

**15** ☐☐☐ 서울교통공사 기출동형

마케팅전략 수립 과정에서 상품의 특성 및 경쟁상품과의 관계, 자사의 기업 이미지 등 각종 요소를 평가·분석하여 그 상품을 시장의 특정한 위치에 설정하는 것은 무엇인가?

① 시장세분화  ② 표적시장 선정
③ 브랜딩  ④ 포지셔닝

> **해설**
> 포지셔닝(positioning)은 소비자들의 인식 속에 자사의 제품이 경쟁업체의 제품과 비교하여 어느 위치를 차지하고 있는가에 대한 상대적 위치를 탐색하고 자사제품을 경쟁업체의 제품보다 소비자의 기억과 인식 속에서 우위에 있도록 하는 것을 의미한다.
> **정답 ④**

---

**16** ☐☐☐ 2023년 군무원 7급 기출

STP(Segmentation, Targeting, Positioning)의 위상정립(Positioning)을 위한 방법과 가장 거리가 먼 것은?

① 속성(attribute)에 의한 위상정립
② 편익(benefit)에 의한 위상정립
③ 경쟁자(competitor)에 의한 위상정립
④ 자원(resource)에 의한 위상정립

> **해설**
> 포지셔닝 전략은 제품속성, 사용상황, 제품사용자, 경쟁제품에 의한 포지셔닝 전략 등이 있다. 따라서 자원(resource)에 의한 위상정립은 위상정립을 위한 방법으로 가장 거리가 멀다.
> **정답 ④**

---

**17** ☐☐☐ 한국남부발전 기출동형

다음 중 포지셔닝 전략을 수립하는 과정을 순서대로 바르게 나열한 것은?

| ㄱ. 경쟁자 확인 | ㄴ. 소비자 분석 |
| ㄷ. 경쟁제품의 위치 분석 | ㄹ. 자사제품의 위치 개발 |
| ㅁ. 포지셔닝의 확인 및 리포지셔닝 | |

① ㄱ → ㄴ → ㄷ → ㄹ → ㅁ
② ㄱ → ㄴ → ㄹ → ㄷ → ㅁ
③ ㄴ → ㄱ → ㄷ → ㄹ → ㅁ
④ ㄴ → ㄱ → ㄹ → ㄷ → ㅁ

> **해설**
> 포지셔닝 전략을 수립하는 과정은 '소비자 분석 → 경쟁자 확인 → 경쟁제품의 위치 분석 → 자사제품의 포지셔닝 개발 → 포지셔닝의 확인 및 리포지셔닝'의 순서로 이루어진다.
> **정답 ③**

## 18  □□□ 서울교통공사 기출동형

다음 중 포지셔닝의 과정에서 올바른 경쟁우위를 선정해야 하는 기준으로 옳지 않은 것은?

① 구매자는 차별점에 대해 대가를 지불할 수 없어야 한다.
② 경쟁사가 쉽게 차별점을 모방할 수 없어야 한다.
③ 차별점은 소비자가 동일한 혜택을 얻을 수 있는 다른 방법보다 우월해야 한다.
④ 회사는 이익을 내면서 차별점을 소개할 수 있어야 한다.

**해설**

구매자는 차별점에 대해 대가를 지불할 수 있어야 한다.

정답 ①

## 19  □□□ 2018년 서울시 7급 기출

마케팅조사를 통해 소비자의 고려대상이 되는 여러 제품들에 대한 소비자의 지각과 선호를 파악한 후 이를 공간상에 있는 점들 간의 기하학적 관련성으로 시각화하여 표현하려고 할 때 사용할 수 있는 자료분석방법으로 가장 옳은 것은?

① 컨조인트 분석(conjoint analysis)
② 다차원척도법(multidimensional scaling)
③ 판별분석(discriminant analysis)
④ 군집분석(cluster analysis)

**해설**

다차원척도법은 소비자의 인지상태를 기하학적 공간에 표시하는 기법을 말한다. 즉, 다차원의 공간에서 소비자의 특정 욕구를 만족시킬 수 있는 제품들에 대한 소비자의 인지사항을 지도화하여 핵심 속성들의 차원을 규명하기 위한 방법이다.
① 컨조인트 분석은 다양한 제품속성과 각 속성의 수준의 상대적 매력도를 평가하여 최적의 속성조합을 도출해 내기 위한 방법을 말한다.
③ 판별분석은 등간척도 이상인 독립변수와 명목척도인 종속변수와의 관계를 규명하기 위하여 케이스가 속한 집단을 예측하여 집단별로 분류하는 방법을 말한다.
④ 군집분석이란 각 객체(대상)의 유사성을 측정하여 유사성이 높은 대상집단을 분류하고, 군집에 속한 객체들의 유사성과 서로 다른 군집에 속한 객체 간의 상이성을 규명하는 통계분석방법이다. 마케팅에서는 소비자들의 상품구매 행동이나 라이프스타일에 따른 소비자군을 분류하여 시장전략수립 등에 사용할 수 있다.

정답 ②

## 20  2011년 국가직 7급 기출

포지셔닝을 위한 유용한 방법 중 하나인 포지셔닝 맵(positioning map)의 작성단계를 순서대로 바르게 나열한 것은?

| ㄱ. 경쟁제품 및 자사제품의 위치 확인 | ㄴ. 차원 결정 |
| ㄷ. 차원의 이름 결정 | ㄹ. 이상적 포지션의 결정 |

① ㄱ - ㄴ - ㄷ - ㄹ
② ㄴ - ㄷ - ㄱ - ㄹ
③ ㄷ - ㄱ - ㄴ - ㄹ
④ ㄷ - ㄴ - ㄹ - ㄱ

**해설**

포지셔닝 맵(positioning map)은 '차원 결정 → 차원의 이름 결정 → 경쟁제품 및 자사제품의 위치 확인 → 이상적 포지션의 결정'의 순으로 작성된다.

**정답 ②**


## 21  2010년 국가직 7급 기출

다음은 기업이 제품을 포지셔닝(positioning)하는 방법에 대한 설명이다. 그 목적을 바르게 기술한 것을 모두 고른 것은?

| ㄱ. 속성에 의한 포지셔닝 - 가장 흔히 사용되는 포지셔닝의 방법으로 제품자체가 지니고 있는 고유의 특성을 소비자에게 인식시킨다. |
| ㄴ. 사용 상황에 의한 포지셔닝 - 제품이 사용될 수 있는 적절한 상황이나 용도를 소비자에게 인식시킨다. |
| ㄷ. 경쟁자에 의한 포지셔닝 - 경쟁사의 제품과 비교하여 자사 제품만이 줄 수 있는 혜택이나 편익을 소비자에게 인식시킨다. |
| ㄹ. 사용자에 의한 포지셔닝 - 표적시장 내의 전형적인 소비자를 겨냥하여 자사 제품이 그들에게 적합한 제품이라고 인식시킨다. |

① ㄱ, ㄴ, ㄷ
② ㄱ, ㄷ, ㄹ
③ ㄴ, ㄷ, ㄹ
④ ㄱ, ㄴ, ㄷ, ㄹ

**해설**

모두 옳은 설명이다.

**정답 ④**

## 22   2023년 국가직 7급 기출

**시장세분화 및 목표시장선정에 대한 설명으로 옳은 것은?**

① 역세분화(counter-segmentation)는 시장점유율이 낮은 기업보다는 높은 기업에게 적합한 방법이다.
② 효과적인 시장세분화의 조건에서 측정가능성은 세분시장에 접근하여 그 시장에서 활동할 수 있는 정도이다.
③ 집중적 마케팅 전략은 각 세분시장의 차이를 무시하고 단일 혹은 소수의 제품으로 전체시장에 접근하는 것이다.
④ 시장세분화 기준변수를 고객행동변수와 고객특성변수로 구분할 때, 추구편익(혜택)은 고객행동변수로 분류된다.

**해설**

① 역세분화(counter-segmentation)는 시장점유율이 높은 기업보다는 낮은 기업에게 적합한 방법이다.
② 효과적인 시장세분화의 조건에서 측정가능성은 세분시장의 크기가 측정가능해야 한다는 것이다. 세분시장에 접근하여 그 시장에서 활동할 수 있는 정도는 접근가능성이다.
③ 집중적 마케팅 전략은 하나의 세분시장에서 하나 또는 그 이상의 제품을 소비자에게 판매하기 위한 방법을 말한다. 그리고 각 세분시장의 차이를 무시하고 단일 혹은 소수의 제품으로 전체시장에 접근하는 것은 비차별적 마케팅이다.

**정답 ④**

## 23   한국가스공사 기출동형

**다음 중 STP 분석에 대한 설명으로 옳지 않은 것은?**

① 시장세분화를 하는 데 있어 상품의 가격, 성능, 기능, 크기, 특성 등을 기준으로 하는 것은 수요자 중심의 세분화에 해당한다.
② 시장이 처음 생겨날 때는 고객의 욕구가 작고 집중되는 경향이 있으므로 초기 시장에서는 비차별적 마케팅을 주로 사용한다.
③ 집중적 마케팅은 자사와 고객, 경쟁사를 분석하여 하나의 세부시장이나 틈새시장에 초점을 맞춤으로써 제한된 영역에서 최고가 되고자 하는 전략이다.
④ 지속적으로 포지셔닝 맵을 모니터하여 경쟁사의 목표 포지션이 어디인지, 전략이 무엇인지 등을 파악해야 한다.

**해설**

시장세분화를 하는 데 있어 상품의 가격, 성능, 기능, 크기, 특성 등을 기준으로 하는 것은 생산자 중심의 세분화에 해당한다.

**정답 ①**

## 24 □□□ 한국남부발전 기출동형

다음 중 STP 전략에 대한 설명으로 옳은 것을 모두 고르면?

> ㄱ. 시장세분화에서 세분화된 시장 내에서는 동질성이 극대화되어야 한다.
> ㄴ. 수요의 동질성이 높은 제품은 비차별적 마케팅전략을 활용하는 것이 바람직하다.
> ㄷ. 포지셔닝 기법에서 다차원척도법은 소비자의 인지 상태를 기하학적 공간에 표시하는 기법을 말한다.

① ㄱ
② ㄱ, ㄴ
③ ㄱ, ㄷ
④ ㄱ, ㄴ, ㄷ

### 해설
ㄱ, ㄴ, ㄷ. STP 전략에 대한 설명으로 옳은 내용이다.

정답 ④

## 25 □□□ 2021년 군무원 7급 기출

STP 전략에 대한 설명으로 가장 옳지 않은 것은?

① 시장세분화(market segmentation)란 전체시장을 일정한 기준에 의해 동질적인 세분시장으로 구분하는 과정이다.
② 지리적, 인구통계적, 심리특성적, 구매행동적으로 상이한 고객들로 구분하여 시장을 세분화한다.
③ 시장위치선정(market positioning)이란 각 세분시장의 매력성을 평가하고 여러 세분시장 가운데서 기업이 진출하고자 하는 하나 또는 그 이상의 세분시장을 선정하는 과정이다.
④ 제품의 구매나 사용이 사회적 관계 속에서 갖는 상징적(symbolic) 의미를 강조하는 경우에 가장 적절한 포지셔닝은 제품사용자에 의한 포지셔닝이다.

### 해설
시장위치선정(market positioning)은 소비자들의 인식 속에 자사의 제품이 경쟁업체의 제품과 비교하여 어느 위치를 차지하고 있는가에 대한 상대적 위치를 탐색하고 자사제품을 경쟁업체의 제품보다 소비자의 기억과 인식 속에서 우위에 있도록 하는 것을 의미한다. 각 세분시장의 매력성을 평가하고 여러 세분시장 가운데서 기업이 진출하고자 하는 하나 또는 그 이상의 세분시장을 선정하는 과정은 목표시장 선정(targeting)이다.

정답 ③

## 26 □□□ 2024년 군무원 7급 기출

마케팅 전략 수립을 위해 시장기회를 분석하는 데는 경쟁자 분석이 필요할 수 있다. 이 경우에 경쟁자 분석 방법은 보통 기업중심적 방법과 고객중심적 방법으로 구분할 수 있는데, 다음 중 기업중심적인 방법으로 가장 적절하지 않은 것은?

① 브랜드-전환 매트릭스(brand switching matrix)
② 제품-시장 매트릭스(product-market matrix)
③ 기술적 대체 가능성(technological substitutablity)
④ 표준 산업분류(standard industrial classification) 코드 활용법

### 해설
브랜드-전환 매트릭스(brand switching matrix)는 고객중심적 방법에 해당한다.

정답 ①

## 27 ☐☐☐ 2023년 군무원 9급 기출

'(주)오직커피'는 커피만을 판매하는 단일 매장커피 전문점이며, 그 매장은 한국에 있다. '(주)오직커피'는 여러 가지 성장전략을 고민하고 있는데, 성장전략에 대한 설명으로 가장 적절한 것은?

① 한국에서 '(주)오직커피' 매장 하나를 추가로 여는 것은 '시장개발전략'에 해당한다.
② 베트남에 '(주)오직커피' 매장을 여는 것은 '시장침투전략'에 해당한다.
③ 기존 '(주)오직커피' 매장에서 기존 고객에게 샌드위치를 판매하는 것은 '다각화전략'에 해당한다.
④ 기존 '(주)오직커피' 매장에서 기존 고객을 대상으로 판촉활동을 하는 것은 '시장침투전략'에 해당한다.

### 해설
① 한국에서 '(주)오직커피' 매장 하나를 추가로 여는 것은 '시장침투전략'에 해당한다.
② 베트남에 '(주)오직커피' 매장을 여는 것은 새로운 시장에 진출하는 전략이기 때문에 '시장개발전략'에 해당한다.
③ 기존 '(주)오직커피' 매장에서 기존 고객에게 샌드위치를 판매하는 것은 새로운 제품을 추가하는 전략이기 때문에 '제품 개발전략'에 해당한다.

정답 ④

## 28 ☐☐☐ 2022년 국가직 7급 기출

앤소프(I. Ansoff)의 '제품/시장 매트릭스'에서 시장침투(market penetration) 전략에 대한 설명으로 옳은 것은?

① 혁신적인 신제품을 개발한다.
② 매력적인 시장으로 진입한다.
③ 시장에 출시된 제품의 가격을 인하한다.
④ 기존 제품을 구매하는 고객들이 새로운 제품을 구매할 수 있도록 광고의 빈도를 늘린다.

### 해설
시장침투전략은 기존 고객으로 하여금 더욱 많이 이용하게 하거나 경쟁기업의 고객을 자사의 고객으로 유도하는 등 기존 제품으로 기존 시장에서 승부하여 시장점유율, 판매량을 제고하는 전략을 의미한다. 따라서 ③이 시장침투전략에 해당하는 설명이다. ①은 제품 개발전략, ②는 시장개발전략, ④는 제품 개발전략에 해당한다.

정답 ③

## 29  □□□ 2017년 국가직 7급 기출

"양치질은 식사 후 하루 세 번이 아니라 간식 후와 취침 전 그리고 구취가 날 때마다 여러 번 할수록 치아건강에 더욱 좋습니다."라는 광고문구와 같이 현재 제품을 사용하는 고객들로 하여금 더 많이 또는 더 자주 구입하게 함으로써 성장을 달성하는 전략은?

① 시장침투전략
② 제품 개발전략
③ 시장개발전략
④ 다각화전략

**해설**

기존 고객으로 하여금 더욱 많이 이용하게 하거나 경쟁기업의 고객을 자사의 고객으로 유도하는 등 기존 제품으로 기존 시장에서 승부하여 시장점유율, 판매량을 제고하는 전략에 해당하는 것으로 시장침투전략을 의미한다. **정답 ①**

## 30  □□□ 2022년 군무원 7급 기출

다음 중 다각화(diversification)에 대한 설명으로 가장 옳은 것은?

① 수직적 통합에서 후방통합(backward integration)은 판매 및 마케팅 경로를 통합하여 안정적인 유통경로를 확보할 수 있다.
② 관련다각화는 기존의 제품이나 시장을 벗어나 새로운 사업으로 진출하는 것을 의미한다.
③ 비관련다각화는 특정 기업이 현재의 사업 범위와 서로 관련성이 큰 사업에 진출하는 것을 의미한다.
④ 수직적 통합에서 통합된 기업 중 어느 한 기업이 비효율성을 나타내는 경우, 전체 기업으로 비효율성이 확대될 가능성이 높다.

**해설**

① 수직적 통합에서 전방통합(forward integration)은 판매 및 마케팅 경로를 통합하여 안정적인 유통경로를 확보할 수 있다.
② 관련다각화는 특정 기업이 현재의 사업 범위와 서로 관련성이 큰 사업에 진출하는 것을 의미한다.
③ 비관련다각화는 기존의 제품이나 시장을 벗어나 새로운 사업으로 진출하는 것을 의미한다. **정답 ④**

## 31  □□□ 2021년 서울시 7급 기출

제품수명주기에 대한 설명으로 가장 옳지 않은 것은?

① 도입기는 소비자에게 제품을 알리는 기간으로, 판촉비용이 판매수익을 초과하는 경우가 많다.
② 성장기는 매출액이 급속도로 증가하는 기간으로, 이 시기의 판촉활동은 제품의 특성을 재조명하는 데 초점을 둔다.
③ 성숙기는 시장이 경쟁제품들로 포화되는 기간으로, 판매수량의 증가율이 극대화되는 시기이다.
④ 쇠퇴기는 판매수량과 이익이 줄어드는 시기이다.

**해설**

판매수량의 증가율이 극대화되는 시기는 성장기이다. **정답 ③**

## 32  2018년 서울시 7급 기출

**제품수명주기(product life cycle)에 대한 설명으로 가장 옳은 것은?**

① 제품수명주기는 도입기, 성장기, 성숙기, 쇠퇴기로 나뉜다.
② 성장기에 판매 극대점에 도달한다.
③ 쇠퇴기에 접어든 상품의 수명주기를 다시 성장기로 되돌려 놓을 수 없다.
④ 제품 성숙기에는 제품의 판매가 급격히 증가하면서 순이익이 발생하는 시기이다.

**해설**
② 판매 극대점에 도달하는 것은 성숙기이다.
③ 제품의 수명주기는 소비자의 충성도에 따라 좌우되므로, 소비자의 인식을 자극시켜주는 전략에 의해 쇠퇴기에 접어든 상품의 수명주기를 재활성하거나 우호적인 방향으로 유지할 수 있다.
④ 제품의 판매가 급격히 증가하면서 순이익이 발생하는 곳은 성장기이다.

**정답 ①**

## 33  2018년 국가직 7급 기출

**제품수명주기이론의 단계별 특성에 대한 설명으로 옳지 않은 것은?**

① 도입기에 기업은 제품 시용(Trial)을 유인한다.
② 성숙기에는 매출액증가율이 둔화된다.
③ 쇠퇴기에 기업은 매출액 감소를 보완하기 위해 유통경로를 확대한다.
④ 성장기에는 판매량이 증가함에 따라 경험곡선 효과가 나타난다.

**해설**
쇠퇴기(decline)는 새로운 기술개발, 소비자의 기호변화, 신제품의 출시 등으로 인해 판매량이 급격하게 감소하는 시기를 말한다. 이 시기는 유휴시설이 증가하고, 가격하락과 이윤감소현상이 발생하기 때문에 기업은 가격인하, 제품폐기 및 회수절차 등의 시장철수 전략을 추진하게 된다. 따라서 이 시기의 마케팅목표는 비용을 최대한 억제하면서 남아 있는 잔존수요로부터 최대한의 수확(harvest)을 극대화하는 것이 된다.

**정답 ③**

## 34 2022년 국가직 7급 기출

**제품수명주기(PLC)상 동일 단계의 특성에 해당하는 것만을 모두 고르면?**

ㄱ. 다양한 고객 니즈를 충족시키고 경쟁에 대처하기 위해 제품의 차별화를 시도하며, 제품의 기능 및 품질향상을 모색한다.
ㄴ. 가속적인 구매확산과 대량생산을 통한 가격인하의 연쇄관계가 형성됨에 따라 전체시장의 규모가 급속히 확대되는 경향이 있다.
ㄷ. 기존제품으로 새로운 소비자의 수요를 유도하거나, 기존제품의 품질향상 및 신규 브랜드를 개발하는 마케팅 전략을 구사한다.
ㄹ. 제품을 취급하려는 유통업자의 수가 증가하고 매출액이 신장되며, 이 시기 후반기에는 소비자의 선택적 수요를 자극하기 위한 촉진비용이 많이 소요되어 이익률이 감소하는 경향이 있다.

① ㄱ, ㄴ
② ㄷ, ㄹ
③ ㄱ, ㄴ, ㄹ
④ ㄴ, ㄷ, ㄹ

**해설**

ㄱ, ㄴ, ㄹ은 성장기에 해당하는 설명이고, ㄷ은 성숙기에 해당하는 설명이다.

정답 ③

## 35 한국가스공사 기출동형

**다음 중 제품수명주기상 성장기에 대한 설명으로 옳지 않은 것은?**

① 매장에 대한 구매시점광고와 매장 원조를 강화한다.
② 실질적인 경쟁이 시작되는 경우가 많다.
③ 상품충성도를 높이기 위해 제품차별화전략을 사용한다.
④ 판매촉진의 증가로 인해 계속 많은 비용이 지출되어 아직 이익을 기대할 수 없다.

**해설**

성장기는 매출이 증가함에 따라 조업도가 높아지고 대량생산 및 경험효과 등에 의하여 제조원가가 급속히 감소하기 때문에 이윤이 증가하는 시기이다. 성장기는 소비자의 구전효과(word of mouth)가 확대되면서 제품이 보다 널리 알려지고 판매성장이 가속화되는 시기를 말한다. 이 시기에는 경쟁자들이 시장에 지속적으로 진입을 시작하기 때문에 기업은 제품의 신뢰성 및 제품의 차별화가 중요하며, 시장점유율의 급속한 성장을 최대한 지속시키기 위해 노력해야 한다. 따라서 이 시기의 마케팅목표는 시장점유율을 확대하는 것이 되고, 이 시기에 적절한 가격 전략으로는 시장침투가격전략이 있다.

정답 ④

## 36 ☐☐☐ 2011년 국가직 7급 기출

**제품수명주기 중 성숙기에 대한 설명으로 옳은 것은?**

① 판매율이 증가해서 수익은 상당한 수준에 이르며, 다수의 경쟁자들이 시장에 진입하고, 제품이 시장에 수용되어 정착된다.
② 가장 많은 장애물에 직면하며, 경쟁강도가 약하더라도 빈번한 제품 변경이 발생하고, 유통이 제한적이며 활발한 촉진활동을 수행한다.
③ 고객기호변화, 기술변화, 경쟁격화 등으로 판매가 감소하고 이익이 잠식된다.
④ 판매성장률은 둔화되고 과잉생산이 초래되며, 기본제품을 다양하게 변형시키는 라인확장이 발생한다.

**해설**
①은 성장기, ②는 도입기, ③은 쇠퇴기에 대한 설명에 해당한다.  **정답** ④

## 37 ☐☐☐ 서울교통공사 기출동형

**다음 중 제품수명주기별 특징으로 옳지 않은 것은?**

① 도입기에는 경쟁보다 제품시장 규모를 키우는 데 주력해야 한다.
② 성장기에는 광고 및 유통비 투자로 적자가 지속된다.
③ 성숙기에는 단골고객 유지관리, 시장점유율 방어와 고객 전환에 주력해야 한다.
④ 쇠퇴기에는 기존제품의 수요를 지속할 수 있도록 하거나 신제품을 출시해야 한다.

**해설**
성장기는 매출이 증가함에 따라 조업도가 높아지고 대량생산 및 경험효과 등에 의하여 제조원가가 급속히 감소하기 때문에 이윤이 증가하는 시기이다.  **정답** ②

## 38 ☐☐☐ 한국가스공사 기출동형

**다음 사례에 나타난 A 유업의 우유는 어떤 제품수명주기에 놓여 있는가?**

> A 유업은 가장 큰 우유시장 점유율을 차지하고 있으나, 우유 소비량이 지속적으로 감소하고 있고, 시장성장률 또한 감소하고 있다. 이에 A 유업은 기존 아이들이 먹는 제품으로 광고했던 우유를 이제는 엄마를 위한 제품으로 광고하기 시작했다.

① 도입기
② 성장기
③ 성숙기
④ 쇠퇴기

**해설**
성숙기는 매출과 이익이 극대화되었다가 감소하는 추세를 보이기 때문에 기업은 시장, 제품 및 마케팅믹스를 수정하는 전략을 수행하고, 상표 및 모델의 다양화를 추구해야 한다. 따라서 제시된 사례는 성숙기에 해당한다.  **정답** ③

## 39 ☐☐☐ 2010년 국가직 7급 기출

**제품수명주기에서 다음 시기에 사용할 수 있는 유통 및 광고전략은?**

- 대다수의 잠재구매자들이 제품을 구매하여 판매성장이 둔화된다.
- 회사들 사이에 경쟁이 증가하기 때문에 이익은 정체되거나 하락한다.

① 선택적 유통을 구축하고 수익성이 적은 경로를 폐쇄하며, 상표충성도가 강한 고객을 유지하는 데 초점을 둔다.
② 집중적인 유통을 구축하고 대중시장에서의 인식과 관심을 형성하는 데 초점을 둔다.
③ 집중적인 유통을 보다 강화하고 상표차이와 제품의 이점을 강조하는 데 초점을 둔다.
④ 선택적인 유통을 구축하고 조기수용층과 판매상의 제품인지를 형성하는 데 초점을 둔다.

**해설**

주어진 내용은 제품수명주기 중 성숙기에 대한 설명이다. ①은 쇠퇴기, ②는 성장기, ③은 성숙기, ④는 도입기에 대한 설명이다.　　　**정답 ③**


## 40 ☐☐☐ 2008년 국가직 7급 기출

**제품수명주기와 관련된 설명 중 옳지 않은 것은?**

① 도입기에는 판매량이 적으므로, 제품의 기본수요를 자극하는 전략이 필요하다.
② 성숙기에는 격심한 경쟁이 나타나며, 매출액이 급락한다.
③ 성장기에는 신경쟁자가 출현하며, 실질적인 수익이 발생하기 시작한다.
④ 제품수명주기는 마케팅활동에 따른 종속변수의 성격을 갖는다.

**해설**

매출액이 급락하는 단계는 성숙기가 아니라 쇠퇴기에 해당한다.　　　**정답 ②**


## 41 ☐☐☐ 2018년 국가직 7급 기출

**라이센싱(Licensing)과 프랜차이징(Franchising)에 대한 설명으로 옳지 않은 것은?**

① 진출예정국에 수출이나 해외직접투자에 대한 무역장벽이 존재하는 경우 라이센싱은 무역장벽을 극복하는 방법이다.
② 프랜차이징은 음식점, 커피숍 등 서비스업종에서 많이 사용하는 방법이다.
③ 라이센싱은 브랜드와 기술 등 무형자산과 함께 품질관리, 경영방식, 기업체 조직 및 운영, 마케팅 지원 등과 같은 경영관리 노하우까지 포함하기 때문에 철저한 통제가 가능하다.
④ 라이센싱과 프랜차이징은 잠재적인 경쟁자를 만들 위험이 있다.

**해설**

프랜차이징은 라이센싱의 한 형태라고 볼 수도 있으나, 일반적으로 프랜차이징이 라이센싱보다 가맹회사의 운영에 보다 강한 통제를 한다.　　　**정답 ③**

**42** ☐☐☐ 2024년 군무원 9급 기출

**다음 중 투자를 통한 해외 시장 진입 방식에 대한 설명으로 가장 적절하지 않은 것은?**

① 완전자회사를 이용한 시장 진입을 통해 관리자들이 표적시장에서 이루어지는 활동에 대해 완전하게 지배력을 행사할 수 있다.
② 조인트벤처의 전방통합은 기업의 업스트림(상향) 활동에 합작 투자를 의미한다.
③ 조인트벤처는 일반적으로 완전자회사에 비해 적은 리스크를 안고 있다.
④ 전략적 제휴의 단점은 미래의 현지 혹은 세계적인 경쟁자를 만들 수 있다는 점이다.

**해설**

전방(하향)은 소비자 방향을 의미하고, 후방(상향)은 공급업체 방향을 의미한다.  정답 ②


**43** ☐☐☐ 2016년 국가직 7급 기출

**해외직접투자의 유형인 그린필드투자(green-field investment)와 브라운필드투자(brown-field investment)에 대한 설명으로 적절한 것은?**

① 그린필드투자 - 새로운 기업의 설립
  브라운필드투자 - 기존에 존재하는 현지 기업의 합병/인수
② 그린필드투자 - 서비스업에 대한 투자
  브라운필드투자 - 제조업에 대한 투자
③ 그린필드투자 - IT/정보/콘텐츠/문화 등 지식 산업에 대한 투자
  브라운필드투자 - 기존 굴뚝 산업에 대한 투자
④ 그린필드투자 - 정부/공공기관 주도의 직접 투자
  브라운필드투자 - 순수 민간 주도의 직접 투자

**해설**

그린필드는 회사가 직접 새로운 시장에 자금을 들여 투자하고 운영하는 형태이고, 브라운필드는 회사가 이미 설립되어 운영하는 회사를 전략과 사업성에 기반하여 인수하고 그 회사의 사업방향에 적합하게 운영하는 형태를 의미한다.  정답 ①


**44** ☐☐☐ 2022년 군무원 9급 기출

**다음 중 글로벌 경영의 필요성에 대한 설명으로 가장 옳지 않은 것은?**

① 해외시장 확보를 통한 매출액 증대
② 지리적 다변화를 통한 위험집중
③ 국내 규제의 회피
④ 해외조달을 통한 투입요소 비용의 절감

**해설**

글로벌 경영을 통해 지리적 다변화가 이루어지고, 이로 인해 위험이 집중되는 것이 아니라 위험이 분산된다.  정답 ②

## 45 ☐☐☐ 2012년 국가직 7급 기출

기업의 세계화를 촉진시키는 요인이 아닌 것은?

① 인터넷을 비롯한 통신수단의 발달
② 지역별 자유무역협정의 체결
③ 유통채널의 국가 간 차이 증가
④ 관세와 무역장벽의 철폐

**해설**

유통채널의 국가 간 차이가 증가하면 기업은 국가마다 다른 유통채널을 활용해야 하기 때문에 오히려 기업의 세계화를 어렵게 하는 요인이 된다.

정답 ③

## 46 ☐☐☐ 2023년 군무원 9급 기출

판매회사가 제조업체에 제품의 생산을 위탁하면 제조업체가 이 제품을 자체적으로 설계·개발·생산하여 판매회사에 납품하는 방식으로 가장 적절한 것은?

① OJT
② OBM
③ ODM
④ OEM

**해설**

판매회사가 제조업체에 제품의 생산을 위탁하면 제조업체가 이 제품을 자체적으로 설계·개발·생산하여 판매회사에 납품하는 방식은 ODM(original design manufacturing)이다. 추가로 OEM(original equipment manufacturing)은 제조업체가 판매회사로부터 설계도를 받아 제품을 위탁 생산하는 것이고, OBM(original brand manufacturing)은 제조업체가 스스로 개발, 생산, 판매까지 하는 것이다.

정답 ③

## 47 ☐☐☐ 2023년 국가직 7급 기출

해외직접투자 이론에서 절충이론(eclectic theory)의 구성요소가 아닌 것은?

① 동적역량우위(dynamic capabilities advantage)
② 소유특유우위(ownership-specific advantage)
③ 입지특유우위(location-specific advantage)
④ 내부화우위(internalization advantage)

**해설**

더닝(Dunning)의 절충이론에 따르면 해외직접투자를 하는 기업이 그렇지 않은 기업에 비해 가지고 있는 우위를 소유특유우위, 내부화우위, 입지특유우위로 나누어 설명한다.

- 소유특유우위: 기업 특유의 자산을 소유한 정도를 의미한다. 즉 현지 기업과 현지에 진출한 기업들이 보유하지 못한 기업 특유의 자산(노하우)를 소유함으로써 이러한 강점을 활용하기 위하여 진출하는 것이다.
- 내부화우위: 현지 사업에 대한 통제수준의 정도를 의미한다. 즉 기업이 해외 진출 시 외부거래를 내부거래화함으로써 거래비용을 최소화함은 물론 자원확보, 현지 정부와의 접촉, 각종 세제 혜택 등 여러 가지 측면에서 발생되는 이점을 보유한다.
- 입지특유우위: 국내보다 좋은 환경의 입지우위를 의미한다. 특정 국가지역에 직접 투자 시 저임금, 노동인력, 생산원료, 원자재 확보의 용이성, 최종소비시장로의 유리한 접근성 및 현지국 정보의 각종 혜택 등의 장점이 존재한다.

정답 ①

## 48 ☐☐☐ 2019년 국가직 7급 기출

**해외직접투자에 대한 설명으로 옳지 않은 것은?**

① 기업이 현지에서 경영에 직접 참가할 목적으로 추구하는 국제화 전략의 하나이다.
② 각종 자원 확보는 해외직접투자의 주요 동기 중 하나이다.
③ 수출 대신 해외직접투자를 하는 이유를 내부화 이론으로 설명할 수 있다.
④ 신설투자, 합작투자, 라이선싱, 인수합병 등이 해외직접투자 유형에 속한다.

**해설**

해외시장 진출유형은 수출에 의한 진출, 계약에 의한 진출, 직접투자에 의한 진출로 구분할 수 있다. 여기서 수출에 의한 대표적인 진출형태에는 간접수출과 직접수출이 있고, 계약에 의한 진출방식은 라이선싱(licensing)과 프랜차이징(franchising)이 대표적인 형태이다. 마지막으로 직접투자에 의한 진출은 단독투자와 합작투자로 구분할 수 있다. 따라서 ④에서 제시한 라이선싱은 계약에 의한 진출방식에 해당한다.

**정답 ④**

## 49 ☐☐☐ 2011년 국가직 7급 기출

**국제계약의 유형에 대한 설명으로 적절하지 않은 것은?**

① 프랜차이징(franchising)은 넓은 의미에서 라이선싱의 한 형태이며, 패스트푸드, 호텔, 자동차 판매 등과 같은 서비스산업에서 널리 활용되고 있는 계약이다.
② 관리계약(management contract)은 현지국 기업을 위탁관리해 주고 일정한 대가를 받는 계약이다.
③ 계약생산(contract manufacturing)은 생산설비 등을 건설하고 설비가 가동되어 생산이 개시될 수 있는 시점에 소유권을 넘겨주는 계약이다.
④ 라이선싱(licensing)은 생산기술이나 특허권과 같은 독점적 자산의 사용권을 제공하고 그 대가를 받는 계약이다.

**해설**

생산설비 등을 건설하고 설비가 가동되어 생산이 개시될 수 있는 시점에 소유권을 넘겨주는 계약은 턴키 프로젝트(turn-key project)이다.

**정답 ③**

## 50  2014년 국가직 7급 기출

**자원투입·위험의 크기와 통제수준에 따라 기업의 해외시장 진출과정을 순서대로 바르게 나열한 것은?**

① 직접수출 → 간접수출 → 단독투자 → 합작투자
② 직접수출 → 간접수출 → 합작투자 → 단독투자
③ 간접수출 → 직접수출 → 단독투자 → 합작투자
④ 간접수출 → 직접수출 → 합작투자 → 단독투자

**해설**

기업의 해외시장 진출의 종류 중 단독투자가 자원의 투입 및 위험의 크기가 가장 크고 통제수준도 가장 높다. 이에 반해 간접수출이 자원의 투입 및 위험의 크기가 가장 작고 통제수준도 가장 낮다. 아울러 수출이 투자보다 자원의 투입 및 위험의 크기가 작고 통제수준도 낮다.

**정답 ④**

## 51  2010년 국가직 7급 기출

**해외직접투자 방식 중 기업이 최종재의 생산에 필요한 원재료나 중간재를 확보하거나, 최종소비자에게 제품을 판매할 목적으로 해외에 진출하는 방법은?**

① 수평적 해외직접투자
② 수직적 해외직접투자
③ 다각적 해외직접투자
④ 프랜차이징(franchising)

**해설**

기업이 최종재의 생산에 필요한 원재료나 중간재를 확보하거나, 최종소비자에게 제품을 판매할 목적을 가지고 있다는 것은 생산과정이나 판매경로상 이전 또는 이후의 단계와 관련되어 있기 때문에 수직적 해외직접투자가 된다.

**정답 ②**

## 5지선다형

### 01 ☐☐☐ 2020년 공인노무사 기출

**마케팅전략에 관한 설명으로 옳은 것은?**

① 마케팅 비용을 절감하기 위해 차별화 마케팅전략을 도입한다.
② 제품전문화 전략은 표적시장 선정전략의 일종이다.
③ 포지셔닝은 전체 시장을 목표로 하는 마케팅전략이다.
④ 제품의 확장속성이란 판매자가 제공하거나 구매자가 추구하는 본질적 편익을 말한다.
⑤ 시장세분화 전제조건으로서의 실질성이란 세분시장의 구매력 등이 측정가능해야 함을 의미한다.

**해설**

① 마케팅 비용을 절감하기 위해 비차별화 마케팅전략을 도입한다.
③ 포지셔닝(positioning)은 소비자들의 인식 속에 자사의 제품이 경쟁업체의 제품과 비교하여 어느 위치를 차지하고 있는가에 대한 상대적 위치를 탐색하고 자사제품을 경쟁업체의 제품보다 소비자의 기억과 인식 속에서 우위에 있도록 하는 것을 의미한다.
④ 제품의 확장속성(확장제품)이란 실제제품에 추가적으로 제공되고 구매 이후에 발생하는 모든 부가적인 활동을 의미한다. 판매자가 제공하거나 구매자가 추구하는 본질적 편익을 말하는 것은 핵심제품이다.
⑤ 시장세분화 전제조건으로서 세분시장의 구매력 등이 측정가능해야 함을 의미하는 것은 측정가능성이다.

**정답 ②**

### 02 ☐☐☐ 2013년 가맹거래사 기출

**STP전략의 활동을 순서대로 나열한 것은?**

① 위치 정립 → 표적시장 선정 → 시장세분화
② 위치 정립 → 시장세분화 → 표적시장 선정
③ 표적시장 선정 → 위치 정립 → 시장세분화
④ 시장세분화 → 표적시장 선정 → 위치 정립
⑤ 시장세분화 → 위치 정립 → 표적시장 선정

**해설**

STP전략의 활동을 순서대로 나열하면 '시장세분화(segmentation) → 표적시장 선정(targeting) → 위치 정립(positioning)'의 순이다.

**정답 ④**

## 03 ☐☐☐ 2017년 공인노무사 기출

**시장세분화에 관한 설명으로 옳지 않은 것은?**

① 세분화된 시장 내에서는 이질성이 극대화되도록 해야 한다.
② 효과적인 시장세분화를 위해서는 시장의 규모가 측정 가능해야 한다.
③ 나이, 성별, 소득은 인구통계학적 세분화 기준에 속한다.
④ 제품사용 상황, 추구편익은 행동적 세분화 기준에 속한다.
⑤ 라이프스타일, 성격은 심리도식적 세분화 기준에 속한다.

**해설**

세분화된 시장 내에서는 동질성이 극대화되어야 하고, 세분화된 시장 간에는 이질성이 극대화되어야 한다.

**정답 ①**

## 04 ☐☐☐ 2013년 공인노무사 기출

**시장세분화에 관한 설명으로 옳은 것은?**

① 인구통계적 세분화는 나이, 성별, 가족규모, 소득, 직업, 종교, 교육수준 등을 바탕으로 시장을 나누는 것이다.
② 사회심리적 세분화는 추구하는 편익, 사용량, 상표애호도, 사용 여부 등을 바탕으로 시장을 나누는 것이다.
③ 시장표적화는 시장 내에서 우월한 위치를 차지하도록 고객을 위한 제품·서비스 및 마케팅 믹스를 개발하는 것이다.
④ 시장포지셔닝은 세분화된 시장의 좋은 점을 분석한 후 진입할 세분시장을 선택하는 것이다.
⑤ 행동적 세분화는 구매자의 사회적 위치, 생활습관, 개인성격 등을 바탕으로 시장을 나누는 것이다.

**해설**

② 행동적 세분화는 추구하는 편익, 사용량, 상표애호도, 사용 여부 등을 바탕으로 시장을 나누는 것이다.
③ 시장포지셔닝은 시장 내에서 우월한 위치를 차지하도록 고객을 위한 제품·서비스 및 마케팅 믹스를 개발하는 것이다.
④ 시장표적화는 세분화된 시장의 좋은 점을 분석한 후 진입할 세분시장을 선택하는 것이다.
⑤ 사회심리적 세분화는 구매자의 사회적 위치, 생활습관, 개인성격 등을 바탕으로 시장을 나누는 것이다.

**정답 ①**

## 05 2024년 가맹거래사 기출

**효과적인 시장세분화의 조건으로 옳지 않은 것은?**

① 각 세분시장은 서로 이질성이 있어야 한다.
② 각 세분시장은 측정가능성이 있어야 한다.
③ 각 세분시장은 접근가능성이 있어야 한다.
④ 각 세분시장은 유형성이 있어야 한다.
⑤ 각 세분시장은 충분한 규모가 되어야 한다.

**해설**

효과적인 시장세분화의 조건과 각 세분시장의 유형성은 관련이 없다. 효과적인 시장세분화의 조건에는 측정가능성, 충분한 규모, 접근가능성, 차별적 반응 또는 유효성, 신뢰성, 실행가능성 등이 있다.

정답 ④

## 06 2024년 공인노무사 기출

**효과적인 시장세분화가 되기 위한 조건으로 옳지 않은 것은?**

① 세분화를 위해 사용되는 변수들이 측정가능해야 한다.
② 세분시장에 속하는 고객들에게 효과적이고 효율적으로 접근할 수 있어야 한다.
③ 세분시장 내 고객들과 기업의 적합성은 가능한 낮아야 한다.
④ 같은 세분시장에 속한 고객들끼리는 최대한 비슷해야 하고 서로 다른 세분시장에 속한 고객들 간에는 이질성이 있어야 한다.
⑤ 세분시장의 규모는 마케팅활동으로 이익이 날 수 있을 정도로 충분히 커야 한다.

**해설**

효과적인 시장세분화가 되기 위해서는 세분시장 내 고객들과 기업의 적합성은 가능한 높아야 한다.

정답 ③

## 07 ☐☐☐ 2018년 공인노무사 기출

**효과적인 시장세분화를 위한 요건으로 옳지 않은 것은?**

① 측정가능성
② 충분한 시장규모
③ 접근가능성
④ 세분시장 간의 동질성
⑤ 실행가능성

> **해설**
> 효과적인 시장세분화가 이루어지기 위해서는 각각의 세분시장은 측정가능성(measurability), 규모(size)/충분성(substantiality), 접근가능성(accessibility), 차별적 반응/유효성(validity), 신뢰성(reliability), 실행가능성(actionability)의 요건을 갖추어야 한다. 일반적으로 동일한 세분시장 내에 있는 소비자들의 동질성을 극대화할 수 있어야 하고, 세분시장 간에는 이질성을 극대화할 수 있어야 한다.
>
> **정답 ④**

## 08 ☐☐☐ 2012년 가맹거래사 기출

**효과적 시장세분화에 관한 설명으로 옳지 않은 것은?**

① 세분시장의 규모가 측정가능해야 한다.
② 행태적 세분화를 위한 기준으로 제품 사용상황, 사용량, 추구편익 등을 활용한다.
③ 동일한 세분시장 내에 있는 소비자들의 이질성이 극대화되도록 해야 한다.
④ 특정한 시장세분화 기준변수가 모든 상황에서 가장 효과적인 것은 아니다.
⑤ 세분시장의 규모가 수익을 창출할 수 있도록 커야 한다.

> **해설**
> 동일한 세분시장 내에 있는 소비자들의 동질성이 극대화되도록 해야 한다.
>
> **정답 ③**

## 09 ☐☐☐ 2019년 경영지도사 기출

**세분시장을 결정할 때 고려해야 할 요인이 아닌 것은?**

① 수익 및 성장의 잠재력
② 세분시장 내 욕구의 동질성 정도와 세분시장 간 욕구의 상이성 정도
③ 세분시장에 대한 접근가능성의 정도
④ 시장세분화에 소요되는 비용
⑤ 세분시장의 인지부조화

**해설**

효과적인 시장세분화가 이루어지기 위해서 각각의 세분시장은 측정가능성, 충분한 규모, 접근가능성, 차별적 반응 또는 유효성, 신뢰성, 실행가능성 등의 요건을 갖추어야 한다. 따라서 세분시장의 인지부조화는 세분시장을 결정할 때 고려할 요인으로 볼 수 없다.

**정답 ⑤**

## 10 ☐☐☐ 2018년 경영지도사 기출

**시장세분화의 유형 중 인구통계적 세분화에 포함되는 요소가 아닌 것은?**

① 사용률
② 연령
③ 직업
④ 교육수준
⑤ 소득

**해설**

시장세분화 기준 중 인구통계적 기준은 연령, 성별, 가족구성원의 수, 가족 생애주기, 소득, 직업, 교육수준, 종교, 인종 및 국적 등과 같은 인구통계상의 변수들에 의한 시장세분화기준을 말한다.

**정답 ①**

## 11 ☐☐☐ 2015년 가맹거래사 기출

**시장세분화의 기준변수 중 인구 통계적 변수에 해당하는 것은?**

① 나이
② 라이프스타일
③ 개성
④ 추구편익
⑤ 제품 사용률

**해설**

시장세분화의 기준변수 중 인구 통계적 변수에 해당하는 것은 나이이다. 라이프스타일, 개성은 심리특성적 변수에 해당하고, 추구편익, 제품 사용률은 구매행동적 변수에 해당한다.

**정답 ①**

## 12 2023년 가맹거래사 기출

**고객특성 차원에서 인구통계학적 세분화 기준이 아닌 것은?**

① 성별
② 나이
③ 교육수준
④ 가족규모
⑤ 라이프스타일

**해설**

라이프스타일은 심리특성적 세분화 기준에 해당한다.

**정답** ⑤

## 13 2018년 가맹거래사 기출

**시장세분화의 기준변수 중 행동적 변수가 아닌 것은?**

① 소비자가 추구하는 편익
② 제품에 대한 태도
③ 소비자들의 성격
④ 제품사용경험
⑤ 충성도

**해설**

시장세분화의 기준변수 중 행동적 변수에는 구매 또는 사용상황, 소비자가 추구하는 편익, 제품의 사용경험, 충성도 및 태도 등이 있다. 따라서 소비자들의 성격은 행동적 변수에 해당하지 않는다.

**정답** ③

## 14 2011년 가맹거래사 기출

**시장세분화를 위한 소비자의 행동적 변수가 아닌 것은?**

① 충성도(loyalty)
② 제품 사용경험(user status)
③ 소비자가 추구하는 편익(benefits sought)
④ 제품 사용률(usage rate)
⑤ 라이프스타일(lifestyle)

**해설**

라이프스타일(lifestyle)은 소비자의 심리특성적 변수에 해당한다.

**정답** ⑤

**15** ☐☐☐ 한국농어촌공사 기출동형

다음 중 시장세분화 기준 및 표적시장에 대한 마케팅전략이 바르게 연결된 것은?

> M 사는 남성용 화장품을 전문적으로 제조하는 업체이다. M사는 마케팅전략을 수정하는 차원에서 자사 브랜드를 이용하는 남성 고객에 대한 특성을 분석하였다. 이들은 ㉠평균 33세의 미혼 남성이었으며, ㉡취미생활을 즐기고 패션에 대한 관심이 높은 고객인 것으로 나타났다. 이에 따라 M사는 ㉢트렌디한 감성의 30대 직장인 남성을 목표시장으로 하여 마케팅 활동을 수행하기로 했다.

|   | ㉠ | ㉡ | ㉢ |
|---|---|---|---|
| ① | 지리적 기준 | 심리적 기준 | 집중적 마케팅 |
| ② | 인구통계적 기준 | 행동적 기준 | 차별적 마케팅 |
| ③ | 인구통계적 기준 | 행동적 기준 | 집중적 마케팅 |
| ④ | 인구통계적 기준 | 심리적 기준 | 집중적 마케팅 |
| ⑤ | 인구통계적 기준 | 심리적 기준 | 차별적 마케팅 |

**해설**

㉠은 연령, 성별 등의 기준을 사용하고 있기 때문에 인구통계적 기준에 해당한다. ㉡은 라이프 스타일, 개성 등의 기준을 사용하고 있기 때문에 심리적 기준에 해당한다. ㉢은 하나의 목표시장을 대상으로 하고 있기 때문에 집중적 마케팅에 해당한다.

**정답 ④**

---

**16** ☐☐☐ 2017년 경영지도사 기출

다음의 사례에서 사용되지 않은 시장 세분화 방법은?

> A수프(soup)회사는 남아메리카의 경제성과 편의성을 중시하는 중류층 젊은 인구가 성장하고 있고 전국적으로 도시마다 라틴계 커뮤니티가 증가하고 있다는 사실을 알아차리고, 남미 시장에서는 크레올 수프를, 라틴계 시장에서는 레드 빈 수프를 소개했으며, 외향적이며 자극적인 음식을 즐기는 캘리포니아 주와 텍사스 주에서는 미국 내 다른 지역보다 나초 치즈 수프를 더 맵게 만들었다.

① 지역적 세분화  ② 인구통계학적 세분화  ③ 심리적 세분화
④ 편의 세분화  ⑤ 사용량 세분화

**해설**

해당 사례에서 제품의 사용량을 기준으로 사용한 시장 세분화는 포함되어 있지 않다.

**정답 ⑤**

## 17 □□□ 2015년 공인노무사 기출

**표적시장에 관한 설명으로 옳지 않은 것은?**

① 단일표적시장에는 집중적 마케팅전략을 구사한다.
② 다수표적시장에는 순환적 마케팅전략을 구사한다.
③ 통합표적시장에는 역세분화 마케팅전략을 구사한다.
④ 인적, 물적, 기술적 자원이 부족한 기업은 보통 집중적 마케팅전략을 구사한다.
⑤ 세분시장 평가 시에는 세분시장의 매력도, 기업의 목표와 자원 등을 고려해야 한다.

**해설**

다수표적시장에는 차별적 마케팅전략을 구사한다.    정답 ②

## 18 □□□ 2014년 가맹거래사 기출

**목표시장 선정에 관한 설명으로 옳지 않은 것은?**

① 동질적 제품에 대해서는 무차별적 마케팅이 유리하다.
② 기업자원이 제한되어 있는 경우에는 집중적 마케팅이 유리하다.
③ 경쟁자 수가 많을수록 차별적 마케팅이 유리하다.
④ 제품수명주기에서 도입기에는 차별적 마케팅이 유리하다.
⑤ 소비자들의 욕구가 유사할 경우에는 무차별적 마케팅이 유리하다.

**해설**

제품수명주기에서 도입기에는 경쟁자의 수가 많지 않고, 구매수요를 발굴하는 것이 목표이기 때문에 비차별적 마케팅이 유리하다.    정답 ④

## 19 □□□ 한국마사회 기출동형

**다음 중 비차별적 마케팅전략에 대한 설명으로 옳지 않은 것은?**

① 전체시장을 하나의 동일한 시장으로 보고, 단일의 제품으로 공략하는 것이다.
② 비용을 줄일 수 있다.
③ 자원이 풍부한 대기업 등에서 활용하는 방식이다.
④ 모든 계층의 소비자가 가지는 욕구를 만족시킬 수는 없다.
⑤ 타사가 틈새시장을 찾아 진입할 수 있다.

**해설**

비차별적 마케팅전략은 기업이 세분시장들의 차이를 무시하고 하나의 제품을 가지고 전체시장에 접근하는 방법을 말한다. 즉, 수요의 동질성이 높은 제품에 대해 최대 다수의 구매자를 만족시킬 수 있는 제품과 마케팅믹스를 개발하는 전략으로 제품수명주기상 도입기에 적합하다. 따라서 자원이 풍부한 대기업 등에서는 비차별적 마케팅전략보다는 차별적 마케팅전략을 활용하는 것이 바람직하다.    정답 ③

## 20 ☐☐☐ 2017년 가맹거래사 기출

포지셔닝 전략의 유형에 관한 설명으로 옳지 않은 것은?

① 제품속성에 의한 포지셔닝은 자사브랜드를 주요 제품속성이나 편익과 연계하는 것이다.
② 제품군에 의한 포지셔닝은 자사제품을 대체 가능한 다른 제품군과 연계하여 소비자의 제품전환을 유도하는 것이다.
③ 제품사용자에 의한 포지셔닝은 제품을 특정 사용자나 사용자계층과 연계하는 것이다.
④ 범주 포지셔닝은 제품을 그 사용상황에 연계하는 것이다.
⑤ 경쟁적 포지셔닝은 자사브랜드를 경쟁제품과 직접 혹은 암시적으로 연계하는 것이다.

**해설**

제품을 그 사용상황에 연계하는 것은 사용상황에 의한 포지셔닝이다.  정답 ④

## 21 ☐☐☐ 대구환경공단 기출동형

다음 중 포지셔닝에 대한 설명으로 옳지 않은 것은?

① 포지셔닝은 경쟁제품과의 상대적 위치를 탐색하는 것으로, 소비자에 대한 분석이 사전에 반드시 이루어져야 한다.
② 소비자의 지각 속에 경쟁제품과의 비교를 암시적으로 지각하게 만들어 차별적 편익을 강조하는 것은 제품사용자에 의한 포지셔닝에 해당한다.
③ 포지셔닝 맵을 통해 잠재적 경쟁자를 파악할 수는 없지만, 현재 경쟁제품과의 경쟁강도를 파악하는 것은 가능하다.
④ 경쟁제품과 비교하여 자사제품이 경쟁우위를 갖는 요인을 검토하고 차별화 요인을 선정하는 작업이 필요하다.
⑤ 초기에는 적절한 포지셔닝이었다고 하더라도 환경변화에 의해 적절하지 않은 포지셔닝으로 변화될 수 있다.

**해설**

포지셔닝전략은 제품속성에 의한 포지셔닝전략, 사용상황에 의한 포지셔닝전략, 제품사용자에 의한 포지셔닝전략, 경쟁제품에 의한 포지셔닝전략이 있다. 제품사용자에 의한 포지셔닝은 목표시장 내의 전형적인 소비자를 대상으로 자사제품이 그들에게 적절한 제품이라는 사실을 소구하고 제품이 특정 사용자 계층에 적합하다고 강조하여 포지셔닝하는 방법이다. 소비자의 지각 속에 경쟁제품과의 비교를 암시적으로 지각하게 만들어 차별적 편익을 강조하는 것은 경쟁제품에 의한 포지셔닝이다.  정답 ②

## 22 □□□ 서울주택도시공사 기출동형

**다음 중 STP 전략에 대한 설명으로 옳지 않은 것은?**

① 포지셔닝(positioning) 전략은 자사 제품의 커다란 경쟁우위를 찾아내어 선정된 목표시장에 존재하는 소비자들의 마음속에 자사의 제품을 자리 잡게 하는 것이다.
② 시장세분화(segmentation)는 전체 시장을 비슷한 기호와 특성을 가진 차별화된 마케팅 프로그램을 원하는 집단별로 나누는 것이다.
③ 목표시장 선정(targeting) 중 비차별적 마케팅 전략은 전체시장을 하나의 동일한 시장으로 인지하고, 하나의 제품으로 제공하는 전략이다.
④ 목표시장 선정(targeting) 중 차별적 마케팅 전략은 세분시장에 차별화된 제품 및 광고 판촉을 제공하기 위해 비용 또한 늘어나게 되므로 주로 자원이 풍부한 대기업 등에서 활용하는 전략이다.
⑤ 사용상황에 의한 포지셔닝은 자사의 제품이 특정한 사용자들 계층에 적합하다고 소비자에게 강조하여 포지셔닝하는 전략이다.

**해설**

자사의 제품이 특정한 사용자 계층에 적합하다고 소비자에게 강조하여 포지셔닝하는 전략은 제품사용자에 의한 포지셔닝이다. 사용상황에 의한 포지셔닝은 제품이 사용될 수 있는 상황과 용도를 자사제품과 연계시켜 소구하고자 하는 제품의 적절한 사용상황을 묘사함으로써 포지셔닝하는 전략이다.

**정답 ⑤**

## 23 □□□ 2016년 경영지도사 기출

**STP전략에 관한 설명으로 옳지 않은 것은?**

① 인구통계적 세분화는 나이, 성별, 가족규모, 소득, 직업, 교육수준 등을 바탕으로 시장을 나누는 것이다.
② 행동적 세분화는 추구하는 편익, 사용량 등을 바탕으로 시장을 나누는 것이다.
③ 사회심리적 세분화는 제품사용경험, 제품에 대한 태도, 충성도, 종교 등을 바탕으로 시장을 나누는 것이다.
④ 시장표적화는 세분화된 시장의 좋은 점을 분석한 후 진입할 세분시장을 선택하는 것이다.
⑤ 시장포지셔닝은 시장 내에서 우월한 위치를 차지하도록 고객을 위한 제품·서비스 및 마케팅 믹스를 개발하는 것이다.

**해설**

구매 또는 사용상황, 소비자가 추구하는 편익(benefit), 제품의 사용경험, 충성도 및 태도 등과 같은 소비자와 상품과의 관계에 초점을 맞춘 시장세분화기준은 구매행동적 기준에 해당한다.

**정답 ③**

## 24 ☐☐☐ 2019년 공인노무사 기출

**수요가 공급을 초과할 때 수요를 감소시키는 것을 목적으로 하는 마케팅관리 기법은?**

① 전환적 마케팅(conversional marketing)
② 동시화 마케팅(synchro marketing)
③ 자극적 마케팅(stimulative marketing)
④ 개발적 마케팅(development marketing)
⑤ 디마케팅(demarketing)

### 해설

디마케팅 또는 역마케팅은 수요가 공급자의 공급능력이나 기대치를 훨씬 상회하고 있는 상황인 초과수요상황을 가격상승 등을 통해 수요 자체를 감소시키거나 없애려는 마케팅을 말한다.
① 전환적 마케팅은 특정 재화나 서비스를 싫어하거나 부정하는 상황에서 필요한 마케팅을 말한다.
② 동시화 마케팅은 수요가 계절적 요인을 내포하거나 공급시기와 수요시기가 맞지 않는 경우 수요와 공급의 시기를 맞추기 위해 불규칙한 수요의 원인을 찾아 수요의 평준화를 모색하는 마케팅을 말한다.
③ 자극적 마케팅은 잠재적 시장에서 전혀 관심이나 수요가 없는 무수요를 환경의 변화나 제품에 관한 정보를 유포하여 관심을 불러일으키는 마케팅을 말한다.
④ 개발적 마케팅은 소비자들의 욕구는 강하지만 재화나 서비스가 현존하지 않는 상황인 잠재적 수요를 실제수요로 바꾸는 전략으로 수요를 개발하는 형태의 마케팅을 말한다.

**정답 ⑤**

## 25 ☐☐☐ 한국도로공사 기출동형

**다음 수요상황별 마케팅전략 중 그 목적이 동일한 것끼리 짝지어진 것은?**

① 전환마케팅, 대항마케팅
② 역마케팅, 대항마케팅
③ 개발마케팅, 유지마케팅
④ 유지마케팅, 역마케팅
⑤ 재마케팅, 역마케팅

### 해설

수요 확대를 목적으로 하는 마케팅전략은 전환마케팅, 개발마케팅, 자극마케팅, 재마케팅이 있고, 수요 안정화를 목적으로 하는 마케팅은 유지마케팅, 동시마케팅이 있으며, 수요 축소를 목적으로 하는 마케팅은 역마케팅(디마케팅), 대항마케팅이 있다.

**정답 ②**

## 26 ☐☐☐ 2020년 공인노무사 기출

마약퇴치 운동과 같이 불건전한 수요를 파괴시키는 데 활용되는 마케팅은?

① 동시화 마케팅(synchro marketing)
② 재마케팅(remarketing)
③ 디마케팅(demarketing)
④ 대항마케팅(counter marketing)
⑤ 터보마케팅(turbo marketing)

**해설**

대항마케팅은 수요 자체가 사회, 기업 및 소비자 측면에서 바람직하지 못한 대상에 대한 수요(불건전 수요)일 때 이러한 재화나 서비스에 대한 수요를 없애는 마케팅을 말한다.
① 동시화 마케팅은 수요가 계절적 요인을 내포하거나 공급시기와 수요시기가 맞지 않는 경우 수요와 공급의 시기를 맞추기 위해 불규칙한 수요의 원인을 찾아 수요의 평준화를 모색하는 마케팅을 말한다.
② 재마케팅은 수요가 하락하거나 침체되어 있는 상황인 감퇴적 수요를 수요가 침체되거나 하락하기 전 상황으로 복귀시키려는 마케팅을 말한다.
③ 디마케팅은 수요가 공급자의 공급능력이나 기대치를 훨씬 상회하고 있는 상황인 초과수요상황을 가격상승 등을 통해 수요 자체를 감소시키거나 없애려는 마케팅을 말한다.
⑤ 터보마케팅은 제품 개발, 유통, 생산, 금융, 마케팅 등의 각종 활동과 흐름을 정보기술을 활용하여 실시간(just in time)으로 전개시켜 필요한 시간을 크게 단축하는 마케팅 구성을 말한다. 즉 더 좋은 제품을 더 싼 가격으로 더 빨리 제공하는 마케팅을 말한다.

**정답 ④**

## 27 ☐☐☐ 2023년 경영지도사 기출

앤소프(H. Ansoff)가 제시한 기업 수준의 성장전략에 해당하지 않는 것은?

① 시장침투 전략
② 제품 개발 전략
③ 다각화 전략
④ 시장개발 전략
⑤ 차별화 전략

**해설**

앤소프(H. Ansoff)가 제시한 기업 수준의 성장전략은 시장침투 전략, 제품 개발 전략, 시장개발 전략, 다각화 전략이다. 따라서 차별화 전략은 앤소프(H. Ansoff)가 제시한 기업 수준의 성장전략에 해당하지 않는다.

**정답 ⑤**

## 28 ☐☐☐ 2022년 공인노무사 기출

앤소프(H. I. Ansoff)의 제품-시장 확장전략 중 기존 제품으로 기존 시장의 점유율을 확대해 가는 전략은?

① 원가우위 전략
② 시장침투 전략
③ 시장개발 전략
④ 제품 개발 전략
⑤ 다각화 전략

**해설**

앤소프(Ansoff)는 제품/시장 매트릭스(product/market matrix)를 통해 다음과 같이 4가지의 성장전략을 주장하였다. 따라서 기존 제품으로 기존 시장의 점유율을 확대해 가는 전략은 시장침투 전략이다.

| 시장 \ 제품 | 기존 제품 | 새로운 제품 |
|---|---|---|
| 기존 시장 | 시장침투 전략 | 제품 개발 전략 |
| 새로운 시장 | 시장개발 전략 | 다각화 전략 |

**정답 ②**

## 29  □□□  2020년 경영지도사 기출

상호관련이 없는 이종 기업의 주식을 집중 매입하여 합병함으로써 기업 규모를 확대시켜 대기업의 이점을 추구하려는 다각적 합병은?

① 콤비나트(combinat)
② 다국적 기업(multinational corporation)
③ 조인트 벤처(joint venture)
④ 콘글로머리트(conglomerate)
⑤ 카르텔(cartel)

**해설**

콘글로머리트(conglomerate)는 서로 업종이 다른 이종 기업 간의 결합에 의한 기업형태이다. 이것은 독점금지법의 금지를 벗어나기 위하여 이종 기업을 합병 매수하여 다각적 경영을 하는 기업집단화의 형태이다. 따라서 상호관련이 없는 이종 기업의 주식을 집중 매입하여 합병함으로써 기업 규모를 확대시켜 대기업의 이점을 추구하려는 다각적 합병은 콘글로머리트가 된다.
① 콤비나트(combinat)는 일정한 지역에 원재료부터 제품에 이르기까지 생산단계가 다른 각종 생산부문이 기술적으로 결부되어 집약적인 계열을 형성한 것을 말한다.
② 다국적 기업(multinational corporation)은 세계 여러 나라에 걸쳐 연구·개발·생산·판매·서비스 등의 활동을 하는 기업을 말한다.
③ 조인트벤처(joint venture)는 특정 목적의 달성을 위한 2인 이상의 공동사업체를 의미한다.
⑤ 카르텔(cartel)은 다수의 동종 또는 유사기업이 경쟁을 제한하고 시장의 독점적 지배를 위해 경제적 독립성과 법률적 독립성을 유지하면서 기업 간 협정을 통해 결합하는 기업집단화의 형태이다.

정답 ④

## 30  □□□  2016년 경영지도사 기출

동종 또는 유사기업 간의 수평적·수직적 결합이 아닌 이종기업 간의 결합을 통해 이점을 추구하는 기업집중은?

① 카르텔(cartel)
② 트러스트(trust)
③ 콘체른(konzern)
④ 콩글로머리트(conglomerate)
⑤ 조인트벤처(joint venture)

**해설**

콩글로머리트는 서로 기능적 관련이 없는 복수의 제품을 생산 및 판매하는 기업 또는 시장조건이 달라 상호 경쟁관계가 없는 복수의 지역시장에서 사업활동을 영위하는 기업을 말한다.

정답 ④

## 31 ☐☐☐ 2024년 공인노무사 기출

**다음에서 설명하는 제품수명주기의 단계는?**

- 고객의 신제품수용이 늘어나 생산량이 급격히 증가하면서 단위당 제품원가, 유통비용, 촉진비용이 하락한다.
- 지속적인 판매량 증대로 이익이 빠르게 늘어난다.

① 도입기  ② 성장기  ③ 성숙기
④ 정체기  ⑤ 쇠퇴기

**해설**

주어진 설명은 제품수명주기의 단계 중 성장기에 해당하는 설명이다.  **정답 ②**

## 32 ☐☐☐ 대구환경공단 기출동형

**다음의 각 설명에 해당하는 제품수명주기를 바르게 연결한 것은?**

ㄱ. 신규구매자를 발견하고 현재고객의 사용률을 높이는 전략을 구사하는 단계
ㄴ. 추가적인 제품 매출을 위해 새로운 유통경로를 탐색하는 단계
ㄷ. 제품의 라인이나 브랜드를 단일화·집중화하는 단계

| | ㄱ | ㄴ | ㄷ |
|---|---|---|---|
| ① | 성숙기 | 성장기 | 도입기 |
| ② | 성숙기 | 성장기 | 쇠퇴기 |
| ③ | 성숙기 | 쇠퇴기 | 성장기 |
| ④ | 성장기 | 쇠퇴기 | 도입기 |
| ⑤ | 성장기 | 도입기 | 쇠퇴기 |

**해설**

ㄱ. 신규구매자를 발견하고 현재고객의 사용률을 높이는 전략을 구사하는 단계는 성숙기이다.
ㄴ. 추가적인 제품 매출을 위해 새로운 유통경로를 탐색하는 단계는 성장기이다.
ㄷ. 제품의 라인이나 브랜드를 단일화·집중화하는 단계는 도입기이다.  **정답 ①**

## 33  2015년 공인노무사 기출

**전형적인 제품수명주기(PLC)에 관한 설명으로 옳지 않은 것은?**

① 도입기, 성장기, 성숙기, 쇠퇴기의 4단계로 나누어진다.
② 성장기에는 제품선호형 광고에서 정보제공형 광고로 전환한다.
③ 도입기에는 제품인지도를 높이기 위해 광고비가 많이 소요된다.
④ 성숙기에는 제품의 매출성장률이 점차적으로 둔화되기 시작한다.
⑤ 쇠퇴기에는 제품에 대해 유지전략, 수확전략, 철수전략 등을 고려할 수 있다.

**해설**

성장기에는 정보제공형 광고에서 제품선호형 광고로 전환한다.                     정답 ②

## 34  2019년 가맹거래사 기출

**제품수명주기에 관한 설명으로 옳지 않은 것은?**

① 도입기에는 소비자의 사용구매를 유도하기 위한 많은 노력이 요구된다.
② 도입기에는 적자이거나 이익이 나더라도 매우 낮다.
③ 성장기에는 판매가 급속히 확대되고 경쟁기업들이 진입한다.
④ 성숙기에는 조기수용자(early adopters)의 구매가 시장 확대에 중요하다.
⑤ 쇠퇴기에는 경쟁력이 약한 제품들을 제거한다.

**해설**

도입기는 신제품이 처음으로 소개되는 시기를 말한다. 이 시기는 일반적으로 경쟁자의 수가 많지 않음에도 불구하고, 소비자에게 잘 알려져 있지 않기 때문에 제품의 가격은 높은 편이지만 이윤의 폭은 그리 크지 않다. 또한, 이 시기의 소비자층은 혁신층 또는 조기수용층이 대부분이기 때문에 판매량이 많지는 않으며, 기업은 구매수요를 발굴하는 것을 마케팅목표로 하여 제품의 품질관리와 유통채널확보에 주력해야 한다. 이 시기에 적절한 가격전략으로는 제조원가에 부대비용을 포함한 원가가산전략이 있다.                     정답 ④

## 35 □□□ 2014년 가맹거래사 기출

**제품수명주기전략에 관한 설명으로 옳지 않은 것은?**

① 도입기에는 소비자욕구를 충족시켜주는 기본적 기능을 갖춘 제품을 판매한다.
② 소비재와 산업재의 도입기 유통전략은 중간상활용 및 직접유통 등에서 유사하다.
③ 성장기에는 소비자욕구의 다양화에 대처하기 위해 제품차별화 방안을 모색한다.
④ 성장기에는 시장점유율을 극대화하는 전략을 택한다.
⑤ 성숙기에는 시장점유율을 유지하는 전략을 택한다.

**해설**
일반적으로 산업재에 비해서 소비재는 중간상활용이나 간접유통이 효율적이다.  **정답 ②**


## 36 □□□ 한국마사회 기출동형

**다음 중 제품수명주기에 대한 설명으로 옳지 않은 것은?**

① 제품수명주기는 크게 '도입기 - 성장기 - 성숙기 - 쇠퇴기'를 거치게 된다.
② 도입기에는 제품개발에 들인 막대한 비용을 충당하기 위해 제품의 가격은 일반적으로 높은 편이다.
③ 성장기에는 자사의 제품 취급 시 일정 수준에 부합하는 점포만을 선택적으로 골라 판매를 허가하는 선택적 유통전략을 사용한다.
④ 성숙기에는 제품의 개선 및 새로운 시장의 개척, 마케팅믹스의 수정 등을 하게 된다.
⑤ 쇠퇴기에는 판촉 측면으로 보면 소비자들에게 자사의 상표를 인지시키는 수준에서 최소한의 광고를 해서 판촉비를 줄이게 된다.

**해설**
도입기와 쇠퇴기에는 선택적 유통전략을 사용하고, 성장기와 성숙기에는 개방적 유통전략을 사용한다.  **정답 ③**


## 37 □□□ 2015년 경영지도사 기출

**제품수명주기에서 성장기의 특성에 관한 설명으로 옳지 않은 것은?**

① 수요가 급증하기 시작한다.
② 새로운 경쟁자들이 증가한다.
③ 유통경로가 확대되고 시장규모가 커진다.
④ 제품인지도를 높여 새로운 구매수요를 발굴한다.
⑤ 제조원가가 급속히 감소함에 따라 이윤이 증가한다.

**해설**
제품인지도를 높여 새로운 구매수요를 발굴하는 것은 도입기에 해당한다.  **정답 ④**

## 38 ☐☐☐ 2013년 가맹거래사 기출

**제품수명주기에 관한 설명으로 옳지 않은 것은?**

① 시간의 경과에 따라 제품의 수명을 도입기, 성장기, 성숙기, 쇠퇴기로 나눈 것이다.
② 도입기에는 제품에 대한 인지도가 낮고 유통이 한정되어 있어 제품판매는 저조하고 낮은 판매성장률을 보인다.
③ 성숙기에는 시장점유율을 확보하려고 노력하여 매출이 급상승한다.
④ 선진국에서 이미 쇠퇴한 제품이라도 후진국에서는 성장기의 제품이 될 수도 있다.
⑤ 쇠퇴기에는 과거 투자에 대한 회수를 극대화하고자 한다.

**해설**
성숙기는 다수의 경쟁자들이 시장에 진입하여 시장성장이 한계에 도달하면서 판매가 둔화되기 시작하는 시기이다. 시장점유율을 확보하려 노력하여 매출이 급상승하는 시기는 성장기이다.  **정답 ③**

## 39 ☐☐☐ 2012년 가맹거래사 기출

**제품수명주기에 관한 설명으로 옳지 않은 것은?**

① 시장개발, 제품개선, 마케팅믹스 수정 시기는 성숙기이다.
② 제품 수 축소 및 철수 시기는 쇠퇴기이다.
③ 매출액과 순이익의 성장률이 둔화되는 시기는 성장기이다.
④ 입소문 유포자는 도입기와 관련이 있다.
⑤ 고소득층이나 혁신층을 대상으로 마케팅활동을 하는 시기는 도입기이다.

**해설**
매출액과 순이익의 성장률이 둔화되는 시기는 성숙기이다.  **정답 ③**

## 40 ☐☐☐ 2015년 경영지도사 기출

**다른 기업에게 수수료를 받는 대신 자사의 기술이나 상품 사양을 제공하고 그 결과로 생산과 판매를 허용하는 것은?**

① 아웃소싱(Outsourcing)
② 합작투자(Joint venture)
③ 라이선싱(Licensing)
④ 계약생산(Contract manufacturing)
⑤ 턴키프로젝트(Turn-key project)

**해설**
다른 기업에게 수수료를 받는 대신 자사의 기술이나 상품 사양을 제공하고 그 결과로 생산과 판매를 허용하는 것을 라이선싱이라고 한다.  **정답 ③**

# CHAPTER 04 마케팅믹스

## 제1절 제품

### 1 의의

#### 1. 개념

제품(product)이란 소비자의 근원적인 욕망 또는 구체적인 욕구를 충족시켜 줄 수 있는 모든 것을 말한다. 따라서 제품에는 형태를 가지는 재화는 물론 서비스나 아이디어도 포함된다. 즉, 제품의 구성요소에는 제품디자인, 제품기능, 상표명(brand name), 로고(logo), 등록상표(trade mark), 포장(package), 제품관련 서비스 특성 등과 같은 요소들이 포함된다. 필립 코틀러(Kotler)는 제품 개념을 핵심제품(core product), 실제(유형)제품(actual product), 확장제품(augmented product)의 세 가지 수준에서 고려하였으며, 각 수준은 부가적인 고객가치를 창출한다.

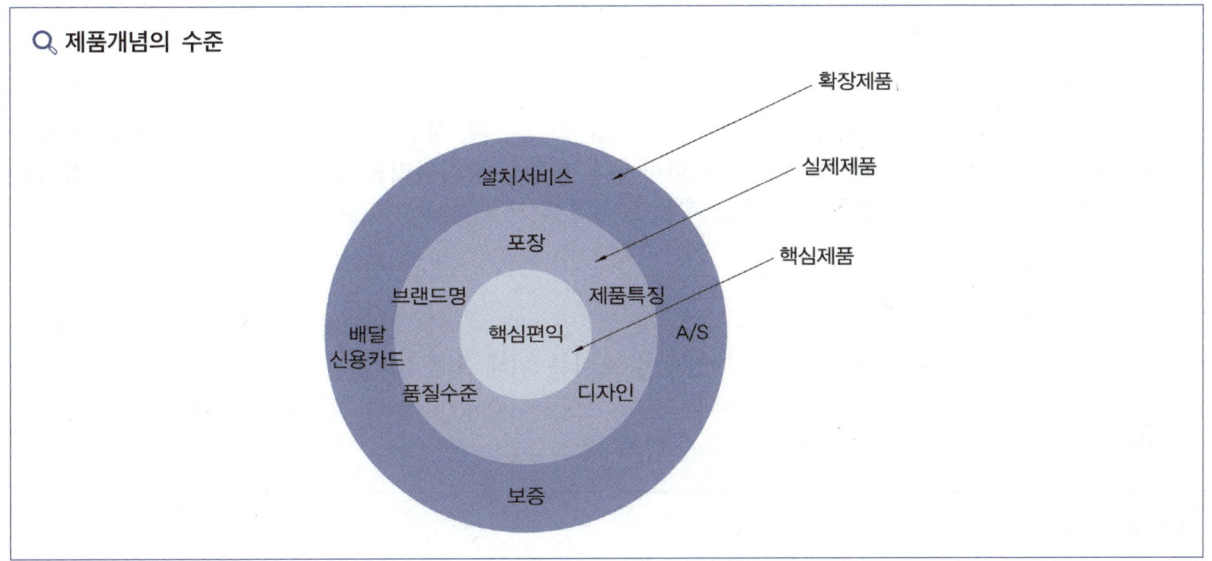

제품개념의 수준

**(1) 핵심제품**

소비자가 제품을 통해 얻고자 하는 기본적인 편익(benefit)을 말한다. 소비자의 기본욕구를 충족가능하게 하는 가장 기본적인 수준의 제품 개념으로 본원적 욕구충족을 위한 가장 본질적인 요소이다. 예를 들어, 냉장고의 핵심제품은 차가움과 신선보관이다.

**(2) 실제제품**

유형제품(tangible product)이라고도 하는데, 핵심제품을 제품화한 것으로 상표명, 품질, 디자인, 제품특징, 포장 등 실제로 구매되는 물리적인 제품을 의미한다. 소비자들이 추구하는 편익을 실현하고 형상화하기 위한 물리적 요소들의 집합으로 포장, 상표명, 품질 및 디자인 등과 같은 가시적(visible)인 것들이 실제제품에 해당한다. 예를 들어, 냉장고의 실제제품은 냉장고 자체가 된다.

### (3) 확장제품

실제제품에 추가적으로 제공되고 구매 이후에 발생하는 모든 부가적인 활동을 의미한다. 예를 들어, 냉장고의 확장제품은 냉장고의 유·무상 수리, 설치, 보증, 사용법 안내 등과 같은 것들이 된다.

## 2. 구매욕구에 따른 제품의 분류

시장지향적인 기업은 소비자 입장에서 제품을 정의한다. 소비자 입장에서 제품을 정의하기 위해서는 먼저 소비자가 제품구매를 통해 충족시키고자 하는 필요와 욕구의 유형을 파악할 필요가 있는데, 구매욕구는 크게 기능적 욕구, 감각적(쾌락적) 욕구, 상징적 욕구로 나누어진다.

### (1) 기능적 제품

소비자들은 주로 제품의 본원적 기능을 구매한다. 시계는 정확한 시간을 알려주기 때문에, 옷은 사람의 신체를 감싸주는 기능을 제공하기 때문에, 자동차는 편리하게 이동할 수 있는 교통수단을 제공하기 때문에 구매하였던 것이다. 이와 같이 소비자의 기능적 욕구(functional needs)를 만족시켜 주는 제품을 기능적 제품(functional goods)이라고 한다.

### (2) 감각적(쾌락적) 제품

소비자는 감각적 즐거움을 경험하고 싶은 감각적(쾌락적) 욕구의 충족을 위해 제품을 구매할 수도 있는데, 감각적(쾌락적) 욕구는 제품사용과정에서 즐거운 느낌 또는 감정을 경험하고자 하는 경우를 말한다. 상쾌한 냄새가 나는 치약, 아름다운 그림이나 향기를 가진 공책 등과 같이 오감에 소구해 소비자의 **감각적(쾌락적) 욕구(hedonic needs)**를 만족시켜 주는 제품을 감각적(쾌락적) 제품(hedonic goods)이라고 한다.

### (3) 상징적 제품

소비자는 상징적 욕구의 충족을 위해 제품을 구매할 수 있는데, 상징적 욕구는 **제품구매를 통해 자신의 정체성이나 특정집단에 대한 소속감을 표현하거나 위상을 강화하려는 경우**를 말한다. 이러한 **상징적 욕구(symbolic needs)**를 충족시켜 주는 제품을 상징적 제품(symbolic goods)이라고 한다.

## 3. 소비재의 유형

제품은 형태의 유무에 따라 재화와 서비스로 구분할 수 있으며, 재화는 다시 소비목적에 따라 소비재와 산업재로 구분할 수 있다. 여기서 소비재는 개인적인 소비를 위해 최종소비자가 구매하는 재화를 의미하는데, 그 구매동기에 따라 편의품(convenience goods), 선매품(shopping goods), 전문품(specialty goods), 미탐색품(unsought goods)으로 구분한다.

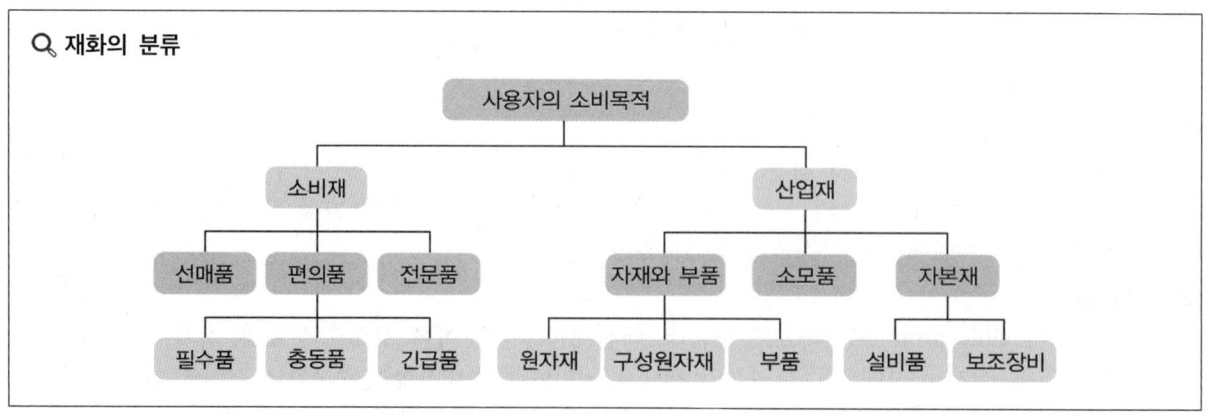

재화의 분류

(1) 편의품

소비자가 손쉽게 바로 구매하는 제품이다. 편의품은 일반적으로 저관여의 특성을 보이기 때문에 소비자는 제품구매를 위해서 큰 노력을 기울이지 않고, 비교적 가격이 저렴하다. 편의품은 다시 필수품(staple goods), 충동품(impulsive goods) 및 긴급품(emergency goods)으로 구분할 수 있다.

(2) 선매품

소비자들이 제품을 구매하기 위해서 가격, 품질, 디자인 등을 비교하여 구매하는 제품이다. 선매품은 편의품에 비해 상대적으로 중요한 품목인 경우가 많다. 일반적으로 선매품은 유통경로가 짧고 소매상이 상당한 광고, 진열 및 판매비를 부담하기 때문에 상표요소보다 점포요소가 더 중요하다.

(3) 전문품

소비자가 상품을 쉽게 식별할 수 있는 독특한 특성을 가지고 있고 대체품이 거의 없는 제품이다. 전문품은 일반적으로 고관여의 특성을 보이기 때문에 소비자는 구매를 위해 상당한 노력을 기울이고 구매의사결정까지 오랜 시간이 소요된다. 따라서 소비자들은 높은 상표충성도(brand loyalty)를 보이며, 소수의 전속대리점이 넓은 상권을 포괄하는 한정적(exclusive) 유통경로를 갖는다.

(4) 미탐색품

소비자들이 제품에 대해 전혀 모르고 있거나 조금 알고 있다 하더라도 평소에는 관심이 별로 없는 제품이다. 미탐색품은 광고나 인적판매를 통해 인식되고, 특별한 계기가 발생하는 경우에는 소비자들이 적극적으로 구매하는 특성을 가진다.

📖 소비재의 분류와 마케팅 전략

| 구분 | 편의품 | 선매품 | 전문품 |
|---|---|---|---|
| 구매빈도 | 높음 | 비교적 낮음 | 매우 낮음 |
| 관여도 | 낮은 관여도 | 비교적 높은 관여도 | 매우 높은 관여도 |
| 마케팅 전략 | • 저가격<br>• 개방적 유통<br>• 낮은 제품차별성<br>• 빈번한 판매촉진<br>• 높은 광고비 지출 | • 고가격<br>• 선택적 유통<br>• 제품차별성 강조<br>• 제품특징 강조<br>• 인적판매의 중요성 | • 매우 높은 가격<br>• 전속적 유통<br>• 높은 브랜드 독특성<br>• 소비자의 지위 강조<br>• 인적판매의 중요성 |

## 4. 산업재의 유형

산업재는 조직(기업)이 추가적인 가공을 목적으로 구매하거나 또는 사업활동을 영위하기 위해 구매하는 재화를 말한다. 이러한 산업재는 기업이나 조직, 개인이 구입할 제품을 생산과정에 어떻게 이용하느냐에 따라서 자재(materials)와 부품(parts), 자본재(capital items), 소모품(supplies)으로 구분할 수 있다.

(1) 자재와 부품

제조업자가 완전한 제품을 생산하기 위해서 제품의 한 부분으로 투입하는 부분품이라고 할 수 있다. 자재는 가공정도에 따라 원자재(raw materials)와 구성원자재(component materials) 또는 재공품(work in process, WIP)으로 구분할 수 있다.

### (2) 자본재

제품의 일부분을 구성하지는 않지만, 원활한 제품생산을 위해 투입되는 것으로 **설비품**(installation)과 **보조장비**(accessory equipment)로 나누어진다. 설비품은 공장, 사무실 등과 같은 건물이나 전동기, 대형 컴퓨터, 엘리베이터 등과 같은 고정장비로 구성된다. 설비품은 일반적으로 구매단가가 매우 높고 구매의사결정이 장기간에 걸쳐 영향을 미치므로 구매여부에 상당한 노력이 요구된다.

### (3) 소모품

완제품 생산에 전혀 투입되지 않고 공장이나 회사의 운영을 위해 사용된다. 소모품은 다른 산업재에 비해 상대적으로 구매노력이 적기 때문에 산업재의 편의품으로 비교되기도 한다.

## 5. 포장

포장(packaging)은 제품의 포장물을 설계하고 생산하는 활동을 의미하는데, 전통적으로 유통과정에서 상품을 보호하는 기능을 반영하는 것으로 파악되어 왔으나 마케팅 지향적인 오늘날에는 훨씬 다양한 기능을 수행해야 한다. 따라서 포장은 시각적 소구(Visibility), 정보(Information), 감성적 소구(Emotional appeal), 취급용이성(Workability)의 특성을 갖추어야 하는데, 이를 'VIEW'라는 약자로 표현한다.

### (1) 시각적 소구(Visibility)

효과적인 포장은 진열대에서 고객들의 눈에 잘 띄어야 한다. 즉, 시각성이 있어 구매시점에 주의를 유발할 수 있어야 하고, 브랜드 이미지를 살리면서 진열공간에 진열된 경쟁 브랜드들 가운데 자사 브랜드가 두드러지도록 하여야 한다.

### (2) 정보(Information)

효과적인 포장은 가급적 내용물의 특성과 효익을 암시해줄 수 있어야 한다. 즉, 제품사용법, 제품이 제공하는 편익, 슬로건, 기타 제품정보(요리법, 판매촉진 제공물 등) 등을 효과적으로 제공할 수 있어야 한다. 이러한 정보는 시용구매를 자극하거나 반복구매를 유발하고, 나아가 정확한 제품사용법을 제공할 수 있다는 점에서 유용하다.

### (3) 감성적 소구(Emotional appeal)

상황에 따라서 효과적인 포장은 상품을 저렴한 것으로 보이게 하거나 고상한 것으로 보이게 하는 등 적절한 이미지를 전달해야 한다. 즉, 소비자가 원하는 느낌이나 무드를 유발할 수 있어야 한다.

### (4) 취급용이성(Workability)

효과적인 포장은 열고 닫기 쉬우며 취급하기 용이해야 한다.

## 6. 신제품개발

### (1) 의의

어떤 기업이든 소비자의 급격한 기호변화나 기술의 빠른 발전으로 인해 기존 제품만으로는 지속적인 성장을 기대하기 어렵다. 따라서 변화하는 소비자의 욕구를 반영하고 경쟁에서 살아남기 위해서 신제품의 개발은 지속적으로 요구된다. 신제품개발과 관련된 전략에는 **선제적 개발 전략**(preemptive strategy)과 **대응적 개발 전략**(correspondence strategy)이 있다.

① **선제적 개발 전략**: 경쟁기업들보다 먼저 신제품을 개발하는 전략이다. 일반적으로 시장을 선점할 수 있는 장점이 있지만 위험이 크다는 단점이 있다.

② **대응적 개발 전략**: 경쟁기업의 신제품을 모방하거나 이를 응용하여 좀 더 향상된 신제품을 개발하는 전략이다. 일반적으로 위험이 크지 않다는 장점이 있지만 시장을 선점하기 어렵다는 단점이 있다.

### (2) 신제품개발과정

① **고객의 욕구파악 및 아이디어 창출**: 고객이 제기한 문제점 분석, 기존 제품의 변형을 통한 연구, 브레인스토밍(brainstorming) 등에 의하여 새로운 아이디어를 창출한다. 신제품 아이디어의 주요 원천에는 내부 원천과 소비자, 경쟁자, 유통업자, 공급업자 등을 포함하는 외부 원천을 모두 포함한다.

② **아이디어 평가**: 신제품에 대한 많은 아이디어 중에서 그 숫자를 줄이기 위해 좋은 아이디어를 선별하고 나쁜 것을 가능한 한 빨리 제거한다. 이후 단계부터는 제품개발비용이 매우 상승하기 때문에 기업은 수익성이 있는 제품이 될 만한 아이디어만을 추진하기를 원한다.

③ **제품개념개발과 평가**: 매력적인 아이디어는 제품개념(product concept)으로 발전되어야 하며, 발전된 제품개념이 과연 목표소비자 집단에게 의미가 있는지를 평가하게 된다.

④ **마케팅전략(마케팅믹스) 개발**: 가장 최상의 제품개념이 선정되면, 기업은 이 제품을 시장에 출시하기 위한 초기 마케팅전략 및 마케팅믹스를 설계하게 된다.

⑤ **사업성 분석**: 경영자가 제품개념과 마케팅전략을 확정하고 나면, 제안된 신제품의 사업매력도를 평가할 수 있다. 사업성 분석은 신제품에 예상되는 비용, 판매량, 순이익이 기업의 목적에 부합되는지를 검토하는 것을 말한다. 이러한 사업성 분석을 통해 긍정적인 평가를 받으면, 제품은 제품개발단계로 넘어갈 수 있다.

⑥ **제품개발(시제품 생산)**: 단지 말로 기술되거나 그림, 개략적인 실물모형 등으로만 존재했던 제품개념이 사업평가를 통과하면 제품개발단계로 넘어오게 되는데, 이때 R&D 또는 기술부서는 제품개념을 물리적 제품(physical product)으로 실현시킨다. 따라서 제품개발단계는 제품 아이디어가 실제 사용 가능한 제품으로 발전할 수 있는지 아닌지를 보여준다.

⑦ **시험마케팅(시장 테스트)**: 좀 더 실제적인 시장 상황에서 제품과 마케팅 프로그램을 도입하는 단계이다. 이 단계는 관리자에게 많은 비용이 드는 정식 출시 이전에 제품을 실제 마케팅해 보는 경험을 제공하며, 시험마케팅 기간 동안 기업은 제품 자체뿐만 아니라 포지셔닝 전략, 광고, 유통, 가격, 상표와 포장, 예산 등을 포함한 해당 제품의 마케팅 프로그램을 시험해볼 수 있다.

⑧ **상품화(출시)**: 시험마케팅의 결과를 토대로 마케팅 의사결정자는 최종적으로 전국시장에 신제품을 도입할 것을 결정한다. 신제품의 상품화를 결정하며, 기업은 제조설비의 건설, 광고, 판매촉진 등을 위해 이전단계보다 훨씬 많은 투자비용을 지출해야 한다.

## 7. 신제품 수용과 확산

### (1) 신제품 수용과정

① **인지(awareness)**: 소비자는 광고 또는 구전에 의하여 신제품에 대한 정보를 처음 접하게 된다. 이 단계에서는 추가적인 제품정보를 탐색할 만큼 그 제품에 대한 충분한 관심을 보이지 않는다.

② **관심(interest)**: 소비자는 신제품 광고나 구전에 반복적으로 노출됨에 따라 제품에 대한 관심을 보이게 된다. 이에 따라 신제품이 어떠한 혜택을 제공하는지에 대한 추가적인 정보를 탐색한다.

③ **평가(evaluation)**: 소비자는 신제품을 구매할 가치가 있는지, 신제품이 자신의 욕구를 어느 정도 충족시켜 줄 것인지를 판단하게 되며, 이러한 판단에 의해 신제품에 대한 태도를 형성하고 시용구매의 여부를 결정한다. 만약 시용할 가치가 없다고 판단되면 제품구매를 포기할 것이다.

④ **시용구매(trial)**: 신제품 구매 시 소비자는 구매에 수반되는 위험을 인식하기 때문에 신제품의 성능에 대한 확신이 설 때까지 시용구매를 하게 된다.

⑤ **수용(adoption)**: 시용구매된 신제품을 사용하여 얻은 경험을 토대로 그 제품을 다시 평가하게 된다. 만약 신제품에 대해 긍정적인 평가(만족)를 하게 되면 그 제품을 수용하게 될 것이며, 신제품에 대해 부정적인 평가(불만족)를 하게 되면 앞으로 제품을 수용하지 않기로 결정하게 될 것이다.

(2) 신제품 수용자의 유형

기업이 제품을 출시하여 시장에서 판매되기 위해서는 먼저 소비자들이 제품을 받아들이는 수용속도를 이해할 필요가 있다. 소비자들이 신제품을 수용하더라도 모두 같은 시점에서 신제품을 수용하지는 않는다. 어떤 소비자는 남보다 먼저 수용하지만, 또 다른 소비자는 그보다 훨씬 나중에 수용한다. 로저스(Rogers)는 제품의 수용속도에 따라 소비자를 다음과 같이 5개 집단으로 구분하였다.

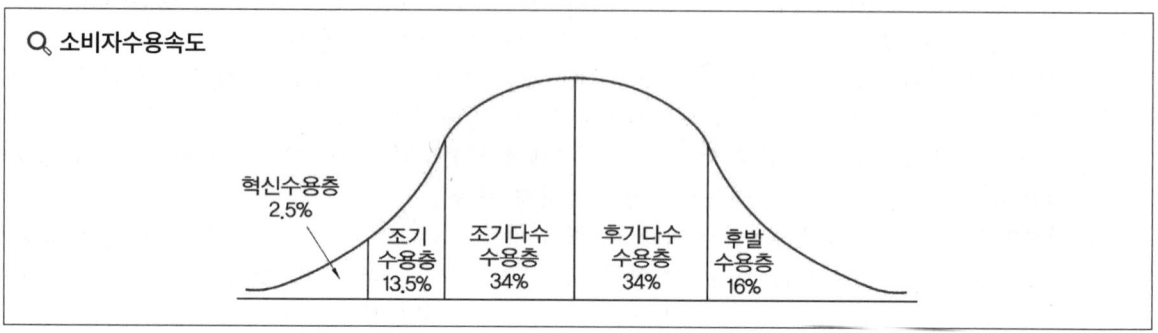

① 혁신수용층(innovators): 신제품 출시와 더불어 바로 구입하는 소비자계층으로, 모험심이 강하고 위험을 감수하면서 새로운 제품을 받아들인다. 전체에서 2.5%의 비중을 차지한다.
② 조기수용층(early adopters): 일반적으로 사회의 여론주도자들로서 새로운 제품을 선별적으로 수용한다. 전체에서 13.5%의 비중을 차지한다.
③ 조기다수수용층(early majority): 보통 사람들보다는 새로운 제품을 먼저 수용하는 소비자계층으로, 약간 신중한 편이다. 전체에서 34%의 비중을 차지한다.
④ 후기다수수용층(late majority): 절반 정도의 소비자들이 제품을 구입한 후에 비로소 구입하는 소비자계층으로 입증된 제품만 구매한다. 전체에서 34%의 비중을 차지한다.
⑤ 후발(지각)수용층(laggards): 마지막으로 제품을 구입하는 소비자계층으로 전통적인 가치관에 충실하고 매우 보수적인 계층이다. 전체에서 16%의 비중을 차지한다.

8. 제품믹스

(1) 의의

제품믹스(product mix)란 기업이 판매하고자 하는 모든 제품들(제품라인 또는 제품계열)의 집합을 의미하며, 제품구색(product assortment)이라고도 한다. 여기서 제품라인 또는 제품계열은 물리적 특성, 기능, 유통경로, 소비자 등이 유사하여 동일한 마케팅 전략을 사용할 수 있는 제품군을 의미하고, 제품믹스는 일반적으로 폭, 길이, 깊이로 구성되어 있다.
① 제품믹스의 폭(width of product mix): 기업이 가지고 있는 전체 제품라인의 수를 의미하고, 너비(breadth)라고도 한다.
② 제품믹스의 길이(length of product mix): 제품믹스 내에 있는 전체 제품의 수를 의미한다.
③ 제품믹스의 깊이(depth of product mix): 특정 제품계열 내에 있는 한 제품이 파생해 낼 수 있는 추가품목의 수를 말한다.

### 🔍 제품믹스의 구성

| 구분 | 제품믹스의 폭(너비) | | | |
|---|---|---|---|---|
| | 제품라인 1 | 제품라인 2 | 제품라인 3 | 제품라인 4 |
| 제품믹스의 길이 | 영상음향제품 | 컴퓨터제품 | 통신기기제품 | 생활가전제품 |
| | 오디오 | 노트북 | 무선전화기 | 냉장고 |
| | 카세트 | 넷북 | 유선전화기 | 에어컨 |
| | 디지털카메라 | 모니터 | FAX | 김치냉장고 |
| | MP3 | 프린터 | 복사기 | 전자레인지 |
| | 캠코더 | 스캐너 | 복합기 | 가스레인지 |
| | 빔프로젝터 | USB | | 세탁기 |
| | DVD플레이어 | CD·DVD | | 공기청정기 |
| | 블루레이 | | | 청소기 |
| | TV | | | 가습기 |
| | 전자액자 | | | 전기밥솥 |
| | | | | 식기세척기 |
| | | | | 다리미 |
| | | | | 선풍기 |
| | | | | 커피포트 |

제품믹스의 깊이

전자액자
5인치
7인치
12인치
⋮

**(2) 제품믹스의 폭에 대한 전략**

너무 적은 수의 제품라인은 매출액 증가와 시장점유율 상승에 정체를 줄 수 있는 반면, 너무 많은 수의 제품라인은 수익성 악화의 요인이 된다. 즉, 기업이 수익성 향상을 추구할 때는 적은 제품라인 전략(좁은 제품믹스의 폭)이 유리하고, 시장점유율과 매출액 증가를 추구할 때는 많은 제품라인 전략(넓은 제품믹스의 폭)이 유리하다.

**(3) 제품믹스의 길이와 깊이에 대한 전략**

제품믹스의 길이 및 깊이에 대한 의사결정은 그 방향에 따라 하향확장(downward stretch), 상향확장(upward stretch), 쌍방향확장(two-way stretch), 계획적 진부화(planned obsolescence) 등이 있다.

① **하향확장**: 초기에는 고품질 및 고가의 제품을 출시하였다가 차후 저가의 신제품을 추가하는 전략이다. 이러한 하향확장은 중·저가 시장이 급성장하는 경우, 경쟁기업이 자사제품이 위치한 고급 시장을 공격함에 따라 이에 대한 반격으로 중·저가 시장에 진출할 때, 고급 시장의 성장이 둔화되기 시작할 때, 장기적인 마케팅 전략의 일환으로 먼저 고급 시장에 진출하여 소비자에게 고품질 이미지를 심어준 다음 중·저가 시장에 진출하여 기존의 제품이미지를 활용하고자 할 때, 신규 경쟁기업이 진입하기 전에 미리 중·저가 시장을 선점하고자 할 때 추구한다. 그러나 하향확장을 추구하는 기업은 기존의 고급 제품들의 시장을 잠식할 위험성(cannibalization)이 있기 때문에 이에 대한 충분한 분석이 이루어져야 한다. 또한, 고급 제품을 취급해 온 기존의 중간상들이 저가 제품의 취급을 거부할 가능성이 있으며, 저가 제품의 경영기업들이 이에 대한 반격으로 고급 제품의 시장으로 진출할 수 있다.

② **상향확장**: 초기에는 저품질 및 저가의 제품을 출시하였다가 점차 고가의 신제품을 추가하는 전략이다. 중·저가 시장에 위치한 기업들은 상향확장을 통해 제품의 이미지를 제고시키려고 한다. 또는 고급 시장의 급속한 성장률 또는 높은 마진 때문에 상향확장을 추구할 수 있다. 그러나 상향확장을 추구하려는 기업은 이에 수반되는 위험을 고려하여야 한다. 고급 제품 시장에 이미 진출해 있는 기존 기업들이 이미 브랜드 충성도가 높은 고객들을 확보하고 있기 때문에 경쟁이 쉽지 않을 뿐 아니라 대응 전략의 하나로 중·저가 시장에 진출하여 반격을 가할 수 있다. 또한, 소비자들이 품질을 신뢰하지 않을 수 있으며, 그동안 저가 제품을 취급하던 유통업체들에게 고급 제품을 취급할 역량을 갖추게 하는 것도 쉽지 않다.

③ **쌍방향확장**: 초기에는 중간 정도의 제품을 출시하였다가 상황에 따라 고가 및 고품질 또는 저가 및 저품질의 신제품을 추가하는 전략이다.

### (4) 계획적 진부화

계획적 진부화(planned obsolescence)는 기존 제품이 충분히 시장에 알려져 판매와 이익실현이 가능함에도 불구하고 의도적으로 시장에서 철수시키는 전략을 말한다. 즉, 향후 신제품판매를 위해 기존 제품을 의도적으로 퇴화시키는 것이다. 이러한 제품퇴진 전략은 크게 수확 전략(harvesting), 제품계열의 단순화 전략(line simplification), 철수 전략(divestment) 등이 있다.

① **수확 전략**: 기업의 자원을 더 이상 투입하지 않고 발생하는 이익을 회수하는 전략이다. 이 전략은 특정제품이 매출성장에서 안정된 단계나 쇠퇴기에 이르렀을 때, 기업이 유휴자원을 저렴하게 활용할 수 있을 때, 감소하는 매출액과 시장점유율의 회복을 위해서 지출해야 하는 비용이 점차로 증가하기 시작할 때 효과적이다.

② **제품계열의 단순화 전략**: 기업이 제공하는 다양한 재화나 서비스의 수를 관리하기 용이한 수준으로 감소시키는 전략이다. 이 전략은 투입원가가 상승하거나 가용자원이 부족해지기 시작할 때 적절하다. 또한, 재고감소와 생산원가의 감소를 위해 사용되지만 한 번 단순화된 제품계열을 과거 수준으로 부활시키는 것은 쉽지 않다. 따라서 기업은 특정제품의 가격 대비 원가가 일시적으로 경쟁력을 잃고 있는지를 신중하게 판단해야 한다.

③ **철수 전략**: 제품계열이 마이너스 성장을 하거나 기존 제품이 전략적으로 부적절하다는 평가가 있을 경우에 제품계열 전체를 정리하는 전략이다.

## 2 상표

### 1. 의의

#### (1) 개념

상표(brand)는 특정 기업의 재화나 서비스를 소비자에게 식별시키고 경쟁자들의 것과 차별화시키기 위하여 사용하는 독특한 이름과 상징물들의 결합체를 의미한다. 상표와 관련된 개념으로는 상표명(brand name), 상표마크(brand mark), 등록상표(trade mark) 등이 있다.

① **상표명**: 상표의 한 부분으로 발음이 가능한 것(글자, 단어, 숫자 등)을 말한다. 삼성, 현대, LG와 같이 말로 표현이 가능한 것들이 여기에 해당된다.

② **상표마크**: 상표의 한 부분으로 말로 표현되지 않고 눈으로 볼 수 있는 부분을 말한다. 상표의 로고(logo) 등이 여기에 해당된다.

③ **등록상표**: 법률적으로 보호받아 독점적으로 사용할 수 있는 상표 또는 상표의 일부분을 말한다. 일반적으로 상표명이나 상표마크로 표현된 상표는 기업의 입장에서는 **자산적 가치를 가지지만 모방이 쉬운 특성**을 가지게 된다. 따라서 기업들은 상표에 대해 **법적으로 보호받기**를 원하고 이러한 **법적인 수단**이 등록상표가 된다. 회사의 로고 옆에 R(registered trade mark)이라고 표시되어 있으면 법적으로 등록하여 해당 회사만 사용할 수 있다는 의미이다.

### (2) 역할(중요성)

상표는 소비자의 입장에서는 제품에 대한 정보를 제공해주어 구매를 용이하게 할 수 있으며, 판매자의 입장에서는 제품관리를 체계적으로 할 수 있고, 우수한 제품에 대한 소비자의 상표충성도(brand loyalty)를 확보할 수 있도록 해준다. 여기서 상표충성도란 소비자가 특정 상표를 애용하고 선호하는 심리를 의미하는데, 특정 상표에 대한 충성도가 높은 소비자는 해당 상표를 반복적으로 구매하게 된다. 특히, 강력한 브랜드는 기업에게 다음과 같은 많은 이점을 제공한다.

① 강력한 브랜드는 **진입장벽을 구축함으로써 기업에게 경쟁우위를 제공**한다. 즉, 강력한 브랜드는 소비자의 브랜드 충성도를 높이고 그 결과 소비자의 자사 브랜드에 대한 가격민감도를 낮게 한다.
② 강력한 브랜드의 구축은 **신제품의 도입을 보다 용이하게** 한다.
③ 강력한 브랜드는 **유통업체와의 거래에서 우위를 제공**한다. 즉, 중간상의 협조를 쉽게 얻을 수 있으므로 경쟁기업보다 나은 위치에 진열공간을 확보할 수 있으며, 중간상들의 가격할인 또는 촉진활동 등의 요구로부터 보호받을 수 있다.
④ 좋은 브랜드 이미지를 가진 제품은 **고가격을 책정할 수 있으므로 높은 이익을 창출**할 수 있다. 그러나 브랜드력이 약한 제품은 소비자와 중간상에 대한 촉진활동에 많은 투자를 해야 하기 때문에 높은 이익을 실현하기가 어렵다.
⑤ 등록상표는 **법적 보호**를 받을 수 있다.

## 2. 상표개발

### (1) 라인(계열)확장

라인확장(line extension)이란 **제품범주 내에서 새로운 형태, 색상, 크기, 원료, 향 등의 신제품에 기존 상표를 함께 사용하는 것**을 말한다. 기업은 신제품을 출시할 때 낮은 원가와 낮은 위험을 실현하는 방안의 하나로 라인확장을 사용한다. 또한, 다양한 소비자욕구의 충족, 과잉생산능력의 활용, 소매점의 진열공간의 확보 등을 목적으로 사용가능하다는 장점을 가지지만, 지나친 라인확장은 원래 상표가 가졌던 구체적 의미를 상실하거나 소비자의 혼란과 분노를 유발시킬 수 있다는 단점을 가진다. 또한, **수직적 라인확장**은 라인확장된 신상품이 기존 상품보다 가격이 낮거나 높은 경우를 가리키며, **수평적 라인확장**은 라인확장된 신상품이 기존 상품과 가격대는 비슷하지만 다른 세분시장을 표적으로 삼는 경우를 가리킨다.

**상표개발전략**

| 상표 \ 제품범주 | 기존 제품범주 | 새로운 제품범주 |
| --- | --- | --- |
| 기존 상표 | 라인(계열)확장<br>(동일상표로 동일제품범주의 제품을 추가 도입) | 상표 확장(연장)<br>(새로운 범주에 기존의 성공상표를 사용) |
| 새로운 상표 | 복수상표<br>(동일제품범주 내에 두 가지 이상의 상표를 사용) | 신상표<br>(새로운 범주에 새로운 상표를 사용) |

### (2) 상표확장(연장) 또는 카테고리확장

상표확장(brand extension) 또는 카테고리확장(category extension)이란 현재의 상표를 새로운 제품범주의 신제품으로 확장하는 것을 말한다. 상표확장은 신제품이 출시되자마자 바로 소비자가 인지하고 빠르게 수용할 수 있으며 새로운 상표를 도입 및 구축하는 데 드는 광고비용을 절약하게 해주는 장점이 있다. 그러나 기존 제품과 일관성이 없는 지나친 상표확장은 핵심상표 이미지를 희석시킬 수 있으며, 확장제품이 시장에서 실패할 경우에는 같은 상표를 사용하는 다른 제품에도 부정적 영향을 줄 수 있다.

### (3) 복수상표

복수상표(multi-branding)란 동일제품범주에서 다수의 상표를 도입하는 것을 말한다. 복수상표는 서로 다른 구매동기가 있는 소비자에 맞추어 서로 다른 특성과 소구점이 있는 상표를 제공할 수 있고 소매점에서 더 넓은 진열공간을 차지할 수 있다는 장점이 있다. 그러나 각 상표가 낮은 시장점유율을 차지하거나 수익성이 낮을 경우에는 여러 상표에 마케팅자원을 분산시키는 결과만을 초래할 수 있다는 단점이 있다.

### (4) 신상표

신상표(new brand)란 새로운 제품범주에 진출하려고 하는 경우에 신제품에 사용할 적절한 기존 상표가 없어 새로운 상표를 개발하는 것을 말한다.

## 3. 상표주체의 결정

제품의 상표는 전통적으로 제조업자에 의해 결정되지만, 최근에는 백화점이나 할인점 및 기타 유통업체들이 자체상표를 개발하고 있다. 상표주체와 관련된 개념은 다음과 같다.

### (1) 제조업자상표

제조업자가 자신의 상표로 제품을 생산하고 유통시킨 상표를 말하며, NB(national brand)라고도 한다.

### (2) 유통업자상표

유통업자가 자체적으로 제품을 기획하고 제3자에게 위탁하여 생산한 제품을 자신의 상표로 부착하여 판매하는 상표를 말한다. 일명 PB(private brand) 또는 중간상상표라고도 한다. 이러한 유통업자상표는 다음과 같은 여건에서 효과적이다.

① 제조업자상표가 다수 존재하지만 그 중 어느 것도 강력한 고객충성을 형성하지 못하고 있을 때
② 적절한 품질과 가격으로 상품의 공급을 신뢰할 수 있을 때
③ 상표촉진의 비용을 부담하고도 저렴한 판매가 가능하도록 다른 제조업자 상표들의 가격이 비쌀 때
④ 이미 본원적 수요가 충분히 개발되어 있으며 잠재고객들이 감각적 검토와 사용을 통해 상품품질을 쉽게 판단할 수 있을 때
⑤ 수요가 매우 탄력적이어서 낮은 가격이 매출액을 크게 증대시킬 수 있을 때

### (3) 무상표

제조업자가 제품판매에 있어서 상표를 부착하지 않고 유통시키는 방법이다. 비록 상표는 없지만 제품내용을 알리는 표찰(label)은 제품 겉면에 부착한다.

### (4) 공동상표

중소기업체가 상표개발과 마케팅에 충분히 투자할 수 있는 여력이 없는 경우에 동종 기업들과 연합하여 공동으로 동일한 상표를 사용하는 경우이다. 국내 각 지역 특산물의 브랜드가 대표적인 공동상표(co-brand)의 예라고 할 수 있다.

## 4. 브랜드 자산

### (1) 의의

브랜드 자산(brand equity)이란 특정 재화나 서비스가 상표를 가짐으로써 발생되는 바람직한 마케팅효과를 의미한다. 즉, 고객이 특정 상표에 대해 갖는 긍정적인 감정으로 인해 형성된 상표가치의 상승분을 말한다. 브랜드 자산을 가지고 있는 기업은 새로운 제품을 출시할 때 소비자나 유통업자에 대해 적은 비용을 투입하고도 유사한 마케팅효과를 얻을 수 있어 매출상승과 비용절감이 가능한 경쟁력을 가지게 된다. 데이비드 아커(David A. Aaker)에 의하면 브랜드 자산은 브랜드 충성도, 브랜드 인지도, 지각된 품질, 브랜드 연상(이미지), 기타 독점적 브랜드 자산으로 구성되어 있다.

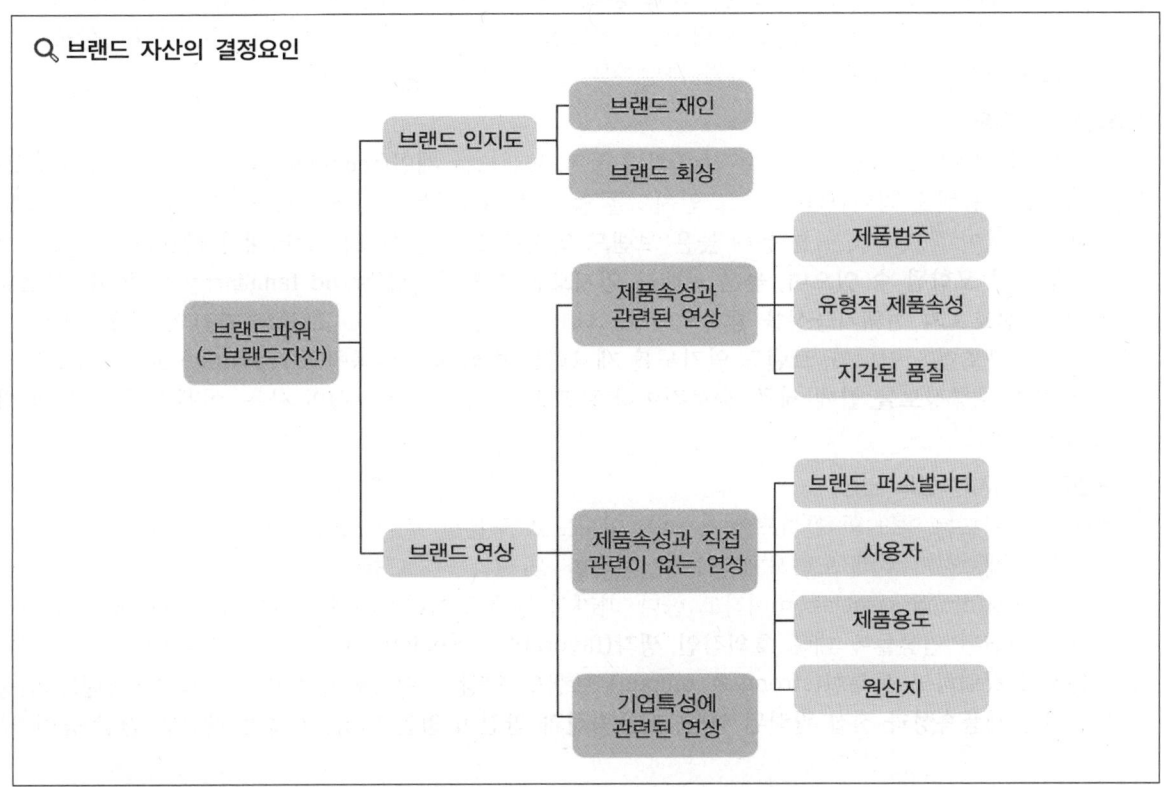

① **브랜드 충성도**: 해당 브랜드에 얼마나 충성스러운지를 나타낸 정도이다. 브랜드 충성도는 다른 많은 중요한 효과들도 갖고 있지만 특히 소비자의 '반복구매'에 큰 영향을 미친다.
② **브랜드 인지도**: 브랜드가 널리 알려졌다는 사실 그 자체만으로도 강력한 힘을 갖는다. 많이 알려진 브랜드는 그 사실 자체만으로 일종의 신뢰를 형성하기도 하고 괜히 더 품질이 좋을 것이라는 인상을 주기도 한다. 그러나 무엇보다 브랜드 인지도는 해당 브랜드가 고려상표군에 속하도록 만들어 준다는 점에서 중요하다. 소비자들은 일단 알고 있는 브랜드이어야 구매할지 말지를 고려라도 하게 된다.

③ **지각된 품질**: 실제로 그 제품이 얼마나 품질이 좋은지와 별개로 사람들이 얼마나 품질이 좋다고 받아들이는지의 정도이다. 소비자들이 잘 모르는 중소기업이 만든 제품보다는 유명한 기업이 만든 제품의 품질이 더 좋을 것이라고 느끼는 것처럼 실제로 품질이 얼마나 좋은지는 전혀 중요하지 않고 소비자들이 느끼기에 얼마나 품질이 좋은가 하는 것을 의미하는 것이다.

④ **브랜드 연상(이미지)**: 특정 브랜드가 소비자의 감각기관을 통해 받아들여져 해석되는 의미라고 할 수 있다. 소비자의 브랜드 연상은 개별 브랜드에 대한 연상을 의미하지만, 브랜드를 생산하는 기업의 이미지가 생성시키는 이미지를 포함한다. 브랜드 연상은 관점에 따라 제품으로서의 브랜드 가치, 사람으로서의 브랜드(브랜드 개성), 조직으로서의 브랜드(기업)로 나눠질 수 있다.

⑤ **기타 독점적 브랜드 자산**: 특허, 등록상표 등과 같은 기타 독점적인 브랜드 자산은 경쟁사들이 고객과 브랜드 충성도를 잠식하는 것을 막아줄 수 있을 때 가장 가치가 크다. 저작권 및 등록상표의 법적 보호를 받는 자산들은 경쟁기업과 차별화를 할 수 있는 요소가 된다.

### (2) 브랜드 인지도

브랜드 인지도(brand awareness)는 소비자가 특정 브랜드를 재인(recognition)[118]하거나 회상(recall)[119] 할 수 있는 능력을 의미한다. 브랜드 인지도를 높이기 위해서는 지속적으로 브랜드를 소비자들에게 노출시키는 것이 중요하며, 이를 통해 높은 브랜드 인지도를 가진 상표는 고려대상 상표군(consideration set)에 우선 포함될 수 있으며, 높은 브랜드 인지도는 상표친숙성(brand familiarity)을 높여 그 브랜드에 대한 선호도와 선택가능성을 증가시킨다. 그러나 브랜드 인지도는 브랜드 자산의 필요조건에 해당하지만 충분조건은 아니다. 브랜드 인지도를 제고하는 방법에는 반복광고(repetitive advertising), 시각적 정보와 제품정보를 함께 제공, 슬로건이나 로고송 및 상징(symbol)의 사용, 이벤트 후원 등의 방법이 있다.

### (3) 브랜드 이미지(브랜드 연상)

브랜드 인지도는 양(+)의 인지도와 음(-)의 인지도로 구분될 수 있으며, 일반적으로 기업들은 양(+)의 인지도를 제고하기 위해 노력하게 되는데, 이러한 양(+)의 인지도를 브랜드 이미지(brand image) 또는 브랜드 연상(brand association)이라고 한다. 따라서 브랜드 이미지를 형성하기 위해서는 소비자들이 브랜드와 관련된 연상들에 대해 **호의적인 생각**(favorable association)을 가지고 있어야 하며, 소비자의 마음속에 **강력하고 독특한**(strong & unique) 브랜드 연상이 형성되어야 한다. 이러한 브랜드 연상의 유형에는 **제품속성과 직접 관련된 연상, 제품속성과 관련이 없는 연상, 기업과 관련된 연상** 등이 있다.

---

[118] 브랜드 재인(brand recognition)은 한 브랜드에 대한 정보가 기억 속에 있는지의 여부를 의미하는 것으로 브랜드 회상(recall)보다는 상대적으로 인지도의 강도가 약하며 소비자들에게 한 제품범주 내에 있는 여러 브랜드명을 제시해 주고 각 브랜드명을 과거에 보았거나 들어본 적이 있는지를 조사하는 것이다.

[119] 브랜드 회상(brand recall)은 소비자들이 자신의 기억 속에 이미 저장되어 있는 특정 브랜드의 정보를 그대로 인출할 수 있는 능력을 말한다. 브랜드 회상은 관련된 실마리가 주어졌을 때 소비자들이 그 브랜드를 기억으로부터 올바르게 일으키는 것이 요구된다. 또한, 브랜드 회상은 브랜드 재인보다 강도가 강한 인지도로써 소비자들에게 한 제품범주 안에서 생각나는 브랜드들을 열거하도록 하여 기억된 브랜드들을 발견하는 것이다.

## 제2절 가격

### 1 의의

#### 1. 개념

가격(price)이란 **소비자가 재화 또는 서비스를 구입하기 위해 지불하는 화폐의 양**을 말한다. 따라서 가격은 소비자들이 가장 민감하게 반응하는 부분이며, 시장에서 판매자나 소비자들에게 재화나 서비스의 가치를 나타내는 기준이 된다. 이러한 가격은 기업 입장에서는 수익의 원천이 되지만, 소비자 입장에서는 비용이 된다. 일반적으로 가격탄력성이 광고탄력성보다 훨씬 높다. 따라서 기업이 광고의 지출비용을 변경시켰을 때보다 가격을 변경시켰을 때가 경쟁기업에게 훨씬 더 강력한 반응을 보이기 때문에 가격관리는 매우 중요하다. **가격의 중요성**을 살펴보면 다음과 같다.

(1) 가격은 기업의 매출과 이익에 매우 밀접한 관계가 있으며, 제품에 대한 실질적인 품질지표로 인식된다.
(2) 가격은 기업의 마케팅 전략에 직접적인 영향을 미치고, 경쟁기업들이 가장 쉽게 모방할 수 있는 마케팅믹스요소이다.
(3) 가격은 생산요소(토지, 노동, 자본)로부터 영향을 받고, 다시 생산요소에 영향을 준다.

#### 2. 가격결정요인

가격결정에 영향을 미치는 주요 요인으로는 수요(demand)[120], 원가(cost), 경쟁환경(competitive environment), 법적 요인(legal factor) 등이 있다.

**(1) 수요**

소비자들이 제품을 구매하고자 하는 욕구를 의미하며, **가격의 상한선**을 결정하는 역할을 한다.

**(2) 원가**

**가격의 하한선**을 결정하는 역할을 한다. 기업은 전략적인 목적 때문에 일시적으로 원가 이하로 가격을 결정할 수 있지만, 장기적으로는 원가 이하의 제품가격으로는 기업이 생존할 수 없다.

**(3) 경쟁환경**

수요가 가격의 상한선을 결정하고 제품원가가 가격의 하한선을 결정하지만, 일반적으로는 **가격의 상한선과 하한선 사이**에서 경쟁기업의 가격이나 자사의 가격에 대한 경쟁기업의 반응 등이 기업의 가격결정에 영향을 미치게 된다. 제품의 질과 구성이 경쟁기업과 유사하다면 경쟁기업의 가격과 유사한 수준을 유지하겠지만, 자사가 우월하거나 또는 열등하다면 경쟁기업보다 높은 가격 또는 낮은 가격을 유지할 수밖에 없다. 한편, 기업들이 상대적으로 차별화된 재화나 서비스를 제공하는 경우에는 소비자들은 개별기업이 제공하는 재화나 서비스를 독특한 것으로 지각하기 때문에 시장가격 이상의 제품가격을 책정할 수 있다.

**(4) 법적 요인**

일반적으로 제품을 생산 및 판매하는 기업이 자율적으로 가격을 결정하지만, 특별한 경우에는 **정부의 정책이나 규제로 인해 가격결정이 영향을 받을 뿐만 아니라 심지어는 가격이 완전히 정부의 정책이나 규제에 의해 결정**되는 경우도 있다.

---

[120] 수요와 함께 수요탄력성도 가격결정에 영향을 줄 수 있다. 수요의 가격탄력성은 제품의 가격이 변화함에 따라 판매량이 얼마나 변화하는지를 나타내는 지표이다. 일반적으로 구매자가 사는 제품이 독특하거나 높은 품질, 명성, 독점성을 가질 경우와 대체재를 찾기 힘들거나 대체재의 품질을 쉽게 평가할 수 없을 경우에 가격탄력성은 비탄력적이다. 기업은 수요가 비탄력적인 경우보다는 탄력적인 경우에 가격인하를 고려하게 된다.

## 2 가격 전략

### 1. 가격결정요인과 가격 전략

**(1) 수요중심 가격 전략**

수요중심 가격 전략의 가장 대표적인 방법은 지각가치 가격결정이다. 지각가치 가격결정(perceived-value pricing)이란 고객이 지각하는 제품의 가치에 맞춰 가격을 결정하는 방법을 말한다. 이러한 가격결정은 목표소비자들이 자사제품에 대해서 어느 정도의 가치를 부여하고 있는지를 조사하여 이에 상응하는 가격을 책정한 다음 제품디자인 및 생산원가를 계획하는 과정을 수반한다. 지각가치 가격결정은 가격의 개념에 가장 부합되는 가격결정방법이지만, 지각된 가치를 객관적으로 측정하기 어렵다는 한계점을 가지고 있다.

**(2) 원가중심 가격 전략**

원가중심 가격 전략의 가장 대표적인 방법은 원가가산 가격결정이다. 원가가산 가격결정(cost-plus or markup pricing)이란 단위당 원가에 일정비율의 이윤(margin)을 더해 판매가격을 결정하는 방법을 말한다. 이러한 방법은 계산이 쉽고 원재료의 가격상승으로부터 판매자를 보호해주는 장점이 있지만, 수요의 가격탄력성을 무시하고 있다는 한계점을 가지고 있다. 그 외에 손익분기 가격결정(break-even-point pricing)이 있는데, 이는 제조원가 중 고정비(fixed cost)를 회수하는 데 주안점을 두어 목표이익률이 실현될 수 있게 가격을 결정하는 방법이다.

**(3) 경쟁중심 가격 전략**

경쟁중심 가격 전략은 자사제품의 원가나 수요보다도 경쟁제품의 가격을 근거로 하여 자사제품의 가격을 결정하는 방법을 의미한다. 경쟁중심 가격 전략은 상대적 고가 전략, 상대적 저가 전략, 대등가격 전략 등이 있다.

① **상대적 고가 전략**: 자사의 명성이 높거나 자사의 브랜드 인지도가 높은 경우에 경쟁제품보다 높은 가격을 책정하는 전략을 의미한다. 상대적 고가 전략은 수요의 탄력성이 높지 않을 경우, 진입장벽이 높아 경쟁기업의 진입이 어려운 경우, 규모의 경제효과를 통한 이익이 미미할 경우, 높은 품질로 새로운 소비층을 유인하고자 하는 경우에 적합하다.

② **상대적 저가 전략**: 상대적으로 낮은 가격으로 이윤은 적으나 광범위한 고객을 흡수하고자 하는 경우, 장기적 이익을 증대하고자 하는 경우, 시장점유율의 확대 및 경쟁기업의 시장침투를 막고자 하는 경우에 사용하게 되는 가격 전략이다. 박리다매 전략이나 입찰가격 전략(sealed-bid pricing) 등이 가장 전형적인 예라고 할 수 있다. 상대적 저가 전략은 시장수요의 가격탄력성이 높은 경우, 원가우위를 확보하고 있는 경우, 시장에 경쟁자의 수가 많을 것으로 예상되는 경우, 소비자들의 본원적인 수요를 자극하고자 하는 경우, 시장점유율을 확대하고자 하는 경우에 적합하다.

③ **대등가격 전략**: 경쟁기업의 가격과 대등한 가격으로 가격을 책정하거나 또는 경쟁기업의 가격을 추종해야 되는 경우에 채택하게 되는 가격 전략이다. 이 전략에서 가격을 먼저 취하는 기업을 가격선도자(price leader)라고 하며 그 선도가격에 추종하는 가격을 추종가격 또는 모방가격(going-rate pricing)이라고 한다. 대등가격 전략은 시장의 수요가 비탄력적인 경우, 경쟁기업에 대한 확고한 원가우위를 가지지 못한 경우, 규모의 경제를 통해 예상되는 이익이 전혀 없는 경우, 시장점유율을 유지하고자 하는 경우에 적합하다.

## 2. 신제품과 가격 전략

### (1) 초기 고가 전략(스키밍 전략)

초기 고가 전략 또는 스키밍 전략(market-skimming pricing)이란 신제품 도입초기에 고가격으로 시장에 진입하여 가격에 비교적 둔감한 고소득층의 혁신층(innovators)과 조기수용층(early adopters)을 흡수하고, 점점 가격을 낮추어 중산층과 저소득층까지 공략하는 가격 전략을 말한다. 단기간에 많은 이익을 실현하여 초기 투자비를 회수할 목적이거나 아직 경쟁기업이 없는 경우 또는 수요의 가격탄력도가 낮은 경우에 적합한 전략이다.

### (2) 초기 저가 전략(시장침투 가격 전략)

초기 저가 전략 또는 시장침투 가격 전략(market-penetration pricing)이란 신제품 도입초기에 저가격을 설정하여 신속히 시장에 침투한 후 인지도가 높아지면 가격을 높게 설정하는 가격 전략을 말한다. 저렴한 가격으로 시장성장을 촉진하거나 원가우위로 경쟁기업의 진입을 지연시키고자 할 때 또는 수요의 가격탄력도가 높은 경우에 적합한 전략이다.

### (3) 탄력가격 전략(가격차별)

탄력가격 전략 또는 가격차별(price discrimination)이란 다수의 시장을 대상으로 하는 경우에 세분화된 시장별로 수요의 가격탄력도가 상이하여 시장에 따라 상이한 가격을 설정하는 가격 전략으로, 특정 소비자나 시기 등에 따라 할인 또는 할증을 적용하는 가격 전략이다. 이러한 가격차별이 성공하기 위해서는 다음과 같은 조건이 충족되어야 한다.

① 상이한 소비자 집단 또는 시장 자체가 존재해야 한다.
② 불완전경쟁시장이어야 한다.
③ 각 시장에서 수요탄력성이 서로 달라야 한다.
④ 차익거래가 발생하지 않도록 해당 기업이 상이한 소비자 집단이나 시장을 구분하여 분리시킬 수 있어야 한다.
⑤ 가격차별 전략을 수행하기 위해 시장을 분리하는 데 드는 비용보다 시장을 분리했을 때 얻게 되는 수입이 더 커야 한다.

## 3. 제품믹스와 가격 전략

### (1) 제품라인 가격 전략

제품라인 가격 전략(product line pricing)이란 몇 개의 가격대(price steps)로 구분하고 이에 따라 라인의 제품을 분류하는 가격 전략을 말한다. 즉, 소비자는 가격에 차등이 있을 때만 가치를 인식한다고 가정하고, 몇 가지 가격만을 선정하는 방식이다. 예를 들어, 과일가게에서 사과를 품질별로 몇 단계로 구분하고, 10,000원에 4개, 7개, 10개 등으로 판매하는 방식이다.

### (2) 사양제품 가격 전략

사양제품 가격 전략(optional-product pricing)이란 주제품 또는 기본품을 판매할 때 추가하여 제공되는 사양제품(optional or accessory products)에 따라 판매가격을 책정하는 가격 전략을 말한다. 예를 들어, 자동차 구입 시 선택사양에 따라 가격이 달라지는 경우이다.

### (3) 종속제품 가격 전략

종속(포획)제품 가격 전략(captive product pricing)이란 주제품의 판매보다 주제품과 관련된 종속제품의 판매가 주된 목적인 제품의 가격 전략을 말한다. 주제품은 상대적으로 저렴한 가격으로 판매하는 대신 종속제품의 가격을 높게 책정하여 주제품의 손실을 보전하게 된다. 예를 들어, 프린터와 토너, 면도기와 면도날, 즉석카메라와 인화필름 등이 여기에 해당된다. 또한, 서비스 영역에서 이용되는 종속제품 가격 전략은 흔히 **이중요율 가격 전략 또는 2부제 가격**(two-part pricing)이라고 한다. 서비스 가격은 고정된 기본수수료(fixed fee)와 사용량에 따른 변동가격(variable usage rate)으로 구성된다. 따라서 기본서비스 가격은 서비스 이용을 유도하기 위해 가능한 한 낮게 책정해야 하며, 이익의 상당부분은 사용량에 비례하는 변동수수료(variable fee)로 얻을 수 있다. 일반적으로 주제품과 종속제품들이 **상호보완재**인 경우에 효과적이다.

### (4) 묶음제품 가격 전략

묶음제품 가격 전략(product bundle pricing)이란 **기업이 둘 또는 그 이상의 재화나 서비스를 결합하여 할인된 가격으로 판매하는 전략**을 말한다. 이러한 가격 전략을 사용하여 제품을 제공하는 기업은 핵심제품뿐만 아니라 부수적인 제품의 수요를 창출해 낼 수 있다. 일반적으로 묶음가격은 하나 또는 그 이상의 제품을 개별구매 및 패키지구매도 할 수 있도록 가격을 책정하게 되는데, 제품의 개별구매 가능여부에 따라 개별구매가 가능한 혼합묶음과 개별구매가 불가능한 순수묶음으로 구분할 수 있다. 어학원에서 영어회화 및 문법 강좌를 각각 개설하면서도 영어회화와 문법을 동시에 수강하면 가격을 할인해주는 것이 한 예가 될 수 있다. 일반적으로 구성제품들이 **상호보완재**인 경우에 효과적이다.

## 4. 소비자심리와 가격 전략

### (1) 명성가격

명성가격 또는 권위(긍지 또는 위신)가격(prestige pricing)이란 **가격이 품질과 제품의 지위를 반영한다고 믿는 구매자의 심리를 활용한 가격 전략**을 말한다. 명성가격은 '고가격은 고품질'이라는 인식에 입각한 **가격 - 품질연상효과**를 이용한다. 일반적으로 가격이 상승하면 수요가 줄어들지만 명성가격은 가격 상승에도 불구하고 수요를 유지하거나 상승시키는 특성을 가지고 있다. 이러한 가격결정은 자아민감도가 높거나 품질의 객관적 평가가 곤란한 상품에 특히 효과적이며, 소비자들은 약간의 가격인하는 정상적인 할인으로 간주하지만, 대폭 하락은 아예 품질을 의심하여 구매를 중단하게 될 수도 있다.

### (2) 관습가격

관습가격(customary pricing)이란 사회적으로 또는 소비자들이 일반적으로 인정하는 가격으로, 기업이 가격을 결정하는 것이 아니라 **사회가 인정하는 가격을 기업이 받아들이는 것**을 말한다. 이러한 경우에는 가격 자체는 유지한 상태에서 수량 또는 품질을 조정하여 가격상승의 효과를 노리는 경우가 종종 있다. 예를 들어, 과자류와 껌과 같이 오랜 기간에 걸쳐 일정한 가격을 유지하고 있는 경우이다.

### (3) 준거(참고)가격

준거가격 또는 참고가격(reference pricing)이란 소비자들이 제품가격의 높고 낮음을 평가할 때 **비교기준으로 사용하는 가격**을 의미한다. 따라서 소비자는 어떤 제품의 가격이 준거가격보다 높으면 비싸다고 인지하고, 준거가격보다 낮다면 싸다고 인지한다. 일반적으로 관습가격이 준거가격으로 사용되는 경우가 많다.

### (4) 유보가격과 최저수용가격

유보가격(reservation price)이란 소비자가 어떤 제품에 대해 지불할 의사가 있는 최고가격을 말한다. 이에 따라 구매 전에 소비자가 생각하고 있었던 유보가격보다 제시된 제품가격이 높으면 소비자는 구매를 유보하게 된다. 유보가격도 준거가격과 마찬가지로 소비자의 과거 구매경험과 지각된 제품품질에 따라 브랜드 또는 소비자 간에 차이가 있다. 반면 제품가격이 너무 싸면 소비자는 제품에 하자가 있는 것으로 판단하고 구매를 거부하게 되는데, 이러한 가격을 최저수용가격(lowest acceptable price)이라고 한다. 일반적으로 소비자는 준거가격을 중심으로 유보가격과 최저수용가격 내에서 제품을 구매한다.

### (5) 단수가격

단수가격(odd pricing)이란 소비자들에게 제품가격이 정확한 계산에 의해 가장 낮게 책정되었다는 인식을 심어주기 위해 1,000원 또는 10,000원 등과 같은 가격이 아니라 단수로 가격을 결정하는 가격 전략을 말한다.

## 5. 촉진과 가격 전략

### (1) 유인가격

유인가격(loss-leader pricing)이란 잘 알려진 제품의 가격을 대폭 할인함으로써 고객들을 소매점으로 유인하려는 가격 전략을 말한다. 즉, 일단 저가품목에 의해 고객들이 유인된 후에는 할인품목의 단점과 고가품목의 장점을 강조함으로써 고가품목의 판매를 증대시키려는 전략이다. 이러한 가격 전략은 일반적으로 소비자가 가격에 대한 정확한 지식을 가지고 있는 일상 생활용품에 대해서 유통업체에서 주로 사용한다. 이에 따라 제조업자는 자사제품이 손실유도품(loss leader)으로 전략하는 것을 방지하기 위해 재판매가격유지 전략을 사용할 수 있다. 재판매가격유지 전략(resale value maintenance pricing)이란 유통업체와의 계약을 통해 일정가격으로 거래되도록 하는 가격 전략을 말한다. 즉, 재판매가격유지 전략은 자사의 제품이 유인가격결정(loss-leader)에 빠지는 것을 방지하고 브랜드 가치를 유지하기 위해 사용하는 전략으로 희망소비자가격과 같은 것이 여기에 해당한다.

### (2) 특별행사가격

특별행사가격(special event pricing)이란 판매자가 시즌(성탄절, 입학·졸업, 휴가철 등)에 맞추어 더 많은 고객을 끌어들이기 위한 특별행사를 통해 가격을 낮추는 가격 전략을 말한다.

### (3) 현금보상

현금보상(cash rebates)이란 특정 기간 내 판매를 촉진하기 위하여 구매자에게 구입금액의 일부를 돌려주는 가격 전략을 말한다. 예를 들어, 백화점에서 일정금액 이상 구입 시 일정비율의 상품권을 지급하는 것 등이다.

## 6. 지역과 가격 전략

### (1) 생산지인도가격

생산지인도가격(FOB original pricing)이란 제품이 창고에서 운송차량에 적재된 후 소비자에게 배달되는 운송비를 소비자가 부담하여 각 지역에 따라 제품가격(출하가격 + 운송비)이 달라지는 방식을 말한다. 자동차 구입 시 자동차 가격에 탁송비를 부과하기 때문에 구입지역별로 가격에 차이가 난다.

### (2) 균일운송가격

균일운송가격(uniform delivered pricing)이란 고객이 위치한 지역에 상관없이 모두 동일한 운송비를 부가하여 정하는 가격방식(제품가격 + 평균운송비)을 말한다.

### (3) 구역가격

구역가격(zone pricing)이란 두 개 이상의 지역을 선정하여 특정 지역 내에서는 동일한 가격을 부과하고 그 지역 이외에는 좀 더 높은 가격을 부과하는 가격방식을 말한다. 대표적으로 대리운전요금과 같은 것이 있는데, 구역별로 요금체계가 각기 다를 수 있다.

### (4) 기점가격

기점가격(base point pricing)이란 특정 지역을 기준점으로 가격을 정하고 배송지점까지의 운송비를 부담하게 하는 가격방식을 말한다. 대표적으로 택시요금의 경우에 출발지를 기점으로 하여 요금이 결정된다. 구역가격과 차이점은 구역가격은 여러 개의 구역이 있고 구역별로 가격이 다르지만, 기점가격은 한 기점을 중심으로 운송거리에 따라 가격이 달라지는 방식이다.

### (5) 운송비제거가격

운송비제거가격(freight absorption pricing)이란 특정 고객이나 특정 지역에서 사업기회상실을 염려하여 또는 사업확장을 목적으로 운송비 전액 또는 일부를 부과하지 않는 가격방식을 말한다. 대표적으로 홈쇼핑에서 운송비를 부담하지 않는 경우에 이에 해당한다.

## 7. 가격조정

### (1) 현금할인

현금할인(cash discount)이란 제품 구입 시 대금을 바로 지급할 경우 가격을 할인해주는 방법을 말한다. 현금할인은 외상이나 어음결제로 인한 위험을 줄이고 현금회전을 촉진하기 위한 방법이다.

### (2) 수량할인

수량할인(quantity discount)이란 일정수량 이상 구매하는 고객에게 가격할인을 해주어 판매량을 증가시키기 위한 방법을 말한다.

### (3) 기능할인

기능할인(functional discount) 또는 중간상할인(trade discount)이란 판매자가 수행해야 할 마케팅 기능(판매, 보관, 기록, 송금 등)을 유통업자가 대행해준 것에 대한 보상으로 할인해주는 방법을 말한다.

### (4) 계절할인

계절할인(seasonal discount)이란 연중 생산일정 및 판매계획의 안정성을 확보하고 판매를 증진할 목적으로 비계절 상품구매자에게 할인해주는 방법을 말한다.

### (5) 공제

공제(allowance)란 신제품 구매 시 사용하던 기존 제품을 판매자에게 제공할 경우 판매가격에서 이를 차감(공제)해주는 방법을 말한다. 보상판매와 같은 중고품공제(trade-in allowance)와 유통업자가 광고나 판매활성화 프로그램에 참여한 거래처를 보상해주기 위해 구입대금이나 가격을 할인해주는 촉진공제(promotional allowance)가 있다.

## 3 가격이론

### 1. 프로스펙트 이론

프로스펙트 이론(prospect theory)이란 사람들은 이득보다 손실에 더 민감하고, 기준점을 중심으로 이득과 손해를 평가하며 이득과 손해 모두 효용이 체감한다는 것을 가정하는 이론을 의미한다. 즉, 소비자는 절대치가 아닌 상대적인 변화에 민감하게 반응한다는 것이다.

이는 전통적인 경제학에서 소비자 효용(utility)의 높고 낮음은 소비자가 가지고 있는 절대적 부의 수준(final wealth position)에 의해서 좌우된다고 보는 관점에 반대하여 카네만(Kahneman)과 티버스키(Tversky)에 의해 주장된 이론이다. 프로스펙트 이론은 준거의존성, 민감도 체감성, 손실회피성의 특징을 가진다.

### (1) 준거의존성
소비자의 준거점(reference)을 어디에 두는가에 의해 개인의 효용이 변화하기 때문에 평가대상의 가치가 결정된다고 보는 것이다.

### (2) 민감도 체감성
이익이나 손실의 액수가 커짐에 따라 그 민감도는 감소한다는 것이다.

### (3) 손실회피성(loss aversion)
소비자들은 가격인하보다 가격인상에 훨씬 더 민감하게 반응한다는 것을 말한다. 일반적으로 사람들은 가격인하로 인한 이익보다 가격인상으로 인한 손해에 큰 관심을 두기 때문이다. 가격은 내리기는 쉬워도 올리기는 어려운 이유가 바로 손실회피 때문이다. 손실회피를 보이는 가장 대표적인 원인 중 하나는 **보유효과**(endowment effect)이다. 여기서 보유효과는 내 자신의 소유물의 가치가 실제보다 더 크다고 생각하는 성향이다. 또한, 이러한 손실회피로 때문에 소비자에게 혜택(이익)은 합쳐서 제시할 때보다 분리해서 제시하는 것이 유리하고(복수 이익 분리의 원칙), 손실은 분리해서 제시하는 것보다 합쳐서 제시하는 것이 유리하다(복수 손실 통합의 원칙). 따라서 복수 이익은 나누고 복수 손실은 합하는 것이 유리하다.

## 2. 웨버의 법칙과 최소인식가능차이

### (1) 웨버의 법칙
웨버의 법칙(Weber's law)이란 소비자가 가격변화에 대하여 느끼는 정도가 가격수준에 따라 모두 동일한 것이 아니고 차이가 있다는 이론을 말한다. 즉, 차이의 인식이 절대적이라기 보다는 상대적이라는 것이다. 차이를 인식하기 위해 필요한 자극변화는 웨버상수(웨버비)로 측정된다. 웨버상수($\Delta I / I$)는 소비자가 주관적으로 느낀 가격변화의 크기 또는 변화를 감지할 수 있는 변화의 증가율 또는 감소율을 의미한다.

### (2) 최소인식가능차이
최소인식가능차이(just noticeable difference, JND)란 소비자들이 가격차이[121]를 느낄 수 있는 최소한의 **가격변화**를 말한다. 일반적으로 가격을 인하하는 경우의 JND가 가격을 인상하는 경우의 JND보다 큰 현상을 보이는데, 이는 손실회피와 관련되어 있다. 또한, 가격인하는 JND보다 크게 해야 판매가 늘고, 가격인상은 JND보다 작게 해야 소비자의 저항을 줄일 수 있다. 이는 가격인하는 소비자가 쉽게 인식할 수 있도록 해야 하고, 가격인상은 소비자가 쉽게 인식하지 못하도록 해야 하기 때문이다.

---

[121] 고객이 정보를 처리하는 과정 중 자극을 감지하는 기준을 식역(threshold)이라고 하는데, 자극을 탐지하는 데 필요한 최소한의 자극을 의미하는 절대식역(absolute threshold)과 자극의 차이를 감지할 수 있는 최소의 차이를 의미하는 차이식역(difference threshold)이 있다. 따라서 최소인식가능차이(JND)는 차이식역에 해당한다. 추가로 식역하 지각(subliminal perception)은 자극의 강도가 미약하여 절대식역 수준에 미치지 못하는 경우에도 소비자가 그 자극을 무의식 중에 감지하는 것을 말한다. 따라서 식역하 자극(subliminal stimuli)은 강도가 절대식역 수준에 미치지 못해 소비자가 지각할 수 없는 강도의 자극을 의미한다.

## 제3절 유통

### 1 의의

#### 1. 개념

유통(place)이란 제품을 생산자로부터 소비자에게까지 이전시키는 모든 거래과정과 경로(channel)를 말한다. 유통에는 생산자와 소비자를 연결시켜 유통을 촉진하는 다수의 개인 또는 조직이 존재하는데, 이들을 유통기관 또는 중간상이라고 한다. 유통경로에 유통기관 또는 중간상이 필요한 이유는 다음과 같다.

(1) 많은 생산자들이 최종소비자에게 직접 제품을 유통시킬 만한 능력을 가지고 있지 못하다.

(2) 중간상은 제조업체와 소비자에게 시간효용(time utility), 장소효용(place utility), 소유효용(possession utility)을 제공한다. 제조업체가 중간상을 이용하면 추가적 비용이 발생하지만 이러한 유통비용의 증가는 중간상이 제공하는 세 가지 효용에 의해 상쇄된다. 시간효용은 소비자들이 원하는 시간에 제품을 구매할 수 있게 함으로씨 발생되며, 장소효용은 소비자들이 원하는 장소에서 손쉽게 제품을 구입할 수 있을 때 창출된다. 소유효용은 최종소비자가 제품을 쉽게 소유할 수 있도록 함으로써 창출된다. 이러한 소유효용의 가장 대표적인 예로는 자동차 할부가 있다.

(3) 중간상들은 생산자가 생산한 제품의 구색을 소비자들이 원하는 구색으로 전환시켜 주는 기능을 수행한다.

(4) 중간상들은 총거래수 최소의 원리(principle of minimum total transactions)에 따라 거래의 집중화에 의한 거래접촉 효율성을 달성시켜 준다.

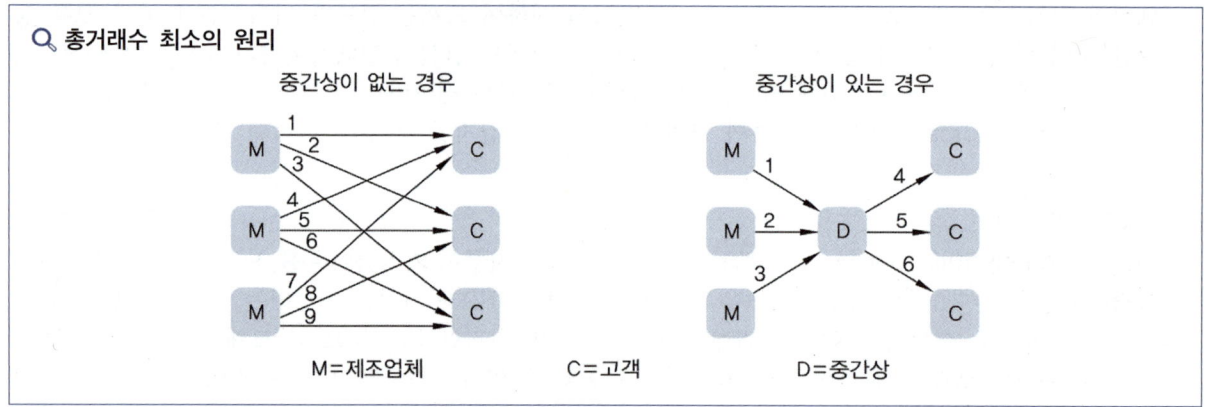

#### 2. 기능

유통에는 본원적인 기능이라고 할 수 있는 거래기능과 물적 유통기능이 있으며, 이러한 본원적인 기능을 지원하는 기능인 조성기능이 있다.

(1) 거래기능

거래기능(trade function)이란 소유권의 이전과 관계되는 기능을 말하며, 판매기능(sales function)과 구매기능(buy function)으로 구분할 수 있다.
① 판매기능: 생산자를 대신한 판매활동으로써 판매촉진, 운송, 거래조건 조율기능 등이 있다.
② 구매기능: 재판매를 위한 상품 구입 및 재생산을 위한 원자재 구입 등의 기능이 있다.

### (2) 물적 유통기능

물적 유통기능(physical distribution function)이란 재고 이전과 관계되는 기능을 말한다. 유통은 물적 유통기능을 통해 소비자들이 원하는 시간과 장소에서 재화와 서비스를 편리하게 구입할 수 있도록 하는 시간적·장소적 이전을 가능하게 해 준다. 물적 유통기능에는 **보관기능(custody function)**과 **운송기능 (transport function)**이 있다.

① **보관기능**: 생산자를 대신하여 제품을 보관하고 소비자에게 즉시 전달할 수 있어 **시간적 효용**을 높인다.
② **운송기능**: 생산지역과 소비지역을 연결시키고 소비자가 원하는 장소에 바로 이동시켜 **장소적 효용**을 높인다.

### (3) 조성기능

조성기능(make-up function)이란 거래 및 물적 유통기능이 원활하게 이루어지도록 보조하는 모든 기능을 말한다. 여기에는 위험부담기능(risk charge function), 금융기능(finance function), 표준화기능(standardization function), 정보제공기능(information function), 구색확보기능(assortment function) 등이 있다.

① **위험부담기능**: 재고유지 및 상품의 진부화를 포함한 도난, 화재, 손실 등의 위험을 감수한다.
② **금융기능**: 판매대금의 회수, 송금, 장부기록 등 금융거래활동을 생산자를 대신하여 수행한다.
③ **표준화기능**: 구매물량, 가격, 배달, 대금지급방법, 포장 등의 표준화를 통하여 혼선을 방지한다.
④ **정보제공기능**: 예상판매량, 경쟁기업정보, 소비자정보 등을 생산자에게 제공하고, 생산정보 및 상품정보를 고객에게 전달하여 정보의 확산을 촉진한다.
⑤ **구색확보기능**: 여러 가지 제품을 알맞게 구비하고 진열하여 소비자 선택의 폭을 넓혀 거래를 활성화한다.

## 3. 유통경로구성원

소비재 시장에서의 경로구성원들은 크게 도매상과 소매상으로 분류된다. 물론, 넓은 의미에서의 경로구성원에는 생산자와 소비자뿐만 아니라 창고업자나 수송업자와 같은 물류기관, 광고회사, 금융기관 등 모든 마케팅 조직들이 포함된다.

### (1) 도매상

도매상은 생산자(공급자)와 소비자(소매상) 모두에게 마케팅기능을 수행한다. 어떤 경우에는 판매와 직접적으로 관련된 서비스만을 제공하며, 또 다른 경우에는 공급자로부터의 제품구매, 소매상에 대한 제품판매, 제품촉진의 지원, 대량품목을 소비자욕구에 맞도록 소량으로 분할, 소매상으로 제품수송, 소비자(소매상)를 위한 공급자의 제품 보관, 소비자에게 신용을 부여하거나 주문 및 즉각적인 지불을 통하여 공급자에게 금융지원을 제공, 공급자에게 다양한 정보를 제공 등의 기능을 수행한다. 소비재 시장에서 활동하는 도매상은 크게 상인도매상, 대리점과 브로커, 제조업자 도매상(제조업자 판매지점 및 사무소) 등으로 분류할 수 있다.

① **상인도매상**: 제품에 대한 소유권을 가지고 소매상과 거래한다. 이러한 상인도매상은 완전서비스 도매상과 한정서비스 도매상으로 구분할 수 있다.
② **대리점과 브로커**: 제품에 대한 소유권을 갖지 않고, 다만 수수료를 받고서 제한된 마케팅기능만을 수행한다는 점에서 서로 공통점을 가진다. 하지만 대리점은 지정된 기간 동안 구매자 또는 판매자를 대표하고, 브로커는 구매자와 판매자를 연결시켜 교환을 협상하는 데 도움을 준다는 차이점이 있다.

③ **제조업자 도매상(제조업자 판매지점 및 사무소)**: 판매지점은 그들의 공장과는 별도로 제조업자에 의해 유지되며, 주로 도매상 차원에서 제조업자의 제품을 마케팅하기 위해 운영된다. 몇몇 판매지점은 창고시설을 갖추고 있기도 하지만, 어떤 지점들은 단지 판매사무소만을 갖고 있다. 대부분의 판매지점은 다른 제조업자들로부터 구매된 비슷하고 보완적인 제품계열을 취급하는 도매상으로도 활동한다.

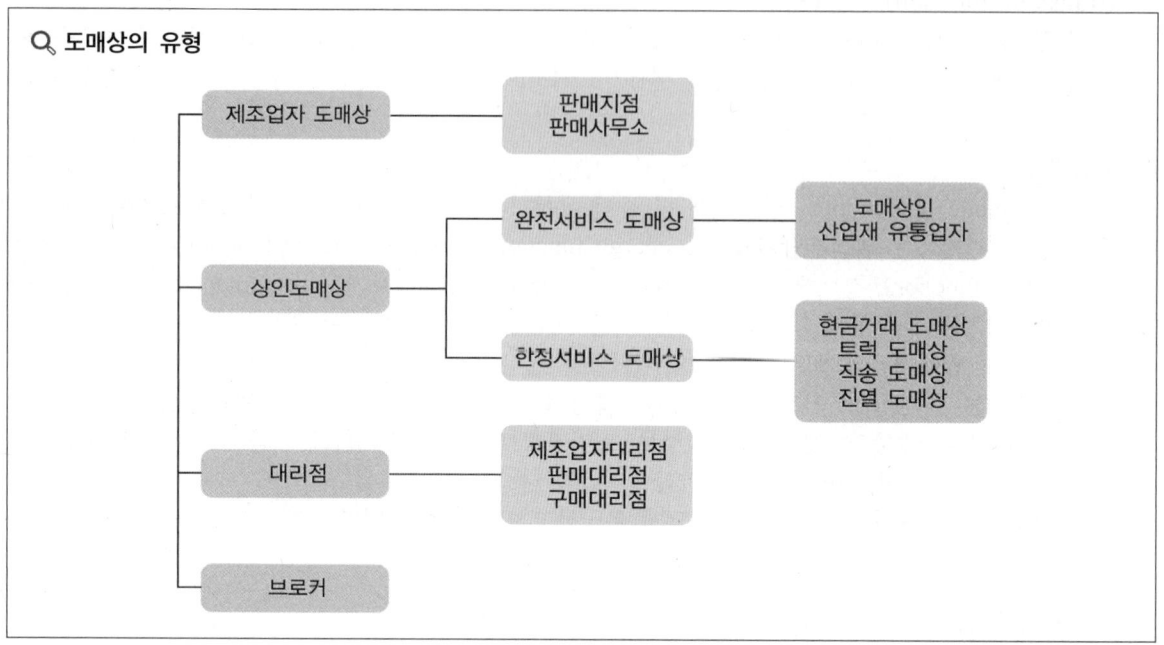

### (2) 소매상

소매상은 최종소비자에게 제품을 판매하는 것과 관련된 모든 활동을 수행한다. 소매상은 소비자와 직접 접촉하기 때문에 소비자욕구에 반응하는 데 신속하며, 그 운영형태를 소비자욕구에 맞게 계속 변화시킨다. 최근 소매업계를 주도하고 있는 소매형태들은 두 가지의 뚜렷한 방향을 갖고 있는데, 이를 소매형태의 양극화현상이라고 한다. 양극화 방향 중 한 극단은 제한된 제품계열, 철저한 관리, 고도로 집중화되고 전문화된 소매형태이며, 다른 하나는 대형점포 보관기술 및 셀프 서비스 노하우를 바탕으로 한 형태이다. 이러한 소매상은 크게 점포 소매상과 무점포 소매상으로 구분할 수 있다.

① **점포 소매상**: 백화점,[122] 할인점,[123] 슈퍼마켓,[124] 회원제 창고점,[125] 카테고리 킬러,[126] 편의점[127] 등이 있다.

---

122) 대부분의 소매점보다 훨씬 크며, 제품의 깊이와 폭 면에서 방대함을 그 특징으로 하고 있다.
123) 전국적으로 유통되는 제품들을 철저한 셀프서비스하에서 저가격으로 대량판매하며, 일괄구매가 가능하도록 하여 편리함을 추구하는 동시에 효율성을 강조하여 저가격을 실현하는 업태이다.
124) 낮은 가격을 위주로 하여 생활잡화부터 식품에 이르기까지 다양한 품목을 취급하고 있다. 아직까지 장소상의 편의 면에서 고객과 가까이 있다는 경쟁적 우위를 중심으로 지역밀착형 서비스를 제공하고 있다.
125) 회원들에게 거대한 창고형식의 점포에서 30~50% 할인된 가격을 정상적인 제품들을 할인점보다 훨씬 더 저렴하게 판매하는 업태이다.
126) 특정 상품 카테고리를 깊게 취급하고 그 상품들에 대해 할인점보다 더 낮은 가격으로 판매하는 업태이다.
127) 인구밀집지역에 위치해 대체로 24시간 영업을 하며 재고회전이 빠른 식료품과 편의품 등의 한정된 제품계열을 취급한다.

② **무점포 소매상**: 점포를 두고 활동하는 점포 소매상과는 달리 고객과 직접 거래하는 방식을 취한다. 고객과의 직접적인 거래를 하는 무점포 소매상의 종류에는 전자상거래,[128] 방문판매,[129] 전화판매,[130] 통신판매,[131] 홈쇼핑,[132] 자동판매기[133] 등이 있다.

## 4. 유형

### (1) 의의

유통에는 크게 생산자와 소비자가 직접 거래하는 **직접유통**(direct distribution)과 생산자와 소비자 사이에 유통기관을 활용하는 **간접유통**(indirect distribution)이 있다. 생산자가 활용하는 대표적인 유통기관에는 소매상과 도매상이 있는데, 소매상(retailer)은 개인적 또는 비영리적 목적으로 구매하려는 최종 소비자에게 재화나 서비스를 판매하는 것에 관련된 활동을 수행하는 상인을 의미하고, 도매상(wholesaler)은 제품을 구입하여 소매상 또는 다른 도매상 및 산업재 생산자에게 재판매하는 개인이나 조직체를 의미한다. 유통의 구체적인 유형은 다음과 같다.

① **생산자 → 소비자**: 가장 단순한 유통경로로 생산자가 직접 소비자와 거래하는 직접유통방식이다. 보험상품, 텔레마케팅 및 대부분의 서비스 거래와 같이 중간에 유통기관 없이 직접 판매하기 때문에 **다이렉트 마케팅**(direct marketing)이라고도 한다.

② **생산자 → 소매상 → 소비자**: 생산자와 소비자 사이에 한 단계의 중간상이 존재하는 간접유통방식이다. 대형마트, 백화점, 자동차대리점 등과 같은 유통기관들이 생산자로부터 직접 구매하여 소비자에게 판매하는 유형이다.

③ **생산자 → 도매상 → 소매상 → 소비자**: 소매상들은 생산자와 직접 거래하기에는 규모나 금전적 측면에서 많이 부족하기 때문에 소매상보다 규모나 자금면에서 월등한 도매상이 생산자로부터 제품을 구입하고, 이를 소매상에게 재판매하는 간접유통방식이다. 이는 가장 일반적인 유통방식이다.

④ **생산자 → 대리상 → 도매상 → 소매상 → 소비자**: 생산자가 도매상에게 직접 유통시키기보다는 대리상(broker)을 활용하는 간접유통방식이다. 대리상은 도매상과 같은 기능을 일부 수행하지만 제품에 대한 소유권이 없이 생산자와 도매상을 연결시켜 유통을 촉진시키고 거래수수료를 받는 것이 전통적인 도매상과의 차이점이다. 일반적으로 정육점의 육류나 통조림 등의 유통에 많이 활용된다.

---

[128] 소매상의 한 형태로서 전자상거래를 정의한다면 인터넷을 통해 소비자와 기업이 제품을 거래하는 것을 말하며, 인터넷 쇼핑과도 동일한 의미를 갖는다.

[129] 소비자들과 개인적인 접촉을 하게 되는 특징이 있으며, 개별방문을 통해 판매가 이루어진다. 방문판매를 통해 판매되는 대표적인 제품으로는 화장품이나 학습지 등이 있다.

[130] 한 때 미국에서 무점포 소매상으로 가장 빨리 성장했던 무점포 소매상의 한 형태이며, 우리나라의 경우에도 다양한 산업에서 텔레마케팅(tele-marketing) 기법이 도입되었다.

[131] 광고나 다이렉트 메일(direct mail)을 통해 제품에 대한 정보를 얻은 고객이 우편으로 주문해서 상품을 구매하는 방식이다.

[132] TV를 통해 제품에 대한 정보를 자세하게 전달하여 고객으로 하여금 구매에 따른 위험을 줄이면서 동시에 장소적·시간적 제약을 받지 않고 쇼핑할 수 있도록 한다는 장점을 가지고 있다.

[133] 가장 전통적인 무점포 판매방식으로서 인적요소가 배제된다는 점에서 다른 무점포 방식과 크게 구별된다. 요즘은 다양한 제품을 취급할 수 있게 발달하고 있는 추세이다.

### (2) 경로구조(경로길이)의 결정

제조업체는 경로목표를 달성하기 위하여 경로길이, 즉 어떤 유형의 중간상들을 경로구성원으로 포함시켜야 하는지를 결정해야 한다. 제조업체는 상황에 따라 중간상들을 배제하고 자신이 고객들과 직접 거래하는 경로길이가 짧은 경로구조를 선택할 수도 있고, 제품의 유통과정에 많은 유형의 중간상들을 참여시킴으로써 경로길이가 긴 경로구조를 선택할 수도 있다. 따라서 제조업체가 경로길이를 결정할 때는 다음과 같은 요인들을 고려하여야 한다.

① **시장요인**: 목표시장 고객의 특성은 유통경로길이에 영향을 미친다. 예를 들어, 목표시장의 규모가 크고 특정 지역에 고객이 집중되어 있을 경우에 제조업체는 유통경로의 길이가 짧은 직접 유통경로를 고려할 가능성이 높다.

② **제품요인**: 제품특성도 경로길이에 영향을 미치게 된다. 신선도를 유지해야 하는 부패성 제품과 선적거리와 물량공급의 횟수를 최소화해야 하는 대용량 제품(bulky products)의 경우는 짧은 유통경로가 바람직하다. 또한, 판매에 전문적 기술을 필요로 하는 복잡한 제품의 경우도 고객에게 정확한 제품정보를 제공하는 데 효과적인 직접 유통경로를 선택할 가능성이 높다. 다양한 제품계열을 생산하는 기업은 각 제품계열에 대한 경로구성원들을 구축할 경우 많은 유통비용이 든다. 따라서 유통비용을 줄이기 위해 직접 유통경로를 채택할 가능성이 높다.

③ **기업요인**: 기업의 재무적 능력, 중간상의 거래경험, 제조업의 마케팅수행능력, 제품의 유통과정에 대한 통제욕구 등과 같은 기업특성들도 경로구조 선택에 영향을 미친다. 즉, 기업이 충분한 재무적 능력이 있고 스스로 마케팅기능을 수행할 능력이 있으며, 유통과정에서 수행될 마케팅기능을 통제하고자 하는 욕구가 강할수록 경로길이를 단축하는 직접 유통경로를 택할 것이다.

④ **경로구성원요인**: 제조업체는 경로구조선택 시 경로구성원과 관련하여 중간상의 이용가능성[134], 경로구성원들이 제공해야 할 서비스의 수와 질[135], 각 경로구성원들과의 거래에서 발생되는 상대적 비용[136] 등과 같은 요인들을 고려해야 한다.

## 5. 유통경로 전략

유통경로 전략이란 시장, 제품, 생산자 및 경쟁적 요인들을 고려하여 유통기관의 수를 결정하는 것을 말한다. 생산자가 충분한 유통경험과 자금력, 고가격제품, 산업제품, 부패가능성이 높은 제품 및 바람직한 도·소매상이 부재한 경우에는 짧은 유통경로(직접유통)를 선택한다. 그러나 반대로 고객이 넓은 지역에 분포한 경우, 소량반복구매, 부족한 유통경험 등과 같은 상황에서는 긴 유통경로(간접유통)를 선택한다. 이러한 유통경로 전략은 생산자와 소비자 사이에 존재하는 유통기관의 수에 따라 다음과 같이 구분할 수 있다.

### (1) 개방적 유통경로 전략

개방적 유통경로 전략(intensive distribution strategy)이란 집중적 유통경로 전략이라고도 하는데, 자사 제품에 대해 모든 판매업자에게 판매를 허용하는 전략을 말한다. 이를 통해 가능한 한 많은 도매업자와 소매업자를 활용하여 제품을 유통시킬 수 있기 때문에 편의품(convenience goods)의 경우에 많이 활용된다. 개방적 유통경로 전략은 소비자에게 자주 노출되고 쉽게 구매되어 매출증대의 효과는 있지만, 낮은 마진으로 중간상의 통제가 곤란하고 광고 및 촉진활동을 대부분 생산자가 부담해야 하는 단점이 있다.

---

134) 필요한 마케팅기능을 수행할 수 있는 중간상들을 구할 수 없거나 있더라도 이를 수행할 의지가 없는 경우에 제조업체는 직접 유통경로를 구축할 수밖에 없다.

135) 소비자는 중간상이 제공하는 신용제공, 배달, 품질보증, 판매원의 서비스, 보수 등에 대한 기대를 가진다. 제조업체는 중간상이 제공해야 할 서비스의 수가 많거나 서비스의 품질이 제품판매에 중요하다면 직접 유통경로를 선택할 것이다.

136) 손수건, 지갑, 양말 등과 같이 불특정다수의 고객들에게 소량으로 판매하는 제품을 생산하는 제조업체는 대형도매상과 직접 거래하고 대형도매상들이 다수의 소형점포들과 거래하는 것이 자사제품을 취급하고자 하는 각 소매점포들과 개별거래하는 것보다 비용의 경제성을 실현할 수 있다. 따라서 경로길이가 긴 경로구조를 선택할 것이다.

### (2) 선택적 유통경로 전략

선택적 유통경로 전략(selective distribution strategy)이란 개방적 유통경로 전략과 전속적 유통경로 전략의 중간형태로 다수의 중간상 중 일부에게 선택적으로 판매권한을 부여하는 전략을 말한다. 소수 중간상만 활용하기 때문에 가격인하는 거의 일어나지 않는 것이 특징이며, 자사의 상표이미지를 제고하고, 고객서비스를 강화하기 위한 목적으로 사용하는 전략이다. 일반적으로 선매품(shopping goods)의 경우에 많이 활용된다.

### (3) 전속적 유통경로 전략

전속적 유통경로 전략(exclusive distribution strategy)이란 배타적 유통경로 전략이라고도 하는데, 생산자가 특정 지역 또는 시장에 한하여 독점적 권한을 부여한 도매상과 소매상을 선정하고, 그들에게만 자사제품을 유통시키는 전략을 말한다. 이때 도매상에게 부여한 권한을 독점판매권(distributorship)이라 하고, 소매상에게 부여한 권한을 딜러십(dealership)이라고 한다. 이 전략은 중간상에 대하여 완전한 통제가 가능하고, 중간상과 함께 의사결정과 촉진활동을 수행하여 상표이미지 유지와 마케팅비용을 절감하는 장점을 가지고 있다. 일반적으로 전문품(speciality goods)의 경우에 많이 활용된다. 전속적 유통경로 전략을 채택하는 제조업체는 경로구성원이 수행해야 할 마케팅기능을 의도한 대로 통제할 수 있다. 즉, 구성원들 간의 합의에 의해 각 경로구성원들이 수행해야 할 마케팅기능(취급제품, 책임판매지역, 재고수준, 판매목표량, 촉진활동 등)을 명시함으로써 그들의 경로활동에 대한 통제를 극대화할 수 있다.

## 6. 유통경로상 갈등

### (1) 의의

유통경로상 갈등(channel conflict)이란 유통경로상에 있는 유통기관 사이에 발생하는 갈등을 말한다. 유통기관들은 각자의 이익을 위하여 의사결정하고 활동하기 때문에 다른 유통기관과 갈등을 유발할 수밖에 없으며, 갈등발생의 대표적인 원인에는 목표불일치, 역할(영역)불일치, 지각불일치 등이 있다. 여기서 목표불일치는 구성원 간의 목표가 서로 다르고 이들 목표를 동시에 달성할 수 없을 때를 의미하고, 역할(영역)불일치는 구성원 간에 각자의 역할영역에 대한 합의가 이루어지지 않을 때를 의미하며, 지각불일치는 동일한 사실이나 실체에 대해 서로 다르게 지각할 때를 의미한다. 갈등은 반드시 부정적인 것이 아니며, 문제를 발견하고 해결하여 성과를 높이는 계기가 될 수도 있다. 이것을 갈등의 순기능이라고 한다. 그러나 갈등이 지나치게 커지게 되면 구성원들 간의 협력이 적어지고 영역의 중복, 비효율성 등이 나타나게 되고, 이를 갈등의 역기능이라고 한다.

### (2) 유형

① **수평적 갈등**: 유통경로상 같은 단계에 있는 유통기관들 사이에서 발생하는 갈등을 말한다. 수평적 갈등은 주로 기존에 취급해오던 제품 이외에 다른 제품을 추가하거나 판매영역을 확대함으로써 유발된다. 일반적으로 경쟁적인 상품기획과 영업확대에서 비롯되는 경우가 많다.

② **수직적 갈등**: 유통경로상 다른 단계에 있는 유통기관들 사이에서 발생하는 갈등을 말한다. 수직적 갈등은 생산자가 소비자와 직접유통을 시도하여 이윤을 높이거나 도매상에게 재고부담과 판촉비용을 전가하는 등의 경우에 유발된다. 일반적으로 수직적 갈등은 수평적 갈등에 비해 해결하기가 쉽지 않다.

### (3) 갈등해결방법

① **상위목표의 설정**: 기업은 거래쌍방의 개별적 목표가 아닌 상위목표를 설정함으로써 경로갈등을 해결할 수 있다. 이 방법은 경로구성원 간에 어느 정도 공존의식과 일체감이 형성되어 있는 경우에 효과적이므로 주로 수직적 마케팅시스템에서 효과적인 갈등해소방법이다.

② **중재(mediation)**: 제3자가 내리는 결정을 거래쌍방이 의무적으로 수용하도록 하는 갈등해결방법이다. 공정거래위원회와 같은 정부기관이 제3자로서 제조업체와 소매상 간의 거래에 있어 발생하는 갈등문제를 해결하는 과정에 관여하는 경우가 대표적인 예에 해당한다.

③ **인력교환**: 거래상대방과의 상호작용을 증가시킴으로써 갈등을 해결한다. 인력교환은 경로의사결정에 거래쌍방이 자신 또는 자신의 대표를 선임하여 참여하는 공식적인 방법과 어느 일방의 의사결정에 거래상대방이 자문위원회 등을 통해 간접적으로 참여하는 방법이 있다.

④ **협상(bargaining)**[137]: 의존도가 낮은 유통경로형태에서 갈등해결을 위해 가장 보편적으로 활용된다. 갈등해결에 있어 힘의 행사만으로는 갈등을 해결하기 어려울 것이므로 힘의 행사와 함께 양보도 해야 한다. 협상을 통해 합의점에 이르기 위해서는 상대방으로 하여금 더 이상의 양보가 불가능하다는 인식을 가지게 하는 것이 중요하다. 이러한 인식은 상호신뢰가 조성되어 있는 경우에 가능하다.

## 7. 유통경로시스템

유통경로는 개인, 기업, 경로목적을 달성하기 위해 상호작용하는 사람과 기업으로 구성된 복잡한 시스템이다. 어떤 경로시스템은 느슨하게 조직화된 기업 사이의 비공식적인 상호작용만으로 구성되고, 또 다른 경로시스템은 강력한 조직구조로 관리되는 공식적인 상호작용으로 구성되기도 한다. 유통경로시스템의 구체적인 내용은 다음과 같다.

### (1) 전통적 유통경로시스템

전통적 유통경로시스템(conventional distribution channel system)이란 **제조업자, 도매상, 소매상이 서로 지배하지 않고 독립적인 형태로 연결된 유통경로시스템**을 말한다. 가장 기본적인 유통경로시스템으로서 각 경로구성원들은 독립적으로 맡은 역할을 수행하기 때문에 경로구성원 간의 연대가 약하고 갈등이 발생했을 때 조정하기 힘든 단점이 있다. 또한, 경로구성원들은 각자의 이익을 추구하며 다른 경로구성원들의 성과에 별 관심을 두지 않는다. 제조업체는 경로구성원들에 대한 통제력을 가지고 있지 않을 뿐만 아니라 경로갈등을 해소할 공식적 기구가 존재하지 않기 때문에 경로구성원들 간의 조정은 리더십과 사전계획보다는 협상과정을 통해 이루어진다. 그 결과 빈번한 갈등과 낮은 경로성과를 초래할 가능성이 높으며, 만약 제조업체가 경로목표의 달성을 위해 경로구성원들의 기능을 조정·통제하려는 노력을 강화한다면 경로구성원들은 이에 대해 반발할 가능성이 높다.

---

[137] 협상(negotiation)은 쌍방이 서로 다른 입장에 있을 때 합의된 결정을 만들어 가는 과정을 의미한다. 즉, 이해관계가 있는 사람들 간에 상호교류를 통하여 서로의 이해를 충족시켜 나가는 과정이다. 협상은 그 성격에 따라 배분적 협상(distributive negotiation)과 통합적 협상(integrative negotiation)으로 구분할 수 있다. 배분적 협상은 제한된 자원을 두고 누가 더 많은 부분을 차지할 것인가를 결정하는 협상이고, 통합적 협상은 서로가 모두 만족할 수 있는 선에서 상호승리를 추구하는 협상이다.

### (2) 수평적 마케팅시스템

수평적 마케팅시스템(horizontal marketing system, HMS)이란 동일한 유통경로단계에 있는 두 개 이상의 기업이 자원과 마케팅 프로그램을 결합하여 수행하는 마케팅시스템을 말한다. 이는 각 기업이 단독적으로 효과적인 마케팅활동을 수행하는 데 필요한 자본, 마케팅 자원 및 노하우 등을 가지고 있지 않기 때문에 수평적 통합을 통해 시너지 효과를 얻고자 하거나 경쟁을 회피하는 것이 그 목적이다. 또한 이러한 형태의 결합방식을 공생적 마케팅(symbiotic marketing)[138]이라고도 한다.

### (3) 수직적 마케팅시스템

수직적 마케팅시스템(vertical marketing system, VMS)이란 하나의 전체 시스템으로 운영되는 유통경로시스템으로서 제품이 제조업자에서부터 소비자까지 흐르는 과정의 수직적 유통단계를 관리하는 유통망을 의미한다. 수직적 마케팅시스템은 경로 내의 유통기관에 대한 통제력을 강화하여 시장영향력이 최대가 될 수 있도록 하며, 물적 유통비용의 절감과 다른 기업과의 판매와 구매과정에서 발생되는 거래비용을 절감할 수 있다. 그러나 막대한 자본이 소요되고 생산규모의 불균형 문제를 초래할 수 있으며, 유연성 감소로 인해 시장상황 변화에 대한 유연한 대응이 어려울 수 있다는 단점이 있다. 수직적 마케팅시스템은 유통기관의 소유와 계약형태에 따라 **기업형 VMS, 계약형 VMS, 관리형 VMS**로 구분한다.

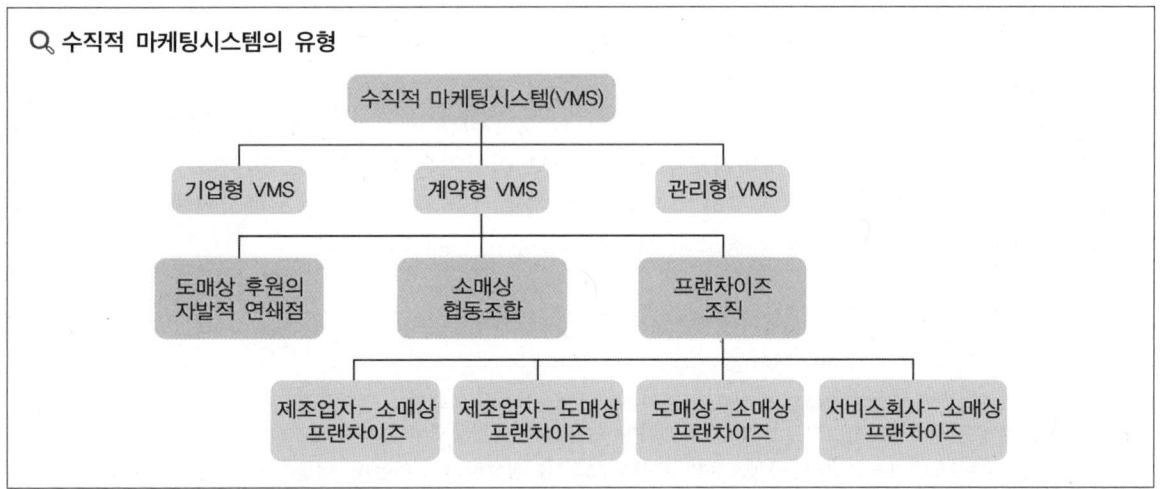

🔍 **수직적 마케팅시스템의 유형**

① **기업형 VMS**: 유통경로에 있는 기관이 다른 유통기관을 소유한 형태의 수직적 마케팅시스템이다. 소유권을 확보하여 생산과 유통을 연속적으로 결합한 것이다. 제조업체가 도·소매상을 소유하는 전방통합(forward integration), 소매상들이 그들에게 제품을 공급하는 제조업체를 소유하는 후방통합(backward integration)이 기업형 VMS의 전형적인 형태이다. 제조업체는 자사제품의 유통을 전담할 도·소매점을 100% 소유한 유통망을 형성하거나 또는 주식의 일부를 취득함으로써 부분적인 수직적 통합을 채택할 수도 있다.

---

[138] 공생적 마케팅은 두 개 이상의 독립된 조직 간에 각 조직의 마케팅 잠재력을 개선시킬 의도로 자원 또는 프로그램을 결합하는 것으로서, 환경의 불확실성을 흡수하여 안정적 운영의 기반을 마련하거나 다른 기업과의 경쟁에서 유리한 고지를 달성 또는 새로운 제품이나 시장을 개척하는 성과를 거두고자 하는 개념이다. 따라서 공생적 마케팅은 기업이 처한 경쟁구조가 점점 어려워지고 내부자원이 빈약할수록 이를 극복해 나갈 수 있는 효과적인 대안이 될 수 있으며, 상호이익이라는 긍정적 가치와 시너지 효과를 유발시키는 효과적인 전략이 될 수 있다.

② **계약형 VMS**: 수직적 마케팅시스템 중 가장 일반적인 형태로 생산자, 도매상, 소매상은 각각 독립되어 있으나, 상호 간 계약에 의해 수직적으로 통합한 형태이다. 계약형 VMS는 도매상후원 자발적 연쇄점(wholesaler-sponsored voluntary chain)[139], 소매상 협동조합(retailer cooperative)[140], 프랜차이즈 조직(franchise system)[141]의 세 가지 유형으로 나누어진다.

③ **관리형 VMS**: 위치, 지위, 명성 및 자원 등이 우월한 하나 또는 한정된 수의 기업이 경로 전체의 전략이나 방침을 결정하고 다른 구성원들이 법적으로 자율성을 가지면서 그것에 따르는 수직적 마케팅시스템이다. 시장점유율이 높은 제조업체들은 중간상들의 자사 브랜드에 대한 머천다이징계획을 지원하며, 자사 브랜드에 대한 진열공간확보, 촉진정책 등과 관련하여 이들로부터 강력한 협조를 얻을 수 있다.

### (4) 복수유통경로시스템

복수유통경로시스템(multi-channel system)이란 세분시장마다 다른 유통경로를 사용하는 유통경로시스템을 말한다. 궁극적으로 마케팅노력을 보다 효과적으로 수행하여 비용절감을 통한 시장확대가 목적이다. 최근 들어 시장세분화가 가속화되고 다양한 유통경로 활용이 가능해짐에 따라 둘 이상의 유통경로를 함께 활용하는 것이 가능해졌고, 이러한 각각의 새로운 경로를 통해 매출의 증대, 시장범위의 확대 등이 가능해졌으며, 상이한 세분시장의 특별한 요구에 자사의 재화와 서비스를 맞출 수 있는 기회를 얻을 수 있게 되었다. 그러나 경로 간 갈등이 발생할 가능성이 있다.

### (5) 역유통경로시스템

역유통경로시스템(reverse distribution channel system)이란 생산자로부터 소비자로 이어지는 전통적 유통경로의 반대 개념으로서, 소비자로부터 생산자로 이어지는 유통흐름을 말한다. 이는 제품을 생산하는데 필요한 원자재의 순환을 촉진하기 위함인데, 예로 소비자가 빈병을 소매상에게 되파는 경우나 부품을 재활용하기 위한 도매상의 중고품 보상판매활동이 이에 해당된다.

---

[139] 독립적인 소매상들이 대형도매상을 중심으로 수직통합된 형태이다. 연쇄점 구성원들은 공동구매와 공동촉진 노력에 의해 규모의 경제성을 얻을 수 있으므로 대규모의 회사형 연쇄점과 가격경쟁이 가능하다.

[140] 중소 소매상들이 도매기능을 가진 공동소유의 조직체(협회)를 결성하기도 하는데, 이를 소매상 협동조합이라고 한다. 소매상 협동조합을 통해 공동구매 및 촉진활동을 수행함으로써 규모의 경제를 달성할 수 있다. 전국 중소상인 연쇄점협회나 한국슈퍼마켓 협동조합 등은 소매상조합의 예이다. 도매상후원 자발적 연쇄점과 소매상 협동조합은 소유형태의 차이 이외는 운영에 있어서 많은 유사점이 있다. 가입소매점들은 상당량의 상품들을 중앙(본부)으로부터 구입하여야 하며, 표준화된 소매광고와 운영방식 등에 따라야 한다. 가입소매점들은 공동광고비를 분담하며 같은 상호하에 점포를 운영한다. 이와 같은 운영의 표준화는 규모의 경제를 가능하게 한다. 일반적으로 도매상후원 자발적 연쇄점이 소매상 협동조합보다 경쟁상의 이점이 있다. 이는 도매상후원 연쇄점의 경우 도매상들이 전문지식과 시장파워를 이용하여 유통경로구성원들의 리더가 될 수 있는 반면, 소매상 협동조합에 있어서는 파워가 구성원들에게 분산되어 있기 때문에 구성원들 간에 마케팅경로기능들을 조정하기가 쉽지 않기 때문이다.

[141] 프랜차이즈 본부(franchiser)가 계약에 의해 가맹점(franchisee)에게 일정기간 동안 특정 지역 내에서 자신들의 상표, 상호, 기업운영방식 등을 사용하여 제품을 판매할 수 있는 권한을 허가해 주며, 가맹점은 이에 대한 대가로 본부에 초기 가입비와 매출액에 대한 일정비율의 로열티(royalty)를 지급하는 유통업태로 정의된다. 법적 계약에 의해 프랜차이즈 본부는 가맹점포에게 제품을 판매하거나 설비를 임대 또는 판매할 수 있다. 이러한 프랜차이즈 조직은 수직적 마케팅시스템의 여러 유형들 중 최근 가장 급속한 성장을 보이는 경로유형의 하나이다. 프랜차이즈 조직은 제조업체후원 소매상 프랜차이즈 시스템, 제조업체후원 도매상 프랜차이즈 시스템, 서비스회사후원 소매상 프랜차이즈 시스템의 세 가지 유형으로 나눌 수 있다. 제조업체후원 소매상 프랜차이즈 시스템의 대표적인 예는 미국의 자동차 딜러, 주유소가맹점 등이 있고, 제조업체후원 도매상 프랜차이즈 시스템의 대표적인 예는 코카콜라, 펩시콜라 등과 같은 콜라회사이다. 서비스회사후원 소매상 프랜차이즈 시스템은 본사가 가맹점에 운영과 관련된 서비스를 제공하는 제도로서 매우 다양한 형태의 프랜차이즈 조직이 있는데, 대표적인 예로는 자동차대여업(Hertz, Avis 등), 패스트푸드 체인(맥도날드, 롯데리아, 피자헛 등), 호텔체인(Holiday Inn, 쉐라톤, 하얏트 등) 등이 있다.

## 2 상권분석

### 1. 의의
상권(trading area)이란 **시장을 중심으로 이루어지는 상업활동의 범위**를 말한다. 상권의 구성요소로는 재화나 서비스를 공급하는 상점, 상가, 도시와 같은 공간개념과 구입하는 소비자로 되어 있다. 그리고 상권분석이란 이러한 공간과 소비자를 분석하는 것을 말한다.

### 2. 상권의 분류
상권은 직접 소비자에게 영업하는 중심지와 그 중심지에 제품을 공급해주거나 중심지의 제품을 소비하는 배후지로 구분할 수 있지만, 여러 가지 다른 분류기준에 따라 구분할 수 있다.

#### (1) 유통경로기준
도매상권과 소매상권으로 구분한다.

#### (2) 고객수용정도
지역상권, 지구상권, 개별점포상권으로 구분한다.

#### (3) 점포이용고객기준
1차 상권(점포이용고객의 50~80%를 흡수하는 지역상권), 2차 상권(1차 상권 이외의 지역상권으로 점포이용고객의 15~25%를 흡수하는 지역상권), 한계상권(1, 2차 상권을 제외한 잔여 지역상권)으로 구분한다.

### 3. 개별점포의 상권분석

#### (1) 대조표법(checklist)
상권규모에 영향을 미치는 요소들을 나열하고, 이것들을 평가하여 신규상권의 잠재력을 분석하는 방법이다.

#### (2) 유추법(analog method)
애플바움(Applebaum)이 주장한 이론으로, 자사의 점포와 비슷한 점포를 선택하여 그 점포의 상권범위를 추정한 후에 그 결과값으로 자사의 신규점포매출액과 상권규모를 측정하는 방법이다.

#### (3) 중심지이론(central place theory)
크리스탈러(Christaller)가 주장한 이론으로, 지역 내의 입지, 규모, 자연 및 공간화에 대한 이론이다. 공급자는 운송비를 최소화하고 매출을 극대화하기 위해 공급처를 가능한 한 소비자와 가까운 곳에 입지하려고 하며, 만약 인접지역의 인구분포가 균등하다면 상업중심지들 간에 안정적인 시장균형을 얻을 수 있는 **이상적인 상권모형은 육각형**이라는 것이다.

#### (4) 소매중력법칙(law of retail gravitation)
라일리(Reilly)가 주장한 이론으로, 두 경쟁도시가 그 중간에 위치한 소도시로부터 끌어들일 수 있는 **상권규모는 그 도시의 인구에 비례하고, 각 도시와 중간(위성)도시 간의 거리제곱에 반비례**한다는 것이다.

#### (5) 선택공리(axion of choice)
루스(Luce)가 주장한 이론으로, 특정소비자가 동일 지역 내의 여러 개 점포 중 어느 것을 선택하여 쇼핑할 것인가를 보여주는 확률적 모형이다. 즉, 특정 점포를 선택할 확률은 소비자가 고려하는 여러 점포들의 개별효용(소비자가 특정 점포를 방문할 때 느끼는 매력)의 전체 합에 대한 특정 점포의 효용비율에 따라 결정된다는 것이다.

### (6) 허프의 법칙(law of Huff)

소비자가 점포를 선택할 확률은 그 점포의 매장면적에 비례하고 점포에 도달하는 데 걸리는 시간 또는 거리의 제곱에 반비례한다. 즉, 소비자의 점포에 대한 효용은 매장면적이 클수록 증가하고 점포까지 거리가 멀수록 감소한다.

## 제4절 촉진

### 1 의의

#### 1. 촉진

촉진(promotion)이란 기업의 재화나 서비스를 소비자들이 구매하도록 유도할 목적으로 **해당 재화나 서비스의 성능에 대해 실제 및 잠재고객을 대상으로 정보를 제공하거나 설득하는 것**을 의미한다. 따라서 촉진은 마케팅정보를 전달한다는 관점에서 **마케팅 커뮤니케이션(marketing communication)**이라고도 한다. 마케팅 관리자는 소비자들이 구매활동에 이르도록 일련의 단계를 고려하여 순차적으로 긍정적인 반응을 유도해서 커뮤니케이션 목표를 효과적으로 달성할 수 있도록 해야 한다.[142]

**촉진과 소비자행동**

| 모형 | 인지적 단계<br>(cognitive stage) | 감정적 단계<br>(affective stage) | 행동적 단계<br>(behavioral stage) |
|---|---|---|---|
| AIDA모형 | 주의(attention) | → 관심(interest)<br>→ 욕구(desire) | → 행동(action) |
| 효과의 계층모형 | 인지(awareness)<br>→ 지식(knowledge) | → 좋아함(like)<br>→ 선호함(preference) | → 확신(conviction)<br>→ 구매(purchase) |
| 혁신수용모형 | 인지(awareness) | → 관심(interest)<br>→ 평가(evaluation) | → 시용구매(trial)<br>→ 수용(adoption) |

#### 2. 촉진믹스

**(1) 의의**

촉진믹스(promotion mix)란 촉진을 달성하기 위한 수단들의 집합을 의미하고, 그 종류에는 광고(advertising), PR(public relations), 인적판매(personal selling), 판매촉진(sales promotion) 등이 있다.
① **광고**: 광고주(sponsor)가 금전적 대가를 지불하고 자신의 재화, 서비스, 아이디어 등을 광고매체를 통하여 소비자들에게 널리 알리는 촉진활동이다.
② **PR**: 촉진을 수행하는 기업이나 조직이 금전적 대가를 지불하지 않고 뉴스나 기사, 공공캠페인 등을 통하여 기업의 재화와 서비스, 이미지, 정책 등을 소비자에게 알리는 촉진활동이다.
③ **인적판매**: 판매원이 직접 소비자와 대면하여 쌍방향 의사소통을 통해 재화와 서비스를 구매하도록 권유하고 설득하는 촉진활동이다.
④ **판매촉진**: 소비자에게 단기간의 판매를 급속히 증가시킬 목적으로 하는 모든 구매자극수단을 활용하는 촉진활동이다.

---

[142] 마케팅 퍼널(marketing funnel)은 마케팅 깔때기라고 한다. 마케팅에서 매출이 왜 발생하는지 분석하고 이해하는 것으로, 잠재 고객에서 고객에 이르기까지 구매 결정 과정을 단계적으로 표현한 모형이다. AIDA모형이 가장 대표적이다.

### (2) 결정요인

기업은 촉진활동을 효율적으로 수행하기 위하여 촉진수단 중 하나 또는 그 이상을 적절히 활용하게 되는데, 이러한 촉진수단은 다양한 요인의 영향을 받게 된다.

① **촉진대상 제품의 유형**: 촉진수단은 제품의 유형 또는 성격에 따라 달라질 수 있다. 특히 소비재와 산업재의 경우 그 촉진수단은 분명하게 달라진다. 최종 소비를 목적으로 하는 소비재는 다양한 촉진수단 중 광고의 중요성이 더 크며, 중간 소비를 목적으로 하는 산업재의 경우에는 인적판매와 같은 촉진수단이 더 중요해지게 된다. 즉, 촉진대상 제품의 유형이 소비재에 가까울수록 광고의 중요성이 더 커지고, 산업재에 가까울수록 인적판매의 중요성이 더 커지게 된다.

② **구매의사결정과정**: 소비자는 일반적인 절차에 따라 제품구매의사결정과정을 수행하게 된다. 이러한 과정은 간단하게 '정보 탐색'의 과정과 '구매 행동'의 과정으로 구분할 수 있는데, '정보 탐색'의 과정에서는 광고나 PR이 바람직한 촉진수단이 되고, '구매 행동'의 과정에서는 인적판매나 판매촉진이 가장 바람직한 촉진수단이 된다.

③ **제품수명주기**: 촉진대상 제품의 수명주기에 따라 효율적인 촉진수단이 달라질 수 있다. 도입기와 성장기에 있는 제품은 일반적으로 신규 구매자를 통한 시장점유율 확대가 목적이기 때문에 광고나 홍보 및 PR이 적합한 촉진수단이 되며, 성숙기에서는 기존 구매자를 대상으로 한 판매촉진이 적합한 촉진수단이 된다. 쇠퇴기에서는 판매촉진을 지속적으로 실시하되, 광고는 소비자들이 기억을 상기할 정도로만 실시하면 된다.

④ **푸시(push) 전략과 풀(pull) 전략**: 푸시 전략은 제조업자가 최종소비자에게 직접 촉진활동을 하지 않고 유통업자를 통해 촉진하는 방법으로 주로 유통업자의 힘이 강하고 제조업자의 브랜드 인지도가 낮은 경우에 사용하게 되며, 인적판매나 중간상 판매촉진이 적합한 촉진수단이 될 수 있다. 풀 전략은 제조업자가 최종소비자에게 촉진활동을 함으로써 소비자가 자사제품을 찾도록 하는 전략으로 브랜드 인지도가 높은 기업이 주로 사용하며, 광고나 소비자 판매촉진이 주요한 촉진수단이 될 것이다.

### 3. 통합적 마케팅 커뮤니케이션

통합적 마케팅 커뮤니케이션(integrated marketing communication, IMC)이란 **다양한 커뮤니케이션 수단들의 전략적인 역할을 비교하고 검토한 후에, 명료성과 일관성을 높여 최대의 커뮤니케이션 효과를 제공하는 것을 목적으로 다양한 수단들을 통합하는 마케팅 커뮤니케이션**을 말한다. 즉, 각각 별개의 것으로 취급해 오던 촉진믹스들을 통합적인 관점에서 배합하고 일관성 있는 메시지를 전달하여 커뮤니케이션 수용자의 '행동'에 직접적으로 영향을 줄 목적으로 수행되는 마케팅 커뮤니케이션을 말한다. 이는 환경 변화에 따른 소비자 역할과 브랜드 전략이 변화하면서 개별적으로 보았던 커뮤니케이션 수단을 하나의 메시지로 통합하여 전달하는 형태로 변화가 요구됨에 따라 메시지를 전달하는 커뮤니케이션에 관련된 모든 요소들이 하나로 수용되는 것이다.

## 2 광고

### 1. 의의

광고(advertising)란 **광고주에 의해 아이디어, 상품 및 서비스 등의 유료형태를 취한 비인적 노출 및 촉진활동**을 말한다. 광고는 소비자들에게 재화와 서비스에 대한 인지도 향상, 제품정보제공, 상표에 대한 호의적인 태도형성, 소비자만족도 향상, 재구매 유도, 구매 후 부조화감소 등의 기능을 수행한다. 광고는 공중제시성(public presentation), 보급성(pervasiveness), 증폭표현성(amplified expression), 비인성(impersonality) 등의 특징을 가진다.

(1) 공중제시성

광고는 광범위한 공중을 대상으로 하는 공공성을 지닌 촉진방법이며, 합법적·표준화된 성격을 가진다.

(2) 보급성

광고는 메시지를 반복적으로 전달할 수 있기 때문에 잠재적 소비자들에게 광범위하게 침투한다.

(3) 증폭표현성

광고는 문자, 소리 및 그림 등을 이용하여 기업이나 제품을 다양하게 표현하고 연출할 수 있다.

(4) 비인성

광고는 잠재적 소비자들이 소득, 연령, 취미 및 구매동기 등 여러 면에서 상이함에도 불구하고 동일한 메시지를 일방적으로 표시하는 특징을 가지고 있다.

## 2. 장단점

(1) 장점

① 마케팅 의사결정자는 광고물이 실릴 지면이나 시간에 대해 비용을 지불하므로, 어떠한 매체라도 불법이 아닌 한 원하는 지면이나 시간에 자신의 메시지를 제시할 수 있다.

② 광고는 수신자당 매우 낮은 비용으로 일시에 많은 사람에게 메시지를 노출시킬 수 있다. 즉, 대중매체 광고를 1회 실시하기 위한 비용이 매우 많이 소요될지라도 동시에 수많은 수신자들에게 전달되므로 오히려 수신자 1,000명당 비용이 저렴하다.

③ 광고는 판매원이 구매에 중요한 사람을 직접 만나기 어렵거나 그러한 사람이 누구인지 구체적으로 알 수 없는 경우에도 그러한 사람에게 노출되는 매체를 통해 메시지를 전달해 준다. 왜냐하면 그러한 사람들도 신문이나 잡지, 방송 등을 통해 다른 정보들을 얻는 과정에서 광고에 노출될 수 있기 때문이다.

④ 광고는 표적시장에서 지속적으로 상품을 반복하여 노출시킴으로써 독특한 상품 이미지를 형성하거나 바람직한 방향으로 개선하여 판매에 도움을 준다.

⑤ 광고는 광범위한 지역의 잠재고객들에게 신상품의 도입광고물을 신속히 노출시켜 단시간 내에 신상품을 인지시킨다. 즉, 광고는 짧은 시간 내에 넓은 지역을 포괄할 수 있다.

(2) 단점

① 광고는 대체로 고객특성을 구별하지 않고 모든 고객들에게 정형화된 한 가지의 메시지를 전달하는데, 세분시장별로 고객이 원하는 바나 행동특성을 고려하지 않는 광고는 효과를 거두기 어렵다.

② 광고의 효과가 구매행동으로 나타나기 위해서는 광고를 여러 차례 반복해야 하는데, 이러한 반복은 비용이 많이 들고 다른 촉진활동에 사용될 수 있는 자금을 잠식한다.

③ 소비자들은 대체로 대중매체의 뉴스에는 신뢰성을 보이지만, 많은 허위광고나 과장광고 등으로 인해 대체로 광고가 제시하는 내용들을 신뢰하지 않는다.

④ 일부 매체는 특정한 상품의 광고를 받아들이지 않으며, 마케팅 의사결정자가 원하는 시간이나 지면이 이미 다른 광고주에 의해 점유되어 있다면 매체와 메시지의 자유로운 선택이 제한받을 수 있다.

## 3. 유형

**(1) 부정적 광고(negative advertising)**
부정적이거나 금기시되는 소재를 활용하여 시각적·감정적 충격을 주어 특정 대상에 대해 **부정적 느낌과 정보를 전달하는 광고**를 의미한다.

**(2) 잠재의식광고(subliminal advertising)**
**인간의 잠재의식에 호소하는 광고**를 의미한다. 드라마 속의 한 장면을 활용하여 시청자의 잠재된 의식을 자극하고 기억하게 하여 수요를 자극하는 경우가 이에 해당하고, PPL(product placement) 광고라고도 한다.

**(3) 인포머셜(informercial)**
**정보(information)와 광고(commercial)의 합성어**로 제품이나 점포에 대한 상세한 정보를 제공하여 소비자의 이해를 돕는 광고기법으로, 광고라는 느낌을 최소화하는 방법이다.

**(4) 티저광고(teaser advertisement)**
**초기에는 일부분만 드러내고 호기심을 자극한 후에 점차 전체 모습을 구체화시키는 광고**로, 처음에는 상품명이나 광고주를 알아볼 수 있는 메시지를 피하게 된다.

**(5) 역광고(reverse advertisement)**
**소비자가 자신의 요구를 네트워크에 입력하면 거꾸로 재화나 서비스 공급자가 이를 확인하고 소비자에게 접촉하는 광고**를 의미한다. 인터넷의 발달로 가능해진 광고의 형태이다.

**(6) 기본수요광고(primary demand advertisement)**
**특정 상표보다는 특정 제품범주에 관한 기본적인 수요(1차 수요)를 개발하는 광고**를 의미한다. 기본수요를 일으키기 위한 목적뿐만 아니라, 새로운 제품이나 혁신제품을 시장에 소개할 목적으로도 사용된다.

**(7) 구매시점(POP)광고(point of purchase advertisement)**
**매장 내 포스터, 진열대, 간판, 전단지 등을 활용하여 구매의도가 없는 소비자를 자극하고 바로 구매할 수 있도록 유도하는 광고**를 의미한다.

### 제품수명주기별 광고목표 및 광고유형

| 제품수명주기 | 광고목표 | 광고유형 |
| --- | --- | --- |
| 도입기 | • 제품성능 및 이점에 대한 인지도 제고<br>• 1차 수요 생성 | 정보제공적 광고 |
| 성장기 | 제품 선호도 증가 | 설득광고(비교광고) |
| 성숙기 | • 브랜드 이미지 형성<br>• 상표애호도 제고<br>• 구매 후 인지부조화 가능성 제거<br>• 제품 상기율 제고 | • 감성전이형 광고<br>• 강화광고<br>• 상기광고 |
| 쇠퇴기 | 제품의 상기: 회상 | 상기광고 |

## 4. 메시지 구조

메시지 구조(message structure)는 전달할 메시지를 어떻게 구성하느냐에 관한 문제로서 핵심내용의 제시 순서, 결론도출여부, 메시지의 주장측면, 언어적·비언어적 메시지 등을 고려하여 결정한다.

### (1) 핵심내용의 제시순서

① 메시지의 핵심내용을 광고물의 어디에 제시하느냐에 따라 효과가 달라진다. **처음에 제시하는 것과 마지막에 제시하는 것이 중간에 위치시키는 것에 비해 효과적이다.** 즉, 첫인상과 같이 처음에 제시된 정보가 상대적으로 큰 주목을 받을 수 있기 때문에, 그리고 나중에 제시된 정보는 가장 최근에 노출되어 기억에 더 잘 남기 때문에 효과적인 것이다.

② 메시지의 핵심내용을 어디에 두느냐는 광고되는 제품에 대해 소비자가 가지고 있는 기존의 태도와 관여도에 영향을 받는다. 만일 소비자가 광고제품에 대해 부정적인 태도를 가지고 있다면 핵심메시지를 처음에 제시하는 것이 보다 효과적이다. 왜냐하면 처음에 제시함으로써 소비자가 광고제품에 대해 부정적인 생각을 떠올릴 가능성(이를 반박주장이라고 함)을 사전에 줄일 수 있기 때문이다. 반대로, 소비자가 광고제품에 대해 긍정적인 태도를 가지고 있다면 **핵심내용을 마지막에 두는 것이 극적효과를 거둘 수 있어 효과적이다.** 그리고 소비자가 광고되는 제품에 대해 높은 관여도를 가지고 있다면 핵심내용을 마지막에 두는 것이 효과적인데, 이는 소비자가 광고메시지를 처리할 동기부여가 충분히 되어 있기 때문이다.

### (2) 결론도출여부

메시지가 표적청중에게 명확한 결론을 제시할 것인지 아니면 스스로 결론을 내리도록 할 것인지에 대한 문제이다. 일반적으로 명확한 결론을 제시하는 것이 소비자의 이해를 쉽게 할 수 있다는 점에서 보다 효과적이지만, 표적청중의 특징, 제품유형, 광고목적의 장·단기성 등에 따라 달라질 수 있다. 예를 들어, 표적청중의 교육수준이 높을수록 스스로 결론을 내리도록 하는 것이 더욱 효과적이다. 그러나 제품이 복잡하면 표적청중의 교육수준이 높더라도 결론을 제시하는 것이 효과적이다. 또한, 정치광고(political advertising)와 같이 목적이 즉각적인 행동의 유발이라면 명확한 결론의 제시가 효과적이고, 브랜드 이미지 형성과 같은 장기적인 효과의 달성이 목적이라면 스스로 결론을 내리도록 유도하는 것이 효과적인 것으로 알려져 있다.

### (3) 메시지의 주장측면

메시지의 주장측면은 메시지의 구성에서 긍정적인 측면만을 전달하느냐 긍정적·부정적 측면을 모두 포함하느냐와 관련된 결정이다. 긍정적 측면만을 전달하는 것을 일면적 메시지(one-sided message)라고 하며, 장점과 단점 모두를 제시하는 것을 양면적 메시지(two-sided message)라고 한다. 대부분의 광고는 일면적 메시지를 사용하지만 상황에 따라서는 양면적 메시지가 더 효과적일 수 있다. **양면적 메시지는 광고되는 제품의 긍정적인 측면을 강조하고 부각시키기 위해 부정적 측면을 활용할 때 효과적이다.** 또한, 부정적인 정보의 제시가 소비자로 하여금 정보원천(광고주)의 정직성에 대한 신뢰를 높여서 전체적인 메시지에 대한 신뢰를 높여줄 수 있어야 한다.

### (4) 언어적·비언어적 메시지

① 비언어적(시각적·청각적) 메시지도 광고물의 중요한 요소이다. 일반적으로 소비자가 언어적 정보를 처리할 때 관련된 시각적 정보를 제공하면 정보처리가 보다 효과적으로 이루어진다. 또한, 특정의 제품정보는 언어적 메시지보다 시각적 정보를 이용하여 제시하는 것이 더 설득적이다. 광고에서 청각적 정보도 매우 유용하게 이용된다. 배경음악에 의해 창출되는 소비자의 긍정적 감정이 광고되는 제품으로 전이되어 소비자의 호의적인 브랜드 태도형성에 영향을 미친다.

② 비언어적 메시지는 언어적 메시지의 효과를 강화하기 위하여 또는 그 자체로서 특정의 제품정보를 전달하는 도구로서 효과적으로 사용될 수 있다. 그러나 비언어적 메시지는 언어적 메시지에 비하여 발신자가 갖는 통제력이 떨어지기 때문에 의도한 바와 다르게 처리될 수 있다. 특히, 발신자와 수신자 사이의 공통영역이 없을 경우에 수신자는 발신자가 의도하지 않은 방향으로 광고메시지를 해석할 가능성이 높기 때문에 주의가 요구된다.

## 5. 소구방식

소구방식(appeal method)이란 광고가 포함하고 있는 전달메시지를 어떻게 소비자에게 제시할 것인가의 호소방법을 말한다. 가장 대표적인 소구방식에는 이성적 소구와 감성적 소구가 있다.

### (1) 이성적 소구

이성적 소구(rational appeal)란 자사의 브랜드가 선택될 수밖에 없는 합리적인 이유를 설명하거나 객관적인 근거를 제시함으로써 목표소비자에게 제품에 대한 지식과 정보를 제공하는 소구방식을 말한다. 이성적 소구는 구매 시 큰 위험을 느끼는 내구재나 신제품 등에 많이 이용되고, '제품에 대한 지식의 제공'이나 '인지도의 향상'을 광고의 목표로 하고 있을 때 적합한 소구방식이다.

① **비교소구**: 동일한 제품군 내 다른 경쟁제품과의 직접 또는 간접비교를 통해 제품의 이점에 대하여 합리적·객관적으로 설득하려는 소구방식이다. 이는 특정 제품이 가진 경쟁우위를 직접적으로 보여주는 데 가장 효과적인 방법이며, 시장점유율이 낮은 후발 기업이 시장지위가 확고한 시장선도자를 대상으로 공격적 마케팅을 전개할 때 유용한 방법이다.

② **증언소구**: 유명인 또는 목표고객과 유사한 일반인이 등장하여 제품의 사용결과를 이야기함으로써 설득력을 높이는 소구방식이다.

③ **입증소구**: 제품이 지닌 장점이나 특성을 실제로 연출하여 소비자에게 확신을 주고 구매를 촉진하는 소구방식이다. 증언소구와 달리 제품사용자가 등장하지는 않는다.

### (2) 감성적 소구

감성적 소구(emotional appeal)란 소비자로 하여금 이성적인 판단이나 정보제공을 통한 설득보다는 브랜드에 대한 긍정적인 느낌이나 호의적인 태도(이미지)의 향상을 목적으로 소비자의 감정을 자극하고 감성에 호소하는 소구방식을 말한다. 감성적 소구는 '브랜드 선호도 증가'나 '호의적인 태도의 형성'을 광고의 목표로 하고 있을 때 적합한 소구방식이고, 이성적인 근거를 통해 제품을 차별화하기 어려운 경우에 더욱 효과적이다.

① **유머소구**: 유행어의 활용, 우스운 행동이나 동작, 재미있는 상황연출 등을 통해 소비자로 하여금 웃음을 유도하는 소구방식이다. 재미로 관심을 끌기 때문에 주목률을 높일 수 있으며, 목표 고객의 반박 주장이 발생할 가능성을 현저히 낮출 수 있다. 그러나 빈번한 유머소구는 소비자가 식상해 하고 광고효과가 반감될 수 있다.

② **공포소구**: 경악, 혐오 또는 두려움이나 불편함과 같은 부정적인 정서반응을 일으킴으로써 소비자가 광고에서 전달하는 내용을 따르지 않았을 경우에 겪을 수 있는 부정적 결과들에 대해 공포심을 느끼게 하는 소구방식이다.

③ **성적소구**: 인간의 근본적인 욕구인 성에 대한 관심을 상품에 연결시키는 소구방식이다. 소비자의 강한 주의를 유발하는 데는 효과적이지만, 소비자들이 광고내용이나 상표를 기억하는 데에는 부정적인 영향을 미치기도 한다.

④ **온정소구**: 소비자가 광고를 통해 사랑, 가족애, 우정, 따뜻함 등을 경험하게 함으로써 긍정적이고 온화한 감정을 불러일으키게 하는 소구방식이다.

⑤ **향수소구**: 과거에 대한 그리움을 표현하여 인간의 숨겨진 감성을 자극하는 소구방식이다.

## 6. 광고모델

광고모델은 광고의 핵심메시지를 전달하는 정보원천(source)으로서 목표고객들의 메시지 수용에 큰 영향을 미칠 수 있다. 일반적으로 **정보원천이 신뢰성이 있고, 매력적일수록** 소비자들의 메시지 수용도가 높게 나타난다. 따라서 **고관여 제품**의 경우에는 신뢰성이 높은 전문가를 광고모델로 기용함으로써 내면화를 유도할 수 있으며, **저관여 제품**의 경우에는 매력도가 높은 유명인이나 일반인을 광고모델로 기용하여 동일화를 유도할 수 있다. 여기서 내면화(internalization)는 신뢰성이 높은 전문가의 의견을 소비자들이 자신의 의견으로 받아들이는 과정을 의미하고, 동일화(identification)는 매력도가 높거나 자신과 유사한 정보원천과의 관계형성을 통해 소비자들이 정보원천의 의견과 비슷한 견해를 취하거나 똑같다고 착각하는 것을 의미한다.

### (1) 전문가 모델

신뢰성이 높으므로 제품의 핵심개념을 더욱 효과적으로 전달할 수 있으며, **고관여 제품**의 경우에 사용하면 효과적이다.

### (2) 유명인 모델

대중에게 좋은 이미지를 가진 연예인이나 스포츠 스타 등이 정보원천이 되기 때문에 매력도에 의한 동일화 과정이 가능해지고 목표고객의 관심을 유도하기 좋으며, 좋은 이미지가 제품에 연결된다는 장점이 있다. 그러나 **모델과 제품의 이미지 간의 적합성**이 고려되어야 하며, 유명인에 의해 오히려 제품의 장점이 가려지는 **음영효과**(overshadowing effect)도 주의해야 한다.

### (3) 일반인 모델

정보원천이 자신과 유사한 일반소비자이기 때문에 소비자들은 정보원천의 의견과 쉽게 공감대를 형성하고 동일화되는 과정을 겪게 된다. 습관적 구매를 유도하는 **저관여 제품**의 경우에 사용하면 효과적이다.

## 7. 광고매체의 선정

### (1) 매체의 유형

기업은 광고를 어떠한 방법을 통하여 소비자들에게 전달할 것인가를 결정하여야 한다. 이 과정이 매체의 선정과정으로 기업에게 매체의 선정은 매우 중요한데, 그 이유는 각 매체별로 기대할 수 있는 효과가 다르기 때문이다. 기업이 사용할 수 있는 매체는 크게 인적 경로(personal channel)와 비인적 경로(nonpersonal channel)로 나누어 볼 수 있다.

① **인적 경로**: 두 명 이상의 사람들이 직접적으로 서로 의사소통을 하는 방법으로, 일대일 면접방법으로 이루어질 수도 있고 청중들에 대해 한 사람이 이야기하는 형태, 전화를 통하는 방법, 우편을 통하는 방법, 인터넷을 이용하는 방법 등이 있다. 인적 경로는 직접적인 반응을 얻을 수 있다는 점에서 매우 효과적인 의사전달방법이다.

② **비인적 경로**: 개인적인 접촉이나 피드백이 없이 메시지를 전달할 수 있는 매체들을 말한다. 주된 매체는 신문, 잡지, 직접우편 등과 같은 **인쇄매체**, 라디오, TV와 같은 **방송매체**, 포스터, 옥외간판, 벽보 등과 같은 **전시매체**로 구성되어 있다. 또한, 이러한 매체를 이용한 의사전달은 소비자의 태도와 행동에 직접적으로 영향을 주기도 하지만 경우에 따라서는 많은 구전을 야기함으로써 간접적으로 영향을 주기도 한다.

### 주요 광고매체별 특징

| 매체 | 장점 | 단점 |
|---|---|---|
| 신문 | 신축성, 적시성, 범위한정 용이, 광범위한 수용성, 높은 신뢰성 | 짧은 수명, 낮은 재현도, 적은 독자 수 |
| TV | 역동성, 감각적 소구, 높은 주의도, 넓은 노출·도달범위 | 고비용, 과다 광고로 인한 광고 혼잡, 단기적 노출, 청중의 무작위성 |
| 라디오 | 대량이용, 지리적·인구통계적 선별성, 저비용 | 청각의존에 의한 낮은 주의력, 순간적 노출 |
| 잡지 | 지리적·인구통계적 선별성, 신뢰성 확보 가능, 장기적 광고 수명 | 긴 광고게재 소요시간 |
| 옥외광고 | 신축성, 높은 반복 노출도, 저비용, 저경쟁 | 청중의 선별 불가능 |
| 인터넷 | 높은 선별성, 상호작용성, 상대적 저비용 | 낮은 신뢰성 |

**(2) 광고매체의 선정기준**

광고매체를 선정하는 과정에서 고려되어야 하는 요인은 도달범위(coverage 또는 reach), 빈도(frequency), 영향력(impact), 예산(budget) 등이다. 광고매체의 선정에 있어서 **정해진 예산 범위 안에서 광고의 도달범위와 빈도는 서로 반비례, 즉 상충관계**를 가진다. 따라서 목표고객과 광고의 목표에 따라 도달범위와 빈도에 대한 적절한 조합[143]이 필요하며 이에 대한 효율적인 의사결정이 이루어져야 한다.

① **도달범위**: 특정 기간 동안에 궁극적으로 광고에 노출되는 소비자의 숫자를 의미한다.
② **빈도**: 특정 기간 동안에 개인이 광고에 노출된 횟수를 의미한다.
③ **영향력**: 특정 매체를 통하여 특정 광고에 노출된 질적 가치로서 소비자의 변화 정도를 의미한다.
④ **예산**: 사용할 수 있는 광고비용으로서의 금전적 범위를 의미한다. 예산과 관련된 개념으로 **1,000명의 사람에게 도달하는 데 드는 비용**(cost per mill, CPM)이라는 개념이 있다. 예를 들어, 신문광고를 실시한다고 가정할 때, A라는 신문에 전면광고를 내는 데 3,000만 원이 들고 이 신문을 구독하는 독자의 수가 300만 명이라면 이 신문의 CPM은 10,000원이 된다. 이렇게 하여 광고주는 각 매체별로 CPM이 낮은 순서대로 순위를 매길 수 있을 것이다.

**(3) 타이밍의 결정**

광고관리자는 연간 광고를 어떻게 집행할 것인가에 대한 광고스케줄을 만들어야 한다. 경우에 따라서 성수기가 뚜렷한 제품의 경우에는 성수기 동안만 집중하여 광고를 내보내는 방법을 채택할 수 있고, 또 다른 경우에는 연중 동일한 양의 광고를 내보내는 방법을 사용할 수도 있다. 이와 같이 기업은 광고집행의 패턴을 선택함에 있어 광고를 일년 내내 거의 같은 수준으로 유지하는 **지속전략**(even strategy)을 채택할 수도 있고, 2주 또는 한 달 정도를 단위로 광고의 양을 늘였다 줄이는 일을 반복하는 **맥박전략**(pulsing strategy)을 활용할 수도 있다. 지속전략과 맥박전략은 각각의 장단점을 가지고 있으므로 상품의 종류와 광고의 목표 등을 고려하여 어떤 전략을 구사할 것인지를 결정하여야 한다.

---

[143] GRP(gross rating points)는 동일한 광고물을 동일한 매체에 방영하는 경우에 일정기간 동안 매체운용을 통하여 얻어진 각각의 시청률을 모두 합친 수치를 말하고, 시청률(도달범위)과 노출빈도의 곱으로 계산한다.

## 8. 광고예산의 설정

### (1) 가용자원법(지불능력 기준법)
기업이 감당할 수 있는 범위 내에서 광고예산을 설정하는 방법이다. 즉, 기업이 보다 중요하다고 판단하는 경영활동에 우선적으로 예산을 배정하고 여유자금의 범위 내에서 광고예산을 설정하는 방법이다. 이 방법은 재정적으로 기업에게 부담을 주지 않는다는 장점을 가지고 있지만, 촉진이 달성하여야 하는 목적 또는 논리적 근거와는 무관하게 예산이 설정되기 때문에 촉진비용이 너무 많거나 적게 되는 단점이 있다. 일반적으로 소규모 기업에서 많이 사용되지만 때로는 마케팅지향적이지 않은 대기업에서도 사용된다.

### (2) 매출액비율법
전년도의 매출액이나 과거 수년간의 평균매출액을 기준으로 특정비율을 곱하여 광고예산을 설정하는 방법이다. 이 방법은 실무에서 가장 많이 사용하는 방법이지만, 매출은 촉진의 결과로 보는 것이 아니라 원인으로 보는 동의반복적인(tautology) 문제점을 가지고 있다. 즉, 적절한 시장기회를 획득하기 위해서 촉진을 사용하기보다는 현재의 가용자원에 근거해서 촉진예산을 결정하기 때문에 적절한 시장기회를 통해 이윤을 획득하는 데 상당한 문제점을 가지고 있으며, 과거의 자료에 근거하여 예산을 설정하기 때문에 장기계획의 수립이 어렵다. 이러한 문제점을 극복하기 위하여 매출액비율법을 사용하는 많은 기업들은 경쟁기업대항법을 병행하여 사용하기도 한다.

### (3) 이익비율법
과거의 이익에 특정 비율을 곱하여 광고예산을 설정하는 방법이다.

### (4) 경쟁기업대항법
경쟁기업이 투입한 광고비에 대항하여 자사의 광고예산을 설정하는 방법이다. 이 방법은 경쟁에 기초하여 촉진예산을 결정하기 때문에 경쟁에 대응한다는 관점에서 의미가 있고, 촉진예산 결정이 비교적 용이하다는 장점이 있다. 그러나 자사와 경쟁기업은 기업의 명성, 자원, 기회 및 목표가 다르기 때문에 단순히 촉진예산만 동일하게 책정한다고 해서 동일한 촉진효과를 얻을 수 있는 것은 아니라는 단점이 있다.

### (5) 목표과업법
달성가능한 목표를 설정하고 이를 달성하기 위해 필요한 과업을 산출하여 광고비를 추정하는 방법으로 과학적인 방법이라고 할 수 있다. 즉, 마케팅 의사결정자가 촉진비용, 노출수준, 사용구매율 등의 관계를 상세히 파악하여 목표달성에 따른 촉진예산을 결정하기 때문에 가장 이상적인 촉진예산 결정방법이라고 할 수 있다. 현실적으로 이러한 목표과업법이 이루어지면 광고예산의 한계분석도 가능하지만, 대부분의 광고목표가 자료를 근거하여 작성되지 않고 통상적으로 광고기획 담당자의 경험에 의해 설정되는 경우가 많다.

## 9. 광고효과의 측정

### (1) 커뮤니케이션효과 측정
커뮤니케이션효과는 광고가 효과적으로 전달되었는지를 의미하는데, 이를 조사하는 것을 카피 테스트(copy test)라고도 한다. 이러한 테스트는 광고가 시행되기 전과 후에 실시될 수 있으며, 사전테스트에는 직접평가(direct ratings), 포트폴리오 테스트(portfolio test), 실험법(laboratory test) 등이 있고, 사후테스트에는 회상 테스트(recall test), 재인 테스트(recognition test), 의견조사법(opinion test) 등이 있다.

① **직접평가**: 소비자 패널 또는 광고전문가들에게 평가할 광고물들을 보여 준 다음에 질문을 하는 방법으로, 광고물의 실제효과에 대한 증거자료를 조사하는 것이 아니기 때문에 신뢰성이 낮다.
② **포트폴리오 테스트**: 각 소비자들에게 여러 가지 광고물을 나누어 주고 원하는 시간만큼 보게 한 후에 보았던 광고에 대한 기억 테스트를 실시하는 방법이다. 이를 통해 어떤 광고물이 뚜렷하게 부각되는가 하는 점과 메시지가 어느 정도 기억되고 이해되는가 하는 점을 알 수 있다.
③ **실험법**: 소비자의 맥박, 혈압, 안구 움직임, 긴장도 등에 대한 심리적 반응을 측정하는 방법이다.
④ **회상 테스트**: 특정 매체수단에 노출되어 온 소비자들에게 직전에 실시되었던 광고물에 포함되어 있는 여러 회사들과 제품을 어느 정도 기억하는가를 테스트하는 방법이다.
⑤ **재인 테스트**: 광고가 실린 잡지, 신문, TV 프로그램 등을 보여 주고 전에 본 적이 있는 내용이 있는지를 물어보는 형식을 취하는데, 재인 테스트를 통해 측정된 점수는 서로 다른 세분시장에서의 광고효과를 비교하거나 경쟁사 광고와 자사 광고의 효과를 비교하는 데 유용하게 사용된다.
⑥ **의견조사법**: 잠재적인 고객들을 대상으로 몇 개의 광고를 제시한 다음에 가장 흥미있는 광고, 가장 신뢰성 있는 광고, 가장 좋아하는 광고 등으로 광고물의 서열을 매기게 하는 방법이다.

### (2) 판매효과 측정

커뮤니케이션 효과의 측정은 광고물의 커뮤니케이션 효과를 평가하는 것이며, 판매효과에 대해서는 거의 아무 것도 밝혀 낼 수 없다. 더군다나 광고의 판매효과는 커뮤니케이션 효과보다도 훨씬 측정하기가 어렵다. 광고의 판매효과는 실험자료분석법과 시계열분석 등의 통계기법들이 많이 활용되는데, 여기서 실험자료분석법은 실험설계를 통해 사전에 판매효과를 알아보는 방법이다.

**광고효과의 측정방법**

| 측정대상 \ 측정시기 | 사전 테스트 | 사후 테스트 |
| --- | --- | --- |
| 커뮤니케이션효과 | • 직접평가<br>• 포트폴리오 테스트<br>• 실험법 | • 회상 테스트<br>• 재인 테스트<br>• 의견조사법 |
| 판매효과 | 실험자료분석법 | 통계기법 |

### (3) 광고효과 관련 용어

① **광고호의(advertising goodwill)**: 광고의 누적효과를 나타내기 위한 개념이다.
② **광고의 지침효과(wearout effect)**: 광고의 노출빈도가 어느 수준을 넘어서면 광고효과가 떨어지는 현상을 의미한다. 이는 판매반응함수와 관련되어 있는데, 가장 대표적인 판매반응함수는 S형의 판매반응함수이다. S형의 판매반응함수는 광고비 지출이 적을 때는 매출에 대한 영향이 미미하다가 광고비지출이 점차 증가하여 가속점을 넘어서면 매출이 급속히 증가하기 시작하고, 어느 수준 이상 과다한 광고비지출은 매출증가에 거의 영향을 미치지 않게 되는 것을 의미한다.
③ **광고의 이월효과(carryover effect)**: 특정시점의 광고투자 효과가 그 이후 시점에서도 발현되는 현상을 의미한다.

## 3 PR

### 1. 의의

PR이란 신문, 잡지, TV, 라디오 등의 뉴스나 기사를 통해 재화와 서비스를 소개함으로써 다양한 이해관계자들로부터 호의를 갖게 하고 소비자의 수요를 자극하는 촉진믹스를 말한다. 즉, **공중의 이익에 입각하여 각 개인이나 조직체의 정책 및 절차를 밝혀서 공중의 이해와 동의를 얻기 위하여 계획을 수립하고 실천하는 과정**[144]이다. PR은 매체비용을 지불하지 않기 때문에 다른 촉진도구보다 저렴하고, 일반적으로 뉴스나 논설의 형태로 다루게 되는데 이로 인해 소비자들의 신뢰성을 확보하게 된다. PR은 기업의 조직구성원, 주주, 투자자, 유통경로 구성원과 고객집단, 언론기관, 정부 및 공공기관을 그 대상으로 하고, **언론보도(press release), 회견(press conference), 특별행사, 공공캠페인 활동, 간행물 발행 등의 수단을 사용**한다.

**(1) 언론보도**

다양한 형태의 기사나 시청각자료를 각 매체 특성에 맞도록 제공한다.

**(2) 회견**

최고경영자나 기업 내 전문가에 의한 제품 홍보 연설 등이 있다.

**(3) 특별행사**

세미나, 견학, 전시회, 시연회, 기념회, 운동경기 등을 시행 또는 지원하여 표적고객에게 도달하고자 한다.

**(4) 공공캠페인 활동**

지역공동체의 관심사에 대한 지원 또는 기부를 통해 기업 및 제품이미지를 향상시킨다.

**(5) 간행물 발행**

특정 표적집단을 대상으로 기업이 배포하는 연간기업보고서, 브로셔, 논문집, 시청각자료, 기업의 사보, 잡지 등을 발행한다.

### 2. 장단점

**(1) 장점**

① 매체에 비용을 거의 지불하지 않기 때문에 매우 저렴하며, 뉴스나 기사를 통해 메시지가 전달되기 때문에 소비자의 신뢰도가 높다.
② 광고에 비하여 실질적인 촉진효과가 매우 크다.

**(2) 단점**

① 해당 기업이 메시지 전달시점이나 내용을 통제하기가 쉽지 않으며, 불리한 내용이 소비자에게 알려질 경우에는 수습하기가 매우 곤란하다.
② 다른 촉진믹스와 함께 사용할 수는 있으나 광고를 대체할 수는 없다.

---

[144] 일반적으로 홍보(publicity)는 PR(public relations)의 하위개념이다.

## 3. 광고와 PR

**PR은 광고보다 더욱 믿을 수 있는 수단으로 인식**되고 있다. 왜냐하면 PR에서의 정보는 광고와는 달리 매체 스스로가 통제하는 경우가 많기 때문에 광고주에 의해서 통제가 가능한 광고가 전달하는 정보보다 더 신뢰성이 높기 때문이다. 또한 PR은 광고에 비해 훨씬 경제적인 매체이며, 심지어는 비용이 전혀 수반되지 않는 경우도 있다. 그러나 기업의 입장에서 PR은 광고만큼 쉽게 통제되지 않는다는 점에서 단점을 지니고 있다. 따라서 PR은 광고의 대체안이 될 수는 없으며, **보완적인 성격**으로 정보를 제공해줌으로써 광고의 효과를 증대시키고 촉진활동과의 시너지 효과를 만들어 내는 데 도움을 줄 수 있다.

### 광고와 PR의 비교

| 구분 | 광고 | PR |
| --- | --- | --- |
| 목적 | 판매증진 | 정보전달(교육적인 목적) |
| 비용 | 고비용 | 저비용 |
| 게재여부 결정 | 광고주 | 매체주(매체의 편집인) |

## 4 인적판매

### 1. 의의

인적판매(personal selling)란 **판매원이 판매를 목적으로 1인 또는 그 이상의 예상구매자들과 직접적인 접촉과 쌍방향 의사소통을 통해 자사의 재화와 서비스를 구매할 수 있도록 권유하고 설득하는 과정**을 의미한다. 따라서 인적판매는 **개인적 접촉, 쌍방향 의사소통, 고비용, 최종구매행동 자극** 등의 특징을 가지고 있다. 일반적으로 인적판매는 '고객예측(prospecting) → 사전준비(preparing) → 접근(approaching) → 제품소개(presentation) → 의견조정(handling questions & objection) → 구매권유(closing) → 사후관리(follow-up)'의 순서로 이루어진다.

### 2. 장단점

**(1) 장점**
① 인적판매는 판매원과 소비자 간의 쌍방향 의사소통이 가능하기 때문에 각각의 소비자에게 적합한 서비스와 보다 많은 정보를 정확하게 제공할 수 있으며, 특정한 소비자욕구에 융통성 있게 적응할 수 있고, 명백하고 즉각적인 피드백이 가능하다.
② 인적판매는 촉진이 구매로 연결될 가능성이 상당히 높기 때문에 시간과 비용의 낭비가 적다.

**(2) 단점**
① 인적판매는 일반적으로 한 번에 소수의 소비자를 대상으로 하기 때문에 광범위한 소비자인식을 발생시키는 데는 부적절하다.
② 인적판매는 판매원을 매개로 하여 촉진활동이 수행되기 때문에 비용이 매우 고가이다.
③ 최종소비자를 상대로 하는 인적판매는 상당수의 소비자들에게 부정적인 이미지를 가지고 있다.

## 5 판매촉진

### 1. 의의

판매촉진(sales promotion)이란 재화나 서비스의 판매를 촉진하기 위한 비교적 단기적인 동기부여 수단을 총칭하는 개념을 말한다. 광고는 장기적으로 재화나 서비스의 구매이유를 제공하는 것이 목적인 반면에 판매촉진은 지금 시점에서 구매할 이유를 제공하는 것이 목적이다. 판매촉진은 촉진대상에 따라 소비자 판매촉진과 유통기관 판매촉진으로 구분할 수 있다.

### 2. 소비자 판매촉진

소비자 판매촉진(consumer promotion)이란 최종소비자를 대상으로 하는 판매촉진활동을 의미한다. 소비자 판매촉진 수단은 제공하는 혜택이 가격적인 혜택인가 또는 비가격적인 혜택인가에 따라 가격 판매촉진과 비가격 판매촉진으로 구분할 수 있다.

#### (1) 가격 판매촉진

① 쿠폰(coupon): 제품명, 할인조건, 유효기간 등을 명시한 쪽지로써 소비자 판매촉진방법으로 가장 많이 사용된다. 쿠폰은 성숙기제품의 판매를 촉진하고 신상표에 대한 시험구매를 촉진하는 데 주로 사용된다. 최근 들어 스마트폰을 포함한 모바일 기기의 급속한 확산으로 종이쿠폰 대신에 모바일(디지털) 쿠폰을 도입하는 기업이 늘어나고 있다.

② 가격할인(price-offs): 단기적인 가격인하로서 재고처리를 목적으로 자주 사용된다.

③ 리펀드(refund): 구매시점에서 소비자에게 현금으로 즉시 돌려주는 방식이다.

④ 리베이트(rebate): 소비자에게 현금을 돌려주는 것은 리펀드와 동일하지만, 리베이트는 사후에 증빙을 첨부하여 청구하는 방식으로 차이점이 있다. 즉, 리베이트는 소비자가 구매 후 우편으로 구매 영수증과 같은 증빙서류를 구매제품의 제조회사에 보내면 제품가격의 일정한 비율만큼의 금액을 제조회사가 소비자에게 보내주는 판매촉진방법이다. 리베이트는 쿠폰과는 달리 비내구재보다는 고가의 내구재 판매촉진에 널리 활용된다.

⑤ 금융서비스(financial service): 무이자할부판매를 포함한 할부판매서비스 또는 금융권대출과 연계된 서비스를 말한다.

⑥ 보너스팩(bonus packs): 정상가격에 더 많은 양의 제품을 제공하는 판매촉진방법이다. 더 큰 용기에 제품을 담거나 덤으로 더 많은 개수의 제품을 묶어 판매한다. 대량구매나 조기구매를 유도할 수 있는 장점이 있지만, 유통업자의 협조가 없이는 사용하기 어렵다는 단점이 있다.

#### (2) 비가격 판매촉진

① 사은품(premiums): 무료 또는 매우 낮은 가격으로 제품을 제공하는 방식이다. 주유소에서 제공하는 휴지, 햄버거 가게에서 캐릭터 인형을 최소가격으로 구입하는 것 등이 여기에 해당한다.

② 견본품(product sampling): 주로 신제품을 출시할 경우 소비자들이 시험삼아 사용해 볼 수 있을 만큼의 양을 따로 포장하여 소비자들에게 무료로 제공하는 것으로, 기업입장에서 보면 비용부담이 큰 판매촉진방법의 하나이다. 기업들은 무료샘플 제공을 판매촉진의 수단으로 많이 사용하는데, 그 이유는 무료샘플 제공이 소비자들로 하여금 신제품을 사용해 보도록 유도하는 데 매우 효과적인 판매촉진수단이기 때문이다.

③ 경연(contest)과 추첨(sweepstakes): 특정한 상표에 대한 소비자를 확보할 목적으로 활용될 수 있다는 데 가장 큰 장점이 있으며, 소비자의 측면에서는 경품을 탈 수 있다는 점과 사업자들은 브랜드 인지도를 증가시키며 소비자와의 관계 개선이 이루어질 수 있다는 장점이 있다. 또한, 사업자들은 소비자에 대한 데이터를 수집할 기회를 가질 수도 있다.

④ **구매시점전시(point of purchase display)**: 구매시점에 눈에 띄게 하여 구매하도록 유도하는 방식이다. 예컨대 대량전시(mass display)는 청량음료 등의 제품을 슈퍼마켓에 대량으로 쌓아놓아 소비자들로 하여금 그 상표가 매우 인기 있는 제품이라는 느낌이 들게 하는 촉진방법이다.

⑤ **시연회(demonstration)**: 소비자에게 직접 사용해 보임으로써 소비자의 인식을 바꾸고 자극하여 현장구매를 촉진한다. 특히 신기술이나 아이디어를 활용해 개발한 신제품을 소비자에게 알려야 할 경우에는 직접 사용법을 보여주는 것이 가장 효과적인 판매촉진방법이다.

⑥ **애호도 제고 프로그램(loyalty program)**: 자주 구매하는 소비자들에게 선물 또는 특별 이벤트의 초대장을 보내 주거나, 구매 정도에 따라 차별화된 혜택을 부여하는 형태로 이루어지는 판매촉진방법이다. 이러한 애호도 제고 프로그램은 고객들의 애호도를 제고할 수 있으며, 소비자가 경쟁기업의 제품 또는 경쟁점포를 이용할 기회를 줄일 수 있다.

## 3. 유통기관 판매촉진

유통기관 판매촉진(trade promotion)이란 **제조업체가 유통업체를 대상으로 하는 판매촉진활동을 의미한다.** 일반적으로 소비자가 직접적으로 느낄 수는 없지만 제조업체에는 매우 중요한 부분이다. 특히 소비재 위주의 생산자들은 광고보다 유통기관 판매촉진에 더욱 많은 예산을 배정하기도 한다. 유통기관 판매촉진의 유형은 제공되는 혜택이 금전적인지 여부에 따라 가격 판매촉진과 비가격 판매촉진으로 구분할 수 있다. **가격 판매촉진**에는 진열수당(display allowance), 시판대 및 특판대 수당, 구매량에 따른 할인, 가격 할인, 재고금융지원, 협동광고(cooperative advertising), 유통업체 쿠폰, 촉진 지원금(push money), 리베이트(rebate), 광고공제(advertising allowance)[145], 진열공제(display allowance)[146], 입점공제(slotting allowance)[147] 등이 있으며, **비가격 판매촉진**에는 영업사원 인센티브 제도, 영업사원 교육, 경연(contest), 초대회, 사은품(premiums), 지정판매량에 대한 인센티브, 고객접점 광고물, 응모권 내장, 판매상 지원(dealer loader), 매장관리 프로그램 관리지원, 판매 도우미(sales helper) 파견 등이 있다.

## 4. 장단점

### (1) 장점

① 판매촉진은 소비자의 즉각적 반응을 일으킬 수 있어 매출의 신속한 증가를 가져올 수 있으며, 이로 인해 단기간에 제조업자의 수요 및 공급을 조절할 수 있다.
② 판매촉진은 다양한 흥미와 재미적·자극적 요소 때문에 일단 소비자의 관심을 끌기 쉽고, 목표고객들의 데이터베이스를 구축할 수 있다.
③ 판매촉진은 신제품의 사용을 유도하고자 할 때 유용한 방법이며, 그 결과를 쉽게 확인할 수 있다.

### (2) 단점

① 판매촉진은 경쟁기업들의 모방이 용이하기 때문에 무모한 판매촉진 경쟁을 야기할 수 있어 기업의 수익에 악영향을 끼칠 수 있다.
② 판매촉진이 브랜드 이미지에 부정적인 영향을 미침으로써 판매촉진이 철회되었을 경우 그 상표에 대한 재구매 확률을 현저히 감소시킬 수 있다.

---

145) 소매기업이 자신의 광고물에 어떤 상품을 중점 광고해주는 대가로 제조기업이 상품 구매가격의 일정 비율을 공제해주는 것을 말한다.
146) 점포 내에 어떤 상품을 일정 기간 동안 눈에 잘 띄게 진열해 주는 대가로 상품 대금의 일부를 공제하는 것이다.
147) 소매업자가 신상품을 취급해 주는 대가로 제조업자가 소매업자에게 상품대금 일부를 공제해 주는 것이다.

# 출제예상문제

CHAPTER 04 마케팅믹스

## 4지선다형

**01** ☐☐☐ 2020년 국가직 7급 기출

일반적으로 제품의 구성 차원은 핵심제품, 유형제품, 확장제품의 세 가지 수준으로 구성되는데, 애프터서비스(A/S)와 동일한 제품 차원에 속하는 구성요소에 해당하는 것으로만 묶은 것은?

| ㄱ. 특성 | ㄴ. 배달 | ㄷ. 편익 |
| ㄹ. 설치 | ㅁ. 포장 | ㅂ. 스타일(모양) |
| ㅅ. 신용 | ㅇ. 브랜드 | |

① ㄱ, ㅂ, ㅇ   ② ㄴ, ㄹ, ㅅ
③ ㄷ, ㅁ, ㅇ   ④ ㄹ, ㅁ, ㅅ

**해설**

애프터서비스(A/S)는 확장제품에 해당한다. 따라서 보기 중에 확장제품에 해당하는 것은 배달, 설치, 신용이 해당한다. 특성, 포장, 스타일(모양), 브랜드는 유형제품에 해당하고, 편익은 핵심제품에 해당한다.

**정답 ②**

**02** ☐☐☐ 2020년 서울시 7급 기출

제품은 핵심제품, 유형제품, 확장제품으로 구성된다. <보기> 중 확장제품에 포함되는 항목의 총 개수는?

<보기>

| ㄱ. 제품 디자인 | ㄴ. 제품 포장 |
| ㄷ. 브랜드명 | ㄹ. 보증제도 |
| ㅁ. 배달 | |

① 두 개   ② 세 개
③ 네 개   ④ 다섯 개

**해설**

제품 디자인, 제품 포장, 브랜드명은 유형제품에 해당하고, 보증제도와 배달은 확장제품에 해당한다. 따라서 <보기>에 확장제품에 해당하는 것은 두 개다.

**정답 ①**

## 03 ☐☐☐ 2009년 국가직 7급 기출

제품의 개념은 핵심제품, 유형제품, 확장제품으로 구성된다. 다음 중 유형제품에 대한 관리로 볼 수 없는 것은?

① 표적 소비자 집단이 제품에 기대하는 혜택을 파악
② 제품품질에 영향을 미칠 수 있는 요소들에 대한 결정
③ 제품 스타일의 개발
④ 제품 상표명에 대한 결정

**해설**

핵심제품은 소비자가 제품을 통해 얻고자 하는 기본적인 편익(benefit)을 말하고, 유형제품은 핵심제품을 제품화한 것으로 상표명, 품질, 디자인, 제품특징, 포장 등 실제로 구매되는 물리적인 제품을 말하며, 확장제품은 실제제품에 추가적으로 제공되고 구매 이후에 발생하는 모든 부가적인 활동을 말한다. 따라서 ①은 핵심제품에 해당한다.

**정답 ①**

## 04 ☐☐☐ 한국소비자원 기출동형

다음 중 제품에 대한 설명으로 옳지 않은 것은?

① 고관여 제품과 저관여 제품으로 분류하는 것은 소비자가 가지는 관심의 강도 등에 따른 구분이다.
② 선매품은 제품을 구매하기 전에 가격, 품질, 형태, 욕구 등에 대한 적합성을 충분히 비교하여 구매하는 제품이다.
③ 편의품은 제품에 대한 지식도 없고 관심도 없기 때문에 최소한의 노력을 들여 구매하려는 제품이다.
④ 유형제품이란 소비자가 원하는 편익을 실현하기 위한 물리적 요소들의 집합으로 실체제품이라고도 한다.

**해설**

제품에 대한 지식도 없고 관심도 없기 때문에 최소한의 노력을 들여 구매하려는 제품은 미탐색품이다. 편의품은 소비자가 손쉽게 바로 구매하는 제품이다. 편의품은 일반적으로 저관여의 특성을 보이기 때문에 소비자는 제품구매를 위해서 큰 노력을 기울이지 않고, 가격이 비교적 저렴하다.

**정답 ③**

## 05 ☐☐☐ 한국서부발전 기출동형

다음 중 편의품에 대한 설명으로 옳지 않은 것은?

① 단위당 판매가격이 저렴한 편이다.
② 제품에 대한 최소한의 노력으로 제품을 구매하려 하는 행동을 보인다.
③ 제품의 경로가 다소 제한적일 수 있다.
④ 대체로 습관적인 구매행동을 보인다.

**해설**

편의품은 개방적(집약적) 유통경로 전략을 활용하기 때문에 선매품이나 전문품에 비해 제품의 경로에 대한 제한이 없다.

**정답 ③**

## 06  2017년 서울시 7급 기출

다음 표는 소비재의 제품특성에 대한 설명이다. ㉠ ~ ㉢에 들어갈 제품의 유형으로 바르게 나열된 것은?

| 소비재의 특성 | 제품의 유형 | | |
|---|---|---|---|
| | ㉠ | ㉡ | ㉢ |
| 구매 전 지식 | 적다 | 많다 | 많다 |
| 구매노력 | 보통 | 적다 | 많다 |
| 대체제품 수용도 | 보통 | 높다 | 없다 |
| 구매빈도 | 보통 | 많다 | 다양하다 |

① ㉠ 편의품  ㉡ 선매품  ㉢ 전문품
② ㉠ 편의품  ㉡ 전문품  ㉢ 선매품
③ ㉠ 선매품  ㉡ 편의품  ㉢ 전문품
④ ㉠ 선매품  ㉡ 전문품  ㉢ 편의품

**해설**

소비재는 구매동기에 따라 편의품, 선매품, 전문품, 미탐색품으로 구분할 수 있는데, 편의품에서 전문품으로 갈수록 소비자의 관여도가 높아진다. 전문품은 특별한 구매노력이 필요하며, 대체품이 없는 특징이 있다. 반면 편의품은 구매빈도가 잦은 대신 특별한 노력을 기울이지 않으며, 대체품의 수용도 높은 편이다.

**정답 ③**

## 07  2014년 국가직 7급 기출

선도 진입자가 후발 주자보다 유리한 점으로 옳지 않은 것은?

① 기술적 리더십 강화
② 구매자의 제품 전환비용 발생
③ 자원의 선취
④ 시장 불확실성 해결

**해설**

선도 진입자는 후발 주자에 비해 시장 불확실성이 더 크다.

**정답 ④**

## 08 ☐☐☐ 2021년 군무원 9급 기출

**신상품 개발 프로세스에 관한 설명으로 가장 적절한 것은?**

① 아이디어 창출단계에서 많은 수의 아이디어 창출에 중점을 둔다.
② 제품콘셉트 개발단계에서 시제품을 만든다.
③ 신상품 콘셉트는 아이디어를 소비자가 사용하는 언어나 그림 등을 통하여 추상적으로 표현한 것이다.
④ 시장테스트는 제품 출시 후에 소규모로 실시된다.

### 해설

신상품 개발 프로세스는 일반적으로 '아이디어 창출 및 심사 → 콘셉트 개발 및 테스트 → 마케팅 믹스 개발 → 사업성 분석 → 시제품 생산 → 시장테스트 → 출시' 순서로 이루어진다.
② 시제품을 만드는 단계는 시제품 생산 단계이다.
③ 신상품 콘셉트는 아이디어를 소비자가 사용하는 언어나 그림 등을 통하여 구체적으로 표현한 것이다.
④ 시장테스트는 제품 출시 전에 소규모로 실시된다.

**정답 ①**

## 09 ☐☐☐ 2015년 국가직 7급 기출

**신제품 개발 과정의 시험마케팅(test marketing) 단계에서 검토할 사항이 아닌 것은?**

① 표적시장 고객들이 신제품을 구매하는지 여부
② 신제품의 광고메시지와 표적 고객의 지각이 일치하는지 여부
③ 신제품에 대한 재구매 의도가 충분한지 여부
④ 신제품에 대한 아이디어가 소비자의 언어로 잘 표현되고 있는지 여부

### 해설

'신제품에 대한 아이디어가 소비자의 언어로 잘 표현되고 있는지 여부'는 제품개념 개발과 평가 단계에서 검토할 사항에 해당한다.

**정답 ④**

## 10 ☐☐☐ 2016년 국가직 7급 기출

**혁신적인 신제품의 수용에 대한 설명으로 옳지 않은 것은?**

① 소비자의 기존 사용습관에 부합할수록 신제품의 수용 속도는 느려진다.
② 기존 제품대비 상대적 이점이 크고, 시험사용이 가능한 경우 신제품의 수용 속도는 빨라진다.
③ 제프리 무어(Geoffrey Moore)는 혁신수용이론의 조기수용층(early adopters)과 조기다수층(early majority) 사이에 캐즘(chasm)이라는 간극이 존재한다고 주장하였다.
④ 로저스(E. Rogers)가 주장한 혁신수용이론(innovation-diffusion theory)은 혁신수용 속도에 따라 소비자를 혁신층(innovators), 조기수용층(early adopters), 조기다수층(early majority), 후기다수층(late majority), 지연층(laggards)으로 구분한다.

### 해설

소비자의 기존 사용습관에 부합할수록 신제품의 수용 속도는 빨라진다.

**정답 ①**

## 11  2010년 국가직 7급 기출

**신제품의 구입에 있어서 혁신자(innovator) 집단의 특성에 해당되지 않는 것은?**

① 교육수준이 높다.
② 자신의 가치관이나 판단에 따라 신제품을 구입한다.
③ 다른 집단보다 상표충성도가 높다.
④ 할인, 쿠폰, 샘플 등 새로운 판촉을 선호하는 경향이 있다.

**해설**

혁신자(innovator) 집단은 신제품 출시와 더불어 바로 구입하는 소비자계층으로, 모험심이 강하고 위험을 감수하면서 새로운 제품을 받아들인다. 따라서 다른 집단보다 상표충성도가 높다는 것은 혁신자(innovator) 집단의 특성에 해당하지 않는다.

정답 ③

## 12  2024년 군무원 9급 기출

**다음 중 브랜드 개발에 대한 설명으로 가장 적절하지 않은 것은?**

① 브랜드 확장은 현재의 브랜드명을 새로운 제품 범주의 신제품이나 수정 제품으로 확장하는 것이다.
② 복수 브랜드는 동일 제품 범주 내에서 여러 개의 브랜드를 도입하는 것이다.
③ 신규 브랜드는 신제품에 사용할 적절한 기존 브랜드명이 없을 때 새로운 브랜드명을 개발하는 것이다.
④ 라인 확장은 기업이 기존 브랜드명을 새로운 제품 범주로 확장하는 것이다.

**해설**

라인 확장은 제품 범주 내에서 새로운 형태, 색상, 크기, 원료, 향 등의 신제품에 기존 상표를 함께 사용하는 것을 말한다. 기업이 기존 브랜드명을 새로운 제품 범주로 확장하는 것은 상표 확장이다.

정답 ④

## 13  서울교통공사 기출동형

**동일한 제품범주 내에서 새로운 형태, 색상, 크기 등의 신제품에 기존 브랜드명을 함께 사용하는 브랜드 개발전략은 무엇인가?**

① 라인확장
② 상표확장
③ 복수상표
④ 신상표

**해설**

동일한 제품범주 내에서 새로운 형태, 색상, 크기 등의 신제품에 기존 브랜드명을 함께 사용하는 브랜드 개발전략은 라인확장 또는 계열확장이다.

정답 ①

## 14. 2017년 국가직 7급 기출

**계열확장(Line Extension)에 대한 설명으로 옳지 않은 것은?**

① 계열확장은 새로운 브랜드명을 도입·구축하는 데 드는 마케팅비용을 절감시켜준다.
② 하향적 계열확장의 경우 모브랜드(Parent Brand)의 자기잠식(Cannibalization) 위험성이 낮다.
③ 계열확장이 시장에서 실패할 경우 모브랜드(Parent Brand)의 이미지에 부정적인 영향을 줄 수 있다.
④ 계열확장은 신제품에 대한 소비자의 지각된 위험을 줄여준다.

**해설**
하향적 계열확장은 고관여(고품질) 제품에서 저관여(저품질) 제품으로 확장해 가는 것을 의미한다. 따라서 하향적 계열확장의 경우 모브랜드(Parent Brand)의 자기잠식(Cannibalization) 위험성이 높다. **정답 ②**

## 15. 서울교통공사 기출동형

**다음 중 상표전략에 대한 설명으로 옳지 않은 것은?**

① 기존의 제품범주에 속하는 신제품에 기존 브랜드명을 그대로 사용하는 것을 라인확장이라고 한다.
② 브랜드 자산이 형성되려면 독특하거나 강력한 브랜드 이미지가 있어야 한다.
③ 브랜드는 소비자가 상품을 전체적으로 떠오르는 이미지로 인식하게 하여서 소비자의 사고비용을 감소시킨다.
④ 유상표전략은 무상표전략에 비하여 원가부담이 더 낮아서 저렴한 가격으로 공급할 수 있다.

**해설**
무상표전략은 유상표전략에 비하여 원가부담이 더 낮아서 저렴한 가격으로 공급할 수 있다. **정답 ④**

## 16. 2022년 군무원 7급 기출

**다음 내용은 제품믹스 및 제품계열관리와 관련된 것이다. 보기에 해당하는 개념 중 가장 옳은 것은?**

> ㄱ. (___)은(는) 특정 판매자가 구매자들에게 제공하는 모든 제품계열과 품목을 합한 것이다.
> ㄴ. (___)은(는) 동일 유형의 유통경로를 통해 동일한 고객집단에게 판매되는 서로 밀접한 관련이 있는 제품들의 집단이다.
> ㄷ. (___)은(는) 하나의 제품계열 내에서 크기, 가격, 외형 또는 다른 속성에 따라 구분할 수 있는 하나의 독특한 단위이다.

① ㄱ(제품품목)  ㄴ(제품계열)  ㄷ(제품믹스)
② ㄱ(제품계열)  ㄴ(제품믹스)  ㄷ(제품품목)
③ ㄱ(제품믹스)  ㄴ(제품계열)  ㄷ(제품품목)
④ ㄱ(제품계열)  ㄴ(제품품목)  ㄷ(제품믹스)

**해설**
③이 옳은 연결이다. **정답 ③**

## 17  2022년 군무원 9급 기출

**다음 중에서 가격책정방법이 아닌 것은?**

① 원가가산의 방법
② 수요지향적 방법
③ 경쟁지향적 방법
④ 재고지향적 방법

**해설**

가격결정요인과 관련된 가격책정방법에는 원가중심 가격전략(원가가산의 방법), 수요중심 가격전략(수요지향적 방법), 경쟁중심 가격전략(경쟁지향적 방법)이 있다. 따라서 재고지향적 방법은 가격책정방법에 해당하지 않는다.

**정답 ④**

## 18  2015년 국가직 7급 기출

**기업이 가격전략을 수립할 때, 소비자의 가격민감도를 낮출 수 있는 상황으로 적절하지 않은 것은?**

① 제품이 이전에 구매한 자산과 결합하여 사용되는 경우
② 구매자가 제품을 비축할 수 있는 경우
③ 구매 비용 일부를 다른 사람이 부담하는 경우
④ 제품이 독특하여 대체품을 찾을 수 없는 경우

**해설**

구매자가 제품을 비축할 수 있는 경우에는 가격민감도가 높아지게 된다.

**정답 ②**

## 19  2023년 서울시 7급 기출

**마케팅 가격결정전략으로 가장 옳지 않은 것은?**

① 원가가산가격결정법(cost-plus pricing)은 가격변동이 판매량에 미치는 영향이 크고 기업이 가격을 통제할 수 없는 경우에 사용한다.
② 경쟁자의 진입이 용이하지 않은 경우 신제품에 대한 조기수용자층에 대해서는 스키밍 가격(market-kimming pricing)을 사용한다.
③ 어떤 제품을 비교적 낮은 가격으로 판매한 다음 그 상품에 필요한 소모품이나 부품 등을 비교적 비싼 가격에 판매하는 가격관리방식은 종속제품에 대한 가격결정(captive-product pricing)이다.
④ 규모의 경제가 존재하거나 소비자들이 가격에 민감할 경우에는 시장침투가격(market-penetration pricing)을 사용한다.

**해설**

가격변동이 판매량에 미치는 영향이 크고 기업이 가격을 통제할 수 없는 경우에 사용하는 가격결정전략은 지각가치 가격결정(perceived value pricing)이다.

**정답 ①**

## 20 □□□ 한국가스공사 기출동형

**다음 중 가격결정에 대한 설명으로 옳지 않은 것은?**

① 제품수명주기상 가격관리에 많은 전략적 변화가 요청되는 시기는 성장기이다.
② 가격-품질 연상효과가 나타나는 이유는 소비자의 정보 부족 때문이다.
③ 제조업자의 교섭력이 약해지면 유통업자와의 협상에 의해 가격을 결정할 수밖에 없다.
④ 원가기준 가격결정법은 결정된 가격이 객관적으로 보일 수 있어 판매자, 구매자 모두 쉽게 수용하는 장점이 있다.

**해설**

제품수명주기상 가격관리에 많은 전략적 변화가 요청되는 시기는 성숙기이다.

정답 ①

## 21 □□□ 2017년 서울시 7급 기출

**다음 중 시장침투가격(penetration pricing) 전략이 적합한 상황과 가장 거리가 먼 것은?**

① 소비자들이 가격에 민감하지 않을 때
② 시장 성장률이 높을 때
③ 경쟁자의 진입을 사전에 방지하고자 할 때
④ 규모의 경제가 존재할 때

**해설**

초기 저가 전략 또는 시장침투가격 전략(market-penetration pricing)이란 신제품 도입초기에 저가격을 설정하여 신속히 시장에 침투한 후 인지도가 높아지면 가격을 높게 설정하는 가격 전략을 말한다. 저렴한 가격으로 시장성장을 촉진하거나 원가우위로 경쟁기업의 진입을 지연시키고자 할 때 또는 수요의 가격탄력도가 높은 경우에 적합한 전략이다. 따라서 소비자들이 가격에 민감하지 않을 때는 초기 고가 전략 또는 스키밍 가격전략이 적합하다.

정답 ①

## 22 □□□ 2009년 국가직 7급 기출

**남성 정장류의 가격대를 저가, 중가, 고가 등으로 분류하여 저가 정장류는 5만 원에서 10만 원 사이, 중가 정장류는 13만 원에서 25만 원 사이, 고가 정장류는 30만 원에서 55만 원 사이의 가격을 책정한다고 할 때, 특정 기업이 중가 정장류를 판매하기로 하고 각 제품의 가격을 13만 원, 16만 원, 20만 원, 25만 원으로 결정한다면 이러한 가격결정에 해당하는 것은?**

① 시장침투가격
② 심리적 가격
③ 가격차별화
④ 가격계열화

**해설**

가격계열화 또는 제품라인 가격결정은 몇 개의 가격대(price steps)로 구분하고 이에 따라 라인의 제품을 분류하는 가격전략을 말한다. 즉 소비자는 가격에 차등이 있을 때만 가치를 인식한다고 가정하고, 몇 가지 가격만을 선정하는 방식이다. 따라서 문제에서 주어진 사례는 가격계열화에 해당한다.

정답 ④

## 23  2023년 군무원 9급 기출

**가격전략에 대한 설명으로 가장 적절한 것은?**

① 원가가산 가격결정 방법은 제품의 단위당 원가에 일정 비율의 마진을 더해 판매 가격을 결정하는 방법이다.
② 단수가격은 소비자가 제품의 구매를 결정할 때 기준이 되는 가격이다.
③ 2부제가격(two-part tariff)은 성수기와 비수기의 가격을 다르게 책정하는 방식이다.
④ 유보가격(reserved price)보다 제품의 가격이 낮으면, 소비자가 제품의 품질을 의심해서 구매를 유보하게 된다.

### 해설

② 소비자가 제품의 구매를 결정할 때 기준이 되는 가격은 준거가격이고, 단수가격은 소비자들에게 제품가격이 정확한 계산에 의해 가장 낮게 책정되었다는 인식을 심어주기 위해 1,000원 또는 10,000원 등과 같은 가격이 아니라 단수로 가격을 결정하는 가격 전략이다.
③ 2부제가격(two-part tariff)은 서비스 영역에서 이용되는 종속제품 가격 전략이다. 즉 서비스 가격은 고정된 기본수수료(fixed fee)와 사용량에 따른 변동가격(variable usage rate)으로 구성된다. 성수기와 비수기의 가격을 다르게 책정하는 방식은 가격차별이다.
④ 제품의 가격이 낮으면, 소비자가 제품의 품질을 의심해서 구매를 유보 또는 거부하게 되는 것은 최저수용가격이고, 유보가격(reserved price)은 소비자가 어떤 제품에 대해 지불할 의사가 있는 최고가격이다.

**정답 ①**

## 24  2016년 서울시 7급 기출

**가격전략에 대한 설명으로 가장 옳지 않은 것은?**

① 시장침투가격(market-penetration pricing)은 단기이익을 조금 희생하더라도 장기적인 이익을 실현하려는 경우에 쓰인다.
② 묶음가격(product bundled pricing)은 자사가 제공하는 여러 개의 제품이나 서비스를 묶어서 하나의 가격으로 판매하는 것으로, 상품들이 상호 대체재인 경우에 효과적이다.
③ 단수가격(odd pricing)은 현재의 화폐단위보다 조금 낮춘 가격 책정을 통해 소비자들에게 가격을 낮게 책정하였다는 인식을 심어준다.
④ 종속제품에 대한 가격결정(captive-product pricing)은 면도기와 면도날처럼 주제품과 종속제품의 상호 관련성을 고려한 가격결정 방식이다.

### 해설

묶음가격(product bundled pricing)은 자사가 제공하는 여러 개의 제품이나 서비스를 묶어서 하나의 가격으로 판매하는 것으로, 상품들이 상호 보완재인 경우에 효과적이다.

**정답 ②**

## 25 □□□ 2018년 서울시 7급 기출

자동차 제조회사가 공장을 건설하는 데 100억 원을 투자하고 투자비용에 대한 목표투자이익률(return on investment)을 20%로 책정하였다. 표준생산량이 1,000대이고 단위당 비용이 3백만 원일 때 목표투자이익률에 따른 가격결정(target return pricing)에 의한 자동차 1대의 가격은?

① 2,000,000원
② 3,000,000원
③ 4,000,000원
④ 5,000,000원

**해설**

목표수익은 '100억 원 × 20%'인 20억 원이다. 따라서 '(자동차 가격 − 300만 원) × 1,000대 = 20억 원'이 되어야 하므로 자동차 가격은 5백만 원이 되어야 한다.

정답 ④

## 26 □□□ 2017년 서울시 7급 기출

사무용 의자를 생산하는 기업의 총고정비가 1,000만 원, 단위당 변동비가 10만 원이며, 500개의 의자를 판매하여 1,000만 원의 이익을 목표로 한다면, 비용가산법(Cost-Plus Pricing)에 의한 의자 1개의 가격은?

① 100,000원
② 120,000원
③ 140,000원
④ 160,000원

**해설**

'(의자 1개의 가격 − 단위당 변동비) × 판매수량 − 총고정비 = 목표이익'을 성립시키는 의자 1개의 가격을 구하면 된다. 따라서 주어진 자료에 값을 대입하면 의자 1개의 가격은 140,000원이 된다.

정답 ③

## 27 □□□ 2023년 국가직 7급 기출

스키밍 가격(skimming pricing)에 대한 설명으로 옳지 않은 것은?

① 신상품 수용 시점에 따른 잠재 구매자 집단별 유보가격과 관련이 있다.
② 시간이 지나면서 가격이 내려가는 모든 경우가 스키밍 가격에 해당하지는 않는다.
③ 진입장벽이 낮은 경우에 적절하다.
④ 잠재 구매자들의 가격-품질 연상이 강한 경우에 효과적이다.

**해설**

스키밍 가격(skimming pricing)은 신제품 도입초기에 고가격으로 시장에 진입하여 가격에 비교적 둔감한 고소득층의 혁신층(innovators)과 조기수용층(early adopters)을 흡수하고, 점점 가격을 낮추어 중산층과 저소득층까지 공략하는 가격전략이다. 따라서 진입장벽이 높은 경우에 적절한 전략이다.

정답 ③

## 28 ☐☐☐ 2012년 국가직 7급 기출

신제품을 통해 시장에 진입할 때 초기 고가전략(skimming pricing strategy)을 적용하기에 적절한 경우는?

① 신제품이 소비자가 원하는 탁월한 특성을 갖고 있는 경우
② 신제품에 대한 규모의 경제가 가능한 경우
③ 신제품에 대한 극심한 경쟁이 예상되는 경우
④ 신제품에 대한 대규모의 시장이 존재하는 경우

**해설**

초기 고가전략 또는 스키밍 전략(market-skimming pricing)이란 신제품 도입초기에 고가격으로 시장에 진입하여 가격에 비교적 둔감한 고소득층의 혁신과 조기수용층을 흡수하고, 점점 가격을 낮추어 중산층과 저소득층까지 공략하는 가격 전략을 말한다. 따라서 ①은 초기 고가전략을 적용하기에 적절한 경우가 되고, 나머지는 초기 저가전략 또는 시장침투가격전략을 적용하기에 적절한 경우가 된다.

**정답** ①

## 29 ☐☐☐ 2016년 국가직 7급 기출

신제품 가격 전략에 대한 설명으로 옳지 않은 것은?

① 신제품 출시 초기 높은 가격에도 잠재 수요가 충분히 형성되어 있는 경우 스키밍 가격전략(market-kimming pricing)이 효과적이다.
② 목표 소비자들의 가격 민감도가 높은 경우 시장침투 가격전략(market-penetration pricing)이 효과적이다.
③ 시장 진입장벽이 높아 경쟁자의 진입이 어려운 경우 시장침투 가격전략(market-penetration pricing)이 많이 활용된다.
④ 특허기술 등의 이유로 제품이 보호되는 경우 스키밍 가격전략(market-skimming pricing)이 많이 활용된다.

**해설**

시장 진입장벽이 높아 경쟁자의 진입이 어려운 경우 굳이 시장침투가격 전략으로 시장에 진입하는 것은 효과적이지 못하다. 경쟁자가 없기 때문에 초기 고가전략인 스키밍 가격 전략을 사용하는 것이 적절하다.

**정답** ③

## 30 ☐☐☐ 한국소비자원 기출동형

**다음 중 가격결정에 대한 설명으로 옳지 않은 것은?**

① 제품계열에 대한 가격결정은 한 제품계열을 구성하는 여러 제품 간에 어느 정도의 가격차이를 둘 것인가를 결정하는 것이다.
② 종속제품에 대한 가격결정은 특정 제품과 같이 사용될 수 없는 제품에 대해 부과되는 가격이다.
③ 사양제품에 대한 가격결정은 주력제품과 함께 판매되는 각종 사양제품 혹은 액세서리에 부과되는 가격이다.
④ 묶음제품 가격결정은 기업이 관련 제품들을 함께 묶어 저렴한 가격으로 판매하는 것이다.

**해설**

종속제품에 대한 가격결정은 주제품의 판매보다 주제품과 관련된 종속제품의 판매가 주된 목적인 제품의 가격결정을 말한다. 주제품은 상대적으로 저렴한 가격으로 판매하는 대신 종속제품의 가격을 높게 책정하여 주제품의 손실을 보전하게 된다. 예를 들어, 프린터와 토너, 면도기와 면도날, 즉석카메라와 인화필름 등이 여기에 해당된다.

정답 ②

## 31 ☐☐☐ 2015년 국가직 7급 기출

**유인가격(leader pricing) 및 단수가격(odd pricing)에 대한 설명으로 옳지 않은 것은?**

① 유인가격 전략은 일부 상품을 싸게 판매하면서 고객을 유인하는 전략이다.
② 유인가격 전략은 우유, 과일, 화장지 등의 제품 판매에 많이 적용되는 경향이 있다.
③ 단수가격 전략은 판매 가격의 끝자리를 미세한 단위로 조정하여 소비자가 받아들이는 심리적 가격 차이를 증가시키는 것이다.
④ 국내 의류회사가 고가 의류 100벌을 한정하여 판매한 경우, 유인가격 전략을 적용한 것이다.

**해설**

유인가격 전략은 일부 상품을 싸게 판매하면서 고객을 유인하는 전략이다. 따라서 고가제품의 수량을 한정하여 판매한 경우는 유인가격 전략을 적용한 것이라고 볼 수 없다.

정답 ④

## 32 ☐☐☐ 2011년 국가직 7급 기출

**제품가격을 990원 혹은 9,990원 등으로 책정하는 가격결정 방법은?**

① 관습가격결정(customary pricing)
② 단수가격결정(odd pricing)
③ 준거가격결정(reference pricing)
④ 위신가격결정(prestige pricing)

**해설**

제품가격을 990원 혹은 9,990원 등으로 책정하는 가격결정 방법은 단수가격결정이다.

정답 ②

## 33  □□□  서울교통공사 기출동형

소비자의 심리를 고려한 가격 결정법 중 하나로, 제품 가격의 끝자리를 0이 아닌 숫자로 표시하여 소비자로 하여금 제품이 저렴하다는 인식을 심어주어 구매욕을 부추기는 가격 전략은 무엇인가?

① 명성가격　　　　　　　　　　　② 준거가격
③ 관습가격　　　　　　　　　　　④ 단수가격

**해설**

단수가격은 소비자들에게 제품가격이 정확한 계산에 의해 가장 낮게 책정되었다는 인식을 심어주기 위해 1,000원 또는 10,000원 등과 같은 가격이 아니라 단수로 가격을 결정하는 가격 전략을 말한다.

**정답 ④**


## 34  □□□  한국가스공사 기출동형

다음 괄호 안에 공통으로 들어갈 용어는 무엇인가?

> (　　)이 형성되어 있는 경우에는 상품을 싸게 판매하면 품질 불량의 이미지를 주기 때문에 매출이 감소하고, 반면에 (　　)보다 높은 가격을 설정하면 판매저항이 발생해 매출이 감소하게 된다. 오랫동안 소비자들이 거의 매일같이 접하는 제품들, 예를 들면 껌, 담배, 라면, 신문, 책 등은 고정된 가격으로 생각하는 경향이 강하다.

① 명성가격　　　　　　　　　　　② 준거가격
③ 관습가격　　　　　　　　　　　④ 단수가격

**해설**

관습가격은 사회적으로 또는 소비자들이 일반적으로 인정하는 가격으로 기업이 가격을 결정하는 것이 아니라 사회가 인정하는 가격을 기업이 받아들이는 것을 말한다. 이러한 경우에는 가격 자체는 유지한 상태에서 수량 또는 품질을 조정하여 가격상승의 효과를 노리는 경우가 종종 있다. 일반적으로 관습가격이 준거가격으로 사용되는 경우가 많다.

**정답 ③**

## 35 ☐☐☐ 2021년 국가직 7급 기출

**가격 및 가격결정에 대한 설명으로 옳은 것은?**

① 10,000원짜리 제품에서 500원 미만의 가격인상은 알아차리지 못하지만 500원 이상의 가격인상은 알아차리는 현상을 웨버의 법칙(Weber's Law)으로 설명할 수 있다.
② JND(Just Noticeable Difference)는 같은 500원을 인상하더라도 인상 전 원래의 제품가격의 수준이 낮은 경우와 높은 경우에 따라 가격변화를 다르게 지각하는 것이다.
③ 일반적으로 준거가격은 최저수용가격보다 높고 유보가격보다 낮다.
④ 가격 – 품질 연상은 가격이 어느 수준 이하로 내려가면 해당 제품의 품질을 의심하는 것이며, 주로 품질을 평가하기가 쉬운 제품에서 발견된다.

### 해설

① 10,000원짜리 제품에서 500원 미만의 가격인상은 알아차리지 못하지만 500원 이상의 가격인상은 알아차리는 현상을 JND(Just Noticeable Difference)로 설명할 수 있다. 웨버의 법칙(Weber's Law)은 소비자가 가격변화에 대하여 느끼는 정도가 가격수준에 따라 모두 동일한 것이 아니고 차이가 있다는 이론을 말한다. 즉 차이의 인식이 절대적이라기보다는 상대적이라는 것이다.
② 같은 500원을 인상하더라도 인상 전 원래의 제품가격의 수준이 낮은 경우와 높은 경우에 따라 가격변화를 다르게 지각하는 것은 웨버의 법칙(Weber's Law)이다.
④ 가격 – 품질 연상은 가격이 어느 수준 이하로 내려가면 해당 제품의 품질을 의심하는 것이며, 주로 품질을 평가하기가 어려운 제품에서 발견된다.

**정답 ③**

## 36 ☐☐☐ 2021년 서울시 7급 기출

**카너먼과 트버스키(Kahneman & Tversky)의 전망이론(prospect theory)에 대한 설명으로 가장 옳지 않은 것은?**

① 가치함수가 이득 영역과 손실 영역에서 서로 상이하다.
② 준거점 근처에서 느끼는 한계효용과 준거점과 거리가 먼 부분에서 느끼는 한계효용이 서로 다르다.
③ 같은 금액의 이득보다 같은 금액의 손실을 더 크게 느낀다.
④ 복수 이득은 합하고 복수 손실은 나누는 것이 유리하다.

### 해설

카너먼과 트버스키(Kahneman & Tversky)의 전망이론(prospect theory)에 의하면 소비자에게 혜택은 합쳐서 제시할 때보다 분리해서 제시하는 것이 유리하고(복수 이득 분리의 원칙), 손실은 분리해서 제시하는 것보다 합쳐서 제시하는 것이 유리하다(복수 손실 통합의 원칙). 따라서 복수 이득은 나누고 복수 손실은 합하는 것이 유리하다.

**정답 ④**

## 37 □□□ 2020년 국가직 7급 기출

판매활동의 경제성과 효율성을 높이기 위하여 제조업자가 중간상을 이용할 때 줄어드는 총거래 수는?

| 제조업자 100개, 고객 10만 명, 중간상 2개 |

① 9,599,600개  ② 9,699,700개
③ 9,799,800개  ④ 9,899,900개

**해설**

중간상이 존재하지 않으면 제조업자가 고객과 직접 거래를 하기 때문에 총거래 수는 1,000만 개(= 100개 × 10만 명)이다. 그러나 중간상이 존재하게 되면 제조업자는 중간상과 거래하고, 중간상은 고객과 거래가 이루어진다. 따라서 중간상이 존재하는 경우의 총거래 수는 제조업자와 중간상과의 거래인 200개(= 100 × 2)와 중간상과 고객과의 거래인 20만 개(= 2개 × 10만 명)를 더한 200,200개이다. 따라서 줄어드는 총거래 수는 10,000,000개에서 200,200개를 차감한 9,799,800개이다.

**정답 ③**

## 38 □□□ 2021년 국가직 7급 기출

기업의 유통경로에 대한 설명으로 옳은 것은?

① 중간상의 수는 선택적(selective) 유통경로보다 전속적(exclusive) 유통경로에서 더 많다.
② 편의품은 집약적(intensive) 유통경로보다 전속적 유통경로에서 더 적합하다.
③ 제조업체는 집약적 유통경로보다 선택적 유통경로에서 더 높은 통제력을 가질 수 있다.
④ 전속적 유통경로에서 중간상은 경쟁제품을 취급하는 대신 다른 유통경로와 비교하여 낮은 마진을 갖는다.

**해설**

① 중간상의 수는 전속적(exclusive) 유통경로보다 선택적(selective) 유통경로에서 더 많다.
② 편의품은 전속적 유통경로보다 집약적(intensive) 유통경로에서 더 적합하다.
④ 개방적 유통경로에서 중간상은 경쟁제품을 취급하는 대신 다른 유통경로와 비교하여 낮은 마진을 갖는다. 전속적 유통경로는 생산자가 특정 지역 또는 시장에 한하여 독점적 권한을 부여한 도매상과 소매상을 선정하고, 그들에게만 자사제품을 유통시키는 전략을 말한다. 이러한 유통경로는 중간상에 대하여 완전한 통제가 가능하고, 중간상과 함께 의사결정과 촉진활동을 수행하여 상표이미지 유지와 마케팅비용을 절감하는 장점을 가지고 있다.

**정답 ③**

## 39 □□□ 2016년 서울시 7급 기출

다음 도매상의 형태 중 한정서비스 도매상에 해당하는 것은?

① 전문품 도매상  ② 브로커
③ 트럭 배달 도매상  ④ 제조업자의 판매지점

**해설**

한정서비스 도매상은 거래고객들에게 소수의 전문적 서비스만을 제공하는 도매상을 의미한다. 즉 완전서비스 도매상은 유통경로에서 수행되는 대부분의 도매상 기능을 제공하지만, 한정서비스 도매상은 이들 기능 중 일부만을 전문적으로 수행한다. 한정서비스 도매상의 주요 형태는 현금거래 도매상, 트럭 도매상, 직송 도매상, 진열 도매상 등이 있다.

**정답 ③**

## 40 ☐☐☐ 2019년 서울시 7급 기출

**유통관리에 대한 설명으로 가장 옳지 않은 것은?**

① 경로갈등 중 제조업자와 도매상 간에 발생하는 갈등은 수직적 갈등이다.
② 집약적 유통(intensive distribution)은 중간상의 판매가격, 신용정책, 서비스 등에 관해 보다 강한 통제를 할 수 있다.
③ 프랜차이즈 시스템은 계약형 수직적 마케팅 시스템(vertical marketing system)의 한 유형이다.
④ 유통경로가 길어질수록 각 중간상들이 수행하는 마케팅기능은 보다 전문화된다.

**해설**

집약적(개방적) 유통(intensive distribution)은 자사제품에 대해 모든 판매업자에게 판매를 허용하는 전략이다. 따라서 가능한 한 많은 도매업자와 소매업자를 활용하여 제품을 유통시킬 수 있기 때문에 편의품의 경우에 많이 활용된다. 이러한 유형은 소비자에게 자주 노출되고 쉽게 구매되어 매출증대의 효과는 있지만, 낮은 마진으로 중간상의 통제가 곤란하고 광고 및 촉진활동을 대부분 생산자가 부담해야 하는 단점이 있다. **정답 ②**

## 41 ☐☐☐ 서울교통공사 기출동형

**다음 중 유통에 대한 설명으로 옳지 않은 것은?**

① 유통은 소비자가 원하는 시간에 제품을 구매할 수 있도록 생산시점과 소비시점의 불일치를 감소시킬 수 있다.
② 경로구성원 간의 정보밀집성이 존재할 때 수직적 통합은 기회주의를 감소시켜 거래비용을 줄일 수 있다.
③ 유통경로 갈등의 원인 중 동일한 사실을 놓고도 경로구성원들이 인식을 다르게 하는 경우 발생하는 갈등의 원인을 지각 불일치라고 한다.
④ 채찍효과란 수요가 예상보다 적게 발생할 경우 수요를 푸시(push)하기 위하여 제조업자가 유통업자를 압박하는 것을 의미한다.

**해설**

채찍효과(bullwhip effect)는 공급사슬 하류(소비자 방향 또는 전방)의 소규모 수요변동이 공급사슬 상류(공급업체 방향 또는 후방)로 갈수록 그 변동폭이 점점 증가해 가는 모습을 묘사적으로 명명한 것으로, 수요왜곡의 정도가 증폭되어 가는 현상을 의미한다. **정답 ④**

## 42 ☐☐☐ 2023년 군무원 9급 기출

**수직적 마케팅시스템(VMS: Vertical Marketing System)에 대한 설명으로 가장 거리가 먼 것은?**

① 기업형 VMS를 통해 경로갈등을 해결할 수 있다.
② 제조기업이 중간상을 통합하는 것은 전방통합에 해당한다.
③ 프랜차이즈 시스템은 관리형 VMS에 해당한다.
④ 계약형 VMS가 관리형 VMS보다 수직적 통합의 정도는 강하다.

**해설**

프랜차이즈 시스템은 계약형 VMS에 해당한다. **정답 ③**

## 43 ☐☐☐ 서울교통공사 기출동형

**다음 중 프랜차이즈 조직에 대한 설명으로 옳지 않은 것은?**

① 관리형 수직적 마케팅시스템의 형태이다.
② 본사는 가입비와 로열티 등의 수입을 얻는다.
③ 본사는 제품의 안정적인 판매망을 확보할 수 있다.
④ 가맹점으로부터 부실채권이 발생할 가능성이 있다.

**해설**

계약형 VMS는 수직적 마케팅시스템 중 가장 일반적인 형태로 생산자, 도매상, 소매상은 각각 독립되어 있으나, 상호 간 계약에 의해 수직적으로 통합한 형태이다. 대표적으로 프랜차이즈(franchise)가 있다.

정답 ①

## 44 ☐☐☐ 2023년 서울시 7급 기출

**특정 지역 내에서 일정 기간 동안 모기업이 비교적 규모가 작은 개인기업에 자신들의 제품, 서비스, 상표 및 기타 기업운영방식을 사용하여 영업할 수 있는 권한을 허가해 주는 유통형태인 프랜차이즈 시스템에 해당하는 유통경로는?**

① 수평형 마케팅시스템
② 기업형 수직적 마케팅시스템
③ 계약형 수직적 마케팅시스템
④ 관리형 수직적 마케팅시스템

**해설**

특정 지역 내에서 일정 기간 동안 모기업이 비교적 규모가 작은 개인기업에 자신들의 제품, 서비스, 상표 및 기타 기업운영방식을 사용하여 영업할 수 있는 권한을 허가해 주는 유통형태인 프랜차이즈 시스템에 해당하는 유통경로는 계약형 수직적 마케팅시스템이다.

정답 ③

## 45 ☐☐☐ 2018년 서울시 7급 기출

**소비자가 현재 사용하고 있는 특정 제품이나 서비스에서 다른 제품이나 서비스를 사용하려고 할 경우 발생되는 비용은?**

① 전환비용(switching cost)
② 조달비용(procurement cost)
③ 거래비용(transaction cost)
④ 대리인비용(agency cost)

**해설**

② 조달비용은 자본이나 물건을 획득할 때 발생하는 비용을 의미한다.
③ 거래비용이론은 시장과 기업의 형태 중 거래비용이 적게 발생하는 곳에서 거래가 이루어진다는 것으로서 기업이라는 조직의 형성을 설명하는 대표적인 이론 중 하나이다. 거래비용이론에 발생하는 거래비용은 감독비용, 조정비용 등이 있다.
④ 대리인비용은 주인(principal)과 대리인(agency) 간 문제로 인해 발생하는 비용으로, 대표적으로 감독비용, 확증비용, 잔여손실이 있다.

정답 ①

## 46 ☐☐☐ 2019년 국가직 7급 기출

제조업자가 유통업자(중간상)를 자신이 기대하는 대로 행동하도록 유도하기 위해 동원할 수 있는 영향력의 원천에 해당하지 않는 것은?

① 강압적 힘(coercive power)
② 대항적 힘(countervailing power)
③ 보상적 힘(reward power)
④ 합법적 힘(legitimate power)

**해설**

프렌치(French)와 레이븐(Raven)은 다양한 원천에 따라 권력(영향력)을 강압적 권력(coercive power), 보상적 권력(reward power), 합법적 권력(legitimate power), 준거적 권력(reference power), 전문적 권력(expert power)으로 구분하였다.

**정답 ②**

## 47 ☐☐☐ 2021년 서울시 7급 기출

촉진전략(promotion)에 대한 설명으로 가장 옳지 않은 것은?

① 풀(pull)전략에는 제조사가 인적판매를 동원하여 유통 채널에 제품을 많이 취급하도록 유도하는 방법이 포함된다.
② 소비자 판매촉진의 수단에는 쿠폰, 할인, 사은품 등이 포함된다.
③ 중간상 판매촉진은 푸시(push)전략에 포함된다.
④ 저가의 일상생활용품에 비해 고가의 가전제품의 경우 풀(pull)전략이 더 효과적이다.

**해설**

풀(pull)전략은 제조업자가 최종소비자에게 촉진활동을 함으로써 소비자가 자사제품을 찾도록 하는 전략으로 브랜드 인지도가 높은 기업이 주로 사용하며, 광고가 주요한 촉진수단이 된다.

**정답 ①**

## 48 ☐☐☐ 대전도시철도공사 기출동형

다음 중 촉진믹스에 대한 설명으로 옳지 않은 것은?

① 광고는 빨리 많은 사람에게 도달될 수 있지만, 비대면적이고, 고객을 직접적으로 설득할 수 없다.
② 인적판매는 둘 또는 그 이상의 사람 사이에 개인적인 상호작용이 일어나기 때문에 각 사람의 특징을 관찰할 수 있지만 신속하게 이에 대응하기는 어렵다.
③ 판매촉진은 쿠폰, 가격할인 등을 통해 고객의 주의를 끌고 구매를 유도할 수 있는 강력한 동기를 제공한다.
④ 홍보는 뉴스거리, 특집기사, 후원 등을 통해 광고보다 더욱 진실되고 신뢰성 있는 것으로 청중에게 인식된다.

**해설**

인적판매는 판매원이 판매를 목적으로 1인 또는 그 이상의 예상구매자들과 직접적인 접촉과 쌍방향 의사소통을 통해 자사의 재화와 서비스를 구매할 수 있도록 권유하고 설득하는 과정을 의미한다. 따라서 인적판매는 개인적 접촉, 쌍방향 의사소통, 고비용, 최종구매행동 자극 등의 특징을 가지고 있기 때문에 신속한 대응이 가능하다.

**정답 ②**

## 49 한국중부발전 기출동형

**다음 중 마케팅 커뮤니케이션에 대한 설명으로 옳지 않은 것은?**

① 인적판매나 중간상 판매촉진을 실시하였다면 풀(pull) 전략이라고 할 수 있다.
② PR은 신뢰도가 높지만, 내용을 통제할 수 없다.
③ 판매촉진은 단기적인 매출증가에 효과적이다.
④ 광고는 판매증진이 목적이고, PR은 정보제공이 목적이다.

**해설**

풀(pull) 전략은 광고가 주요한 촉진수단이 되고, 푸시(push) 전략은 인적판매나 중간상 판매촉진이 주요한 촉진수단이 된다.

**정답 ①**

## 50 서울교통공사 기출동형

**촉진판매전략 중 푸시 전략과 풀 전략에 대한 설명으로 옳지 않은 것은?**

① 푸시 전략은 주로 제조업체가 유통업체를 대상으로 판촉과 인적판매 수단을 동원해 마케팅활동을 집중하는 것을 말한다.
② 풀 전략은 주로 브랜드 로열티가 높은 제품에 사용한다.
③ 푸시 전략은 동시에 충동구매가 잦은 제품의 경우에 적합하다.
④ 풀 전략은 자신들의 제품을 많이 취급하도록 하고 좋은 위치에 진열하도록 하며, 판매사원을 매장에 직접 내보내기도 한다.

**해설**

푸시 전략은 제조업자가 최종소비자에게 직접 촉진활동을 하지 않고 유통업자를 통해 촉진하는 방법으로 주로 유통업자의 힘이 강하고 제조업자의 브랜드 인지도가 낮은 경우에 사용하게 되며, 인적판매나 중간상 판매촉진이 적합한 촉진수단이 될 수 있다. 풀 전략은 제조업자가 최종소비자에게 촉진활동을 함으로써 소비자가 자사제품을 찾도록 하는 전략으로 브랜드 인지도가 높은 기업이 주로 사용하며, 광고가 주요한 촉진수단이 될 것이다. 따라서 자신들의 제품을 많이 취득하도록 하고 좋은 위치에 진열하도록 하며, 판매사원을 매장에 직접 내보내기도 하는 것은 푸시 전략에 해당한다.

**정답 ④**

## 51. 대구도시철도공사 기출동형

**다음 중 통합 마케팅 커뮤니케이션에 대한 설명으로 옳지 않은 것은?**

① 통합 마케팅 커뮤니케이션은 커뮤니케이션 각 분야의 기능을 종합적으로 반영함으로써 부가가치를 창출하는 마케팅 전략이다.
② 소비자는 자신의 마음에 드는 즐겁고 긍정적인 메시지에 대해서는 주의를 기울이지만, 고통스럽고 자신의 기대에 어긋나는 자극에 대해서는 의도적으로 회피하는 경향이 있다.
③ 광고가 구매행동 단계에서 경쟁브랜드에서의 전환, 구매시점에서의 방문 및 구매량의 증가를 유도하는 반면, 판매촉진은 인지, 정보 제공, 이미지 구축의 기능을 한다.
④ 체험마케팅은 제품에 대한 장점이나 특징을 전달하는 차원에서 더 나아가 소비자에게 직접적인 경험을 제공하는 데 집중하는 마케팅전략이다.

**해설**

판매촉진이 구매행동 단계에서 경쟁브랜드에서의 전환, 구매시점에서의 방문 및 구매량의 증가를 유도하는 반면, 광고는 인지, 정보 제공, 이미지 구축의 기능을 한다. 소비자는 일반적인 절차에 따라 제품구매의사결정과정을 수행하게 된다. 이러한 과정은 간단하게 '정보탐색'의 과정과 '구매행동'의 과정으로 구분할 수 있는데, '정보탐색'의 과정에서는 광고나 PR이 바람직한 촉진수단이 되고, '구매행동'의 과정에서는 인적판매나 판매촉진이 가장 바람직한 촉진수단이 된다.

**정답 ③**

## 52. 서울교통공사 기출동형

**촉진 수단 중 광고(advertising)에 대한 특징으로 옳은 것은?**

① 특정 소수를 대상으로 한다.
② 제공 가능한 정보의 양에 제한이 없다.
③ 1인당 비용이 많이 든다.
④ 표준화된 정보를 제공한다.

**해설**

① 광고는 공중제시성을 가지기 때문에 다수의 대중을 대상으로 한다.
② 광고는 일정 시간 동안 제공되기 때문에 제공 가능한 정보의 양에 제한이 있다.
③ 광고는 고비용의 특징을 가지지만, 보급성을 가지기 때문에 1인당 비용은 저렴하다.

**정답 ④**

## 53　□□□　2022년 국가직 7급 기출

**감성적 메시지 소구 광고에 해당하는 것은?**

① 제품 구매를 통해 얻게 되는 물리적 혜택을 강조하는 광고
② "아이의 흉터는 엄마 가슴에 새겨진대요"의 카피로 소구하는 유아용 밴드 제품 광고
③ 공정무역을 기치로 생산자와 직접 연계하여 유통마진을 낮췄다는 '착한 농산물' 광고
④ 우리의 헌혈이 이웃에게 도움을 줄 수 있다는 대의명분에 호소하는 광고

**해설**

이성적 소구는 자사의 브랜드가 선택될 수밖에 없는 합리적인 이유를 설명하거나 객관적인 근거를 제시함으로써 목표소비자에게 제품에 대한 지식과 정보를 제공하는 소구방식을 말하고, 감성적 소구는 소비자로 하여금 이성적인 판단이나 정보제공을 통한 설득보다는 브랜드에 대한 긍정적인 느낌이나 호의적인 태도(이미지)의 향상을 목적으로 소비자의 감정을 자극하고 감성에 호소하는 소구방식을 말한다. 따라서 주어진 보기 중에서 감성적 메시지 소구 광고에 해당하는 것은 ②이다.

**정답 ②**

## 54　□□□　2015년 국가직 7급 기출

A사는 자사 제품을 B신문에 광고하고자 한다. B신문을 읽는 사람이 5천 명이고, B신문사는 CPM(Cost Per Milli(A Thousand) Persons Reached) 기준으로 10만 원을 요구하고 있다. B신문사의 요구대로 광고계약을 한다면 예상되는 광고비는?

① 5만 원　　② 50만 원
③ 500만 원　　④ 5,000만 원

**해설**

10만 원 / 1,000명 × 5,000명 = 50만 원

**정답 ②**

## 55 ☐☐☐ 2023년 국가직 7급 기출

**촉진믹스(promotion mix)에 대한 설명으로 옳은 것은?**

① 광고의 이월효과(carryover effect)는 광고의 노출빈도가 어느 수준을 넘어서면 광고효과가 떨어지는 것이다.
② 광고예산 결정방법에서 매출액 비율법은 광고비를 매출액의 원인으로 보는 방법이다.
③ 광고공제(advertising allowances)는 중간상 판매촉진(trade promotion)에 해당된다.
④ 진열공제(display allowances)는 제조업자가 소매업자에게 신상품 취급 대가로 상품 대금의 일부를 공제해 주는 것이다.

**해설**

광고공제(advertising allowances)는 소매기업이 자신의 광고물에 어떤 상품을 중점 광고해주는 대가로 제조기업이 상품 구매가격의 일정 비율을 공제해 주는 것을 말하고, 중간상 판매촉진(trade promotion)에 해당된다.
① 광고의 이월효과(carryover effect)는 특정시점의 광고투자 효과가 그 이후 시점에서도 발현되는 현상을 의미한다. 고의 노출빈도가 어느 수준을 넘어서면 광고효과가 떨어지는 것은 광고의 지침효과(wearout effect)이다.
② 광고예산 결정방법에서 매출액 비율법은 매출액을 광고비의 원인으로 보는 방법이다.
④ 진열공제(display allowances)는 소매기업이 점포 내에 어떤 상품을 일정 기간 동안 눈에 잘 띄게 진열해주는 대가로 제조기업이 상품 구매가격의 일정 비율을 공제해 주는 것을 말한다. 그리고 제조업자가 소매업자에게 신상품 취급 대가로 상품 대금의 일부를 공제해 주는 것은 입점공제(slotting allowances)이다.

**정답 ③**

## 56 ☐☐☐ 2017년 서울시 7급 기출

**다음 중 촉진믹스 선정에 대한 설명으로 가장 옳은 것은?**

① 소비재를 판매하는 기업은 대부분의 촉진비용을 PR에 주로 사용하며 그 다음으로 광고, 판매촉진, 그리고 인적판매의 순으로 촉진비용을 지출하게 된다.
② 푸시(Push) 전략을 사용하는 생산자는 유통경로 구성원들을 상대로 인적판매나 중간상 판촉 등과 같은 촉진활동을 수행한다.
③ 구매자의 의사결정단계 중 인지와 지식의 단계에서는 인적판매가 보다 효과적이다.
④ 제품수명주기 단계 중 성숙기에서는 광고가 판매촉진에 비하여 중요한 역할을 수행하게 된다.

**해설**

① 최종 소비를 목적으로 하는 소비재는 다양한 촉진수단 중 광고의 중요성이 더 크며, 중간 소비를 목적으로 하는 산업재의 경우에는 인적판매와 같은 촉진수단이 더 중요해지게 된다.
③ 소비자는 일반적인 절차에 따라 제품구매의사결정과정을 수행하게 된다. 이러한 과정은 간단하게 '정보 탐색(인지)'의 과정과 '구매 행동'의 과정으로 구분할 수 있는데, '정보 탐색(인지)'의 과정에서는 광고나 PR이 바람직한 촉진수단이 되고, '구매 행동'의 과정에서는 인적판매나 판매촉진이 가장 바람직한 촉진수단이 된다.
④ 촉진대상 제품의 수명주기에 따라서 효율적인 촉진수단이 달라질 수 있다. 도입기와 성장기에 있는 제품은 일반적으로 신규 구매자를 통한 시장점유율 확대가 목적이기 때문에 광고나 PR이 적합한 촉진수단이 되며, 성숙기에서는 기존 구매자를 대상으로 한 판매촉진이 적합한 촉진수단이 된다. 쇠퇴기에서는 판매촉진을 지속적으로 실시하되, 광고는 소비자들이 기억을 상기할 정도로만 실시하면 된다.

**정답 ②**

## 57 2009년 국가직 7급 기출

**촉진믹스의 개발 및 관리에 대한 설명 중 옳지 않은 것은?**

① 광고는 많은 사람들에게 빠른 전달은 가능하나 인적판매에 비하여 설득력이 떨어진다고 볼 수 있다.
② 푸쉬(push) 전략이란 유통경로 구성원들을 대상으로 인적판매 등을 하는 활동이다.
③ 촉진 메시지의 구조를 결정할 경우 일면적 주장보다 양면적 주장이 더 효과적이다.
④ 산업재를 판매하는 기업은 촉진활동을 인적판매에 의존하는 경향이 강하다.

**해설**

일면적 주장은 긍정적 측면만을 전달하는 것이고, 양면적 주장은 장점과 단점 모두를 제시하는 것이다. 대부분의 광고는 일면적 주장을 사용하지만, 상황에 따라서는 양면적 주장 더 효과적일 수 있다. 즉 양면적 주장은 광고되는 제품의 긍정적인 측면을 강조하고 부각시키기 위해 부정적 측면을 활용할 때 효과적이다. 또한, 부정적인 정보의 제시가 소비자로 하여금 정보원천(광고주)의 정직성에 대한 신뢰를 높여서 전체적인 메시지에 대한 신뢰를 높여줄 수 있어야 한다. 따라서 일률적으로 일면적 주장보다 양면적 주장이 더 효과적이라고 할 수 없다.   정답 ③

## 58 서울교통공사 기출동형

**다음 중 광고와 PR을 비교한 내용으로 옳지 않은 것은?**

① 광고는 매체에 대한 비용을 지불한다.
② PR은 상대적으로 신뢰도가 높다.
③ 광고는 광고내용, 위치, 일정 등의 통제가 용이하다.
④ PR에는 TV와 라디오 광고 등이 있다.

**해설**

PR에는 언론보도(press release), 회견(press conference), 특별행사, 공공캠페인 활동, 간행물 발행 등이 있다.   정답 ④

## 59 한국가스공사 기출동형

**촉진믹스 중 하나인 인적판매에 대한 설명으로 옳지 않은 것은?**

① 인적판매를 촉진수단으로 사용할 때는 광고를 사용할 때와 정반대의 효과가 나타난다.
② 인적판매는 판매원을 매개로 하는 촉진수단을 의미한다.
③ 인적판매는 구매의사결정과정에서 정보탐색과 광고노출 이전의 단계에서 효과적이다.
④ 인적판매는 산업재 촉진이나 중간상 촉진에 적합하다.

**해설**

인적판매는 구매의사결정과정에서 정보탐색과 광고노출 이후의 단계에서 효과적이다.   정답 ③

## 60 ☐☐☐ 2014년 국가직 7급 기출

기업이 소비자에게 무료샘플, 경품, 리베이트, 쿠폰 등을 제공하는 마케팅 활동은?

① 광고
② 홍보
③ 판매촉진
④ 인적판매

**해설**

기업이 소비자에게 무료샘플, 경품, 리베이트, 쿠폰 등을 제공하는 마케팅 활동은 판매촉진이다.

정답 ③

## 61 ☐☐☐ 2024년 군무원 7급 기출

다음은 촉진 관리에 관한 설명이다. 이들 중 가장 적절하지 않은 것은?

① 중간상 판매촉진(trade promotion)은 제조업자가 중간상(도소매업자)을 대상으로 인센티브를 제공하는 것이다.
② 제조업체가 제품 취급의 대가로 특정 유통업체에게 제품 대금의 일부를 공제해 준다면, 이러한 판매촉진은 입점공제(slotting allowances)에 해당한다.
③ 매체 결정에서 표적 청중을 명확히 하기 어려운 경우에는 일반적으로 도달률(reach)보다는 빈도(frequency)를 높이는 것이 바람직하다.
④ 광고모델의 매력도와 신뢰성은 각각 동일시(identification) 과정과 내면화(internalization) 과정을 거쳐 소비자를 설득한다.

**해설**

매체 결정에서 표적 청중을 명확히 하기 어려운 경우에는 일반적으로 빈도(frequency)보다는 도달률(reach)을 높이는 것이 바람직하다.

정답 ③

## 62　2017년 국가직 7급 기출

**다음 자료를 이용하여 구매전환율(Conversion Rate)을 계산하면?**

> 100,000명의 소비자가 e-쇼핑몰 광고를 보았고 1,000명의 소비자가 광고를 클릭하여 e-쇼핑몰을 방문하였다. e-쇼핑몰을 방문한 소비자 중 실제 제품을 구매한 소비자는 50명이며 이들 구매고객 중 12명이 재구매를 하여 충성고객이 되었다.

① 24%　　　　　　　　　　　　② 5%
③ 1%　　　　　　　　　　　　 ④ 0.05%

**해설**

구매전환율이란 광고성과를 파악하는 지표의 하나로서 유입된 방문객수 대비 전환된 비율로 계산한다. 즉, 구매전환율(CVR)은 '구매자수 ÷ 방문자수'로 계산한다. 따라서 해당 기업의 구매전환율은 '50명 ÷ 1,000명 = 5%'가 된다.　　정답 ②

## 63　한국가스공사 기출동형

**다음 중 마케팅믹스(marketing mix)에 대한 설명으로 옳지 않은 것은?**

① 제품(product)에는 제품 자체뿐만 아니라 디자인, 포장, 서비스 등과 같은 요소들도 포함되어 있다.
② 촉진(promotion)은 제품에 대한 정보를 제공하고 고객의 구매의욕을 높여 제품을 구매하도록 하는 활동으로 광고, 홍보, 판매촉진 등을 통해 수행한다.
③ 가격(price)은 기업의 수익을 직접적으로 규정하는 요소로 마케팅믹스 속에서 종합적으로 판단되어야 한다.
④ 유통(place)은 필요한 시기와 장소에 제품을 공급하는 것으로, 유통경로를 변경하는 데 비용과 시간이 적게 든다.

**해설**

유통(place)은 필요한 시기와 장소에 제품을 공급하는 것으로, 유통경로를 변경하는 데 비용과 시간이 많이 든다.　　정답 ④

## 5지선다형

**01** □□□ 2018년 가맹거래사 기출

제품은 핵심제품, 유형제품, 확장제품으로 구성된다. 이에 관한 설명으로 옳은 것은?

① 핵심제품의 관점에서 보면 소비자들은 제품의 상표를 구매하고 있는 것이다.
② 핵심제품은 확장제품에 의해 구체화된다.
③ 유형적 제품특성에서 소비자는 서로 다른 여러 제품들 중 하나를 구매할 수 있다.
④ 확장제품은 포장, 상표 등으로 구성된다.
⑤ 유형제품에는 제품의 설치, 배달 등이 포함된다.

**해설**
① 제품의 상표는 실제(유형)제품에 해당한다. 핵심제품의 관점에서 보면 소비자들은 제품의 편익을 구매하고 있는 것이다.
② 핵심제품은 실제(유형)제품에 의해 구체화된다.
④ 확장제품은 설치서비스, A/S, 보증, 배달 등으로 구성되고, 포장, 상표 등은 실제(유형)제품에 해당한다.
⑤ 확장제품에는 제품의 설치, 배달 등이 포함된다.

정답 ③

**02** □□□ 대구시설공단 기출동형

다음 중 유형제품(tangible product)에 해당하지 않는 것은?

① 포장(packaging)   ② 상표명(brand name)   ③ 특징(feature)
④ 배달(delivery)    ⑤ 품질(quality)

**해설**
유형제품은 핵심제품을 제품화한 것으로 상표명, 품질, 디자인, 제품특징, 포장 등 실제로 구매되는 물리적인 제품을 의미한다. 소비자들이 추구하는 편익을 실현하고 형상화하기 위한 물리적 요소들의 집합으로 포장, 상표명, 품질 및 디자인 등과 같은 가시적(visible)인 것들이 유형제품에 해당한다. 따라서 배달은 확장제품에 해당한다.

정답 ④

**03** □□□ 2017년 공인노무사 기출

제품 구성요소 중 유형제품(tangible product)에 해당하는 것은?

① 보증(guarantee)   ② 상표명(brand name)   ③ 대금결제방식(payment)
④ 배달(delivery)    ⑤ 애프터 서비스(after service)

**해설**
유형제품(tangible product) 또는 실제제품은 핵심제품을 제품화한 것으로 상표명, 품질, 디자인, 제품특징, 포장 등 실제로 구매되는 물리적인 제품을 의미한다. 소비자들이 추구하는 편익을 실현하고 형상화하기 위한 물리적 요소들의 집합으로 포장, 상표명, 품질 및 디자인 등과 같은 가시적(visible)인 것들이 유형(실제)제품에 해당한다. 예를 들어, 냉장고의 유형(실제)제품은 냉장고 자체가 된다.

정답 ②

## 04 · 2011년 가맹거래사 기출

**제품개념 중 확장제품에 해당되지 않는 것은?**

① 품질보증   ② 애프터 서비스   ③ 배달
④ 설치       ⑤ 포장

**해설**

포장은 실제제품 또는 유형제품에 해당한다.

정답 ⑤

---

## 05 · 2019년 가맹거래사 기출

**소비재의 제품유형에 관한 설명으로 옳지 않은 것은?**

① 편의품은 소비자가 제품구매를 위해 많은 노력을 기울이지 않는 제품이다.
② 전문품은 소비자가 제품구매를 위해 특별한 노력을 기울이는 제품이다.
③ 설탕이나 화장지 같이 자주 구매되는 필수품은 편의품에 포함된다.
④ 선매품의 경우 소비자가 구매계획과 정보탐색에 많은 시간을 할애한다.
⑤ 전문품의 경우 소비자들의 브랜드충성도는 높지 않다.

**해설**

전문품은 소비자가 상품을 쉽게 식별할 수 있는 독특한 특성을 가지고 있고, 대체품이 거의 없는 제품으로 고관여의 특성을 가진다. 따라서 전문품은 소비자들의 브랜드충성도가 높다.

정답 ⑤

---

## 06 · 한국농어촌공사 기출동형

**다음 밑줄 친 ㉠, ㉡에 대한 소비재의 분류로 옳은 것은?**

- 나는 ㉠가죽소파를 구매하기 위해 브랜드별로 품질을 꼼꼼히 비교해 보았다.
- 나는 세계적인 아티스트와의 컬래버레이션(collaboration)으로 화제가 된 유명 패션 브랜드의 ㉡한정판 핸드백을 선물로 받았다.

|   | ㉠ | ㉡ |
|---|---|---|
| ① | 선매품 | 미탐색품 |
| ② | 선매품 | 전문품 |
| ③ | 선매품 | 편의품 |
| ④ | 전문품 | 선매품 |
| ⑤ | 전문품 | 미탐색품 |

**해설**

선매품은 소비자가 제품을 구매하기 위해서 가격, 품질, 디자인 등을 비교하여 구매하는 제품이며, 전문품은 소비자가 상품을 쉽게 식별할 수 있는 독특한 특성을 가지고 있고 대체품이 거의 없는 제품이다.
편의품은 소비자가 손쉽게 바로 구매하는 제품이고, 미탐색품은 소비자가 제품에 대해 전혀 모르고 있거나 조금 알고 있다 하더라도 평소에는 관심이 별로 없는 제품이다.

정답 ②

## 07 2011년 가맹거래사 기출

**소비재의 각 유형에 관한 일반적인 설명으로 옳은 것은?**

① 편의품은 대체제품 수용도가 낮다.
② 선매품은 선택적 유통경로전략이 유리하다.
③ 선매품은 구매빈도가 매우 높은 편이다.
④ 전문품은 대체제품 수용도가 높다.
⑤ 전문품은 불특정 다수에 대한 광고가 효과적이다.

### 해설

① 편의품은 대체제품 수용도가 높다.
③ 편의품은 구매빈도가 매우 높은 편이다.
④ 전문품은 대체제품 수용도가 낮다.
⑤ 편의품은 불특정 다수에 대한 광고가 효과적이다.

정답 ②

## 08 2016년 가맹거래사 기출

**선매품(shopping goods)이 아닌 것은?**

① 가구
② 의류
③ 중고차
④ 사탕
⑤ 가전제품

### 해설

소비재는 그 구매동기에 따라 편의품, 선매품, 전문품으로 구분할 수 있다. 일반적으로 편의품으로 갈수록 저관여의 특징을 보이고, 전문품으로 갈수록 고관여의 특징을 보인다. 따라서 주어진 보기 중 사탕은 선매품이 아니라 편의품에 해당한다고 볼 수 있다.

정답 ④

## 09 2021년 공인노무사 기출

**선매품(shopping goods)에 관한 설명으로 옳은 것은?**

① 소비자가 필요하다고 느낄 때 수시로 구매하는 경향을 보인다.
② 소비자는 가격, 품질, 스타일 등 다양한 정보를 수집하여 신중하게 비교하는 경향을 보인다.
③ 소비자는 잘 알지 못하거나 알고 있어도 능동적으로 구매하려 하지 않는다.
④ 일상생활에서 빈번히 구매하는 저관여 제품들이 많다.
⑤ 독특한 특징을 지니거나 브랜드 차별성을 지니는 제품들이 많다.

### 해설

① 소비자가 필요하다고 느낄 때 수시로 구매하는 경향을 보이는 것은 편의품이다.
③ 소비자는 잘 알지 못하거나 알고 있어도 능동적으로 구매하려 하지 않는 것은 미탐색품이다.
④ 일상생활에서 빈번히 구매하는 저관여 제품들이 많은 것은 편의품이다.
⑤ 독특한 특징을 지니거나 브랜드 차별성을 지니는 제품들이 많은 것은 전문품이다.

정답 ②

## 10  2020년 가맹거래사 기출

**소비재의 제품유형 중 다음에 해당하는 것은?**

- 제품 구매 시 타 제품과의 비교를 위해 상당한 시간과 노력이 투입된다.
- 지역별로 소수의 판매점을 통해 유통되는 선택적 유통경로전략이 유리하다.
- 불특정 다수에 대한 광고와 특정 구매자 집단을 표적으로 하는 인적판매를 활용한다.

① 전문품  ② 소모품  ③ 자재와 부품
④ 선매품  ⑤ 편의품

**해설**
해당 설명은 소비재의 제품유형 중 선매품에 해당한다.  정답 ④

## 11  2018년 공인노무사 기출

**다음에서 설명하는 소비재는?**

- 특정 브랜드에 대한 고객 충성도가 높다.
- 제품마다 고유한 특성을 지니고 있다.
- 브랜드마다 차이가 크다.
- 구매 시 많은 시간과 노력을 필요로 한다.

① 편의품(convenience goods)  ② 선매품(shopping goods)  ③ 전문품(specialty goods)
④ 자본재(capital goods)  ⑤ 원자재(raw materials)

**해설**
소비재는 구매동기에 따라 편의품(convenience goods), 선매품(shopping goods), 전문품(specialty goods), 미탐색품(unsought goods)으로 구분할 수 있는데, 편의품에서 전문품으로 갈수록 소비자의 관여도(involvement)는 높아진다.  정답 ③

## 12  2016년 가맹거래사 기출

**신제품 개발과정의 단계로 옳은 것은?**

① 소비자요구 분석 → 콘셉트 도출 → 아이디어 창출 → 제품 개발 → 신제품사업성 확인 → 상품화
② 소비자요구 분석 → 아이디어 창출 → 콘셉트 도출 → 신제품사업성 확인 → 제품 개발 → 상품화
③ 소비자요구 분석 → 콘셉트 도출 → 아이디어 창출 → 신제품사업성 확인 → 제품 개발 → 상품화
④ 아이디어 창출 → 소비자요구 분석 → 콘셉트 도출 → 신제품사업성 확인 → 제품 개발 → 상품화
⑤ 아이디어 창출 → 소비자요구 분석 → 콘셉트 도출 → 제품 개발 → 신제품사업성 확인 → 상품화

**해설**
신제품 개발과정은 '소비자요구 분석 → 아이디어 창출 → 콘셉트 도출 → 신제품사업성 확인 → 제품 개발 → 상품화'의 순서로 이루어진다.  정답 ②

## 13 □□□ 2012년 가맹거래사 기출

**기업이 신제품을 출시하기 전 고려해야 할 윤리적·법적 의무에 해당되지 않는 것은?**

① 안전성 시험(safety test)
② 제품회수(product recall)
③ 제품기능(product performance)
④ 가격인하(price discount)
⑤ 제품정보(product information)

**해설**

가격인하(price discount)는 기업이 신제품을 출시하기 전 고려해야 할 윤리적·법적 의무에 해당되지 않는다.

**정답 ④**

## 14 □□□ 2023년 공인노무사 기출

**로저스(E. Rogers)의 혁신에 대한 수용자 유형이 아닌 것은?**

① 혁신자(innovators)
② 조기수용자(early adopters)
③ 후기수용자(late adopters)
④ 조기다수자(early majority)
⑤ 후기다수자(late majority)

**해설**

로저스(E. Rogers)는 제품의 수용속도에 따라 소비자를 혁신자(innovator), 조기수용자(early adopter), 조기다수자(early majority), 후기다수자(late majority), 지각수용자(laggard)로 구분하였다. 따라서 후기수용자(late adopters)는 로저스(E. Rogers)의 혁신에 대한 수용자 유형에 해당하지 않는다.

**정답 ③**

## 15 □□□ 2019년 경영지도사 기출

**모험적으로 위험을 감수하고 새로운 아이디어를 적극적으로 수용하는 계층은?**

① 혁신자(innovator)
② 조기수용자(early adopter)
③ 조기다수자(early majority)
④ 후기다수자(late majority)
⑤ 지각수용자(laggard)

**해설**

로저스(Rogers)는 제품의 수용속도에 따라 소비자를 혁신자(innovator), 조기수용자(early adopter), 조기다수자(early majority), 후기다수자(late majority), 지각수용자(laggard)로 구분하였다. 여기서 혁신자(innovator)는 신제품 출시와 더불어 바로 구입하는 소비자계층으로 모험심이 강하고 위험을 감수하면서 새로운 제품을 받아들인다.

**정답 ①**

**16** ☐☐☐ 2013년 공인노무사 기출

신제품을 가장 먼저 받아들이는 그룹에 이어 두 번째로 신제품의 정보를 수집하여 신중하게 수용하는 그룹은?

① 조기수용자(early adopters)
② 혁신자(innovators)
③ 조기다수자(early majorities)
④ 후기다수자(late majorities)
⑤ 최후수용자(laggards)

**해설**

로저스(Rogers)는 제품의 수용속도에 따라 혁신자(innovators), 조기수용자(early adopters), 조기다수자(early majorities), 후기다수자(late majorities), 최후수용자(laggards)로 구분하였다.

정답 ①

---

**17** ☐☐☐ 2014년 공인노무사 기출

로저스(Rogers)가 주장한 혁신의 수용과 확산모형에서 신제품을 수용하는 소비자 분포의 비율로 옳지 않은 것은?

① 혁신자(innovators) - 2.5%
② 조기수용자(early adopters) - 16%
③ 전기다수자(early majorities) - 34%
④ 후기다수자(late majorities) - 34%
⑤ 최후수용자(laggards) - 16%

**해설**

조기수용자(early adopters)의 비율은 13.5%이다.

정답 ②

---

**18** ☐☐☐ 2024년 가맹거래사 기출

로저스(E. Rogers)가 분류한 신제품 수용자 유형 중 조기다수자(early majority)에 관한 설명으로 옳은 것을 모두 고른 것은?

ㄱ. 전체 수용자의 34%를 차지한다.
ㄴ. 전체 수용자 중 세 번째 순서로 신제품을 수용한다.
ㄷ. 조기수용자(early adopters) 다음으로 신제품을 수용한다.

① ㄱ
② ㄴ
③ ㄱ, ㄷ
④ ㄴ, ㄷ
⑤ ㄱ, ㄴ, ㄷ

**해설**

로저스(E. Rogers)는 제품의 수용속도에 따라 소비자를 혁신수용자(innovators), 조기수용자(early adopters), 조기다수수용자층(early majority), 후기다수수용자(late majority), 후발(지각)수용자층(laggards)의 순서로 구분하였다. 따라서 주어진 내용 모두가 조기다수자에 관한 설명으로 옳은 설명이다.

정답 ⑤

## 19. 2020년 가맹거래사 기출

**신제품의 수용과 확산 시 다음 특성을 나타내는 집단은?**

- 소속된 집단에서 존경을 받는다.
- 주로 사회에서 의견 선도자 내지 여론 주도자의 역할을 한다.
- 전체 소비자 집단의 약 13.5%를 차지한다.

① 혁신층  ② 조기 수용층  ③ 조기 다수층
④ 후기 다수층  ⑤ 최후 수용층

**해설**

로저스(Rogers)는 제품의 수용속도에 따라 소비자를 혁신층, 조기 수용층, 조기 다수층, 후기 다수층, 최후(후발) 수용층의 5개 집단으로 구분하였다. 이 중에 여론 주도자의 역할을 하면서 전체 소비자 집단의 약 13.5%를 차지하는 집단은 조기 수용층이다.  **정답 ②**

## 20. 2021년 공인노무사 기출

**브랜드(brand) 요소를 모두 고른 것은?**

ㄱ. 징글(jingle)
ㄴ. 캐릭터(character)
ㄷ. 슬로건(slogan)
ㄹ. 심볼(symbol)

① ㄱ, ㄴ  ② ㄷ, ㄹ  ③ ㄱ, ㄴ, ㄷ
④ ㄴ, ㄷ, ㄹ  ⑤ ㄱ, ㄴ, ㄷ, ㄹ

**해설**

징글(jingle)은 상업적으로 사용되는 짧은 길이의 곡을 의미한다. 따라서 징글(jingle), 캐릭터(character), 슬로건(slogan), 심볼(symbol) 모두 브랜드의 요소에 해당한다.  **정답 ⑤**

## 21. 2017년 가맹거래사 기출

**브랜드의 구성요소가 아닌 것은?**

① 라벨(label)  ② 캐릭터(character)  ③ 슬로건(slogan)
④ 심벌(symbol)  ⑤ 로고(logo)

**해설**

라벨(label)은 상품명 및 상품에 관한 여러 사항을 표시한 것을 의미하기 때문에 브랜드의 구성요소에 해당하지 않는다.  **정답 ①**

**22** ☐☐☐ 2013년 가맹거래사 기출

제품에 부착되어 상표명을 보여주고 제조회사, 제조날짜, 성분, 사용법 등 제품정보를 소비자에게 전달하는 것은?

① 브랜딩
② 패키징
③ 포지셔닝
④ 레이블링
⑤ 제품지원서비스

**해설**

제품에 부착되어 상표명을 보여주고 제조회사, 제조날짜, 성분, 사용법 등 제품정보를 소비자에게 전달하는 것은 레이블링(labeling)이다.

정답 ④

**23** ☐☐☐ 2021년 가맹거래사 기출

한 제품시장에서 성공을 거둔 기존 브랜드를 다른 제품범주의 신제품에도 사용하는 전략은?

① 수평적 라인확장전략(horizontal line extension strategy)
② 수직적 라인확장전략(vertical line extension strategy)
③ 개별브랜드전략(individual brand strategy)
④ 브랜드확장전략(brand extension strategy)
⑤ 공동브랜드전략(family brand strategy)

**해설**

한 제품시장에서 성공을 거둔 기존 브랜드를 다른 제품범주의 신제품에도 사용하는 전략은 브랜드확장전략이다. 상표개발전략은 다음과 같다.

| 상표 \ 제품범주 | 기존 제품범주 | 새로운 제품범주 |
| --- | --- | --- |
| 기존 상표 | 라인(계열)확장 | 상표확장(연장) |
| 새로운 상표 | 복수상표 | 신상표 |

정답 ④

**24** ☐☐☐ 2013년 공인노무사 기출

A기업에서 화장품으로 성공한 '그린러브' 상표를 세제와 치약에도 사용하려고 하는 전략은?

① 메가상표(mega brand)
② 개별상표(individual brand)
③ 상표연장(brand extension)
④ 복수상표(multi brand)
⑤ 상표자산(brand equity)

**해설**

현재의 상표를 새로운 제품범주의 신제품으로 확장하는 것을 상표연장(brand extension)이라고 한다.

정답 ③

## 25 ☐☐☐ 2024년 공인노무사 기출

**브랜드에 관한 설명으로 옳지 않은 것은?**

① 브랜드는 제품이나 서비스와 관련된 이름, 상징, 혹은 기호로서 그것에 대해 구매자가 심리적인 의미를 부여하는 것이다.
② 브랜드 자산은 소비자가 브랜드에 부여하는 가치, 즉 브랜드가 창출하는 부가가치를 말한다.
③ 켈러(J. Keller)에 따르면, 브랜드 자산의 원천은 브랜드의 인지도와 브랜드의 이미지이다.
④ 브랜드 이미지는 긍정적이고 독특하며 강력해야 한다.
⑤ 브랜드 개발은 창의적인 광고를 통해 관련 이미지를 만들어 내는 것이다.

**해설**

상표(brand)는 특정 기업의 재화나 서비스를 소비자에게 식별시키고 경쟁자들의 것과 차별화시키기 위하여 사용하는 독특한 이름과 상징물들의 결합체를 의미한다. 따라서 상표(brand) 개발이 창의적인 광고를 통해 관련 이미지를 만들어 내는 것을 의미하는 것이 아니다. **정답 ⑤**

## 26 ☐☐☐ 2022년 경영지도사 기출

**가격 결정의 주요 목표로 옳지 않은 것은?**

① 시장 침투
② 수익의 안정
③ 제품의 판매 촉진
④ 경쟁에 대한 대응 및 예방
⑤ 신제품 개발 역량 촉진

**해설**

가격(price)이란 소비자가 재화 또는 서비스를 구입하기 위해 지불하는 화폐의 양을 말한다. 따라서 가격은 소비자들이 가장 민감하게 반응하는 부분이며, 시장에서 판매자나 소비자들에게 재화나 서비스의 가치를 나타내는 기준이 된다. 이러한 가격은 기업 입장에서는 수익의 원천이 되지만, 소비자 입장에서는 비용이 된다. 또한, 가격결정에 영향을 미치는 주요 요인으로는 수요(demand), 원가(cost), 경쟁환경(competitive environment), 법적 요인(legal factor) 등이 있다. 따라서 신제품 개발 역량 촉진은 가격 결정의 주요 목표로 옳지 않다. **정답 ⑤**

## 27 ☐☐☐ 2024년 공인노무사 기출

**4P 중 가격에 관한 설명으로 옳지 않은 것은?**

① 가격은 다른 마케팅믹스 요소들과 달리 상대적으로 쉽게 변경할 수 있다.
② 구매자가 가격이 비싼지 싼지를 판단하는 기준으로 삼는 가격을 준거가격이라 한다.
③ 구매자가 어떤 상품에 대해 지불할 용의가 있는 최저가격을 유보가격이라 한다.
④ 가격변화를 느끼게 만드는 최소의 가격변화 폭을 JND(just noticeable difference)라 한다.
⑤ 구매자들이 가격이 높은 상품일수록 품질도 높다고 믿는 것을 가격-품질 연상이라 한다.

**해설**

구매자가 어떤 상품에 대해 지불할 용의가 있는 최고가격을 유보가격이라고 한다. 반면, 제품가격이 너무 싸면 소비자는 제품에 하자가 있는 것으로 판단하고 구매를 거부하게 되는데, 이러한 가격을 최저수용가격이라고 한다. 일반적으로 소비자는 준거가격을 중심으로 유보가격과 최저수용가격 내에서 제품을 구매한다. **정답 ③**

## 28 ☐☐☐ 2023년 경영지도사 기출

**가격전략에 관한 설명으로 옳지 않은 것은?**

① 기업의 마케팅 목표 및 마케팅 믹스와의 조화를 고려하여 수립할 필요성이 있다.
② 수요의 가격탄력성이 높지 않을 경우, 상대적 고가격전략이 적합하다.
③ 시장침투(market-penetration) 가격전략은 신제품 출시 초기에 높은 가격을 책정하고, 추후 점차적으로 가격을 인하하여 시장점유율을 확대하고자 하는 전략이다.
④ 진입장벽이 높아 경쟁자의 시장 진입이 어려운 경우, 스키밍(market-skimming) 가격전략이 적합하다.
⑤ 소비자들의 본원적 수요를 자극하고자 하는 경우, 상대적 저가격전략이 적합하다.

> **해설**
> 신제품 출시 초기에 높은 가격을 책정하고, 추후 점차적으로 가격을 인하하여 시장점유율을 확대하고자 하는 전략은 스키밍(market-skimming) 가격전략이다. 시장침투(market-penetration) 가격전략은 신제품 도입초기에 저가격을 설정하여 신속히 시장에 침투한 후 인지도가 높아지면 가격을 높게 설정하는 가격전략이다.
> **정답 ③**

## 29 ☐☐☐ 2023년 가맹거래사 기출

**가격에 관한 설명 중 옳지 않은 것은?**

① 준거가격은 구매자가 가격이 비싼지 싼지를 판단하는 기준으로 삼는 가격이다.
② 스키밍가격전략은 신상품이 처음 나왔을 때 낮은 가격을 책정하고 이후 시간의 흐름에 따라 가격을 높이는 방식이다.
③ 최저수용금액은 구매자가 의심하지 않고 구매할 수 있는 최저금액이다.
④ 단수가격조정은 끝자리를 미세한 단위(~9원)로 정하는 방식이다.
⑤ 유인가격은 일부 제품에 대해 원가와 무관하게 낮은 가격을 제시하는 것이다.

> **해설**
> 신상품이 처음 나왔을 때 낮은 가격을 책정하고 이후 시간의 흐름에 따라 가격을 높이는 방식은 시장침투가격전략(초기저가전략)에 해당하고, 스키밍가격전략(초기고가전략)은 신제품 도입초기에 고가격으로 시장에 진입하여 가격에 비교적 둔감한 고소득층의 혁신층(innovators)과 조기수용층(early adopters)을 흡수하고, 점점 가격을 낮추어 중산층과 저소득층까지 공략하는 가격전략이다.
> **정답 ②**

## 30 ☐☐☐ 2018년 가맹거래사 기출

**가격책정에 관한 설명으로 옳지 않은 것은?**

① 묶음가격책정(bundling pricing)은 함께 사용하는 제품에 대해 각각의 가격을 설정하는 것이다.
② 시장침투가격책정(penetration pricing)은 빠른 시간 내에 매출 및 시장점유율을 확대하기 위해 신제품 도입 초기에 낮은 가격을 설정하는 것이다.
③ 초기고가책정(skimming pricing)은 신제품을 시장에 출시할 때 신제품이 지니고 있는 편익을 수용하고자 하는 소비자층을 상대로 가격을 높게 설정하는 것이다.
④ 단수가격책정(odd pricing)은 제품가격을 단수로 책정함으로써 실제보다 제품가격이 저렴한 것으로 느끼도록 가격을 설정하는 것이다.
⑤ 가격계열화(price lining)는 품질이나 디자인의 차이에 따라 가격대를 설정하고 그 가격대 내에서 개별제품에 대한 구체적인 가격을 설정하는 것이다.

**해설**

묶음가격책정(bundling pricing)은 기업이 둘 또는 그 이상의 재화나 서비스를 결합하여 할인된 가격으로 판매하는 전략을 말한다. **정답 ①**

## 31 ☐☐☐ 2014년 공인노무사 기출

**수요의 가격탄력성이 가장 높은 경우는?**

① 대체재나 경쟁자가 거의 없을 때
② 구매자들이 높은 가격을 쉽게 지각하지 못할 때
③ 구매자들이 구매습관을 바꾸기 어려울 때
④ 구매자들이 대체품의 가격을 쉽게 비교할 수 있을 때
⑤ 구매자들이 높은 가격이 그만한 이유가 있다고 생각할 때

**해설**

구매자들이 대체품의 가격을 쉽게 비교할 수 있을 때는 일반적으로 수요의 가격탄력성이 높고, 나머지는 일반적으로 가격탄력성이 낮다. **정답 ④**

## 32 □□□ 한국농어촌공사 기출동형

**다음 중 초기 고가 전략에 대한 설명으로 옳은 것은?**

① 제품수명주기의 변화로 가격이 낮아지면 소비자들이 비싼 물건을 싸게 구매했다고 생각한다.
② 시장에 신속하게 침투하고자 하는 전략으로 장기적인 이익을 모색하려는 경우에 유리한 전략이다.
③ 시장잠재력이 큰 생필품에 적합한 전략이다.
④ 대개 수요가 탄력적인 시장에서 시행되므로 가격을 조금만 인하해도 판매가 현저하게 증가하는 효과가 있다.
⑤ 여러 경쟁제품이 치열하게 포진되어 있는 상태에서 신제품을 런칭(launching)할 때 사용할 수 있는 전략이다.

**해설**
②, ③, ④, ⑤ 초기 저가 전략(시장침투가격 전략)에 대한 설명이다.  **정답 ①**

## 33 □□□ 2016년 가맹거래사 기출

**제품수명주기상 도입기에 고가격 전략을 적용하는 경우로 옳지 않은 것은?**

① 초기에 높은 시장점유율을 확보하려 할 때
② 특허 기술 등의 이유로 제품이 보호되고 있을 때
③ 잠재적 고객들이 가격-품질의 연상이 강할 때
④ 경쟁자에 대한 시장 진입장벽이 높을 때
⑤ 대체품에 비해 신제품의 가치가 높을 때

**해설**
초기에 높은 시장점유율을 확보하려 할 때는 고가격이 아니라 저가격 전략을 적용하는 것이 유리하다.  **정답 ①**

## 34 □□□ 2018년 공인노무사 기출

**신제품 가격결정방법 중 초기고가전략(skimming pricing)을 채택하기 어려운 경우는?**

① 수요의 가격탄력성이 높은 경우
② 생산 및 마케팅의 비용이 높은 경우
③ 경쟁자의 시장진입이 어려운 경우
④ 제품의 혁신성이 큰 경우
⑤ 독보적인 기술이 있는 경우

**해설**
수요의 가격탄력성이 높은 경우에는 가격을 낮추는 것이 기업의 총수입을 극대화시킬 수 있기 때문에 초기저가전략을 채택한다.  **정답 ①**

## 35 ☐☐☐ 2017년 경영지도사 기출

경쟁이 거의 없는 동안 최적 이익을 얻기 위하여 신제품 가격을 높게 책정하는 전략은?

① 스키밍 가격전략(skimming price strategy)
② 침투 전략(penetration strategy)
③ 항시저가책정전략(everyday low pricing strategy)
④ 고-저 가격책정전략(high-low pricing strategy)
⑤ 심리적 가격책정전략(psychological pricing strategy)

**해설**

경쟁이 거의 없는 동안 최적 이익을 얻기 위하여 신제품 가격을 높게 책정하는 전략은 스키밍 가격전략(skimming price strategy)이다.

정답 ①

## 36 ☐☐☐ 2015년 가맹거래사 기출

신제품을 시장에 출시하는 경우 특정 세분시장 확보를 위한 고가격 책정전략은?

① 시장침투 가격(penetration pricing)
② 스키밍 가격(skimming pricing)
③ 이미지 가격(image pricing)
④ 이분 가격(two-part pricing)
⑤ 노획 가격(captive pricing)

**해설**

신제품을 시장에 출시하는 경우 특정 세분시장 확보를 위한 고가격 책정전략은 스키밍 가격(skimming pricing)이다. 스키밍 가격은 신제품 도입 초기에 고가격으로 시장에 진입하여 가격에 비교적 둔감한 고소득층의 혁신층(innovators)과 조기수용층(early adopters)을 흡수하고, 점점 가격을 낮추어 중산층과 저소득층까지 공략하는 가격전략을 말한다.

정답 ②

## 37 ☐☐☐ 2019년 가맹거래사 기출

시장침투가격결정(penetration pricing)에 관한 설명으로 옳지 않은 것은?

① 신제품 출시 때, 빠른 시간 내에 매출 및 시장점유율을 확대하고자 하는 경우 적합한 방식이다.
② 경쟁자의 진입을 방지하고자 할 때 효과적인 방식이다.
③ 가격에 민감하지 않은 혁신소비자층(innovators)을 대상으로 하는 것이 적절하다.
④ 단위당 이익이 낮더라도 대량판매를 통해 높은 총이익을 얻을 수 있을 때 활용할 수 있는 방식이다.
⑤ 대체적으로 소비자들이 가격에 민감할 때 적합한 방식이다.

**해설**

가격에 민감하지 않은 혁신소비자층이나 조기수용층을 대상으로 하는 것이 적절한 가격전략은 초기고가전략(skimming pricing)이다.

정답 ③

## 38 □□□ 대구환경공단 기출동형

**다음 설명 중 옳지 않은 것은?**

① 푸시 전략(push strategy)은 제조업자가 중간상을 대상으로 적극적인 촉진전략을 사용하여 도매상, 소매상들이 자사의 제품을 소비자에게 적극적으로 판매하도록 유도하는 방법이다.
② 판매에 영향을 미치는 마케팅 프로그램에는 광고 이외에 제품, 가격, 유통, 판촉 등의 다른 요인들이 포함되어 있기 때문에 광고효과를 분리하는 것이 어렵다.
③ 시장선도 기업은 경쟁기업들의 표적이 되므로 마케팅전략뿐만 아니라 경쟁우위를 유지하기 위해 경쟁기업에 대한 공격과 방어전략을 함께 수행해야 한다.
④ 시장침투가격 전략이란 시장에 우선 끼어들어 가는 것을 목표로 저가정책을 취하는 것을 말하며, 제품 차별화가 심한 시장 내에서 최대한 빠르게 점유율을 높이기 위해 사용하는 전략이다.
⑤ 전문품은 제품마다 고유의 특성을 지니고 있어 브랜드마다 차이가 큰 제품으로서, 선매품에 비해 구매 시 특별한 노력과 시간을 투자하는 제품이다.

**해설**
시장침투가격 전략이란 시장에 우선 끼어들어 가는 것을 목표로 저가정책을 취하는 것을 말하며, 제품 차별화가 심하지 않은 시장 내에서 최대한 빠르게 점유율을 높이기 위해 사용하는 전략이다.
**정답 ④**

## 39 □□□ 2012년 가맹거래사 기출

**우수한 품질에 저렴한 가격을 책정하는 전략은?**

① 고가격(premium pricing) 전략
② 침투가격(penetration pricing) 전략
③ 초과가격(overcharging pricing) 전략
④ 평균가격(average pricing) 전략
⑤ 저렴한 가치(cheap value) 전략

**해설**
우수한 품질에 저렴한 가격을 책정하는 전략은 침투가격(penetration pricing) 전략이다.
**정답 ②**

## 40 □□□ 서울주택도시공사 기출동형

**가격에 상당히 민감하게 반응하는 중·저소득층을 목표고객으로 정했을 때 효과적이며 이익수준 또한 낮으므로 타사의 진입을 어렵게 만드는 요소로 작용하는 가격 전략방식은 무엇인가?**

① 초기 고가 전략
② 명성가격 전략
③ 단수가격 전략
④ 침투가격 전략
⑤ 관습가격 전략

**해설**
가격에 상당히 민감하게 반응하는 중·저소득층을 목표고객으로 정했을 때 효과적이며 이익수준 또한 낮으므로 타사의 진입을 어렵게 만드는 요소로 작용하는 가격 전략방식은 침투가격 전략(초기 저가 전략)이다.
**정답 ④**

## 41 ☐☐☐ 2014년 가맹거래사 기출

**단일상품보다 다수상품들로 상품라인을 구성하는 이유로 옳지 않은 것은?**

① 소비자욕구의 충족  ② 원가우위 확보  ③ 소비자의 가격민감도
④ 경쟁자 진입의 저지  ⑤ 소비자의 다양성 추구 성향

### 해설
단일상품보다 다수상품들로 상품라인을 구성하게 되면 규모의 경제를 달성하는 것이 어렵기 때문에 오히려 원가는 높아진다.

**정답 ②**

## 42 ☐☐☐ 2022년 공인노무사 기출

**제품의 기본가격을 조정하여 세분시장별로 가격을 달리하는 가격결정이 아닌 것은?**

① 고객집단 가격결정  ② 묶음제품 가격결정  ③ 제품형태 가격결정
④ 입지 가격결정  ⑤ 시간 가격결정

### 해설
제품의 기본가격을 조정하여 세분시장별로 가격을 달리하는 가격결정은 가격차별 또는 탄력가격전략이다. 그리고 가격차별 또는 탄력가격전략을 사용할 때 시장을 구분하는 기준은 여러 가지가 있으며, 대표적으로는 고객집단, 제품형태, 입지, 시간 등이 있다. 그리고 묶음제품 가격결정은 기업이 둘 또는 그 이상의 재화나 서비스를 결합하여 할인된 가격으로 판매하는 전략을 말하기 때문에 제품의 기본가격을 조정하여 세분시장별로 가격을 달리하는 가격결정과는 관련이 없다.

**정답 ②**

## 43 ☐☐☐ 2017년 공인노무사 기출

**A사가 프린터를 저렴하게 판매한 후, 그 프린터의 토너를 비싼 가격으로 결정하는 방법은?**

① 종속제품 가격결정(captive product pricing)
② 묶음 가격결정(bundle pricing)
③ 단수 가격결정(odd pricing)
④ 침투 가격결정(penetration pricing)
⑤ 스키밍 가격결정(skimming pricing)

### 해설
종속제품 가격결정(captive product pricing)이란 주제품의 판매보다 주제품과 관련된 종속제품의 판매가 주된 목적인 제품의 가격전략을 말한다. 주제품은 상대적으로 저렴한 가격으로 판매하는 대신 종속제품의 가격을 높게 책정하여 주제품의 손실을 보전하게 된다. 예를 들어, 프린터와 토너, 면도기와 면도날, 즉석카메라와 인화필름 등이 여기에 해당된다.

**정답 ①**

## 44 ☐☐☐ 2024년 가맹거래사 기출

**다음의 예시들이 의미하는 가격책정 방법은?**

> • 프린터는 싸게 팔고 프린터 토너는 비싸게 판다.
> • 면도기는 싸게 팔고 면도날은 비싸게 판다.

① 종속제품(captive-product) 가격책정
② 제품계열(product line) 가격책정
③ 옵션제품(optional-product) 가격책정
④ 묶음제품(product-bundle) 가격책정
⑤ 차별적(discriminatory) 가격책정

**해설**

주어진 예시와 관련된 가격책정 방법은 종속제품 가격책정이다. 종속제품 가격책정은 주제품의 판매보다 주제품과 관련된 종속제품의 판매가 주된 목적인 제품의 가격전략을 말한다. 주제품은 상대적으로 저렴한 가격으로 판매하는 대신 종속제품의 가격을 높게 책정하여 주제품의 손실을 보전하게 된다. 예를 들어, 프린터와 토너, 면도기와 면도날, 즉석카메라와 인화필름 등이 여기에 해당된다. 제품들이 상호보완재인 경우에 효과적이다.

**정답 ①**

## 45 ☐☐☐ 2019년 공인노무사 기출

**소비자 심리에 근거한 가격결정 방법으로 옳지 않은 것은?**

① 종속가격(captive pricing)
② 단수가격(odd pricing)
③ 준거가격(reference pricing)
④ 긍지가격(prestige pricing)
⑤ 관습가격(customary pricing)

**해설**

소비자 심리에 근거한 가격결정방법에는 긍지(명성 또는 권위)가격, 관습가격, 준거(참고)가격, 단수가격, 유보가격과 최저수용가격 등이 있다. 따라서 종속가격은 주제품의 판매보다 주제품과 관련된 종속제품의 판매가 주된 목적인 제품의 가격전략에 해당하기 때문에 소비자 심리에 근거한 가격결정방법에 해당하지 않는다.

**정답 ①**

## 46 ☐☐☐ 2017년 가맹거래사 기출

**심리적 가격조정 방법이 아닌 것은?**

① 단수가격(odd pricing)
② 관습가격(customary pricing)
③ 준거가격(reference pricing)
④ 명성가격(prestige pricing)
⑤ 기점가격(basing-point pricing)

**해설**

기점가격(base point pricing)이란 특정 지역을 기준점으로 가격을 정하고 배송지점까지의 운송비를 부담하게 하는 가격방식을 말한다. 대표적으로 택시요금의 경우에 출발지를 기점으로 하여 요금이 결정된다. 구역가격과 차이점은 구역가격은 여러 개의 구역이 있고 구역별로 가격이 다르지만, 기점가격은 한 기점을 중심으로 운송거리에 따라 가격이 달라지는 방식이다. 따라서 기점가격은 심리적 가격조정 방법에 해당하지 않는다.

**정답 ⑤**

## 47 ☐☐☐ 2021년 경영지도사 기출

가격이 높으면 품질이 좋다는 판단을 유도하는 가격전략은?

① 심리가격　　　② 명성가격　　　③ 유보가격
④ 습관가격　　　⑤ 준거가격

**해설**

가격이 높으면 품질이 좋다는 판단은 가격-품질 연상효과를 의미하고, 이러한 가격-품질 연상효과에 근거한 소비자심리와 관련된 가격전략은 명성가격이다.

**정답 ②**

## 48 ☐☐☐ 2020년 가맹거래사 기출

어떤 제품을 구매하고자 할 때 소비자들 자신이 심리적으로 적정하다고 생각하는 가격결정방법은?

① 단수가격　　　② 관습가격　　　③ 준거가격
④ 명성가격　　　⑤ 단계가격

**해설**

준거가격은 소비자들이 제품가격의 높고 낮음을 평가할 때 비교기준으로 사용하는 가격을 의미한다. 따라서 어떤 제품을 구매하고자 할 때 소비자들 자신이 심리적으로 적정하다고 생각하는 가격결정방법이라고 할 수 있다.

**정답 ③**

## 49 ☐☐☐ 2014년 가맹거래사 기출

원래 가격이 100,000원인 제품을 99,000원으로 할인하여 판매하면 소비자들은 이를 90,000원대의 제품으로 지각하여 구매할 수 있다. 이러한 가격전략은?

① 관습가격　　　② 준거가격　　　③ 촉진가격
④ 단수가격　　　⑤ 특별행사가격

**해설**

단수가격은 소비자들에게 제품가격이 정확한 계산에 의해 가장 낮게 책정되었다는 인식을 심어주기 위해 1,000원 또는 10,000원 등과 같은 가격이 아니라 단수로 가격을 결정하는 가격전략을 말한다. 따라서 원래 가격이 100,000원인 제품을 99,000원으로 할인하여 판매하면 소비자들은 이를 90,000원대의 제품으로 지각하여 구매할 수 있는 가격전략은 단수가격이다.

**정답 ④**

## 50 □□□ 2015년 경영지도사 기출

이 가격설정방법은 가격을 십진수 단위체계보다 통상 1~2단위 낮춘 체계로 책정하는 것으로서, 예를 들어 100만 원 대신에 99만 원으로 가격을 정한다. 소비자로 하여금 기업이 제품가격을 정확하게 계산하여 최대한 낮추었다는 인상을 주는 심리적 가격설정방법은?

① 초기고가가격　② 위신가격(긍지가격)　③ 단수가격
④ 관습가격　⑤ 준거가격

**해설**

단수가격(odd pricing)이란 소비자들에게 제품가격이 정확한 계산에 의해 가장 낮게 책정되었다는 인식을 심어주기 위해 1,000원 또는 10,000원 등과 같은 가격보다 약간 모자라게 990원 또는 9,990원 등과 같이 가격을 결정하는 가격전략을 말한다.

**정답 ③**


## 51 □□□ 2021년 가맹거래사 기출

소비자에게 제품의 가격이 낮게 책정되었다는 인식을 심어주기 위해 이용하는 가격설정방법은?

① 단수가격(odd pricing)
② 준거가격(reference pricing)
③ 명성가격(prestige pricing)
④ 관습가격(customary pricing)
⑤ 기점가격(basing-point pricing)

**해설**

소비자에게 제품의 가격이 낮게 책정되었다는 인식을 심어주기 위해 이용하는 가격설정방법은 단수가격이다. 추가적으로 기점가격은 특정 지역을 기준점으로 가격을 정하고 배송지점까지의 운송비를 부담하게 하는 가격방식을 말한다. 즉 택시요금과 같이 한 기점을 중심으로 운송거리에 따라 가격이 달라지는 방식이다.

**정답 ①**


## 52 □□□ 대구환경공단 기출동형

다음 중 가격결정 및 가격전략에 대한 설명으로 옳지 않은 것은?

① 가격을 결정할 때는 제품원가, 경쟁제품의 가격, 소비자의 반응 등을 고려해야 한다.
② 소비자중심 가격결정은 고객이 지각하는 제품의 가치에 맞춰 제품가격을 결정하는 방법이다.
③ 목표이익 가격결정은 설정한 목표이익을 실현하는 매출수준에서 제품가격을 설정하는 것으로, 손익분기점분석을 사용한다.
④ 단수가격이란 가격의 단위를 홀수로 책정하는 전략으로 10원, 100원씩 저렴하게 책정한 가격에 대하여 소비자들이 더 크게 저렴하다고 지각하는 것을 이용한 전략이다.
⑤ 관습가격이란 특정 상품의 가격을 낮게 책정해 소비자들이 저렴하다고 느끼게 만들어 매장으로 유인하여 다른 상품들도 추가 구매하도록 이끄는 가격 전략이다.

**해설**

관습가격은 사회적으로 또는 소비자들이 일반적으로 인정하는 가격으로 기업이 가격을 결정하는 것이 아니라 사회가 인정하는 가격을 기업이 받아들이는 것을 말한다. 이러한 경우에는 가격 자체는 유지한 상태에서 수량 또는 품질을 조정하여 가격상승의 효과를 노리는 경우가 종종 있다. 특정 상품의 가격을 낮게 책정해 소비자들이 저렴하다고 느끼게 만들어 매장으로 유인하여 다른 상품들도 추가 구매하도록 이끄는 가격 전략은 유인가격전략이다.

**정답 ⑤**

## 53 □□□ 2022년 가맹거래사 기출

**제조업체의 마케터가 중간상(intermediaries)을 이용하는 이점 중 소유 효용에 해당하는 것은?**

① 유통경로가 축소되어 소비자와의 직접 거래로 인한 번거로움을 줄일 수 있다.
② 소비자가 상품을 원할 때 구매하도록 할 수 있다.
③ 소비자가 원하는 장소에서 구매하도록 할 수 있다.
④ 소비자가 원하는 가격으로 구매하도록 할 수 있다.
⑤ 소비자가 원하는 형태로 구매하도록 할 수 있다.

### 해설

소유효용은 최종소비자가 제품을 쉽게 소유할 수 있도록 함으로써 창출되고, 이러한 소유효용의 가장 대표적인 예로는 자동차 할부가 있다. 이로 인해 소비자가 자동차를 구매할 때 일시불의 형태와 할부의 형태를 선택할 수 있기 때문에 소유효용은 소비자가 원하는 형태로 구매하도록 할 수 있다.

정답 ⑤

## 54 □□□ 2013년 가맹거래사 기출

**유통과정에서 중간상의 역할로 옳지 않은 것은?**

① 정보탐색비용 등 거래비용을 줄이는 역할을 한다.
② 생산자에게 적정 이윤을 보장하는 역할을 한다.
③ 생산자와 소비자 사이의 접촉횟수를 줄이는 역할을 한다.
④ 생산자와 소비자 사이의 교환과정을 촉진하는 역할을 한다.
⑤ 생산자와 소비자 사이에서 수요와 공급을 조절하는 역할을 한다.

### 해설

유통과정에서 중간상의 역할과 생산자에게 적정 이윤을 보장하는 역할은 관련이 없다.

정답 ②

## 55 □□□ 2015년 경영지도사 기출

**유통경로전략을 수립할 때 일반적으로 직접유통경로(또는 유통단계의 축소)를 선택하는 경우가 아닌 것은?**

① 제품의 기술적 복잡성이 클수록
② 경쟁의 차별화를 시도할수록
③ 제품이 표준화되어 있을수록
④ 소비자의 지리적 분산정도가 낮을수록
⑤ 제품의 부패가능성이 높을수록

### 해설

제품의 표준화가 높은 경우에는 상대적으로 간접유통경로가 선택될 가능성이 높다.

정답 ③

## 56 ☐☐☐ 2019년 가맹거래사 기출

한 가지 또는 한정된 상품군을 깊게 취급하며 저렴한 가격으로 판매하여 동종의 제품을 취급하는 업태들을 제압하는 소매업태는?

① 편의점
② 상설할인매장
③ 카테고리 킬러
④ 회원제 도매클럽
⑤ 슈퍼마켓

**해설**

한 가지 또는 한정된 상품군을 깊게 취급하며 저렴한 가격으로 판매하여 동종의 제품을 취급하는 업태들을 제압하는 소매업태는 카테고리 킬러이다. 편의점은 인구밀집지역에 위치해 대체로 24시간 영업을 하며 재고회전이 빠른 식료품과 편의품 등의 한정된 제품계열을 취급한다. 회원제 도매클럽은 회원들에게 거대한 창고형식의 점포에서 30~50% 할인된 가격을 정상적인 제품들을 할인점보다 훨씬 더 저렴하게 판매하는 업태이다.

정답 ③

## 57 ☐☐☐ 2018년 가맹거래사 기출

슈퍼마켓과 할인점 등의 장점을 결합한 대형화된 소매 업태로 주로 유럽을 중심으로 발전한 유형은?

① 회원제 도매클럽
② 하이퍼마켓
③ 전문할인점
④ 양판점
⑤ 전문점

**해설**

슈퍼마켓과 할인점 등의 장점을 결합한 대형화된 소매 업태로 주로 유럽을 중심으로 발전한 유형은 하이퍼마켓이다.

정답 ②

## 58 ☐☐☐ 한국철도공사 기출동형

다음 중 제조업자를 위한 도매상의 기능으로 옳지 않은 것은?

① 시장담당기능
② 주문처리기능
③ 제품공급기능
④ 판매접촉기능
⑤ 시장정보기능

**해설**

제조업자가 도매상에게 제품을 공급하기 때문에 제품공급기능은 제조업자를 위한 도매상의 기능으로 볼 수 없다.

정답 ③

## 59 □□□ 서울주택도시공사 기출동형

**다음 중 유통에 대한 설명으로 옳지 않은 것은?**

① 경로 커버리지는 유통집중도라고도 하며, 이는 어떤 특정 지역에서 자사 제품을 취급하는 점포의 수를 말하는데, 크게 집약적 유통, 선택적 유통, 전속적 유통 등의 3가지 전략으로 구분된다.
② 유통경로상의 동일한 단계에서 발생하는 갈등을 수직적 갈등이라고 한다.
③ 제품을 재판매하거나 산업용 또는 업무용으로 구입하려는 재판매업자나 기관구매자에게 재화나 서비스를 제공하는 상인을 도매상이라고 한다.
④ 할인점은 셀프서비스에 의한 대량판매방식을 활용해서 시중가격보다 20~30% 낮은 가격으로 판매하는 유통업체이다.
⑤ 텔레마케팅은 즉각적인 쌍방향 커뮤니케이션 마케팅이다.

**해설**

수평적 갈등은 유통경로상 같은 단계에 있는 유통기관들 사이에서 발생하는 갈등을 말하고, 수직적 갈등은 유통경로상 다른 단계에 있는 유통기관들 사이에서 발생하는 갈등을 말한다.

**정답 ②**

## 60 □□□ 한국철도공사 기출동형

**다음 중 유통경로상 수평적 갈등에 해당하는 사례로 옳은 것은?**

① 제조업자와 소비자의 갈등
② 인터넷 쇼핑몰과 구매자의 갈등
③ 배추 생산자와 도매상의 갈등
④ 중간 도매업자와 최종 소매상의 갈등
⑤ 전통시장과 백화점의 갈등

**해설**

유통경로상의 갈등은 유통경로상 같은 단계에 있는 유통기관들 사이에서 발생하는 갈등인 수직적 갈등과 유통경로상 다른 단계에 있는 유통기관들 사이에서 발생하는 갈등인 수평적 갈등으로 구분할 수 있다. 따라서 전통시장과 백화점의 갈등이 유통경로상 수평적 갈등에 해당한다.

**정답 ⑤**

## 61 □□□ 한국철도공사 기출동형

**다음 중 전통적 유통경로에 대한 설명으로 옳지 않은 것은?**

① 소유권의 강도에 따라 관리형, 계약형, 기업형으로 나뉜다.
② 독립적인 경로 기관들로 구성되며, 자기들에게 주어진 마케팅 기능들만 수행한다.
③ 경로구성원들 간의 결속력이 약하다.
④ 구성원들의 유통경로의 진입과 철수가 용이하다.
⑤ 공통의 목표를 가지고 있지 않다.

**해설**

전통적 유통경로시스템은 제조업자, 도매상, 소매상이 서로 지배하지 않고 독립적인 형태로 연결된 유통경로시스템을 말한다. 가장 기본적인 유통경로시스템으로 각 경로구성원들은 독립적으로 맡은 역할을 수행하기 때문에 경로구성원 간의 연대가 약하고 갈등이 발생했을 때 조정하기 힘든 단점이 있다. 또한, 소유권의 강도에 따라 관리형, 계약형, 기업형으로 나뉘는 것은 수직적 마케팅시스템이다.

**정답 ①**

## 62 □□□ 2022년 공인노무사 기출

**새로운 마케팅 기회를 확보하기 위해 동일한 유통경로 단계에 있는 둘 이상의 기업이 제휴하는 시스템은?**

① 혁신 마케팅시스템
② 수평적 마케팅시스템
③ 계약형 수직적 마케팅시스템
④ 관리형 수직적 마케팅시스템
⑤ 기업형 수직적 마케팅시스템

**해설**

새로운 마케팅 기회를 확보하기 위해 동일한 유통경로 단계에 있는 둘 이상의 기업이 제휴하는 시스템은 수평적 마케팅시스템이다.

**정답 ②**

## 63 □□□ 2019년 공인노무사 기출

**수직적 마케팅시스템(vertical marketing system) 중 소유권의 정도와 통제력이 강한 유형에 해당하는 것은?**

① 계약형 VMS
② 기업형 VMS
③ 관리형 VMS
④ 협력형 VMS
⑤ 혼합형 VMS

**해설**

수직적 마케팅시스템(VMS)은 하나의 전체 시스템으로 운영되는 유통경로시스템으로써 제품이 제조업자에서부터 소비자까지 흐르는 과정의 수직적 유통단계를 관리하는 유통망을 의미한다. 이러한 수직적 마케팅시스템은 유통기관의 소유와 계약형태에 따라 기업형 VMS, 계약형 VMS, 관리형 VMS로 구분할 수 있다. 기업형 VMS는 유통경로에 있는 기관이 다른 유통기관을 소유한 형태의 수직적 마케팅시스템으로 소유권을 확보하여 생산과 유통을 연속적으로 결합한 것이고, 계약형 VMS는 생산자, 도매상, 소매상은 각각 독립되어 있으나, 상호 간 계약에 의해 수직적으로 통합한 형태이며, 관리형 VMS는 위치, 지위, 명성 및 자원 등이 우월한 하나 또는 한정된 수의 기업이 경로 전체의 전략이나 방침을 결정하고 다른 구성원들이 법적으로 자율성을 가지면서 그것에 따르는 수직적 마케팅시스템이다. 또한, 경로구성원의 통합화된 정도가 가장 높은 수준은 기업형 VMS이고 가장 낮은 수준은 관리형 VMS이다.

**정답 ②**

## 64 서울주택도시공사 기출동형

**다음 중 수직적 유통경로시스템에 대한 설명으로 옳지 않은 것은?**

① 수직적 유통경로시스템은 크게 기업형 통합, 계약형 통합, 관리형 통합 등으로 구분된다.
② 계약형 마케팅시스템은 서로 비슷한 수준의 독립기관이 상호 경제적 이득을 취할 목적으로 계약을 체결하는 방식이다.
③ 관리형 마케팅시스템은 소유권 및 계약관계가 아닌 어느 한쪽의 규모와 힘에 의해 생산 및 유통이 조정되는 것이 특징이다.
④ 기업형 마케팅시스템은 기업 조직이 생산 및 유통을 모두 지님으로써 결합되는 형태이다.
⑤ 수직적 유통경로시스템의 구분 기준은 경로 기구의 수직통합으로 어떤 주체가 어떠한 방식으로 하는지에 따라 구분된다.

### 해설
계약형 마케팅시스템은 수직적 마케팅시스템 중 가장 일반적인 형태로 생산자, 도매상, 소매상은 각각 독립되어 있으나, 상호 간 계약에 의해 수직적으로 통합한 형태이다. 따라서 계약형 마케팅시스템은 서로 비슷한 수준이 아니라 서로 다른 수준의 독립기관이 상호 경제적 이득을 취할 목적으로 계약을 체결하는 방식이다.

**정답 ②**

## 65 2024년 가맹거래사 기출

**수직적 마케팅 시스템(vertical marketing system: VMS)에 관한 설명으로 옳지 않은 것은?**

① 프랜차이즈 조직은 기업형 VMS의 한 유형이다.
② 계약형 VMS는 경로 구성원들 간의 명시적인 계약을 통해 경로관계가 형성된다.
③ 기업형 VMS는 계약형 VMS보다 경로 구성원들에게 더 강한 통제력을 행사할 수 있다.
④ 관리형 VMS에서는 명시적인 계약에 의지하지 않고 운영되는 특성이 있다.
⑤ VMS에서는 특정 경로 구성원에게 힘이 집중되는 특성이 있다.

### 해설
프랜차이즈 조직은 계약형 VMS의 한 유형이다. 계약형 VMS는 수직적 마케팅시스템 중 가장 일반적인 형태로 생산자, 도매상, 소매상은 각각 독립되어 있으나, 상호 간 계약에 의해 수직적으로 통합한 형태이다. 그리고 기업형 VMS는 유통경로에 있는 기관이 다른 유통기관을 소유한 형태의 수직적 마케팅시스템이고, 소유권을 확보하여 생산과 유통을 연속적으로 결합한 것이다. 마지막으로 관리형 VMS는 위치, 지위, 명성 및 자원 등이 우월한 하나 또는 한정된 수의 기업이 경로전체의 전략이나 방침을 결정하고 다른 구성원들이 법적으로 자율성을 가지면서 그것에 따르는 수직적 마케팅시스템이다.

**정답 ①**

## 66 ☐☐☐ 2017년 가맹거래사 기출

**수직적 마케팅시스템(vertical marketing system: VMS)에 관한 설명으로 옳은 것을 모두 고른 것은?**

> ㄱ. 수직적 마케팅시스템은 유통조직의 생산시점과 소비시점을 하나의 고리형태로 유통계열화하는 것이다.
> ㄴ. 수직적 마케팅시스템은 유통경로 구성원인 제조업자, 도매상, 소매상, 소비자를 각각 별개로 파악하여 운영한다.
> ㄷ. 유통경로 구성원의 행동은 시스템 전체보다는 각자의 이익을 극대화하는 방향으로 조정된다.
> ㄹ. 수직적 마케팅시스템의 유형에는 기업적 VMS, 관리적 VMS, 계약적 VMS 등이 있다.
> ㅁ. 프랜차이즈 시스템은 계약에 의해 통합된 수직적 마케팅시스템이다.

① ㄱ, ㄴ, ㄷ   ② ㄱ, ㄴ, ㄹ   ③ ㄱ, ㄹ, ㅁ
④ ㄴ, ㄷ, ㄹ   ⑤ ㄴ, ㄹ, ㅁ

**[해설]**
수직적 마케팅시스템은 유통경로 구성원인 제조업자, 도매상, 소매상, 소비자를 통합적으로 파악하여 운영하고, 유통경로 구성원의 행동은 각자의 이익보다는 시스템 전체의 이익을 극대화하는 방향으로 조정된다. **정답 ③**

---

## 67 ☐☐☐ 2022년 공인노무사 기출

**프랜차이즈(franchise)에 관한 설명으로 옳지 않은 것은?**

① 가맹점은 운영측면에서 개인점포에 비해 자율성이 높다.
② 가맹본부의 사업확장이 용이하다.
③ 가맹점은 인지도가 있는 브랜드와 상품으로 사업을 시작할 수 있다.
④ 가맹점은 가맹본부로부터 경영지도와 지원을 받을 수 있다.
⑤ 가맹점은 프랜차이즈 비용이 부담될 수 있다.

**[해설]**
프랜차이즈(franchise)는 프랜차이즈 본부가 계약에 의해 가맹점에게 일정 기간 동안 특정 지역 내에서 자신들의 상표, 상호, 기업운영방식 등을 사용하여 제품을 판매할 수 있는 권한을 허가해 주며, 가맹점은 이에 대한 대가로 본부에 초기 가입비와 매출액에 대한 일정비율의 로열티(royalty)를 지급하는 유통업태를 의미한다. 따라서 가맹점은 운영측면에서 개인점포에 비해 자율성이 낮다. **정답 ①**

---

## 68 ☐☐☐ 2023년 가맹거래사 기출

**프랜차이즈 가맹점의 장점으로 옳지 않은 것은?**

① 관리 및 마케팅 지원   ② 개인 소유   ③ 이익 공유
④ 재정지원 및 조언   ⑤ 높은 인지도

**[해설]**
프랜차이즈 본부와 프랜차이즈 가맹점이 이익을 공유하면 프랜차이즈 가맹점의 이익이 감소하기 때문에 장점이 아니라 단점에 해당한다. **정답 ③**

## 69 ☐☐☐ 2017년 경영지도사 기출

프랜차이즈 계약의 단점에 해당하는 것을 모두 고른 것은?

> A. 이익공유
> B. 경영규제
> C. 연미복 효과(coattail effect)
> D. 매각제한

① A, B
② C, D
③ A, B, C
④ B, C, D
⑤ A, B, C, D

**해설**

해당 내용 모두 프랜차이즈 계약의 단점으로 볼 수 있다. 연미복 효과(coattail effect)는 뒤로 길게 늘어진 연미복 꼬리에 올라탄 사람들이 연미복의 주인이 가는 대로 줄줄이 딸려가듯이 상위 선거에 나선 후보의 당락에 따라 하위 선거에 출마한 후보들의 당락이 결정되는 현상을 말하는데, 이 같은 현상은 프랜차이즈 계약에서도 나타날 수 있다.

**정답 ⑤**

## 70 ☐☐☐ 2020년 경영지도사 기출

직접적인 대면 접촉에 의한 전통적인 구전(word of mouth)과 비교할 때, 인터넷을 매개로 하는 온라인 구전의 특성에 해당하는 것을 모두 고른 것은?

> ㄱ. 불특정 다수에게 정보의 전달이 가능
> ㄴ. 더 많은 대상에게 정보의 전달이 가능
> ㄷ. 직접적인 연관성이 낮은 대상에게도 정보의 전달이 가능

① ㄱ
② ㄱ, ㄴ
③ ㄱ, ㄷ
④ ㄴ, ㄷ
⑤ ㄱ, ㄴ, ㄷ

**해설**

모두 인터넷을 매개로 하는 온라인 구전의 특성에 해당한다.

**정답 ⑤**

## 71 ☐☐☐ 2017년 가맹거래사 기출

일본의 광고대행사 덴쯔(Dentsu)가 AIDMA 모델을 활용하여 새롭게 제시한 소비자구매행동 모델의 과정을 순서대로 나열한 것은?

① 검색(search) → 흥미(interest) → 구매(action) → 공유(share) → 주의(attention)
② 검색(search) → 구매(action) → 공유(share) → 주의(attention) → 흥미(interest)
③ 검색(search) → 공유(share) → 주의(attention) → 흥미(interest) → 구매(action)
④ 주의(attention) → 흥미(interest) → 검색(search) → 공유(share) → 구매(action)
⑤ 주의(attention) → 흥미(interest) → 검색(search) → 구매(action) → 공유(share)

**해설**

소비자구매행동 모델의 과정은 '주의(attention) → 흥미(interest) → 검색(search) → 구매(action) → 공유(share)'의 순이다.

**정답 ⑤**

## 72  2015년 가맹거래사 기출

효과적인 광고 목표를 달성하기 위한 소비자의 심리적 반응단계를 순서대로 나타낸 것은?

> ㄱ. 주의(attention)  ㄴ. 구매행동(action)
> ㄷ. 욕구(desire)    ㄹ. 관심(interest)

① ㄱ-ㄴ-ㄷ-ㄹ   ② ㄱ-ㄷ-ㄹ-ㄴ   ③ ㄱ-ㄹ-ㄷ-ㄴ
④ ㄹ-ㄱ-ㄴ-ㄷ   ⑤ ㄹ-ㄱ-ㄷ-ㄴ

**해설**
효과적인 광고 목표를 달성하기 위한 소비자의 심리적 반응단계는 '주의(attention) → 관심(interest) → 욕구(desire) → 구매행동(action)'의 순서로 이루어지며, 이를 영문 앞글자를 모아 AIDA 모형이라고 한다.    **정답 ③**

## 73  2022년 가맹거래사 기출

진실의 순간(Moments of Truth)에 관한 설명으로 옳지 않은 것은?

① 고객이 기업의 광고를 볼 때도 발생한다.
② 대형 항공사와 중소 부품업체의 연간 고객접점 횟수에는 차이가 없다.
③ 잘 관리된 진실의 순간 활동은 열악한 기술적 품질(technical quality)의 부정적 인상을 극복하는 데 도움을 준다.
④ 표준적 기대, 경험 손상 요소, 그리고 경험 강화 요소가 진실의 순간 영향 분석에 활용된다.
⑤ 안내원, 경비원, 전화 교환원 등의 접객태도 중요성이 부각되었다.

**해설**
진실의 순간은 고객이 기업이나 제품에 대해 이미지를 결정하는 짧은 순간을 의미한다. 그리고 대형 항공사와 중소 부품업체의 연간 고객접점 횟수에는 당연히 차이가 있다.    **정답 ②**

## 74  2018년 공인노무사 기출

촉진믹스(promotion mix) 활동에 해당되지 않는 것은?

① 옥외광고   ② 방문판매   ③ 홍보
④ 가격할인   ⑤ 개방적 유통

**해설**
개방적 유통은 마케팅 믹스 중 유통(place)에 해당한다.    **정답 ⑤**

## 75 □□□ 2015년 경영지도사 기출

**마케팅 믹스 중 촉진 활동이 아닌 것은?**

① 광고(Advertisement)　② 포지셔닝(Positioning)　③ 인적판매(Personal sale)
④ 판매촉진(Promotion)　⑤ PR(Public relations)

**해설**

대표적인 촉진활동에는 광고, PR, 인적판매, 판매촉진 등이 있다.　　　　정답 ②

## 76 □□□ 2016년 공인노무사 기출

**마케팅 커뮤니케이션 활동인 촉진믹스(promotion mix)의 구성요소와 관련이 없는 것은?**

① 선별적 유통점포 개설　② 구매시점 진열　③ PR(public relations)
④ 광고　⑤ 인적판매

**해설**

선별적 유통점포 개설은 촉진믹스가 아니라 유통(place)과 관련되어 있는 개념이다.　　　　정답 ①

## 77 □□□ 2024년 가맹거래사 기출

**촉진전략의 두 가지 유형인 푸시(push) 전략과 풀(pull) 전략에 관한 설명으로 옳은 것은?**

① 푸시 전략에서는 제조업체가 주로 최종소비자를 대상으로 촉진활동을 수행한다.
② 푸시 전략에서는 풀 전략보다 광고를 많이 사용한다.
③ 풀 전략에서는 제조업체가 주로 유통업체를 대상으로 촉진활동을 수행한다.
④ 풀 전략에서는 푸시 전략보다 인적판매를 많이 사용한다.
⑤ 촉진믹스 중 판매촉진은 푸시 전략과 풀 전략 모두에서 사용된다.

**해설**

촉진믹스 중 판매촉진은 촉진대상에 따라 소비자 판매촉진과 유통기관(중간상) 판매촉진으로 구분할 수 있다. 따라서 판매촉진은 푸시 전략과 풀 전략 모두에서 사용된다.
① 제조업체가 주로 최종소비자를 대상으로 촉진활동을 수행하는 것은 푸시 전략이 아니라 풀 전략이다.
② 풀 전략에서는 푸시 전략보다 광고를 많이 사용한다.
③ 제조업체가 주로 유통업체를 대상으로 촉진활동을 수행하는 것은 풀 전략이 아니라 푸시 전략이다.
④ 푸시 전략에서는 풀 전략보다 인적판매를 많이 사용한다.　　　　정답 ⑤

## 78　2019년 가맹거래사 기출

**마케팅 활동과 관련된 푸시(push) 및 풀(pull) 전략에 관한 설명으로 옳지 않은 것은?**

① 푸시 전략은 생산자가 유통경로를 통하여 소비자에게 제품을 밀어넣는 방식이다.
② 풀 전략은 생산자가 소비자를 대상으로 마케팅 활동을 펼쳐 이들이 제품을 구매하도록 유도하는 방식이다.
③ 풀 전략이 효과적으로 작용하게 되면, 소비자들은 중간상에 가서 자발적으로 제품을 구매하게 된다.
④ 푸시 전략에서는 생산자가 중간상을 대상으로 판매촉진과 인적판매 수단을 많이 활용한다.
⑤ A기업이 소비자들을 대상으로 광고를 하여 소비자들이 점포에서 A기업 제품을 주문하도록 유인한다면 이는 푸시 전략의 사례에 해당된다.

### 해설

푸시(push) 전략은 제조업자가 최종소비자에게 직접 촉진활동을 하지 않고 유통업자를 통해 촉진하는 방법으로 주로 유통업자의 힘이 강하고 제조업자의 브랜드 인지도가 낮은 경우에 사용하게 되며, 판매촉진이 적합한 촉진수단이 될 수 있다. 풀(pull) 전략은 제조업자가 최종소비자에게 촉진활동을 함으로써 소비자가 자사제품을 찾도록 하는 전략으로 브랜드 인지도가 높은 기업이 주로 사용하며, 광고가 주요한 촉진수단이 될 것이다. 따라서 A기업이 소비자들을 대상으로 광고를 하여 소비자들이 점포에서 A기업 제품을 주문하도록 유인한다면 이는 풀 전략의 사례에 해당된다.

**정답 ⑤**

## 79　2015년 공인노무사 기출

**통합적 마케팅 커뮤니케이션에 관한 설명 중 옳지 않은 것은?**

① 강화광고는 기존 사용자에게 브랜드에 대한 확신과 만족도를 높여 준다.
② 가족 브랜딩(family branding)은 개별 브랜딩과는 달리 한 제품을 촉진하면 나머지 제품도 촉진된다는 이점이 있다.
③ 촉진에서 풀(pull) 정책은 제품에 대한 강한 수요를 유발할 목적으로 광고나 판매촉진 등을 활용하는 정책이다.
④ PR은 조직의 이해관계자들에게 호의적인 인상을 심어주기 위하여 홍보, 후원, 이벤트, 웹사이트 등을 사용하는 커뮤니케이션 방법이다.
⑤ 버즈(buzz) 마케팅은 소비자들에게 메시지를 빨리 전파할 수 있게 이메일이나 모바일을 통하여 메시지를 공유한다.

### 해설

버즈 마케팅은 인적인 네트워크를 통하여 소비자에게 상품정보를 전달하는 마케팅기법이다. 소비자들이 자발적으로 메시지를 전달하게 하여 상품에 대한 긍정적인 입소문을 내게 하는 마케팅기법이다. 꿀벌이 윙윙거리는(buzz) 것처럼 소비자들이 상품에 대해 말하는 것을 마케팅으로 삼는 것으로, 입소문마케팅 또는 구전마케팅(word of mouth)이라고도 한다. 바이럴 마케팅(viral marketing)은 바이러스 마케팅(virus marketing)이라고도 하는데, 네티즌들이 이메일이나 블로그, 핸드폰 등 전파가능한 매체를 통해 자발적으로 특정 기업이나 제품을 홍보할 수 있도록 제작하여 널리 퍼뜨리는 마케팅을 말한다.

**정답 ⑤**

## 80 □□□ 서울주택도시공사 기출동형

**다음 중 광고에 대한 설명으로 옳지 않은 것은?**

① 티저광고는 처음부터 제품명이나 광고주명 등을 표시하지 않고 회를 거듭하면 할수록 소비자들의 흥미를 유발시켜 소비자들의 지속적인 관심을 유도하려고 하는 광고기법이다.
② PPL은 방송 등의 영상산업 규모가 대형화되고 정교해지면서 드라마 또는 영화 등에 자사의 특정한 제품을 등장시켜 시청자들에게 광고하는 기법이다.
③ 레트로 광고는 유사한 줄거리에 모델만 다르게 써서 여러 편을 한꺼번에 내보는 광고기법이다.
④ POP광고는 직접적인 광고효과를 얻게 하는 구매시점광고이며, 광고제품이 소비자에게 최종적으로 구입되는 장소 등에 설치하여 벌이는 광고활동 기법이다.
⑤ 옥외광고는 불특정 다수인을 소구의 대상으로 하여 옥외의 일정한 공간에서 일정 기간 지속적으로 시각적인 자극을 주는 광고기법이다.

**해설**

레트로 광고(retro advertising)는 과거와 비슷한 정감을 불러일으켜 상품에 대한 정겨운 이미지를 갖게 하는 복고풍의 광고를 말한다. **정답 ③**

## 81 □□□ 대구환경공단 기출동형

**다음 중 광고에 대한 설명으로 옳지 않은 것은?**

① 광고는 자체적인 경제적 영향력은 미미하지만, 커뮤니케이션 기능을 통해 정보를 제공하는 중대한 역할을 수행한다.
② 논증식 광고는 제품이나 서비스에 대한 사실적인 이점을 바탕으로 쟁점을 강조하는 방식이다.
③ 감정적 소구는 주로 저관여 제품에 활용되며, 브랜드에 대한 긍정적 느낌이나 호의적 태도 향상을 목적으로 한다.
④ 부정적이거나 금기시되는 소재를 활용하여 시각적·감각적 충격을 주고자 하는 광고는 '부정적 광고'이다.
⑤ 인포머셜은 제품이나 서비스에 대한 상세한 정보를 제공하여 소비자의 이해를 돕는 광고기법으로, 실연이나 시범, 설명이 필요한 광고에 효과적이다.

**해설**

광고는 커뮤니케이션 기능을 통해 정보를 제공하는 중대한 역할을 수행하며, 자체적인 경제적 영향력도 크다. **정답 ①**

## 82. 2011년 가맹거래사 기출

영화나 드라마 상에 특정한 상품을 노출시키거나 사용상황을 보여줌으로써 광고효과를 도모하는 광고기법은?

① POP(point of purchase)
② USP(unique selling point)
③ PPL(product placement)
④ POS(point of sale)
⑤ WOM(word of mouth)

**해설**

영화나 드라마 상에 특정한 상품을 노출시키거나 사용상황을 보여줌으로써 광고효과를 도모하는 광고기법은 PPL(product placement)이다.

정답 ③

## 83. 2013년 가맹거래사 기출

소비자가 사랑, 가족애, 우정 등을 경험하게 함으로써 긍정적이고 온화한 감정을 불러일으키는 광고실행 전략은?

① 증언형 광고
② 비교광고
③ 유머소구
④ 온정소구
⑤ 이성적 소구

**해설**

소비자가 사랑, 가족애, 우정 등을 경험하게 함으로써 긍정적이고 온화한 감정을 불러일으키는 광고실행 전략은 온정소구이다.

정답 ④

## 84. 2015년 가맹거래사 기출

기업이 광고예산을 책정하는 방법이 아닌 것은?

① 수익성지수법
② 가용예산활용법
③ 매출액비례법
④ 경쟁자기준법
⑤ 목표 및 과업기준법

**해설**

수익성지수법은 투자안의 경제성을 분석하는 방법에 해당한다.

정답 ①

## 85 □□□ 2012년 가맹거래사 기출

**광고에 관한 설명으로 옳은 것을 모두 고른 것은?**

> ㄱ. 소비자의 광고제품에 대한 관여도가 낮을수록 해당 광고에 대한 인지적 반응(cognitive response)의 양이 많아진다.
> ㄴ. 광고모델이 매력적일 경우에 모델 자체는 주의를 끌 수 있으나 메시지에 대한 주의가 흐트러질 가능성이 있다.
> ㄷ. 광고의 판매효과를 측정하기 힘든 이유로 광고의 이월효과(carryover effect)를 들 수 있다.

① ㄱ
② ㄴ
③ ㄱ, ㄴ
④ ㄴ, ㄷ
⑤ ㄱ, ㄴ, ㄷ

**해설**

소비자의 광고제품에 대한 관여도가 높을수록 해당 광고에 대한 인지적 반응(cognitive response)의 양이 많아진다.

**정답 ④**

## 86 □□□ 2023년 공인노무사 기출

**광고(advertising)와 홍보(publicity)에 관한 설명으로 옳지 않은 것은?**

① 광고는 홍보와 달리 매체 비용을 지불한다.
② 홍보는 일반적으로 광고보다 신뢰성이 높다.
③ 광고는 일반적으로 홍보보다 기업이 통제할 수 있는 영역이 많다.
④ 홍보는 언론의 기사나 뉴스 형태로 많이 이루어진다.
⑤ 홍보의 세부 유형으로 PR(public relations)이 있다.

**해설**

일반적으로 홍보(publicity)는 PR(public relations)의 하위개념이다. 따라서 홍보의 세부 유형이 PR이 아니라, PR의 세부 유형이 홍보이다.

**정답 ⑤**

## 87 □□□ 2017년 가맹거래사 기출

**기업에서 수행하는 PR(public relations)에 해당하는 것을 모두 고른 것은?**

> ㄱ. 제품홍보   ㄴ. 로비활동   ㄷ. 교차촉진   ㄹ. 언론관계

① ㄱ, ㄴ
② ㄱ, ㄷ
③ ㄱ, ㄴ, ㄷ
④ ㄱ, ㄴ, ㄹ
⑤ ㄴ, ㄷ, ㄹ

**해설**

주어진 보기 중에서 교차촉진(=교차판매)은 PR에 해당한다고 보기 어렵다.

**정답 ④**

## 88 2024년 경영지도사 기출

**촉진 믹스 중 인적 판매에 관한 설명으로 옳지 않은 것은?**

① 개별 고객을 대상으로 한다.
② 고객에게 많은 양과 높은 질의 정보를 제공한다.
③ 비용이 적게 든다.
④ 고객의 즉각적인 피드백을 받을 수 있다.
⑤ 산업재 판매에 주로 적용된다.

**해설**

인적 판매는 판매원을 매개로 하는 촉진 믹스이다. 따라서 비용이 많이 들지만, 시간과 비용의 낭비가 적은 특성을 가지는 촉진 믹스이다. **정답 ③**

## 89 한국철도공사 기출동형

**다음 중 방문판매의 특징으로 옳지 않은 것은?**

① 사업자가 영업장소 외의 장소에서 소비자에게 권유하며 상품을 판매하거나 용역을 제공하는 방식이다.
② 소비자들과 개인적인 접촉을 하지만, 소비자의 기호를 즉각적으로 파악하기 어렵다.
③ 점포 유지비가 거의 들지 않아 원가 감면에 도움이 된다.
④ 제품의 우수성을 적극적으로 설명하며 능동적으로 판매할 수 있다.
⑤ 다단계 판매도 무점포 판매에 의한 방문판매로 볼 수 있다.

**해설**

방문판매(인적판매)는 소비자들과 개인적인 접촉을 하기 때문에 소비자의 기호를 즉각적으로 파악할 수 있다. **정답 ②**

## 90 한국마사회 기출동형

**다음 중 촉진에 대한 설명으로 옳지 않은 것은?**

① PR은 매체가 아닌 사람을 통해 제품이나 기업 자체를 뉴스나 논설의 형식으로 널리 알리는 방식이다.
② 광고의 경우 짧은 시간에 다수를 대상으로 정보의 전달은 가능하지만, 잠재소비자들에게 개별화된 정보를 제공하기는 용이하지 않다.
③ 촉진의 기능으로는 지원보강, 정보제공, 행동화, 저비용 판촉, 단기소구 기능 등이 있다.
④ 프리미엄이란 자사의 제품 및 서비스를 구매하는 소비자들에 한해 다른 상품을 무료로 제공하거나 또는 저렴한 가격에 구입할 수 있는 기회를 제공하는 것을 말한다.
⑤ 할인판매의 경우 판매시기를 놓친 제품을 처분함으로써 재고유지비용을 절감할 수 있다.

**해설**

PR은 촉진을 수행하는 기업이나 조직이 금전적 대가를 지불하지 않고 신문, 잡지, TV, 라디오 등의 뉴스나 기사를 통해 재화와 서비스를 소개함으로써 다양한 이해관계자들로부터 호의를 갖게 하고 소비자의 수요를 자극하는 촉진믹스를 말한다. 따라서 사람이 아닌 매체를 통해 제품이나 기업 자체를 뉴스나 논설의 형식으로 널리 알리는 방식이다. **정답 ①**

## 91 ☐☐☐ 2024년 공인노무사 기출

판매촉진의 수단 중 소비자들의 구입가격을 인하시키는 효과를 갖는 가격수단의 유형을 모두 고른 것은?

| ㄱ. 할인쿠폰 | ㄴ. 샘플 |
| ㄷ. 보상판매 | ㄹ. 보너스팩 |

① ㄱ, ㄴ  ② ㄷ, ㄹ  ③ ㄱ, ㄴ, ㄷ
④ ㄱ, ㄷ, ㄹ  ⑤ ㄱ, ㄴ, ㄷ, ㄹ

**해설**

할인쿠폰, 보상판매, 보너스팩은 가격판매촉진에 해당하고, 샘플은 비가격판매촉진에 해당한다. 보너스팩은 정상가격에 더 많은 양의 제품을 제공하는 판매촉진방법이다. 더 큰 용기에 제품을 담거나 덤으로 더 많은 개수의 제품을 묶어 판매한다. 대량구매나 조기구매를 유도할 수 있는 장점이 있지만, 유통업자의 협조가 없이는 사용하기 어렵다는 단점이 있다.

**정답 ④**

## 92 ☐☐☐ 한국농어촌공사 기출동형

다음 중 판매촉진에 대한 설명으로 옳지 않은 것은?

① 판매촉진이 브랜드 이미지에 부정적인 영향을 남긴 채 판매촉진이 종료되었을 경우, 해당 상품의 재구매 확률이 현저히 감소할 수 있다.
② 판매촉진은 장기적 관점에서 접근하여 브랜드 이미지를 구축하는 것이 중요하다.
③ 판매촉진은 경쟁기업들의 모방이 용이하기 때문에 무모한 판매촉진은 경쟁을 야기할 수 있고, 기업의 수익에 악영향을 미칠 수 있다.
④ 판매촉진은 신제품의 사용을 유도하고자 할 때 유용한 방법이며, 그 결과를 쉽게 확인할 수 있다.
⑤ 판매촉진은 다양한 흥미와 자극적 요소 때문에 일단 소비자의 관심을 끌기 쉽고, 목표고객들의 데이터베이스를 구축할 수 있다.

**해설**

판매촉진은 재화나 서비스의 판매를 촉진하기 위한 비교적 단기적인 동기부여 수단을 총칭하는 개념을 말한다. 따라서 판매촉진이 장기적 관점에서 접근한다는 설명은 옳지 않다.

**정답 ②**

## 93  2019년 가맹거래사 기출

**소비자 판촉수단이 아닌 것은?**

① 소비자에게 무료로 제공하는 샘플
② 제품 구입 시 소비자에게 일정금액을 할인해주는 쿠폰
③ 제품 구입 시 소비자에게 무료로 제공되는 사은품
④ 자사제품의 활용을 소비자들에게 보여주는 시연회
⑤ 자사의 제품을 적극적으로 판매하도록 하기 위해 중간상에게 제공하는 영업지원금

**해설**

자사의 제품을 적극적으로 판매하도록 하기 위해 중간상에게 제공하는 영업지원금은 유통기관을 대상으로 하는 유통기관 판매촉진에 해당한다.

**정답 ⑤**

## 94  2021년 가맹거래사 기출

**유통업자 판매촉진에 해당하지 않는 것은?**

① 판매량에 대한 콘테스트(contest) 실시
② 구매시점광고(point-of-purchase advertising)의 지원
③ 자사 제품을 소비자에게 잘 보이는 곳에 배치했을 때 제공하는 진열보조금
④ 소비자에게 특정 제품을 소량으로 포장하여 무료로 제공하는 샘플
⑤ 소매업자의 광고비용을 보상해주는 광고공제

**해설**

판매촉진은 촉진대상에 따라 소비자 판매촉진과 유통기관 판매촉진으로 구분할 수 있는데, '소비자에게 특정 제품을 소량으로 포장하여 무료로 제공하는 샘플'은 소비자 판매촉진에 해당한다.

**정답 ④**

## 95  2022년 가맹거래사 기출

**광고와 판매촉진의 비교에 관한 설명으로 옳지 않은 것은?**

① 광고의 기본 목표는 매출신장이지만, 판매촉진의 기본 목표는 소비자 태도변화이다.
② 광고는 중장기적인 효과를 추구하지만, 판매촉진은 단기적인 효과를 추구한다.
③ 광고는 브랜드 관련 기억증가의 효과를 추구하지만, 판매촉진은 판매의 즉각적인 증가효과를 추구한다.
④ 광고는 간접적이고 보통 수준의 당기 이익에 공헌하지만, 판매촉진은 직접적이고 높은 수준의 당기 이익에 공헌한다.
⑤ 광고는 브랜드를 인식하지 못한 소비자를 목표 고객으로 하지만, 판매촉진은 타사 브랜드 애용자를 목표 고객으로 한다.

**해설**

광고의 기본 목표는 매출신장이 될 수 있지만, 판매촉진과 비교하는 관점이라면 광고의 기본 목표는 소비자 태도변화이고 판매촉진의 기본 목표는 매출신장이다.

**정답 ①**

# CHAPTER 05 마케팅 영역의 확장

## 제1절 고객관계관리와 고객경험관리

### 1 고객관계관리

#### 1. 의의

고객관계관리(customer relationship management, CRM)란 신규고객 확보, 기존고객 유지 및 고객수익성의 증대를 위하여 지속적인 의사소통을 통해 고객행동을 이해하고 영향을 주기 위한 광범위한 접근을 말하며, 관계마케팅(relationship marketing)이라고도 한다. 즉, 고객에 대한 매우 구체적인 정보를 바탕으로 고객 개개인에게 적합한 차별적인 재화 및 서비스를 제공함으로써 고객과의 개인적 관계를 지속적으로 유지하고 새롭게 변화시키려는 일련의 경영활동이다. 고객관계관리는 과거 대중마케팅에서 지향하고 있는 불특정 다수인을 대상으로 하는 마케팅 노력이 아닌 고객 개개인을 대상으로 하는 일대일(개인화) 마케팅을 지향하는 개념이다. 이는 쌍방향적이면서도 개인적인 의사소통이 필수적이며, 개별고객에 대한 상세한 데이터베이스의 구축이 있어야 비로소 가능하다.

#### 2. 데이터베이스 마케팅

##### (1) 의의

데이터베이스 마케팅(database marketing)이란 판촉활동에 대한 소비자의 응답, 소비자의 설문지나 제품 보증서에서 수집된 소비자 신상정보, 제품구입이나 소비자 불만처리과정에서 얻은 정보 등을 데이터베이스에 저장하여 마케팅 전략에 활용하는 것을 의미한다. 일반적으로 데이터베이스 마케팅은 관계마케팅 또는 고객관계관리를 달성하기 위한 하위 개념 또는 수단으로 이해되며, 직접 마케팅을 수행하기 위한 필수조건이기도 하다.

##### (2) 빅 데이터 분석과 데이터마이닝

빅 데이터(big data)란 기존 데이터베이스 관리도구로 데이터를 수집, 저장, 관리, 분석할 수 있는 역량을 넘어서는 대량의 정형 또는 비정형 데이터 집합과 이러한 데이터로부터 가치를 추출하고 결과를 분석하는 기술을 총칭한다. 이러한 빅 데이터는 단순히 큰 데이터가 아니라 부피가 크고, 변화의 속도가 빠르며, 속성이 매우 다양한 데이터라는 양(volume), 속도(velocity), 다양성(variety)의 세 가지 특징을 가지고 있다. 이러한 빅 데이터를 분석하는 가장 중요한 분석도구인 데이터마이닝(data-mining)은 대용량 데이터에 대한 탐색적 분석도구라는 관점에서 거대한 데이터 더미 속에서 가치 있는 어떠한 것을 채굴하는 것이다. 따라서 데이터마이닝은 방대한 양의 데이터 속에서 쉽게 드러나지 않는 유용한 정보를 찾아내는 과정이라고 할 수 있으며, 데이터의 방대함, 높은 처리 복잡도, 개방형 소프트웨어, 비정형 데이터 중심, 분산처리 등의 특징을 가지고 있다.

## 3. 목적

고객관계관리의 주된 목적은 고객에 대한 상세한 지식을 토대로 **고객들과의 장기적 관계를 구축하고 충성도(애호도)를 제고시킴으로써 고객의 생애가치(lifetime value)를 극대화하는 것**이다. 여기서 고객의 생애가치란 한 고객이 처음 구매한 시점부터 그 고객이 특정 기업의 고객으로 남아 있는 동안의 총 누적구매액을 말한다. 고객관계관리의 관점에서 고객과의 관계는 '용의자(suspect) → 잠재고객(prospect) → 사용자(user) → 고객(customer) → 옹호자(advocate)' 순으로 발전되며, 이러한 과정을 통해서 기업은 소비자의 재구매율을 향상시킬 수 있으며, 충성도(loyalty)의 향상 및 신규고객 창출 등의 효과를 얻을 수 있다.

## 4. 전략

### (1) 기존 고객을 유지하기 위한 전략

① **고객활성화 전략**: 기존 고객 중 자사와 지속적인 관계를 유지하는 우량고객에게 반복구매를 유도하거나 사용빈도를 높일 수 있는 인센티브를 부여하여 충성도가 높은 고객으로 발전시키는 전략이다.
② **애호도 제고 전략(loyalty enhancement strategy)**: 고객의 이탈을 방지하기 위한 전략을 의미하는데 고객활성화 전략과 애호도 제고 전략의 개념을 구별하는 것은 쉽지 않다.
③ **교차판매 전략(cross-selling strategy)**: 기업이 여러 가지 제품을 생산하는 경우 한 제품의 고객 데이터베이스를 이용하여 다른 제품의 판매를 촉진하고자 하는 전략이다.
④ **상향판매전략(up-selling strategy)**: 어떤 상품을 구입한 고객에게 보다 고급의 상품을 판매하는 전략을 의미한다. 상향판매의 대표적인 예에는 판매자의 설득 등을 통해 고객이 선택한 PC보다 더 높은 사양의 PC를 구입하게 하는 것이다.

### (2) 신규 고객을 확보하기 위한 전략

기업이 장기적으로 성장하기 위해서는 신규 고객의 창출도 매우 중요한 의미를 가지며, 일반적으로 신규 고객을 확보하기 위해서는 잠재고객을 규명하고 이들을 고객으로 전환하는 것이 필요하다. 이 과정에서 각종 마케팅 데이터베이스가 유용하게 활용될 수 있고, 신규 고객을 확보하기 위한 장기적인 수단으로는 기존 고객들을 활용하는 것이 가장 중요하다.

## 5. 유형

### (1) 분석적 CRM

고객들에 대한 유용한 정보를 활용하기 위해 정보를 추출하고 분석하는 유형으로 고객들의 정보를 분석하고 마케팅활동에 활용한다.

### (2) 운영적 CRM

고객관의 접점에서 종업원들이 서비스를 수행할 수 있도록 지원하는 기능에 중점을 두는 유형으로 구체적인 실행을 지원한다.

### (3) 협업적 CRM

분석적 CRM과 운영적 CRM을 통합하여 고객과 기업 간 상호작용을 촉진하는 것에 중점을 두는 유형으로 고객과 기업 간의 다양한 접점을 지원한다.

## 2 고객자산

### 1. 의의

고객자산(customer equity)은 충성고객이 한 기업의 특정 제품 브랜드뿐만 아니라 그 기업이 판매하는 모든 제품들을 오랜 기간 동안 애용할 때 구축된다. 따라서 고객자산은 **브랜드자산을 포괄하는 보다 광의의 개념**이며, 기업의 모든 고객들이 가지는 **생애가치를 합친 것이다**. 이러한 점에서 고객관계관리에 기반한 고객자산의 구축과 강화는 마케팅의사결정자가 높은 매출과 이익을 지속적으로 유지하기 위해 궁극적으로 추구해야 할 마케팅목표 중 하나이다.

### 2. 주요 구성요소

고객자산을 구축하기 위해 마케팅 의사결정자는 고객자산의 주요원천이 무엇인지를 이해해야 한다. 그렇지 않으면 설사 고객자산의 측정이 이루어지더라도 어떤 노력을 통해 고객자산을 증대시킬 수 있을지에 대한 계획을 마련할 수 없기 때문이다. 고객자산은 **객관적 가치**(value equity), **브랜드 가치**(brand equity), **관계 가치**(relationship equity)라는 세 가지 하부가치로 구성되어 있다. 기업들은 세 가지 가치 중에 어떤 것이 부족한지를 분석하고 이를 향상시킴으로써 전체 고객자산을 높일 수 있다.

#### (1) 객관적 가치

제품의 품질, 가격, 유통의 편의성 등 특정 재화나 서비스가 고객에게 제공하는 유형적인 가치를 의미한다. 경쟁사 제품에 비해 내구성이 좋거나, 같은 성능이지만 가격이 저렴하거나, 유통구조가 편리하게 설계되었을 경우에 객관적 가치가 높다고 할 수 있다. 합리적인 고객들은 이렇게 보다 높은 객관적 가치를 제공하는 기업의 제품에 대해 높은 만족도를 나타내며 이는 높은 재구매율로 이어진다. 소비자들이 구매에 있어 품질이나 가격을 꼼꼼하게 살펴보는 내구재 상품이나 산업재 시장에서는 재구매 결정에 있어 객관적 가치가 가장 중요하다.

#### (2) 브랜드 가치

**무형적이고 심리적인 이미지상의 가치**를 의미한다. 특정 기업의 브랜드가 매우 잘 알려져서 인지도가 높고 친숙하게 느껴지거나, 적극적인 사회적 책임활동 수행으로 인해 착한 기업의 이미지를 보유함으로써 고객의 충성도에 긍정적인 영향을 주는 경우를 의미한다. 소비자들은 비록 두 제품이 기능적으로 동일하고 가격도 유사하더라도(즉, 객관적 가치가 동일하더라도) 브랜드 이미지가 더 좋은 기업의 제품에 대해 호의적이라는 것이다. 많은 기업들이 시행하고 있는 기업이미지 광고나 소셜미디어 내에서의 각종 커뮤니케이션 활동들이 이러한 브랜드가치를 제고시키기 위한 것이라고 볼 수 있다.

#### (3) 관계 가치

최근 중요성이 점점 더 높아지고 있는 하부요소로서 이를 중시하는 산업의 범위가 점점 넓어지고 있다. 고객들은 기업이 공급하고 있는 제품의 기능적·객관적인 가치도 중요하게 여기고, 해당 기업의 브랜드 이미지도 고려하지만, **고객 자신을 잘 파악하여 끈끈한 관계를 유지하는 기업의 제품에 대해 높은 재구매율을 보이며 이것이 높은 생애가치를 가져다준다**. 최근 많은 기업들이 시행하는 로열티 프로그램이나 대량고객화(mass customization)가 이러한 관계 가치 증진을 위한 노력의 일환이라고 할 수 있다.

## 3 고객경험관리

### 1. 의의

고객경험관리(customer experience management, CEM)란 슈미트(B. Schmitt)가 주장한 개념으로 **제품이나 회사에 대한 고객의 전반적인 경험을 전략적으로 관리하는 프로세스**를 의미하고, **전략인 동시에 과정과 실행에 중점을 두는 고객만족개념**이다. 기업은 모든 접점에서 고객과 관계를 맺고, 각기 다른 고객 경험요소를 서로 통합할 수 있고, 이를 통해 고객에게 감동적인 경험을 갖도록 해주어 기업 가치에 대한 고객의 충성을 유발시킬 수 있다.

### 2. 전략구성

고객경험관리는 고객 세분화·목표고객 선정, 혁신, 포지셔닝, 상표전략, 서비스 등 다양한 영역에서 적용 가능하며, 이를 위한 전략구성은 5단계로 나눌 수 있다.

(1) 소비자의 경험환경 분석
(2) 고객의 경험적 기반 확립
(3) 다양한 매체를 통해 통일된 경험적 메시지의 전달을 위한 설계
(4) 다양한 상황에서의 고객 인터페이스 설계를 통한 일관성 있는 고객 경험 제공
(5) 끊임없는 혁신

# 제2절 다양한 마케팅활동

## 1 서비스마케팅

### 1. 의의

서비스마케팅(service marketing)이란 **서비스를 대상으로 실시하는 마케팅**을 의미한다. 호텔, 여행사, 은행 및 법률사무소 등의 사업체에서 실시하는 마케팅이 가장 대표적인 예라고 할 수 있다. 서비스마케팅의 대상인 서비스는 고객의 욕구충족을 목적으로 인력과 설비 또는 시설에 의해 제공되는 행위(behavior), 성과(performance) 및 노력(effort)이라고 정의할 수 있으며, 그 특징은 다음과 같다.

(1) 무형성

서비스는 구매하기 전에 감각기관에 의해 감지될 수 없는 무형성 때문에 소비자가 제공받기 전까지는 서비스의 품질에 대해 불확실하게 느끼게 된다. 이로 인해 고객들은 구전(word of mouth)에 의한 정보에 대해서 신뢰하게 된다.

(2) 동시성

서비스는 생산과 소비가 동시에 이루어진다. 즉, 생산과 소비를 분리할 수 없기 때문에 **비분리성(service inseparability)**이라고도 한다. 서비스를 제공하는 과정에서 서비스 담당 종업원은 서비스의 한 부분이 된다. 뿐만 아니라 서비스가 생산되는 과정에 고객도 참여하기 때문에 **서비스제공자 - 고객상호작용(provider-customer interaction)**은 서비스마케팅의 차별적 특징이다. 따라서 서비스제공자와 고객 모두가 서비스 산출물에 영향을 미친다.

### (3) 가변성
서비스 품질은 일정하게 정해져 있지 않고 가변성이 있다. 즉, 서비스 품질은 누가, 언제, 어디서, 어떻게 서비스를 제공하느냐에 따라 달라진다. 따라서 서비스 품질은 서비스 제공자의 업무수행상태와 밀접한 관계가 있다.

### (4) 소멸성
서비스는 저장이 불가능하고 시간이 지나면 소멸하여 보존성이 없다. 물론 서비스의 효과는 지속성을 가진다.

## 2. 서비스와 마케팅믹스

### (1) 제품
서비스는 형태가 없으므로 직접 구매하기 전에는 그 품질을 사전에 평가할 수 없다. 따라서 서비스를 구매하려는 소비자는 과거의 경험, 기업의 명성, 상표명, 광고 및 구전 등에 근거하여 구매의사를 결정한다.

### (2) 가격
고객들은 서비스를 구매할 때 유형의 재화보다 가격에 더 의존하는 경향이 있다. 고객들은 일반적으로 서비스 품질이 가격에 비례한다고 생각한다. 또한, 서비스는 유형의 재화보다 가격차별화를 하는 것이 쉽고, 가격인상을 통한 이익확보가 상대적으로 유리하다.

### (3) 유통
서비스는 생산시점과 소비시점이 일치하기 때문에 생산자로부터 소비자에게 **직접 전달**된다.

### (4) 촉진
제공되는 서비스에 대하여 고객들을 이해시키고 평가하여 확신을 심어주는 것이 매우 중요하기 때문에 인적판매를 통한 촉진믹스가 대부분을 차지한다. 그러나 나머지 촉진믹스도 유형의 재화와 동일하게 활용될 수 있다. 소비자는 서비스 제공자의 태도와 품질로써 평가하기 때문에 직원들의 교육과 훈련이 매우 중요하다.

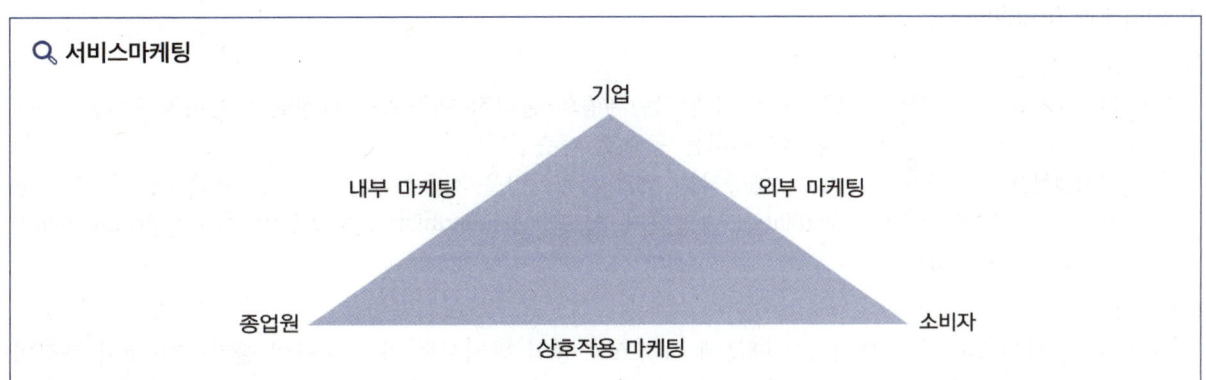

🔍 서비스마케팅

## 2 인터넷마케팅

### 1. 의의

인터넷마케팅(internet marketing)이란 인터넷을 기반으로 하여 마케팅활동을 수행하는 사이버 공간상의 마케팅을 의미한다. 기존의 전통적 마케팅을 오프라인 마케팅(off-line marketing)이라 하고, 인터넷마케팅을 온라인마케팅(on-line marketing)이라고 한다. 인터넷마케팅의 특징은 다음과 같다.

(1) 다양한 의사소통기능들을 통합한 **디지털 융합기능(digital convergence)**을 실현하였다.
(2) 인터넷의 특정 사이트를 이용하는 사람이 증가할수록 그 사이트의 가치는 더욱 높아지게 되는 **네트워크 효과(network effect)**가 발생한다.
(3) 투입요소량이 증가할수록 산출량이 더불어 증가하는 **수확체증의 법칙(increasing return to scale)**이 적용된다.
(4) 소비자와 기업 간 원활한 상호 의사소통이 가능하고, 시간과 공간의 제약 없이 **정보를 무제한으로 활용**할 수 있다.
(5) 고객정보 확보 및 분석이 가능해져 **고객과의 관계구축이 용이**하고 필요한 정보획득 및 정보이용이 자유롭다.

### 2. 장단점

**(1) 장점**

인터넷을 통한 마케팅활동은 시간과 공간의 제약을 탈피할 수 있으며, 정보제공의 제한이 없다. 또한, 비용이 저렴하고, 쌍방향적 의사소통이 가능하여 고객과의 관계 구축이 용이하다.

**(2) 단점**

인터넷을 통한 마케팅활동은 보안상의 문제가 발생 가능하며, 시각과 청각에 의존해야 하는 기술상의 한계를 가진다. 또한, 신뢰성 문제 및 소비자의 편중 등과 같은 한계가 있다.

### 3. 인터넷과 마케팅믹스

**(1) 제품**
  ① **물리적 제품**: 오프라인과 동일하게 거래되는 유형의 물리적 제품으로, 매장을 방문하지 않고도 구매 결정과 동시에 거래가 형성되어 원하는 곳으로 배송된다.
  ② **디지털상품**: 컨텐츠(contents)를 제공하는 것과 서비스만을 제공하는 것으로 구분되는데, 디지털상품은 소멸되지 않고(imperishability), 수정하기 쉽고(transmutability), 재생산이 쉬운(reproducibility) 특징을 가지고 있다.

**(2) 가격**

구입과 동시에 결제가 이루어지기 때문에 가격조정 등의 판매시점 가격 전략이 불가능한 것이 특징이다. 그러나 수요변동과 경쟁자의 대응에 따라 곧바로 가격을 조정할 수 있기 때문에 시장변화에 매우 민감하게 대응할 수 있다.

**(3) 유통**

유통은 전통적 마케팅에서와 같이 기업 또는 개인사업자가 소비자와 직접 거래하는 직접유통방식과 인터넷쇼핑몰과 같은 중간 유통망을 활용하는 간접유통방식으로 나눌 수 있다.

### (4) 촉진

촉진은 인터넷광고만을 생각하기 쉽지만, 인터넷 촉진 역시 오프라인의 전통적 마케팅에서와 같은 촉진믹스를 부분적으로 사용하고 있다.

## 4. 전자상거래

전자상거래(electric commerce)란 **인터넷을 통해 이루어지는 재화 및 서비스의 구매, 주문, 광고 등의 모든 온라인상 거래**를 말한다. 전자상거래는 B2C, C2B, C2C, B2B, B2G, P2P, B2E, O2O 등으로 구분할 수 있다.

### (1) B2C(Business to Customer)

소비자가 중개인 없이 조직과 직접 거래하는 전자상거래의 형태이다.

### (2) C2B(Customer to Business)

소비자와 기업 간 전자상거래 형태로 인터넷이 등장하면서 생겨난 새로운 거래관계이다. 소비자가 개인 또는 단체를 구성하여 상품의 공급자나 상품의 생산자에게 가격이나 수량 또는 서비스 등에 관한 조건을 제시하고 구매하는 것을 말한다.

### (3) C2C(Customer to Customer)

참여자가 개인들이며, 한 사람이 구매자의 역할을 하고 다른 사람이 판매자의 역할을 하는 전자상거래의 형태이다.

### (4) B2B(Business to Business)

참여자가 조직인 전자상거래의 형태이다.

### (5) B2G(Business to Government)

인터넷에서 이루어지는 기업과 정부 간의 상거래를 말한다. 여기서 G는 단순히 정부뿐만 아니라 지방정부, 공기업, 정부투자기관, 교육기관 등을 의미하기도 한다.

### (6) P2P(Peer to Peer)

인터넷에서 개인과 개인이 직접 연결되어 파일 등을 공유하는 것을 말한다.

### (7) B2E(Business to Employee)

기업과 직원 사이의 전자상거래를 말한다. 기업이 서비스를 의뢰하면, 기업들의 복리후생을 대행해주거나 직원들에게 교육을 제공하는 등의 상거래이다.

### (8) O2O(Online to Offline)

O2O란 온라인(online)과 오프라인(offline)이 결합하는 현상을 의미한다. 최근에는 주로 전자상거래 혹은 마케팅 분야에서 **온라인과 오프라인이 연결되는 현상(옴니채널)**을 말하는 데 사용된다.

#### 소비자 쇼핑행동

| | |
|---|---|
| 옴니채널(omni-channel) | 소비자가 온라인, 오프라인, 모바일 등 다양한 경로를 이용해 상품을 검색하고 구매할 수 있도록 한 서비스 |
| 쇼루밍(showrooming) | 오프라인에서 제품을 살펴보고 구매는 온라인으로 하는 것 |
| 역쇼루밍(reverse showrooming) 또는 웹루밍(webrooming) | 온라인에서 제품정보를 얻은 뒤 오프라인 매장에서 구매하는 것 |
| 모루밍(morooming) | 오프라인 매장에서 제품을 살펴보다가 즉석에서 모바일로 구매하는 것 |

## 3 기타 마케팅활동

### 1. 전사적 마케팅과 내부 마케팅

**(1) 전사적 마케팅(total marketing)**

고객의 욕구를 충족시키기 위하여 조직의 최고경영자를 포함한 모든 조직구성원들이 마케팅적 사고와 행동을 하는 것을 말한다.

**(2) 내부 마케팅(internal marketing)**

제품을 누구보다도 잘 알아야 하는 내부고객(종업원)에게 교육과 훈련을 통해 동기부여하고 확신을 갖도록 하는 사내 마케팅활동을 말한다. 이러한 내부 마케팅이 필요한 이유는 종업원 스스로가 제품에 대한 신뢰성 없이 고객에게 적극적으로 제품을 판매하는 것이 불가능하기 때문이다.

### 2. 계몽 마케팅과 앰부시 마케팅

**(1) 계몽 마케팅(enlightened marketing)**

기업이 이윤추구를 넘어 사회적 책임이 요구되는 시대적 상황에서 기업이 소비자에게 국가와 사회적 가치를 창조하고 발전시키는 데 주도적 역할과 중요한 책임이 있음을 인식하여 이를 알리며 홍보하는 마케팅을 말한다.

**(2) 앰부시 마케팅(ambush marketing)**

매복 또는 잠복 마케팅이라고도 하는데, 월드컵이나 올림픽 등의 공식후원사가 아닌 기업들이 그 로고를 정식으로 사용하지 않고 비슷한 언어적 유희 등을 교묘히 활용하여 수행되는 마케팅을 말한다.

### 3. 바이럴 마케팅과 버즈 마케팅

**(1) 바이럴 마케팅(viral marketing)**

바이러스 마케팅(virus marketing)이라고도 하는데, 네티즌들이 이메일이나 블로그, 핸드폰 등 전파가 가능한 매체를 통해 자발적으로 특정 기업이나 제품을 홍보할 수 있도록 제작하여 널리 퍼뜨리는 마케팅을 말한다.

**(2) 버즈 마케팅(buzz marketing)**

인적인 네트워크를 통하여 소비자에게 상품정보를 전달하는 마케팅을 말한다. 소비자들이 자발적으로 메시지를 전달하게 하여 상품에 대한 긍정적인 입소문을 내게 하는 마케팅기법이다. 꿀벌이 윙윙거리는 (buzz) 것처럼 소비자들이 상품에 대해 말하는 것을 마케팅으로 삼는 것을 의미하고, **입소문 마케팅 또는 구전 마케팅(word of mouth)**이라고도 한다.

## 4. 뉴로 마케팅과 캐즘 마케팅

### (1) 뉴로 마케팅(neuro marketing)
소비자의 무의식에서 나오는 감정과 구매행위를 **뇌과학**을 통해 분석해 기업마케팅에 적용하는 기법으로, 디자인, 광고 등이 소비자의 잠재의식에 미치는 영향을 측정하는 마케팅을 말한다.

### (2) 캐즘 마케팅(chasm marketing)
첨단기술제품이 선보이는 초기시장에서 주류시장으로 넘어가는 과도기에 **일시적으로 수요가 정체되거나 후퇴하는 단절현상**을 가리켜 캐즘(chasm)이라고 하는데 이를 다루는 것이다.

## 5. 넛지 마케팅과 코즈 마케팅

### (1) 넛지 마케팅(nudge marketing)
종래의 마케팅이 상품의 특성을 강조하고 소비자가 그 상품을 구매할 수 있도록 집중하는 것과 달리 소비자가 선택을 함에 있어서 좀 더 유연하고 부드러운 방식으로 접근하는 마케팅이다. 넛지(nudge)라는 단어가 '팔꿈치로 슬쩍 찌른다'의 뜻이 있는 것처럼 넛지 마케팅은 **사람들을 원하는 방향으로 유도하되 선택의 자유는 여전히 개인에게 준다**는 것이다. 따라서 특정 행동을 유도하지만 직접적인 명령이나 지시를 동반하지는 않는다.

### (2) 코즈 마케팅(cause marketing)
기업이 **환경·보건·빈곤** 등과 같은 사회적인 이슈, 즉 '대의명분(cause)'을 기업의 이익 추구를 위해 **활용**하는 것을 말한다. 이러한 코즈 마케팅의 가장 기본적인 유형은 소비자들의 소비를 통해 기부 활동을 하는 것이다. 즉, 소비자들이 재화나 서비스를 구매하면 기업이 돈이나 물건을 기부하는 형태이다. 또한, 코즈 마케팅은 **마이클 포터(M. Porter)가 제시한 공유가치창출**(creating shared value, CSV) 전략의 구체적인 실천 방안이라 할 수 있다.

# 출제예상문제

CHAPTER 05 마케팅 영역의 확장

## 4지선다형

**01** ☐☐☐ 한국가스공사 기출동형

다음 중 고객 유지를 위한 관계마케팅(CRM)에 대한 설명으로 옳지 않은 것은?

① 고객과의 신뢰형성을 강조한다.
② 단기적인 마케팅 성과를 지향한다.
③ 고객과의 지속적인 거래관계를 유지하고자 한다.
④ 데이터베이스 마케팅을 주요한 수단으로 활용한다.

**해설**

CRM은 고객에 대한 매우 구체적인 정보를 바탕으로 고객 개개인에게 적합한 차별적인 재화 및 서비스를 제공함으로써 고객과의 개인적 관계를 지속적으로 유지하고 새롭게 변화시키려는 일련의 경영활동이다. 즉 과거 대중마케팅에서 지향하고 있는 불특정 다수인을 대상으로 하는 마케팅 노력이 아닌 고객 개개인을 대상으로 하는 일대일 마케팅을 지향하는 개념이다. 이는 쌍방향적이면서도 개인적인 의사소통이 필수적이며, 개별고객에 대한 상세한 데이터베이스의 구축이 있어야 비로소 가능하다. 따라서 CRM은 장기적인 마케팅 성과를 지향한다.  **정답 ②**

**02** ☐☐☐ 대구도시철도공사 기출동형

다음 중 관계마케팅에 대한 설명으로 옳지 않은 것은?

① 관계마케팅은 신시장에 대한 진입 기회가 증가함에 따라 경쟁자 또한 증가하게 되면서 등장하게 되었다.
② 관계마케팅은 개별 거래의 이익극대화와 같은 판매 위주의 거래 지향적 접근 방식에서 탈피하여 고객과의 호혜 관계를 극대화하고, 이를 통해 고객과의 우호 관계를 구축하면 이익은 저절로 수반된다는 철학을 바탕으로 한다.
③ 관계마케팅으로 인해 만족한 고객은 단골고객으로 지속적인 수익의 원천이 되고, 이를 통해 기업은 비용 감소, 수익성 제고의 효과를 가져올 수 있으며, 이는 장기적으로 판매촉진 효과와 매출 증대로 이어져 기업의 브랜드가치가 높아지게 된다.
④ 관계마케팅을 수행하는 데 있어 직원에 대한 충성도는 높을수록 좋으며, 이는 자연스럽게 기업에 대한 충성도로 이어지게 된다.

**해설**

직원에 대한 충성도가 높다고 해서 기업에 대한 충성도가 높아지는 것은 아니다.  **정답 ④**

## 03 ☐☐☐ 2024년 군무원 7급 기출

**다음 중 고객관계관리(customer relationship management, CRM)에 대한 설명으로 가장 적절하지 않은 것은?**

① 거시적 관점에서 전략적 CRM은 기업의 경영환경에 영향을 미치고 있는 기업, 고객, 경쟁자, 협력자를 통합적으로 고려한다.
② 미시적 관점에서 전술적 CRM은 고객에게 최적의 상품과 서비스를 제공하기 위한 자료의 도출과 분석에 초점을 둔 구체적인 고객대응전략을 목표로 한다.
③ RFM(recency, frequency, monetary) 분석은 고객과의 커뮤니케이션에 초점을 맞춘 분석이다.
④ 잠재고객의 평생가치는 해당 잠재고객을 경쟁상대에게 빼앗겼을 때 예상할 수 있는 손실값으로 정의할 수 있다.

**해설**

잠재고객의 평생가치는 고객생애가치를 의미하고, 고객생애가치는 한 고객이 처음 구매한 시점부터 그 고객이 특정 기업의 고객으로 남아 있는 동안의 총 누적구매액을 말한다.

**정답 ④**

---

## 04 ☐☐☐ 2023년 군무원 9급 기출

**빅데이터(Big Data)의 대표적 특징인 3V에 해당하지 않는 것은?**

① 변동성(Variability)
② 규모(Volume)
③ 다양성(Variety)
④ 속도(Velocity)

**해설**

빅 데이터(big data)란 기존 데이터베이스 관리도구로 데이터를 수집, 저장, 관리, 분석할 수 있는 역량을 넘어서는 대량의 정형 또는 비정형 데이터 집합과 이러한 데이터로부터 가치를 추출하고 결과를 분석하는 기술을 총칭한다. 이러한 빅 데이터는 단순히 큰 데이터가 아니라 부피가 크고, 변화의 속도가 빠르며, 속성이 매우 다양한 데이터라는 양(volume), 속도(velocity), 다양성(variety)의 세 가지 특징을 가지고 있다. 따라서 변동성(Variability)은 빅 데이터의 대표적인 특징에 해당하지 않는다.

**정답 ①**

---

## 05 ☐☐☐ 서울시설공단 기출동형

**다음 중 빅 데이터의 기본적 특성에 해당하는 3V로 옳지 않은 것은?**

① 데이터의 생성 속도(velocity)
② 데이터 출처의 가상성(virtuality)
③ 데이터의 양(volume)
④ 데이터 형태의 다양성(variety)

**해설**

빅 데이터(big data)란 기존 데이터베이스 관리도구로 데이터를 수집, 저장, 관리, 분석할 수 있는 역량을 넘어서는 대량의 정형 또는 비정형 데이터 집합과 이러한 데이터로부터 가치를 추출하고 결과를 분석하는 기술을 총칭한다. 이러한 빅 데이터는 단순히 큰 데이터가 아니라 부피가 크고, 변화의 속도가 빠르며, 속성이 매우 다양한 데이터라는 양(volume), 속도(velocity), 다양성(variety)의 세 가지 특징을 가지고 있다.

**정답 ②**

## 06  2015년 국가직 7급 기출

'극장' 혹은 '야구장'처럼 많은 고객이 운집하는 엔터테인먼트 서비스에서 고객들에게 훌륭한 경험을 제공하는 것이 고객만족을 통한 기업의 수익창출에 중요하다. 이러한 서비스에서 고객에게 훌륭한 경험을 제공하는 핵심 요인의 사례로 적절하지 않은 것은?

① 고객 참여를 위한 파도타기 같은 집단 응원
② 고객의 오감을 만족시킬 수 있는 의자 및 음향설비와 같은 시설
③ 고객의 기억을 지속하기 위한 티셔츠와 같은 기념품
④ 고객을 지속적으로 유인하기 위한 마일리지 프로그램

**해설**

고객경험관리(customer experience management, CEM)란 슈미트(B. Schmitt)가 주장한 개념으로 제품이나 회사에 대한 고객의 전반적인 경험을 전략적으로 관리하는 프로세스를 의미하고, 전략인 동시에 과정과 실행에 중점을 두는 고객만족개념이다. 기업은 모든 접점에서 고객과 관계를 맺고, 각기 다른 고객 경험요소를 서로 통합할 수 있고, 이를 통해 고객에게 감동적인 경험을 갖도록 해주어 기업 가치에 대한 고객의 충성을 유발시킬 수 있다. 따라서 고객을 지속적으로 유인하기 위한 마일리지 프로그램은 '고객관계관리'라는 관점에서는 의미가 있지만 '고객경험관리'라는 관점에서는 다른 사례에 비해 관련성이 떨어진다.

**정답 ④**

## 07  2013년 국가직 7급 기출

서비스 마케팅에 대한 설명으로 옳지 않은 것은?

① 서비스는 누가, 언제, 어디서, 누구에게 제공하느냐에 따라 품질이 달라질 수 있다.
② 제품과 다른 서비스의 특성으로 무형성, 분리성, 변동성, 소멸성 등을 들 수 있다.
③ 서비스 마케팅 믹스에는 전통적인 마케팅 믹스 4P 이외에 물리적 증거, 사람 및 프로세스가 포함된다.
④ 고객은 지각된 서비스가 기대된 서비스에 미치지 못할 경우 불만족하게 된다.

**해설**

제품과 다른 서비스의 특성으로 무형성, 비분리성, 변동성, 소멸성 등을 들 수 있다.

**정답 ②**

## 08 ☐☐☐ 2012년 국가직 7급 기출

**다음의 대응전략 모두와 밀접한 관련이 있는 서비스 특성은?**

- 서비스 가격을 차별화한다.
- 보완적 서비스를 제공한다.
- 비성수기 수요를 개발한다.
- 예약시스템을 도입한다.

① 소멸가능성(perishability)
② 동시성/비분리성(simultaneity/inseparability)
③ 이질성/변화성(heterogeneity/variability)
④ 무형성(intangibility)

**해설**

문제에서 제시된 대응전략과 모두 관련된 서비스 특성은 소멸가능성이다. 여기서 소멸가능성은 저장이 불가능하고 시간이 지나면 소멸하여 보존성이 없다는 것이다.

**정답 ①**

## 09 ☐☐☐ 대전도시철도공사 기출동형

**다음에서 설명하는 내용과 대비되는 서비스의 특징으로 옳은 것은?**

일반적으로 재화는 공장에서 생산되고 유통과정을 통하여 소비자에게 전달되고 최종 소비되는 단계를 거친다.

① 무형성
② 비분리성
③ 이질성
④ 소멸성

**해설**

서비스는 생산과 소비가 동시에 이루어지기 때문에 간접유통보다는 직접유통을 통해서 소비자에게 전달된다. 즉 생산과 소비를 분리할 수 없으며, 이를 비분리성이라고 한다.

**정답 ②**

## 10 ☐☐☐ 2008년 국가직 7급 기출

**서비스 구매에 관한 소비자행동모델이 유형제품구매에 관한 모델보다 상대적으로 복잡한 이유를 가장 잘 설명한 것은?**

① 상대적으로 고가이기 때문에
② 준거집단의 영향력이 상대적으로 크기 때문에
③ 종류가 많기 때문에
④ 소비와 구매가 동시에 이루어지기 때문에

**해설**

유형제품(재화)과 서비스의 가장 차이는 시점과 관련되어 있다. 유형제품(재화)은 재고로 보관할 수 있기 때문에 소비시점과 구매시점이 일치할 필요가 없지만, 서비스는 재고로 보관할 수 없기 때문에 소비시점과 구매시점이 일치해야 한다.

**정답 ④**

**11** □□□ 대전도시철도공사 기출동형

코틀러(P. Kotler)에 의해 제창된 개념으로 이상적인 자본주의 사회를 이루기 위해 기업이 사회적 책임을 완수해야 한다는 것과 가장 관련이 깊은 마케팅 기법은 무엇인가?

① 데이터베이스 마케팅
② 그린 마케팅
③ 계몽 마케팅
④ 전사적 마케팅

**해설**

기업이 이윤추구를 넘어 사회적 책임이 요구되는 시대적 상황에서 기업이 소비자에게 국가와 사회적 가치를 창조하고 발전시키는데 주도적 역할과 중요한 책임이 있음을 인식하여 이를 알리며 홍보하는 마케팅 기법은 계몽 마케팅(enlightened marketing)이다.

**정답 ③**

**12** □□□ 서울교통공사 기출동형

소셜미디어를 통해 소비자들에게 빠르게 확산시키며, 소비자들이 자발적으로 마케팅 메시지를 퍼트리는 것을 촉진하는 마케팅 기법은 무엇인가?

① 심비오틱 마케팅
② 그린 마케팅
③ 바이럴 마케팅
④ 계몽 마케팅

**해설**

소셜미디어를 통해 소비자들에게 빠르게 확산시키며, 소비자들이 자발적으로 마케팅 메시지를 퍼트리는 것을 촉진하는 마케팅은 바이럴 마케팅(viral marketing)이다.

**정답 ③**

**13** □□□ 한국소비자원 기출동형

다음 중 상품의 홍보를 위해 고의로 각종 이슈를 만들어 소비자의 호기심을 이끌어내는 마케팅 기법은 무엇인가?

① 노이즈 마케팅
② 그린 마케팅
③ 바이럴 마케팅
④ 뉴로 마케팅

**해설**

상품의 홍보를 위해 고의로 각종 이슈를 만들어 소비자의 호기심을 이끌어내는 마케팅 기법은 노이즈 마케팅(noise marketing)이다.

**정답 ①**

## 5지선다형

### 01 □□□ 2013년 가맹거래사 기출

고객과의 지속적이고 개별적인 유대를 통하여 마케팅 네트워크라는 기업자산을 구축하고자 하는 마케팅 전략은?

① 대량 마케팅
② 니치 마케팅
③ 관계 마케팅
④ 차별화 마케팅
⑤ 테스트 마케팅

**해설**

고객과의 지속적이고 개별적인 유대를 통하여 마케팅 네트워크라는 기업자산을 구축하고자 하는 마케팅 전략은 관계마케팅 또는 고객관계관리이다.

정답 ③

### 02 □□□ 2014년 공인노무사 기출

관계마케팅의 등장배경으로 옳지 않은 것은?

① 정보통신기술의 급격한 발전
② 구매자 중심시장에서 판매자 중심시장으로 전환
③ 고객욕구 다양화로 고객만족이 더욱 어려워짐
④ 시장 규제완화로 신시장 진입기회 증가에 따른 경쟁자의 증가
⑤ 마케팅 커뮤니케이션의 효율성을 높이기 위해 표적고객들에게 차별화된 메시지 전달이 필요해짐

**해설**

관계마케팅은 시장이 판매자 중심시장에서 구매자 중심시장으로 전환되면서 등장한 개념이다.

정답 ②

### 03 □□□ 2016년 경영지도사 기출

관계마케팅의 등장이유로 옳지 않은 것은?

① SNS 등 정보통신기술의 발전과 다양화
② 고객욕구의 다양화
③ 시장규제 강화에 따른 경쟁자의 감소
④ 표적고객들에게 차별화된 메시지 전달 필요
⑤ 판매자에서 소비자 중심시장으로 전환

**해설**

시장규제 강화에 따른 경쟁자의 감소는 관계마케팅의 등장이유로 보기 어렵다.

정답 ③

## 04 ☐☐☐ 2015년 가맹거래사 기출

**다음 설명에 해당하는 용어는?**

> 다양한 분석기법을 활용하여 고객 데이터로부터 개별고객의 가치, 욕구, 행동패턴 등을 예측하여 고객만족을 위한 고객관리전략을 수립하고 고객과의 관계를 지속하는 마케팅 방식

① RFM
② EDLP
③ CRM
④ MIS
⑤ CSR

**해설**

고객관계관리(customer relationship management, CRM)에 대한 설명이다. **정답 ③**

## 05 ☐☐☐ 한국철도공사 기출동형

**다음 중 효과적인 CRM을 위한 활동으로 옳지 않은 것은?**

① 기존 고객 유지보다는 신규 고객 확보에 더욱 중점을 두고 수익성 증대를 위하여 지속적인 커뮤니케이션을 수행한다.
② 고객 통합 데이터베이스를 구축하여 사내 정보망을 통해 공유한다.
③ 데이터베이스 분석을 통해 고객 특성에 맞는 전략을 세우고 실천에 옮긴다.
④ 상거래 관계를 통한 고객과의 신뢰형성을 강조하고, 단기적인 영업성과향상보다 중·장기적인 마케팅 성과향상에 중점을 둔다.
⑤ 경쟁자보다 탁월한 고객가치와 고객만족을 제공함으로써 수익성 있는 고객관계를 구축하고 유지한다.

**해설**

CRM은 기존 고객뿐만 아니라 신규 고객 확보에 대해서도 관심을 가지지만, 신규 고객 확보보다는 기존 고객 유지에 더욱 중점을 둔다. **정답 ①**

## 06 ☐☐☐ 2019년 경영지도사 기출

**고객관계관리(CRM)의 성공 전제조건이 아닌 것은?**

① 고객을 분석할 수 있는 데이터마이닝 도구가 필요하다.
② 고객관계관리를 위하여 인적네트워크가 필수적이다.
③ 대용량 데이터분석을 위한 대용량 컴퓨터가 필요하다.
④ 전략실행을 위한 다양한 마케팅채널과 연계되어야 한다.
⑤ 고객통합 데이터베이스가 구축되어야 한다.

**해설**

고객관계관리(CRM)는 고객에 대한 매우 구체적인 정보를 바탕으로 고객 개개인에게 적합한 차별적인 재화 및 서비스를 제공함으로써 고객과의 개인적 관계를 지속적으로 유지하고 새롭게 변화시키려는 일련의 경영활동으로 관계마케팅이라고도 한다. 따라서 고객관계관리는 과거 대중마케팅에서 지향하고 있는 불특정 다수인을 대상으로 하는 마케팅 노력이 아닌 고객 개개인을 대상으로 하는 일대일 마케팅을 지향하는 개념이기 때문에 쌍방향적이면서도 개인적인 의사소통이 필수적이며, 개별고객에 대한 상세한 데이터베이스의 구축이 있어야 비로소 가능하다. 따라서 고객관계관리를 위하여 인적네트워크가 필수적인 것은 아니다. **정답 ②**

## 07 ☐☐☐ 2022년 가맹거래사 기출

**고객관계관리(CRM)시스템의 2가지 기본적 구성요소는?**

① 기술적 CRM과 분석적 CRM
② 운영적 CRM과 분석적 CRM
③ 기술적 CRM과 전술적 CRM
④ 운영적 CRM과 전술적 CRM
⑤ 운영적 CRM과 기술적 CRM

**해설**
고객관계관리(CRM)시스템의 2가지 기본적 구성요소는 운영적 CRM과 분석적 CRM이다.

정답 ②

## 08 ☐☐☐ 서울주택도시공사 기출동형

**다음 중 상호작용 마케팅에 대한 설명으로 옳지 않은 것은?**

① 인터넷 채널을 활용한다.
② 고객접점 마케팅이라고도 한다.
③ 소비자와 소비자 사이에서 이루어지는 마케팅이다.
④ 시장점유율을 확보하는 것이 목표이다.
⑤ 쌍방향 의사소통이 가능하다.

**해설**
상호작용 마케팅은 기업의 종업원과 소비자 사이에 이루어지는 마케팅이다.

정답 ③

## 09 ☐☐☐ 2017년 공인노무사 기출

**빅 데이터(big data)의 기본적 특성(3v)으로 옳은 것을 모두 고른 것은?**

| ㄱ. 거대한 양(volume) | ㄴ. 모호성(vagueness) |
| ㄷ. 다양한 형태(variety) | ㄹ. 생성 속도(velocity) |

① ㄱ, ㄴ
② ㄴ, ㄷ
③ ㄱ, ㄴ, ㄹ
④ ㄱ, ㄷ, ㄹ
⑤ ㄴ, ㄷ, ㄹ

**해설**
빅 데이터는 단순히 큰 데이터가 아니라 부피가 크고, 변화의 속도가 빠르며, 속성이 매우 다양한 데이터라는 양(volume), 속도(velocity), 다양성(variety)의 세 가지 특징을 가지고 있다.

정답 ④

## 10  2017년 경영지도사 기출

**빅데이터의 요건인 4V에 해당하지 않는 것은?**

① volume
② velocity
③ variety
④ virtuality
⑤ value

**해설**

빅 데이터는 단순히 큰 데이터가 아니라 부피가 크고, 변화의 속도가 빠르며, 속성이 매우 다양한 데이터라는 양(volume), 속도(velocity), 다양성(variety)의 세 가지 특징을 가지고 있다. 이 외에 최근에는 정확성(veracity), 가변성(variability), 시각화(visualization), 가치(value) 등이 빅데이터의 새로운 특징으로 제시되고 있다.

정답 ④

## 11  2024년 경영지도사 기출

**빅데이터의 특징에 관한 설명으로 옳은 것을 모두 고른 것은?**

ㄱ. 수집하여 분석하는 데이터 분량이 매우 많다.
ㄴ. ERP, SCM, MES, CRM 등의 시스템에 저장된 정형화된 데이터를 분석한다.
ㄷ. 사진 및 동영상, 콜센터 고객상담 내용 등 비정형화된 데이터를 분석한다.
ㄹ. 수많은 사용자 요청을 신속하게 처리하여 결과를 제시한다.

① ㄱ, ㄴ, ㄷ
② ㄱ, ㄴ, ㄹ
③ ㄱ, ㄷ, ㄹ
④ ㄴ, ㄷ, ㄹ
⑤ ㄱ, ㄴ, ㄷ, ㄹ

**해설**

빅데이터(big data)는 기존 데이터베이스 관리도구로 데이터를 수집, 저장, 관리, 분석할 수 있는 역량을 넘어서는 대량의 정형 또는 비정형 데이터 집합과 이러한 데이터로부터 가치를 추출하고 결과를 분석하는 기술을 총칭한다. 따라서 주어진 보기 모두가 빅데이터의 특징에 관한 설명으로 옳다.

정답 ⑤

## 12  2016년 공인노무사 기출

**빅데이터 기술에 관한 설명으로 옳지 않은 것은?**

① 관계형 데이터베이스인 NoSQL, Hbase 등을 분석에 활용한다.
② 구조화되지 않은 데이터도 분석 대상으로 한다.
③ 많은 양의 정보를 처리한다.
④ 빠르게 변화하거나 증가하는 데이터도 분석이 가능하다.
⑤ 제조업, 금융업, 유통업 등 다양한 분야에 활용된다.

**해설**

관계형 데이터베이스는 일련의 정형화된 테이블로 구성된 데이터 항목들의 집합체를 의미하고, 대표적인 예에는 SQL 등이 있다. 빅데이터 기술에는 비관계형 데이터베이스인 NoSQL, Hbase 등을 분석에 활용한다.

정답 ①

## 13 □□□ 2022년 가맹거래사 기출

**빅데이터에 관한 설명으로 옳지 않은 것은?**

① 빅데이터는 관계형 데이터베이스에 테이블 형태로 저장된다.
② 빅데이터는 전통적인 데이터들에 비해 훨씬 많은 양과 훨씬 빠른 속도로 생성된다.
③ 빅데이터의 사용 목적은 통합된 관점에서 데이터를 분석하여 새로운 사실을 예측하는 것이다.
④ 빅데이터를 확보, 저장, 분석하는 데 많은 비용이 든다.
⑤ 빅데이터는 기존에 기업에서 관리하는 데이터 뿐만 아니라 비정형화된 데이터를 포함한다.

**해설**

빅데이터 기술에는 비관계형 데이터베이스인 NoSQL, Hbase 등이 분석에 활용된다. **정답 ①**

## 14 □□□ 2017년 가맹거래사 기출

**대규모 데이터베이스에서 숨겨진 패턴이나 관계를 발견하여 의사결정 및 미래예측에 활용할 수 있도록 데이터를 모아서 분석하는 것은?**

① 데이터 웨어하우스(data warehouse)
② 데이터 마이닝(data mining)
③ 데이터 마트(data mart)
④ 데이터 정제(data cleansing)
⑤ 데이터 세정(data scrubbing)

**해설**

대규모 데이터베이스에서 숨겨진 패턴이나 관계를 발견하여 의사결정 및 미래예측에 활용할 수 있도록 데이터를 모아서 분석하는 것은 데이터 마이닝(data mining)이다. **정답 ②**

## 15 □□□ 2020년 공인노무사 기출

**기업이 미래 의사결정 및 예측을 위하여 보유하고 있는 고객, 거래, 상품 등의 데이터와 각종 외부 데이터를 분석하여 숨겨진 패턴이나 규칙을 발견하는 것은?**

① 데이터 관리(data management)
② 데이터 무결성(data integrity)
③ 데이터 마이닝(data mining)
④ 데이터 정제(data cleaning)
⑤ 데이터 마트(data mart)

**해설**

데이터 마이닝은 대용량 데이터에 대한 탐색적 분석도구라는 관점에서 거대한 데이터 더미 속에서 가치 있는 어떠한 것을 채굴하는 것이다. 따라서 데이터 마이닝은 방대한 양의 데이터 속에서 쉽게 드러나지 않는 유용한 정보를 찾아내는 과정이라고 할 수 있으며, 데이터의 방대함, 높은 처리 복잡도, 개방형 소프트웨어, 비정형 데이터 중심, 분산처리 등의 특징을 가지고 있다. **정답 ③**

## 16  2015년 가맹거래사 기출

기업 경영 활동 과정에서 발생한 대규모 데이터에 담겨있는 변수들 간에 존재하는 패턴과 관계를 발견하여 가치 있는 정보를 추출하는 기법은?

① 델파이법
② 데이터마이닝
③ 명목집단법
④ 데이터베이스
⑤ 신디케이트 조사

**해설**

기업 경영 활동 과정에서 발생한 대규모 데이터에 담겨있는 변수들 간에 존재하는 패턴과 관계를 발견하여 가치 있는 정보를 추출하는 기법은 데이터마이닝이다. 이러한 데이터마이닝은 데이터의 방대함, 높은 처리 복잡도, 개방형 소프트웨어, 비정형 데이터 중심, 분산처리 등의 특징을 가지고 있다.

정답 ②

## 17  2018년 가맹거래사 기출

서비스 마케팅에 관한 설명으로 옳지 않은 것은?

① 서비스 비분리성이란 서비스가 서비스제공자와 분리될 수 없음을 의미한다.
② 서비스 변동성은 누가, 언제, 어디서, 어떻게 서비스를 제공하느냐에 따라 서비스품질이 달라지는 것을 의미한다.
③ 서비스 소멸성은 나중에 판매하거나 사용하기 위해 서비스를 저장할 수 없음을 의미한다.
④ 외부마케팅은 현장종업원들의 사기를 증진시켜 외부 고객을 만족시키는 것을 말한다.
⑤ 상호작용 마케팅은 서비스 접점에서 구매자-판매자 상호작용의 품질을 제고시켜 우수한 서비스 품질을 실현하는 활동을 말한다.

**해설**

현장종업원들의 사기를 증진시켜 외부 고객을 만족시키는 것은 외부마케팅이 아니라 내부마케팅에 해당한다.

정답 ④

## 18  한국철도공사 기출동형

다음 중 미스테리 쇼퍼(mystery shopper)가 갖춰야 할 자격으로 옳은 것을 모두 고르면?

> ㄱ. 여러 매장을 돌면서 매장의 상태, 직원의 서비스 등 다양한 보고내용을 파악한다.
> ㄴ. 긴 시간을 두고 장기적으로 조사한다.
> ㄷ. 매장을 방문하여 있는 그대로 객관적인 사실을 적는다.
> ㄹ. 사전에 기본적인 정보를 알아두는 것이 좋다.

① ㄱ
② ㄱ, ㄴ
③ ㄴ, ㄹ
④ ㄱ, ㄷ, ㄹ
⑤ ㄴ, ㄷ, ㄹ

**해설**

ㄴ. 미스테리 쇼퍼(mystery shopper)는 비교적 짧은 시간에 조사를 마쳐야 한다.

정답 ④

## 19 　□□□　한국철도공사 기출동형

**다음 중 실패한 서비스에 대한 서비스 회복 절차 과정으로 옳지 않은 것은?**

① 고객의 불편에 대해 사과하거나 인정한다.
② 고객의 상황에 감정이입한다.
③ 문제에 대한 책임을 고객에게 전가한다.
④ 발생한 문제에 대한 가치 부가적인 보상을 제공한다.
⑤ 사후관리를 시행한다.

**해설**

문제에 대한 책임을 고객에게 전가해서는 안 된다.　　정답 ③

## 20 　□□□　2022년 가맹거래사 기출

**디지털마케팅 커뮤니케이션에 관한 설명으로 옳지 않은 것은?**

① 디지털 기술의 발전으로 인해 마케팅 전달매체는 파편화되기보다는 통합화되었다.
② 대원칙은 각 매체의 믹스(mix)와 서로 다른 매체의 메시지 통합이다.
③ 디지털마케팅의 출발은 인터넷의 보급과 이용에서 촉발되었다.
④ 사용기기는 PC, 스마트폰, 태블릿 PC 등을 포함한다.
⑤ 인터넷마케팅 커뮤니케이션의 대표적 수단은 디스플레이(노출형)광고와 검색광고이다.

**해설**

디지털 기술의 발전으로 인해 마케팅 전달매체는 통합화되기보다는 파편화되었다. 여기서 파편화는 다양화를 의미한다.　　정답 ①

## 21 　□□□　2014년 가맹거래사 기출

**인터넷마케팅의 장점이 아닌 것은?**

① 주문 편의성　　② 판매원의 설득 노력　　③ 정보탐색 용이
④ 낮은 원가 시현　　⑤ 방문자수 파악

**해설**

인터넷마케팅은 인터넷을 기반으로 하여 마케팅활동을 수행하는 사이버 공간상의 마케팅을 의미한다. 따라서 소비자와 직접 대면하는 판매원과는 관련이 없다.　　정답 ②

## 22. 한국철도공사 기출동형

**다음 중 POS 시스템의 특징으로 옳지 않은 것은?**

① 점포 내 재고관리와 제품생산관리, 판매관리 등을 실시간으로 빠르게 파악할 수 있다.
② 상품에 표시되어 있는 바코드 표시를 스캐너가 판독하는 방식이다.
③ POS 정보는 상품이 판독되어 판매되고 일정 시간 이후 입력된다.
④ 시간대별로 상품의 매출현황을 파악하여 분석목적에 따라 가공하여 출력할 수 있다.
⑤ 고객이 소비자 ID카드를 가지고 구매를 하면 고객들의 구매 유형을 분석하여 점포 경영전략에 활용할 수 있다.

**해설**
POS 정보는 상품이 판독되어 판매되는 즉시 입력된다. 　　　　정답 ③

## 23. 2020년 공인노무사 기출

**전자(상)거래의 유형에 관한 설명으로 옳은 것은?**

① B2E는 기업과 직원 간 전자(상)거래를 말한다.
② B2C는 소비자와 소비자 간 전자(상)거래를 말한다.
③ B2B는 기업 내 전자(상)거래를 말한다.
④ C2C는 기업과 소비자 간 전자(상)거래를 말한다.
⑤ C2G는 기업 간 전자(상)거래를 말한다.

**해설**
② B2C는 기업과 소비자 간 전자(상)거래를 말한다.
③ B2B는 기업 간 전자(상)거래를 말한다.
④ C2C는 소비자 간 전자(상)거래를 말한다.
⑤ C2G는 소비자와 정부 간 전자(상)거래를 말한다. 　　　　정답 ①

## 24. 2019년 경영지도사 기출

**기업 간 전자상거래를 의미하는 용어는?**

① B2B　　② B2C　　③ B2G
④ G2C　　⑤ C2C

**해설**
B2B=Business to Business, B2C=Business to Customer, B2G=Business to Government, G2C=Government to Customer, C2C=Customer to Customer이다. 따라서 기업 간 전자상거래를 의미하는 것은 B2B이다. 　　　　정답 ①

## 25 ☐☐☐ 2018년 경영지도사 기출

원자재가 필요한 회사가 인터넷 온라인을 통해 불특정 다수의 기업으로부터 입찰을 받아서 공급회사를 결정하는 전자상거래 형태는?

① B2B
② C2C
③ B2C
④ G2C
⑤ B2G

**해설**

원자재가 필요한 회사가 인터넷 온라인을 통해 불특정 다수의 기업으로부터 입찰을 받아서 공급회사를 결정하는 전자상거래 형태는 B2B에 해당한다. B는 Business, C는 Customer, G는 Government이다.

정답 ①

## 26 ☐☐☐ 2023년 경영지도사 기출

고객이 인터넷으로 호텔 객실의 가격을 미리 제시하면 공급사가 판매여부를 결정하는 사례와 같이, 고객이 주체가 되어 원하는 상품이나 아이디어를 기업에 제공하고 대가를 얻는 e-비지니스 모델은?

① B2B
② B2C
③ B2E
④ C2B
⑤ C2C

**해설**

고객이 주체가 되어 원하는 상품이나 아이디어를 기업에 제공하고 대가를 얻는 e-비지니스 모델은 C2B이다.

정답 ④

## 27 ☐☐☐ 2016년 경영지도사 기출

인터넷 쇼핑몰, 인터넷 뱅킹, 공연이나 여행관련 예약 등 기업과 소비자 간에 이루어지는 전자상거래의 형태는?

① B2B
② C2C
③ B2C
④ B2G
⑤ G2C

**해설**

B=Business, C=Consumer, G=Government이다.

정답 ③

## 28 ☐☐☐ 2015년 가맹거래사 기출

e-비즈니스 관련 기술을 활용한 정부-시민 간 서비스 제공유형은?

① B2B
② B2C
③ C2B
④ G2C
⑤ G2B

**해설**

e-비즈니스 관련 기술을 활용한 정부-시민 간 서비스 제공유형은 Government to Customer를 의미하는 G2C이다.

정답 ④

## 29  2017년 공인노무사 기출

**모바일 비즈니스의 특성으로 옳지 않은 것은?**

① 편재성　　② 접근성　　③ 고정성
④ 편리성　　⑤ 접속성

**해설**

모바일 비즈니스는 편재성(ubiquity), 접근성(reachability), 보안성(security), 편리성(convenience), 이동성(mobility), 접속성(instant connectivity), 개인성(personalization)의 특징을 가진다.

정답 ③

## 30  2016년 경영지도사 기출

**E-비즈니스에 관한 설명으로 옳지 않은 것은?**

① E-비즈니스는 전자상거래와 인터넷 비즈니스를 포괄하는 개념이다.
② 인터넷 비즈니스는 네트워크의 규모가 클수록 새로운 참여자에 대한 가치가 커지는 무어의 법칙(Moore's Law)이 존재한다.
③ 인터넷 애플리케이션이란 고객에게 가치를 제공하는 인터넷 기반의 소프트웨어를 의미한다.
④ E-비즈니스에서 정보를 전략적으로 활용하는 능력은 경쟁우위의 확보와 직결된다.
⑤ E-비즈니스 기업은 빠르게 변화하는 초고속 정보화 시대에 적응하기 위해 학습조직화되어야 한다.

**해설**

무어의 법칙이란 마이크로칩의 밀도가 18개월마다 2배로 늘어난다는 법칙이다. 또한, 메트칼프의 법칙(Metcalfe's Law)은 네트워크의 규모가 커짐에 따라 그 비용은 직선적으로 증가하지만 네트워크의 가치는 기하급수적으로 증가한다는 법칙이다.

정답 ②

## 31  2022년 경영지도사 기출

**전자상거래에 있어서 차세대 결제수단인 전자화폐의 장점을 모두 고른 것은?**

| ㄱ. 위조 및 이중 사용의 불가능 | ㄴ. 국가적 통화 관리의 용이 |
| --- | --- |
| ㄷ. 대금 결제 용이 | ㄹ. 고객의 익명성 보장 |

① ㄱ, ㄴ　　② ㄷ, ㄹ　　③ ㄱ, ㄷ, ㄹ
④ ㄴ, ㄷ, ㄹ　　⑤ ㄱ, ㄴ, ㄷ, ㄹ

**해설**

전자화폐는 IC카드 또는 네트워크에 연결된 컴퓨터에 은행예금이나 돈 등이 전자적 방법으로 저장된 것으로 현금을 대체하는 전자지급수단이다. 그리고 전자화폐는 위조 및 이중 사용이 가능하고 국가적 통화 관리가 어렵다는 단점을 가지지만, 대금 결제의 용이, 고객의 익명성 보장 등의 장점을 가진다.

정답 ②

## 32 ☐☐☐ 2022년 가맹거래사 기출

**전자상거래 수익모델(business model)에 관한 설명으로 옳은 것을 모두 고른 것은?**

> ㄱ. 제휴수익모델은 거래를 가능하게 해주는 대가로 수수료를 받아 수익을 창출한다.
> ㄴ. 구독료수익모델은 서비스를 제공하는 웹사이트를 일정 기간 접근하는 것을 허용하여 수익을 창출한다.
> ㄷ. 판매수익모델은 제품, 정보, 서비스를 고객에게 판매함으로써 수익을 창출한다.
> ㄹ. 광고수익모델은 기본 서비스는 무료로 제공하지만 특별한 서비스에는 사용료를 부과하여 수익을 창출한다.

① ㄱ, ㄴ
② ㄱ, ㄷ
③ ㄴ, ㄷ
④ ㄴ, ㄹ
⑤ ㄴ, ㄷ, ㄹ

**해설**

ㄱ은 제휴수익모델이 아니라 거래수수료형 수익모델에 대한 설명이다. 제휴수익모델은 제휴 웹사이트가 방문자를 해당 웹사이트로 보내 주거나 소개해 주고 소개료 또는 구입금액의 일정비율을 받는 수익모델이다. ㄹ은 판매수익모델에 해당하는 설명이고, 광고수익모델은 광고노출을 통해 수익을 창출하는 모델이다.

**정답 ③**

## 33 ☐☐☐ 2020년 경영지도사 기출

**판매자가 비용을 지불하거나 통제하지 않고 개인, 제품, 조직에 대한 정보를 언론 매체가 일반 보도로 다루도록 함으로써 무료 광고효과를 얻는 것은?**

① PPL(product placement)
② 바이럴 마케팅(viral marketing)
③ 블로깅(blogging)
④ 퍼블리시티(publicity)
⑤ 팟캐스팅(podcasting)

**해설**

① PPL(product placement)은 특정 기업의 협찬을 대가로 영화나 드라마에서 해당 기업의 상품이나 브랜드 이미지를 끼워넣는 광고기법을 말한다.
② 바이럴 마케팅(viral marketing)은 바이러스 마케팅(virus marketing)이라고도 하는데, 네티즌들이 이메일이나 블로그, 핸드폰 등 전파가 능한 매체를 통해 자발적으로 특정 기업이나 제품을 홍보할 수 있도록 제작하여 널리 퍼뜨리는 마케팅을 말한다.
③ 블로깅(blogging)은 사이버 공간에 자기의 블로그를 개설 운영하면서 타인의 블로그와 소통하는 행위를 말한다.
⑤ 팟캐스팅(podcasting)은 인터넷망을 통해 다양한 콘텐츠를 제공하는 서비스를 말한다.

**정답 ④**

**34** ☐☐☐ 2015년 경영지도사 기출

A는 산행을 가기로 하였는데, 한 대형마트 인터넷 쇼핑몰에서 품질 좋은 등산화를 싸게 판다는 이야기를 친구들로부터 들은 후 그 쇼핑몰에서 등산화를 구입하였다. 이러한 마케팅을 일컫는 말은?

① 퍼미션 마케팅(Permission marketing)  ② 박리다매 마케팅
③ 옵트인(Opt-in marketing)  ④ 바이럴 마케팅(Viral marketing)
⑤ 옵트아웃 마케팅(Opt-out marketing)

**해설**

바이럴 마케팅(viral marketing)이란 바이러스 마케팅(virus marketing)이라고도 하는데, 네티즌들이 이메일이나 블로그, 핸드폰 등 전파가능한 매체를 통해 자발적으로 특정 기업이나 제품을 홍보할 수 있도록 제작하여 널리 퍼뜨리는 마케팅을 말한다.

**정답 ④**

**35** ☐☐☐ 2017년 가맹거래사 기출

고객들로 하여금 인터넷을 통해 자발적으로 친구나 주변사람들에게 제품을 홍보하도록 함으로써 제품홍보가 더 많은 네티즌 사이에 저절로 퍼져나가도록 하는 것은?

① 다이렉트 마케팅  ② 텔레 마케팅  ③ 바이럴 마케팅
④ 데이터베이스 마케팅  ⑤ 심바이오틱 마케팅

**해설**

고객들로 하여금 인터넷을 통해 자발적으로 친구나 주변사람들에게 제품을 홍보하도록 함으로써 제품홍보가 더 많은 네티즌 사이에 저절로 퍼져나가도록 하는 것은 바이럴 마케팅이다.

**정답 ③**

## 36 ☐☐☐ 2017년 경영지도사 기출

소비자들로 하여금 온라인을 통해 다른 사람에게 오디오, 비디오, 문서로 된 정보 또는 기업이 개발한 제품이나 서비스를 전달하도록 고무시키는 방법은?

① 소문 마케팅(buzz marketing)
② PPL(product placement) 광고
③ 팟캐스팅(podcasting)
④ 바이러스성 마케팅(viral marketing)
⑤ 홍보(publicity)

**해설**

소비자들로 하여금 온라인을 통해 다른 사람에게 오디오, 비디오, 문서로 된 정보 또는 기업이 개발한 제품이나 서비스를 전달하도록 고무시키는 방법은 바이러스성 마케팅(viral marketing)이다. 팟캐스팅(podcasting)은 인터넷망을 통해 다양한 콘텐츠를 제공하는 서비스를 말한다.

정답 ④

## 37 ☐☐☐ 2021년 경영지도사 기출

우버(Uber)와 에어비엔비(Airbnb) 등 공유가치 기반 창업의 핵심요인은?

① 클라우드(cloud)
② 다단계 유통채널(distribution channel)
③ 규모의 경제(economy of scale)
④ 물류단지(logistic facility)
⑤ 경험효과(effect of experience)

**해설**

공유가치 기반 창업의 핵심요인은 클라우드(cloud)가 된다. 여기서 클라우드는 데이터를 인터넷과 연결된 중앙컴퓨터에 저장해서 인터넷에 접속하기만 하면 언제 어디서든 데이터를 이용할 수 있는 것을 의미한다.

정답 ①

취업강의 1위, 해커스잡
ejob.Hackers.com

해커스공기업 쉽게 끝내는 경영학 기본서

# PART 06

# 재무관리 · 회계학 · 경영정보시스템

**CHAPTER 01** 재무관리
**CHAPTER 02** 회계학
**CHAPTER 03** 경영정보시스템

# CHAPTER 01 재무관리

## 제1절 재무관리의 기초개념

### 1 의의

**1. 개념**

재무관리란 기업에서 자본을 조달하고 조달된 자본을 운용하는 과정에서 기업이 목표를 달성할 수 있도록 한정된 재무적 자원에 대한 의사결정을 다루는 분야이다. 이러한 재무관리는 그 기능에 따라 크게 자본의 조달과 자본의 운용으로 구분할 수 있다.

**(1) 자본의 조달**

기업은 필요한 자본을 타인으로부터 또는 스스로 조달하게 되는데, 이러한 자본을 **타인자본과 자기자본**이라고 하고, 타인자본과 자기자본의 구성비율에 따라 기업의 자본구조가 결정된다. 따라서 기업이 부담하는 자본비용을 최소화하는 목적을 추구하기 위해 최적의 자본구조를 결정하는 것이 중요한 과제가 된다.

**(2) 자본의 운용**

자본을 조달하게 되면 기업은 그 자본을 어디에 투자하고 어떻게 관리할 것인지에 대한 자본의 운용에 대해 고민하여야 한다. 왜냐하면 그 결과는 기업의 미래현금흐름에 영향을 주고, 이를 통해 기업의 가치에 영향을 줄 수 있기 때문이다. 따라서 **기업의 미래현금흐름을 최대화하는 목적을 추구하기 위해 최적의 자산구조를 결정하는 것**이 중요한 과제가 된다.

**2. 목표**

재무적 활동뿐만 아니라 기업의 다른 모든 활동을 수행함에 있어서 의사결정의 기준은 당연히 기업의 목표 달성이다. 일반적으로 재무관리의 목표는 다음의 두 가지 관점에서 파악할 수 있다. 물론, 이 두 가지 목표는 별개의 목표는 아니며, **자기자본(주식)의 가치가 극대화되면 기업의 가치도 극대화되기 때문에** 동일한 개념으로 이해할 수 있다.

**(1) 주식가치의 극대화**

기업의 목표는 기업 주인의 입장에서 파악할 수 있다. 즉, 기업의 주인이 원하는 것이 기업의 목표가 되어야 하며, 일반적으로 기업의 주인은 주주(shareholder)이다. 따라서 주주의 입장에서 재무관리의 목적은 주식가치(주가)의 극대화가 된다. 일반적으로 주식가치의 극대화는 이해관계자 집단과의 이해와 상충되지는 않는다.

**(2) 기업가치의 극대화**

기업의 가치는 기업의 자산으로부터 얻어지는 미래의 이익이 현재 얼마나 가치를 가지고 있는지를 표시하는 것이다. 미래의 이익은 자기자본 제공자(주주)에게는 배당금이 지급되고, 타인자본 제공자(채권자)에게는 원금과 이자가 지급된다. 따라서 주주에게 지급되는 배당금의 가치는 자기자본(주식)의 가치가 되고, 채권자에게 지급되는 원금과 이자의 가치는 타인자본의 가치가 된다. 결국, 기업의 가치는 자기자본의 가치와 타인자본의 가치를 합한 것이다.

## 2 화폐의 시간가치

### 1. 의의

자본시장이 존재하여 자금을 빌려주거나 빌려올 수 있다면 오늘의 100원과 내일의 100원은 그 가치가 다를 것이다. 왜냐하면, 오늘 100원을 예금하면 내일에는 원금 100원과 그 이자를 받을 수 있기 때문이다. 즉, 일반적으로 오늘 100원의 가치는 내일 100원의 가치보다 더 크며, 내일 100원의 가치는 오늘 100원의 가치보다 더 작다. 따라서 개인은 동일한 금액의 현금에 대해서 미래의 현금보다 현재의 현금을 선호하는 유동성선호(liquidity preference)가 존재하며, 이러한 개념을 화폐의 시간가치(time value of money)라고 한다.

### 2. 미래가치

미래가치(future value)란 현재의 일정금액을 미래시점에서의 가치로 환산하는 것을 의미한다. 예를 들어, 현재 10만 원을 10%의 이자율로 예금한다면 1년 후의 미래가치는 100,000×(1 + 10%)으로 계산하여 11만 원이 된다.

### 3. 현재가치

현재가치(present value)란 미래의 일정금액을 현재시점에서의 가치로 환산하는 것을 의미하며, 이를 할인(discount)이라고 한다. 그리고 이때 적용되는 이자율을 할인율(discount rate)이라고 한다. 예를 들어, 미래의 11만 원을 10%의 이자율로 할인한다면 현재가치는 110,000/(1 + 10%)으로 계산하여 10만 원이 된다. 또한, 영구연금의 현재가치는 '연금액/할인율'로 계산하고, 연금이 매년 일정한 비율로 성장하는 경우의 현재가치는 '연금액/(할인율 - 성장률)'로 계산한다.

> 🔍 **예제**
> 매년 말 200만 원을 영원히 지급받는 영구현금의 현재가치는? (단, 연간이자율은 10%이다)
> ① 1,400만 원  ② 1,600만 원
> ③ 1,800만 원  ④ 2,000만 원
>
> 정답 ④

## 제2절 자본의 조달

### 1 자본시장과 자본조달활동

#### 1. 완전자본시장과 효율적 자본시장

##### (1) 완전자본시장

배분의 효율성[148], 운영의 효율성[149], 정보의 효율성[150]이라는 세 가지 요건을 모두 충족하는 시장을 의미한다.

---

[148] 경제 내에 희소자원인 자금이 생산성의 순서에 따라 최적배분되어 있는 효율성이다.
[149] 자금의 이전과정에서 거래비용, 세금, 규제 등과 같은 거래의 마찰적 요인이 없어 주식거래가 순조롭게 이루어지는 효율성이다.
[150] 주식가격에 관련된 정보가 신속하고 정확하게 충분히 주식가격에 반영되어 있는 효율성이다.

### (2) 효율적 자본시장

주식가격에 영향을 미칠 수 있는 정보가 신속하고 충분하게 주가에 반영되어 있는 시장을 의미한다. 즉, 정보의 효율성이 충족된 시장이다.

## 2. 효율적 시장가설

### (1) 약형 효율적 시장가설

현재의 주가가 과거의 주가움직임이나 거래량과 같은 역사적 정보를 완전히 반영하고 있다는 가설이다. 따라서 과거의 역사적 정보를 이용한 투자 전략으로는 비정상적인 초과수익을 실현하지 못한다.

### (2) 준강형 효율적 시장가설

자본시장에서 형성되는 주가는 과거의 역사적 정보뿐만 아니라 공개적으로 이용가능한 모든 정보를 완전히 반영하고 있다는 가설이다. 따라서 과거의 역사적 정보나 공개적으로 이용가능한 정보를 이용하여 비정상적인 초과수익을 실현하지 못한다.

### (3) 강형 효율적 시장가설

주가는 역사적 정보와 공개적으로 이용가능한 정보뿐만 아니라 미공개된 내부정보까지 완전히 반영하고 있다는 가설이다. 따라서 투자자는 어떠한 정보를 이용하더라도 비정상적인 초과수익을 실현하지 못한다.

## 3. 자본조달활동

### (1) 직접금융을 통한 자본조달

자본의 수요자인 기업이 주식이나 채권을 발행하여 자본의 공급자인 투자자로부터 직접 자본을 조달하는 것이다. 보통주, 우선주, 회사채, 기업어음[151] 등의 발행이 여기에 해당한다.

### (2) 간접금융을 통한 자본조달

투자자로부터 특정 기업이 직접 자본을 제공받지 않고 은행 등 금융기관을 통해 간접적으로 자본을 조달하는 것이다. 은행차입, 매입채무, 기업어음 할인 등이 여기에 해당한다.

## 4. 채권

### (1) 의의

채권(bond)은 채무자인 발행자가 자금을 조달하기 위해 이자와 원금을 지급할 것을 채권자인 (채권)투자자에게 약속하기 위해 발행하는 증서이다. 여기서 만기에 상환하는 금액을 액면금액이라고 하고, 매 이자지급일에 지급하는 이자를 액면이자(= 액면금액 × 액면이자율)라고 하며, 이자지급액의 결정을 위해 채권에 표시된 이자율을 액면이자율(표시이자율, 표면이자율)이라고 한다. 채권에는 이표채권, 무이표채권, 영구채권 등이 있는데, 가장 일반적인 채권은 이표채권이다. 이표채권은 채권가격과 액면금액 간의 관계에 따라 할인채, 할증채, 액면채로 구분할 수 있다.

① **할인채(할인발행)**: 액면이자율 < 시장이자율 ⇒ 채권가격 < 액면금액
② **액면채(액면발행)**: 액면이자율 = 시장이자율 ⇒ 채권가격 = 액면금액
③ **할증채(할증발행)**: 액면이자율 > 시장이자율 ⇒ 채권가격 > 액면금액

---

[151] 기업어음(commercial paper, CP)은 은행이 아닌 신용상태가 양호한 기업이 주체가 되어 단기자금조달 목적으로 발행하는 어음이다. CP를 활용하면 1년 이내의 만기로 담보 없이 발행절차가 간편하기 때문에 기업들은 단기간에 자금을 조달해야 할 경우 CP를 활용한다. 또한, 기업이 CP를 발행하면 은행·증권사를 통해 개인이나 기관투자가들이 매입을 한다.

### (2) 말킬(Malkiel)의 채권가격정리
말킬(Malkiel)은 시장이자율과 만기 및 액면이자율이 채권가격에 미치는 영향을 다음과 같이 정리하였다.
① 채권가격은 시장이자율과 반비례(역)의 관계를 갖는다. 즉 시장이자율이 하락하면 채권가격은 상승하고, 시장이자율이 상승하면 채권가격은 하락한다.
② 동일한 정도만큼의 시장이자율 상승에 따른 채권가격의 하락폭보다 시장이자율의 하락에 따른 채권가격의 상승폭이 더 크다. 이를 채권가격의 볼록성이라고 한다.
③ 만기가 긴 채권일수록 동일한 이자율 변동에 따른 채권가격의 변동폭이 크다.
④ 만기가 긴 채권일수록 이자율 변동에 따른 채권가격의 변동폭이 크지만, 그 변동폭의 차이는 만기가 길어짐에 따라 점차 감소한다.
⑤ 액면이자율이 낮은 채권일수록 이자율 변동에 따른 채권가격의 변동률이 크다.

### (3) 시간의 경과에 따른 채권가격의 변동
시간이 경과함에 따라 할증채나 할인채의 가격은 액면금액을 향해 지수적으로 증감한다. 즉 다른 요인들은 변화가 없는 상태에서 시간이 경과하여 만기에 근접할수록 할증채와 할인채의 할증폭과 할인폭은 감소하며, 시간이 경과함에 따라 채권가격의 변동폭은 점차 증가한다.

### (4) 듀레이션
말킬(Malkiel)의 채권가격정리에서와 같이 만기가 긴 채권일수록 이자율 변동에 따른 채권가격의 변동폭이 크다. 즉, 채권의 만기가 길어질수록 이자율 변동에 따른 채권의 가격위험이 커지게 된다. 그런데 채권에 표시된 만기는 동일하다 하더라도 발행조건에 따라 실질적인 만기는 서로 다를 수 있다. 여기서, 듀레이션(duration)은 현금흐름의 현재가치기준 가중평균만기로써, 채권을 현재가격으로 매입했을 때 투자원금이 현재가치기준으로 회수되는 데 걸리는 가중평균회수기간을 의미한다. 그리고 매기 현금흐름의 현재가치가 전체 현금흐름의 현재가치에서 차지하는 비중에 해당 현금흐름 발생 시까지의 기간을 곱한 값의 합으로 계산된다. 채권의 듀레이션은 채권의 (잔존)만기와 액면이자율 및 만기수익률(시장이자율) 등에 따라 달라진다. 이러한 여러 가지 요인들이 채권의 듀레이션에 미치는 영향은 다음과 같다.
① 무이표채권의 경우에는 듀레이션이 만기와 일치하기 때문에 듀레이션이 만기와 정비례한다.
② 다른 조건이 동일하다면 만기가 긴 채권일수록 일반적으로 듀레이션이 길다.
③ 다른 조건이 동일하다면 액면이자율이 높은 채권일수록 듀레이션이 짧고, 연간 이자지급횟수가 많은 채권일수록 듀레이션이 짧다.
④ 동일 채권에 대해서도 만기수익률이 높을수록 듀레이션이 짧다.

## 2 자본비용

### 1. 의의
자본비용이란 기업이 자기자본 또는 타인자본을 사용하고 자기자본 제공자나 타인자본 제공자에게 지급하는 대가를 의미한다. 이러한 자본비용은 이자율 또는 할인율로 측정되고, 기업의 입장에서는 조달한 자본을 운용하여 벌어야 하는 최소한의 수익률을 의미한다. 반대로, 자본비용은 자본제공자 입장에서는 자신이 제공한 자본에 대해 요구하는 최소한의 수익률(required rate of return) 또는 기대 수익률(expected rate of return)을 의미한다. 자본비용은 타인자본비용(이자 등)과 자기자본비용(배당 등)으로 구분할 수 있으며, 일반적으로 현금흐름의 변동위험이 커질수록 자본비용은 높아진다.

## 2. 원천별 자본비용

### (1) 타인자본비용
부채와 같은 타인자본을 조달할 때 부담해야 하는 자본비용을 말하며, 이자비용이 가장 대표적인 예이다.

### (2) 자기자본비용
자기자본을 조달할 때 부담해야 하는 자본비용을 말하며, 배당이 가장 대표적인 예이다.

## 3 자본구조

### 1. 의의
자본구조(capital structure)란 타인자본과 자기자본의 구성비율을 의미한다. 부채사용기업의 자본비용은 가중평균자본비용이 사용되는데, 여기서 가중평균자본비용(weighted average cost of capital)은 타인자본비용과 자기자본비용을 각 원천별 자본이 총자본에서 차지하는 구성비율로 가중평균한 것이기 때문에 가중평균자본비용은 자본구조의 영향을 받는다.

$$WACC = 세전타인자본비용 \times (1 - 법인세율) \times \frac{타인자본(부채)가치}{총자본} + 자기자본비용 \times \frac{자기자본가치}{총자본}$$

> **예제**
> ㈜한국의 자기자본 시장가치와 타인자본 시장가치는 각각 5억 원이다. 자기자본비용은 16%이고, 세전타인자본비용은 12%이다. 법인세율이 50%일 때 ㈜한국의 가중평균자본비용(WACC)은?
> ① 6%                    ② 8%
> ③ 11%                   ④ 13%
>
> 정답 ③

### 2. 부채사용효과
일반적으로 타인자본비용이 자기자본비용보다 낮다. 따라서 기업이 타인자본을 조달하게 되면 가중평균자본비용을 낮출 수 있으며, 이를 통해 기업의 가치를 증가시킬 수 있다. 이것이 바로 기업이 타인자본을 조달함으로 인해 얻게 되는 효익이 된다.

## 4 자본구조이론

### 1. 의의
자본구조이론이란 다른 모든 조건이 동일한 경우 기업의 부채비율의 변화에 따라 기업가치와 가중평균자본비용이 어떻게 변화하는가를 설명하여 주는 이론이다. 즉, 자본구조이론은 가중평균자본비용을 최소화하는 최적자본구조를 통해 기업가치를 극대화시키고자 한다. 이러한 자본구조이론의 기본적인 가정은 다음과 같다.

(1) 기업의 소득에 대한 법인세와 개인소득세는 없다.
(2) 기업의 자본조달은 자기자본과 타인자본 두 가지만 있다.
(3) 새로운 투자는 없으며 일정한 기대영업이익을 영속적으로 벌어들인다.

(4) 기업의 순이익은 모두 배당의 형태로 주주에게 지급된다.

(5) 기업은 총자본규모의 변화 없이 자본구조를 변화시킬 수 있다.

## 2. MM 이론

모딜리아니(F. Modigliani)와 밀러(M. H. Miller)가 주장한 MM 이론이란 세금이 없는 완전자본시장을 가정할 경우 기업가치는 자본구조와 무관하다는 이론이다. 따라서 기업의 영업이익이 변하지 않는 한 기업가치는 변하지 않는다. 이러한 MM 이론은 자본구조이론의 기본적인 가정을 그대로 적용하고, 다음과 같은 가정을 추가하였다.

(1) 세금이나 거래비용이 존재하지 않는 완전자본시장이다.

(2) 기업을 영업위험이 같은 동질적 위험집단으로 분류할 수 있다.

(3) 기업과 투자자의 부채는 무위험부채이다.

## 3. MM 수정이론: 법인세 고려

MM 수정이론이란 법인세가 존재하면 부채를 사용할수록 이자비용이 발생하여 법인세절감효과가 나타나기 때문에 가중평균자본비용이 감소하게 되어 기업가치가 증가하게 된다는 이론이다. 즉, 부채를 100% 사용할 때 기업가치가 극대화된다는 이론이다. 따라서 MM 수정이론은 MM 이론의 가정에 법인세가 존재한다는 가정을 추가한 것이고, 부채사용기업의 가치는 무부채기업의 가치보다 부채사용에 따라 발생하는 이자비용 감세효과의 현재가치만큼 더 크다는 것이다. 즉 부채사용기업의 가치는 무부채기업의 가치와 이자비용 감세효과의 현재가치의 합이 된다.

## 4. 마이어스(C. Myers)의 자본조달순서이론(pecking order theory)

경영자가 일반투자자들보다 정보의 우위에 있다는 정보의 비대칭을 전제로 기업은 각 자본조달원천을 이용하는 일정한 우선순위를 가지며, '내부유보자금, 부채발행, 신주발행'의 순서로 이루어짐을 주장하였다. 그리고 내부유보자금으로 자금을 조달하는 경우에는 기업가치 증가분이 모두 기존의 주주에게 귀속되고 신주를 발행하는 경우에는 기업가치의 증가분이 기존 주주와 신규 주주가 나누어 가지게 된다. 또한, 부채로 자금을 조달하는 경우에는 기업가치의 증가분이 기존 주주에게 귀속되기는 하지만 부채발행으로 인한 비용은 내부유보자금보다 많은 비용이 발생하므로 내부유보자금이 선호된다.

## 제3절 자본예산

### 1 의의

#### 1. 개념

자본예산(capital budgeting)이란 기업의 가치를 극대화시킬 수 있는 투자안을 탐색하고 투자안별로 현금흐름을 평가하여 최적 투자안을 선택하는 일련의 과정을 의미한다. 따라서 자본예산의 목표는 기업가치의 극대화가 된다. 이러한 자본예산은 '투자대상의 선정 → 투자안의 기대현금흐름의 추정 → 투자안의 경제성분석 → 최적 투자안의 선택 → 투자안의 실행 → 투자안의 통제 및 사후감독'의 순으로 실행된다.

## 2. 투자안들 간의 상호관계

### (1) 독립적 투자안
투자안이 독립적이라 함은 특정 투자안의 실행여부가 다른 투자안의 실행여부와 상관없이 결정되는 경우를 의미한다. 이러한 경우에는 개별 투자안별로 투자안의 실행여부를 결정하면 된다.

### (2) 상호배타적 투자안
투자안들이 상호배타적이라 함은 특정 투자안을 실행하는 경우 배타적인 다른 투자안은 실행될 수 없음을 의미한다. 이러한 경우에는 상호배타적인 투자안들 중에서 가장 우월한 투자안만을 실행하는 의사결정을 하면 된다.

## 2 현금흐름의 추정

### 1. 의의
현금흐름은 현금유입에서 현금유출을 뺀 순현금흐름을 의미한다. 일반적으로 기업의 이익이라 함은 회계적 이익으로 생각하기 쉬운데, 자본예산에서는 회계적 이익이 아닌 순현금흐름으로 투자안을 평가한다. 그 이유는 기업의 유동성 평가 측면에서도 순현금흐름을 평가하는 것이 바람직하고, 동일한 경영성과를 내는 기업임에도 불구하고 회계학 관점에서는 서로 다른 이익이 나타날 수 있기 때문이다.

### 2. 현금흐름 추정의 기본원칙

#### (1) 납세후 기준
법인세는 기업 입장에서는 현금유출이므로, 현금흐름에서 법인세를 차감하여 추정하여야 한다.

#### (2) 증분기준
투자안의 현금흐름은 투자안을 채택한 경우와 채택하지 않은 경우의 기업현금흐름 차이인 증분현금흐름으로 측정해야 한다.

#### (3) 자본(금융)비용
이자비용과 배당금은 실제 현금유출이 발생하는 항목이다. 그러나 자본예산에서는 이자비용과 배당금을 현금유출에 반영하지 않는다. 명백한 현금유출이지만 투자안의 현재가치를 평가할 때 분모에 할인율을 고려하여 평가하므로 현금흐름에 반영할 경우 이중으로 반영하는 결과가 되기 때문에 현금유출로 처리하면 안된다. 또한, 이자비용은 손익계산서상 비용으로 처리되어 법인세를 절감하는 효과가 있는데 이자비용의 법인세절감효과 또한 할인율에 반영되므로 현금유입으로 처리하지 않도록 한다.

#### (4) 감가상각비
감가상각비는 현금유출이 발생하지 않는 비용으로 현금유출로 처리하지 않는다. 자본예산에서는 취득시점에 전액 현금유출로 처리한다. 다만, 감가상각비는 손익계산서상 비용에 해당하여 법인세를 절감시키므로 법인세 절감효과가 발생하는데, 이자비용과는 다르게 현금유입으로 반영한다.

#### (5) 인플레이션
자본예산에서의 현금흐름은 장기간에 걸쳐 발생하기 때문에 인플레이션의 영향을 받는다. 그러므로 현금흐름과 할인율에 일관성 있게 반영해야 하며 명목현금흐름은 명목이자율로 할인하고, 실질현금흐름은 실질이자율로 할인해야 한다.

### (6) 매몰원가

매몰원가(sunk cost)는 과거의 의사결정에 의해 이미 발생된 지출을 의미하는데, 이러한 매몰원가는 투자안의 현금흐름 추정 시 현금유출로 처리하지 않는다. 즉 매몰원가는 이미 발생된 지출이므로 현재시점에서 어떠한 의사결정을 하든지 취소시킬 수 없는 지출이며, 현재시점의 의사결정과는 무관한 현금흐름이므로 투자안의 현금흐름 추정 시 고려해서는 안 되는 비관련원가이다.

### (7) 기회비용

기회비용(opportunity cost)은 자원을 특정 투자안에 투입함에 따라 포기되는 차선의 용도로 사용했을 경우에 얻을 수 있었던 이득을 의미한다. 이러한 기회비용은 현금유입액의 감소이므로 투자안의 현금흐름 추정 시에 현금유출로 처리해야 한다.

## 3. 영업현금흐름의 추정

영업현금흐름은 영업활동으로부터 얻게 될 현금흐름을 의미하며, '세후영업이익과 감가상각비의 합'으로 추정한다.

## 3 투자안의 경제성 분석[152]

### 1. 순현재가치법(net present value method)

순현재가치법은 화폐의 시간가치를 고려하여 현금의 순흐름(현금유입 – 현금유출)을 현재가치로 할인한 금액을 기준으로 투자안을 평가하는 방법이다. 따라서 순현재가치법에 의한 투자 의사결정은 순현재가치가 0보다 큰 투자안에 투자하도록 의사결정을 내리게 된다. 또한, 순현재가치법은 가치가산의 원리가 성립한다.[153]

| 투자안들 간의 상호관계 | 선택과 기각 |
| --- | --- |
| 단일투자안 또는 독립적인 투자안 | • 순현재가치(NPV) > 0: 선택<br>• 순현재가치(NPV) < 0: 기각 |
| 상호배타적 투자안 | 순현재가치(NPV)가 0보다 큰 투자안 중에서 순현재가치(NPV)가 가장 큰 투자안을 선택 |

### 2. 내부수익률법(internal rate of return method)

내부수익률은 현금유입액의 현재가치와 현금유출액의 현재가치를 일치하게 해 주는 수익률이다. 즉, 순현재가치가 0이 되게 하는 수익률을 의미한다. 따라서 내부수익률법에서는 투자의 결과로 발생하는 현금유입이 투자안의 내부수익률로 재투자될 수 있다고 가정한다. 또한, 할인율과 현재가치는 반비례의 관계에 있으므로 할인율이 커질수록 순현재가치는 감소하게 된다. 투자의사결정은 내부수익률과 적절한 할인율(자본비용)을 비교하는데, 내부수익률이 적절한 할인율(자본비용)보다 크다면 순현재가치가 0보다 크다는 것을 의미하기 때문에 해당 투자안을 선택하면 기업의 가치가 증가하게 된다.

---

[152] 단일투자안 또는 독립적인 투자안인 경우에는 순현재가치법과 내부수익률법의 평가결과는 항상 일치하지만, 상호배타적 투자안인 경우에는 평가결과가 상이하게 나타나기도 한다.

[153] 두 투자안의 순현재가치(NPV)를 일치시켜 주는 할인율을 피셔(Fisher)의 수익률이라고 한다.

| 투자안들 간의 상호관계 | 선택과 기각 |
| --- | --- |
| 단일투자안 또는 독립적인 투자안 | • 내부수익률(IRR) > 자본비용: 선택<br>• 내부수익률(IRR) < 자본비용: 기각 |
| 상호배타적 투자안 | 내부수익률(IRR)이 자본비용보다 큰 투자안 중에서 내부수익률(IRR)이 가장 큰 투자안을 선택 |

### 3. 수익성지수법(profitability index method)

수익성지수법은 **투자로부터 발생하는 현금흐름의 현재가치(= 현금유입의 현재가치)를 투하자본(= 현금유출의 현재가치)으로 나눈 값**인 수익성지수를 구하여, 수익성지수가 1보다 큰 투자안은 선택하고 1보다 작은 투자안은 기각한다.

| 투자안들 간의 상호관계 | 선택과 기각 |
| --- | --- |
| 단일투자안 또는 독립적인 투자안 | • 수익성지수(PI) > 1: 선택<br>• 수익성지수(PI) < 1: 기각 |
| 상호배타적 투자안 | 수익성지수(PI)가 1보다 큰 투자안 중에서 수익성지수(PI)가 가장 큰 투자안을 선택 |

### 4. 회계적이익률법(accounting rate of return method)

회계적이익률법은 연평균이익률법(average rate of return method)이라고도 하는데, 회계적이익률은 **연평균순이익을 연평균투자액으로 나눈 것**이다. 따라서 단일 투자안의 회계적이익률이 기업이 미리 선정한 목표이익률보다 높으면 선택하고 다수 투자안의 경우에는 회계적이익률이 큰 것을 먼저 선택하게 된다. 그러나 이 방법은 화폐의 시간가치를 고려하고 있지 못하고 투자안의 평가를 현금흐름에 의하지 않는다는 문제점을 가진다.

| 투자안들 간의 상호관계 | 선택과 기각 |
| --- | --- |
| 단일투자안 또는 독립적인 투자안 | • 회계적이익률 > 목표이익률: 선택<br>• 회계적이익률 < 목표이익률: 기각 |
| 상호배타적 투자안 | 회계적이익률이 목표이익률보다 높은 투자안 중에서 가장 큰 투자안을 선택 |

### 5. 회수기간법(payback period method)

회수기간법은 **투자에 소요되는 자금이 짧은 기간에 그 투자안의 현금흐름으로 회수할 수 있는 투자안을 선택하는 방법**이다. 단일 투자안은 기업이 미리 설정한 최장의 회수기간보다 실제 투자안의 회수기간이 짧으면 선택하게 된다. 그러나 이러한 방법은 화폐의 시간가치를 고려하지 못하고 회수기간 이후의 현금흐름을 무시하고 있다는 문제점을 가진다.

| 투자안들 간의 상호관계 | 선택과 기각 |
| --- | --- |
| 단일투자안 또는 독립적인 투자안 | • 회수기간 < 목표회수기간: 선택<br>• 회수기간 > 목표회수기간: 기각 |
| 상호배타적 투자안 | 목표회수기간보다 짧은 회수기간의 투자안 중 회수기간이 가장 짧은 투자안을 선택 |

## 제4절 손익분기점 분석과 레버리지 분석

### 1 손익분기점 분석

#### 1. 의의

손익분기점(break-even point)이란 매출액(수익)과 비용이 일치하는 매출수준 또는 생산수준을 의미한다. 매출수준(생산수준)이 손익분기점을 초과하는 경우에는 이익이 발생하고 손익분기점에 미달하는 경우에는 손실이 발생한다. 손익분기점 분석에서는 비용을 변동비와 고정비로 구분한다. 일반적으로 변동비에 비하여 고정비가 클수록 손익분기점이 높아지게 되고 손익분기점이 높을수록 매출변동이 이익변동에 미치는 영향도 크게 나타난다. 따라서 손익분기점 분석은 사업위험을 파악하는 데 이용할 수 있다.

#### 2. 손익분기점의 도출

손익분기점 분석에서는 비용을 변동비와 고정비로 구분한 후 손익분기점을 도출하는데, 손익분기점은 총고정비를 단위당 공헌이익(단위당 판매가격 − 단위당 변동비)으로 나눈 값이다.

$$PQ = vQ + F$$
$$\therefore Q = \frac{F}{P-v}$$

($P$: 단위당 판매가격, $v$: 단위당 변동비, $F$: 총고정비, $Q$: 매출수준 또는 생산수준)

#### 3. 목표이익을 달성하기 위한 매출수준(생산수준)의 도출

경영자가 원하는 특정 목표이익(target income, TI)을 달성하기 위해 필요한 매출수준(생산수준)을 다음과 같이 계산할 수 있다.

$$PQ = vQ + F + TI$$
$$\therefore Q = \frac{F + TI}{P - v}$$

#### 4. 손익분기매출액의 도출

손익분기매출액은 총고정비를 단위당 공헌이익률(단위당 공헌이익 ÷ 단위당 판매가격)로 나눈 값이다.

$$Q = \frac{F}{P-v}$$
$$\therefore PQ = \frac{F}{P-v} \times P = F \times \frac{P}{P-v}$$

## 2 레버리지 분석

### 1. 의의
타인자본 이용에 따른 이자비용 또는 비유동자산에 대한 투자 때문에 발생하는 감가상각 등의 비용은 영업활동수준(매출액)과는 관계없이 발생하는 비용인데, 이러한 고정비의 부담을 레버리지라고 한다. 즉, 레버리지(leverage)는 고정재무비용(이자비용)과 고정영업비용(감가상각비)의 부담 정도를 의미한다.

### 2. 레버리지 효과
영업레버리지로 인해 매출액의 변화율보다 영업이익의 변화율이 더 크게 나타나는 것을 영업레버리지 효과라고 하고, 재무레버리지로 인해 영업이익의 변화율보다 순이익의 변화율이 더 확대되어 나타나는 것을 재무레버리지 효과라고 한다. 그리고 이를 결합하여 매출액의 변화율보다 순이익의 변화율이 더 확대되는 것을 결합레버리지 효과라고 한다.

### 3. 레버리지도

(1) 영업레버리지도(DOL)[154]
   = 영업이익의 변화율 / 매출액의 변화율
   = (매출액 − 변동비) / (매출액 − 변동비 − 고정영업비용)
   = 공헌이익 / 영업이익

(2) 재무레버리지도(DFL)[155]
   = (주당)순이익의 변화율 / 영업이익의 변화율
   = 영업이익 / 순이익(= 영업이익 − 고정재무비용)

(3) 결합레버리지도(DCL)
   = (주당)순이익의 변화율 / 매출액의 변화율
   = 영업레버리지도(DOL) × 재무레버리지도(DFL)
   = (매출액 − 변동비) / 순이익(= 영업이익 − 고정재무비용)

---

[154] 영업레버리지도(DOL)가 크다는 것은 영업이익이 많다거나 영업성과가 좋다는 의미가 아니라 일정한 매출액의 변화에 대한 영업이익의 변화율이 크다는 의미이다.
[155] 재무레버리지도(DFL)가 크다는 것은 그 기업의 (주당)순이익이 많다거나 경영성과가 좋다는 의미가 아니라 일정한 영업이익의 변화에 대한 (주당)순이익의 변화율이 크다는 의미이다.

## 제5절 포트폴리오 이론과 자본자산가격결정모형

### 1 위험

#### 1. 의의
위험(risk)이란 미래에 나올 결과가 하나로 고정되어 있지 않고 상황에 따라 두 가지 이상의 결과가 가능한 상태를 의미한다. 특히, 재무관리에서 위험은 미래의 수익 또는 미래의 수익률에 대한 변동가능성을 의미한다. 미래의 실제 수익률과 현재 기대하고 있는 미래의 수익률이 다른 정도를 측정함으로써 위험을 측정하게 되는데, 위험을 측정하는 대표적인 방법은 **분산(variance)** 또는 **표준편차(standard deviation)**를 이용하는 것이다.

#### 2. 체계적 위험과 비체계적 위험

**(1) 체계적 위험(systematic risk)**
분산투자로 인해 제거되지 않는 위험을 말한다. 따라서 **분산불가능위험**이라고도 하며, 이는 시장의 전반적인 상황과 관련하여 인플레이션이나 이자율의 변화 등과 관련된 요인으로 인해 발생하는 위험이기 때문에 **시장위험(market risk)** 또는 **베타위험(beta risk)**이라고도 한다.

**(2) 비체계적 위험(unsystematic risk)**
분산투자를 통해서 제거가 가능한 위험을 의미한다. 따라서 **분산가능위험**이라고도 하며, 이는 기업의 특수한 상황과 관련하여 종업원의 파업, 법적 문제, 판매의 부진 등과 같은 요인으로 인해 발생하는 위험이기 때문에 **기업 고유의 위험(firm-specific risk)**이라고도 한다.

#### 3. 위험에 대한 투자자의 유형
위험에 대한 투자자의 유형은 위험회피형, 위험중립형, 위험선호형으로 구분할 수 있다. 일반적으로 **위험회피형 투자자**를 이성적인 투자자라고 할 수 있다.

| 구분 | 위험회피형 | 위험중립형 | 위험선호형 |
| --- | --- | --- | --- |
| 효용함수 | 체감적 증가형 | 단순증가형 | 체증적 증가형 |
| 특징 | 기댓값의 효용 > 효용의 기댓값 | 기댓값의 효용 = 효용의 기댓값 | 기댓값의 효용 < 효용의 기댓값 |
| 확실성등가[156] | 기댓값보다 작다 | 기댓값과 같다 | 기댓값보다 크다 |
| 위험프리미엄[157] | 항상 + | 항상 0 | 항상 - |

### 2 평균 - 분산 기준

#### 1. 의의
미래수익률에 대한 전체 확률분포와 관계없이 확률분포의 평균(기댓값)과 분산만을 이용하여 기대효용극대화기준에 의한 선택과 동일한 선택을 할 수 있도록 해 주는 기준을 말한다. 투자자들은 일반적으로 수익률이 높고 위험이 낮을수록 좋은 투자안이라고 생각한다. 결국 기대수익률이 높을수록 투자자의 효용은 증가하며 분산이 클수록 효용은 감소한다.

---
[156] 기대효용과 동일한 효용을 주는 확실한 부의 수준
[157] 기대부 - 확실성등가

## 2. 평균 – 분산 기준의 전제조건

(1) 자산의 미래수익률에 대한 확률분포가 정규분포를 이루어야 한다.

(2) 투자자의 효용함수가 2차함수이다.

## 3. 평균 – 분산 기준에 의한 최적선택: 지배원리

(1) 지배원리는 위험회피형 투자자의 가정하에 위험수준이 같다면 기대수익률이 가장 높은 자산을 선택하고, 기대수익률이 같다면 위험이 가장 낮은 자산을 선택하는 원리이다.

(2) 상호지배관계가 성립하지 않는 자산들을 **효율적 자산**이라고 한다.

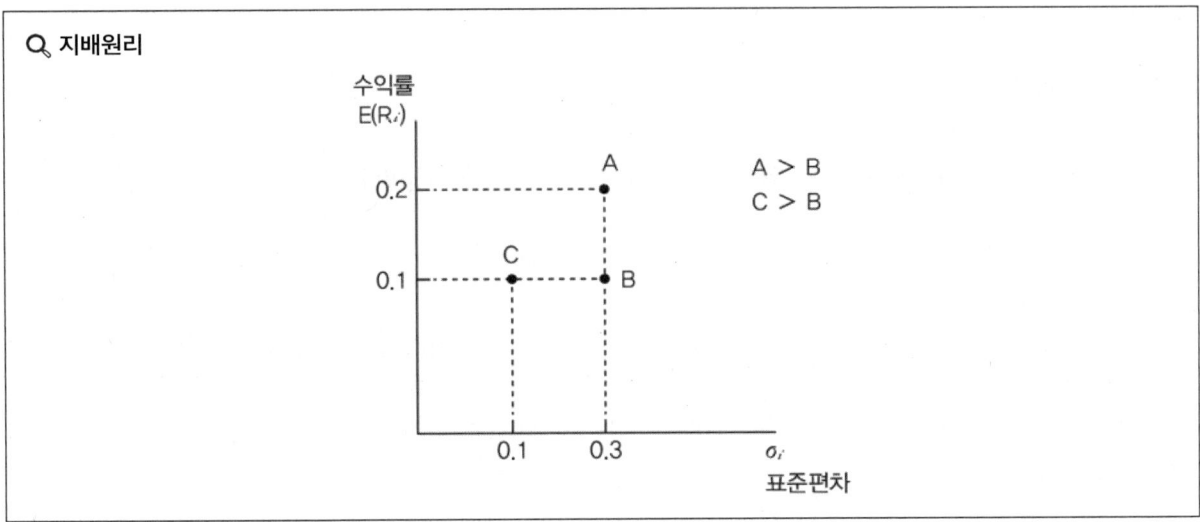

## 3 포트폴리오 이론

### 1. 의의

포트폴리오 이론은 **위험자산만 존재하는 상태에서 포트폴리오를 구성하여 투자하는 경우의 최적선택과정을 설명하는 이론**이다. 여기서 포트폴리오(portfolio)는 분산투자 시 분산투자의 대상이 되는 자산의 조합을 말한다. 이 이론은 마코위츠 모형 또는 완전공분산모형이라고도 하는데, 다음과 같은 **가정**을 가지고 있다.

(1) 모든 투자자는 위험회피형이며 기대효용이 극대화되도록 투자한다.

(2) 모든 투자자는 평균 – 분산 기준에 따라 투자한다.

(3) 모든 투자자는 자산의 미래수익률분포에 대하여 동질적으로 기대한다.

(4) 투자기간은 단일기간이다.

### 2. 포트폴리오의 기대수익률과 위험

(1) 포트폴리오의 기대수익률

$$E(R_p) = w_1 E(R_1) + w_2 E(R_2)$$

### (2) 포트폴리오의 위험

$$V(R_p) = w_1^2\sigma_1^2 + w_2^2\sigma_2^2 + 2w_1w_2\sigma_{12}$$

### 3. 공분산($\sigma_{12}$)

공분산은 두 주식 수익률의 평균적인 움직임에 대한 방향을 나타낸다. 즉, 공분산이 (+)이면 두 주식의 수익률이 기대수익률을 중심으로 같은 방향으로 움직인다는 것을 의미하고, (-)이면 기대수익률을 중심으로 반대방향으로 움직인다는 것을 의미한다. 또한, 공분산이 0이면 두 주식의 수익률이 서로 상관없이 독립적으로 움직인다는 것을 의미한다. 그러나 공분산은 변수의 변화방향만 보여줄 뿐 측정단위에 따라서 그 크기가 달라지기 때문에 그 이상의 의미를 보여주지는 못한다. 따라서 두 변수가 변화하는 정도의 크기까지 보여주기 위해서 두 자산의 상관관계를 정확히 나타내는 척도가 필요한데 이를 상관계수($-1 \le \rho \le 1$)[158]라고 한다.

### 4. 포트폴리오의 위험과 기대수익률 간의 관계

**(1) 상관계수가 +1인 경우**

포트폴리오의 위험은 그 표준편차와 완전한 양(+)의 선형관계를 가지기 때문에 위험감소효과가 없다.

**(2) 상관계수가 -1인 경우**

포트폴리오의 위험은 그 표준편차와 절편은 동일하지만 기울기가 반대인 선형관계를 가지기 때문에 **위험감소효과가 최대**이다.

**(3) 상관계수가 -1보다 크고 +1보다 작은 경우**

위험감소효과가 존재한다. 다만, 현실적으로 대부분의 주식들이 이자율이나 인플레이션 등 시장 전반적인 경기변동에 대해서 같은 영향을 받기 때문에 개별주식 수익률 간의 상관계수는 0에서 1 사이의 값을 가진다.

### 5. 포트폴리오의 위험분산효과

포트폴리오의 기대수익률은 투자비율만 일정하면 상관계수와 관계없이 일정하다. 그러나 포트폴리오의 위험은 투자비율이 일정하더라도 주식 수익률 간의 상관계수에 따라 달라진다. 상관계수가 +1이 아닌 주식으로 포트폴리오를 구성하면 기대수익률은 일정한 상태에서 위험만 줄일 수 있게 되는데 이것을 **포트폴리오효과** 또는 **위험분산효과**라고 한다. 다른 조건이 동일하다면 상관계수가 작은 주식으로 포트폴리오를 구성할수록 위험분산효과는 커진다. 또한, **포트폴리오를 구성하는 주식수가 증가할수록 위험은 감소**한다.

### 6. 포트폴리오이론의 한계

**(1)** 투자대상을 위험자산에 한정하고 무위험자산을 고려하지 않았다.

**(2)** 포트폴리오를 구성하는 주식수가 많아지면 효율적인 투자선을 도출하기 위해서 필요한 정보가 너무 많아진다.

---

158) 상관계수($\rho$) = 공분산($\sigma_{12}$)/$\sigma_1\sigma_2$

## 4 자본자산가격결정모형

### 1. 의의
자본자산가격결정모형(capital asset pricing model, CAPM)은 모든 투자자가 포트폴리오이론에 따라 기대효용이 극대화되도록 투자할 때 자본시장이 균형인 상태에서 위험과 기대수익률 사이의 균형관계를 설명하는 이론이다. 즉, 균형시장상태에서 자본자산의 가격(기대수익)과 위험과의 관계를 살펴보는 모형이다.

### 2. 가정
(1) 투자자들은 모두 **위험회피형**이며, **기대효용 극대화**를 추구한다.
(2) 기대수익 - 위험, 즉 **평균 - 분산 기준**을 고려하여 포트폴리오를 선택한다.
(3) 모든 투자자는 투자대상의 미래 수익률의 확률분포에 대하여 동질적으로 예측한다.
(4) **투자기간**은 단일기간으로 본다.
(5) 무위험자산이 존재하고 동일한 무위험이자율이 적용된다. 즉, 무위험이자율로 무제한 차입 또는 대출이 가능하다.
(6) 자본과 정보의 흐름에 마찰이 없고, 제도적 장애요인도 없다. 즉, **완전자본시장**을 가정하기 때문에 세금과 거래비용이 존재하지 않는다.

### 3. 자본시장선과 증권시장선
자본시장선(capital market line, CML)과 증권시장선(stock market line, SML)은 기본적으로 자산의 기대수익률과 자산의 위험 간의 합리적 관계를 설명한다는 점에서 공통점을 갖는다. 두 모형은 자산의 기대수익률이 해당 자산의 체계적 위험에 비례하여 증가한다는 점을 설명하여 주지만 이러한 관계를 적용할 수 있는 대상에 있어서는 큰 차이가 있다. 즉, 자본시장선은 완전분산투자된 효율적 포트폴리오의 총위험과 기대수익률의 선형관계를 나타내고, 증권시장선은 모든 자산의 체계적 위험과 기대수익률의 선형관계를 나타낸다.

(1) **자본시장선**
시장포트폴리오와 무위험자산으로 구성되는 효율적 포트폴리오에만 적용할 수 있는 모형이다. 주식이 효율적인지 아닌지를 판단하는 척도가 되기 때문에 자본시장선 선상에 있는 주식은 효율적이고 그 아래는 비효율적이다.

(2) **증권시장선**
개별자산 또는 포트폴리오의 시장위험에 대한 위험프리미엄의 균형점들을 연결해 놓은 선[159]이다. 증권시장선을 이용하여 특정 주식의 균형기대수익률은 '**무위험이자율 + (시장포트폴리오 기대수익률 - 무위험이자율) × 특정 주식의 베타($\beta$)**'로 구하고, 그 자산이 효율적인 포토폴리오인지 아닌지에 상관없이 모든 자산에 적용할 수 있다. 또한, 증권시장선은 주식이 균형인지 불균형인지를 판단하는 척도이기 때문에 주식이 증권시장선 위에 있으면 과소평가된 주식이고, 증권시장선 아래에 있으면 과대평가된 주식이다.

---

[159] 증권시장선의 평가대상을 시장포트폴리오 수익률과의 상관계수가 +1인 자본시장선상의 포트폴리오, 즉 완전분산투자된 효율적 포트폴리오로 한정하는 경우에 자본시장선과 증권시장선은 일치한다.

## 4. 베타($\beta$)

베타($\beta$)는 시장포트폴리오의 위험, 즉 시장전체의 위험을 1로 보았을 때 개별주식이 가지는 체계적 위험의 크기 또는 시장수익률의 변동에 대한 개별주식 수익률의 민감도를 의미하고, 베타($\beta$)가 1보다 크면 공격적 자산이고 베타($\beta$)가 1보다 작으면 방어적 자산이다. 또한, 베타($\beta$)는 음의 값을 가질 수 있다. 음의 값을 가진다는 것은 베타가 상승할수록 수익률이 하락하는 경우를 의미하는데 대표적인 경우가 보험자산의 경우이다. 그리고 시장포트폴리오의 베타($\beta$)는 1이다.

$$\beta_i = \frac{\text{주식}i\text{의 수익률과 시장수익률과의 공분산}}{\text{시장수익률의 분산}} = \frac{\sigma_{im}}{\sigma_m^2}$$

## 제6절 재무비율분석

### 1 수익성 비율

#### 1. 의의

수익성비율은 투자한 자본을 이용하여 일정기간 동안 얼마만큼의 성과를 내었는가를 측정하는 비율을 의미한다. 즉 기업의 이익창출능력을 분석하기 위해 이용하는 비율이며, 주로 매출액 또는 자본에 대한 이익의 비율로 측정한다. 수익성은 과거 또는 비교기업 대비 높을수록 좋으며, 이익의 절대적인 크기보다는 단위당 이익을 나타내는 효율성 지표의 성격을 갖는다.

#### 2. 재무비율

(1) 매출액영업이익률 = (영업이익 / 매출액) × 100%

(2) 매출액순이익률 = (당기순이익 / 매출액) × 100%

(3) 자기자본이익률(ROE) = (순이익 / 평균자기자본) × 100%

(4) 총자본(총자산)순이익률(ROA) = (순이익 / 매출액) × (매출액 / 총자본) × 100% = (순이익 / 총자본) × 100%
   = 매출액순이익률 × 총자본회전율

### 2 성장성 비율

#### 1. 의의

성장성비율이란 기업의 매출액이나 자산규모가 전년대비, 동기대비, 추세대비 얼마나 증가 또는 감소하였는가를 측정하는 비율을 의미한다. 즉 기업의 규모나 경영성과가 이전에 비해 얼마나 성장했는지를 분석하기 위해 이용하는 비율이며, 주로 전기 대비 당기의 증가율로 측정한다. 성장성은 기업의 수익성과 함께 기업가치결정에 가장 많은 영향을 미치는 지표이고, 성장성이 높을수록 좋다.

## 2. 재무비율

(1) 매출액증가율 = (당기매출액 / 전기매출액) × 100% − 1

(2) 순이익증가율 = (당기순이익 / 전기순이익) × 100% − 1

(3) 총자산증가율 = (당기총자산 / 전기총자산) × 100% − 1

## 3 활동성 비율

### 1. 의의

활동성비율이란 기업에 투자된 자본을 얼마나 효율적으로 사용하였는가를 측정하는 비율을 의미한다. 즉 기업이 보유하는 자산 활용의 효율성을 분석하기 위해 이용하는 비율이며, 주로 매출액을 관련 자산금액 또는 부채금액으로 나눈 회전율을 이용하여 측정한다. 활동성은 투자된 자본이 1년에 몇 번 회전하였는가를 나타내는 것으로 회전율이 높다는 것은 그만큼 효율성이 높다는 의미이다.

### 2. 재무비율

(1) 총자본(총자산)회전율 = 매출액(또는 매출원가) / 총자본(또는 총자산)

(2) 매출채권회전율 = 매출액(또는 매출원가) / 매출채권

(3) 재고자산회전율 = 매출액(또는 매출원가) / 재고자산

## 4 유동성비율

### 1. 의의

유동성비율이란 기업의 단기채무 지급능력을 분석하기 위해 이용하는 비율이며, 주로 단기채무의 지급을 위해 단기간 내에 현금화 가능한 자산의 보유정도를 측정하는 비율이다.

### 2. 재무비율

(1) 유동비율 = (유동자산 / 유동부채) × 100%

(2) 당좌비율 = (당좌자산[160] / 유동부채) × 100% = [(유동자산 − 재고자산) / 유동부채] × 100%

## 5 안정성비율

### 1. 의의

안정성 비율(레버리지비율)[161]이란 기업의 장기적인 재무적 안정성을 분석하기 위해 이용하는 비율이며, 주로 타인자본인 부채와 자기자본인 자본의 구성을 나타내는 비율이다.

---

160) 당좌자산은 환금하기 쉬운 유동자산을 의미하는데, 현금, 예금, 받을어음, 외상매출금, 유가증권 등이 해당한다.
161) 유동성비율과 안정성비율을 합쳐 안전성비율이라고도 한다.

## 2. 재무비율

(1) 부채비율 = (부채 / 자기자본) × 100%

(2) 자기자본비율 = (자기자본 / 총자산) × 100%

(3) 이자보상비율 = (영업이익 / 이자비용) × 100%

## 6 시장가치비율

### 1. 의의

시장가치비율이란 기업에 대한 시장에서의 가치평가를 분석하기 위해 이용하는 비율이며, 주로 주식의 시장가치인 주가와 관련된 다른 항목 간의 비율로 측정한다.

### 2. 재무비율

(1) 주가수익비율(PER) = 주가 / 주당순이익

(2) 주가 대 장부가치비율(PBR) = 주가 / 주당장부가치

## 제7절 파생상품

## 1 옵션

### 1. 의의

옵션(option)은 미리 정해진 조건에 따라 일정한 기간 내에 상품이나 유가증권 등의 특정자산을 사거나 팔 수 있는 권리를 말하며 이를 매매하는 것을 옵션거래라고 한다[162]. 이러한 옵션과 관련된 용어는 다음과 같다.

(1) 기초자산

옵션거래의 대상이 되는 자산으로 현물과 선물로 구분된다.

(2) 행사가격

옵션매입자가 권리를 행사할 경우 기초자산의 매입 또는 매도를 위한 가격을 말한다.

(3) 만기

옵션의 권리를 행사할 수 있는 기간을 말하고, 옵션의 권리를 행사할 수 있는 기간의 마지막 날을 만기일이라고 한다.

(4) 옵션 프리미엄

옵션매입자의 권리행사에 대한 의무이행대가로 옵션매입자가 옵션매도자에게 지불하는 금액을 말한다.

---

[162] 옵션매입을 long position이라고 하고, 옵션매도를 short position이라고 한다.

## 2. 유형

### (1) 콜 옵션(call option)과 풋 옵션(put option)

옵션은 특정 자산을 살 수 있는 권리가 부여된 콜 옵션(call option)과 특정 자산을 팔 수 있는 권리가 부여된 풋 옵션(put option)으로 분류된다. 옵션계약에서 정하는 특정 자산을 사거나 팔 수 있는 권리는 옵션을 발행하는 자가 이를 매수하는 자에게 부여하고, 옵션소유자는 일정기간 동안 옵션계약에 명시된 사항을 옵션발행자에게 이행하도록 요구하거나 또는 요구하지 않아도 되는 조건부청구권을 가지게 된다.

### (2) 유럽형 옵션과 미국형 옵션

옵션은 행사기간에 따라 유럽형 옵션과 미국형 옵션으로 구분할 수 있다. 유럽형 옵션은 권리행사가능일을 만료일 당일 하루만으로 한정하는 옵션으로, 계약된 만기일이 되어야만 행사할 수 있는 옵션이다. 이에 반해 미국형 옵션은 만기일 이전에 언제든지 권리를 행사할 수 있는 옵션이다.

# 2 스왑

## 1. 의의

스왑(swap)은 계약조건 등에 따라 일정시점에 자금교환을 통해서 이루어지는 금융기법을 말한다. 이러한 거래를 스왑 거래라고 하는데 스왑 거래는 사전에 정해진 가격, 기간에 둘 이상의 당사자가 보다 유리하게 자금을 조달하기 위해 서로 부채를 교환하여 위험을 피하려는 금융기법이다. 스왑 거래의 종류로는 금리스왑, 통화스왑 등이 있다.

## 2. 스왑과 선도거래의 차이

스왑은 장외시장에서 거래되고 당사자 간 합의에 의한 계약이라는 관점에서 선도거래와 유사하지만, 선도거래는 만기에 한 번 결제하고 스왑은 미리 정해진 약정기간마다 결제하는 차이점이 있다. 따라서 스왑은 각 약정일을 만기일로 하는 여러 개의 선도거래로 구성된 포트폴리오라고 할 수 있다.

## 3 선물

### 1. 의의

선물(futures)은 **상품이나 금융자산을 미리 결정된 가격으로 미래 일정시점에 인수도할 것을 약속하는 거래**를 말한다. 선물의 거래방식은 매매시점, 대금결제, 물건의 인수도 시점에 따라 다른 양식의 거래와 차이가 있다. 현물거래의 경우 매매(가격/거래조건의 결정), 대금결제, 물건의 인수도가 동시에 이루어지고, 신용거래(외상거래)의 경우 매매, 물건의 인수도는 동시에 이루어지지만 대금결제는 나중에 이루어진다. 반면 선급거래는 매매와 대금결제가 동시에 이루어지지만 물건의 인수도는 나중에 이루어지고, 선물거래의 경우 매매가 이루어진 후 일정시점이 지나야 대금결제와 물건의 인수도가 동시에 이루어진다.

### 2. 선물거래와 선도거래

선물거래와 선도거래(forward transaction)는 동일한 거래방식을 가지고 있는데, **선물거래는 거래소 내에서 거래할 수 있는 반면 선도거래는 거래소 밖에서 이루어진다는 차이**가 있다.

#### 선물거래와 선도거래

| 구분 | 선물거래 | 선도거래 |
| --- | --- | --- |
| 시장형태 | 조직화된 시장(거래소) | 비조직적 시장(장외시장) |
| 거래방법 | 공개호가방식 | 당사자 간의 직접 계약 |
| 거래조건 | 표준화 | 당사자 간의 합의 |
| 이행보증 | 거래소가 이행을 보증 | 당사자의 신용에 좌우 |
| 결제방법 | 일일정산 | 만기일에 한 번 결제 |

# 출제예상문제

CHAPTER 01 재무관리

## 4지선다형

**01** ☐☐☐ 2021년 군무원 9급 기출

다음 중 재무관리자의 역할이 아닌 것은?

① 투자결정  
② 자본조달결정  
③ 회계처리  
④ 배당결정

**해설**

회계처리는 회계관리자의 역할에 해당한다.  **정답 ③**

**02** ☐☐☐ 2018년 서울시 7급 기출

연초에 은행에서 100만 원을 연 10%의 이자율로 2년간 차입하였다. 1년 후에 60만 원을 상환해야 할 경우, 2년 후에 상환해야 할 금액은?

① 50만 원  
② 55만 원  
③ 60만 원  
④ 65만 원

**해설**

1년 이자는 10만 원이다. 1년 후 60만 원을 상환했다면 원금 50만 원을 상환했고, 나머지 50만 원에 대한 10% 이자를 고려하면 2년 후에 상환해야 할 금액은 55만 원이 된다.  **정답 ②**

**03** ☐☐☐ 2020년 서울시 7급 기출

(주)XYZ의 주주는 1년 후에 2,000원의 배당을 예상하고 있다. 이 회사가 영구히 같은 규모의 배당을 연 1회 지급하리라고 예상할 때(A)와 1년 후부터 5%의 연간 성장률로 영구히 연 1회 배당을 지급하리라고 예상할 때(B)의 현재주가를 옳게 짝지은 것은? (단, 할인율은 (A), (B) 모두 연 10%라고 가정한다.)

|   | (A) | (B) |
|---|---|---|
| ① | 10,000원 | 20,000원 |
| ② | 20,000원 | 10,000원 |
| ③ | 20,000원 | 40,000원 |
| ④ | 40,000원 | 20,000원 |

**해설**

영구연금의 현재가치는 연금액을 할인율로 나누어 계산하고, 일정비율의 성장이 있는 영구연금의 현재가치는 연금액을 (할인율 − 성장률)로 나누어 계산한다. 따라서 (A)는 2,000원 ÷ 10%를 계산한 20,000원이 되고, (B)는 2,000 ÷ (10% − 5%)를 계산한 40,000원이 된다.  **정답 ③**

## 04 □□□ 2017년 서울시 7급 기출

대한이는 오늘부터 매년 1백만 원씩 5년 간 지급받는 연금복권에 당첨되었고 민국이는 1년 후부터 매년 1백만 원씩 5년 간 지급받는 연금복권에 당첨되었다. 대한이가 당첨된 연금복권의 현재가치와 민국이가 당첨된 연금복권의 현재가치의 차이는 얼마인가? (단, 연간 이자율은 10%이고, $(1.1)^{-5}$은 0.620921이다.)

① 0원
② 379,079원
③ 620,921원
④ 1,000,000원

### 해설

대한이와 민국이가 당첨된 연금복권의 현금흐름은 다음과 같다.

| 시점 | 0 | 1 | 2 | 3 | 4 | 5 |
|---|---|---|---|---|---|---|
| 대한이 | 1백만 원 | 1백만 원 | 1백만 원 | 1백만 원 | 1백만 원 | |
| 민국이 | | 1백만 원 | 1백만 원 | 1백만 원 | 1백만 원 | 1백만 원 |

따라서 대한이와 민국이의 당첨금에 대한 현재가치의 차이는 오늘의 1백만 원에서 5년 후의 1백만 원의 현재가치인 620,921원을 차감한 379,079원이다.

정답 ②

## 05 □□□ 2020년 서울시 7급 기출

재무관리에 대한 설명으로 가장 옳지 않은 것은?

① 잉여금이나 주식 발행은 자기 자본의 조달 원천이다.
② 주식으로 인한 자본비용 지출을 최소화할 수 있도록 배당을 관리한다.
③ 자본조달 과정에서는 자본비용을 극대화하여 투자안의 경제성을 높인다.
④ 자산의 규모와 유동성을 고려하여 사업별 투자 결정을 한다.

### 해설

자본조달 과정에서는 자본비용을 최소화하여 투자안의 경제성을 높인다.

정답 ③

## 06 ☐☐☐ 2023년 국가직 7급 기출

효율적 시장가설(EMH: efficient market hypothesis)은 주가에 반영되는 정보의 성격에 따라 약형(weak form), 준강형(semi-strong form), 강형(strong form)의 효율적 시장으로 구분된다. 다음 중 옳지 않은 것은?

① 약형에서는 과거 주식가격의 패턴을 보고 시장평균 이상의 초과수익을 얻을 수 있다.
② 준강형에서는 증권분석가가 공개된 재무제표의 정보를 분석하여 미래 주가의 움직임을 예측하려는 노력은 의미가 없다.
③ 준강형에서는 주가는 이미 공개적으로 이용 가능한 모든 정보를 반영한다.
④ 강형에서는 주가는 기업의 내부자만이 이용 가능한 정보까지 포함하여 기업에 관련된 모든 정보를 반영한다.

**해설**

약형 효율적 시장가설은 현재의 주가가 과거의 주가움직임이나 거래량과 같은 역사적 정보를 완전히 반영하고 있다는 가설이다. 따라서 과거의 역사적 정보를 이용한 투자 전략으로는 시장평균 이상의 초과수익을 얻을 수 없다.

**정답 ①**

## 07 ☐☐☐ 2024년 군무원 7급 기출

다음 중 효율적 시장가설에 대한 설명으로 가장 적절하지 않은 것은?

① 현재의 주가가 과거의 주가자료에 포함된 정보를 반영하여 결정된다고 보는 견해를 약형(weak form) 효율시장 가설이라고 한다.
② 효율적 시장에서는 주가의 움직임에 패턴이 있으며, 어제의 주가변화와 오늘의 주가변화는 상관관계가 존재한다.
③ 특정 거래전략이 지속해서 통계적으로 유의한 초과수익을 낼 수가 없다.
④ 전문투자자와 보통투자자 간의 투자성과는 통계적으로 유의한 차이가 없다.

**해설**

효율적 시장에서는 어제의 주가변화와 오늘의 주가변화는 상관관계가 존재하지 않는다.

**정답 ②**

## 08 ☐☐☐ 2021년 서울시 7급 기출

**효율적 시장의 특성에 대한 설명으로 가장 옳지 않은 것은?**

① 과거 시점의 가격 변화와 현재 시점의 가격 변화는 상관관계가 있다.
② 시장이 정보를 입수하자마자 증권가격은 이들 정보에 신속하게 반응한다.
③ 어느 시점에 이용 가능한 정보를 바탕으로 투자 전략이나 거래 규칙을 수립했을 때, 미래 평균투자수익률 이상의 투자 성과를 지속적으로 얻을 수 없다.
④ 특정 정보를 알고 있는 전문 투자자들과 모르고 있는 투자자들의 평균적인 투자 성과에는 유의미한 차이가 없다.

> **해설**
> 과거 시점의 가격 변화와 현재 시점의 가격 변화는 상관관계가 없다.   **정답 ①**

## 09 ☐☐☐ 2023년 군무원 9급 기출

**다음 중 채권(bond)에 대한 설명으로 가장 거리가 먼 것은?**

① 채권 발행자는 구매자에게 액면가(face value)를 만기(maturity date)에 지불한다.
② 연간 지급되는 이자를 '액면가의 비율로 표시한 것'을 쿠폰(coupon)이라고 한다.
③ 채권의 이자를 1년에 2회 지급하기도 한다.
④ 기업이 채권을 발행하여 조달한 자금은 부채에 해당한다.

> **해설**
> 연간 지급되는 이자를 '액면가의 비율로 표시한 것'은 액면이자율 또는 쿠폰금리이다. 쿠폰(coupon)은 연간 지급되는 이자를 의미한다.   **정답 ②**

## 10 ☐☐☐ 2016년 서울시 7급 기출

**다음 중 채권에 대한 설명으로 가장 옳지 않은 것은?**

① 채권의 이표율과 채권수익률이 동일한 경우 채권가격은 액면가와 같다.
② 채권의 이표율이 채권수익률보다 높은 경우 채권가격은 액면가보다 낮다.
③ 채권의 구입 가격은 채권보유로부터 얻어지는 현금흐름을 이자율로 할인한 것과 같다.
④ 만기수익률은 보통 약속수익률이라 한다.

> **해설**
> 채권의 이표율(액면이자율)이 채권수익률보다 높은 경우 채권가격은 액면가보다 높다.   **정답 ②**

## 11  2016년 서울시 7급 기출

(주)서울은 만기 1년, 액면금액 100,000원인 무이표채(zero coupon bond)를 발행하려 한다. 무이표채의 만기수익률(YTM)이 연 10%라고 할 때, 동 채권 발행 시 조달할 수 있는 자금은 얼마인가?

① 82,645원
② 90,909원
③ 99,000원
④ 110,000원

**해설**

액면금액을 현재가치로 할인한 금액이 채권 발행 시 조달할 수 있는 자금이다. 따라서 채권 발행 시 조달할 수 있는 자금은 '100,000원/1.1'을 계산한 90,909원이다.

정답 ②

## 12  2020년 국가직 7급 기출

표면이자율 연 10%, 이자 연 2회 지급, 만기 20년인 채권은 기업의 유일한 부채이고 액면가에 거래되고 있으며 부채비율(부채 / 자기자본)은 0.5이다. 이 기업의 가중평균자본비용(WACC)은 12%이고 법인세율은 20%일 때, 자기자본비용은?

① 8%
② 10%
③ 13%
④ 14%

**해설**

가중평균자본비용(WACC)은 '타인자본비용 × (1 − 법인세율) × 타인자본의 구성비율 + 자기자본비용 × 자기자본의 구성비율'로 구한다. 따라서 '12% = 10% × (1 − 20%) × $\frac{1}{3}$ + 자기자본비용 × $\frac{2}{3}$'를 충족시키는 자기자본비용을 구하면 14%가 된다.

정답 ④

## 13  2015년 국가직 7급 기출

A주식회사는 우선주 1만 주와 보통주 5만 주를 발행하였으며, 우선주의 시장가격은 주당 5,000원, 보통주의 시장가격은 주당 2,000원이다. 또한 A주식회사가 발행한 회사채의 시장가치는 1억 원이다. 우선주 자본비용이 6%, 보통주 자본비용이 8%, 회사채 자본비용이 5%이고, 법인세율이 40%일 때 A주식회사의 가중평균자본비용은?

① 5.00%
② 5.60%
③ 6.00%
④ 6.40%

**해설**

자기자본의 가치는 1억 5천만 원[= (1만 주 × 5,000원) + (5만 주 × 2,000원)]이고 타인자본의 가치는 1억 원이다. 따라서 가중평균자본비용은 6% × 0.2 + 8% × 0.4 + 5% × (1 − 0.4) × 0.4 = 5.6%이다.

정답 ②

## 14 ☐☐☐ 2023년 국가직 7급 기출

**자본구조이론(capital structure theory)에 대한 설명으로 옳지 않은 것은?**

① 모딜리아니와 밀러(MM: Modigliani and Miller) 제1 명제에 의하면, 완전자본시장에서 기업의 가치는 자본구조와 무관하다.
② MM에 의하면, 법인세를 고려할 경우 차입 기업의 전체가치는 무차입 기업의 가치와 이자 비용의 법인세 절감효과의 현재가치를 더한 것과 같다.
③ 자본조달순위이론(pecking-order theory)에 따르면, 경영진은 투자 자금을 조달하기 위해서 주식발행, 전환사채, 일반사채, 이익잉여금의 순으로 선택한다.
④ 부채의 신호이론(signaling theory of debt)은 투자자에게 좋은 정보를 알리기 위해 부채를 사용한다는 이론이다.

### 해설
자본조달순위이론(pecking-order theory)에 따르면, 경영진은 투자 자금을 조달하기 위해서 이익잉여금(내부보유자금), 일반사채, 전환사채, 주식발행의 순으로 선택한다.

**정답 ③**

## 15 ☐☐☐ 2019년 서울시 7급 기출

**모딜리아니(F. Modigliani)와 밀러(M. H. Miller)의 무관련이론(MM이론)에 대한 설명으로 가장 옳지 않은 것은?**

① 법인세가 없는 완전자본시장을 가정한다.
② 자기자본비용은 부채비율에 비례하므로 가중평균자본비용(WACC)은 부채비율에 대해 일정하게 된다.
③ 기업의 가치는 자본구조와 무관하다.
④ 법인세가 있는 경우를 상정한 수정 MM이론에서는 부채가 증가함에 따라 비례적으로 기업의 가치가 낮아진다고 주장한다.

### 해설
법인세가 있는 경우를 상정한 수정 MM이론에서는 부채가 증가함에 따라 이자비용이 증가하고, 이로 인해 법인세 절감효과가 나타난다. 따라서 법인세 절감효과로 인해 기업의 가치는 증가한다.

**정답 ④**

## 16 ☐☐☐ 2018년 서울시 7급 기출

자본구조에 대한 설명 중 가장 옳지 않은 것은?

① Modigliani-Miller(MM)의 제1명제(세금이 없는 경우)에서는 부채가 있는 기업A의 가치는 부채가 없는 기업B의 가치와 같다. (단, 기업A와 기업B의 영업이익은 매년 같다.)
② 자본조달 계층이론(pecking order theory)에서는 최적부채수준이 존재하며 이를 목표부채수준으로 삼아 자본을 조달한다.
③ 자본조달 계층이론(pecking order theory)에 따르면 가장 먼저 내부자본을 사용해야 한다.
④ MM의 제1명제(세금이 없는 경우)하에서는 기업의 가치가 자본구조와 무관하다.

**해설**

마이어스(C. Myers)의 자본조달 계층이론(pecking order theory, 자본조달순서이론)에서는 경영자가 일반투자자들보다 정보의 우위에 있다는 정보의 비대칭을 전제로 기업은 각 자본조달원천을 이용하는 일정한 우선순위를 가지며, '내부유보자금, 부채발행, 신주발행'의 순서로 이루어짐을 주장하였다.

정답 ②

## 17 ☐☐☐ 2019년 국가직 7급 기출

기업의 자본구조와 자본조달에 대한 설명으로 옳은 것은?

① 5 : 1로 주식을 분할(stock split)할 경우, 장부상 자본잉여금이 보통주 자본금으로 전입될 뿐 자기자본 총액에는 변동이 없다. (단, 주식분할과 관련된 모든 비용은 무시한다)
② 기업의 입장에서 볼 때 사채에 비해 우선주는 세후 자본비용이 높다는 단점을 가지고 있다.
③ 수정된 MM 이론에 의하면 불완전시장요인으로 법인세만을 고려하는 경우, 부채를 사용하는 기업의 가치는 부채를 사용하지 않는 기업의 가치보다 법인세의 현재가치만큼 크다.
④ 현금배당으로 유보이익이 작을 경우, 투자 자금을 외부에서 조달하기 위해 보통주를 발행하여도 기업경영의 지배권과 지분율에는 영향이 없다.

**해설**

① 주식분할은 자본금의 증가 없이 발행주식의 총수를 늘리고, 이를 주주들에게 나누어주는 것이기 때문에 장부상 자본잉여금이나 보통주 자본금의 변동이 없다.
③ 수정된 MM 이론은 법인세가 존재하면 부채를 사용할수록 이자비용이 발생하여 법인세 절감효과가 나타나기 때문에 가중평균자본비용이 감소하게 되어 기업가치가 증가된다는 이론이다. 즉 부채를 100% 사용할 때 기업가치가 극대화된다는 것이다. 따라서 부채를 사용하는 기업의 가치는 부채를 사용하지 않는 기업의 가치보다 법인세의 현재가치만큼 큰 것이 아니라 법인세 절감효과의 현재가치만큼 크다.
④ 투자 자금을 외부에서 조달하기 위해 보통주를 발행하면 발행주식수가 증가하여 대주주의 지분율이 낮아지며, 이로 인해 기업경영의 지배권에 영향을 미친다.

정답 ②

## 18 ☐☐☐ 2009년 국가직 7급 기출

자본구조이론의 쟁점은 타인자본을 사용할 때 기업가치가 어떻게 변할까 하는 것이다. 자본구조이론에 대한 설명으로 옳지 않은 것은?

① 완전자본시장의 가정하에서 모디글리아니(Modigliani)와 밀러(Miller)는 기업가치와 자본구조는 서로 관련이 없다고 주장하였다.
② 완전자본시장의 가정하에서 불완전시장요인으로 법인세만을 고려하는 경우, 모디글리아니(Modigliani)와 밀러(Miller)는 타인자본을 사용하는 기업의 가치는 타인자본을 사용하지 않는 기업의 가치보다 작다고 주장하였다.
③ 완전자본시장의 가정하에서 불완전시장요인으로 파산비용과 법인세를 함께 고려하는 경우, 적절한 타인자본을 사용할 때 기업가치가 최대가 된다.
④ 마이어스(Myers)에 의하면 경영자와 일반투자자 사이에 서로 다른 수준의 정보를 갖게 되는 정보비대칭의 상황에서 기업은 내부유보자금 - 부채 - 자기자본 순으로 자본을 조달한다.

**해설**

완전자본시장의 가정하에서 불완전시장요인으로 법인세만을 고려하는 것은 MM 수정이론이다. MM 수정이론은 법인세가 존재하면 부채(타인자본)를 사용할수록 이자비용이 발생하여 법인세 절감효과가 나타나기 때문에 가중평균자본비용이 감소하게 되어 기업가치가 증가하게 된다는 이론이다. 즉, 부채(타인자본)를 100% 사용할 때 기업가치가 극대화된다는 이론이다.

**정답 ②**

## 19 ☐☐☐ 2016년 국가직 7급 기출

마이어스(C. Myers)의 자본조달순서이론(pecking order theory)에 따를 경우, 기업이 가장 선호하는 투자자금 조달방식은?

① 회사채
② 내부유보자금(유보이익)
③ 우선주
④ 보통주

**해설**

마이어스(C. Myers)는 정보비대칭이 존재하는 경우 기업의 자본조달은 정보비대칭이 적은 순서인 '내부유보자금, 부채발행, 신주발행'의 순서로 이루어짐을 주장하였다.

**정답 ②**

## 20  2010년 국가직 7급 기출

**자본구조이론에 대한 설명으로 적절하지 않은 것은?**

① 정보비대칭이 존재하는 경우 기존 주주의 입장에서 보면 내부 유보이익으로 필요자금을 조달하는 것이 최선이다.
② 정보가 불균형인 상태에서 기존 주주에게 유리한 자본조달 순위는 내부금융 → 신주발행 → 부채발행 순이다.
③ 대리인 비용, 파산 비용 등의 재무적 곤경비용을 고려할 경우 적정수준의 부채 사용 시 기업가치가 최대가 된다.
④ 법인세가 존재하는 경우 부채를 많이 사용할수록 법인세 절감효과가 발생하여 기업의 가치는 증가하게 된다.

**해설**
마이어스(C. Myers)의 자본조달순서이론(pecking order theory)을 통해 경영자가 일반투자자들보다 정보의 우위에 있다는 정보의 비대칭을 전제로 기업은 각 자본조달원천을 이용하는 일정한 우선순위를 가지며, '내부유보자금, 부채발행, 신주발행'의 순서로 이루어짐을 주장하였다.

**정답 ②**

## 21  2022년 국가직 7급 기출

**잉여현금흐름(free cash flow: FCF)을 채권자와 주주에게 귀속되는 현금흐름의 합으로 계산할 때, 잉여현금흐름을 증가시키는 요인에 해당하는 것만을 모두 고르면?**

| ㄱ. 자사주 매입 | ㄴ. 신주발행 |
| ㄷ. 장기부채 상환 | ㄹ. 현금배당금 증가 |

① ㄱ, ㄴ
② ㄷ, ㄹ
③ ㄱ, ㄴ, ㄹ
④ ㄱ, ㄷ, ㄹ

**해설**
기업이 신주를 발행하게 되면 주주는 주금액을 납입해야 하기 때문에 주주에게 귀속되는 현금흐름은 감소하게 된다.

**정답 ④**

## 22  2022년 군무원 9급 기출

**다음 중 자본예산의 의사결정준칙에 대한 설명으로 가장 옳지 않은 것은?**

① 회수기간법
② 순현가법
③ 내부수익률법
④ 선입선출법

**해설**
선입선출법은 자본예산의 의사결정준칙(투자안의 경제성 분석방법)이 아니라 재고자산의 물량흐름에 대한 가정에 해당한다. 자본예산의 의사결정준칙(투자안의 경제성 분석방법)에는 순현재가치법, 내부수익률법, 수익성지수법, 회계적 이익률법, 회수기간법 등이 있다.

**정답 ④**

## 23 □□□ 2017년 국가직 7급 기출

두 기업 A와 B의 영업이익(EBIT: Earnings Before Interest and Taxes)은 1억 원, 이자비용은 0원, 법인세율은 20%로 동일하다. A의 영업현금흐름(OCF: Operating Cash Flow)이 B의 영업현금흐름보다 클 때 옳은 것은?

① A의 영업현금흐름은 B의 세후영업이익보다 작다.
② B의 영업현금흐름은 B의 세후영업이익보다 작다.
③ A의 감가상각비는 B의 감가상각비보다 크다.
④ A의 감가상각비의 감세효과는 B의 감가상각비의 감세효과보다 작다.

**해설**

영업현금흐름이란 영업이익에서 감가상각비를 더하고 세금을 차감한다. 따라서 다른 조건이 동일할 때 A의 영업현금흐름이 B의 영업현금흐름보다 크기 위해서는 A가 B보다 감가상각비가 더 크거나 세금이 더 작으면 된다.　　　　　　　　　　　　　　　　　　　　　　　　**정답** ③

## 24 □□□ 2019년 서울시 7급 기출

투자안 평가에 사용되는 현금흐름 추정에 대한 설명으로 가장 옳지 않은 것은?

① 감가상각비는 인위적으로 배분된 회계적 비용으로서 기업이 실제로 지출하는 것은 아니지만 현금유출에 포함시켜야 한다.
② 이자비용과 배당금은 할인율에 적절하게 반영되어 차감되므로 현금유출에 포함시키지 않는다.
③ 기업의 순운전자본은 현금흐름에 포함시켜야 한다.
④ 자본적 지출은 현금지출을 수반하므로 자본적 지출이 발생하는 시점의 현금유출에 포함시켜야 한다.

**해설**

감가상각비는 인위적으로 배분된 회계적 비용으로서 기업이 실제로 지출하는 것은 아니기 때문에 현금유출을 수반하지 않는 비용에 해당한다. 따라서 감가상각비는 현금유출에 포함시키지 말아야 한다.　　　　　　　　　　　　　　　　　　　　　　　　**정답** ①

## 25 □□□ 2007년 국가직 7급 기출

자본예산(capital budgeting)을 위한 현금흐름 측정의 기본원칙에 대한 설명으로 옳지 않은 것은?

① 감가상각비는 손익계산서에서는 비용항목이지만 장부상으로만 발생하는 비용이므로 현금유출로 취급해서는 안 된다.
② 이자비용은 현금흐름의 할인과정에서 고려되므로 현금유출로 취급해서는 안 된다.
③ 기회비용, 부수효과, 매몰비용 등 간접적으로 발생하는 수익과 비용도 모두 고려해야 한다.
④ 기존 투자설비로부터 발생하는 현금흐름에 비해 증가하거나 감소한 증분 현금흐름으로 투자안을 평가해야 한다.

**해설**

기회비용은 현금유입액의 감소이기 때문에 투자안의 현금흐름 측정 시에 현금유출로 처리해야 한다. 그리고 부수효과는 신규 투자안 실행 시 기존 투자안의 현금흐름에 미치는 영향을 의미하는데, 이러한 부수효과는 신규투자안의 현금흐름 측정 시 증분현금흐름에 고려되어야 한다. 그러나 매몰비용은 현재 시점의 의사결정과는 무관한 현금흐름이기 때문에 투자안의 현금흐름 측정 시 고려해서는 안되는 비관련원가이다.　　**정답** ③

## 26 ☐☐☐ 2017년 서울시 7급 기출

**다음 중 영업현금흐름(OCF)의 정의로 옳은 것은?**

① EBIT + 감가상각비 - 세금
② EBIT + 감가상각비 + 유동자산
③ EBIT - 감가상각비 + 세금
④ 세금 - 감가상각비 - EBIT

**해설**

현금흐름표는 크게 영업활동으로 인한 현금흐름(영업현금흐름), 투자활동으로 인한 현금흐름, 그리고 재무활동으로 인한 현금으로 구분할 수 있다. 영업현금흐름은 기업이 영업활동을 통해 벌어들이는 현금창출능력을 의미한다. 따라서 영업현금흐름은 영업이익(EBIT)에서 감가상각비를 더하고 세금을 차감한 것을 의미한다.

**정답 ①**

## 27 ☐☐☐ 2021년 국가직 7급 기출

**자본예산에 대한 설명으로 옳지 않은 것은?**

① 단일 투자안의 경우에는 항상 유일한 내부수익률이 산출된다.
② 내부수익률(IRR)은 수익성지수(PI)가 1이 되도록 해 주는 할인율이다.
③ 내부수익률(IRR)은 순현가(NPV)가 0이 되도록 해 주는 할인율이다.
④ 상호배타적인 두 투자안에 대한 순현가법과 내부수익률법의 경제성 평가결과가 상반되는 이유는 재투자수익률에 대한 가정의 차이 때문이다.

**해설**

현금유출이 기초에만 발생하는 투자안의 경우에는 유일한 내부수익률이 산출되지만, 현금유출이 투자기간 중에도 발생하는 투자안의 경우에는 다수의 내부수익률이 산출될 수 있다.

**정답 ①**

## 28 ☐☐☐ 2022년 군무원 7급 기출

**다음 중 투자안 평가방법에 대한 설명으로 가장 옳지 않은 것은?**

① 회계적 이익률법은 화폐의 시간적 가치를 고려하지 않는다.
② 회수기간법에서는 원금 회수기간이 목표회수기간보다 긴 투자안을 선택한다.
③ 내부수익률법에서는 내부수익률(r)이 투자자 요구 수익률보다 큰 투자안을 선택한다.
④ 순현가법에서는 순현가(NPV)가 0보다 큰 투자안을 선택한다.

**해설**

회수기간법에서는 원금 회수기간이 목표회수기간보다 짧은 투자안을 선택한다.

**정답 ②**

## 29 □□□ 2021년 군무원 9급 기출

**순현가(NPV)의 특성으로 옳지 않은 것은?**

① 투자안의 모든 현금흐름을 사용한다.
② 모든 개별 투자안들 간의 상호관계를 고려한다.
③ 가치의 가산원칙이 성립한다.
④ 화폐의 시간가치를 고려한다.

**해설**

투자안들 간의 상호관계는 독립적 투자안과 상호배타적 투자안이 있다. 따라서 상호배타적 투자안은 개별 투자안들 간의 상호관계를 고려해야 하지만, 독립적 투자안은 개별 투자안들 간의 상호관계를 고려하지 않아도 된다.

**정답 ②**

## 30 □□□ 2012년 국가직 7급 기출

**투자안 분석에서 순현가법(net present value method)과 내부수익률법(internal rate of return method)을 비교한 설명으로 적절하지 않은 것은?**

① 투자안에서 발생하는 현금유입을 순현가법에서는 할인율로, 내부수익률법에서는 내부수익률로 재투자한다고 가정한다.
② 순현가법에서는 순현가가 하나 존재하고, 내부수익률법에서는 내부수익률이 전혀 존재하지 않거나 여러 개의 내부수익률이 나타날 수 있다.
③ 순현가법에서는 가치의 가산법칙이 적용되지 않고, 내부수익률법에서는 가치의 가산법칙이 적용된다.
④ 독립적 투자안의 경우 순현가법이나 내부수익률법에 의한 투자평가 결과가 항상 같지만, 상호배타적 투자안의 경우 두 방법의 투자평가 결과가 서로 다를 수 있다.

**해설**

순현가법에서는 가치의 가산법칙이 적용되고, 내부수익률법에서는 가치의 가산법칙이 적용되지 않는다.

**정답 ③**

## 31 □□□ 2023년 서울시 7급 기출

**내부수익률(interal rate of return, IRR)에 대한 설명으로 가장 옳은 것은?**

① 투자안으로부터 얻게 될 미래 순현금흐름의 현재가치를 최초투자액으로 나누어 구한다.
② 현금유입의 현재가치에서 현금유출의 현재가치를 뺀 값으로 정의된다.
③ 한 가지 투자안에서 복수의 값이 얻어질 수도 있다.
④ 상호배타적인 투자안들의 우선순위를 결정하고자 할 경우, 순현재가치 방법과 항상 동일한 결론을 가져다 준다.

**해설**

① 투자안으로부터 얻게 될 미래 순현금흐름의 현재가치를 최초투자액으로 나누어 구하는 것은 수익성지수이다.
② 현금유입의 현재가치에서 현금유출의 현재가치를 뺀 값으로 정의되는 것은 순현재가치이다.
④ 독립적인 투자안들의 우선순위를 결정하고자 할 경우, 순현재가치 방법과 항상 동일한 결론을 가져다 준다.

**정답 ③**

## 32 ☐☐☐ 2016년 서울시 7급 기출

**내부수익률(IRR)에 대한 설명으로 가장 옳은 것은?**

① 현금유입의 현재가치에서 현금유출의 현재가치를 뺀 값으로 정의된다.
② 투자안으로부터 얻어지게 될 미래 순현금흐름의 현재가치를 최초투자액으로 나누어 구한다.
③ 한 가지 투자안에서 복수의 값이 얻어질 수도 있다.
④ 상호배타적인 투자안들의 우선순위를 결정하고자 할 경우, 순현재가치 방법과 항상 동일한 결론을 가져다 준다.

### 해설

① 내부수익률법(IRR)은 순현재가치가 0이 되게 하는 수익률을 의미한다. 즉, 어떤 사업에 대해 사업기간 동안의 현금수익흐름을 현재가치로 환산하여 합한 값이 투자지출과 같아지도록 할인하는 이자율을 내부수익률이라고 한다.
② 투자안으로부터 얻어지게 될 미래 순현금흐름의 현재가치를 최초투자액으로 나눈 것을 수익성지수라고 한다.
④ 상호배타적인 투자안들의 우선순위를 결정할 경우, 순현재가치 방법과 항상 동일한 결론을 가져다주는 것은 아니다.

**정답 ③**


## 33 ☐☐☐ 2020년 국가직 7급 기출

**단일 투자대안의 경제성 평가방법에 대한 설명으로 옳지 않은 것은?**

① 순현가법(NPV)은 투자대안의 현금흐름을 현재가치로 할인하고 투자원금과 비교하여 채택 여부를 결정한다.
② 회계적 이익률법(AAR)은 장부상 연평균 회계적 이익이 장부상 총자산에서 차지하는 비율로 측정된다.
③ 내부수익률(IRR)로 투자대안의 현금흐름을 할인하면 순현재가치는 '0'이 된다.
④ 회수기간법(PB)은 투자대안의 현금흐름을 바탕으로 투자원금을 회수하는 데 걸리는 기간을 측정하지만, 자의적인 판단기준이 필요하다.

### 해설

회계적 이익률은 연평균순이익을 연평균투자액으로 나눈 것이다.

**정답 ②**


## 34 ☐☐☐ 2015년 국가직 7급 기출

**투자안의 경제성 평가 방법에서 상호배타적 투자안에 대한 의사결정으로 적절한 것은?**

① 투자안의 수익성지수(PI)가 0보다 큰 투자안 중에서 가장 낮은 투자안을 선택한다.
② 투자안의 내부수익률(IRR)이 할인율보다 낮은 투자안 중에서 가장 높은 투자안을 선택한다.
③ 투자안의 평균회계이익률(AAR)이 목표 AAR보다 큰 투자안 중에서 가장 낮은 투자안을 선택한다.
④ 투자안의 순현재가치(NPV)가 0보다 큰 투자안 중에서 가장 높은 투자안을 선택한다.

### 해설

① 투자안의 수익성지수(PI)가 1보다 큰 투자안 중에서 가장 높은 투자안을 선택한다.
② 투자안의 내부수익률(IRR)이 할인율보다 높은 투자안 중에서 가장 높은 투자안을 선택한다.
③ 투자안의 평균회계이익률(AAR)이 목표 AAR보다 큰 투자안 중에서 가장 높은 투자안을 선택한다.

**정답 ④**

## 35 ☐☐☐ 2016년 국가직 7급 기출

100% 자기자본만으로 구성되어 있는 X회사와 Y회사의 현재 기업가치는 각각 70억 원, 30억 원이다. X회사가 Y회사를 합병하여 XY회사가 탄생하면 합병 후 기업가치는 120억 원이 될 것으로 추정된다. X회사의 Y회사 인수가격이 40억 원일 경우 X회사의 입장에서 합병의 순현가는? (단, 다른 조건은 고려하지 않는다.)

① 10억 원
② 20억 원
③ 50억 원
④ 80억 원

**해설**

Y회사의 합병으로 인한 증분현금유입액은 50억 원(= 120억 원 − 70억 원)이고 증분현금유출액은 40억 원이기 때문에 합병의 순현가는 10억 원(= 50억 원 − 40억 원)이다.

정답 ①

## 36 ☐☐☐ 2021년 군무원 9급 기출

손익분기점을 파악하기 위해 반드시 필요한 정보에 해당하지 않는 것은?

① 총고정비용
② 제품단위당 변동비용
③ 제품가격
④ 영업이익

**해설**

손익분기점을 파악하기 위해서는 총고정비용, 제품단위당 변동비용, 제품가격에 대한 정보가 반드시 필요하다.

정답 ④

## 37 ☐☐☐ 2021년 국가직 7급 기출

손익분기점분석(break-even analysis)에 대한 설명으로 옳은 것은?

① 총고정비가 증가하면 손익분기점은 감소한다.
② 비용함수는 비선형곡선이다.
③ 수량당 변동비가 감소하면 손익분기점은 증가한다.
④ 손익분기점은 판매가격에서 수량당 변동비를 뺀 값으로 총고정비를 나눈 값이다.

**해설**

① 총고정비가 증가하면 손익분기점은 증가한다.
② 비용함수는 선형이다.
③ 수량당 변동비가 감소하면 수량당(단위당) 공헌이익이 커지기 때문에 손익분기점은 감소한다.

정답 ④

## 38  2022년 국가직 7급 기출

다음과 같은 투자안의 추정치를 이용하여 단위당 변동비를 구하면?

| 건물임차료: 20,000원 | 감가상각비: 10,000원 |
| 단위당 판매 가격: 2원 | 회계적 손익분기점: 60,000단위 |

① 0.5원　　　　　　　　　　② 1.0원
③ 1.5원　　　　　　　　　　④ 2.0원

**해설**

손익분기점은 고정비를 단위당 공헌이익으로 나누어 계산한다. 따라서 60,000단위는 30,000원을 단위당 공헌이익으로 나누어 계산된 값이기 때문에 단위당 공헌이익은 0.5원이 되고, 단위당 공헌이익은 단위당 판매 가격에서 단위당 변동비를 차감한 값이기 때문에 단위당 변동비는 1.5원이 된다.

정답 ③

## 39  2007년 국가직 7급 기출

(주)한국전관은 모니터를 생산, 판매하고 있다. 모니터 판매가격은 대당 30만 원, 변동비는 대당 6만 원이며, 총고정비는 7억 2천만 원, 유동자산은 3억 원, 고정자산은 40억 5천만 원이라고 한다. 손익분기점의 매출량은 얼마인가?

① 2,000대　　　　　　　　　② 3,000대
③ 4,000대　　　　　　　　　④ 5,000대

**해설**

손익분기점의 매출량은 총고정비를 단위당 공헌이익(단위당 판매가격 - 단위당 변동비)으로 나누어 준 값이다. 따라서 손익분기점의 매출수량은 7억 2천만 원을 24만 원으로 나눈 값인 3,000대가 된다.

정답 ②

## 40  2014년 국가직 7급 기출

미래수익의 위험(변동정도)을 측정하기 위한 지표로 옳지 않은 것은?

① 분산　　　　　　　　　　② 분산의 제곱근
③ 표준편차　　　　　　　　④ 평균값

**해설**

위험을 측정하는 대표적인 방법은 분산 또는 표준편차(분산의 제곱근)를 이용하는 것이다. 따라서 미래수익의 위험(변동정도)을 측정하기 위한 지표로 평균값은 적절하지 않다.

정답 ④

## 41 ☐☐☐ 2023년 서울시 7급 기출

자본시장 전체의 수익률 변동과 무관하게 자산 자체 고유 요인의 영향을 받아 변동하는 위험에 해당하는 것은?

① 체계적 위험(systematic risk)
② 채무불이행위험(default risk)
③ 이자율위험(interest rate risk)
④ 비체계적 위험(unsystematic risk)

**해설**

위험(risk)이란 미래에 나올 결과가 하나로 고정되어 있지 않고 상황에 따라 두 가지 이상의 결과가 가능한 상태를 의미하고, 체계적 위험과 비체계적 위험으로 구분할 수 있다. 체계적 위험은 분산투자로 인해 제거되지 않는 위험을 말한다. 따라서 분산불가능위험이라고도 하며, 이는 시장의 전반적인 상황과 관련하여 인플레이션이나 이자율의 변화 등과 관련된 요인으로 인해 발생하는 위험이기 때문에 시장위험(market risk) 또는 베타위험(beta risk)이라고도 한다. 그리고 비체계적 위험은 분산투자를 통해서 제거가 가능한 위험을 의미한다. 따라서 분산가능위험이라고도 하며, 이는 기업의 특수한 상황과 관련하여 종업원의 파업, 법적 문제, 판매의 부진 등과 같은 요인으로 인해 발생하는 위험이기 때문에 기업 고유의 위험(firm-specific risk)이라고도 한다. 따라서 자본시장 전체의 수익률 변동과 무관하게 자산 자체 고유 요인의 영향을 받아 변동하는 위험에 해당하는 것은 비체계적 위험이다.

**정답 ④**

## 42 ☐☐☐ 2022년 군무원 9급 기출

다음 중 유가증권이나 투자안의 위험(risk) 중 특정기업에만 해당하는 수익률 변동성(위험)으로 가장 옳은 것은?

① 포트폴리오 효과
② 체계적 위험
③ 변동계수
④ 비체계적 위험

**해설**

비체계적 위험은 분산투자를 통해서 제거가 가능한 위험을 의미한다. 따라서 분산가능위험이라고도 하며, 이는 기업의 특수한 상황과 관련하여 종업원의 파업, 법적 문제, 판매의 부진 등과 같은 요인으로 인해 발생하는 위험이기 때문에 기업 고유의 위험(firm-specific risk)이라고도 한다. 따라서 투자안의 위험(risk) 중 특정기업에만 해당하는 수익률 변동성(위험)은 비체계적 위험이다.

**정답 ④**

## 43 ☐☐☐ 2022년 군무원 7급 기출

다음 중 분산 투자를 함으로써 제거할 수 있는 비체계적 위험으로 옳은 것은?

① 기업의 노사분규나 소송발생 등과 같은 요인에서 발생하는 위험
② 이자율과 같은 금리 인상 요인에서 발생하는 위험
③ 물가 상승 요인에 의해 발생하는 위험
④ 정부의 경기 정책에 의해 발생하는 위험

**해설**

①이 비체계적 위험에 해당하고, 나머지는 체계적 위험에 해당한다.

**정답 ①**

## 44  2024년 군무원 7급 기출

다음 세 주식으로 구성된 포트폴리오의 기대수익률은 얼마인가?

| 주식 | 투자액(만 원) | 기대수익률 |
|---|---|---|
| A | 1,000 | 10% |
| B | 600 | 8% |
| C | 400 | 6% |

① 8.2%  ② 8.4%
③ 8.6%  ④ 8.8%

**해설**

포트폴리오의 기대수익률은 포트폴리오의 구성자산의 기대수익률을 투자비율로 가중평균하여 구한다. 따라서 '10% × 0.5 + 8% × 0.3 + 6% × 0.2'를 계산한 8.6%가 포트폴리오의 기대수익률이 된다.

정답 ③

## 45  2018년 국가직 7급 기출

포트폴리오의 위험분산효과에 대한 설명으로 옳지 않은 것은?

① 자산을 결합하여 포트폴리오를 구성함으로써 위험이 감소하는 현상이다.
② 위험분산효과가 나타나는 이유는 포트폴리오를 구성하는 자산들의 변동성이 상쇄되기 때문이다.
③ 포트폴리오의 위험 중에서 분산투자로 줄일 수 없는 위험을 체계적 위험이라고 한다.
④ 포트폴리오의 위험은 일반적으로 포트폴리오를 구성하는 투자종목수가 많을수록 증가한다.

**해설**

포트폴리오의 위험은 일반적으로 포트폴리오를 구성하는 투자종목수가 많을수록 증가하는 것이 아니라 감소한다.

정답 ④

## 46  2023년 군무원 7급 기출

주식이나 채권 등의 자본자산들의 기대수익률과 위험과의 관계를 도출해내는 모형으로서 자본자산가격결정모형(CAPM: Capital Asset Pricing Model)의 기본 가정과 가장 거리가 먼 것은?

① 투자자들의 투자기간은 단일기간의 투자를 가정한다.
② 투자자들은 위험회피 성향이 낮으며 기대효용을 최소화하려고 노력한다.
③ 투자자들은 평균-분산 기준에 따라 포트폴리오를 선택한다.
④ 투자자들은 자산의 기대수익률, 분산, 공분산에 대해 동일한 기대를 한다.

**해설**

투자자들은 위험회피 성향이 높으며 기대효용을 최대화하려고 노력한다.

정답 ②

## 47 ☐☐☐ 2023년 국가직 7급 기출

자본자산가격결정 모형(CAPM: capital asset pricing model)에 대한 설명으로 옳지 않은 것은?

① 무위험 자산의 베타는 0이다.
② 시장 포트폴리오의 베타는 1이다.
③ 개별 주식의 위험 중에서 시장 포트폴리오를 구성하여도 제거되지 않는 위험을 그 주식의 비체계적 위험이라고 한다.
④ CAPM에 따르면, 주식의 기대수익률은 무위험 수익률과 시장 위험프리미엄에 체계적 위험의 측정치를 곱한 위험프리미엄의 합으로 결정된다.

**해설**

개별 주식의 위험 중에서 시장 포트폴리오를 구성하여도 제거되지 않는 위험을 그 주식의 체계적 위험이라고 한다. 비체계적 위험은 분산투자를 통해서 제거가 가능한 위험을 의미한다. 따라서 분산가능위험이라고도 하며, 이는 기업의 특수한 상황과 관련하여 종업원의 파업, 법적 문제, 판매의 부진 등과 같은 요인으로 인해 발생하는 위험이기 때문에 기업 고유의 위험이라고도 한다. **정답 ③**

## 48 ☐☐☐ 2021년 서울시 7급 기출

자본자산가격결정모형(CAPM)을 도출하기 위한 가정으로 가장 옳지 않은 것은?

① 자본시장의 수요와 공급이 항상 일치하지는 않는다.
② 모든 투자자는 투자기간이 같고 미래 증권수익률의 확률분포에 대해 동질적으로 예측한다.
③ 자본시장에서 정보의 흐름이 원활하고 거래비용과 세금이 없다.
④ 투자자는 단일기간에 걸쳐 기대수익과 분산기준에 의해서 포트폴리오를 선택한다.

**해설**

자본자산가격결정모형(CAPM)은 모든 투자자가 포트폴리오이론에 따라 기대효용이 극대화되도록 투자할 때 자본시장이 균형인 상태에서 위험과 기대수익률 사이의 균형관계를 설명하는 이론이다. 즉 균형시장상태에서 자본자산의 가격(기대수익)과 위험과의 관계를 살펴보는 모형이다. 따라서 자본시장의 수요와 공급은 항상 일치한다. **정답 ①**

## 49 ☐☐☐ 2008년 국가직 7급 기출

증권시장선과 자본시장선에 대한 설명으로 옳은 것은?

① 증권시장선은 체계적 위험과 보상과의 관계를 나타내며, 보상은 체계적 위험이 커짐에 따라 작아진다.
② 자본시장선은 효율적인 포트폴리오뿐 아니라 비효율적인 포트폴리오의 위험과 기대수익률 간의 관계도 설명할 수 있다.
③ 효율적 포트폴리오는 증권시장선과 자본시장선 모두에 적용된다.
④ 증권시장선과 자본시장선은 위험을 총위험으로 정의한다.

**해설**

① 증권시장선은 체계적 위험과 보상(기대수익률)과의 관계를 나타내며, 보상(기대수익률)은 체계적 위험이 커짐에 따라 커진다.
② 자본시장선은 시장포트폴리오와 무위험자산으로 구성되는 효율적 포트폴리오에만 적용할 수 있는 모형이다.
④ 자본시장선은 완전분산투자된 효율적 포트폴리오의 총위험과 기대수익률의 선형관계를 나타내고, 증권시장선은 모든 자산의 체계적 위험과 기대수익률의 선형관계를 나타낸다. **정답 ③**

## 50 ☐☐☐ 2021년 국가직 7급 기출

자본자산가격결정모형(Capital Asset Pricing Model)에 따르면 무위험이자율이 3%이고, 시장의 위험프리미엄은 8%, 베타가 1.5인 주식의 기대수익률은?

① 15%
② 12%
③ 10.5%
④ 13.5%

**해설**

특정 주식의 균형기대수익률은 '무위험이자율 + (시장포트폴리오 기대수익률 − 무위험이자율) × 특정 주식의 베타'로 구한다. 그리고 '시장포트폴리오 기대수익률 − 무위험이자율'은 시장의 위험프리미엄이다. 따라서 주식의 기대수익률은 '3% + 8% × 1.5 = 15%'이다. **정답 ①**

## 51 ☐☐☐ 2021년 서울시 7급 기출

증권시장선(Security Market Line, SML)은 자본자산의 위험과 기대수익률의 관계를 무위험자산의 수익률($R_f$)과 체계적 위험의 단위 베타($\beta$)를 이용하여 설명한다. 자산 A의 기대수익률 $E(R_A)$이 18%, 무위험수익률($R_f$)이 6%, 그리고 베타($\beta$)가 1.2일 때 시장포트폴리오의 기대수익률 $E(R_m)$은?

① 5%
② 10%
③ 16%
④ 18%

**해설**

특정 주식의 기대수익률은 '무위험수익률 + (시장포트폴리오 기대수익률 − 무위험수익률) × 특정 주식의 베타'로 구한다. 따라서 문제에서 주어진 자료를 식에 대입하면 시장포트폴리오의 기대수익률은 16%로 계산된다. **정답 ③**

## 52 ☐☐☐ 2018년 서울시 7급 기출

(주)서울은 올해 말에 배당을 2,000원 지급할 예정이고, 배당은 매년 일정할 것으로 예상된다. 이 회사의 베타계수가 1.6, 시장포트폴리오(market portfolio)의 기대수익률이 14%이고, 무위험이자율이 4%일 경우에 자본자산가격결정모형(CAPM)과 배당평가모형(dividend discount model)을 이용하여 계산한 올해 초 (주)서울의 적정주가는?

① 10,000원
② 12,500원
③ 100,000원
④ 125,000원

**해설**

특정 주식의 균형기대수익률은 '무위험이자율 + (시장포트폴리오 기대수익률 − 무위험이자율) × 특정주식의 베타'로 구한다. 따라서 문제에서 주어진 값을 공식에 대입하면, 균형기대수익률은 20%이다. 따라서 (주)서울의 적정주가는 2,000원을 20%로 나눈 값인 10,000원이다. **정답 ①**

## 53 ☐☐☐ 2019년 국가직 7급 기출

주식 또는 포트폴리오의 기대수익률과 체계적 위험인 베타(β) 사이의 관계를 보여 주는 증권시장선 (security market line, SML)에 대한 설명으로 옳은 것은?

① 증권시장선의 기울기를 나타내는 베타(β)는 체계적 위험의 크기를 의미한다.
② 베타(β)는 체계적 위험을 나타내는 척도이므로 0 이상의 값을 가져야 한다.
③ 증권시장선의 기울기는 음(-)이 될 수 없다.
④ 시장포트폴리오의 베타(β)는 증권시장의 호황 또는 불황 여부에 따라 그 값이 달라진다.

**해설**

① 증권시장선의 기울기는 시장 위험프리미엄(= 시장포트폴리오 기대수익률 - 무위험이자율)이다.
② 베타(β)는 시장포트폴리오 수익률의 변동에 대한 각 개별증권의 민감도를 의미하며, 음의 값을 가질 수 있다. 음의 값을 가진다는 것은 베타가 상승할수록 수익률이 하락하는 경우를 의미하는데 대표적인 경우가 보험자산의 경우이다.
④ 시장포트폴리오의 베타(β)는 1이다.

**정답 ③**

## 54 ☐☐☐ 2018년 국가직 7급 기출

두 자산 A, B의 베타(β, 체계적 위험)는 각각 1.35와 0.9이다. 자산 A에 40%, 자산 B에 60%를 투자하여 구성한 포트폴리오의 베타는?

① 0.45
② 1.08
③ 1.17
④ 2.25

**해설**

(A의 베타 × A의 투자비율) + (B의 베타 × B의 투자비율) = (1.35 × 0.4) + (0.9 × 0.6) = 0.54 + 0.54 = 1.08이다.

**정답 ②**

## 55 ☐☐☐ 2021년 국가직 7급 기출

재무비율에 대한 설명으로 옳은 것은?

① 매출액 증가율은 생산성 비율에 해당한다.
② 이자보상비율이 낮을수록 재무적 안정성이 높다.
③ 주가수익비율(PER)은 주가를 주당순자산으로 나눈 비율이다.
④ 재고기간(재고자산 회전기간)은 재고자산회전율의 역수에 365를 곱하여 구할 수 있다.

**해설**

① 매출액 증가율은 성장성 비율에 해당한다.
② 이자보상비율은 영업이익을 이자비용으로 나누어 계산한다. 따라서 이자보상비율이 낮을수록 영업이익이 낮거나 이자비용이 높은 것이기 때문에 재무적 안정성이 낮다.
③ 주가수익비율(PER)은 주가를 주당순이익으로 나눈 비율이다.

**정답 ④**

## 56  2022년 군무원 9급 기출

**다음 중에서 안전성 비율로 옳지 않은 것은?**

① 부채비율
② 유동비율
③ 당좌비율
④ 자본이익률

**해설**
안전성 비율에는 유동비율, 부채비율, 이자보상비율, 당좌비율 등이 있다. 그리고 자본이익률은 수익성 비율에 해당한다.
정답 ④

## 57  2021년 서울시 7급 기출

**재무비율의 계산 및 분석에 대한 설명으로 가장 옳지 않은 것은?**

① 유동비율은 유동자산을 유동부채로 나눈 비율로, 단기부채지급능력을 평가하는 데 사용된다. 수익성과 상충관계에 있기 때문에 경영자의 판단하에 적절한 비율을 유지할 필요가 있다.
② 당좌비율은 재고자산을 제외한 유동자산을 유동부채로 나눈 비율이다. 유동성이 상대적으로 낮은 재고자산을 제외함으로써, 유동자산 중에서도 유동성이 매우 높은 자산만을 통해 유동성을 평가하는 비율이다.
③ 총자산회전율은 매출액을 총자산으로 나눈 비율로, 총자본회전율이라고도 한다. 이 비율은 기업이 보유한 총자산을 얼마나 효율적으로 이용했는가를 보여준다.
④ 총자본순이익률은 자기자본대비 당기순이익의 규모를 나타내는 지표로, 주주가 기업에 투자한 자본에 대해 벌어들이는 수익성을 측정하는 비율이다.

**해설**
자기자본대비 당기순이익의 규모를 나타내는 지표로, 주주가 기업에 투자한 자본에 대해 벌어들이는 수익성을 측정하는 비율은 자기자본순이익률이다. 총자본은 타인자본(부채)과 자기자본을 합한 것이다.
정답 ④

## 58  2012년 국가직 7급 기출

**(주)한국은 매출액순이익률이 5%이고, 총자산회전율이 1.2이며, 부채비율(부채 / 자기자본)이 100%이다. 이 자료만을 활용한 (주)한국의 ROE(자기자본순이익률)는?**

① 6%
② 8%
③ 10%
④ 12%

**해설**
부채비율이 100%이기 때문에 부채와 자기자본의 크기는 동일하다. 그리고 총자산회전율은 '매출액 ÷ 총자산'으로 계산하고, 매출액순이익률은 '순이익 ÷ 매출액'으로 계산한다. 따라서 매출액은 자기자본의 2.4배가 되고, 순이익은 자기자본의 0.12배가 된다. 따라서 순이익을 자기자본으로 나누어 계산하는 ROE(자기자본순이익률)는 12%가 된다.
정답 ④

## 59 ☐☐☐ 2022년 군무원 7급 기출

다음 중 기업의 장기 채무 지급능력인 레버리지비율에 대한 설명으로 가장 옳지 않은 것은?

① 부채비율은 타인자본 의존도를 나타나며, 타인자본을 총자산으로 나누어 계산한다.
② 자기 자본비율(capital adequacy ratio)이란 총자산 중에서 자기 자본이 차지하는 비율을 의미한다.
③ 비유동비율은 비유동자산의 자기자본에 대한 비율로서 자기자본이 자금의 회전율이 낮은 비유동자산에 얼마나 투자되어 있는가의 정도를 나타낸다.
④ 이자보상배율은 영업이익을 이자비용으로 나눈 값으로 기업이 경영을 통해 벌어들인 영업이익으로부터 이자를 얼마나 갚을 수 있는지 측정하는 지표이다.

**해설**
부채비율은 타인자본을 자기자본으로 나누어 계산한다.                                                    정답 ①


## 60 ☐☐☐ 2020년 서울시 7급 기출

재무비율이란 재무제표에 포함된 유용한 정보를 통하여 중요한 의사결정에 도움을 주도록 고안된 것이다. 재무비율에 대한 설명으로 가장 옳지 않은 것은?

① 부채비율(debt to equity ratio)은 총부채를 자기자본으로 나눈 비율로서 기업의 재무안정성을 측정하는 지표이다.
② 유동비율은 단기 채무를 상환할 수 있는 능력을 측정하는 재무비율로서 여기서 단기는 1분기, 즉 통상 3개월의 기간을 의미한다.
③ 자기자본순이익률은 자기자본의 성과를 나타내는 지표로서 주주들이 요구하는 투자수익률을 의미한다.
④ 총자산증가율은 일정기간 동안 총자산이 얼마나 증가하였는가를 나타내는 비율로서 총자산증가율이 높을수록 투자활동이 적극적으로 이루어져 기업규모가 증가하고 있음을 의미한다.

**해설**
유동비율은 단기 채무를 상환할 수 있는 능력을 측정하는 재무비율로서 여기서 단기는 1년의 기간을 의미한다.       정답 ②


## 61 ☐☐☐ 2020년 서울시 7급 기출

ROI(Return on Investment) 분석에 대한 설명으로 가장 옳지 않은 것은?

① ROI분석은 기업의 경영성과를 여러 부분의 재무요인으로 분해하여 경영성과의 변동요인을 분석하는 것이다.
② ROI는 경영관리의 효율성을 나타내는 지표이다.
③ ROI는 총자산순이익률(ROA)로 정의할 수도 있고, 자기자본순이익률(ROE)로 정의할 수도 있다.
④ ROI는 기업의 여러 사업부분의 성과에 대한 평가에는 활용되지 못한다.

**해설**
ROI는 기업의 여러 사업부분의 성과에 대한 평가에도 활용될 수 있다.                                        정답 ④

## 62 ☐☐☐ 2013년 국가직 7급 기출

**재무비율 중 레버리지 비율에 해당하지 않는 것은?**

① 유동비율  ② 부채비율
③ 이자보상비율  ④ 고정비율

**해설**

레버리지 비율은 기업이 어느 정도 타인자본에 의존하고 있는가를 측정하기 위한 비율이며 일명 부채성비율이라고도 하고, 일반적으로 기업의 장기 채무지급능력을 나타낸다. 따라서 '유동자산 ÷ 유동부채'를 의미하는 유동비율은 레버리지 비율에 해당하지 않는다.

**정답 ①**

## 63 ☐☐☐ 2022년 군무원 7급 기출

**다음 중 주가수익비율(PER)에 대한 설명으로 가장 옳지 않은 것은?**

① 주가수익비율(PER)은 주가를 주당순이익(EPS)으로 나눈 값을 의미한다.
② 기업의 이익 대비 주가가 몇 배인가를 의미하며, 상대 가치평가에 사용된다.
③ 당기순이익이 증가하면 PER는 작아지게 된다.
④ PER이 높을수록 투자원금을 더욱 빨리 회수할 수 있다는 것이고 투자수익율이 높다.

**해설**

PER이 높을수록 해당 주식은 고평가되어 있다는 의미가 되기 때문에 PER이 높은 주식에 투자하면 투자수익율이 낮다.

**정답 ④**

## 64 ☐☐☐ 2013년 국가직 7급 기출

기초 자산을 약정된 만기일에 약정된 행사가격을 받고 매도할 수 있는 권리는?

① 콜옵션(call option)
② 풋옵션(put option)
③ 선물(futures)
④ 선도거래(forward transaction)

### 해설

기초 자산을 약정된 만기일에 약정된 행사가격을 받고 매도할 수 있는 권리는 풋옵션(put option)이다. 반면 매수할 수 있는 권리는 콜옵션(call option)이다.

정답 ②

## 65 ☐☐☐ 2009년 국가직 7급 기출

한국상사(주)의 주식은 현재 5만 원이다. 이 주식은 1년 후 5만 원에 매입할 수 있는 콜옵션의 가격이 1만 원이고, 5만 원에 매도할 수 있는 풋옵션의 가격이 5천 원이다. 만기 시(1년 후) 한국상사(주)의 주가가 7만 원이라고 할 경우, 다음 중 옳은 것은? (단, 화폐의 시간가치는 무시한다.)

① 이 콜옵션의 매입자는 만기 시 1만 원 손실을 입는다.
② 이 콜옵션의 매도자는 만기 시 1만 원 손실을 입는다.
③ 이 풋옵션의 매입자는 만기 시 5천 원 이익을 얻는다.
④ 이 풋옵션의 매도자는 만기 시 5천 원 손실을 입는다.

### 해설

콜옵션의 매도자는 5만 원에 주식을 매도해야 하기 때문에 2만 원의 손실을 입는다. 그러나 콜옵션을 매도하여 1만 원의 이익을 얻었기 때문에 결론적으로 만기 시 1만 원 손실을 입는다.
① 콜옵션의 매입자는 5만 원으로 주식을 매입할 수 있기 때문에 2만 원의 이익을 얻는다. 그러나 콜옵션의 가격이 1만 원을 지불하였기 때문에 결론적으로 만기 시 1만 원 이익을 얻는다.
③ 풋옵션의 매입자는 만기 시 풋옵션을 행사할 필요가 없기 때문에 2만 원의 이익을 얻는다. 그러나 풋옵션의 가격인 5천 원을 지불하였기 때문에 결론적으로 만기 시 1만 5천 원 이익을 얻는다.
④ 풋옵션의 매도자는 만기 시 풋옵션을 행사되지 않을 것이기 때문에 풋옵션의 가격인 5천 원의 이익을 얻는다.

정답 ②

## 66 ☐☐☐ 2023년 서울시 7급 기출

**주식을 기초자산으로 하는 옵션(option)에 대한 설명으로 가장 옳지 않은 것은?**

① 콜옵션은 행사가격이 높을수록 가치가 감소한다.
② 콜옵션은 주식가격의 변동성이 증가할수록 가치가 증가한다.
③ 풋옵션은 주가가 하락할수록 가치가 증가한다.
④ 풋옵션은 주식가격의 변동성이 증가할수록 가치가 감소한다.

**해설**

옵션(option)은 미리 정해진 조건에 따라 일정한 기간 내에 상품이나 유가증권 등의 특정자산을 사거나 팔 수 있는 권리를 말하고, 파생상품에 해당하기 때문에 변동성이 증가할수록 가치는 증가하게 된다. 따라서 풋옵션은 주식가격의 변동성이 증가할수록 가치가 증가한다.

**정답 ④**

## 67 ☐☐☐ 2007년 국가직 7급 기출

**주식 풋옵션(put option)의 가치는 주가, 행사가격, 변동성, 이자율, 배당률, 잔존만기에 의해 결정된다고 한다. 각 요인이 주식 풋옵션의 가치에 미치는 영향에 대한 설명으로 옳지 않은 것은?**

① 주가가 낮을수록 주식 풋옵션의 가치는 높아진다.
② 행사가격이 낮을수록 주식 풋옵션의 가치는 높아진다.
③ 변동성이 높을수록 주식 풋옵션의 가치는 높아진다.
④ 잔존만기가 길수록 주식 풋옵션의 가치는 높아진다.

**해설**

행사가격이 높을수록 주식 풋옵션의 가치는 높아진다.

**정답 ②**

## 5지선다형

**01** □□□ 2018년 가맹거래사 기출

재무관리의 주요한 영역에 포함되지 않는 것은?

① 투자결정  ② 종업원 관리  ③ 위험관리
④ 운전자본관리  ⑤ 자본조달결정

**해설**

종업원 관리는 재무관리의 영역이 아니라 인적자원관리의 영역에 해당한다.  **정답** ②

**02** □□□ 2018년 가맹거래사 기출

현대 재무관리의 궁극적인 장기 목표는?

① 종업원 만족 극대화  ② 기업가치 극대화  ③ 고객만족 극대화
④ 조세납부 최소화  ⑤ 협력업체 만족 극대화

**해설**

현대 재무관리의 궁극적인 장기 목표는 기업가치 극대화이다.  **정답** ②

**03** □□□ 2013년 공인노무사 기출

현재 100,000원을 연 10% 확정된 복리이자로 은행에 예금할 경우 2년 후 미래가치는?

① 110,000원  ② 111,000원  ③ 120,000원
④ 121,000원  ⑤ 122,000원

**해설**

$100{,}000 \times (1 + 0.1)^2 = 121{,}000$  **정답** ④

## 04 ☐☐☐ 2018년 가맹거래사 기출

(주)가맹의 올해 말 주당순이익은 1,000원으로 예상되며, 주주들의 요구수익률은 20%이다. 성장이 없다고 가정하는 무성장모형(zero growth model)을 적용할 경우, (주)가맹의 현재주가는?

① 2,000원  ② 4,000원  ③ 5,000원
④ 7,000원  ⑤ 10,000원

### 해설

무성장모형은 주당 순이익 또는 배당금을 현금흐름으로 가정하고, 이러한 현금흐름을 현재가치로 환산하여 주가를 계산하는 모형이다. 따라서 성장이 없는 영구연금의 현재가치는 연금액을 요구수익률로 나누어 계산하기 때문에 (주)가맹의 현재주가는 1,000원을 20%로 나누어 계산한 5,000원이 된다.

정답 ③

## 05 ☐☐☐ 2024년 공인노무사 기출

금년 초에 5,000원의 배당($= d_0$)을 지급한 A기업의 배당은 매년 영원히 5%로 일정하게 성장할 것으로 예상된다. 요구수익률이 10%일 경우 이 주식의 현재가치는?

① 50,000원  ② 52,500원  ③ 100,000원
④ 105,000원  ⑤ 110,000원

### 해설

주식의 현재가치는 영구연금의 현재가치와 같고, 매년 일정한 비율로 성장하는 경우에 영구연금의 현재가치는 '연금액 / (요구수익률 − 성장률)'로 구한다. 여기서 연금액은 '5,000원 × (1 + 성장률)'로 구하기 때문에 5,250원이 된다. 따라서 이 주식의 현재가치는 5,250원을 5%(= 10% − 5%)로 나눈 105,000원이 된다.

정답 ④

## 06 ☐☐☐ 2022년 가맹거래사 기출

(주)가맹은 당해 연도 말(t = 1)에 주당 1,500원의 배당을 실시할 예정이며, 이러한 배당금은 매년 10%의 성장률로 계속 증가할 것으로 기대된다. 현재 (주)가맹의 주가가 10,000원이라고 할 경우, 이 주식의 자본비용(요구수익률)은?

① 10%  ② 15%  ③ 20%
④ 25%  ⑤ 30%

### 해설

매년 일정한 비율로 성장하는 연금의 현재가치는 '연금액 / (할인율 − 성장률)'로 계산한다. 여기서 할인율은 자본비용(요구수익률)이 된다. 따라서 '10,000원 = 1,500원 / (할인율 − 10%)'를 충족시키는 할인율을 계산하면 25%가 된다.

정답 ④

## 07 ☐☐☐ 2021년 공인노무사 기출

올해 말(t = 1)에 예상되는 A사 보통주의 주당 배당금은 1,000원이며, 이후 배당금은 매년 10%씩 영구히 증가할 것으로 기대된다. 현재(t = 0) A사 보통주의 주가(내재가치)가 10,000원이라고 할 경우 이 주식의 자본비용은?

① 10%  ② 15%  ③ 20%
④ 25%  ⑤ 30%

### 해설

매년 일정한 비율로 성장하는 경우에 영구연금의 현재가치는 '연금액 / (할인율 − 성장률)'로 구한다. 따라서 '10,000원 = 1,000원 / (할인율 − 10%)'가 되기 때문에 할인율은 20%가 되며, 이 할인율이 이 주식의 자본비용이 된다.

**정답 ③**

## 08 ☐☐☐ 2024년 가맹거래사 기출

(주)가맹은 작년에 1주당 1,000원의 배당금을 지급하였고, 향후 배당금은 매년 10%씩 증가할 것으로 기대된다. 현재 주가가 50,000원일 때, 배당성장모형을 이용하여 계산한 자기자본비용은?

① 12%  ② 12.2%  ③ 12.4%
④ 12.6%  ⑤ 12.8%

### 해설

배당성장모형을 이용한 주가는 배당금을 자기자본비용과 성장률의 차이로 나누어 계산한다. 그런데, 여기서 배당금은 미래의 최초 배당금을 의미하기 때문에 1,000원에 성장률을 반영한 1,100원이 된다. 따라서 50,000원은 1,100원을 자기자본비용과 10%의 차이로 나누어 계산된 금액이기 때문에 자기자본비용은 12.2%가 된다.

**정답 ②**

## 09 ☐☐☐ 2019년 가맹거래사 기출

(주)가맹은 지난 해 말에 주당 1,500원의 현금배당을 실시하였다. 그리고 이 회사 배당금의 성장률은 매년 5%이며, 이러한 성장률은 앞으로도 계속 유지될 것으로 기대된다. 이 회사 주식의 요구수익률이 15%라고 할 경우 주식의 현재가치는?

① 15,000원  ② 15,750원  ③ 16,000원
④ 16,250원  ⑤ 16,500원

### 해설

지난 해 말에 주당 1,500원의 현금배당을 실시하였고, 매년 5% 성장하기 때문에 올해 말 현금배당액은 주당 1,575원이다. 따라서 해당 주식의 현재가치 = 연금액 / (요구수익률 − 성장률) = 1,575원 / (15% − 5%) = 15,750원이다.

**정답 ②**

## 10 ☐☐☐ 2013년 가맹거래사 기출

A기업은 액면금액이 1,000,000원이고, 액면이자율이 연 5%인 영구채권을 발행하였다. 이자는 연 1회 지급되며, 할인율이 연 10%인 경우, 이 채권의 균형가격은?

① 300,000원  ② 500,000원  ③ 800,000원
④ 1,000,000원  ⑤ 1,200,000원

**해설**

해당 채권은 매년 50,000원(= 1,000,000원 × 5%)의 영구연금이 발생하는 채권이기 때문에 이 채권의 균형가격은 영구연금의 현재가치와 동일하다. 따라서 이 채권의 균형가격은 50,000원을 10%로 나눈 500,000원이다.

정답 ②

## 11 ☐☐☐ 2023년 공인노무사 기출

(주)한국은 다음과 같은 조건의 사채(액면금액 ₩1,000,000, 액면이자율 8%, 만기 5년, 이자는 매년 말 지급)를 발행하였다. 시장이자율이 10%일 경우, 사채의 발행금액은? (단, 사채발행비는 없으며, 현가계수는 주어진 자료를 이용한다.)

| 기간(년) | 단일금액 ₩1의 현가계수 | | 정상연금 ₩1의 현가계수 | |
| --- | --- | --- | --- | --- |
| | 8% | 10% | 8% | 10% |
| 5 | 0.68 | 0.62 | 3.99 | 3.79 |

① ₩896,800  ② ₩923,200  ③ ₩939,800
④ ₩983,200  ⑤ ₩999,200

**해설**

사채의 발행금액은 이자와 액면금액(원금)을 현재가치로 할인하여 구할 수 있다. 이자의 현재가치는 '1,000,000원 × 8%'인 80,000원을 5년 정상연금의 현가계수를 적용하여 '80,000원 × 3.79'로 계산한 303,200원이 된다. 그리고 액면금액(원금)의 현재가치는 1,000,000원을 5년 단일금액 현가계수를 적용하여 '1,000,000원 × 0.62'를 계산한 620,000원이다. 따라서 사채의 발행금액은 303,200원과 620,000원을 합친 923,200원이다.

정답 ②

## 12 ☐☐☐ 2018년 공인노무사 기출

A기업은 2019년 1월 1일에 150만 원을 투자하여 2019년 12월 31일과 2020년 12월 31일에 각각 100만 원을 회수하는 투자안을 고려하고 있다. A기업의 요구수익률이 연 10%일 때, 이 투자안의 순현재가치(NPV)는 약 얼마인가? (단, 연 10% 기간이자율에 대한 2기간 단일현가계수와 연금현가계수는 각각 0.8264, 1.7355이다.)

① 90,910원  ② 173,550원  ③ 182,640원
④ 235,500원  ⑤ 256,190원

**해설**

투자안의 현재가치는 현금유입액의 현재가치에서 현금유출액의 현재가치를 뺀 값이 되기 때문에 1,000,000원 × 1.7355 − 1,500,000원 = 235,500원이다.

정답 ④

## 13  □□□ 2015년 가맹거래사 기출

액면금액이 1,000,000원, 표면이자율 연 8%, 만기가 2년인 채권이 있다. 이자는 연말에 지급되고, 채권에 대한 요구수익률이 연 8%인 경우 이 채권의 균형가격은?

① 800,000원  ② 900,000원  ③ 1,000,000원
④ 1,200,000원  ⑤ 1,500,000원

**해설**

채권의 균형가격은 현금흐름의 현재가치로 계산할 수 있는데, 해당 채권의 경우 표면이자율과 요구수익률이 동일하기 때문에 액면발행되어야 한다. 따라서 해당 채권의 균형가격은 1,000,000원이 된다.

정답 ③

## 14  □□□ 2021년 가맹거래사 기출

채권의 가치평가에 관한 설명으로 옳지 않은 것은?

① 채권수익률이 하락하면 채권가격은 상승한다.
② 액면이자율이 낮은 채권은 높은 채권보다 이자율변화에 따라 더 작은 채권가격변동율을 보인다.
③ 채권의 이자율변동에 대한 위험은 만기가 길수록 더 크다.
④ 채권수익률이 액면이자율과 동일하면 채권의 가치는 액면가와 동일하다.
⑤ 채권의 가치는 만기가 가까워질수록 액면가에 접근한다.

**해설**

액면이자율이 낮은 채권은 높은 채권보다 이자율변화에 따라 더 큰 채권가격변동율을 보인다. 말킬(Malkiel)은 시장이자율과 만기 및 액면이자율이 채권가격에 미치는 영향을 다음과 같이 정리하였다.

1. 채권가격은 시장이자율과 역의 관계를 갖는다. 즉 시장이자율이 하락하면 채권가격은 상승하고, 시장이자율이 상승하면 채권가격은 하락한다.
2. 동일한 정도만큼의 시장이자율 상승에 따른 채권가격의 하락폭보다 시장이자율 하락에 따른 채권가격의 상승폭이 더 크다. 이를 채권가격의 볼록성이라고 한다.
3. 만기가 긴 채권일수록 동일한 이자율 변동에 따른 채권가격의 변동폭이 크다.
4. 만기가 긴 채권일수록 이자율 변동에 따른 채권가격의 변동폭이 크지만, 그 변동폭의 차이는 만기가 길어짐에 따라 점차 감소한다.
5. 액면이자율이 낮은 채권일수록 이자율 변동에 따른 채권가격의 변동률이 크다.

정답 ②

## 15 ☐☐☐ 2024년 공인노무사 기출

다음 채권의 듀레이션은? (단, 소수점 셋째 자리에서 반올림한다.)

- 액면가액 1,000원
- 만기 2년
- 액면이자율 연 10%, 매년 말 이자지급
- 만기수익률 연 12%

① 1.75년　　　② 1.83년　　　③ 1.87년
④ 1.91년　　　⑤ 2.00년

### 해설

듀레이션(duration)은 현금흐름의 현재가치기준 가중평균만기로써, 채권을 현재가격으로 매입했을 때 투자원금이 현재가치기준으로 회수되는 데 걸리는 가중평균회수기간을 의미한다. 그리고 해당 채권의 현금흐름은 1차년도에 100원의 현금유입이 발생하고 2차년도에 1,100원의 현금유입이 발생한다. 이를 현재가치로 할인하면 1차년도 현금유입액의 현재가치는 89.286원이 되고 2차년도 현금유입액의 현재가치는 876.913원이 된다. 이를 기준으로 가중평균만기를 구하면, '$\frac{89.286}{89.286+876.913} \times 1 + \frac{876.913}{89.286+876.913} \times 2$'를 계산한 1.907년이 된다.　　**정답 ④**

## 16 ☐☐☐ 2018년 공인노무사 기출

A기업은 액면가액 10,000원, 만기 2년, 액면이자율 연 3%인 채권을 발행하였다. 시장이자율이 연 2%라면, 이 채권의 이론가격은? (단, 가격은 소수점 첫째 자리에서 반올림한다.)

① 9,194원　　　② 9,594원　　　③ 10,194원
④ 10,594원　　　⑤ 10,994원

### 해설

해당 채권은 1년 말에 300원, 2년 말에 10,300원의 현금흐름이 발생하기 때문에 이 현금흐름을 이자율 연 2%로 할인한 10,194원(=$\frac{300}{1.02} + \frac{10,300}{1.02^2}$)이 채권의 이론가격이 된다.　　**정답 ③**

## 17 ☐☐☐ 2023년 경영지도사 기출

A사는 타인자본 500억 원, 자기자본 500억 원을 조달하였다. A사의 자본비용은 타인자본이 10%, 자기자본이 20%일 때, 가중평균자본비용(WACC)은? (단, 법인세는 고려하지 않음)

① 5%　　　② 10%　　　③ 15%
④ 20%　　　⑤ 25%

### 해설

10% × 0.5 + 20% × 0.5 = 15%　　**정답 ③**

**18** ☐☐☐ 2016년 경영지도사 기출

기업의 세후 타인자본비용 5%, 자기자본비용 10%, 타인자본의 시장가치 20억 원, 자기자본의 시장가치 80억 원인 경우 가중평균자본비용은?

① 5%
② 7%
③ 9%
④ 11%
⑤ 13%

**해설**

5% × 0.2 + 10% × 0.8 = 9% 　　　　　　　　　　　　　　　　　　　　　　　　　　　정답 ③

**19** ☐☐☐ 2019년 공인노무사 기출

(주)한국의 자기자본 시장가치와 타인자본 시장가치는 각각 5억 원이다. 자기자본비용은 16%이고, 세전 타인자본비용은 12%이다. 법인세율이 50%일 때 (주)한국의 가중평균자본비용(WACC)은?

① 6%
② 8%
③ 11%
④ 13%
⑤ 15%

**해설**

가중평균자본비용은 16% × 0.5 + 12%(1 − 50%) × 0.5 = 11%이다. 문제에서 세전타인자본비용을 주었기 때문에 법인세율을 반영하여 세후타인자본비용을 구하여 가중평균자본비용을 계산하여야 한다. 　　　　　　　　　　　　　　정답 ③

**20** ☐☐☐ 2023년 가맹거래사 기출

(주)가맹의 부채비율이 200%일 때 법인세 절세효과를 차감한 세후타인자본(부채)비용이 9%, 자기자본비용이 12%이다. (주)가맹의 가중평균자본비용(WACC)은?

① 9.5%
② 10%
③ 10.5%
④ 11%
⑤ 11.5%

**해설**

부채비율이 200%라면 타인자본(부채)와 자기자본의 비율이 2:1이라는 의미가 된다. 따라서 가중평균자본비용(WACC)는 '9% × $\frac{2}{3}$ + 12% × $\frac{1}{3}$'을 계산한 10%이다. 　　　　　　　　　　　　　　　　　　　　　　정답 ②

## 21  2021년 가맹거래사 기출

(주)가맹은 부채와 자기자본의 비율이 1:1이고 자기자본비용은 12%, 부채비용은 10%이다. 법인세율이 40%라고 할 때 가중평균자본비용(WACC)은?

① 9%　　② 8%　　③ 7%
④ 6%　　⑤ 5%

**해설**

가중평균비용은 '12% × 0.5 + 10%(1 − 40%) × 0.5'로 계산한 9%이다.　　정답 ①

## 22  2020년 가맹거래사 기출

(주)가맹은 20X1년도에 점포창업을 위하여 필요한 자금 1억 원을 다음과 같이 조달하였다. 가중평균자본비용(WACC)은?

| 자금조달원천 | 금액 | 세후 자본비용 |
| --- | --- | --- |
| 차입금 | 50,000,000원 | 4% |
| 보통주 | 30,000,000원 | 5% |
| 우선주 | 15,000,000원 | 6% |
| 사내유보금 | 5,000,000원 | 5% |
| 합계 | 100,000,000원 | |

① 2%　　② 3.5%　　③ 4.4%
④ 4.65%　　⑤ 5%

**해설**

가중평균자본비용은 타인자본비용과 자기자본비용을 각 원천별 자본이 총자본에서 차지하는 구성비율로 가중평균한 것이다. 따라서 가중평균자본비용은 자금조달원천별 세후 자본비용을 금액비율 기준으로 가중평균하여 계산한 4.65%이다.　　정답 ④

## 23 2024년 가맹거래사 기출

다음은 (주)가맹의 현황자료이다. (주)가맹이 3억 원을 차입하여 그만큼의 주식을 다시 사들이는 경우, 기업가치는? (단, 발생한 부채는 영구적이며, '법인세를 고려한 M&M 제1명제'를 이용하시오.)

- 향후 예상되는 EBIT: 영구적으로 매년 2억 원
- 자기자본비용: 14%
- 법인세율: 30%
- 현재 부채는 없으나 5% 이자율로 차입할 수 있음

① 9.1억 원  ② 10억 원  ③ 10.9억 원
④ 11.4억 원  ⑤ 13억 원

**해설**

'법인세를 고려한 M&M 제1명제'는 부채사용기업의 가치는 무부채기업의 가치보다 부채사용에 따라 발생하는 이자비용 감세효과의 현재가치만큼 더 크다는 것이다. 따라서 부채사용기업의 가치는 무부채기업의 가치와 이자비용 감세효과의 현재가치의 합이 된다. 여기서 무부채기업의 가치는 세후영업이익을 자기자본비용으로 나누어 구하게 되기 때문에 '2억 원(1 − 30%) ÷ 14%'을 계산한 10억 원이 된다. 그리고 이자비용 감세효과의 현재가치는 부채금액과 법인세율의 곱이 되기 때문에 '3억 원 × 30%'를 계산한 0.9억 원이 된다. 결국 부채사용기업의 가치는 10.9억 원이 된다.

**정답 ③**

## 24 2022년 가맹거래사 기출

자본예산의 현금흐름 추정에 관한 설명으로 옳지 않은 것은?

① 현금흐름은 증분기준(incremental basis)으로 측정한다.
② 매몰비용은 현금유출에 포함하지 않는다.
③ 기회비용은 현금유출에 포함한다.
④ 감가상각비와 같은 비현금성 지출은 현금유출에 포함하지 않는다.
⑤ 이자비용은 현금유출에 포함하지만 배당금은 현금유출에 포함하지 않는다.

**해설**

이자비용과 배당금은 실제 현금유출이 발생하는 항목이다. 그러나 자본예산에서는 이자비용과 배당금을 현금유출에 반영하지 않는다. 명백한 현금유출이지만 투자안의 현재가치를 평가할 때 분모에 할인율을 고려하여 평가하므로 현금흐름에 반영할 경우 이중으로 반영하는 결과가 되기 때문에 현금유출로 처리하면 안된다. 또한, 이자비용은 손익계산서상 비용으로 처리되어 법인세를 절감하는 효과가 있는데 이자비용의 법인세절감효과 또한 할인율에 반영되므로 현금유입으로 처리하지 않도록 한다.

**정답 ⑤**

## 25  ☐☐☐  2021년 가맹거래사 기출

자본예산 시 현금흐름을 추정할 때 포함해야 할 항목으로 옳은 것은?

① 이자비용   ② 감가상각비   ③ 배당금 지급
④ 매몰비용   ⑤ 기회비용

**해설**

기회비용은 어떤 것을 선택할 때 포기하여야 하는 비용을 의미한다. 투자안의 현금흐름은 투자안을 채택한 경우와 채택하지 않은 경우의 기업현금흐름 차이인 증분현금흐름으로 측정해야 한다. 따라서 기회비용은 자본예산 시 현금흐름을 추정할 때 포함해야 할 항목이 된다.
①, ③ 이자비용과 배당금은 실제 현금유출이 발생하는 항목이다. 그러나 자본예산에서는 이자비용과 배당금을 현금유출에 반영하지 않는다. 명백한 현금유출이지만 투자안의 현재가치를 평가할 때 분모에 할인율을 고려하여 평가하므로 현금흐름에 반영할 경우 이중으로 반영하는 결과가 되므로 현금유출로 처리하면 안된다. 또한, 이자비용은 손익계산서상 비용으로 처리되어 법인세를 절감하는 효과가 있는데 이자비용의 법인세 절감효과 또한 할인율에 반영되므로 현금유입으로 처리하지 않도록 한다.
② 감가상각비는 현금유출이 발생하지 않는 비용으로 현금유출로 처리하지 않는다. 자본예산에서는 취득시점에 전액 현금유출로 처리한다. 다만, 감가상각비는 손익계산서상 비용에 해당하여 법인세를 절감시키므로 법인세절감효과가 발생하는데, 이자비용과는 다르게 현금유입으로 반영한다.
④ 매몰비용은 다시 되돌릴 수 없는 비용이기 때문에 현금유출에 포함시키지 않는다.

정답 ⑤

## 26  ☐☐☐  2017년 가맹거래사 기출

자본예산(capital budgeting)을 수행하기 위한 현금흐름 추정에 관한 설명으로 옳은 것을 모두 고른 것은?

> ㄱ. 감가상각비는 현금유출에 포함한다.
> ㄴ. 감가상각비로 인한 법인세 절감효과는 현금유입에 포함한다.
> ㄷ. 주주에게 지급하는 배당금은 현금유출에 포함한다.
> ㄹ. 매몰비용(sunk cost)은 현금유출에 포함하지 않는다.

① ㄱ, ㄴ   ② ㄱ, ㄷ   ③ ㄴ, ㄷ
④ ㄴ, ㄹ   ⑤ ㄴ, ㄷ, ㄹ

**해설**

자본예산을 수행하기 위한 현금흐름 추정에서 감가상각비와 주주에게 지급하는 배당금은 현금유출에 포함하지 않는다.

정답 ④

## 27  ☐☐☐  2018년 공인노무사 기출

자본예산은 투자로 인한 수익이 1년 이상에 걸쳐 장기적으로 실현될 투자결정에 관한 일련의 과정을 말한다. 투자안의 평가방법에 해당하지 않는 것은?

① 유동성분석법   ② 수익성지수법   ③ 순현재가치법
④ 내부수익률법   ⑤ 회수기간법

**해설**

투자안의 경제성을 분석하는 방법에는 순현재가치법, 내부수익률법, 회계적 이익률법, 회수기간법, 수익성지수법 등이 있다.

정답 ①

## 28  2019년 공인노무사 기출

투자안의 경제성분석방법 중 화폐의 시간가치를 고려한 방법을 모두 고른 것은?

> ㄱ. 회수기간법　　　ㄴ. 수익성지수법　　　ㄷ. 회계적 이익률법
> ㄹ. 순현재가치법　　ㅁ. 내부수익률법

① ㄱ, ㄴ　　② ㄱ, ㄹ　　③ ㄴ, ㄷ
④ ㄴ, ㄹ, ㅁ　　⑤ ㄷ, ㄹ, ㅁ

**해설**

투자안의 경제성분석방법 중 화폐의 시간가치를 고려하는 방법은 순현재가치법, 내부수익률법, 수익성지수법이 있고, 화폐의 시간가치를 고려하지 않는 방법은 회계적 이익률법, 회수기간법이 있다. 따라서 투자안의 경제성분석방법 중 화폐의 시간가치를 고려한 방법은 ㄴ, ㄹ, ㅁ이 된다.

정답 ④

## 29  2017년 가맹거래사 기출

투자안의 경제성 평가에 이용되는 지표 중 현금유입의 현재가치에서 현금유출의 현재가치를 차감한 것은?

① 내부수익률　　② 순현재가치　　③ 회수기간
④ 수익성지수　　⑤ 평균회계이익률

**해설**

투자안의 경제성 평가에 이용되는 지표 중 현금유입의 현재가치에서 현금유출의 현재가치를 차감한 것은 순현재가치이다.

정답 ②

## 30  2015년 공인노무사 기출

투자안의 순현가를 0으로 만드는 수익률(할인율)은?

① 초과수익률　　② 실질수익률　　③ 경상수익률
④ 내부수익률　　⑤ 명목수익률

**해설**

투자안의 순현가를 0으로 만드는 수익률(할인율)은 내부수익률이다.

정답 ④

## 31  2024년 공인노무사 기출

**투자안의 경제성 분석방법에 관한 설명으로 옳은 것은?**

① 투자형 현금흐름의 투자안에서 내부수익률은 투자수익률을 의미한다.
② 화폐의 시간가치를 고려하는 분석방법은 순현재가치법이 유일하다.
③ 순현재가치법에서는 가치가산의 원칙이 성립하지 않는다.
④ 내부수익률법에서는 재투자수익률을 자본비용으로 가정한다.
⑤ 수익성지수법은 순현재가치법과 항상 동일한 투자선택의 의사결정을 한다.

**해설**

② 화폐의 시간가치를 고려하는 분석방법은 순현재가치법, 내부수익률법, 수익성지수법 등이 있다.
③ 순현재가치법에서는 가차가산의 원칙이 성립한다.
④ 내부수익률법에서는 재투자수이률을 내부수익률로 가정한다.
⑤ 수익성지수법은 현금유출이 없는 투자안에는 사용할 수 없기 때문에 순현재가치법과 항상 동일한 투자선택의 의사결정을 하는 것은 아니다.

**정답 ①**

## 32  2024년 경영지도사 기출

**투자안의 경제성 평가방법에 관한 설명으로 옳지 않은 것은?**

① 순현재가치(NPV: Net Present Value)법은 투자안으로부터 발생하는 순현금흐름의 현재가치가 1보다 큰 가의 여부에 따라 투자안을 평가한다.
② 회수기간(PBP: Pay Back Period)법은 투자원금을 회수하는 기간만을 고려하여 투자안을 평가하는 방법이다.
③ 내부수익률(IRR: Internal Rate of Return)법은 내부수익률이 투자안의 요구수익률보다 높은지의 여부에 따라 투자안을 평가하는 방법이다.
④ 수익성지수(PI: Profitability Index)법은 투자안의 현금흐름을 고려하여 투자안을 평가하는 방법이다.
⑤ 회계적 이익률(ARR: Account Rate of Return)법은 회계처리방법의 선택에 따라 투자안의 평가결과가 달라질 수 있다.

**해설**

순현재가치는 현금유입액의 현재가치에서 현금유출액의 현재가치를 차감한 값이다. 따라서 순현재가치법은 투자안으로부터 발생하는 순현금흐름의 현재가치가 0보다 큰 가의 여부에 따라 투자안을 평가한다.

**정답 ①**

## 33 ☐☐☐ 2022년 공인노무사 기출

**투자안의 경제성 평가 방법에 관한 설명으로 옳은 것은?**

① 회계적 이익률법의 회계적 이익률은 연평균 영업이익을 연평균 매출액으로 나누어 산출한다.
② 회수기간법은 회수기간 이후의 현금흐름을 고려한다.
③ 순현재가치법은 재투자수익률을 내부수익률로 가정한다.
④ 내부수익률법에서 개별투자안의 경우 내부수익률이 0보다 크면 경제성이 있다.
⑤ 수익성지수법에서 개별투자안의 경우 수익성지수가 1보다 크면 경제성이 있다.

### 해설

① 회계적 이익률법의 회계적 이익률은 연평균 순이익을 연평균 투자액으로 나누어 산출한다.
② 회수기간법은 회수기간 이전의 현금흐름을 고려한다.
③ 재투자수익률을 내부수익률로 가정하는 것은 내부수익률법이다.
④ 내부수익률법에서 개별투자안의 경우 내부수익률이 적정한 할인율(자본비용)보다 크면 경제성이 있다.

**정답 ⑤**

## 34 ☐☐☐ 2019년 가맹거래사 기출

**자본예산에 관한 설명으로 옳지 않은 것은?**

① 순현재가치는 현금유입의 현재가치에서 현금유출의 현재가치를 차감한 값이다.
② 상호배타적 투자안 평가 시 순현재가치법과 내부수익률법에 의한 평가 결과는 서로 다를 수 있다.
③ 내부수익률법을 이용한 상호배타적 투자안 평가 시 최적의 투자결정은 내부수익률이 가장 큰 투자안을 선택하는 것이다.
④ 수익성지수가 1보다 큰 투자안의 순현재가치는 0보다 크다.
⑤ 회수기간법은 사용하기에 간편하나 현금흐름에 대한 화폐의 시간적 가치를 반영하지 못한다.

### 해설

내부수익률법을 이용한 상호배타적 투자안 평가 시 최적의 투자결정은 투자안의 내부수익률이 자본비용보다 큰 투자안 중에서 내부수익률이 가장 큰 투자안을 선택하는 것이다.

**정답 ③**

### 35 ☐☐☐ 2014년 공인노무사 기출

**투자안의 경제성 평가방법에 관한 설명으로 옳은 것은?**

① 회계적 이익률법은 화폐의 시간적 가치를 고려한다.
② 회수기간법은 회수기간 이후의 현금흐름을 고려한다.
③ 내부수익률법은 평균이익률법이라고도 한다.
④ 순현재가치법에서는 가치의 가산원리가 적용된다.
⑤ 수익성지수법은 수익성지수가 0보다 커야 경제성이 있다.

#### 해설
① 회계적 이익률법은 화폐의 시간적 가치를 고려하지 않는다.
② 회수기간법은 회수기간 이후의 현금흐름을 고려하지 않는다.
③ 회계적 이익률법은 평균이익률법이라고도 한다.
⑤ 수익성지수법은 수익성지수가 1보다 커야 경제성이 있다.

정답 ④

---

### 36 ☐☐☐ 2019년 경영지도사 기출

**투자안의 경제성 평가방법에 관한 설명으로 옳은 것은?**

① 회수기간법은 시간적 가치를 고려한다.
② 순현가법은 투자를 하여 얻은 현금흐름의 현재가치와 초기 투자금액을 비교하여 투자의 적정성을 평가한다.
③ 내부수익률은 미래의 현금흐름의 순현가를 1로 만드는 할인율이다.
④ 회계적 이익률법에서 회계적 이익률은 연평균투자액을 연평균순이익으로 나눈 것이다.
⑤ 수익성지수법에서 수익성지수는 투자비를 현금유출액으로 나눈 것이다.

#### 해설
① 회수기간법은 시간적 가치를 고려하지 않는다.
③ 내부수익률은 미래의 현금흐름의 순현가를 0으로 만드는 할인율이다.
④ 회계적 이익률법에서 회계적 이익률은 연평균순이익을 연평균투자액으로 나눈 것이다.
⑤ 수익성지수법에서 수익성지수는 현금유입액의 현재가치를 현금유출액의 현재가치로 나눈 것이다.

정답 ②

## 37 ☐☐☐ 2018년 가맹거래사 기출

투자안의 경제성 평가에 사용하는 자본예산기법에 관한 설명으로 옳은 것은?

① 회수기간법은 화폐의 시간가치를 고려한 자본예산기법이다.
② 회수기간의 역수는 항상 내부수익률의 대용치로 사용해야 한다.
③ 순현재가치법은 'NPV(A + B) = NPV(A) + NPV(B)'와 같은 가치가산의 원리가 성립하지 않는다.
④ 수익성지수는 현금유출액의 현재가치를 현금유입액의 현재가치로 나누어 산출한다.
⑤ 내부수익률은 현금유입액의 현재가치와 현금유출액의 현재가치를 일치시켜 주는 할인율을 의미한다.

**해설**

① 회수기간법은 화폐의 시간가치를 고려하지 않는 자본예산기법이다.
② 회수기간의 역수는 항상 내부수익률의 대용치로 사용해야 하는 것은 아니다.
③ 순현재가치법은 'NPV(A + B) = NPV(A) + NPV(B)'와 같은 가치가산의 원리가 성립한다.
④ 수익성지수는 현금유입액의 현재가치를 현금유출액의 현재가치로 나누어 산출한다.

정답 ⑤

## 38 ☐☐☐ 2016년 경영지도사 기출

투자안의 경제성 평가방법에 관한 설명으로 옳은 것은?

① 회수기간법은 회수기간 이후의 현금흐름을 고려한다.
② 회계적 이익률법은 화폐의 시간적 가치를 고려한다.
③ 수익성지수법에 의하면 수익성지수는 투자비/현금유입액의 현재가치이다.
④ 순현재가치법에 의하면 순현재가치는 현금유입액의 현재가치에 투자비를 더한 것이다.
⑤ 내부수익률법에 의하면 개별 투자안의 경우 내부수익률이 자본비용보다 커야 경제성이 있다.

**해설**

① 회수기간법은 회수기간 이후의 현금흐름을 무시하고 있다.
② 회계적 이익률법은 화폐의 시간적 가치를 고려하지 않는다.
③ 수익성지수법에 의하면 수익성지수는 현금유입액/투자비의 현재가치이다.
④ 순현재가치법에 의하면 순현재가치는 현금유입액의 현재가치에서 투자비를 뺀 것이다.

정답 ⑤

## 39 ☐☐☐ 2023년 가맹거래사 기출

자본예산 기법 중 내부수익률(IRR)법에 관한 설명으로 옳지 않은 것은?

① 투자안의 연평균수익률을 의미한다.
② 순현가(NPV)가 0이 되는 할인율이다.
③ 내부수익률이 자본비용보다 크면 투자한다.
④ 자본비용으로 재투자된다고 가정한다.
⑤ 화폐의 시간적 가치를 고려한다.

**해설**

내부수익률(IRR)법은 내부수익률로 재투자된다고 가정한다. 자본비용(할인율)으로 재투자된다고 가정하는 것은 순현재가치법이다.

정답 ④

## 40 2016년 가맹거래사 기출

**내부수익률법에 관한 설명으로 옳은 것은?**

① 수익률은 순현재가치를 0으로 만드는 할인율이다.
② 수익률이 1보다 크면 투자안을 채택하고, 1보다 작으면 기각한다.
③ 투자안의 현재가치를 초기투자비용으로 나누어 구한다.
④ 상호배타적인 투자안을 쉽게 분별할 수 있게 한다.
⑤ 화폐의 시간적 가치를 고려하지 않는다.

### 해설

② 1보다 크면 투자안을 채택하고, 1보다 작으면 기각하는 투자안의 경제성 분석방법은 수익성지수법이다. 여기서 수익성지수는 현금유입액의 현재가치를 현금유출액의 현재가치로 나눈 값이다.
③ 투자안의 현재가치를 초기투자비용으로 나누어 구하는 것은 수익성지수이다. 일반적으로 투자안의 현금유출은 초기에 발생하기 때문에 초기투자비용은 현금유출을 의미한다고 볼 수 있다.
④ 내부수익률법은 상호배타적인 투자안을 분별하는 것이 쉽지 않다.
⑤ 내부수익률법은 화폐의 시간적 가치를 고려한다.

정답 ①

## 41 2022년 가맹거래사 기출

**투자안의 경제성 분석에 관한 설명으로 옳지 않은 것은?**

① 순현재가치법은 화폐의 시간적 가치를 반영한 평가방법이다.
② 순현재가치법은 가치가산의 원리가 성립한다.
③ 내부수익률은 투자안의 현금유입의 현재가치와 현금유출의 현재가치를 일치시키는 할인율이다.
④ 상호배타적 투자안 평가 시 내부수익률법과 순현재가치법의 평가결과는 항상 서로 일치한다.
⑤ 수익성지수가 1인 투자안의 순현재가치는 0이 된다.

### 해설

독립적 투자안이나 단일 투자안 평가 시에는 내부수익률법과 순현재가치법의 평가결과는 항상 서로 일치하지만, 상호배타적 투자안 평가 시 내부수익률법과 순현재가치법의 평가결과는 일치하지 않을 수 있다.

정답 ④

## 42 ☐☐☐ 2013년 공인노무사 기출

**투자안 분석기법으로서의 순현가(NPV)법에 관한 설명으로 옳은 것은?**

① 순현가는 투자의 결과 발생하는 현금유입의 현재가치에서 현금유입의 미래가치를 차감한 것이다.
② 순현가법에서는 수익과 비용에 의하여 계산한 회계적 이익을 사용한다.
③ 순현가법에서는 투자안의 내용연수 동안 발생한 미래의 현금흐름을 반영한다.
④ 순현가법에서는 현금흐름을 최대한 큰 할인율로 할인한다.
⑤ 순현가법에서는 투자의 결과 발생하는 현금유입이 투자안의 내부수익률로 재투자될 수 있다고 가정한다.

### 해설
① 순현가는 투자의 결과 발생하는 현금유입의 현재가치에서 현금유출의 현재가치를 차감한 것이다.
② 회계적 이익률법에서는 수익과 비용에 의하여 계산한 회계적 이익을 사용한다.
④ 순현가법에서는 현금흐름을 요구수익률로 할인한다.
⑤ 내부수익률법에서는 투자의 결과 발생하는 현금유입이 투자안의 내부수익률로 재투자될 수 있다고 가정한다.  **정답 ③**

## 43 ☐☐☐ 2020년 공인노무사 기출

**다음에서 설명하는 투자안의 경제적 평가방법은?**

- 투자안으로부터 예상되는 미래 기대현금 유입액의 현재가치와 기대현금 유출액의 현재가치를 일치시키는 할인율을 구한다.
- 산출된 할인율, 즉 투자수익률을 최소한의 요구수익률인 자본비용 또는 기회비용과 비교하여 투자안의 채택여부를 결정한다.

① 순현가법　　　　② 수익성지수법　　　　③ 회수기간법
④ 내부수익률법　　⑤ 평균회계이익률법

### 해설
① 순현가법은 화폐의 시간가치를 고려하여 현금의 순흐름(현금유입 – 현금유출)을 현재가치로 할인한 금액을 기준으로 투자안을 평가하는 방법이다.
② 수익성지수법은 투자로부터 발생하는 현금흐름의 현재가치를 투하자본으로 나눈 값인 수익성지수를 구하여, 수익성지수가 1보다 큰 투자안은 채택하고 1보다 작은 투자안은 기각한다.
③ 회수기간법은 투자에 소요되는 자금이 짧은 기간에 그 투자안의 현금흐름으로 회수할 수 있는 투자안을 선택하는 방법이다.
⑤ 평균회계이익률법은 단일 투자안의 회계이익률(= 연평균순이익을 연평균투자액으로 나눈 것)이 기업이 미리 선정한 목표이익률보다 높으면 채택하고 다수 투자안의 경우에는 회계이익률이 큰 것을 먼저 선택하게 된다.  **정답 ④**

## 44 ☐☐☐ 2022년 경영지도사 기출

**다음 투자안의 순현재가치(NPV)는?**

- A는 올해 초 신사업에 10억 원을 투자하였다. 이 투자는 1년 후 1억 원의 현금유입이 발생하고, 앞으로 현금유입이 영구히 5%씩 성장할 것으로 예상된다. (단, 요구수익률이 10%이다.)

① 0원   ② 1억 원   ③ 5억 원
④ 10억 원   ⑤ 20억 원

**해설**

순현재가치(NPV)는 현금유입액의 현재가치에서 현금유출액의 현재가치를 차감한 것이다. 주어진 사례에서 현금유입액의 현재가치는 영구연금의 현재가치로 계산할 수 있기 때문에 1억 원을 5%(= 요구수익률 - 성장률)로 나눈 20억 원이고, 현금유출액의 현재가치는 10억 원이다. 따라서 순현재가치는 20억 원에서 10억 원을 차감한 10억 원이다.

**정답 ④**

## 45 ☐☐☐ 2019년 경영지도사 기출

A기업이 현금 1,000만 원을 투자하여 1년 후 2,000만 원의 현금유입이 발생하였다. 투자안의 순현재가치(NPV)는 약 얼마인가? (단, 요구수익률은 10%이다.)

① 618만 원   ② 668만 원   ③ 718만 원
④ 768만 원   ⑤ 818만 원

**해설**

현금유출액의 현재가치는 1,000만 원이고 현금유입액의 현재가치는 약 1,818만 원(= 2,000 / 1.1)이다. 따라서 투자안의 순현재가치(NPV)는 약 818만 원(= 1,818만 원 - 1,000만 원)이다.

**정답 ⑤**

## 46  2021년 공인노무사 기출

K사는 A, B, C 세 투자안을 검토하고 있다. 모든 투자안의 내용연수는 1년으로 동일하며, 투자안의 자본비용은 10%이다. 투자액은 투자 실행 시 일시에 지출되며 모든 현금흐름은 기간별로 발생한다. 투자안의 투자액과 순현재가치(NPV)가 다음과 같을 경우 내부수익률(IRR)이 높은 순서대로 나열한 것은?

| 투자안 | A | B | C |
| --- | --- | --- | --- |
| 투자액 | 100억 원 | 200억 원 | 250억 원 |
| 순현재가치 | 20억 원 | 30억 원 | 40억 원 |

① A, B, C
② A, C, B
③ B, A, C
④ C, A, B
⑤ C, B, A

### 해설

내부수익률(IRR)은 순현재가치가 0이 되게 하는 수익률을 의미한다. 따라서 각 투자안별로 내부수익률을 구하면 다음과 같다.

| 투자안 | A | B | C |
| --- | --- | --- | --- |
| 투자액 | 100억 원 | 200억 원 | 250억 원 |
| 현금유입액의 현재가치 | 120억 원 | 230억 원 | 290억 원 |
| 현금유입액의 미래가치 | 132억 원 | 253억 원 | 319억 원 |
| 내부수익률 | 32% | 26.5% | 27.6% |

정답 ②

## 47  2020년 경영지도사 기출

손익분기점(break-even point)이란?

① 고정비와 변동비가 일치하는 점
② 부채와 자본이 일치하는 점
③ 부채와 자산이 일치하는 점
④ 총비용과 총수익이 일치하는 점
⑤ 총비용과 총이익이 일치하는 점

### 해설

손익분기점은 매출액과 비용이 일치하는 매출수준 또는 생산수준을 의미한다.

정답 ④

## 48 ☐☐☐ 2020년 가맹거래사 기출

**손익분기점(BEP) 분석에 관한 설명으로 옳지 않은 것은?**

① 총수익과 총비용이 일치하는 매출액 수준을 의미한다.
② 비용은 변동비와 고정비로 분류해야 한다.
③ 공헌이익으로 고정비를 모두 충당할 경우의 매출액 수준이다.
④ 공헌이익률은 '1-변동비율'을 의미한다.
⑤ 매출총이익이 '0'이 되는 판매량 수준을 말한다.

**해설**

손익분기점은 매출액과 비용이 일치하는 매출수준 또는 생산수준을 의미한다. 또한, 매출총이익은 매출액에서 매출원가를 차감한 것을 의미하는데, 손익분기점에서의 비용은 매출원가만을 의미하는 것이 아니다.

**정답 ⑤**

## 49 ☐☐☐ 2023년 가맹거래사 기출

**(주)가맹의 20X2년 회계자료는 다음과 같다. (주)가맹의 손익분기점 판매수량은? (단, 제시된 자료 외에는 고려 사항이 없다.)**

| • 매출액 800,000원 | • 단위당 판매가격 100원 |
| • 단위당 변동원가 60원 | • 단위당 고정원가 25원 |

① 5,000개  ② 6,000개  ③ 7,000개
④ 8,000개  ⑤ 9,000개

**해설**

손익분기점 판매수량은 총고정비를 단위당 공헌이익(=단위당 판매가격 - 단위당 변동원가)으로 나누어 계산한다. 그리고 문제에서 주어진 자료를 보면 총판매수량은 매출액을 단위당 판매가격으로 나누어 계산한 8,000개가 되기 때문에 총고정비는 단위당 고정원가(25원)와 8,000개를 곱한 200,000원이 된다. 따라서 손익분기점 판매수량은 200,000원을 40원으로 나누어 계산한 5,000개가 된다.

**정답 ①**

## 50 ☐☐☐ 2021년 가맹거래사 기출

**(주)가맹의 손익분기점 매출액은 360,000원이고 공헌이익률은 30%이다. (주)가맹이 90,000원의 영업이익을 달성하고자 할 때, 총매출액은?**

① 300,000원  ② 480,000원  ③ 560,000원
④ 660,000원  ⑤ 680,000원

**해설**

손익분기점 매출액은 고정비를 공헌이익률로 나누어 계산한다. 따라서 고정비는 108,000원이고, 90,000원의 영업이익을 달성하고자 할 때, 총매출액은 '(108,000원 + 90,000원) ÷ 30%'로 계산한 660,000원이다.

**정답 ④**

## 51  2018년 가맹거래사 기출

(주)가맹은 20X1년에 3가지 제품을 생산하여 판매하였는데, 각 제품의 판매단가, 단위당 변동비, 각 제품의 매출액이 총매출액에서 차지하는 비율은 아래와 같다. 이 회사의 20X1년 연간 총고정비용은 550,000원이며, 원가–조업도–이익분석의 일반적인 가정에 추가하여 각 제품의 매출액 구성 비율은 변하지 않는다고 가정한다. (주)가맹의 20X1년 손익분기점에서 3가지 제품 A, B, C의 매출액 합계는?

| 제품 | 판매단가(원) | 단위당 변동비(원) | 매출액 구성 비율(%) |
|---|---|---|---|
| A | 500 | 400 | 20 |
| B | 1,100 | 880 | 30 |
| C | 2,000 | 1,300 | 50 |

① 1,000,000원  ② 1,250,000원  ③ 1,500,000원
④ 1,750,000원  ⑤ 2,000,000원

### 해설

손익분기매출액은 총고정비를 공헌이익률로 나누어 계산한다. 따라서 각 제품별 손익분기매출액은 다음과 같다.

| 제품 | 공헌이익률 | 매출액 구성 비율 | 가중평균 공헌이익률 |
|---|---|---|---|
| A | 20% | 20% | |
| B | 20% | 30% | 27.5% |
| C | 35% | 50% | |

따라서 (주)가맹의 20X1년 손익분기점에서 3가지 제품 A, B, C의 매출액 합계는 총고정비를 가중평균 공헌이익률로 계산한 2,000,000원 (= 550,000 ÷ 0.275)이다.

**정답 ⑤**

## 52  2016년 가맹거래사 기출

다음 자료를 이용하여 계산한 손익분기점의 판매량과 매출액은?

| | |
|---|---|
| • 총고정비용 | 20,000,000원 |
| • 단위당 가격 | 50,000원 |
| • 단위당 변동비용 | 10,000원 |

| | 판매량 | 매출액 |
|---|---|---|
| ① | 400개 | 20,000,000원 |
| ② | 500개 | 25,000,000원 |
| ③ | 600개 | 30,000,000원 |
| ④ | 700개 | 35,000,000원 |
| ⑤ | 800개 | 40,000,000원 |

### 해설

손익분기점은 총고정비를 단위당 공헌이익(단위당 판매가격 – 단위당 변동비)으로 나누어 준 값이다. 따라서 손익분기점은 20,000,000원을 40,000원으로 나눈 값인 500개가 된다. 또한, 손익분기매출액은 총고정비를 단위당 공헌이익율(단위당 공헌이익 ÷ 단위당 판매가격)로 나누어 준 값이다. 따라서 손익분기매출액은 20,000,000원을 0.8로 나눈 값인 25,000,000원이다.

**정답 ②**

## 53  2017년 가맹거래사 기출

영업부분에서 손익 확대효과가 존재하지 않는 기업의 영업레버리지도는?

① 0   ② 1   ③ 2
④ 3   ⑤ 4

**해설**

영업부분에서 손익 확대효과가 존재하지 않는 기업의 영업레버리지도는 1이다. 영업레버리지도는 '영업이익의 변화율 ÷ 판매량의 변화율 = 공헌이익 ÷ 영업이익 = (매출액 − 변동비) ÷ (매출액 − 변동비 − 고정비)'이다.

정답 ②

## 54  2020년 가맹거래사 기출

(주)가맹의 영업레버리지도(DOL)가 3이고 매출액증가율이 5% 변동하는 경우, 영업이익 증가율은?

① 1%    ② 5%    ③ 10%
④ 15%   ⑤ 25%

**해설**

영업이익증가율은 영업레버리지도(DOL)와 매출액증가율을 곱하여 계산한다.

정답 ④

## 55  2015년 가맹거래사 기출

A사의 제품 단위당 판매가격 2,000원, 제품 단위당 변동영업비 1,000원, 고정영업비 8,000,000원일 경우 10,000개를 판매하면 A사의 영업레버리지도는?

① 1   ② 2   ③ 3
④ 4   ⑤ 5

**해설**

영업레버리지도는 '영업이익의 변화율 ÷ 판매량의 변화율 = 공헌이익 ÷ 영업이익 = (매출액 − 변동비) ÷ (매출액 − 변동비 − 고정비)'로 계산한다. 따라서 A사의 영업레버리지도는 10,000,000원을 2,000,000원으로 계산한 5가 된다.

정답 ⑤

## 56  2015년 가맹거래사 기출

고정영업비 5억 원, 5,000단위가 판매된 경우 영업이익이 5억 원이라면 단위당 판매가격과 단위당 변동영업비의 차이는?

① 100,000원   ② 200,000원   ③ 300,000원
④ 400,000원   ⑤ 500,000원

**해설**

(단위당 판매가격 − 단위당 영업비) × 판매단위 = 고정영업비 + 영업이익. 따라서 단위당 판매가격과 단위당 영업비의 차이는 고정영업비와 영업이익의 합을 판매단위로 나누어 계산한다. 따라서 단위당 판매가격과 단위당 영업비의 차이는 200,000원이다.

정답 ②

## 57 ☐☐☐ 2017년 경영지도사 기출

분산투자를 함으로써 제거할 수 있는 위험은?

① 배타 위험(beta risk)
② 시장 위험(market risk)
③ 체계적 위험(systematic risk)
④ 비체계적 위험(unsystematic risk)
⑤ 분산불가능 위험(non-diversifiable risk)

**해설**

분산투자를 함으로써 제거할 수 있는 위험은 비체계적 위험이다. 베타 위험, 시장 위험, 체계적 위험, 분산불가능 위험은 유사한 개념에 해당하는데, 베타는 주식의 변동성을 측정하는 하나의 수단으로 전체시장(종합주가지수)이 변함에 따라 개별주가가 변동하는 상대적 민감성을 의미한다. 따라서 베타계수는 체계적 위험(시장 위험)을 결정하는 요소가 된다. 체계적 위험은 증권시장 전반에 관한 위험이기 때문에 분산투자를 통해서도 감소시킬 수 없기 때문에 분산불능 위험이라고도 한다.

정답 ④

## 58 ☐☐☐ 2022년 가맹거래사 기출

상호배타적 포트폴리오인 A, B, C, D, E의 기대수익률과 수익률의 표준편차는 다음과 같다.

| 구분 | A | B | C | D | E |
|---|---|---|---|---|---|
| 기대수익률 | 9% | 15% | 19% | 12% | 19% |
| 수익률의 표준편차 | 3% | 5% | 8% | 5% | 10% |

평균-분산(mean-variance) 기준의 포트폴리오 이론이 성립하며 투자자는 위험회피형(risk averse)이라고 가정할 경우, 효율적(efficient) 포트폴리오에 해당하는 것을 모두 고른 것은?

① A, B
② A, D
③ C, E
④ A, B, C
⑤ B, C, E

**해설**

평균-분산 기준은 미래수익률에 대한 전체 확률분포와 관계없이 확률분포의 평균(기댓값)과 분산만을 이용하여 기대효용극대화기준에 의한 선택과 동일한 선택을 할 수 있도록 해주는 기준을 말한다. 따라서 위험회피형 투자자의 가정하에 위험수준이 같다면 기대수익률이 가장 높은 자산을 선택하고, 기대수익률이 같다면 위험이 가장 낮은 자산을 선택한다. 즉 기대수익률이 같은 C와 E 중에서는 표준편차가 더 작은 C를 선택하고, 표준편차가 같은 B와 D 중에서는 기대수익률이 더 높은 B를 선택한다. 그리고 A는 상호지배관계가 성립하지 않기 때문에 효율적 포트폴리오에 해당한다.

정답 ④

## 59 ☐☐☐ 2017년 가맹거래사 기출

자본시장에 다음과 같은 포트폴리오(A~E)가 존재한다.

| 구분 | A | B | C | D | E |
|---|---|---|---|---|---|
| 기대수익률 | 25% | 25% | 15% | 15% | 10% |
| 분산 | 0.2 | 0.1 | 0.2 | 0.1 | 0.1 |

위 포트폴리오 중 효율적(efficient) 포트폴리오에 해당하는 것은? (단, 평균-분산기준의 포트폴리오 이론이 성립한다고 가정함)

① A
② B
③ C
④ D
⑤ E

**해설**

효율적 포트폴리오는 개별증권 또는 2개 이상의 개별증권으로 구성된 포트폴리오 기대수익률과 표준편차에 관한 좌표상에서, 동일한 기대수익률을 갖는 서로 다른 투자안의 경우 수익률의 분산(위험)이 작은 투자안, 동일한 위험을 갖는 서로 다른 투자안의 경우 기대수익이 높은 투자안으로 구성된 포트폴리오를 말한다. 따라서 보기 중에서 기대수익률이 가장 크고 분산(위험)이 가장 작은 것은 B이다.

**정답 ②**

## 60 ☐☐☐ 2022년 경영지도사 기출

여러 자산에 분산투자하는 목적은?

① 자본비용 감소
② 자본조달 용이
③ 투자비용 감소
④ 투자위험 감소
⑤ 거래비용 감소

**해설**

분산투자는 여러 자산에 나누어 투자하는 것이고, 이러한 분산투자는 위험을 분산시키기 때문에 투자위험을 감소시키게 된다. 따라서 분산투자의 목적은 '투자위험 감소'가 된다.

**정답 ④**

## 61 ☐☐☐ 2021년 가맹거래사 기출

포트폴리오 이론에 관한 설명으로 옳지 않은 것은?

① 체계적 위험을 측정하는 방법으로 베타계수를 사용할 수 있다.
② '계란을 한 바구니에 담지 말라'는 포트폴리오 투자를 대표하는 격언이다.
③ 포트폴리오의 구성자산 수를 늘릴수록 제거할 수 있는 위험을 체계적 위험이라고 한다.
④ 구성자산들간의 상관계수가 낮을수록 분산투자효과가 높은 편이다.
⑤ KODEX200 ETF에 투자하는 것은 분산투자의 일종이다.

**해설**

포트폴리오의 구성자산 수를 늘릴수록 제거할 수 있는 위험을 비체계적 위험이라고 한다.

**정답 ③**

## 62 ☐☐☐ 2023년 가맹거래사 기출

분산투자 효과가 가장 크게 나타나는 두 자산 간 상관계수는?

① 1
② 0.5
③ 0
④ -0.5
⑤ -1

**해설**

상관계수가 +1이 아닌 주식으로 포트폴리오를 구성하면 기대수익률은 일정한 상태에서 위험만 줄일 수 있게 되는데, 분산투자 효과가 가장 크게 나타나는 두 자산 간 상관계수는 -1이다.

**정답** ⑤

## 63 ☐☐☐ 2021년 공인노무사 기출

주식 A와 주식 B의 기대수익률은 각각 10%, 20%이다. 총 투자자금 중 40%를 주식 A에, 60%를 주식 B에 투자하여 구성한 포트폴리오 P의 기대수익률은?

① 15%
② 16%
③ 17%
④ 18%
⑤ 19%

**해설**

포트폴리오 P의 기대수익률은 16%(= 10% × 40% + 20% × 60%)이다.

**정답** ②

## 64 ☐☐☐ 2019년 가맹거래사 기출

(주)가맹 주식은 현재 주당 10,000원에 거래되고 있다. 미래 경기 상황에 따른 (주)가맹 주식의 수익률 확률분포가 다음과 같을 때, 이 주식의 기대수익률은?

| 경기 상황 | (주)가맹 주식의 수익률 | 확률 |
| --- | --- | --- |
| 호황 | 20% | 40% |
| 불황 | 5% | 60% |

① 10%
② 11%
③ 12%
④ 13%
⑤ 14%

**해설**

주식의 기대수익률은 경기 상황에 따른 가중평균값으로 구할 수 있다. 따라서 20% × 0.4 + 5% × 0.6 = 8% + 3% = 11%이다.

**정답** ②

## 65  2022년 공인노무사 기출

A주식에 대한 분산은 0.06이고, B주식에 대한 분산은 0.08이다. A주식의 수익률과 B주식의 수익률 간의 상관계수가 0인 경우, 총 투자자금 중 A주식과 B주식에 절반씩 투자한 포트폴리오의 분산은?

① 0.025  ② 0.035  ③ 0.045
④ 0.055  ⑤ 0.065

**해설**

포트폴리오의 위험은 '$V(R_p) = w_A^2 \sigma_A^2 + w_B^2 \sigma_B^2 + 2w_A w_B \sigma_{AB}$'로 구한다. 그런데, 문제에서 A주식의 수익률과 B주식의 수익률 간의 상관계수가 0이기 때문에 공분산($\sigma_{AB}$)이 0이 된다. 따라서 포트폴리오의 위험은 '$0.5^2 \times 0.06 + 0.5^2 \times 0.08$'을 계산한 0.035이다.

정답 ②

## 66  2023년 가맹거래사 기출

다음 자료를 이용한 주식 A의 체계적 위험과 비체계적 위험의 크기는?

- 주식 A의 표준편차 20%
- 시장포트폴리오 표준편차 10%
- 주식 A의 베타계수 1.2
- 무위험 이자율 5%

| | 체계적 위험 | 비체계적 위험 |
|---|---|---|
| ① | 0.24 | 0.04 |
| ② | 0.12 | 0.08 |
| ③ | 0.048 | 0.152 |
| ④ | 0.0144 | 0.0256 |
| ⑤ | 0.0576 | 0.0176 |

**해설**

시장포트폴리오의 표준편차가 10%이고, 주식 A의 베타계수가 1.2이기 때문에 체계적 위험만 고려한 주식 A의 표준편차는 12%이다. 따라서 주식 A의 체계적 위험은 0.12를 제곱한 0.0144가 된다. 그리고 총위험을 고려한 주식 A의 표준편차가 20%이기 때문에 총위험은 0.2를 제곱한 0.04가 되고, 비체계적 위험은 0.04에서 0.0144를 차감한 0.0256이 된다.

정답 ④

## 67  2016년 가맹거래사 기출

다음 포트폴리오와 관련된 설명으로 옳은 것은?

|  | 매입시점 | | 매도시점 | | 표준편차 (%) |
| --- | --- | --- | --- | --- | --- |
|  | 주가 | 주식수 | 주가 | 주식수 |  |
| 주식 A | 10,000원 | 400주 | 15,000원 | 400주 | 10 |
| 주식 B | 20,000원 | 200주 | 20,000원 | 200주 | 13 |

① 매입시점에서 주식 A와 주식 B의 구성 비율은 주식 A = 33.3%, 주식 B = 66.6%이다.
② 매도시점에서 주식 A와 주식 B의 구성 비율은 주식 A = 60%, 주식 B = 40%이다.
③ 주식 A와 주식 B의 구성 비율을 계산할 때 주식 수만 고려한다.
④ 주식 A와 주식 B의 구성 비율을 계산할 때 주가만 고려한다.
⑤ 위험을 싫어하는 투자자들은 주식 A보다 주식 B를 선호한다.

### 해설

① 매입시점에서 주식 A와 주식 B의 구성 비율은 주식 A = 50%, 주식 B = 50%이다.
③ 주식 A와 주식 B의 구성 비율을 계산할 때 '주가 × 주식 수'를 고려한다.
④ 주식 A와 주식 B의 구성 비율을 계산할 때 '주가 × 주식 수'를 고려한다.
⑤ 위험은 표준편차로 측정하기 때문에 위험을 싫어하는 투자자들은 주식 B보다 주식 A를 선호한다.

**정답 ②**

## 68  2017년 공인노무사 기출

자본자산가격결정모형(CAPM)의 가정으로 옳지 않은 것은?

① 투자자는 위험회피형 투자자이며 기대효용 극대화를 추구한다.
② 무위험자산이 존재하며, 무위험이자율로 무제한 차입 또는 대출이 가능하다.
③ 세금과 거래비용이 존재하는 불완전 자본시장이다.
④ 투자자는 평균-분산 기준에 따라 포트폴리오를 선택한다.
⑤ 모든 투자자는 투자대상의 미래 수익률의 확률분포에 대하여 동질적 예측을 한다.

### 해설

자본자산가격결정모형(CAPM)은 합리적(위험회피형) 투자자, 투자자들의 동질적 기대, 완전자본시장, 무위험자산의 존재, 단일기간 등을 가정한다.

**정답 ③**

## 69 ☐☐☐ 2023년 가맹거래사 기출

**자본자산가격결정모형(CAPM)에서 베타계수($\beta$)에 관한 설명 중 옳지 않은 것은?**

① 시장포트폴리오 베타 값은 1이다.
② 증권시장선(SML)의 기울기를 의미한다.
③ 개별 주식의 체계적 위험을 계산할 때 사용한다.
④ 베타 값이 1보다 크면 공격적 자산, 1보다 작으면 방어적 자산이라 한다.
⑤ 개별 주식과 시장포트폴리오의 공분산을 시장포트폴리오의 분산으로 나눈 값이다.

**해설**

증권시장선(SML)의 기울기는 베타계수($\beta$)가 아니라 시장위험프리미엄(= 시장포트폴리오의 기대수익률 – 무위험이자율)이다. **정답 ②**

## 70 ☐☐☐ 2024년 공인노무사 기출

**자본시장선(CML)과 증권시장선(SML)에 관한 설명으로 옳지 않은 것은?**

① 증권시장선보다 아래에 위치하는 주식은 주가가 과대평가된 주식이다.
② 자본시장선은 개별위험자산의 기대수익률과 체계적 위험(베타) 간의 선형관계를 설명한다.
③ 자본시장선 상에는 비체계적 위험을 가진 포트폴리오는 놓이지 않는다.
④ 동일한 체계적 위험(베타)을 가지고 있는 자산이면 증권시장선 상에서 동일한 위치에 놓인다.
⑤ 균형상태에서 모든 위험자산의 체계적 위험(베타) 대비 초과수익률(기대수익률[$E(r_i)$] – 무위험수익률[$r_f$])이 동일한다.

**해설**

자본시장선은 시장포트폴리오와 무위험자산으로 구성되는 효율적 포트폴리오에만 적용할 수 있는 모형이고, 주식이 효율적인지 아닌지를 판단하는 척도가 되기 때문에 자본시장선 선상에 있는 주식은 효율적이고 그 아래는 비효율적이다. 개별위험자산의 기대수익률과 체계적 위험(베타) 간의 선형관계를 설명하는 것은 증권시장선이다. **정답 ②**

## 71 ☐☐☐ 2021년 공인노무사 기출

**증권시장선(SML)과 자본시장선(CML)에 관한 설명으로 옳지 않은 것은?**

① 증권시장선의 기울기는 표준편차로 측정된 위험 1단위에 대한 균형가격을 의미한다.
② 증권시장선 아래에 위치한 자산은 과대평가된 자산이다.
③ 자본시장선은 효율적 자산의 기대수익률과 표준편차의 선형관계를 나타낸다.
④ 자본시장선에 위치한 위험자산은 무위험자산과 시장포트폴리오의 결합으로 구성된 자산이다.
⑤ 자본시장선에 위치한 위험자산과 시장포트폴리오의 상관계수는 1이다.

**해설**

증권시장선의 기울기는 시장위험프리미엄(= 시장포트폴리오의 기대수익률 – 무위험이자율)이다. **정답 ①**

## 72 ☐☐☐ 2017년 공인노무사 기출

**자본시장선(CML)에 관한 설명으로 옳은 것을 모두 고른 것은?**

> ㄱ. 위험자산과 무위험자산을 둘 다 고려할 경우의 효율적 투자 기회선이다.
> ㄴ. 자본시장선 아래에 위치하는 주식은 주가가 과소평가된 주식이다.
> ㄷ. 개별주식의 기대수익률과 체계적 위험 간의 선형관계를 나타낸다.
> ㄹ. 효율적 포트폴리오의 균형가격을 산출하는 데 필요한 할인율을 제공한다.

① ㄱ, ㄴ    ② ㄴ, ㄷ    ③ ㄱ, ㄹ
④ ㄷ, ㄹ    ⑤ ㄴ, ㄷ, ㄹ

### 해설

ㄴ. 자본시장선은 주식이 효율적인지 아닌지를 판단하기 때문에 자본시장선 선상에 있는 주식은 효율적이고 그 아래는 비효율적이다. 증권시장선은 주식이 균형인지 불균형인지를 판단하기 때문에, 주식이 증권시장선 위에 있으면 과소평가된 주식이고 증권시장선 아래에 있으면 과대평가된 주식이다.
ㄷ. 자본시장선은 총위험과 수익률의 관계를 나타내고, 증권시장선은 체계적 위험과 수익률의 관계를 나타낸다.

정답 ③

## 73 ☐☐☐ 2020년 가맹거래사 기출

**증권시장선(SML)에 관한 설명으로 옳지 않은 것은?**

① 균형시장에서 자산의 체계적 위험(β)과 기대수익률은 선형관계를 갖는다.
② 어떠한 경우에도 과소 또는 과대평가된 증권은 존재할 수 없다.
③ 투자자들에게 중요한 위험은 분산투자에 의해 제거되지 않는 체계적 위험이다.
④ 개별 위험자산의 위험프리미엄은 시장위험프리미엄에 개별 위험자산의 베타(β)를 곱한 것이다.
⑤ 증권시장선 상의 개별증권 가격은 증권의 수요와 공급을 일치시키는 균형가격이다.

### 해설

증권시장선은 주식이 균형인지 불균형인지를 판단하는 척도이기 때문에 주식이 증권시장선 위에 있으면 과소평가된 주식이고 증권시장선 아래에 있으면 과대평가된 주식이다.

정답 ②

## 74 ☐☐☐ 2024년 경영지도사 기출

(주)경영의 주식에 관한 자료이다.

- 시장 포트폴리오의 기대수익률: 10%
- 무위험이자율: 5.2%
- (주)경영의 주식에 관한 베타: 1.5

위 자료와 증권시장선(SML: Security Market Line)을 이용할 때, (주)경영의 주식에 관한 기대수익률은?

① 7.8%  ② 10%  ③ 12.4%
④ 13%  ⑤ 15.2%

**해설**

증권시장선을 이용하여 특정 주식의 균형기대수익률은 '무위험이자율 + (시장포트폴리오 기대수익률 − 무위험이자율) × 특정 주식의 베타'로 구한다. 따라서 A 주식의 균형기대수익률은 '5.2% + (10% − 5.2%) × 1.5'를 계산한 12.4%이다. **정답 ③**


## 75 ☐☐☐ 2024년 가맹거래사 기출

다음의 정보가 주어졌을 때, (주)가맹 주식의 베타($\beta$)는? (단, 주식수익률은 CAPM에 의해 완전하게 예측될 수 있다고 가정한다.)

- (주)가맹 주식의 기대수익률: 21%
- 시장에 대한 기대수익률: 14%
- 무위험이자율: 7%

① 1.2  ② 1.4  ③ 1.6
④ 1.8  ⑤ 2

**해설**

증권시장선을 이용하여 특정 주식의 균형기대수익률은 '무위험이자율 + (시장포트폴리오 기대수익률 − 무위험이자율) × 특정 주식의 베타'로 구한다. 따라서 주어진 정보를 대입하면 (주)가맹 주식의 베타는 2가 된다. **정답 ⑤**

## 76 □□□ 2017년 공인노무사 기출

다음에서 증권시장선(SML)을 이용하여 A 주식의 균형기대수익률을 구한 값은?

- 무위험이자율: 5%
- 시장포트폴리오 기대수익률: 10%
- A 주식의 베타: 1.2

① 5%   ② 7%   ③ 9%
④ 11%  ⑤ 13%

**해설**

증권시장선은 개별자산 또는 포트폴리오의 시장위험에 대한 위험프리미엄의 균형점들을 연결해 놓은 선이다. 증권시장선을 이용하여 특정 주식의 균형기대수익률은 '무위험이자율 + (시장포트폴리오 기대수익률 − 무위험이자율) × 특정 주식의 베타'로 구한다. 따라서 A 주식의 균형기대수익률은 5% + (10% − 5%) × 1.2 = 11%이다.

**정답 ④**


## 77 □□□ 2019년 가맹거래사 기출

시장포트폴리오의 기대수익률이 5%, 무위험이자율이 3%, 주식 A의 기대수익률이 8%이다. 증권시장선(SML)이 성립할 때 주식 A의 베타는?

① 0.5   ② 1.0   ③ 1.5
④ 2.0   ⑤ 2.5

**해설**

주식 A의 기대수익률 = 무위험이자율 + (시장포트폴리오의 기대수익률 − 무위험이자율) × $\beta$ = 3% + 2% × $\beta$ = 8%이다. 따라서 $\beta$는 2.5이다.

**정답 ⑤**


## 78 □□□ 2015년 가맹거래사 기출

시장포트폴리오 수익률의 표준편차가 0.1이고, 주식A의 수익률과 시장포트폴리오 수익률 간의 공분산이 0.02일 경우 주식A의 베타($\beta$)는?

① 0.8   ② 1   ③ 2
④ 2.5   ⑤ 3

**해설**

주식A의 베타($\beta$)는 주식A의 수익률과 시장포트폴리오 수익률 간의 공분산을 시장포트폴리오 수익률의 분산으로 나누어 계산하고, 분산은 표준편차의 제곱이다. 따라서 주식A의 베타($\beta$)는 0.02를 0.01로 나누어 계산한 2이다.

**정답 ③**

## 79 ☐☐☐ 2022년 가맹거래사 기출

자본자산가격결정모형(CAPM)이 성립하며 시장이 균형인 상태에서 포트폴리오 A와 B의 기대수익률과 베타(체계적 위험)는 다음과 같다. 시장포트폴리오의 기대수익률은?

| 구분 | 기대수익률 | 베타 |
| --- | --- | --- |
| A | 10% | 0.5 |
| B | 20% | 1.5 |

① 15%  ② 16%  ③ 17%
④ 18%  ⑤ 19%

**해설**

A에 대한 증권시장선과 B에 대한 증권시장선을 연립방정식으로 풀어서 무위험 이자율과 시장포트폴리오의 기대수익률을 구해야 한다. 즉 A는 '10% = 무위험이자율 + (시장포트폴리오의 기대수익률 − 무위험이자율) × 0.5'가 되고, B는 '20% = 무위험이자율 + (시장포트폴리오의 기대수익률 − 무위험이자율) × 1.5'가 된다. 따라서 '이 두 식을 연립해서 풀면 무위험이자율은 5%가 계산되고, 시장포트폴리오의 기대수익률은 15%가 계산된다.

정답 ①

## 80 ☐☐☐ 2024년 공인노무사 기출

재무비율에 관한 설명으로 옳지 않은 것은?

① 자산이용의 효율성을 분석하는 것은 활동성비율이다.
② 이자보상비율은 채권자에게 지급해야 할 고정비용인 이자비용의 안전도를 나타낸다.
③ 유동비율은 유동자산을 유동부채로 나눈 것이다.
④ 자기자본순이익률(ROE)은 주주 및 채권자의 관점에서 본 수익성비율이다.
⑤ 재무비율분석 시 기업 간 회계방법의 차이가 있음을 고려해야 한다.

**해설**

자기자본순이익률(ROE)은 채권자가 아니라 주주의 관점에서 본 수익성비율이다.

정답 ④

## 81 ☐☐☐ 2022년 경영지도사 기출

자기자본과 부채와의 구성 비율로서 기업의 타인자본 의존도를 나타내는 것은?

① 유동성 비율  ② 레버리지 비율  ③ 활동성 비율
④ 수익성 비율  ⑤ 시장가치 비율

**해설**

자기자본과 부채와의 구성 비율로서 기업의 타인자본 의존도를 나타내는 것은 레버리지 비율이다.
① 유동성 비율은 유동자산을 유동부채로 나누어 계산한다.
③ 활동성 비율은 기업에 투자된 자본을 얼마나 효율적으로 사용하였는가를 측정하는 비율로 회전율이 대표적인 활동성 비율이다.
④ 수익성 비율은 투자한 자본을 이용하여 일정기간 동안 얼만큼의 성과를 내었는가를 측정하는 비율이다.
⑤ 시장가치 비율은 기업의 경영활동으로 얻은 성과를 기초로 하여 시장에서 평가된 주식의 가치를 나타내는 비율이다. 가장 대표적인 시장가치비율이 주가수익비율(PER)이다.

정답 ②

## 82 □□□ 2018년 경영지도사 기출

기업의 장기채무지급능력을 나타내는 레버리지비율(자본구조비율)에 해당되지 않는 것은?

① 당좌비율　　　　　② 부채비율　　　　　③ 자기자본비율
④ 비유동비율　　　　⑤ 이자보상비율

**해설**

레버리지비율은 기업이 어느 정도 타인자본에 의존하고 있는가를 측정하기 위한 비율이며 일명 부채성비율이라고도 한다. 일반적으로 레버리지는 기업의 부채의존도를 의미한다. 당좌비율은 유동성비율과 함께 단기 채권자의 재무위험을 측정하는 데 이용된다. 레버리지비율의 측정방법은 대차대조표를 이용하여 부채비율, 자기자본비율, 고정(비유동)비율 등을 통해 부채의존도를 측정하는 방법과 손익계산서를 이용하여 타인자본에 의존함으로써 발생하는 재무적 고정비가 영업이익에서 차지하는 비중을 계산하여 부채의존도를 측정하는 것으로 이자보상비율이 있다.　**정답 ①**

## 83 □□□ 2024년 공인노무사 기출

총자산순이익률(ROA)이 20%, 매출액순이익률이 8%일 때 총자산회전율은?

① 2　　　　　② 2.5　　　　　③ 3
④ 3.5　　　　⑤ 4

**해설**

총자산회전율은 매출액을 총자산으로 나누어서 계산한다. 그리고 총자산순이익률은 순이익을 총자산으로 나누어서 계산하고, 매출액순이익률은 순이익을 매출액으로 나누어서 계산한다. 따라서 총자산회전율은 총자산순이익률과 매출액순이익률의 역수를 곱해서 계산하고, 이를 계산하면 2.5가 된다.　**정답 ②**

## 84 □□□ 2017년 경영지도사 기출

기업의 단기채무 지급능력을 측정하기 위해 가장 많이 이용하는 재무비율은?

① 부채비율　　　　　　② 유동비율　　　　　③ 매출액순이익률
④ 자기자본순이익률　　⑤ 총자산회전율

**해설**

유동비율은 유동자산을 유동부채로 나눈 비율을 의미하고 기업의 지불능력을 판단하기 위해서 사용하는 분석지표이다. 유동부채에 대해 몇 배의 유동자산을 가지고 있는지를 나타내고 유동비율이 높을수록 지불능력이 커진다.　**정답 ②**

## 85  □□□  2020년 공인노무사 기출

(주)한국의 총자산이 40억 원, 비유동자산이 25억 원, 유동부채가 10억 원인 경우 유동비율은?

① 50%  ② 70%  ③ 100%
④ 150%  ⑤ 200%

**해설**

유동비율은 유동자산을 유동부채로 나눈 값이다. 문제에서 총자산이 40억 원이고 비유동자산이 25억 원이기 때문에 유동자산은 15억 원이 된다. 따라서 유동비율은 15억 원을 10억 원으로 나눈 150%가 된다.  **정답 ④**

## 86  □□□  2014년 공인노무사 기출

유동비율 120%, 유동부채 100억 원, 재고자산 40억 원이면 당좌비율은?

① 70%  ② 80%  ③ 90%
④ 100%  ⑤ 110%

**해설**

유동비율 = (유동자산 / 유동부채) × 100%, 당좌비율 = (당좌자산 / 유동부채) × 100% = [(유동자산 − 재고자산) / 유동부채] × 100%  **정답 ②**

## 87  □□□  2015년 가맹거래사 기출

유동자산 1,200,000원, 유동부채 1,000,000원, 당좌비율이 80%인 경우 재고자산은? (단, 유동자산은 당좌자산과 재고자산으로만 구성된다고 가정한다.)

① 200,000원  ② 300,000원  ③ 400,000원
④ 500,000원  ⑤ 800,000원

**해설**

당좌비율은 당좌자산을 유동부채로 나누어 계산하고, 당좌자산은 유동자산에서 재고자산을 차감한 것이다. 따라서 '(1,200,000원 − 재고자산) ÷ 1,000,000원'을 계산한 값이 80%이기 때문에 재고자산은 400,000원이 된다.  **정답 ③**

## 88 ☐☐☐ 2019년 공인노무사 기출

(주)한국의 유동자산은 1,200,000원이고, 유동비율과 당좌비율은 각각 200%와 150%이다. (주)한국의 재고자산은?

① 300,000원
② 600,000원
③ 900,000원
④ 1,800,000원
⑤ 2,400,000원

**해설**

유동비율은 $\frac{유동자산}{유동부채} \times 100\%$ 이고, 당좌비율은 $\frac{당좌자산}{유동부채} \times 100\%$ 이며, 당좌자산은 (유동자산 − 재고자산)이다. 따라서 문제에서 유동비율이 200%이기 때문에 유동부채는 600,000원이 되고, 당좌비율이 150%이기 때문에 당좌자산이 900,000원이 된다. 결국, 재고자산은 유동자산에서 당좌자산을 빼 준 것이기 때문에 300,000원이 된다.

**정답 ①**

## 89 ☐☐☐ 2021년 경영지도사 기출

유동자산 1억 원, 유동부채 1억 원, 총부채 6억 원, 자기자본 2억 원, 총자본 8억 원인 (주)우리기업의 부채비율은?

① 50%
② 100%
③ 200%
④ 300%
⑤ 400%

**해설**

부채비율은 부채를 자기자본으로 나누어 계산한다. 따라서 부채비율은 6억 원을 2억 원으로 나누어 계산한 300%가 된다.

**정답 ④**

## 90 ☐☐☐ 2017년 공인노무사 기출

유동비율 = $\frac{(\ A\ )}{유동부채} \times 100$, 자기자본순이익률(ROE) = (1 + 부채비율) × ( B )일 때, 각각 옳게 짝지어진 것은?

① A: 유동자산   B: 총자본순이익률
② A: 유동자산   B: 매출액순이익률
③ A: 유동자산   B: 총자본회전율
④ A: 유형자산   B: 총자본회전율
⑤ A: 유형자산   B: 매출액영업이익률

**해설**

유동비율은 유동자산을 유동부채로 나눈 비율이다. 따라서 A는 유동자산이다. 자기자본순이익률은 투입한 자기자본이 얼마만큼의 이익을 달성했는지를 나타내는 지표로 '$\frac{당기순이익}{자기자본} \times 100$'으로 계산한다. 부채비율은 '$\frac{부채총액}{자기자본} \times 100$'으로 계산한다. 따라서 '1+부채비율'은 '$\frac{총자본(=총자산)}{자기자본} \times 100$'이기 때문에 B는 총자본순이익률(= $\frac{당기순이익}{총자본(=총자산)} \times 100$)이 된다.

**정답 ①**

**91** ☐☐☐ 2015년 공인노무사 기출

매출액순이익률이 2%이고 총자본회전율이 5인 기업의 총자본순이익률은?

① 1%　　　　　　② 2.5%　　　　　　③ 5%
④ 7%　　　　　　⑤ 10%

**해설**

총자본순이익률(ROI) = (순이익 / 매출액) × (매출액 / 총자본) × 100% = (순이익 / 총자본) × 100% = 매출액순이익률 × 총자본회전율　**정답 ⑤**

---

**92** ☐☐☐ 2022년 가맹거래사 기출

재고회전율에 관한 설명으로 옳지 않은 것은?

① 재고회전율을 높이면 재고가 늘어나 현금성 자산의 소요가 증가한다.
② 재고회전율을 이용한 재고수준 평가방법 중 하나는 업계 선두기업과 비교하는 것이다.
③ 재고회전율은 연간 매출원가에 연간 평균총재고액을 나눈 값이다.
④ 매출원가 계산 기준은 제품의 판매가격이 아닌 제조원가이다.
⑤ 총자산 중 재고비율은 일반적으로 도·소매업이 제조업보다 높다.

**해설**

재고회전율은 매출액(또는 매출원가)을 평균재고로 나누어 계산한다. 따라서 재고회전율을 높이면 평균재고가 줄어 현금성 자산의 소요가 감소한다.　**정답 ①**

---

**93** ☐☐☐ 2016년 가맹거래사 기출

제조원가가 109,500원, 기초재고가 18,000원, 기말재고가 15,000원인 경우, 재고자산회전율은? (단, 소숫점 둘째자리에서 반올림한다.)

① 6.2회　　　　　　② 6.4회　　　　　　③ 6.6회
④ 6.8회　　　　　　⑤ 7.0회

**해설**

재고자산회전율은 연간 매출액(또는 매출원가)을 평균재고자산으로 나눈 것으로써 재고자산의 회전속도 즉 재고자산이 당좌자산으로 변화하는 속도를 의미한다. 또한, 주어진 자료를 통해 매출원가는 '기초재고 + 제조원가 − 기말재고'가 되기 때문에 112,500원이 되고, 평균재고자산은 '(기초재고 + 기말재고) ÷ 2'이기 때문에 16,500원이 된다. 따라서 재고자산회전율은 112,500원을 16,500원으로 나눈 값인 6.82회가 된다.　**정답 ④**

## 94 ☐☐☐ 2024년 가맹거래사 기출

(주)가맹의 20X2년도 및 20X3년도 회계자료가 다음과 같을 때, 이를 이용하여 계산한 20X3년의 당좌비율과 재고자산회전율은?

(단위: 천 원)

|  | 20X2. 12. 31. | 20X3. 12. 31. |
|---|---|---|
| • 현금 및 현금성자산 | 60,000 | 30,000 |
| • 매출채권 | 250,000 | 170,000 |
| • 재고자산 | 120,000 | 40,000 |
| • 장기금융자산 | 20,000 | 20,000 |
| • 토지 및 건물 | 530,000 | 450,000 |
| • 장기차입금 | 400,000 | 320,000 |
| • 매입채무 | 120,000 | 80,000 |
| • 매출원가 | 1,200,000 | 1,000,000 |

① 당좌비율 = 200%   재고자산회전율 = 25회
② 당좌비율 = 250%   재고자산회전율 = 12.5회
③ 당좌비율 = 250%   재고자산회전율 = 25회
④ 당좌비율 = 300%   재고자산회전율 = 12.5회
⑤ 당좌비율 = 300%   재고자산회전율 = 25회

### 해설

당좌비율은 당좌자산을 유동부채로 나눈 비율이다. 여기서 당좌자산은 재고자산을 제외한 유동자산을 의미한다. 그리고 재고자산회전율은 매출액 또는 매출원가를 평균재고자산으로 나눈 비율이다. 따라서 주어진 자료에서 20X3년의 당좌자산은 현금 및 현금성자산과 매출채권을 더한 200,000원이고 유동부채(매입채무)는 80,000원이기 때문에 당좌비율은 250%가 된다. 또한, 주어진 자료에서 20X3년의 매출원가는 1,000,000원이고 평균재고자산은 80,000원이기 때문에 재고자산회전율은 12.5회가 된다. 여기서 평균재고자산은 '(기초재고자산 + 기말재고자산) / 2'로 구한다.

정답 ②

## 95 ☐☐☐ 2024년 가맹거래사 기출

(주)가맹의 매출액순이익률이 20%, 총자산회전율이 60%, 그리고 부채비율이 25%라면, 자기자본순이익률(ROE)은?

① 3%   ② 5%   ③ 9%
④ 12%   ⑤ 15%

### 해설

매출액순이익률은 순이익을 매출액으로 나누어 계산하고, 총자산회전율은 매출액(또는 매출원가)을 평균총자산으로 나누어 계산한다. 그리고 부채비율은 부채를 자기자본으로 나누어 계산하고, 자기자본순이익률(ROE)는 순이익을 자기자본으로 나누어 계산한다. 따라서 매출액을 60으로 가정하면 순이익은 12가 되고, 총자산은 100이 된다. 그리고 부채비율이 25%이기 때문에 부채와 자기자본의 비율은 1 : 4가 되어 총자산 중 부채는 20이 되고 자기자본은 80이 된다. 따라서 자기자본순이익률은 15%가 된다.

정답 ⑤

## 96 ☐☐☐ 2018년 경영지도사 기출

(주)경지사의 보통주 주가는 100원, 순이익 10,000원, 평균발행주식(보통주) 500주, 우선주배당금은 없을 경우의 주가수익비율(PER)은(단, 주어진 조건 외에 다른 조건은 가정하지 않음)?

① 1(배)   ② 2(배)   ③ 3(배)
④ 4(배)   ⑤ 5(배)

**해설**

주가수익비율(PER)은 현재 시장에서 거래되는 특정 회사의 주식가격을 주당순이익으로 나눈 값을 말한다. 따라서 주가(100원)를 주당순이익(10,000원 / 500주 = 20원)으로 나눈 값은 5이다.

정답 ⑤

## 97 ☐☐☐ 2020년 가맹거래사 기출

(주)가맹의 기말 현재 당기순이익이 100억 원, 발행주식수 200만주, 주가수익비율(PER)이 10인 경우 주가는? (단, 발행주식수는 가중평균유통보통주식수를 말하며, 우선주 및 우선주배당금은 없는 것으로 한다.)

① 30,000원   ② 35,000원   ③ 40,000원
④ 45,000원   ⑤ 50,000원

**해설**

주가수익비율(PER)은 주가를 주당순이익으로 나눈 값이고, 주당순이익은 당기순이익을 발행주식수로 나눈 값이다. 따라서 주당순이익은 100억 원을 200만주로 나눈 5,000원이 되고, 주가는 주가수익률(PER)과 주당순이익을 곱한 50,000원이 된다.

정답 ⑤

## 98 ☐☐☐ 2022년 가맹거래사 기출

특정자산을 만기일 또는 그 이전에 미리 정해진 가격으로 사거나 팔 수 있는 권리가 부여된 증권은?

① 주식(stock)   ② 채권(bond)   ③ 옵션(option)
④ 스왑(swap)   ⑤ 선물(futures)

**해설**

옵션(option)은 미리 정해진 조건에 따라 일정 기간 내에 상품이나 유가증권 등의 특정자산을 사거나 팔 수 있는 권리이다. 따라서 특정자산을 만기일 또는 그 이전에 미리 정해진 가격으로 사거나 팔 수 있는 권리가 부여된 증권은 옵션(option)이다.
① 주식(stock)은 주주의 출자에 대하여 교부하는 유가증권이다.
② 채권(bond)은 자금조달을 위해서 발행하는 차용증서이다.
④ 스왑(swap)은 계약조건 등에 따라 일정시점에 자금교환을 통해서 이루어지는 금융기법이다.
⑤ 선물(futures)은 상품이나 금융자산을 미리 결정된 가격으로 미래 일정시점에 인수도할 것을 약속하는 거래이다.

정답 ③

## 99 ☐☐☐ 2017년 가맹거래사 기출

(주)가맹의 주식을 기초자산으로 하며, 만기가 1개월이고 행사가격이 10,000원인 유럽형 콜옵션이 있다. 이 옵션의 만기일에 (주)가맹의 주가가 12,000원인 경우 만기일의 옵션 가치는?

① -2,000원  ② 0원  ③ 2,000원
④ 10,000원  ⑤ 12,000원

**해설**

옵션은 특정자산을 살 수 있는 권리가 부여된 콜옵션(call option)과 특정자산을 팔 수 있는 권리가 부여된 풋옵션(put option)으로 분류된다. 주가가 12,000원이고 행사가격이 10,000원이라면 콜옵션을 행사하는 것이 유리하기 때문에 2,000원만큼이 만기일의 옵션 가치가 발생한다.

정답 ③

## 100 ☐☐☐ 2015년 가맹거래사 기출

옵션에 관한 설명으로 옳은 것은?

① 풋옵션은 기초자산을 살 수 있는 권리가 부여된 옵션이다.
② 유럽형 옵션은 만기 시점 이전이라도 유리할 경우 행사가 가능한 옵션이다.
③ 콜옵션은 기초자산의 가격이 낮을수록 유리하다.
④ 풋옵션의 경우 행사가격이 낮을수록 유리하다.
⑤ 콜옵션의 경우 기초자산의 현재가격이 행사가격보다 작을 경우 내재가치는 0이다.

**해설**

① 옵션은 특정자산을 살 수 있는 권리가 부여된 콜옵션(call option)과 특정자산을 팔 수 있는 권리가 부여된 풋옵션(put option)으로 분류된다.
② 유럽형 옵션은 권리행사가능일을 만료일 당일 하루만으로 한정하는 옵션으로 계약된 만기일이 되어야만 행사할 수 있는 옵션이다. 이에 반해 미국형 옵션은 만기일 이전에 언제든지 권리를 행사할 수 있는 옵션이다.
③ 콜옵션은 행사가격이 낮을수록 유리하다.
④ 풋옵션의 경우 행사가격이 높을수록 유리하다.

정답 ⑤

## 101 2013년 가맹거래사 기출

**파생상품 중 옵션에 관한 설명으로 옳지 않은 것은?**

① 주식을 기초자산으로 하는 유럽형 콜옵션의 경우 만기 시점에서 주식의 가격이 행사가격보다 낮으면 행사한다.
② 현재의 주식가격이 높을수록 주식을 기초자산으로 하는 유럽형 콜옵션 가격은 높아진다.
③ 유럽형 옵션은 만기일에 옵션 행사가 가능하다.
④ 옵션 프리미엄은 옵션의 가격을 말한다.
⑤ 행사가격이 높을수록 주식을 기초자산으로 하는 유럽형 풋옵션의 가격은 높아진다.

**해설**

옵션은 특정자산을 살 수 있는 권리가 부여된 콜옵션(call option)과 특정자산을 팔 수 있는 권리가 부여된 풋옵션(put option)으로 분류된다. 그리고 옵션은 행사기간에 따라 유럽형 옵션과 미국형 옵션으로 구분할 수 있는데, 유럽형 옵션은 권리행사가능일을 만료일 당일 하루만으로 한정하는 옵션으로 계약된 만기일이 되어야만 행사할 수 있는 옵션이고, 미국형 옵션은 만기일 이전에 언제든지 권리를 행사할 수 있는 옵션이다. 따라서 주식을 기초자산으로 하는 유럽형 콜옵션의 경우 만기 시점에서 주식의 가격이 행사가격보다 낮으면 콜옵션을 행사하지 않는 것이 유리하다.

정답 ①

## 102 2013년 공인노무사 기출

**옵션에 관한 설명으로 옳지 않은 것은?**

① 옵션이란 약정된 기간 동안에 미리 정해진 가격으로 약정된 증권이나 상품 등을 사거나 팔 수 있는 권리이다.
② 콜옵션은 약정된 증권이나 상품 등을 팔 수 있는 권리이다.
③ 유럽형 옵션은 만기에만 권리를 행사할 수 있다.
④ 옵션은 위험 회피를 위한 유용한 수단이다.
⑤ 기초자산이란 옵션의 근간이 되는 자산을 의미한다.

**해설**

콜옵션(call option)은 특정한 기초자산을 만기일이나 만기일 이전에 미리 정한 행사가격으로 살 수 있는 권리를 말하고, 풋옵션(put option)은 특정 기초자산을 장래의 특정 시기에 미리 정한 가격으로 팔 수 있는 권리를 말한다.

정답 ②

## 103 2020년 공인노무사 기출

**선물거래에 관한 설명으로 옳지 않은 것은?**

① 조직화된 공식시장에서 거래가 이루어진다.
② 다수의 불특정 참가자가 자유롭게 시장에 참여한다.
③ 거래대상, 거래단위 등의 거래조건이 표준화되어 있다.
④ 계약의 이행을 보증하려는 제도적 장치로 일일정산, 증거금 등이 있다.
⑤ 반대매매를 통한 중도청산이 어려워 만기일에 실물의 인수·인도가 이루어진다.

### 해설

선물거래는 상품이나 금융자산을 미리 결정된 가격으로 미래 일정시점에 인수도할 것을 약속하는 거래를 말한다. 선물의 거래방식은 매매시점, 대금결제, 물건의 인수도 시점에 따라 다른 양식의 거래와 차이가 있다. 특히, 선물거래와 선도거래는 동일한 거래방식을 가지고 있는데, 선물거래는 거래소 내에서 거래할 수 있는 반면 선도거래는 거래소 밖에서 이루어진다는 차이가 있다. 선물거래와 선도거래를 비교하면 다음과 같다.

| | 선물거래 | 선도거래 |
|---|---|---|
| 시장형태 | 조직화된 시장(거래소) | 비조직적 시장(장외시장) |
| 거래방법 | 공개호가방식 | 당사자 간의 직접 계약 |
| 거래조건 | 표준화 | 당사자 간의 합의 |
| 이행보증 | 거래소가 이행을 보증 | 당사자의 신용에 좌우 |
| 결제방법 | 일일정산 | 만기일에 한 번 결제 |

정답 ⑤

## 104 2020년 가맹거래사 기출

**선물거래의 특징에 해당하지 않는 것은?**

① 규제기관에 의한 공식적 규제
② 1일 가격변동폭의 무제한
③ 거래대상, 단위 등 거래조건의 표준화
④ 청산소의 거래이행 보증
⑤ 증거금의 납입과 유지

### 해설

선물거래는 거래의 안정성을 확보하기 위해 개별상품의 가격변동에 대한 상하한선을 정해 놓고 있다.

정답 ②

## 105 ☐☐☐ 2016년 가맹거래사 기출

미리 정해놓은 일정한 시점에 양, 등급, 가격, 만기일 등에 대하여 계약을 맺고, 이 계약의 만기일 이전에 반대매매를 행하거나 또는 만기일에 현물을 인수 및 인도함으로써 그 계약을 종결하는 거래 형태는?

① 교환사채(exchangeable bond) 거래
② 선물(futures) 거래
③ 스왑(swap) 거래
④ 워런트(warrant) 거래
⑤ 주식(stock) 거래

**해설**

미리 정해놓은 일정한 시점에 양, 등급, 가격, 만기일 등에 대하여 계약을 맺고, 이 계약의 만기일 이전에 반대매매를 행하거나 또는 만기일에 현물을 인수 및 인도함으로써 그 계약을 종결하는 거래 형태는 선물(futures) 거래이다.

**정답 ②**

## 106 ☐☐☐ 2014년 공인노무사 기출

선물거래에 관한 설명으로 옳은 것은?

① 계약당사자 간 직접거래가 이루어진다.
② 계약조건이 표준화되어 있지 않다.
③ 결제소에 의해 일일정산이 이루어진다.
④ 장외시장에서 거래가 이루어진다.
⑤ 계약불이행 위험이 커서 계약당사자의 신용이 중요하다.

**해설**

선물거래(futures trading)는 미래의 특정시점(만기일)에 수량·규격이 표준화된 상품이나 금융 자산(외환, CD, 국채 등)을 특정가격에 인수 혹은 인도할 것을 약정하는 거래이다. 공인된 거래소에서 이루어지며 현시점에 합의된 가격(선물가격)으로 미래에 상품을 인수, 인도한다. 상품 인도를 하지 않은 상태에서 되팔거나 되사들여 매매 차익을 정산할 수 있으며, 상품의 대량생산, 대량판매가 이루어짐에 따라 가격변동에 따른 손실을 예방하는 것을 주목적으로 한다.

**정답 ③**

## 107 ☐☐☐ 2013년 가맹거래사 기출

선도거래에 관한 설명으로 옳은 것을 모두 고른 것은?

> ㄱ. 계약조건이 표준화되어 있다.
> ㄴ. 장외시장에서 거래가 이루어진다.
> ㄷ. 만기일에 결제가 이루어진다.
> ㄹ. 청산소에 의해 일일정산이 이루어진다.
> ㅁ. 거래상대방의 신용리스크가 직접적으로 노출된다.

① ㄱ, ㄴ, ㄷ
② ㄱ, ㄷ, ㄹ
③ ㄴ, ㄷ, ㄹ
④ ㄴ, ㄷ, ㅁ
⑤ ㄷ, ㄹ, ㅁ

**해설**

선물거래와 선도거래는 동일한 거래방식을 가지고 있는데, 선물거래는 거래소 내에서 거래할 수 있는 반면, 선도거래는 거래소 밖에서 이루어진다는 차이가 있다. 따라서 ㄱ과 ㄹ은 선물거래에 해당하고, 나머지는 선도거래에 해당한다.

**정답 ④**

# CHAPTER 02 회계학

## 제1절 회계학의 기초개념

### 1 의의

#### 1. 개념
회계(accounting)는 정보이용자들이 기업에 대해 합리적인 의사결정을 하는 데 유용하도록 기업에 대한 경제적 정보(재무정보)를 식별하고 측정하여 제공하는 일련의 과정을 말한다.

#### 2. 회계정보이용자
회계의 목적은 특정 기업에 대해 관심을 가지고 있는 여러 이해관계자들이 의사결정을 하는 데 있어 유용한 정보를 제공하는 것이다. 여기서 회계정보이용자는 크게 내부정보이용자와 외부정보이용자로 구분할 수 있다.

(1) 내부정보이용자

기업의 경영자나 내부관리자 등이 있으며, 이들은 기업의 경영과 관련된 다양한 의사결정을 위해 회계정보를 필요로 한다.

(2) 외부정보이용자

기업의 주주(투자자), 채권자(대여자) 등이 있으며, 이들은 기업에 대한 투자의사결정이나 자금대여 의사결정을 위해 기업의 회계정보를 필요로 한다. 따라서 외부정보이용자는 기업에서 공개한 회계정보에 의존할 수밖에 없는데, 만일 기업이 회계정보를 임의로 작성하여 제공한다면 외부정보이용자들의 잘못된 의사결정을 유발할 수 있을 것이다. 따라서 외부정보이용자에게 제공하는 회계정보는 사전에 일정한 기준을 정해 놓고 이러한 기준에 따라 작성하고 제공되어야 한다. 외부정보이용자에게 제공되는 회계정보 제공의 수단을 재무제표라고 하며, 사전에 정해진 재무제표의 작성기준을 회계기준이라고 한다.

#### 3. 분류

(1) 재무회계(finance accounting)

기업의 외부정보이용자인 투자자나 채권자 등에게 경제적 의사결정에 유용한 정보를 제공하는 것을 목적으로 하는 회계이다.

(2) 관리회계(managerial accounting)

기업의 내부정보이용자인 경영자에게 경영의사결정에 유용한 정보를 제공하는 것을 목적으로 하는 회계이다.

### 재무회계와 관리회계

| 구분 | 재무회계 | 관리회계 |
|---|---|---|
| 목적 | 외부정보이용자의 경제적 의사결정에 유용한 정보를 제공 | 기업 내부정보이용자의 경영의사결정에 유용한 정보를 제공 |
| 정보이용자 | 투자자, 채권자 등 외부정보이용자 | 경영자 등 내부정보이용자 |
| 보고수단 | 재무제표 | 일정한 형식이 없음 |
| 작성기준 | 회계기준 | 통일된 회계원칙이 없음 |
| 보고주기 | 일반적으로 1년 | 특별한 제한 없음 |
| 정보의 특성 | 과거지향적, 화폐적 정보 중심 | 미래지향적, 비화폐성 정보도 포함 |

### 4. 회계정보의 질적 특성

회계정보의 질적 특성에 대한 내용은 일반회계기준과 한국채택국제회계기준(K-IFRS)에서 차이를 가지고 있다[163]. 일반회계기준의 내용에 따르면 회계정보의 질적 특성은 목적적합성과 신뢰성으로 나누어지고, 한국채택국제회계기준의 내용에 따르면 근본적 질적 특성과 보강적 질적 특성으로 나누어진다.

### 회계정보의 질적 특성

| 구분 | 질적 특성 | | 세부 항목 |
|---|---|---|---|
| 일반회계기준 | 목적적합성 | | 예측가치, 피드백가치, 적시성 |
| | 신뢰성 | | 표현의 충실성, 검증가능성, 중립성 |
| 한국채택 국제회계기준 | 근본적 질적 특성 | 목적적합성 | 예측가치, 확인가치, 중요성 |
| | | 충실한 표현 | 완전한 서술, 중립적 서술, 오류가 없어야 함 |
| | 보강적 질적 특성 | | 비교가능성, 검증가능성, 적시성, 이해가능성 |

## 2 회계의 순환과정

### 1. 의의

회계는 일반적으로 '거래의 인식 → 거래분개 → 원장전기 → 수정전시산표 작성 → 결산정리사항(수정분개) → 수정후시산표(정산표) 작성 → 재무제표 작성'의 순서로 순환하는 과정을 가진다.

### 2. 기업의 재무상태: 자산 = 부채 + 자본

**(1) 자산**

기업이 현재 보유하고 있는 경제적 자원, 즉 재산을 말한다. 현금, 상품, 비품, 건물, 토지 등의 재화와 매출채권, 대여금 등의 채권으로 구성된다.

**(2) 부채**

기업이 미래에 상대방에게 일정한 금액을 갚아야 할 빚이나 의무를 말한다.

**(3) 자본**

기업이 현재 보유하고 있는 자산 중에서 순수한 기업의 몫을 말한다.

---

[163] 현재 우리나라의 회계기준은 상장기업과 금융기관이 적용하는 한국채택국제회계기준과 그 이외의 기업들이 적용하는 일반회계기준으로 이원화되어 있다.

## 3. 회계상 거래

회계상 거래는 **기업의 경영활동에서 자산, 부채, 자본, 수익, 비용의 증감·변화를 일으키는 것**을 의미하고, **화폐금액으로 신뢰성 있게 측정가능**[164]하여야 한다. 따라서 계약, 주문서 발송, 종업원 채용 등은 일상생활에서는 거래라고 하지만 자산, 부채, 자본의 증감변화가 일어나지 않으므로 회계에서는 거래로 보지 않는다. 즉, 계약, 주문, 채용, 담보제공 등은 일반적인 거래에는 해당하지만 회계상 거래에는 해당하지 않으며, 화재, 도난, 파손 등은 일반적인 거래에는 해당하지 않지만 회계상 거래에는 해당한다.

### 일상적인 거래와 회계상 거래

| 일상적인 거래 | 회계상 거래 | 사례 |
| --- | --- | --- |
| ○ | × | 상품주문, 건물 임대차계약, 종업원 고용계약, 담보설정 등 |
| × | ○ | 상품이나 현금 등의 도난, 파손, 분실, 화재 등 |
| ○ | ○ | 상품 판매, 부동산 매매, 자금 차입, 주식발행 등 |

## 4. 거래의 기록

거래가 발생하면 해당 거래를 장부에 기록하게 되는데 이를 부기(bookkeeping)라고 한다. 부기는 기록계산법의 목적과 방법의 차이에서 단식부기와 복식부기로 구분된다.

### (1) 단식부기

재산의 변동만을 단독으로 기록·계산하는 것으로, 상식적인 기장을 하는 부기법이다. 재산이나 자본의 정확한 계산을 하는 것보다는 오히려 기장기술이 간편한 것을 바라는 소규모기업에서 쓰이고 있는 데 불과하다.

### (2) 복식부기

재산변동을 다른 것과의 유기적 관계로 파악하여 대차평균의 원리하에서 조직적·합리적으로 기록·계산하는 것이다.

### 거래의 기록

| 차변 | 대변 |
| --- | --- |
| 자산의 증가 | 자산의 감소 |
| 부채의 감소 | 부채의 증가 |
| 자본의 감소 | 자본의 증가 |
| 비용의 발생 | 수익의 발생 |

## 5. 재무제표의 종류

회계상 거래는 수없이 많이 발생하고 그 범위도 광범위하므로 이를 그대로 정보이용자에게 제공할 수는 없다. 즉, 기업에서 발생하는 회계상의 거래는 정보이용자들의 의사결정에 유용하도록 일정한 양식으로 가공하여 제공해야 한다. 이에 따라 기업 경영활동의 결과(재무상태, 경영성과 등)를 일정한 양식으로 요약하여 정보이용자에게 전달하는데, 이러한 정보제공의 수단을 재무제표라고 한다. 이러한 재무제표는 다음과 같이 크게 5가지 종류가 있다.

---

[164] 금액을 신뢰성 있게 측정할 수 있어야 한다는 것이 반드시 정확한 금액일 것을 요구하는 것은 아니다. 정확한 금액은 아니라도 합리적인 추정이 가능하다면 이도 신뢰성 있는 추정치로 간주된다.

### (1) 재무상태표
일정시점 현재 기업의 재무상태(자산, 부채, 자본)에 대한 정보를 제공하는 재무제표이다.

### (2) 포괄손익계산서
일정기간 동안 기업의 경영성과(수익, 비용)에 대한 정보를 제공하는 재무제표이다.

### (3) 현금흐름표
일정기간 동안 기업의 현금유입과 현금유출에 대한 정보를 제공하는 재무제표[165]이다.

### (4) 자본변동표
일정시점 현재 기업의 자본크기와 일정기간 동안 기업의 자본변동에 대한 정보를 제공하는 재무제표이다.

### (5) 주석
재무상태표, 포괄손익계산서, 현금흐름표, 자본변동표는 표와 숫자의 요약된 형태로 제공되므로 정보제공방식에 한계가 있다. 이에 따라 표와 숫자의 형태로만 표현하기 어려운 정보들을 서술형 정보를 포함하여 보충적으로 설명하는 재무제표가 필요한데, 이를 주석이라고 한다. 따라서 주석도 재무제표 중의 하나에 해당한다.

## 6. 회계감사
회계감사(auditing)란 독립된 제3자가 타인이 작성한 회계기록을 검토하고 회계기록의 적정성에 대하여 의견을 제시하는 것을 의미한다. 주된 목적은 기업의 재무상태 및 경영실적을 판단하는 데 있으며, 판단결과에 따라 당해 기업의 이해관계자는 기업의 재무상태와 경영실적을 알 수 있게 된다. 이러한 회계감사의견은 다음과 같다.

### (1) 적정의견
재무제표가 회계처리기준에 따라 중요성의 관점에서 적정하게 표시되었다고 판단될 때 표명되는 의견이다.

### (2) 한정의견
감사인과 경영자 간의 의견불일치나 감사범위 제한에 따른 영향이 중요하므로 적정의견을 표명할 수는 없지만, 부적정의견을 표명하거나 의견표명을 거절하여야 할 정도로 중요하지 않거나 전반적이지 않을 때 표명하는 의견이다.

### (3) 부적정의견
감사인과 경영자 간의 의견불일치로 인한 영향이 매우 중요하고 전반적인 경우에 표명하는 의견이다.

### (4) 의견거절
감사범위 제한의 영향이 매우 중요하고 전반적이어서 충분하고 적합한 감사증거를 획득할 수 없는 등의 사유로 판단이 불가능한 경우에는 감사의견을 표명하지 않는다.

---

[165] 일반적으로 현금흐름은 영업활동, 투자활동, 재무활동으로 인하여 발생한다.
① 영업활동으로 인한 현금흐름: 경상적인 손익거래와 관련된 현금흐름
② 투자활동으로 인한 현금흐름: 비유동자산 및 비영업자산의 취득이나 처분과 관련된 현금흐름
③ 재무활동으로 인한 현금흐름: 자본조달 및 상환과 관련된 현금흐름

## 제2절 재무제표 - 재무상태표와 포괄손익계산서

### 1 재무제표의 작성원칙: 발생주의 회계

#### 1. 의의

기업에서 거래가 발생하면 그 거래의 결과가 재무상태표에는 자산, 부채, 자본으로 표시되며, 포괄손익계산서에는 수익이나 비용으로 표시된다. 따라서 재무제표를 작성하기 위해서는 기업에서 발생한 거래를 언제 재무제표에 기록할 것인지를 결정해야 하는데, 이에 대한 이론적인 방법으로 **현금주의와 발생주의**가 있다.

#### 2. 현금주의

현금주의란 **거래와 관련한 현금이 유입되거나 유출되는 시점에 해당 거래를 재무제표에 기록하는 것을** 말한다. 그러나 현금주의에 따라 재무제표를 작성하면 기업의 재무상태와 경영성과를 적정하게 보고하기 어렵다. 왜냐하면 현금의 유출입과 같은 자금의 흐름은 주로 거래처와의 약속이나 기업의 자금운용계획에 따라 결정되기 때문에 기업의 경영활동과 직접적인 관계가 없는 경우가 많기 때문이다. 따라서 현금주의에 따라 재무제표를 작성하면 해당 기간의 현금의 유입과 유출에 대한 정보는 객관적으로 제공할 수 있겠지만, 기업의 경영활동의 실태를 재무제표에 정확하게 반영하지 못하는 문제점이 있다.

#### 3. 발생주의

발생주의란 **기업에서 발생한 거래를 현금유입이나 유출과는 관계없이 거래가 발생한 시점에 재무제표에 반영하는 것을** 말한다. 여기서 거래가 발생한 시점이란 해당 거래로 인하여 기업의 재무상태와 경영성과에 변동을 가져오는 결정적인 사건이 발생한 시점을 의미한다. 따라서 발생주의는 기업의 수익·비용 창출행위에 대한 구체적인 정보를 거래가 발생한 시점에 반영하여 제공하기 때문에 이론적으로 현금주의보다 우월한 방법으로 인정된다. 이러한 발생주의의 장단점은 다음과 같다.

**(1) 장점**

기업의 경영활동의 실태를 적절한 시점에 재무제표에 반영하므로 기간별 재무상태와 경영성과 보고에 적합하다. 또한, 정보이용자들이 재무제표 분석을 통해 기업에 유입 또는 유출될 미래의 현금을 합리적이고 신뢰성 있게 예측할 수 있다.

**(2) 단점**

거래나 사건이 발생한 사실은 파악할 수 있지만, 금액측정은 현금주의보다 정확성이 떨어지기 때문에 신뢰성 있고 합리적인 금액측정방법이 요구된다. 이에 따라 발생주의에 약간의 수정을 가하여 수익은 실현주의를 적용하고 비용은 수익·비용 대응의 원칙을 적용하여 인식한다.

#### 4. 수익과 비용의 인식원칙

발생주의는 거래가 발생한 시점에 재무제표에 인식하는 원칙을 말한다. 이러한 발생주의를 포괄손익계산서의 구성요소인 수익과 비용에 대하여 구체적으로 적용하면 다음과 같다.

**(1) 수익(실현주의)**

수익은 비용의 지출과 주주에 대한 배당금 지급의 원천이 된다. 따라서 수익은 단순히 수익이 발생한 시점보다는 수익의 실현이 보다 확실하게 된 시점에 인식할 필요가 있다. 이에 따라 수익은 실현된 시점에 인식하는데, 이를 실현주의라고 한다. 여기서 수익이 실현된 시점이란 기업이 수익창출활동의 결과로 대가를 수취할 가능성이 높고, 그 대가금액을 신뢰성 있게 측정할 수 있는 시점을 말한다.

**(2) 비용(수익·비용 대응의 원칙)**

비용은 발생한 시점에 인식한다. 다만, 비용은 수익을 획득하기 위해 희생된 자원의 가치이므로 관련된 수익이 인식되는 시점과 동일한 시점에 인식하여야 경영자의 기간별 경영성과를 적정하게 측정할 수 있을 것이다. 이에 따라 비용은 관련된 수익이 인식되는 회계기간과 동일한 회계기간에 인식해야 하는데, 이를 수익·비용 대응의 원칙이라고 한다.

## 2 재무상태표[166]

### 1. 자산

자산은 기업이 현재 보유하고 있는 경제적 자원, 즉 재산을 말한다. 현금, 상품, 비품, 건물, 토지 등의 재화와 매출채권, 대여금 등의 채권으로 구성되며, 기업은 자산을 다양한 형태로 보유할 수 있다. 이러한 자산의 대표적인 사례는 다음과 같다.

**(1) 현금**
통화(지폐와 주화), 통화대용증권(수표), 요구불예금 등

**(2) 상품**
타인이 제조한 것을 구입하여 재판매 목적으로 보유하는 물건

**(3) 제품**
기업이 직접 제조하여 판매 목적으로 보유하는 물건

**(4) 매출채권**
정상영업활동(상품과 제품의 제조 및 판매)에서 발생한 외상채권

**(5) 미수금**
정상영업활동 외의 활동에서 발생한 외상채권

**(6) 대여금**
나중에 회수하기로 하고 일정기간 동안 빌려준 현금

**(7) 선급금**
물건 등을 매입하기로 하고 미리 지급한 계약금

**(8) 부동산(토지, 건물)**
기업이 보유하고 있는 땅과 건물

**(9) 기계장치**
제품생산을 위해 보유하고 있는 생산설비

**(10) 집기비품**
사무용가구, 컴퓨터 등

---

[166] 유동성 순서에 따른 표시방법이 신뢰성 있고 더욱 목적적합한 정보를 제공하는 경우를 제외하고는 자산을 유동자산과 비유동자산, 부채를 유동부채와 비유동부채로 재무상태표에 구분하여 표시한다. 여기서 유동항목과 비유동항목의 구분은 원칙적으로 1년을 기준으로 한다. 즉, 기업이 명확히 식별가능한 영업주기 내에서 재화나 용역을 제공하는 경우에 재무상태표에 유동자산과 비유동자산, 유동부채와 비유동부채를 구분하여 표시한다.

## 2. 부채

부채는 기업이 미래에 상대방에게 일정한 금액을 갚아야 할 빚이나 의무를 말한다. 예를 들어, 은행차입금은 은행에게 갚아야 할 빚이므로 부채에 해당하고, 원재료매입 외상채무는 기업이 거래처에게 갚아야 할 빚이므로 부채에 해당한다. 이러한 부채의 대표적인 사례는 다음과 같다.

### (1) 매입채무
정상영업활동(상품과 제품의 제조 및 판매)에서 발생한 외상채무

### (2) 미지급금
정상영업활동 외의 활동에서 발생한 외상채무

### (3) 차입금
나중에 상환하기로 하고 금융기관과 같은 제3자로부터 일정기간 동안 빌린 현금

### (4) 선수금
제품과 상품 등을 판매하는 과정에서 미리 받은 계약금

## 3. 자본

자본은 **기업이 현재 보유하고 있는 자산 중에서 순수한 기업의 몫**을 말한다. 즉, 경제적인 관점에서 본다면 기업의 자산 중에서 실질적인 기업의 몫은 기업이 보유하고 있는 재산에서 기업이 갚아야 할 빚을 모두 갚고 남은 금액이라고 볼 수 있는데, 이를 자본 또는 순자산이라고 하는 것이다. 결과적으로 자본은 기업의 자산에서 부채를 차감한 잔액으로 정의할 수 있으며, 기업의 주인은 주주이므로 자본은 결국 주주의 몫이 된다. 그리고 자본은 그 금액을 직접 측정하는 것이 아니라 **자산과 부채의 차액**으로 계산한다.

### 자본의 구성

| 일반회계기준 | K-IFRS | 항목 |
|---|---|---|
| 자본금 | 납입자본금 | 보통주자본금, 우선주자본금 |
| 자본잉여금 | | 주식발행초과금, 감자차익, 자기주식처분이익 등 |
| 자본조정(자본감소) | 기타자본<br>구성요소 | 자기주식, 주식할인발행차금, 감자차손, 자기주식처분손실 등 |
| 자본조정(자본증가) | | 신주청약증거금, 전환권대가, 주식선택권 등 |
| 기타포괄손익누계액 | | 후속적으로 당기순이익으로 재분류가 금지된 항목 |
| 기타포괄손익누계액 | | 후속적으로 당기순이익으로 재분류가 가능한 항목 |
| 이익잉여금(기처분) | 이익잉여금 | 법정적립금, 임의적립금 등 |
| 이익잉여금(미처분) | | 미처분이익잉여금 |

### (1) 주식의 종류

의결권, 배당권, 신주인수권, 잔여재산청구권 등이 부여된 주식인 **보통주**(common stock)와 이익배당과 잔여재산분배 등 재산상 권리가 보통주보다 우위에 있지만 의결권이 없는 주식인 **우선주**(preferred stock)가 있다.

### (2) 증자
신주를 발행하는 거래이다. **유상증자**는 회사가 주주로부터 주금액을 납입받고 신주를 발행하기 때문에 기업의 순자산이 증가하게 되므로 실질적 증자라고도 한다. 이에 반해, **무상증자**는 주금액의 납입 없이 자본잉여금이나 이익준비금을 자본금에 전입하고 증가된 자본금만큼 신주를 발행하는 방법이기 때문에 자본총계는 변함이 없으므로 형식적 증자라고도 한다. 즉, 회사에 실질적인 자본의 증가가 이루어지지 않는 증자이다.

### (3) 감자
자본금을 감소시키는 자본거래이다. 주주에게 주식을 반환받고 대가를 지불하는 유상감자와 주주에게 대가를 지불하지 않고 자본금을 감소시키는 무상감자가 있다. 즉, 주금액의 환급, 주식소각(감자차익 또는 감자차손이 발생)과 같이 자본금의 감소 시 자산의 유출이 수반되는 **유상감자(실질적 감자)**와 회계장부상 자본금은 감소하지만 자산의 유출이 수반되지 않는 **무상감자(형식적 감자)**가 있다.

### (4) 주식배당
신규발행의 주식으로 대신하는 배당을 말한다. 즉, 이익잉여금을 자본금으로 전입하고 이를 근거로 신주를 발행하여 기존 주주들에게 무상으로 나누어 주는 것을 말한다[167]. 주식배당의 목적은 배당지급에 소요되는 자금을 사내에 유보하여 외부유출을 막고, 이익배당을 한 것과 동일한 효과를 올리는 데 있다. 또 주식배당에 의하여 회사의 자본금이 증액되므로 자본구성의 시정에도 유효하다. 주주의 입장에서도 주가가 높은 수준에 있을 때는 현금배당보다 유리하다.

### (5) 자사주 매입(buy back)
회사가 자기 회사의 주식을 주식시장 등에서 사들이는 것을 말한다. 자사주 매입은 유통주식물량을 줄여주기 때문에 주가상승요인이 되고 자사주 매입 후 소각을 하면 배당처럼 주주에게 이익을 환원해 주는 효과가 있다. 자사주 매입은 적대적 M&A에 대비해 경영권을 보호하는 수단으로 쓰이기도 한다.

### (6) 주식분할(stock split-up)
자본금의 증가 없이 발행주식의 총수를 늘리고, 이를 주주들에게 나누어주는 것을 말한다. 지나치게 오른 주가를 투자자가 매입하기 쉬운 수준으로까지 인하하여 유통주식물량을 늘리는 것이 목적이다. 또한, 회사의 영업성적 향상으로 주가가 상승하였을 때 거래의 지장을 없애기 위하여 이를 분할하여 적절한 가격으로 시장성을 높인다든가, 실질상으로는 배당을 증가시키면서 1주당 배당액을 저하시킨다든가 또는 합병의 경우에 합병비율을 조절하는 데도 이 방법이 흔히 이용된다.

### (7) 주식병합(consolidation of stocks)
기존의 여러 개의 주식을 합하여 그보다 적은 수의 주식으로 하는 회사의 행위(발행주식수를 줄이는 것)를 말한다. 이때 회사의 자본금 및 자산에 아무런 변화가 없이 이미 발행된 주식수가 감소하게 되므로 회사의 입장에서는 주가의 조정이나 주주 관리비의 절감 등으로 기업운영상 효과를 얻을 수 있으나, 투자자의 입장에서는 1주 미만의 주식(단주)이 발생하게 되는데 그 처리방법에 따라서 주주는 이전만큼의 권리를 잃게 되는 경우도 있다.

---

[167] 주식배당과 무상증자는 자본금으로 전입하는 재원만 차이가 있을 뿐 실질적으로는 동일하며, 현금의 유입은 없이 자본금이 증가한다. 따라서 기업이 주식배당이나 무상증자를 실시하는 경우에 자기자본총액의 변동 없이 주식수가 증가하여 주가가 비례적으로 하락하기 때문에 주주의 부에 아무런 영향을 미치지 못한다.

## 3 포괄손익계산서

### 1. 수익

기업의 경영활동(재화의 판매, 용역의 제공 등)으로 인한 자산의 증가 또는 부채의 감소에 따른 자본의 증가를 말한다. 단, 주주와의 거래(자본거래)로 인한 자본의 증가는 제외한다. 이러한 수익의 대표적인 사례는 다음과 같다.

**(1) 매출**
　재고자산(상품, 제품)을 판매하고 수령한 대가

**(2) 이자수익**
　타인에게 현금을 일정기간 동안 빌려주고 수령한 대가

**(3) 임대료(수익)**
　타인에게 토지, 건물 등을 일정기간 동안 빌려주고 수령한 대가

**(4) 유형자산처분이익**
　유형자산(토지, 건물, 기계장치, 집기비품 등)을 처분하여 발생한 이익

### 2. 비용

기업의 경영활동으로 인한 자산의 감소 또는 부채의 증가에 따른 자본의 감소를 말한다. 단, 주주와의 거래(자본거래)로 인한 자본의 감소는 제외한다. 이러한 비용의 대표적인 사례는 다음과 같다.

**(1) 매출원가**
　판매한 재고자산(상품, 제품)의 구입원가(생산원가)

**(2) 급여**
　임직원에게 근로제공의 대가로 지급한 금액

**(3) 광고선전비**
　재고자산(상품, 제품)의 판매촉진과 홍보를 위해 지출한 금액

**(4) 이자비용**
　타인의 현금을 일정기간 동안 빌려 사용하는 대가로 지급한 금액

**(5) 임차료(비용)**
　타인의 자산을 일정기간 동안 빌려 사용하는 대가로 지급한 금액

**(6) 유형자산처분손실**
　유형자산(토지, 건물, 기계장치, 집기비품 등)을 처분하여 발생한 손실

### 3. 포괄손익계산서의 기본구조

**포괄손익계산서**

당기: 20×1년 1월 1일부터 20×1년 12월 31일까지
전기: 20×0년 1월 1일부터 20×0년 12월 31일까지

| 구분 | 당기 | 전기 |
|---|---|---|
| 매출액 | ×× | ×× |
| 매출원가 | (××) | (××) |
| 매출총이익 | ×× | ×× |
| 판매비와 관리비 | (××) | (××) |
| 영업이익 | ×× | ×× |
| 영업외손익 | ×× | ×× |
| 법인세비용차감전순이익 | ×× | ×× |
| 법인세비용 | (××) | (××) |
| 계속영업이익 | ×× | ×× |
| 당기순이익 | ×× | ×× |
| 기타포괄손익 | | |
| 총포괄이익 | ×× | ×× |

▶ **판매비와 관리비**: 제품, 상품, 용역 등의 판매활동과 기업의 관리활동에서 발생하는 비용으로 매출원가에 속하지 아니하는 비용을 말한다. 이러한 판매비와관리비는 급여, 퇴직급여, 복리후생비, 임차료, 접대비, 감가상각비, 무형자산상각비, 세금과공과, 광고선전비, 연구비, 경상개발비, 대손상각비 등을 포함한다.

## 제3절 다양한 회계처리

### 1 자본적 지출과 수익적 지출

#### 1. 의의

유형자산을 취득하여 사용하는 중에도 그 자산과 관련하여 여러 형태의 비용이 발생한다. 어떤 비용은 그 지출의 효익이 지출한 연도에 끝나는 경우도 있고, 그 지출의 효익이 장래의 일정기간에 걸쳐서 계속되는 지출도 있다. 이러한 지출에 대하여 자본(자산)화할 것인지 또는 비용화할 것인지에 따라 자본적 지출과 수익적 지출로 구분할 수 있다.

#### 2. 회계처리

(1) **자본적 지출**

자산의 용역잠재력을 현저히 증가시키는 지출로서 지출한 연도의 비용을 보고하지 않고 자본화, 즉 자산계정에 기록하여 그 자산의 내용연수 동안 각 회계기간에 걸쳐 원가배분(감가상각)을 하여야 한다.

(2) **수익적 지출**

용역잠재력을 증가시키지 못한 경우로써 단지 당기의 회계기간에 대하여만 효익을 주는 지출을 말한다. 따라서 수익적 지출은 발생한 시점에 비용으로 처리한다.

## 2 감가상각

### 1. 의의

감가상각(depreciation)은 유형자산의 취득원가에서 잔존가치를 차감한 잔액(감가상각대상금액)을 그 자산의 경제적 효익이 발생하는 기간(내용연수) 동안 체계적·합리적으로 배분하는 과정을 말한다.

### 2. 감가상각방법[168]

**(1) 정액법**

감가상각대상금액(취득원가 − 잔존가치)을 내용연수 동안에 균등하게 배분하는 방법이다.

**(2) 정률법**

장부금액인 미상각잔액(취득원가 − 감가상각누계액)에 일정률의 상각률을 곱하여 감가상각비를 계산하는 방법이다.

**(3) 이중체감법**

장부금액인 미상각잔액(취득원가 − 감가상각누계액)에 '2 / 내용연수'를 곱하여 감가상각비를 계산하는 방법이다.

**(4) 연수합계법**

감가상각대상금액(취득원가 − 잔존가치)에 '잔존내용연수 / 내용연수의 합계'를 곱하여 감가상각비를 계산하는 방법이다.

**(5) 생산량비례법**

예상조업도 또는 예상생산량에 근거하여 그 기간의 감가상각비를 계산하는 방법이다. 즉, 감가상각대상금액(취득원가 − 잔존가치)에 '당기생산량 / 총생산가능량'를 곱하여 감가상각비를 계산하는 방법이다.

> **🔍 예제**
>
> ㈜가맹은 20X1년 1월 1일에 캐드용 기자재 1대를 구입하였다. 정률법에 의하여 감가상각하는 경우 20X2년의 감가상각비는? (단, 회계기간은 매년 1월 1일부터 12월 31일까지이다)
>
> - 취득원가: 20,000,000원
> - 잔존가치: 3,500,000원
> - 내용연수: 7년
> - 정률: 20%
>
> ① 2,560,000원  ② 3,000,000원
> ③ 3,200,000원  ④ 4,000,000원
>
> 정답 ③

## 3 재고자산의 취득원가

### 1. 의의

재고자산의 취득원가는 **매입원가, 전환원가 및 재고자산을 현재의 장소에 현재의 상태로 이르게 하는 데 발생한 모든 원가를 포함**한다. 즉, 재고자산은 재고자산을 취득하기 위하여 지출한 금액으로 기록한다.

---

[168] 내용연수 초기에 감가상각을 많이 인식하는 방법(가속 감가상각방법)은 정률법, 이중체감법, 연수합계법 등이 있다. 그리고 정률법과 이중체감법은 장부금액을 기준으로 상각하고, 정액법, 연수합계법, 생산량비례법은 감가상각대상금액을 기준으로 상각한다. 그리고 모든 유형자산이 감가상각대상자산인 것은 아니고, 토지는 감가상각대상자산에 해당하지 않는다.

**(1) 자가제조(제조기업의 제품 취득원가)**
= 직접재료원가 + 직접노무원가 + 제조간접원가 = 기초원가 + 제조간접원가
= 직접재료원가 + 전환(가공)원가

**(2) 외부구입(상기업의 상품 취득원가)**
= 매입가격 + 매입부대비용

## 2. 순매입액(당기의 상품 취득원가)의 계산

> 순매입액 = 매입가격 + 매입부대비용
> = 총매입액 − 매입에누리와 환출 − 매입할인 + 매입부대비용

**(1) 매입에누리**
매입한 상품에 파손·부패·결함 등 하자가 있어 판매자가 상품의 가격을 깎아주는 것을 말한다. 또한, 일정기간 동안 거래되는 수량이나 거래금액에 따라 가격을 깎아주는 것도 매입에누리에 포함된다.

**(2) 매입환출**
매입한 상품에 파손·부패·결함 등이 발생하여 매입한 상품을 반환하는 것을 말한다.

**(3) 매입할인**
외상매입대금을 조기에 결제한 경우에 판매자가 상품의 가격을 깎아주는 것을 말한다.

## 4 재고자산의 수량결정과 단위당 취득원가의 결정

### 1. 재고자산의 수량결정

재고자산의 수량결정은 판매가능재고자산 중에서 당기 중에 판매된 수량(판매수량)과 기말 현재 보유하고 있는 수량(기말재고수량)을 결정하는 것을 말한다. 이때 재고자산의 수량을 기록하는 방법에는 계속기록법과 실지재고조사법(실사법)이 있다.

**(1) 계속기록법**
재고자산의 입고(매입)와 출고(판매)가 발생할 때마다 수량을 계속 기록하는 방법이다. 따라서 계속기록법은 판매가능수량 중에서 당기에 실제로 판매된 수량을 차감하여 기말재고수량을 결정한다. 계속기록법은 재고자산수량을 적시에 파악이 가능하므로 재고자산의 내부관리나 통제목적에는 적합하지만, 재고자산의 입고 및 출고 시마다 수량을 계속 기록해야 하기 때문에 재고자산 매매거래가 빈번한 경우에는 번거로울 수 있다.

**(2) 실지재고조사법(실사법)**
보고기간 말에 창고조사를 실시하여 기말재고수량을 먼저 결정하고, 판매가능재고수량 중에서 기말실사수량을 차감한 나머지 수량을 판매수량으로 결정하는 방법이다. 실지재고조사법은 판매수량을 기록할 필요가 없기 때문에 장부기록이 간편하고, 기말재고자산이 실제수량에 기초하여 보고되므로 외부보고 목적에 충실하다는 장점이 있다. 그러나 재고자산수량을 적시에 파악할 수 없고, 도난, 자연감소 등으로 감소한 재고자산이 당기판매수량에 포함되는 문제점이 있다.

## 2. 단위당 취득원가의 결정

재고자산의 수량결정방법에 따라 재고자산의 당기 판매수량과 기말재고수량이 결정되었다면, 각각의 수량에 단위당 원가(매입단가)를 곱하면 재무제표에 보고할 매출원가와 기말재고원가가 결정된다. 그러나 재고자산은 매입과 판매가 빈번하게 발생하고, 매입시점의 단위당 원가도 수시로 변동하는 것이 일반적이기 때문에 판매된 재고자산과 기말재고자산의 단위당 원가를 결정할 때 어려움이 많다. 따라서 이러한 실무적인 어려움을 고려하여 재고자산의 실제 물량흐름과 관계없이 일정한 가정을 통하여 판매된 재고자산과 기말재고자산의 단위당 원가를 결정하게 된다.

### (1) 선입선출법
**실제 물량흐름과 관계없이 먼저 매입한 재고자산이 먼저 판매된 것으로 가정하여 판매된 재고자산과 기말재고자산의 단위당 원가를 결정하는 방법**이다. 선입선출법은 다른 단위원가의 결정방법과 달리 수량결정방법으로 계속기록법과 실지재고조사법 중 어느 방법을 적용해도 매출원가와 기말재고로 배분되는 금액은 원칙적으로 동일하게 결정된다는 특징이 있다.

### (2) 후입선출법
**실제 물량흐름과 관계없이 나중에 매입한 재고자산이 먼저 판매된 것으로 가정하여 판매된 재고자산과 기말재고자산의 단위당 원가를 결정하는 방법**이다. 단, 국제회계기준에서는 후입선출법의 사용을 허용하지 않고 있다.

### (3) 가중평균법
**실제 물량흐름과 관계없이 재고자산이 골고루 평균적으로 판매된다고 가정하여 재고자산의 단위당 원가를 결정하는 방법**이다. 즉, 가중평균법은 기초재고자산과 기중에 매입한 재고자산의 원가를 가중평균한 평균매입단가를 재고자산의 단위당 원가로 결정하는 방법이다. 가중평균법은 수량결정방법으로 어떤 방법을 적용하는지에 따라 다시 **이동평균법**[169]과 **총평균법**[170]으로 나누어진다.

> **예제**
>
> 단일종류의 상품을 취급하는 ㈜가맹의 당기 재고자산 관련 자료는 다음과 같다. 이 회사가 실지재고조사법하에서 가중평균법을 사용하는 경우 당기 매출원가는?
>
> | 구분 | | 수량 | 단가 |
> |---|---|---|---|
> | 1월 1일 | 기초재고 | 100 | 11,000원(구입가) |
> | 3월 15일 | 매입 | 120 | 12,000원(구입가) |
> | 5월 19일 | 매출 | 160 | 20,000원(판매가) |
> | 12월 11일 | 매입 | 140 | 14,000원(구입가) |
>
> ① 1,847,200원　　　② 2,000,000원
> ③ 2,247,200원　　　④ 3,400,000원
>
> 정답 ②

---

[169] 수량결정방법으로 계속기록법을 적용한 가중평균법을 말하며, 재고자산을 판매(매입)할 때마다 재고자산의 원가를 평균하는 방법이다. 즉, 재고자산을 판매할 때 판매 직전의 재고자산 장부금액을 판매 시점의 장부상 수량으로 나눈 평균매입단가(이동평균단가)를 판매된 재고자산의 매입단가로 결정하는 방법이다.

[170] 수량결정방법으로 실지재고조사법을 적용한 가중평균법을 말하며, 기말에 한번만 재고자산의 원가를 평균하는 방법이다. 즉, 기말 결산 시에 판매가능재고자산의 총금액을 판매가능재고자산의 총수량으로 나눈 평균매입단가(총평균단가)를 당기에 판매된 재고자산과 기말재고자산의 매입단가로 결정하는 방법이다.

### 3. 단위당 취득원가의 결정방법의 비교

물가가 상승하고 기말재고수량이 기초재고수량과 같거나 증가하는 경우를 가정할 때 각 방법의 비교내역은 다음과 같다.

**(1) 기말재고**
　　선입선출법 > 이동평균법 > 총평균법 > 후입선출법

**(2) 매출원가**
　　선입선출법 < 이동평균법 < 총평균법 < 후입선출법

**(3) 당기순이익**
　　선입선출법 > 이동평균법 > 총평균법 > 후입선출법

**(4) 법인세비용**
　　선입선출법 > 이동평균법 > 총평균법 > 후입선출법

**(5) 순현금흐름(법인세 유출액과 관련)**
　　선입선출법 < 이동평균법 < 총평균법 < 후입선출법

## 5 매출총이익의 계산

### 1. 순매출액

순매출액은 일정기간 동안 소비자에게 판매한 상품가격 총계인 총매출액에서 매출에누리와 환입 및 매출할인을 차감하여 계산한다.

> 순매출액 = 총매출액 − 매출에누리와 환입 − 매출할인

**(1) 매출에누리**
　　판매한 상품에 파손·부패·결함 등 하자가 있어 상품의 가격을 깎아주는 것을 말한다. 또한, 일정기간 동안 거래되는 수량이나 거래금액에 따라 가격을 깎아주는 것도 매출에누리에 포함된다.

**(2) 매출환입**
　　판매한 상품에 파손·부패·결함 등이 발생하여 판매한 상품이 반품되는 것을 말한다.

**(3) 매출할인**
　　상품매입자가 판매대금을 조기에 결제한 경우에 상품의 가격을 깎아주는 것을 말한다.

### 2. 매출원가와 매출총이익

> - 매출원가 = 기초상품재고액 + 순매입액 − 기말상품재고액
> - 판매가능자산 = 기초상품재고액 + 순매입액
> - 매출총이익 = 순매출액 − 매출원가

> **예제**
> ㈜가맹의 20X1년 기초상품재고는 400만 원이며, 20X1년 중에 총 3,460만 원의 상품을 매입하였으나 110만 원의 매입할인을 받아 실제 지불한 상품매입대금은 3,350만 원이었다. 20X1년에 판매 가능한 상품 중에서 410만 원이 기말재고로 남아있다. 제시된 자료만을 사용하였을 때, ㈜가맹의 20X1년의 매출원가는?
> ① 3,340만 원  ② 3,450만 원
> ③ 3,750만 원  ④ 3,860만 원
>
> 정답 ①

## 6 회계오류의 수정

### 1. 순이익에 영향을 미치지 않는 오류

**(1) 재무상태표 오류**

재무상태표 계정과목 분류의 오류

**(2) 포괄손익계산서 오류**

포괄손익계산서 계정과목 분류의 오류

### 2. 순이익에 영향을 미치는 오류

**(1)** 재무상태표와 포괄손익계산서 모두에 영향을 미치는 오류를 말하며, 전기 이전의 손익이 잘못된 경우에는 비교공시되는 전기재무제표는 오류수정을 반영하여 재작성하여야 한다.

**(2)** 순이익에 영향을 미치는 오류는 자동조정 오류와 비자동조정 오류로 분류된다.

### 3. 자동조정 오류

자동조정 오류는 두 회계기간을 통하여 오류의 효과가 자동적으로 조정되는 오류이다. 자산의 과대계상과 부채의 과소계상은 당기순이익(이익잉여금)을 과대계상하게 하고, 자산의 과소계상과 부채의 과대계상은 당기순이익(이익이영금)을 과소계상하게 한다.

**(1) 선급비용, 선수수익의 오류**

**(2) 미수수익, 미지급비용의 오류**

**(3) 재고자산의 과소·과대 평가**

**(4) 매입·매출의 기간 구분 오류**

### 4. 비자동조정 오류

비자동조정 오류는 두 회계기간의 경과만으로 오류의 효과가 자동적으로 조정되지 않는 오류이다.

# 출제예상문제

CHAPTER 02 회계학

## 4지선다형

**01** ☐☐☐ 2022년 군무원 9급 기출

**다음 중에서 관리회계에 대한 설명 중 가장 옳지 않은 것은?**

① 기업 외부의 이해관계자들이 필요한 정보를 제공한다.
② 사업부별 성과분석을 제공한다.
③ 원가절감을 위한 원가계산 정보를 제공한다.
④ 기업회계기준이나 국제회계기준 등의 규칙을 준수하지 않아도 된다.

**해설**

관리회계는 기업의 내부정보이용자인 경영자에게 경영의사결정에 유용한 정보를 제공하는 것을 목적으로 하는 회계이다. 따라서 기업 외부의 이해관계자들이 필요한 정보를 제공하는 것은 재무회계에 대한 설명이다.

정답 ①

**02** ☐☐☐ 2019년 서울시 7급 기출

**재무정보의 근본적 질적 특성에 해당하는 것은?**

① 의사결정에 영향을 미칠 수 있도록 적시성 있는 재무정보가 제공되어야 한다.
② 재무정보는 이용자가 쉽게 이해할 수 있도록 제공되어야 한다.
③ 정보이용자가 현상을 이해하는 데 필요한 모든 재무정보가 제공되어야 한다.
④ 기업 간 비교가능성과 기간 간 비교가능성이 있는 재무정보가 제공되어야 한다.

**해설**

회계정보의 질적 특성에 대한 내용은 일반회계기준의 내용에 따르면 회계정보의 질적 특성은 목적적합성과 신뢰성으로 나누어지고, 한국채택국제회계기준(K-IFRS)의 내용에 따르면 근본적 질적 특성과 보강적 질적 특성으로 나누어진다. 여기서 근본적 질적 특성은 목적적합성(예측가치, 확인가치, 중요성)과 충실한 표현(완전한 서술, 중립적 서술, 오류가 없어야 함)으로 구성되어 있고, 보강적 질적 특성은 비교가능성, 검증가능성, 적시성, 이해가능성으로 구성되어 있다. 따라서 ①, ②, ④는 각각 적시성, 이해가능성, 비교가능성을 의미하기 때문에 보강적 질적 특성에 해당한다.

정답 ③

## 03  2023년 군무원 9급 기출

**다음 중 회계상 거래에 해당하는 것으로만 짝지은 것은?**

> ㄱ. ₩1,000짜리 상품을 주문받다.
> ㄴ. ₩5,000짜리 상품을 도난당하다.
> ㄷ. (주)甲으로부터 ₩1,000,000짜리 프린터 1대를 기증받다.
> ㄹ. ₩500,000짜리 상품을 외상으로 매입하다.

① ㄱ, ㄴ, ㄷ
② ㄱ, ㄴ, ㄹ
③ ㄱ, ㄷ, ㄹ
④ ㄴ, ㄷ, ㄹ

### 해설
상품주문은 일상적인 거래에는 해당하지만, 회계상 거래에는 해당하지 않는다. 따라서 주어진 보기 중에 회계상 거래에 해당하는 것은 ㄴ, ㄷ, ㄹ이다.

정답 ④

## 04  2022년 군무원 9급 기출

**다음 중 거래에 대한 분개로 가장 옳은 것은?**

> 거래내용: 40,000원의 상품을 구매하였는데, 이 중 10,000원을 현금으로 지급하였으며, 나머지는 외상으로 하였다.

| | (차변) | | | (대변) | |
|---|---|---|---|---|---|
| ① | 현 금 | 10,000 | 상 품 | | 40,000 |
| | 매출채권 | 30,000 | | | |
| ② | 상 품 | 40,000 | 현 금 | | 10,000 |
| | | | 매입채무 | | 30,000 |
| ③ | 상 품 | 40,000 | 현 금 | | 10,000 |
| | | | 매출채권 | | 30,000 |
| ④ | 현 금 | 10,000 | 상 품 | | 40,000 |
| | 매입채무 | 30,000 | | | |

### 해설
해당 거래는 상품이라는 자산이 40,000원 증가하고, 현금이라는 자산이 10,000원 감소하고 매입채무라는 부채가 30,000원 증가하는 거래이다. 따라서 해당 거래를 분개하면 ②가 된다.

정답 ②

## 05 □□□ 2024년 군무원 7급 기출

**다음 중 재무상태표에 관한 설명으로 가장 적절하지 않은 것은?**

① 재무상태표는 특정 시점의 기업의 재무상태를 나타내는 재무보고서이다.
② 재무상태표에서 기업의 재무상태는 자산과 부채 및 자본으로 분류하여 보고한다.
③ 재무상태표에서 보고되는 자본은 자산 총액에서 부채 총액을 차감한 금액과 항상 일치한다.
④ 재무상태표에서 자산은 중요도가 큰 순서로 보고한다.

**해설**

재무상태표에서 자산은 유동성이 높은 순서로 보고한다.

정답 ④

## 06 □□□ 2021년 군무원 9급 기출

**재무상태표에 대한 설명으로 가장 옳지 않은 것은?**

① 재무상태표는 자산, 부채 및 자본으로 구분한다.
② 재무상태표를 통해 기업의 유동성과 재무상태를 파악할 수 있다.
③ 재무상태표는 일정기간 동안의 경영성과를 나타낸 재무제표이다.
④ 재무상태표의 자산항목은 유동자산과 비유동자산으로 구분한다.

**해설**

재무상태표는 일정시점 현재 기업실체가 보유하고 있는 자산과 부채 및 자본에 대한 정보를 제공하는 재무제표이다. 일정기간 동안의 경영성과를 나타낸 재무제표는 포괄손익계산서이다.

정답 ③

## 07 ☐☐☐ 2024년 군무원 9급 기출

다음 중 현금흐름표상 현금흐름으로 옳지 않은 것은?

① 매출활동 현금흐름
② 영업활동 현금흐름
③ 투자활동 현금흐름
④ 재무활동 현금흐름

**해설**

현금흐름표상 현금흐름은 영업활동, 투자활동, 재무활동으로 인하여 발생한다.

정답 ①

## 08 ☐☐☐ 2023년 군무원 7급 기출

다음 중 주식회사의 현금흐름에 대한 설명으로 가장 적절하지 않은 것은?

① 주식회사는 현금을 조달하기 위해 채권을 발행한다.
② 주식회사는 주주가 투자한 원금을 상환할 의무가 있다.
③ 주식회사는 영구채권의 원금을 채권자에게 상환할 의무가 없다.
④ 주식회사는 채권자에게 약정한 이자를 지급한다.

**해설**

주식회사는 주주가 투자한 원금(출자금)을 상환할 의무가 없다. 추가로 영구채권은 만기가 없는 채권이기 때문에 채권자에게 원금을 상환할 의무가 발생할 수 없다.

정답 ②

## 09 ☐☐☐ 2019년 서울시 7급 기출

우선주에 대한 설명으로 가장 옳은 것은?

① 기업의 입장에서 볼 때 우선주는 사채에 비해 일반적으로 자본비용이 높다.
② 일반적으로 우선주는 보통주와 달리 만기가 있는 자본이다.
③ 기업은 우선주에 대해 당기에 배당을 지급하지 않으면 파산상태가 된다.
④ 우선주는 일반적으로 의결권이 주어진다.

**해설**

② 일반적으로 우선주는 보통주와 마찬가지로 만기가 없는 자본이다.
③ 기업은 우선주에 대해 당기에 배당을 지급하지 않는다고 해서 파산상태가 되는 것은 아니다.
④ 우선주는 일반적으로 의결권이 주어지지 않는다.

정답 ①

## 10  2016년 국가직 7급 기출

주식배당과 주식분할에 대한 설명으로 옳지 않은 것은? (단, 주식배당과 주식분할 전후 순이익은 변화가 없다.)

① 주식분할 후 주당 순이익이 감소한다.
② 주식배당 후 주식의 액면가는 변화가 없지만, 주식분할 후 주식의 액면가는 감소한다.
③ 주식배당 후 주당 순이익은 변화가 없다.
④ 주식배당 후 이익잉여금은 감소하지만, 주식분할 후 이익잉여금은 변화가 없다.

**해설**

주식배당은 발행주식 수를 증가시키기 때문에 주당 순이익은 감소한다.    정답 ③

## 11  2014년 국가직 7급 기출

우리나라 주식시장에서 주주들이 고배당기업을 선호하는 이유로 옳지 않은 것은?

① 세금효과                   ② 불확실성 제거
③ 신호효과                   ④ 현재수입 선호

**해설**

배당소득에 대해서 세금을 부과하기 때문에 고배당기업을 선호하는 이유에 세금효과는 해당되지 않는다.    정답 ①

## 12  2024년 군무원 9급 기출

다음 중 이익잉여금에 대한 설명으로 가장 적절한 것은?

① 이익잉여금은 특정 회계기간 동안의 수익과 비용의 세부적인 내역을 나타낸다.
② 배당금으로 지급할 수 있는 현금유보액을 의미한다.
③ 당기순이익과 이익잉여금은 항상 일치한다.
④ 이익잉여금의 증가를 초래하는 주된 항목은 당기순이익이며, 감소를 초래하는 주된 항목은 배당이다.

**해설**

① 이익잉여금은 손익거래에 의해서 발생한 잉여금이나 이익의 사내유보에서 발생하는 잉여금을 말한다. 특정 회계기간 동안의 수익과 비용의 세부적인 내역을 나타내는 것은 포괄손익이다.
② 이익잉여금은 기업에서 벌어들인 이익에서 배당 등을 하고 남은 금액을 말한다.
③ 이익잉여금은 기처분이익잉여금(법정적립금, 임의적립금)과 미처분이익잉여금으로 구분된다. 따라서 당기순이익과 이익잉여금은 일치하지 않을 수 있다.    정답 ④

## 13 ☐☐☐ 2024년 군무원 9급 기출

**다음 중 유형자산을 감가상각하는 이유로 가장 적절한 것은?**

① 유형자산의 가치를 정확하게 평가하기 위해서이다.
② 일정 기간 동안 감소한 자산의 가치를 정확히 측정하기 위해서이다.
③ 향후 자산을 교체하기 위한 자금을 미리 마련하기 위해서이다.
④ 자산의 취득원가를 체계적으로 각 회계기간에 배분하기 위해서이다.

**해설**

유형자산을 감가상각하는 이유는 자산의 취득원가를 체계적으로 각 회계기간에 배분하기 위해서이다.

**정답 ④**

## 14 ☐☐☐ 2024년 군무원 9급 기출

**다음 중 감가상각방법에 대한 설명으로 가장 적절하지 않은 것은?**

① 초기에 감가상각비를 많이 인식하는 감가상각방법을 가속상각법이라 한다.
② 생산량비례법은 자산의 가치감소의 원인이 진부화나 부적응과 같은 경제적 요인에 의해 발생할 경우 적합하다.
③ 정액법은 매 회계기간 일정한 금액을 상각하는 방법이다.
④ 이중체감법은 정액법에 의한 상각률의 두 배를 상각률로 정하고 정률법과 동일한 방법을 사용하여 상각한다.

**해설**

생산량비례법은 예상조업도 또는 예상생산량에 근거하여 그 기간의 감가상각비를 계산하는 방법이다. 따라서 자산의 가치감소의 원인이 진부화나 부적응과 같은 경제적 요인에 의해 발생할 경우 적합하지 않다.

**정답 ②**

## 15 ☐☐☐ 2021년 군무원 7급 기출

**감가상각의 옳은 방법이 아닌 것은?**

① 대상 자산의 원가에서 잔존가치를 차감한 금액을 추정내용연수로 나누어 매년 동일한 금액을 차감하는 방법
② 추정내용연수의 합계와 잔여내용연수의 비율을 이용하여 구한 금액을 차감하는 방법
③ 대상 자산의 기초 장부가액에 일정한 상각률을 곱하여 구한 금액을 차감하는 방법
④ 대상 자산의 잔존가치를 매년 동일하게 차감하는 방법

**해설**

①은 정액법, ②는 연수합계법, ③은 정률법에 대한 설명이고, 잔존가치는 감가상각대상에 해당하지 않기 때문에 ④가 감가상각의 방법으로 옳지 않다.

**정답 ④**

**16** ☐☐☐ 2023년 군무원 7급 기출

(주)대한기업은 2023년 1월 2일에 최신형 노트북을 총 3,000,000원(세금 포함)에 구입하였다. 감가상각법은 정액법을 따른다고 가정하고, 사무용 기기의 내용연수는 5년이며, 5년 후 잔존가치는 취득원가의 10%로 추정된다. 이 사무용기기의 2023년 감가상각비는 얼마인가?

① 500,000원
② 540,000원
③ 580,000원
④ 620,000원

**해설**

정액법에 의한 감가상각비는 감가상각대상금액을 내용연수로 나눠서 계산한다. 그리고 감가상각대상금액은 취득가액에서 잔존가치를 차감하여 구한다. 즉 감가상각대상금액은 2,700,000원이 되고, 이를 5년으로 나눠서 계산하면 2023년 감가상각비는 540,000원이 된다. **정답 ②**

---

**17** ☐☐☐ 2021년 서울시 7급 기출

A, B, C 회사는 20X1년 초 동일한 기계장치(내용연수 3년, 잔존가치 없음)를 X원에 각각 구입하였다. 동 기계장치에 대해 A회사는 정액법을, B회사는 이중체감법을, C회사는 연수합계법을 적용하여 감가상각한다고 할 때, 20X3년 말 보고하게 될 세 회사의 감가상각비를 모두 더한 값은?

① $\frac{1}{2}X$
② $\frac{5}{9}X$
③ $\frac{11}{18}X$
④ $\frac{2}{3}X$

**해설**

A회사는 정액법을 적용하여 감가상각을 하였기 때문에 $\frac{1}{3}X$가 되고, C회사는 연수합계법을 적용하여 감가상각을 하였기 때문에 $\frac{1}{6}X$가 된다. 또한, B회사는 이중체감법을 적용하여 감가상각을 하였기 때문에 20X3년에는 취득원가에서 감가상각누계액을 차감한 미상각잔액을 전부 감가상각비로 계상하여야 한다. 그리고 20X1년의 감가상각비는 $\frac{2}{3}X$가 되고, 20X2년의 감가상각비는 $(X-\frac{2}{3}X)\times\frac{2}{3}$를 계산한 $\frac{2}{9}X$가 된다. 따라서 20X3년의 감가상각비는 $X-\frac{2}{3}X-\frac{2}{9}X$를 계산한 $\frac{1}{9}X$가 된다. 결국 세 회사의 감가상각비를 모두 더하면 $\frac{11}{18}X$가 된다. **정답 ③**

## 18 ☐☐☐ 2022년 군무원 7급 기출

A클리닝(주)의 8월 한 달 동안 세탁으로 벌어들인 수익은 1,000,000원이고, 임차료 300,000원, 급여 400,000원, 운송비 50,000원, 소모품 및 기타 비용 100,000원이다. 다음 중 8월 한 달 A클리닝(주)의 당기순이익은 얼마인가?

① 100,000원
② 150,000원
③ 200,000원
④ 300,000원

**해설**

당기순이익은 수익에서 비용을 차감한 것이다. 따라서 수익은 1,000,000원이고 비용은 850,000원(300,000원 + 400,000원 + 50,000원 + 100,000원)이기 때문에 당기순이익은 150,000원이 된다. **정답 ②**

## 19 ☐☐☐ 2021년 서울시 7급 기출

<보기>는 (주)서울의 포괄손익계산서 항목의 일부이다. 매출원가의 값은?

<보기>

| | |
|---|---|
| 총매출액 | ₩5,500,000 |
| 매출에누리와 환입 | ₩100,000 |
| 매출할인 | ₩50,000 |
| 기초상품 재고액 | ₩300,000 |
| 당기상품 총매입액 | ₩3,700,000 |
| 매입에누리와 환출 | ₩70,000 |
| 매입할인 | ₩30,000 |
| 기말상품 재고액 | ₩200,000 |
| 매출원가 | ( ? ) |

① ₩3,700,000
② ₩3,600,000
③ ₩3,500,000
④ ₩3,400,000

**해설**

매출원가는 '기초상품 재고액 + 순매입액 - 기말상품 재고액'으로 계산한다. 그리고 주어진 <보기>에서 순매입액은 '당기상품 총매입액 - 매입에누리와 환출 - 매입할인'으로 계산한다. 따라서 매출원가는 '₩300,000 + ₩3,600,000 - ₩200,000'을 계산한 ₩3,700,0000이다. **정답 ①**

## 20  2021년 군무원 7급 기출

이익을 계산하는 방법에 대한 설명으로 옳지 않은 것은?

① 매출액에서 총 비용을 차감
② 판매가격에서 단위변동비를 차감
③ 공헌이익에서 총고정비를 차감
④ 총변동비와 총고정비의 합을 매출액에서 차감

**해설**

판매가격에서 단위변동비를 차감한 것은 단위당 공헌이익이다.

정답 ②

## 21  2019년 서울시 7급 기출

회계오류의 수정에 대한 설명으로 가장 옳지 않은 것은?

① 매출채권을 미수금으로 처리하여 발생하는 오류는 당기순이익에 영향을 미치지 않는다.
② 포괄손익계산서의 수익과 비용계정 과목을 잘못 분류하여 발생하는 오류는 당기순이익에 영향을 미친다.
③ 재고자산오류, 선수수익 관련 오류는 자동조정오류로 재무상태표와 손익계산서 모두에 영향을 미친다.
④ 오류의 효과가 다음 연도에 자동적으로 상계되지 않는 비자동조정오류는 당기순이익에 영향을 미친다.

**해설**

회계오류의 유형에는 순이익에 영향을 미치지 않는 오류와 순이익에 영향을 미치는 오류가 있다. 순이익에 영향을 미치지 않는 오류에는 재무상태표 오류(재무상태표 계정과목 분류의 오류)와 포괄손익계산서 오류(포괄손익계산서 계정과목 분류의 오류)가 있고, 순이익에 영향을 미치는 오류에는 자동조정적 오류(두 회계기간을 통하여 오류의 효과가 자동적으로 조정되는 오류)와 비자동조정적 오류(두 회계기간의 경과만으로 오류의 효과가 자동으로 조정되지 않는 오류)가 있다. 따라서 포괄손익계산서의 수익과 비용계정 과목을 잘못 분류하여 발생하는 오류는 당기순이익에 영향을 미치지 않는다.

정답 ②

## 5지선다형

### 01 ☐☐☐ 2018년 가맹거래사 기출

경영자가 기업 내의 투자 및 운영 등에 관한 의사결정을 할 때 필요한 정보를 제공하는 회계분야는?

① 고급회계
② 재무회계
③ 관리회계
④ 세무회계
⑤ 정부회계

**해설**

회계는 재무회계와 관리회계로 구분할 수 있는데, 재무회계는 기업의 외부정보이용자인 투자자나 채권자 등에게 경제적 의사결정에 유용한 정보를 제공하는 것을 목적으로 하는 회계이고, 관리회계는 기업의 내부정보이용자인 경영자에게 관리적 의사결정에 유용한 정보를 제공하는 것을 목적으로 하는 회계이다. 따라서 경영자가 기업 내의 투자 및 운영 등에 관한 의사결정을 할 때 필요한 정보를 제공하는 회계분야는 관리회계이다.

**정답 ③**

### 02 ☐☐☐ 2024년 가맹거래사 기출

재무정보의 질적 특성으로 옳지 않은 것은?

① 연결성
② 적시성
③ 검증가능성
④ 비교가능성
⑤ 이해가능성

**해설**

재무정보의 질적 특성은 일반회계기준의 내용에 따르면 목적적합성(예측가치, 피드백가치, 적시성)과 신뢰성(표현의 충실성, 검증가능성, 중립성)으로 나누어지고, 한국채택국제회계기준(K-IFRS)의 내용에 따르면 근본적 질적 특성과 보강적 질적 특성으로 나누어진다. 여기서 근본적 질적 특성은 목적적합성(예측가치, 확인가치, 중요성)과 충실한 표현(완전한 서술, 중립적 서술, 오류가 없어야 함)으로 구성되어 있고, 보강적 질적 특성은 비교가능성, 검증가능성, 적시성, 이해가능성으로 구성되어 있다. 따라서 연결성은 재무정보의 질적 특성에 해당하지 않는다.

**정답 ①**

### 03 ☐☐☐ 2019년 가맹거래사 기출

재무정보의 질적 특성이 아닌 것은?

① 충실한 표현
② 비교가능성
③ 발생주의
④ 적시성
⑤ 이해가능성

**해설**

재무정보의 질적 특성에는 목적적합성, 충실한 표현, 비교가능성, 검증가능성, 적시성, 이해가능성 등이 있다. 발생주의는 현금의 수수와는 관계없이 수익은 실현되었을 때 인식하고, 비용은 발생하였을 때 인식하는 개념이다.

**정답 ③**

## 04　2017년 가맹거래사 기출

회계정보 또는 재무정보의 질적 특성 중 정보이용자가 항목 간의 유사점과 차이점을 식별하고 이해할 수 있도록 하는 것은?

① 적시성(timeliness)
② 비교가능성(comparability)
③ 목적적합성(relevance)
④ 검증가능성(verifiability)
⑤ 표현충실성(representational faithfulness)

**해설**

회계정보 또는 재무정보의 질적 특성 중 정보이용자가 항목 간의 유사점과 차이점을 식별하고 이해할 수 있도록 하는 것은 비교가능성이다.

정답 ②

## 05　2018년 가맹거래사 기출

회계정보가 정보로서 가치가 있기 위해 갖추어야 할 질적 특성에 관한 설명으로 옳은 것은?

① 신뢰성 있는 정보란 주관적으로 검증가능하여야 한다.
② 회계정보가 중립적이려면 편의(bias)가 있어야 한다.
③ 중립적이라 함은 회계정보가 의도된 결과를 유도할 목적으로 정보이용자의 의사결정이나 판단에 영향을 미쳐야 함을 뜻한다.
④ 분기재무제표는 연차재무제표에 비해 적시성 있는 정보를 제공하기 때문에 목적적합성을 높일 수 있다.
⑤ 연차재무제표는 분기재무제표에 비해 신뢰성과 목적적합성이 높은 정보를 제공할 수 있다.

**해설**

① 신뢰성 있는 정보란 객관적으로 검증가능하여야 한다.
② 회계정보가 중립적이려면 편의(bias)가 없어야 한다.
③ 중립적이라 함은 회계정보가 의도된 결과를 유도할 목적으로 정보이용자의 의사결정이나 판단에 영향을 미치지 않아야 한다.
⑤ 분기재무제표는 연차재무제표에 비해 목적적합성이 높은 정보를 제공할 수 있고, 연차재무제표는 분기재무제표에 비해 신뢰성이 높은 정보를 제공할 수 있다.

정답 ④

## 06 ☐☐☐ 2013년 공인노무사 기출

**회계의 순환과정을 순서대로 나열한 것은?**

| A. 수정분개 | B. 거래발생 | C. 분개 |
| D. 수정전시산표 작성 | E. 원장 전기 | F. 재무제표 작성 |

① B - C - A - E - D - F
② E - B - C - A - D - F
③ E - B - C - D - F - A
④ B - C - E - D - A - F
⑤ B - C - D - E - F - A

**해설**

회계의 순환과정은 '거래발생 – 분개 – 원장 전기 – 수정전시산표 작성 – 수정분개 – 재무제표 작성'의 순이다.

**정답 ④**


## 07 ☐☐☐ 2018년 공인노무사 기출

**시산표는 재무상태표 구성요소와 포괄손익계산서 구성요소를 한 곳에 집계한 표이다. 다음 시산표 등식에서 (   )에 들어갈 항목으로 옳은 것은?**

| 자산 + 비용 = 부채 + (   ) + 수익 |

① 매출액
② 자본
③ 법인세
④ 미지급금
⑤ 감가상각비

**해설**

재무상태표의 구성요소는 자산, 부채, 자본이고, 포괄손익계산서의 구성요소는 수익과 비용이다. 따라서 괄호 안에는 자본이 들어간다.

**정답 ②**


## 08 ☐☐☐ 2021년 가맹거래사 기출

**회계상 거래가 아닌 것은?**

① 상품 30만 원을 주문하였다.
② 5월분 종업원 급여 20만 원을 5월 31일 현재 회사 경영 악화로 인해 지급하지 못하고 있다.
③ 화재로 인하여 상품 10만 원이 소실되었다.
④ 영업 목적으로 취득한 화물차 연간보험료 100만 원을 미리 지급하였다.
⑤ 업무용 건물을 50만 원에 구입하였다.

**해설**

회계상 거래는 기업의 경영활동에서 자산, 부채, 자본, 수익, 비용의 증감·변화를 일으키는 것을 의미하고, 화폐금액으로 신뢰성 있게 측정가능하여야 한다. 따라서 계약, 주문서 발송, 종업원 채용 등은 일상생활에서는 거래라고 하지만 자산, 부채, 자본의 증감변화가 일어나지 않으므로 회계에서는 거래로 보지 않는다. 즉 계약, 주문, 채용, 담보제공 등은 일반적인 거래에는 해당하지만 회계상 거래에는 해당하지 않으며, 화재, 도난, 파손 등은 일반적인 거래에는 해당하지 않지만 회계상 거래에는 해당한다.

**정답 ①**

## 09 2019년 가맹거래사 기출

**회계상 거래가 아닌 것은?**

① 상품 3,000만 원을 구입하면서 전액 현금으로 지급하였다.
② 태풍으로 인해 창고에 보관되어 있는 상품 1,000만 원이 훼손되었다.
③ 신규 프로젝트를 위해 매월 급여 200만 원을 지급하기로 하고 종업원을 채용하였으며, 그 종업원은 다음 달부터 출근하기로 하였다.
④ 단기간 자금 운영을 위하여 은행으로부터 2,000만 원을 차입하였다.
⑤ 영업 목적으로 취득한 자동차 연간 보험료 120만 원을 미리 납부하였다.

### 해설

회계상 거래는 회사 재산상의 증감사항을 가져오는 사건을 뜻한다. 회계상 거래로 인식되기 위해서는 회사의 재산상태에 영향을 미쳐야 하고 그 영향을 금액으로 측정할 수 있어야 한다. 그러나 ③의 경우에 종업원을 채용하였으나 다음 달부터 출근하기로 한 것이 지금 당장 회사 재산상의 증감에 영향을 미치지 않기 때문에 회계상 거래로 볼 수 없다.

**정답 ③**

## 10 2018년 가맹거래사 기출

**회계상 거래가 아닌 것은?**

① 은행에서 현금 300,000원을 인출하였다.
② 상품 150,000원을 도난당하였다.
③ 급료 18,000원을 현금으로 지급하였다.
④ 거래처의 파산으로 외상채권 3,000원이 회수불능이 되었다.
⑤ 다른 회사와 2,000,000원의 상품 판매계약을 체결하였으나 계약금 등을 받지 않았고 아직 상품을 판매하지 않았다.

### 해설

회계상 거래는 기업의 경영활동에서 자산, 부채, 자본, 수익, 비용의 증감·변화를 일으키는 것을 의미하고, 화폐금액으로 신뢰성 있게 측정가능하여야 한다. 따라서 계약, 주문, 채용, 담보제공 등은 일반적인 거래에는 해당하지만 회계상 거래에는 해당하지 않으며, 화재, 도난, 파손 등은 일반적인 거래에는 해당하지 않지만 회계상 거래에는 해당한다. 즉 ⑤가 회계상 거래에 해당하지 않는다.

**정답 ⑤**

## 11  2015년 가맹거래사 기출

**회계상의 거래가 아닌 것은?**

① 의자를 ₩300,000에 현금으로 구입하다.
② 화재로 재고 ₩100,000이 소실되다.
③ 은행에 현금 ₩100,000을 예금하다.
④ 책상을 ₩500,000에 주문하다.
⑤ 비품을 ₩600,000에 외상으로 구입하다.

**해설**

회계상 거래는 기업의 경영활동에서 자산, 부채, 자본, 수익, 비용의 증감·변화를 일으키는 것을 의미하고, 화폐금액으로 신뢰성 있게 측정가능하여야 한다. 따라서 계약, 주문서 발송, 종업원 채용 등은 일상생활에서는 거래라고 하지만 자산, 부채, 자본의 증감변화가 일어나지 않으므로 회계에서는 거래로 보지 않는다. 즉 계약, 주문, 채용, 담보제공 등은 일반적인 거래에는 해당하지만 회계상 거래에는 해당하지 않으며, 화재, 도난, 파손 등은 일반적인 거래에는 해당하지 않지만 회계상 거래에는 해당한다. 즉 책상을 ₩500,000에 주문한 거래는 회계상 거래에 해당하지 않는다.  **정답** ④

## 12  2020년 가맹거래사 기출

**거래 8요소의 차변과 대변의 결합 관계로 옳은 것은?**

① (차변) 부채감소, (대변) 자본감소
② (차변) 자산증가, (대변) 자본증가
③ (차변) 자본증가, (대변) 수익발생
④ (차변) 비용발생, (대변) 자산증가
⑤ (차변) 자산감소, (대변) 부채감소

**해설**

차변에는 자산의 증가, 부채의 감소, 자본의 감소, 비용의 발생이 기록되고, 대변에는 자산의 감소, 부채의 증가, 자본의 증가, 수익의 발생이 기록된다.  **정답** ②

## 13  2024년 공인노무사 기출

**회계거래 분개 시 차변에 기록해야 하는 것은?**

① 선수금의 증가
② 미수수익의 증가
③ 매출의 발생
④ 미지급비용의 증가
⑤ 매입채무의 증가

**해설**

회계거래 분개 시 차변에는 자산의 증가, 부채의 감소, 자본의 감소, 비용의 발생을 기록해야 하고, 대변에는 자산의 감소, 부채의 증가, 자본의 증가, 수익의 발생을 기록해야 한다. 따라서 선수금(부채)의 증가, 매출(수익)의 발생, 미지급비용(부채)의 증가, 매입채무(부채)의 증가는 대변에 기록해야 하고, 미수수익(자산)의 증가는 차변에 기록해야 한다.  **정답** ②

## 14 ☐☐☐ 2022년 공인노무사 기출

회계거래 분개에 관한 설명으로 옳은 것은?

① 매입채무의 증가는 차변에 기록한다.
② 장기대여금의 증가는 대변에 기록한다.
③ 자본금의 감소는 차변에 기록한다.
④ 임대료 수익의 발생은 차변에 기록한다.
⑤ 급여의 지급은 대변에 기록한다.

**해설**

차변에는 자산의 증가, 부채의 감소, 자본의 감소, 비용의 발생이 기록되고, 대변에는 자산의 감소, 부채의 증가, 자본의 증가, 수익의 발생이 기록된다.
① 매입채무의 증가는 부채의 증가에 해당하기 때문에 대변에 기록한다.
② 장기대여금의 증가는 자산의 증가이기 때문에 차변에 기록한다.
④ 임대료 수익의 발생은 수익의 발생에 해당하기 때문에 대변에 기록한다.
⑤ 급여의 지급은 비용의 발생에 해당하기 때문에 차변에 기록한다.

정답 ③

## 15 ☐☐☐ 2023년 가맹거래사 기출

분개할 때 차변에 기록할 거래는?

① 매입채무 감소     ② 매출채권 감소     ③ 자본금 증가
④ 차입금 증가       ⑤ 선급금 감소

**해설**

차변에는 자산의 증가, 부채의 감소, 자본의 감소, 비용의 발생을 기록하고, 대변에는 자산의 감소, 부채의 증가, 자본의 증가, 수익의 발생을 기록한다. 따라서 차변에는 매입채무 감소, 매출채권 증가, 자본금 감소, 차입금 감소, 선급금 증가가 기록된다.

정답 ①

## 16 ☐☐☐ 2024년 가맹거래사 기출

(주)가맹은 20X3년 4월 30일에 주주들에게 배당금 100억 원을 현금으로 지급하였다. 이 거래를 계정에 기록한 것으로 옳은 것은?

① (차변) 자산 감소     (대변) 자본 감소
② (차변) 자본 감소     (대변) 자산 감소
③ (차변) 자산 감소     (대변) 자본 증가
④ (차변) 자본 감소     (대변) 자산 증가
⑤ (차변) 자산 감소     (대변) 이익 감소

**해설**

현금배당은 이익잉여금은 재원으로 하기 때문에 20X3년 4월 30일에 발생한 거래는 이익잉여금(자본)의 감소, 현금(자산)의 감소가 발생한 거래이다. 따라서 해당 거래는 차변에 이익잉여금(자본)의 감소를 기록하고, 대변에 현금(자산)의 감소를 기록하게 된다.

정답 ②

## 17 ☐☐☐ 2015년 공인노무사 기출

액면가액 5,000원인 주식 100주를 발행하여 회사를 설립할 경우 올바른 분개는?

① (차) 현금　　500,000　　(대) 부채　　500,000
② (차) 자본금　500,000　　(대) 부채　　500,000
③ (차) 자본금　500,000　　(대) 현금　　500,000
④ (차) 현금　　500,000　　(대) 자본금　500,000
⑤ (차) 부채　　500,000　　(대) 자본금　500,000

> **해설**
>
> 액면가액 5,000원인 주식 100주를 발행하여 회사를 설립하면 현금과 자본금이 500,000원 증가한다.　　**정답 ④**

## 18 ☐☐☐ 2022년 가맹거래사 기출

(주)가맹은 20X2년 2월 1일에 사무실 임차계약을 체결하고 보증금 1천만 원을 현금으로 지급하였다. 이 거래에 대한 분석으로 옳은 것은?

① (차변) 자산증가, (대변) 수익발생
② (차변) 자산증가, (대변) 자산감소
③ (차변) 비용발생, (대변) 자산감소
④ (차변) 자산증가, (대변) 부채증가
⑤ (차변) 부채감소, (대변) 자본증가

> **해설**
>
> 해당 거래를 통해 보증금이라는 자산이 증가하고, 현금이라는 자산이 감소하였다. 따라서 '(차변) 자산증가, (대변) 자산감소'에 해당한다.　　**정답 ②**

## 19 ☐☐☐ 2023년 가맹거래사 기출

(주)가맹은 20X2년 4월 1일에 1년 보험료 12,000원을 현금으로 지급하고 전액 비용처리하였다. 이와 관련한 20X2년 결산일(12월 31일)의 수정분개는? (단, 필요한 경우 월할 계산한다.)

① (차변) 보험료　　9,000　　(대변) 선급보험료　9,000
② (차변) 보험료　　3,000　　(대변) 선급보험료　3,000
③ (차변) 선급보험료　3,000　(대변) 보험료　　3,000
④ (차변) 선급보험료　9,000　(대변) 보험료　　9,000
⑤ 수정분개할 필요 없다.

> **해설**
>
> 1년 보험료가 12,000원이기 때문에 1월 보험료는 1,000원이다. 그런데 20X2년 4월 1일에 1년 보험료 12,000원을 현금으로 지급하였다면 20X2년 말에 비용으로 처리되어야 하는 보험료는 9,000원이다. 그럼에도 불구하고 전액 비용처리하였기 때문에 3,000원만큼의 비용(보험료)을 감소시키고, 선급보험료를 3,000원 증가시켜야 한다. 따라서 20X2년 결산일(12월 31일)의 수정분개는 ③이 된다.　　**정답 ③**

## 20 □□□ 2022년 가맹거래사 기출

(주)가맹의 20X2년 기초 선급보험료가 25,000원이고, 기말 선급보험료가 36,000원이며, 20X2년 당기에 지급한 보험료가 165,000원이다. (주)가맹의 20X2년도 포괄손익계산서에 계상될 보험료는?

① 104,000원
② 154,000원
③ 165,000원
④ 176,000원
⑤ 226,000원

**해설**

20X2년도 포괄손익계산서에 계상되는 보험료는 '기초 선급보험료 + 당기에 지급한 보험료 − 기말 선급보험료'로 계산된다. 따라서 20X2년도 포괄손익계산서에 계상되는 보험료는 '25,000원 + 165,000원 − 36,000원'으로 계산된 154,000원이다.

**정답 ②**

## 21 □□□ 2023년 공인노무사 기출

거래의 결합관계가 비용의 발생과 부채의 증가에 해당하는 것은? (단, 거래금액은 고려하지 않는다.)

① 외상으로 구입한 업무용 컴퓨터를 현금으로 결제하였다.
② 종업원 급여가 발생하였으나 아직 지급하지 않았다.
③ 대여금에 대한 이자를 현금으로 수령하지 못하였으나 결산기말에 인식하였다.
④ 거래처에서 영업용 상품을 외상으로 구입하였다.
⑤ 은행으로부터 빌린 차입금을 상환하였다.

**해설**

비용(종업원 급여)이 발생하고, 부채(미지급금)가 증가한 거래이다.
① 부채(미지급금)와 자산(현금)이 감소한 거래이다.
③ 자산(미수이자)이 증가하고, 수익(이자수익)이 발생한 거래이다.
④ 자산(영업용 상품)이 증가하고, 부채(미지급금)이 증가한 거래이다.
⑤ 부채(차입금)와 자산(현금)이 감소한 거래이다.

**정답 ②**

## 22 □□□ 2023년 공인노무사 기출

현행 K-IFRS에 의한 재무제표에 해당하지 않는 것은?

① 재무상태변동표
② 포괄손익계산서
③ 자본변동표
④ 현금흐름표
⑤ 주석

**해설**

현행 K-IFRS에 의한 재무제표에는 재무상태표, 포괄손익계산서, 현금흐름표, 자본변동표, 주석이 있다. 즉 재무상태표, 포괄손익계산서, 현금흐름표, 자본변동표는 표와 숫자의 요약된 형태로 제공되므로 정보제공방식에 한계가 있다. 이에 따라 표와 숫자의 형태로만 표현하기 어려운 정보들을 서술형 정보를 포함하여 보충적으로 설명하는 재무제표가 필요한데, 이를 주석이라고 한다. 따라서 주석도 재무제표 중의 하나에 해당한다.

**정답 ①**

## 23 ☐☐☐ 2024년 가맹거래사 기출

한국채택국제회계기준에서 규정하는 재무제표로 옳지 않은 것은?

① 재무상태표
② 현금흐름표
③ 포괄손익계산서
④ 비교재무제표
⑤ 자본변동표

**해설**

한국채택국제회계기준에서 규정하는 재무상태표, 포괄손익계산서, 현금흐름표, 자본변동표, 주석이 있다. 따라서 비교재무제표는 한국채택국제회계기준에서 규정하는 재무제표에 해당하지 않는다.

정답 ④

## 24 ☐☐☐ 2019년 가맹거래사 기출

일정시점에서 기업이 보유하고 있는 자산, 부채, 자본의 구성 및 금액을 보고하고자 작성되는 재무보고서는?

① 재무상태표
② 포괄손익계산서
③ 현금흐름표
④ 자본변동표
⑤ 이익잉여금처분계산서

**해설**

일정시점에서 기업이 보유하고 있는 자산, 부채, 자본의 구성 및 금액을 보고하고자 작성되는 재무보고서는 재무상태표이다. 포괄손익계산서는 일정기간 동안 기업실체의 경영성과에 대한 정보를 제공하는 재무제표를 말한다. 현금흐름표는 일정기간 동안 기업실체의 현금유입과 현금유출에 대한 정보를 제공하는 재무제표를 말한다. 자본변동표는 일정시점 현재 기업실체의 자본크기와 일정기간 동안 기업실체의 자본변동에 대한 정보를 제공하는 재무제표를 말한다. 이익잉여금처분계산서는 기업의 이월이익잉여금의 수정사항과 당기이익잉여금의 처분사항을 명확히 보고하기 위하여 이월이익잉여금의 변동사항을 표시한 재무제표이다.

정답 ①

## 25 ☐☐☐ 2016년 가맹거래사 기출

다음 자료를 이용하여 계산한 재무활동으로 인한 현금흐름은?

| | |
|---|---:|
| • 기초현금 | 2,000,000원 |
| • 기말현금 | 2,700,000원 |
| • 영업활동으로 인한 현금흐름 | 200,000원 |
| • 투자활동으로 인한 현금흐름 | 100,000원 |

① 100,000원
② 200,000원
③ 300,000원
④ 400,000원
⑤ 500,000원

**해설**

기말현금은 '기초현금 + 영업활동으로 인한 현금흐름 + 투자활동으로 인한 현금흐름 + 재무활동으로 인한 현금흐름'이다. 따라서 재무활동으로 인한 현금흐름은 '2,700,000원 − 2,000,000원 − 200,000원 − 100,000원'으로 계산하여 400,000원이다.

정답 ④

## 26 ☐☐☐ 2015년 가맹거래사 기출

**재무활동으로 인한 현금흐름에 해당하는 것은?**

① 차입금의 상환에 따른 현금유출
② 무형자산의 처분에 따른 현금유입
③ 재화의 판매와 용역제공에 따른 현금유입
④ 재화와 용역의 구입에 따른 현금유출
⑤ 유형자산의 취득에 따른 현금유출

**해설**

현금흐름은 영업활동, 투자활동, 재무활동으로 인하여 발생한다. 따라서 ①이 재무활동으로 인한 현금흐름에 해당하고, ②와 ⑤는 투자활동으로 인한 현금흐름에 해당한다. 그리고 ③과 ④는 영업활동으로 인한 현금흐름에 해당한다. **정답 ①**

## 27 ☐☐☐ 2013년 공인노무사 기출

**포괄손익계산서상의 '판매비와 관리비'에 해당하지 않는 것은?**

① 급여　　　　　② 임차료　　　　　③ 법인세비용
④ 감가상각비　　⑤ 광고선전비

**해설**

판매비와 관리비에는 급여, 수도광열비, 운반비, 감가상각비, 지급수수료, 세금과공과, 지급임차료, 보험료, 복리후생비, 여비교통비 등이 있으며, 법인세비용은 별도 항목으로 판매비와 관리비에 해당하지 않는다. **정답 ③**

## 28 ☐☐☐ 2020년 공인노무사 기출

**재무상태표와 관련되는 것을 모두 고른 것은?**

| ㄱ. 수익·비용대응의 원칙 | ㄴ. 일정시점의 재무상태 |
| ㄷ. 유동성 배열법 | ㄹ. 일정기간의 경영성과 |
| ㅁ. 자산, 부채 및 자본 | |

① ㄱ, ㄴ
② ㄱ, ㄹ
③ ㄴ, ㄷ, ㄹ
④ ㄴ, ㄷ, ㅁ
⑤ ㄷ, ㄹ, ㅁ

**해설**

재무상태표와 관련된 것은 ㄴ, ㄷ, ㅁ이 되고, ㄱ, ㄹ은 포괄손익계산서와 관련된 것이다. **정답 ④**

## 29 ☐☐☐ 2013년 공인노무사 기출

**다음의 계정과목 중 재무상태표의 구성항목이 아닌 것은?**

① 유형자산　　② 유동부채　　③ 자본금
④ 이익잉여금　⑤ 매출원가

**해설**

매출원가는 포괄손익계산서의 구성항목이다.　　　　　　　　　　**정답 ⑤**

## 30 ☐☐☐ 2022년 공인노무사 기출

**재무상태표의 자산 항목에 해당하지 않는 것은?**

① 미수금　　② 단기대여금　　③ 선급금
④ 이익준비금　⑤ 선급비용

**해설**

이익준비금은 이익잉여금에 해당하기 때문에 자본 항목에 해당한다.　　**정답 ④**

## 31 ☐☐☐ 2022년 가맹거래사 기출

**재무상태표의 재고자산에 관한 설명으로 옳지 않은 것은?**

① 원재료는 제품의 생산 시에 투입되는 원자재를 말한다.
② 제품은 기업이 자체적으로 또는 일부 외주로 가공하여 생산한 재화를 말한다.
③ 반제품은 기업이 자체적으로 생산한 중간제품과 부분품을 말한다.
④ 소모품은 내용연수가 1년 미만인 예비부품과 수선용구를 말한다.
⑤ 재공품은 제품의 생산에 보조적으로 사용하는 소모성 재료를 말한다.

**해설**

재공품(work in process, WIP)은 생산과정 중에 있는 재고자산을 말한다.　　**정답 ⑤**

## 32  2018년 공인노무사 기출

**당좌자산에 해당하는 것을 모두 고른 것은?**

| ㄱ. 현금 | ㄴ. 보통예금 |
|---|---|
| ㄷ. 투자부동산 | ㄹ. 단기금융상품 |

① ㄱ, ㄴ  ② ㄷ, ㄹ  ③ ㄱ, ㄴ, ㄹ
④ ㄴ, ㄷ, ㄹ  ⑤ ㄱ, ㄴ, ㄷ, ㄹ

**해설**

당좌자산은 환금하기 쉬운 유동자산을 의미하는데, 현금, 예금, 받을어음, 외상매출금, 유가증권 등이 해당한다.

**정답 ③**

---

## 33  2018년 공인노무사 기출

**재무상태표의 항목에 해당되지 않는 것은?**

① 차입금  ② 이익잉여금  ③ 매출채권
④ 판매비  ⑤ 재고자산

**해설**

판매비는 비용에 해당하기 때문에 포괄손익계산서 항목에 해당한다.

**정답 ④**

---

## 34  2015년 가맹거래사 기출

**유동자산에 속하는 항목은?**

① 투자자산  ② 유형자산  ③ 무형자산
④ 매입채무  ⑤ 매출채권

**해설**

매출채권이 유동자산에 속하고, 투자자산, 유형자산, 무형자산은 비유동자산에 속한다. 매입채무는 유동부채에 속한다.

**정답 ⑤**

---

## 35  2015년 공인노무사 기출

**재무상태표에서 비유동자산에 해당하는 계정과목은?**

① 영업권  ② 매입채무  ③ 매출채권
④ 자기주식  ⑤ 법정적립금

**해설**

매입채무는 유동부채, 매출채권은 유동자산, 자기주식과 법정적립금은 자본에 해당하는 계정과목이다.

**정답 ①**

## 36 □□□ 2020년 공인노무사 기출

**자본항목의 분류가 다른 것은?**

① 주식할인발행차금  ② 감자차손  ③ 자기주식
④ 미교부주식배당금  ⑤ 자기주식처분이익

**해설**

자기주식처분이익은 납입자본금(자본잉여금)에 해당하고, 주식할인발행차금, 감자차손, 자기주식, 미교부주식배당금은 기타자본요소에 해당한다. 납입자본금에는 자기주식처분이익 외에 보통주자본금, 우선주자본금, 주식발행초과금, 감자차익 등이 있다.

**정답 ⑤**

## 37 □□□ 2019년 공인노무사 기출

**다음 중 자본잉여금에 해당하는 항목은?**

① 미교부주식배당금  ② 법정적립금  ③ 임의적립금
④ 미처분이익잉여금  ⑤ 주식발행초과금

**해설**

미교부주식배당금은 자본조정에 해당하는 항목이고, 법정적립금과 임의적립금 및 미처분이익잉여금은 이익잉여금에 해당하는 항목이다.

**정답 ⑤**

## 38 □□□ 2017년 가맹거래사 기출

**자본잉여금에 해당하는 것은?**

① 이익준비금  ② 결손보전적립금  ③ 사업확장적립금
④ 감채적립금  ⑤ 주식발행초과금

**해설**

주식발행초과금이 자본잉여금에 해당하고, 나머지는 이익잉여금에 해당한다.

**정답 ⑤**

## 39 □□□ 2021년 공인노무사 기출

**유형자산에 해당하는 항목을 모두 고른 것은?**

| ㄱ. 특허권 | ㄴ. 건물 |
| ㄷ. 비품 | ㄹ. 라이선스 |

① ㄱ, ㄴ  ② ㄴ, ㄷ  ③ ㄱ, ㄴ, ㄷ
④ ㄴ, ㄷ, ㄹ  ⑤ ㄱ, ㄴ, ㄷ, ㄹ

**해설**

특허권과 라이선스는 무형자산에 해당하고, 건물과 비품이 유형자산에 해당한다.

**정답 ②**

## 40 ☐☐☐ 2018년 가맹거래사 기출

**재무상태표 상의 유동자산에 포함되지 않는 것은?**

① 특허권 등의 산업재산권
② 건설회사가 판매목적으로 건설하였으나 아직 판매되지 않은 아파트
③ 생산에 사용할 목적으로 보유하고 있는 원재료
④ 만기가 6개월 이내에 도래하는 받을어음
⑤ 3개월 이내에 받기로 약정되어 있는 외상매출금

**해설**

유동자산은 12개월 이내에 결제될 것으로 예상되는 자산을 의미한다. 따라서 특허권 등의 산업재산권은 유동자산에 포함되지 않는다.    **정답 ①**

## 41 ☐☐☐ 2017년 가맹거래사 기출

**(주)가맹의 20X7년도 말의 재무자료는 다음과 같다. (주)가맹의 유동자산은?**

- 자산총계: 100,000,000원
- 자본총계: 40,000,000원
- 유동부채: 20,000,000원
- 유동비율: 150%

① 15,000,000원   ② 20,000,000원   ③ 25,000,000원
④ 30,000,000원   ⑤ 35,000,000원

**해설**

유동비율은 유동자산을 유동부채로 나누어 계산한다. 따라서 유동자산은 30,000,000원이다.    **정답 ④**

## 42 ☐☐☐ 2017년 가맹거래사 기출

**부채총계 4억 원, 자본총계 6억 원, 유동자산 3억 원인 기업의 비유동자산은?**

① 7억 원   ② 9억 원   ③ 11억 원
④ 13억 원   ⑤ 15억 원

**해설**

자산총계는 부채총계와 자본총계의 합이기 때문에 10억 원이 되고, 그 중에 유동자산이 3억 원이기 때문에 비유동자산은 7억 원이다.    **정답 ①**

## 43 □□□ 2021년 공인노무사 기출

재무상태표의 부채에 해당하지 않는 것은?

① 매입채무
② 선급비용
③ 선수금
④ 사채
⑤ 예수금

**해설**

선급비용은 미리 지급한 비용이 되기 때문에 자산에 해당한다.

정답 ②

## 44 □□□ 2022년 가맹거래사 기출

일반적인 상거래에서 발생한 외상매입금과 지급어음에 해당하는 계정과목은?

① 선수금
② 예수금
③ 매입채무
④ 미지급금
⑤ 장기차입금

**해설**

① 선수금은 용역이나 상품을 제공하는 대가로 먼저 받은 금액을 의미한다.
② 예수금은 특정 목적 때문에 기업이 대신 지급할 목적으로 미리 받아 두는 금액을 의미하고, 거래처나 종업원을 대신하여 납부기관에 납부할 때 소멸하는 부채이다.
④ 미지급금은 비유동자산의 취득 등 일반적인 상거래 이외에서 발생한 채무를 말한다.
⑤ 장기차입금은 지급기한이 1년 이상인 차입금을 말한다.

정답 ③

## 45 □□□ 2024년 가맹거래사 기출

재무상태표 상에 기록되는 유동부채로서 옳지 않은 것은?

① 단기차입금
② 선수수익
③ 예수금
④ 사채
⑤ 미지급비용

**해설**

유동부채는 1년 이내에 상환해야 하는 부채를 의미한다. 따라서 주어진 보기 중에 단기차입금, 선수수익, 예수금, 미지급비용은 유동부채에 해당하지만, 사채는 비유동(고정)부채에 해당한다.

정답 ④

## 46 □□□ 2021년 가맹거래사 기출

자본 항목으로 옳지 않은 것은?

① 우선주 자본금
② 미지급배당금
③ 자기주식
④ 기타포괄손익누계액
⑤ 이익잉여금

**해설**

미지급배당금은 부채 항목에 해당한다.

정답 ②

## 47 ☐☐☐ 2020년 가맹거래사 기출
이익잉여금에 해당하지 않는 것은?

① 시설확장적립금　② 차기이월이익잉여금　③ 이익준비금
④ 주식발행초과금　⑤ 임의적립금

**해설**

이익잉여금은 기처분이익잉여금(법정적립금, 임의적립금)과 미처분이익잉여금으로 구분된다. 따라서 주식발행초과금이 이익잉여금이 아니라 자본잉여금에 해당한다.

정답 ④

## 48 ☐☐☐ 2016년 가맹거래사 기출
이익잉여금을 증가시키는 요소는?

① 배당금 지급　② 당기순이익의 발생　③ 주식할인발행차금의 상각
④ 자기주식처분손실의 상각　⑤ 감자차손 처리

**해설**

이익잉여금을 증가시키는 요소는 당기순이익의 발생이 된다.

정답 ②

## 49 ☐☐☐ 2017년 공인노무사 기출
자본 항목에 해당하는 것은?

① 이익잉여금　② 사채　③ 영업권
④ 미수수익　⑤ 선수수익

**해설**

사채와 선수수익은 부채 항목에 해당하고, 영업권과 미수수익은 자산 항목에 해당한다.

정답 ①

## 50 ☐☐☐ 2016년 공인노무사 기출
주식에 관한 설명으로 옳지 않은 것은?

① 기업의 이익 중 일부를 주주에게 분배하는 것을 배당이라 한다.
② 기업은 발행한 보통주에 대한 상환의무를 갖지 않는다.
③ 주식은 자금조달이 필요한 경우 추가로 발행될 수 있다.
④ 모든 주식은 채권과 달리 액면가가 없다.
⑤ 주주는 투자한 금액 내에 유한책임을 진다.

**해설**

주식의 액면가는 6종으로 100원, 200원, 500원, 1,000원, 2,500원, 5,000원이다.

정답 ④

## 51 ☐☐☐ 2014년 가맹거래사 기출

**보통주에 관한 설명으로 옳지 않은 것은?**

① 장기자금을 안정적으로 조달할 수 있다.
② 이자와 같은 고정재무비용을 발생시키지 않는다.
③ 보통주 발행비용은 부채발행비용보다 낮다.
④ 기업의 재무구조를 개선시킨다.
⑤ 보통주에 대한 배당실시의무규정은 없다.

**해설**

일반적으로 타인자본비용이 자기자본비용보다 낮다. 또한, 부채는 타인자본이 되고, 보통주는 자기자본이 된다. 따라서 보통주 발행비용은 부채발행비용보다 높다.

**정답 ③**

## 52 ☐☐☐ 2019년 가맹거래사 기출

(주)가맹은 영업개시 후 첫 회계연도 말에 자산합계와 부채합계를 각각 250억 원과 100억 원으로 보고하였다. 첫 회계연도에 이 회사의 순이익은 80억 원이었으며 현금 지급된 배당금이 20억 원이었을 경우, 첫 회계연도에 주주가 출자한 납입자본의 총액은?

① 50억 원
② 90억 원
③ 110억 원
④ 150억 원
⑤ 210억 원

**해설**

첫 회계연도 말 자본합계는 자산합계에서 부채합계를 차감한 150억 원이다. 또한, 기말자본은 납입자본 + 순이익 - 배당금과 같기 때문에 납입자본은 기말자본 - 순이익 + 배당금으로 계산할 수 있다. 따라서 납입자본은 150억 원 - 80억 원 + 20억 원으로 계산한 90억 원이 된다.

**정답 ②**

## 53 ☐☐☐ 2022년 공인노무사 기출 기출

**다음의 주어진 자료를 이용하여 산출한 기말자본액은?**

<자료>
- 기초자산: 380,000원
- 기초부채: 180,000원
- 당기 중 유상증자: 80,000원
- 당기 중 현금배당: 40,000원
- 당기순이익: 100,000원

① 260,000원
② 300,000원
③ 340,000원
④ 380,000원
⑤ 420,000원

**해설**

기말자본액은 기초자본액에 자본의 증가를 더해 주고 자본의 감소를 빼주면 된다. 그리고 자산은 부채와 자본의 합이 되기 때문에 기초자본은 기초자산에서 기초부채를 빼서 계산한다. 따라서 기초자본은 380,000원에서 180,000원을 차감한 200,000원이 된다. 또한, 당기 중 유상증자와 당기순이익은 자본을 증가시키고, 당기 중 현금배당은 자본을 감소시킨다. 결국 기말자본은 '200,000원 + 80,000원 + 100,000원 - 40,000원'을 계산한 340,000원이 된다.

**정답 ③**

## 54 2020년 가맹거래사 기출

(주)가맹의 자본 항목이 다음과 같은 경우, 자본잉여금의 합계는?

- 이익준비금: 80,000원
- 주식할인발행차금: 200,000원
- 자기주식처분이익: 50,000원
- 감자차익: 20,000원
- 자기주식: 100,000원
- 주식발행초과금: 100,000원
- 자기주식처분손실: 350,000

① 120,000원  ② 150,000원  ③ 170,000원
④ 270,000원  ⑤ 370,000원

**해설**

자본잉여금에는 주식발행초과금, 감자차익, 자기주식처분이익 등이 있다. 따라서 100,000원 + 50,000원 + 20,000원 = 170,000원이다. 추가로 이익준비금은 이익잉여금에 해당하고, 자기주식, 주식할인발행차금, 자기주식처분손실, 감자차손 등은 자본조정에 해당한다.

**정답 ③**


## 55 2018년 가맹거래사 기출

다음 자료를 이용하여 계산한 자본의 합계는?

- 외상매출금        150,000원
- 현금              600,000원
- 건물              570,000원
- 외상매입금        360,000원
- 지급어음          150,000원
- 비품              450,000원
- 차입금            750,000원
- 대여금            300,000원
- 받을어음          240,000원
- 당좌예금          600,000원

① 1,550,000원  ② 1,650,000원  ③ 2,150,000원
④ 2,950,000원  ⑤ 3,150,000원

**해설**

자본은 자산에서 부채를 차감한 것이다. 주어진 자료에서 자산은 외상매출금, 비품, 현금, 건물, 대여금, 받을어음, 당좌예금이 되기 때문에 2,910,000원이고, 부채는 차입금, 외상매입금, 지급어음이 되기 때문에 1,260,000원이다. 따라서 자본은 2,910,000원에서 1,260,000원을 차감한 1,650,000원이다.

**정답 ②**

## 56 ☐☐☐ 2014년 가맹거래사 기출

(주)가맹은 20X1년 초 현금 1,000,000원을 출자하였으며 20X1년 말 현재 자산 및 부채는 다음과 같다.

| | | | |
|---|---|---|---|
| • 현금 | 100,000원 | • 은행예금 | 800,000원 |
| • 토지 | 900,000원 | • 상품 | 250,000원 |
| • 건물 | 750,000원 | • 미지급임차료 | 300,000원 |
| • 은행차입금 | 1,000,000원 | | |

### (주)가맹의 20X1년 순자산변동액은?

① 300,000원
② 400,000원
③ 500,000원
④ 600,000원
⑤ 700,000원

**해설**

20X1년 말 현재 자산은 현금, 토지, 건물, 은행예금, 상품이고 부채는 은행차입금과 미지급임차료이기 때문에 20X1년 말 현재 자산은 2,800,000원이고 부채는 1,300,000원이다. 따라서 20X1년 말 현재 순자산은 1,500,000원이고 20X1년초 현금이 1,000,000원이었기 때문에 20X1년 순자산변동액은 500,000원이다.

**정답 ③**

## 57 ☐☐☐ 2021년 가맹거래사 기출

### 배당정책에 관한 설명으로 옳지 않은 것은?

① 고든(M. Gordon)의 '손 안에 있는 새'는 배당유관설과 관련이 있다.
② 밀러(M. Miller)와 모딜리아니(F. Modigliani)는 배당무관설을 주장했다.
③ 액면분할은 이론상 기업의 가치에 아무런 영향을 주지 않는다.
④ 주식배당은 기업의 이익 중 주식배당금만큼 자본금으로 편입시키기 때문에 주주의 부를 증가시킨다.
⑤ 현금배당은 배당락이 있으나 자사주매입은 배당락이 없는 배당의 특수형태라고 할 수 있다.

**해설**

주식배당은 이익잉여금을 자본금으로 전입하고 이를 근거로 신주를 발행하여 기존주주들에게 무상으로 나누어 주는 것을 말한다. 또한, 주식배당과 무상증자는 자본금으로 전입하는 재원만 차이가 있을 뿐 실질적으로는 동일하며, 현금의 유입은 없이 자본금이 증가한다. 따라서 기업이 주식배당이나 무상증자를 실시하는 경우에 자기자본총액의 변동 없이 주식수가 증가하여 주가가 비례적으로 하락하기 때문에 주주의 부에 아무런 영향을 미치지 못한다.

**정답 ④**

## 58  ☐☐☐ 2023년 공인노무사 기출

(주)한국의 매출 및 매출채권 자료가 다음과 같을 때, 매출채권의 평균회수기간은? (단, 1년은 360일로 가정한다.)

| 매출액 | ₩3,000,000 |
| --- | --- |
| 기초매출채권 | 150,000 |
| 기말매출채권 | 100,000 |

① 10일  ② 15일  ③ 18일
④ 20일  ⑤ 24일

### 해설
매출채권의 평균회수기간은 평균매출채권을 매출액으로 나누어서 계산한다. 그리고 평균매출채권은 '(기초매출채권 + 기말매출채권) / 2'로 구한다. 따라서 해당 문제에서의 매출채권 평균회수기간은 125,000원을 3,000,000원으로 나누어 계산한 0.04167(년)이다. 이를 일로 환산하면 '0.04167 × 360'을 계산한 15일이 된다.

정답 ②

## 59  ☐☐☐ 2020년 가맹거래사 기출

(주)가맹의 매출액 48,000,000원, 매출채권 8,000,000원인 경우, 매출채권을 회수하는 데 걸리는 평균기간은? (단, 매출채권은 매출액 발생연도의 기초와 기말의 평균값이며, 1년은 360일로 가정한다.)

① 40일  ② 45일  ③ 50일
④ 55일  ⑤ 60일

### 해설
매출채권회전율은 매출액을 매출채권으로 나눈 값이기 때문에 48,000,000원을 8,000,000원으로 나눈 값인 6이 된다. 그런데, 1년을 360일로 가정하였기 때문에 매출채권을 회수하는 데 걸리는 평균기간은 60일이 된다.

정답 ⑤

## 60 ☐☐☐ 2015년 가맹거래사 기출

(주)가맹의 20X1년도 자료는 다음과 같다.

| | |
|---|---|
| • 매출액 | 1,600,000원 |
| • 기초매출채권 | 120,000원 |
| • 기말매출채권 | 200,000원 |

**매출채권이 1회전 하는 데 소요되는 기간은? (단, 회계기간은 1월 1일부터 12월 31일까지이다.)**

① 28.5일      ② 32.5일      ③ 36.5일
④ 42.5일      ⑤ 48.5일

**해설**

매출채권회전율은 매출액을 평균매출채권으로 나누어 계산하기 때문에 1,600,000원을 160,000원으로 나누게 되면 10회가 된다. 여기서 평균매출채권은 기초매출채권과 기말매출채권의 합을 2로 나누어 계산한다. 따라서 매출채권회전율이 10회이기 때문에 1년을 365일로 가정하면 1회전 하는 데 소요되는 기간은 36.5일이 된다.

**정답 ③**

## 61 ☐☐☐ 2021년 공인노무사 기출

**공장을 신축하고자 1억 원의 토지를 현금으로 취득한 거래가 재무제표 요소에 미치는 영향은?**

① 자본의 감소, 자산의 감소      ② 자산의 증가, 자산의 감소      ③ 자산의 증가, 자본의 증가
④ 자산의 증가, 부채의 증가      ⑤ 비용의 증가, 자산의 감소

**해설**

공장을 신축하고자 1억 원의 토지를 현금으로 취득한 거래는 '토지'라는 자산을 증가시키고, '현금'이라는 자산을 감소시킨다.

**정답 ②**

## 62 ☐☐☐ 2014년 가맹거래사 기출

**토지를 10,000,000원에 구입하고 대금은 1개월 후 지급하기로 하고 구입 시 중개수수료 등의 제비용 100,000원을 현금지급한 경우 발생하는 거래요소들은?**

① 자산의 증가, 부채의 증가, 자산의 감소
② 자산의 증가, 부채의 감소, 비용의 발생
③ 자산의 증가, 부채의 증가, 비용의 발생
④ 자산의 감소, 부채의 감소, 비용의 발생
⑤ 자산의 감소, 부채의 증가, 부채의 감소

**해설**

자산의 취득원가는 매입원가뿐만 아니라 자산의 취득과 관련하여 발생한 모든 원가를 포함한다. 따라서 구입 시 발생한 중개수수료는 토지의 취득원가에 포함된다. 즉 토지 구입(중개수수료 포함)은 자산의 증가(10,100,000원), 대금을 1개월 후 지급하기로 한 것은 부채의 증가(100,000,000원), 제비용을 현금지급한 것은 자산의 감소(100,000원)이다.

**정답 ①**

## 63 ☐☐☐ 2014년 공인노무사 기출

차량을 200만 원에 구입하여 40만 원은 현금 지급하고 잔액은 외상으로 하였다. 이 거래결과로 옳은 것을 모두 고른 것은?

| A. 총자산 감소 | B. 총자산 증가 | C. 총부채 감소 | D. 총부채 증가 |

① A, C
② A, D
③ B, C
④ B, D
⑤ C, D

**해설**

차량(자산)이 200만 원 증가하고 현금(자산)이 40만 원 감소하였기 때문에 총자산은 160만 원 증가하고, 외상(부채)이 160만 원 증가하였기 때문에 총부채는 160만 원 증가하였다.

정답 ④

## 64 ☐☐☐ 2024년 공인노무사 기출

유형자산의 취득원가에 포함되는 것은?

① 파손된 유리와 소모품의 대체
② 마모된 자산의 원상복구
③ 건물 취득 후 가입한 보험에 대한 보험료
④ 유형자산 취득 시 발생한 운반비
⑤ 건물의 도색

**해설**

유형자산의 취득원가는 유형자산을 현재의 장소에 현재의 상태로 이르게 하는 데 발생한 모든 원가를 포함한다. 즉 유형자산을 취득하기 위하여 지출한 금액 모두가 취득원가가 된다. 따라서 주어진 보기 중에 유형자산의 취득원가에 포함되는 것은 유형자산 취득 시 발생한 운반비이다.

정답 ④

## 65 ☐☐☐ 2023년 가맹거래사 기출

장부 마감 후 잔액을 가지지 않는 임시계정에 해당하지 않는 것은?

① 임차료
② 운송비
③ 미수수익
④ 배당금
⑤ 종업원급여

**해설**

포괄손익계산서에 포함되는 항목은 장부 마감 후 잔액을 가지지 않는다. 따라서 장부 마감 후 잔액을 가지지 않는 임시계정에 해당하지 않는 것은 미수수익이다.

정답 ③

## 66 ☐☐☐ 2015년 공인노무사 기출

내용연수를 기준으로 초기에 비용을 많이 계상하는 감가상각방법은?

① 정액법　　　　　② 정률법　　　　　③ 선입선출법
④ 후입선출법　　　⑤ 저가법

**해설**

감가상각 방법 중 정률법은 잔존가치를 고려하여 상각률을 결정한 후에 매기 미상각잔액에 상각률을 곱하여 감가상각비를 계산한다.　　**정답 ②**


## 67 ☐☐☐ 2022년 가맹거래사 기출

회계 계정 중 유형자산에 관한 설명으로 옳은 것은?

① 유형자산은 판매 목적의 보유 자산으로 물리적 형태가 있는 자산이다.
② 유형자산의 취득원가에는 구입가격만 포함되고 유형자산의 운송비, 설치비 등의 부대비용은 제외된다.
③ 모든 유형자산은 감가상각 대상 자산이므로 감가상각누계액이 표시된다.
④ 유형자산의 내용연수에 걸쳐 매 회계기간마다 일정한 감가상각비를 인식하는 상각방법은 정률법이다.
⑤ 유형자산의 처분으로 인한 손익은 처분시점의 장부가액과 순매각금액의 차액으로 결정된다.

**해설**

① 유형자산은 재화나 용역의 생산이나 제공, 타인에 대한 임대 또는 관리활동에 사용할 목적으로 보유하는 즉, 영업활동에 사용할 목적으로 한 회계기간을 초과하여 사용할 것이 예상되는 물리적 형태가 있는 자산이다. 판매 목적의 보유 자산은 재고자산이다.
② 유형자산의 취득원가에는 구입가격뿐만 아니라 유형자산의 운송비, 설치비 등의 부대비용을 포함한다.
③ 토지는 감가상각 대상 자산에 해당하지 않기 때문에 모든 유형자산이 감가상각 대상 자산이 되는 것은 아니다.
④ 유형자산의 내용연수에 걸쳐 매 회계기간마다 일정한 감가상각비를 인식하는 상각방법은 정액법이다. 정률법은 장부금액에 일정률의 상각률을 곱하여 감가상각비를 계산하는 방법이다.　　**정답 ⑤**


## 68 ☐☐☐ 2019년 가맹거래사 기출

유형자산의 취득 후 발생되는 지출 중 수익적 지출에 해당하는 것은?

① 상당한 원가절감을 가져오는 지출
② 생산력 증대를 가져오는 지출
③ 경제적 내용연수를 연장시키는 지출
④ 마모된 자산의 원상복구에 사용된 지출
⑤ 품질향상을 가져오는 지출

**해설**

유형자산을 취득하여 사용하는 중에도 그 자산과 관련하여 여러 형태의 비용이 발생한다. 어떤 비용은 그 지출의 효익이 지출한 연도에 끝나는 경우도 있고, 그 지출의 효익이 장래의 일정기간에 걸쳐서 계속되는 지출이 있을 수 있다. 이러한 지출에 대하여 자본(자산)화 할 것인지 또는 비용화 할 것인지에 따라 자본적 지출과 수익적 지출로 구분할 수 있다. 자본적 지출은 자산의 용역잠재력을 현저히 증가시키는 지출로써 지출한 연도의 비용으로 보고하지 않고 자본화, 즉 자산계정에 기록하여 그 자산의 내용연수 동안 각 회계기간에 걸쳐 원가배분(감가상각)을 하여야 한다. 수익적 지출이란 용역잠재력을 증가시키지 못한 경우로써 단지 당기의 회계기간에 대하여만 효익을 주는 원가를 말한다. 따라서 수익적 지출은 발생한 시점에 비용으로 처리한다.　　**정답 ④**

## 69 ☐☐☐ 2024년 공인노무사 기출

**유형자산의 감가상각에 관한 설명으로 옳은 것은?**

① 감가상각누계액은 내용연수 동안 비용처리할 감가상각비의 총액이다.
② 정액법과 정률법에서는 감가대상금액을 기초로 감가상각비를 산정한다.
③ 정률법은 내용연수 후반부로 갈수록 감가상각비를 많이 인식한다.
④ 회계적 관점에서 감가상각은 자산의 평가과정이라기보다 원가배분과정이라고 할 수 있다.
⑤ 모든 유형자산은 시간이 경과함에 따라 가치가 감소하므로 가치의 감소를 인식하기 위해 감가상각한다.

**해설**

① 감가상각누계액은 매년 발생한 감가상각비를 누적한 금액이고, 감가내용연수 동안 비용처리할 감가상각비의 총액은 감가상각대상금액이다.
② 정액법은 감가상각대상금액을 기초로 감가상각비를 산정하고, 정률법은 장부금액(= 취득원가 − 감가상각누계액)을 기초로 감가상각비를 산정한다.
③ 정률법은 내용연수 초기에 감가상각을 많이 인식하는 가속 감가상각방법이다.
⑤ 토지는 감가상각대상자산에 해당하지 않는다.

정답 ④

## 70 ☐☐☐ 2019년 가맹거래사 기출

**감가상각에 관한 설명으로 옳지 않은 것은?**

① 감가상각은 자산의 내용연수 동안 체계적인 방법에 의해 감가상각대상금액을 회계기간별로 배분하는 절차이다.
② 감가상각비의 결정요소는 감가상각대상금액, 내용연수, 감가상각방법이다.
③ 감가상각누계액은 자산의 취득원가 중 비용으로 계상되어 현재까지 소멸된 원가를 누계한 값이다.
④ 취득원가에서 감가상각누계액을 차감한 값을 장부가액이라 한다.
⑤ 정률법은 매 회계기간에 동일한 금액을 상각하는 방법으로 균등액상각법이라고도 한다.

**해설**

정률법은 장부가액인 미상각잔액(취득원가 − 감가상각누계액)에 일정률의 상각률을 곱하여 감가상각비를 계산하는 방법이다. 따라서 정률법은 내용연수를 기준으로 초기에 비용을 많이 계상하는 감가상각방법이다. 또한, 정액법은 감가상각대상금액(취득원가 − 잔존가치)을 내용연수 동안 균등하게 배분하는 방법이다.

정답 ⑤

## 71 ☐☐☐ 2020년 가맹거래사 기출

(주)가맹은 20X1년 1월 1일에 캐드용 기자재 1대를 구입하였다. 정률법에 의하여 감가상각하는 경우 20X2년의 감가상각비는? (단, 회계기간은 매년 1월 1일부터 12월 31일까지이다.)

- 취득원가: 20,000,000원
- 잔존가치: 3,500,000원
- 내용연수: 7년
- 정률: 20%

① 2,560,000원　　② 3,000,000원　　③ 3,200,000원
④ 4,000,000원　　⑤ 4,500,000원

### 해설
정률법은 장부금액인 미상각잔액(취득원가 − 감가상각누계액)에 일정률의 상각률을 곱하여 감가상각비를 계산하는 방법이다. 따라서 20X1년의 감가상각비는 취득원가(20,000,000원)에 20%를 곱한 4,000,000원이다. 그리고 20X2년의 감가상각비는 장부금액(= 20,000,000원 − 4,000,000원)에 20%를 곱한 3,200,000원이다.　**정답 ③**

## 72 ☐☐☐ 2016년 가맹거래사 기출

(주)가맹은 2016년 1월 1일 건물을 5,000,000원에 취득하고, 취득세 300,000원과 등록세 200,000원을 현금으로 지급하였다. 감가상각방법은 정액법이고 건물내용연수는 10년, 10년 후 잔존가액이 취득원가의 10%라면 2016년 감가상각비는?

① 450,000원　　② 495,000원　　③ 500,000원
④ 550,000원　　⑤ 620,000원

### 해설
취득세와 등록세는 취득원가에 포함되기 때문에 2016년 1월 1일에 취득한 건물의 취득원가는 5,500,000원이다. 따라서 감가상각대상금액은 취득원가에서 잔존가액을 차감한 4,950,000원이다. 이를 10년 동안 정액법으로 상각하기 때문에 2016년 감가상각비는 495,000원이 된다.　**정답 ②**

## 73 ☐☐☐ 2019년 공인노무사 기출

(주)한국(결산일: 12월 31일)은 2017년 초에 기계장치를 2,000,000원에 취득하고, 잔존가치 200,000원, 내용연수 5년, 정액법으로 감가상각하였다. (주)한국은 2019년 초에 이 기계장치를 1,300,000원에 처분하였다. (주)한국의 기계장치 처분으로 인한 손익은?

① 처분이익 20,000원　　② 처분손실 20,000원　　③ 처분이익 100,000원
④ 처분손실 100,000원　　⑤ 처분손실 300,000원

### 해설
취득시점의 감가상각대상금액은 취득원가(2,000,000원)에서 잔존가치(200,000원)를 차감한 1,800,000원이며, 내용연수 5년에 정액법으로 감가상각하기 때문에 매년 계상되는 감가상각비는 360,000원이다. 따라서 2019년 초에 기계장치의 장부가액은 1,280,000원(2,000,000원 − 360,000원 × 2년)이다. 이 기계장치를 1,300,000원에 처분하였기 때문에 기계장치 처분으로 인해 20,000원의 처분이익이 발생한다.　**정답 ①**

## 74  2023년 가맹거래사 기출

(주)가맹은 20X1년 초에 기계장치를 10,000원에 취득하였다. 이 기계장치의 내용연수는 4년, 잔존가치는 1,000원으로 추정되고, 감가상각은 연수합계법으로 한다. 이 회사는 감가상각누계액 계정을 사용하며, 이외 다른 유형자산은 없는 것으로 가정한다. 다음 설명 중 옳은 것은?

① 20X1년 포괄손익계산서에 계상될 감가상각누계액은 3,600원이다.
② 20X1년 말 재무상태표에 계상될 감가상각누계액은 2,250원이다.
③ 20X1년 말 재무상태표에 계상될 감가상각누계액은 2,500원이다.
④ 20X2년 포괄손익계산서에 계상될 감가상각누계액은 5,000원이다.
⑤ 20X2년 말 재무상태표에 계상될 감가상각누계액은 6,300원이다.

**해설**

20X1년 말에 계상될 감가상각비(감가상각누계액)는 '(10,000원 − 1,000원) × $\frac{4}{10}$'을 계산한 3,600원이다. 그리고 20X2년 말에 계상될 감가상각비는 '(10,000원 − 1,000원) × $\frac{3}{10}$'을 계산한 2,700원이다. 따라서 20X2년 말에 계상될 감가상각누계액은 6,300원이 된다. 그리고 감가상각누계액은 포괄손익계산서가 아니라 재무상태표에 반영되는 금액이다.

**정답 ⑤**

## 75  2019년 공인노무사 기출

포괄손익계산서의 계정에 해당하지 않는 것은?

① 감가상각비
② 광고비
③ 매출원가
④ 자기주식처분이익
⑤ 유형자산처분이익

**해설**

자기주식처분이익은 회사가 보유하고 있는 자기주식을 처분하여 얻는 이익을 의미하는데, 일반기업회계기준에 따르면 자본잉여금으로 분류하고 K-IFRS에 따르면 납입자본금으로 분류하기 때문에 재무상태표 항목 중 자본에 해당한다. 따라서 자기주식처분이익은 포괄손익계산서의 항목에 해당하지 않는다.

**정답 ④**

## 76 ☐☐☐ 2024년 가맹거래사 기출

물가가 상승하는 경우, 기말재고자산의 단가 결정방법에 따라 계상되는 매출총이익의 크기를 비교한 것으로 옳은 것은?

① 후입선출법 < 평균법 < 선입선출법
② 후입선출법 < 선입선출법 < 평균법
③ 선입선출법 < 평균법 < 후입선출법
④ 선입선출법 < 후입선출법 < 평균법
⑤ 평균법 < 선입선출법 < 후입선출법

### 해설

물가가 상승하고 기말재고수량이 기초재고수량과 같거나 증가하는 경우를 가정할 때 각 방법의 비교내역은 다음과 같다.
- 기말재고: 선입선출법 > 이동평균법 > 총평균법 > 후입선출법
- 매출원가: 선입선출법 < 이동평균법 < 총평균법 < 후입선출법
- 당기순이익: 선입선출법 > 이동평균법 > 총평균법 > 후입선출법
- 법인세비용: 선입선출법 > 이동평균법 > 총평균법 > 후입선출법
- 순현금흐름(법인세 유출액과 관련): 선입선출법 < 이동평균법 < 총평균법 < 후입선출법

정답 ①

## 77 ☐☐☐ 2020년 가맹거래사 기출

재고자산의 단가평가방법인 후입선출법에 관한 설명으로 옳지 않은 것은? (단, 판매량이 급증하여 기초재고가 판매되는 재고청산의 문제는 발생하지 않는다고 가정한다.)

① 물가가 상승하는 경우 세금이 줄어든다.
② 나중에 매입한 상품이 먼저 판매되는 것으로 가정한다.
③ 물가가 상승하는 경우 기말재고자산금액은 시가인 현행원가에 근접한다.
④ 물가가 상승하는 경우 기말재고자산금액이 선입선출법에 비해 낮게 평가된다.
⑤ 물가가 상승하는 경우 재무적 관점에서 보수적인 회계처리 방법이다.

### 해설

후입선출법은 가장 최근에 입고한 재고부터 판매가 된다는 가정이다. 따라서 물가가 상승하는 경우에는 기말재고자산금액은 현행원가와 차이가 커진다.

정답 ③

## 78  2016년 가맹거래사 기출

**선입선출법에 관한 설명으로 옳은 것은?**

① 물가 상승 시 기말재고자산이 과소 표시된다.
② 물가 상승 시 세금이 줄어든다.
③ 물가 상승 시 재무상태 측면에서 보수적인 회계처리 방법이다.
④ 기말재고액은 시가인 현행원가에 근접한다.
⑤ 나중에 매입한 상품을 먼저 출고한다.

**해설**

선입선출법은 재고자산원가배분방법 중의 하나로 물량의 실제 흐름과는 관계없이 먼저 구입한 상품이 먼저 사용되거나 판매된 것으로 가정하여 기말재고액을 결정하는 방법이다. 따라서 물가 상승 시 기말재고자산은 현행원가에 가깝게 측정이 되고, 이로 인해 당기순이익이 과대계상되게 되어 세금이 늘어난다.

**정답 ④**

## 79  2024년 가맹거래사 기출

**(주)가맹의 20X3년도 회계자료가 다음과 같을 때, 이를 이용하여 계산한 매출원가는?**

(단위: 원)

| | | | |
|---|---|---|---|
| • 기초상품재고액 | 50,000 | • 기말상품재고액 | 25,000 |
| • 총매입액 | 630,000 | • 매입운임 | 20,000 |
| • 매입환출 | 30,000 | • 매입할인 | 16,000 |
| • 총매출액 | 780,000 | • 매출환입 | 23,000 |
| • 매출할인 | 12,000 | | |

① 579,000    ② 589,000    ③ 604,000
④ 621,000    ⑤ 629,000

**해설**

매출원가는 '기초상품재고액 + 총매입액 + 매입운임 - 매입환출 - 매입할인 - 기말상품재고액'으로 구한다. 따라서 매출원가는 '50,000원 + 630,000원 + 20,000원 - 30,000원 - 16,000원 - 25,000원'으로 구한 629,000원이다.

**정답 ⑤**

## 80 ☐☐☐ 2021년 가맹거래사 기출

(주)가맹의 20X1년 기초상품 재고는 120만 원이며, 20X1년 중에 2,830만 원의 상품을 매입하였으나 대량구매로 인하여 도매상에서 30만 원의 매입할인을 받아 실제지불한 상품매입대금은 2,800만 원이다. (주)가맹은 상품매입 시 운반비로 10만 원을 운송회사에 별도 지불하였다. 20X1년 판매 가능한 상품 중에서 150만 원이 기말재고로 남아있다. 제시된 자료만을 사용하였을 때, (주)가맹의 20X1년 매출원가는?

① 2,530만 원　　② 2,770만 원　　③ 2,780만 원
④ 2,800만 원　　⑤ 2,810만 원

**해설**

매출원가는 기초재고와 당기매입액의 합에서 기말재고를 빼서 계산한다. 따라서 (주)가맹의 20X1년 매출원가는 '120만 원 + 2,800만 원 + 10만 원-150만 원'을 계산한 2,780만 원이다.

정답 ③

## 81 ☐☐☐ 2023년 가맹거래사 기출

(주)가맹의 20X2년 회계자료는 다음과 같다. (주)가맹의 20X2년 기말 재고자산은?

- 총매출액 45,000원, 매출에누리 5,000원
- 총매입액 27,000원, 매입에누리 1,000원
- 기초재고원가 10,000원
- 20X2년 매출총이익률 20%

① 1,000원　　② 2,000원　　③ 3,000원
④ 4,000원　　⑤ 5,000원

**해설**

매출원가는 '기초재고 + 당기순매입액 − 기말재고'로 구하고, 순매출액은 총매출액에서 매출에누리를 차감하여 계산한다. 그리고 매출총이익률은 '(순매출액 − 매출원가) / 순매출액'이기 때문에 매출원가는 32,000원이 된다. 따라서 기말재고는 '기초재고 + 당기순매입액 − 매출원가'로 구할 수 있기 때문에 '10,000원 + 26,000원 − 32,000원'을 계산한 4,000원이 된다.

정답 ④

## 82. 2022년 가맹거래사 기출

다음은 (주)가맹의 20X2년 회계자료이다. (주)가맹의 20X2년도 포괄손익계산서에 보고될 매출액은?

- 기초 매출채권: 35,000원
- 기초 상품재고: 15,000원
- 당기 상품매입: 200,000원
- 기말 매출채권: 25,000원
- 기말 상품재고: 50,000원
- 매출총이익: 10,000원

① 175,000원  ② 190,000원  ③ 215,000원
④ 235,000원  ⑤ 240,000원

**해설**

매출총이익은 매출액에서 매출원가를 차감한 값이다. 그리고 매출원가는 '기초 상품재고 + 당기 상품매입 − 기말상품재고'로 계산한다. 따라서 매출원가는 '15,000원 + 200,000원 − 50,000원'을 계산한 165,000원이다. 또한, 매출액은 매출총이익과 매출원가의 합이 되기 때문에 175,000원이다.

정답 ①

## 83. 2023년 공인노무사 기출

도소매업을 영위하는 (주)한국의 재고 관련 자료가 다음과 같을 때, 매출이익은?

| 총매출액 | ₩10,000 | 총매입액 | ₩7,000 |
|---|---|---|---|
| 매출환입액 | 50 | 매입에누리액 | 80 |
| 기초재고액 | 200 | 매입운임액 | 20 |
| 기말재고액 | 250 | | |

① ₩2,980  ② ₩3,030  ③ ₩3,060
④ ₩3,080  ⑤ ₩3,110

**해설**

매출이익은 매출액에서 매출원가를 차감하여 계산한다. 그리고 매출액은 총매출액에서 매출환입액을 차감하여 계산하고, 매출원가는 '기초재고액 + 당기순매입액 − 기말재고액'으로 구한다. 여기서 당기순매입액은 총매입액에 매입운입액을 더하고 매입에누리액을 차감한다. 따라서 매출액은 9,950원이 되고 매출원가는 6,890원이 되기 때문에 매출이익은 9,950원에서 6,890원을 차감한 3,060원이 된다.

정답 ③

## 84 ☐☐☐ 2020년 가맹거래사 기출

(주)가맹은 상품매매 기업으로 20X1년도 재고자산 관련 자료는 다음과 같다. 이 회사가 선입선출법을 사용할 경우, 20X1년도 매출원가와 당기순이익은? (단, 다른 거래는 없다고 가정한다.)

| 구분 | | 수량 | 단가 |
|---|---|---|---|
| 1월 1일 | 기초재고 | 200개 | 2,000원(구입가) |
| 4월 20일 | 매입 | 240개 | 2,300원(구입가) |
| 6월 20일 | 매출 | 320개 | 3,000원(판매가) |
| 12월 15일 | 매입 | 280개 | 2,400원(구입가) |

① 매출원가 676,000원, 당기순이익 284,000원
② 매출원가 692,480원, 당기순이익 267,520원
③ 매출원가 712,000원, 당기순이익 248,000원
④ 매출원가 734,400원, 당기순이익 225,600원
⑤ 매출원가 792,000원, 당기순이익 168,000원

### 해설

선입선출법은 가장 먼저 입고한 재고부터 판매가 된다는 가정이다. 선입선출법을 사용하게 되면, 6월 20일에 매출된 320개는 1월 1일의 기초재고 200개와 4월 20일의 매입 120개로 구성되어 있다. 따라서 매출원가는 400,000원(= 200 × 2,000) + 276,000원(= 120 × 2,300) = 676,000원이다. 그리고 당기순이익은 960,000원(= 320 × 3,000)에서 676,000원을 차감한 284,000원이다.

**정답 ①**

## 85 ☐☐☐ 2019년 가맹거래사 기출

단일종류의 상품을 취급하는 (주)가맹의 당기 재고자산 관련 자료는 다음과 같다. 이 회사가 실지재고조사법하에서 가중평균법을 사용하는 경우 당기 매출원가는?

| 구분 | | 수량(개) | 단가 |
|---|---|---|---|
| 1월 1일 | 기초재고 | 100 | 11,000원(구입가) |
| 3월 15일 | 매입 | 120 | 12,000원(구입가) |
| 5월 19일 | 매출 | 160 | 20,000원(판매가) |
| 12월 11일 | 매입 | 140 | 14,000원(구입가) |

① 1,847,200원
② 2,000,000원
③ 2,247,200원
④ 3,400,000원
⑤ 4,500,000원

### 해설

실지재고조사법하에서 가중평균법을 사용하는 경우의 가중평균매입단가는 '(100 × 11,000 + 120 × 12,000 + 140 × 14,000) / 360'으로 계산하면 12,500원이 된다. 따라서 당기 매출원가는 '12,500원 × 160개'을 계산한 2,000,000원이다.

**정답 ②**

## 86 □□□ 2018년 가맹거래사 기출

(주)가맹의 20X1년 기초상품 재고는 400만 원이며, 20X1년 중에 총 3,460만 원의 상품을 매입하였으나 110만 원의 매입할인을 받아 실제 지불한 상품매입대금은 3,350만 원이었다. 20X1년에 판매 가능한 상품 중에서 410만 원이 기말재고로 남아있다. 제시된 자료만을 사용하였을 때, (주)가맹의 20X1년의 매출원가는?

① 3,340만 원  ② 3,450만 원  ③ 3,750만 원
④ 3,860만 원  ⑤ 3,960만 원

**해설**

매출원가는 '기초재고 + 당기순매입액 − 기말재고'로 계산한다. 따라서 (주)가맹의 20X1년의 매출원가는 '400만 원 + 3,350만 원 − 410만 원'으로 계산한 3,340만 원이다.

**정답 ①**

## 87 □□□ 2012년 가맹거래사 기출

다음 자료에 따른 재고감모수량은?

- 기초재고수량: 500개
- 당기매입수량: 2,000개
- 계속기록법에 의한 기중 매출수량: 1,800개
- 실지재고조사법에 의한 기말재고수량: 180개

① 520개  ② 580개  ③ 620개
④ 680개  ⑤ 720개

**해설**

매출수량은 '기초재고수량 + 당기매입수량 − 기말재고수량'으로 계산하기 때문에 2,320개이다. 그런데 계속기록법에 의한 기중 매출수량이 1,800개이기 때문에 2,320개와 1,800개의 차이가 재고감모수량이 된다.

**정답 ①**

## 88 ☐☐☐ 2021년 가맹거래사 기출

A는 20X1년 3월에 커피전문점을 창업하였다. 창업일로부터 20X1년 12월 31일까지의 다음 자료를 이용하여 계산한 당기순이익은? (단, 다른 거래는 없다고 가정한다.)

- 커피판매액: 1,500,000원
- 외상매입금: 390,000원
- 임차료: 180,000원
- 은행차입금: 1,000,000원
- 지급이자: 50,000원
- 외상매출금: 50,000원
- 기타음료판매액: 300,000원
- 커피 및 음료 재료비: 450,000원
- 미지급금: 190,000원
- 커피메이커 기계: 1,050,000원
- 직원급료: 300,000원
- 임차보증금: 180,000원

① 370,000원 ② 640,000원 ③ 650,000원
④ 820,000원 ⑤ 870,000원

### 해설

당기순이익은 수익에서 비용을 차감한 값이다. 여기서 수익은 커피판매액, 기타음료판매액이 되고, 비용은 커피 및 음료 재료비, 임차료, 지급이자, 직원급료가 된다. 따라서 당기순이익은 820,000원이 된다. 추가적으로 외상매입금, 미지급금, 은행차입금은 부채가 되고, 커피메이커 기계, 외상매출금, 임차보증금은 자산이 된다.

정답 ④

## 89 ☐☐☐ 2017년 공인노무사 기출

다음 자료를 이용하여 당기순이익을 구하면? (단, 회계기간은 1월 1일부터 12월 31일까지이다.)

- 영업이익  300,000원
- 이자비용  10,000원
- 영업외 수익  50,000원
- 법인세비용  15,000원

① 275,000원 ② 290,000원 ③ 325,000원
④ 335,000원 ⑤ 340,000원

### 해설

영업이익 + 영업외 수익 − 이자비용 − 법인세비용 = 325,000원

정답 ③

## 90  2021년 가맹거래사 기출

**당기순이익을 구하기 위한 공식으로 옳은 것은?**

① 기말자산 + 기말부채 + 기초부채
② 기말자산 + 기말부채 + 기초자본
③ 기말자산 − 기말부채 + 기초자본
④ 기말자산 + 기말부채 − 기초자본
⑤ 기말자산 − 기말부채 − 기초자본

**해설**

당기순이익을 구하기 위한 공식은 '기말자산 − 기말부채 − 기초자본'이다. 즉 '기말자산 − 기말부채'는 기말자본이 되고, 기말자본에서 기초자본을 차감한 값은 당기 자본증가량이 되는데 당기 자본증가량이 당기순이익이다.

**정답 ⑤**

---

## 91  2023년 가맹거래사 기출

**(주)가맹의 다음 자료에서 당기 총수익은? (단, 당기 중에 발생한 자본 거래는 없다.)**

| 기초자산 | 기초부채 | 기초자본 | 기말자산 | 기말부채 | 기말자본 | 총수익 | 총비용 | 순이익(순손실) |
|---|---|---|---|---|---|---|---|---|
| 5,000원 | 2,800원 |  | 4,300원 | 2,300원 |  | ? | 7,000원 |  |

① 6,200원
② 6,800원
③ 7,200원
④ 7,400원
⑤ 7,800원

**해설**

기말자본은 '기초자본 + 당기자본증가액'이다. 그런데 해당 문제에서 다른 거래가 없기 때문에 당기자본증가액은 당기순이익(= 총수익 − 총비용)과 일치한다. 그리고 기초자본은 기초자산에서 기초부채를 차감하고 기말자본은 기말자산에서 기말부채를 차감하면 되기 때문에 기초자본은 2,200원이 되고, 기말자본은 2,000원이 된다. 즉 자본이 200원 감소하였기 때문에 당기순손실이 200원 발생한 것이다. 따라서 총수익은 6,800원이 된다.

**정답 ②**

## 92 ☐☐☐ 2021년 가맹거래사 기출

(주)가맹의 회계담당자가 실수로 외상매출거래의 일부를 누락하였으나, 기말재고는 올바르게 기록하였다. 이로 인해 영향을 받지 않은 재무비율로 옳은 것은?

① 부채비율
② 당좌비율
③ 유동비율
④ 매출채권회전율
⑤ 자기자본비율

**해설**

외상매출거래의 일부 누락은 유동자산의 크기에 영향을 주는데, 당좌비율(당좌자산을 유동부채로 나눈 비율), 유동비율(유동자산을 유동부채로 나눈 비율), 매출채권회전율(매출액으로 매출채권으로 나눈 비율), 자기자본비율(자기자본을 총자본 또는 자산으로 나눈 비율)은 유동자산의 크기에 영향을 받는 재무비율에 해당한다. 그러나 부채비율은 부채총액을 자기자본으로 나눈 비율이기 때문에 유동자산의 크기에 영향을 받지 않는다.

정답 ①

## 93 ☐☐☐ 2015년 가맹거래사 기출

대손충당금의 과소설정이 재무제표에 미치는 영향으로 옳은 것은?

① 자산 감소
② 자본 감소
③ 부채 증가
④ 당기순이익 증가
⑤ 당기순이익 감소

**해설**

대손충당금을 과소설정하게 되면 계상되는 대손상각비가 감소하여 당기순이익이 증가하게 된다.

정답 ④

## 94 ☐☐☐ 2024년 가맹거래사 기출

공인회계사가 회계감사를 실시하고 표명하는 감사의견의 유형으로 옳지 않은 것은?

① 적정의견
② 부적정의견
③ 한정의견
④ 불합치의견
⑤ 의견거절

**해설**

공인회계사가 회계감사를 실시하고 표명하는 감사의견의 유형에는 적정의견, 한정의견, 부적정의견, 의견거절 등이 있다. 따라서 불합치의견은 공인회계사가 회계감사를 실시하고 표명하는 감사의견의 유형에 해당하지 않는다.

정답 ④

# CHAPTER 03 경영정보시스템

## 제1절 경영정보시스템의 기초개념

### 1. 정보

**(1) 의의**

정보(information)는 사용자에게 유용한 형태로 가공된 자료(data)라고 할 수 있다. 즉 자료를 가공 및 처리하여 의사결정에 도움이 될 수 있도록 정리한 결과를 의미한다.

**(2) 정보의 특성**

정보가 정보이용자에게 유용하려면 어떠한 특성을 가져야 하는데, 이를 정보의 질적 특성이라고 한다. 정보의 유용성을 판단하는 데 쓰이는 질적 특성은 매우 다양하지만, 일반적으로 이해성(understanding), 적시성(timeliness), 적절성(relevance), 신뢰성(reliability), 일관성(consistency) 등으로 요약할 수 있다.

① **이해성**: 정보이용자가 해당 정보의 내용이 가지는 의미를 정확하게 이해하는 것을 의미한다.
② **적시성**: 정보이용자가 의사결정을 할 시점에 필요한 정보를 제공하는 것을 의미한다. 적시성이 없는 정보는 정보로서의 가치를 상실한 정보이며, 정보의 가치는 정보의 생산시점이 사용시점에서 멀어질수록 그 효용성이 감소하게 된다.
③ **적절성**: 정보가 정보이용자의 이용목적에 적합한 것을 의미한다. 즉 정보이용자가 어떠한 정보를 이용하여 장래의 불확실성을 감소시킬 수 있어야 한다는 것이다.
④ **신뢰성**: 정보이용자가 정보를 신뢰할 수 있어야 한다는 것이다. 정보의 신뢰성을 확보하기 위해서는 정보를 정보이용자에게 정확하고 아무런 편견없이 제공해야 한다.
⑤ **일관성**: 일정 기간을 두고 정보를 정기적으로 생산하는 경우에 정보이용자가 정보들을 서로 비교할 수 있어야 한다는 것이다.

### 2. 경영정보시스템

**(1) 의의**

정보시스템(information system)은 조직의 운영, 의사결정, 통제 및 관리 등을 지원하기 위해 데이터를 수집·저장·검색하고 목적에 맞게 처리하여 필요한 사람에게 정보를 제공하는 요소들의 집합을 말한다. 정보시스템의 구성요소는 물리적인 구조인 정보기술, 정보시스템을 사용하고 활용하는 조직의 프로세스, 프로세스의 주체인 사람으로 구분된다. 경영정보시스템(management information system, MIS)은 조직의 다양한 정보시스템을 모두 포괄하는 개념으로 기업경영에 생산성 향상, 품질개선, 경쟁우위 창출, 기업전략 구현, 비즈니스 프로세스 재설계, 의사결정의 질 개선, 고객만족, 업무프로세스 혁신 등의 긍정적인 영향을 끼친다.

### (2) 유형

① **거래처리시스템(transaction processing system, TPS)**: 반복적인 과업을 수행하는 운영관리에 유용한 경영정보시스템으로, 조직의 운영상 기본적으로 발생하는 거래자료를 신속하고 정확하게 처리하는 정보시스템이다. 판매, 구매, 급여, 재고 등의 업무는 많은 거래자료를 빈번하게 발생시키므로 이를 효율적으로 처리하기 위해 필요하다. 즉 기존에 수작업으로 수행하던 사무 및 현장업무를 컴퓨터를 이용하여 효율적으로 처리하는 것이다.

② **전사적 자원관리(enterprise resource planning, ERP)**: 기업이 주요한 비즈니스를 관리하고 경영기능이 제대로 발휘하도록 지원하는 통합 프로그램이다. 업무기능의 실시간 모니터링을 통해 상품의 질, 가용성, 고객만족, 성과, 수익성과 같은 업무기능의 핵심요소를 적시에 분석하는 것이 가능하다.

③ **의사결정지원시스템(decision support system, DSS)**: 기업경영에서 컴퓨터의 활용이 경영자의 의사결정을 도와주는 영역으로까지 확대되는 것을 말한다. 의사결정자들이 의사결정모형과 자료를 활용하여 분석과 평가를 쉽게 할 수 있도록 하는 대화형 시스템(interactive system)이 일반적이며, 효율성보다는 효과성에 더 비중을 두는 중간경영층을 지원하기 위한 경영정보시스템이다. 또한, 중간관리층 수준에서 전문가시스템도 필요한데, 전문가시스템(expert system)은 특정 영역 전문가들의 지식과 경험을 축적한 지식 데이터베이스를 구축하여 전문가가 부족하거나 존재하지 않을 때 전문 의견을 제공하는 경영정보시스템이다.

④ **중역정보시스템(executive information system, EIS)**: 기업 내에서 가장 중요한 의사결정을 하는 경영계층은 전사적 목표에 관련된 의사결정을 하는 최고경영층이다. 왜냐하면 기업의 목표와 전략 및 계획을 수립하는 등 기업의 활동 방향에 결정적인 영향을 미치는 의사결정을 하기 때문이다. 이러한 최고경영층의 의사결정에 필요한 정보를 적시에 제공하고, 필요한 경우에 의사결정을 지원하는 시스템이 바로 중역정보시스템이다. 최고경영층에게 기업의 전반적인 상황에 대한 정보를 제공하기 위해 그래프와 같은 형태로 제공하는 것이 매우 중요하며, 요약 정보에서부터 상세 정보까지 제시되어야 한다. 그리고 다양한 모형분석 기능을 갖춰 급변하는 기업환경 속에서 최고경영자가 신속하고 정확한 의사결정을 하도록 지원해야 한다.

⑤ **전략정보시스템(strategic information system, SIS)**: 정보기술을 경영전략에 활용하기 위해 구축된 정보시스템이다. 즉 산업 내의 경쟁우위 확보·유지·계획을 지원하는 것을 주요 기능으로 하는 시스템을 말한다.

### 3. 경영정보시스템의 개발방식

#### (1) 전통적 개발방식: 시스템 개발수명주기(SDLC)

① **시스템 조사**: 다양한 문제점과 기회들이 비즈니스의 목표를 고려하여 구체화되는 시스템 개발단계로 문제점을 이해하는 것이 목적이다.

② **시스템 분석**: 강점, 약점, 개선기회 등을 구체화시키기 위한 기존 시스템 및 작업과정에 대한 분석이 포함된 시스템 개발단계로 솔루션을 이해하는 것이 목적이다.

③ **시스템 설계**: 문제의 해결방안을 얻기 위해 정보시스템이 해야 할 일을 어떻게 이행할 것인가에 대하여 정의하는 시스템 개발단계로 최적 솔루션을 선택하고 계획하는 것이 목적이다.

④ **시스템 구현**: 시스템 설계단계에서 제시된 다양한 시스템 구성요소를 생성 또는 확보하여 신규 또는 수정된 시스템이 작동되도록 적용시키는 시스템 개발단계로 효과 극대화를 위한 솔루션을 적용하는 것이 목적이다.

⑤ **시스템 유지보수 및 검토**: 시스템이 효과적으로 운영되도록 보증하는 또는 시스템이 계속적으로 변화하는 비즈니스 요구를 수용하도록 수정하는 시스템 개발단계로 솔루션을 통한 결과의 평가가 목적이다.

(2) 현대적 개발방식
　① 프로토타이핑(prototyping): 일련의 시스템 개발과정을 반복적으로 수행하는 시스템 개발방식이다.
　② 신속한 애플리케이션 개발방식(rapid application development, RAD): 애플리케이션을 보다 신속하게 진행하도록 할 수 있는 다양한 도구, 기법, 방법론 등을 이용하는 시스템 개발방식이다.
　③ 최종사용자 개발방식(end-user SDLC): 시스템 개발을 위한 핵심적 노력이 비즈니스 관리자와 최종사용자들의 조합에 의해 수행되는 시스템 개발방식이다.

4. 경영정보시스템 관련 용어
(1) 정보기술 관련 용어
　① 플랫폼(platform): 공통의 활용요소를 바탕으로 본연의 역할도 수행하지만, 보완적인 파생 제품을 개발하거나 제조할 수 있는 기반이다. 즉 스마트 시대에 인터넷 사업자, 콘텐츠 제공자, 사용자, 기기 제조사 등 다양한 주체들이 만나는 매개지점이다.
　② 홀로그램(hologram): 3차원 영상으로 된 입체사진으로, 홀로그래피의 원리를 이용하여 만들어진다. 즉, 입체상을 재현하는 간섭 줄무늬를 기록한 매체이다.
　③ 3D프린팅(three dimensional printing): 프린터로 평면으로 된 문자나 그림을 인쇄하는 것이 아니라 입체도형을 찍어내는 것을 말한다.
　④ 가상현실(virtual reality, VR): 어떤 특정한 상황이나 환경을 컴퓨터로 만들어 그것을 사용하는 사람이 마치 실제 주변 상황이나 환경과 상호작용을 하고 있는 것처럼 만들어 주는 인간 - 컴퓨터 사이의 인터페이스를 말한다.
　⑤ 증강현실(augmented reality, AR): 사용자가 눈으로 보는 현실세계에 가상 물체를 겹쳐 보여주는 기술이다. 현실세계에 실시간으로 부가정보를 갖는 가상세계를 합쳐 하나의 영상으로 보여주므로 혼합현실(mixed reality, MR)이라고도 한다.
　⑥ NFC(near field communication): 가까운 거리에서 다양한 무선 데이터를 주고받는 통신 기술이다.

(2) 네트워크 관련 용어
　① 유비쿼터스(ubiquitous): 언제 어디서나 편리하게 컴퓨터 자원을 활용할 수 있도록 현실 세계와 가상 세계를 결합시킨 것을 말한다.
　② 프로토콜(protocol): 컴퓨터 간에 정보를 주고받을 때의 통신방법에 대한 규칙과 약속을 말한다.
　③ 사물인터넷(internet of things, IOT): 인터넷을 기반으로 모든 사물을 연결하여 사람과 사물, 사물과 사물 간의 정보를 상호 소통하는 지능형 기술 및 서비스를 말한다.
　④ 네트워크 슬라이싱(network slicing): 데이터 전송량이 폭증하는 5세대(5G) 핵심기술 중의 하나이다. 하나의 물리적 코어 네트워크(인증, 데이터전송 등 이동통신 네트워크의 컨트롤타워 역할 담당)를 다수의 독립된 가상 네트워크로 분리해 각각의 서비스 특성에 맞춘 서비스를 제공하는 것이 특징이다.
　⑤ 그리드 컴퓨팅(grid computing): 지리적으로 분산된 네트워크 환경에서 수많은 컴퓨터와 저장장치, 데이터베이스 시스템 등과 같은 자원들을 고속 네트워크로 연결하여 그 자원을 공유할 수 있도록 하는 방식이다.
　⑥ 텔레매틱스(telematics): 텔레커뮤니케이션(telecommunication)과 인포매틱스(informatics)의 합성어로 자동차와 무선통신을 결합한 새로운 개념의 차량 무선인터넷 서비스이다.
　⑦ 클라우드 컴퓨팅(cloud computing): PC 또는 개개의 서버가 대규모의 컴퓨터 집합(구름)으로 옮겨간 형태를 말하는 것으로, 굳이 PC에 소프트웨어를 내장해 놓지 않아도 인터넷에서 프로그램을 이용할 수 있기 때문에 개인 저장매체에는 기록을 남길 필요가 없어 보안성이 보장되고 비용을 절감할 수 있다.

(3) 인공지능 관련 용어
   ① **인공신경망(artificial neural networks, ANN)**: 인간이 뇌를 통해 문제를 처리하는 방법과 비슷한 방법으로, 문제를 해결하기 위해 수학적 모델로서의 뉴런이 상호 연결되어 네트워크를 형성하는 것이다.
   ② **로보틱스(robotics)**: 로봇과 테크닉스(공학)의 합성어로, 로봇에 관한 기술 공학적 연구를 하는 종합적 학문분야를 말한다.
   ③ **머신러닝(machine learning)**: 인간의 학습 능력과 같은 기능을 컴퓨터에서 실현하고자 하는 기술 및 기법을 말한다.
   ④ **알파고(AlphaGo)**: 구글 딥마인드(Google DeepMind)가 개발한 인공지능 바둑 프로그램을 말한다.
   ⑤ **딥마인드(DeepMind Technologies Limited)**: 알파벳 주식회사(Alphabet Inc.)의 자회사이자 영국의 인공지능 프로그램 개발회사이다. 알파벳 주식회사는 2015년 10월 2일 구글의 공동 설립자 래리 페이지, 세르게이 브린이 설립한 미국의 복합기업으로, 미국의 Google을 비롯한 여러 Google 자회사들이 모여서 설립된 기업집단이다.
   ⑥ **왓슨(Watson)**: 인간의 언어를 이해하고 판단하는 데 최적화된 인공지능 슈퍼컴퓨터를 말한다.

(4) 정보보안 관련 용어
   ① **스푸핑(spoofing)**: 승인받은 사용자인 것처럼 시스템에 접근하거나 네트워크상에서 허가된 주소로 가장하여 접근 제어를 우회하는 공격이다.
   ② **스니핑(sniffing)**: 네트워크의 중간에서 남의 패킷 정보를 도청하는 해킹 유형의 하나이다.
   ③ **파밍(pharming)**: 사용자가 올바른 웹페이지 주소를 입력해도 가짜 웹페이지로 보내는 피싱(phishing) 기법이다.
   ④ **스미싱(smishing)**: SMS와 피싱(phishing)의 합성어로 문자메시지를 이용한 새로운 휴대폰 해킹 기법이다.
   ⑤ **서비스 거부 공격(denial-of-service attack)**: 네트워크 붕괴를 목적으로 다수의 잘못된 통신이나 서비스 요청을 특정 네트워크 또는 웹 서버에 보내는 방식이다.
   ⑥ **아이핀(I-PIN)**: '인터넷 개인 식별 번호'(Internet Personal Identification Number)의 약자로 주민등록번호 대신 인터넷상에서 신분을 확인하는 데 쓰인다.
   ⑦ **가명정보**: 개인정보 일부를 삭제·대체하는 등 가명으로 처리하여 추가 정보 없이 개인을 알아볼 수 없도록 한 개인정보이다.
   ⑧ **해커톤(hackathon)**: 해킹(hacking)과 마라톤(marathon)의 합성어로 마라톤처럼 일정한 시간과 장소에서 프로그램을 해킹하거나 개발하는 것이다.
   ⑨ **키 로거(key logger)**: 컴퓨터 사용자의 키보드 움직임을 탐지해 ID나 패스워드, 계좌 번호, 카드 번호 등과 같은 개인의 중요한 정보를 몰래 빼가는 해킹 공격이다.

(5) 시사 관련 용어
   ① **CES(The International Consumer Electronics Show)**: 미국 라스베이거스에서 해마다 열리는 세계 최대의 전자제품 전시회를 말한다.
   ② **MWC(Mobile World Congress)**: 전 세계 이동통신사와 휴대전화 제조사 및 장비업체의 연합기구인 GSMA(Global System for Mobile communication Association)가 주최하는 세계 최대 규모의 이동·정보통신 산업 전시회를 말한다.
   ③ **CeBIT(Center for Bureau, Information, Telecommunication)**: 독일 하노버에서 매년 개최되는 세계 규모의 정보통신 기술 전시회를 말한다.

④ **로보 어드바이저(robo-advisor)**: 로봇(robot)과 투자전문가(advisor)의 합성어로 고도화된 알고리즘과 빅 데이터를 통해 인간 프라이빗 뱅커(PB) 대신 모바일 기기나 PC를 통해 포트폴리오 관리를 수행하는 온라인 자산관리 서비스를 말한다.
⑤ **로빈후드(Robin Hood)**: 미국의 무료 주식거래용 앱으로 온라인 주식거래에 수수료를 부과하지 않는 대신 고객의 잔고에서 나오는 이자로 수익을 올린다.
⑥ **핀테크(fintech)**: finance(금융)와 technology(기술)의 합성어로, 금융과 IT의 융합을 통한 금융서비스 및 산업의 변화를 통칭한 용어이다.
⑦ **Web 2.0**: 정보개방을 통해 인터넷 사용자들 간 정보공유와 참여를 이끌어 냄으로써 정보가치를 지속적으로 증대시키는 것을 목표로 하는 일련의 움직임을 의미한다.
⑧ **프롭테크(proptech)**: 부동산(property)과 기술(technology)의 합성어로, 모바일 채널과 빅데이터 분석, VR(가상현실) 등 하이테크 기술을 기반으로 하는 부동산 서비스이다.
⑨ **메타버스(metaverse)**: 현실세계를 의미하는 universe와 가공이나 추상을 의미하는 meta의 합성어로 현실세계와 같은 사회·경제·문화 활동이 이뤄지는 3차원 가상세계를 일컫는 말이다.

## 제2절 데이터베이스와 정보시스템 보안

### 1. 데이터베이스

**(1) 의의**

데이터베이스(database)는 특정 조직의 여러 사용자가 공유하여 사용할 수 있도록 통합해서 저장한 운영 데이터의 집합을 의미한다. 즉 **사용자의 요구를 충족시키기 위하여 조직된 데이터의 집합**을 의미한다. 이러한 데이터베이스는 일반적으로 데이터의 중복성을 허용하지 않는데, **데이터의 중복성(redundancy)** 은 같은 내용의 데이터가 여러 곳에 중복하여 저장되는 것을 의미하고 이로 인해 저장공간 낭비의 문제가 발생한다.

**(2) 특징**

데이터베이스는 한 조직의 여러 응용 프로그램이 저장된 데이터를 공유할 수 있도록 데이터를 통합하여 관리한다. 이러한 데이터베이스는 다음과 같은 특징을 가진다.
① **실시간 접근 가능**: 데이터베이스는 사용자의 데이터 요구에 실시간으로 응답할 수 있어야 한다.
② **지속적인 변화**: 데이터베이스는 현실 세계의 상태를 정확히 반영해야 하기 때문에 데이터베이스에 저장된 데이터도 계속 변화해야 한다.
③ **동시 공유 가능**: 데이터베이스는 여러 사용자가 동시에 이용할 수 있는 동시 공유의 특성을 제공해야 한다. 동시 공유는 사용자가 서로 다른 데이터를 동시에 사용하는 것뿐만 아니라 같은 데이터를 동시에 사용하는 것도 모두 지원한다는 의미이다.
④ **내용 참조 가능**: 데이터베이스는 저장된 주소나 위치가 아닌 데이터의 내용, 즉 값으로 참조할 수 있다.

### (3) 데이터베이스관리시스템

데이터베이스관리시스템(database management system, DBMS)은 파일시스템이 가진 데이터 중복과 데이터 종속 문제를 해결하기 위해 제시된 소프트웨어이다. 데이터베이스관리시스템은 기업에 필요한 데이터를 데이터베이스에 통합하여 저장하고 이에 대한 관리를 집중적으로 담당한다. 또한, 응용 프로그램을 대신하여 데이터베이스에 존재하는 데이터의 검색·삽입·삭제·수정을 가능하게 하고, 모든 응용 프로그램이 데이터베이스를 공유할 수 있게 한다. 이러한 데이터베이스관리시스템의 장점은 다음과 같다.

① **자료에 대한 접근성 및 시스템 응답성 향상**: 데이터베이스 이용자들이 프로그램을 개발하지 않고도 데이터 조작이 가능하여 불특정한 조건 검색이 용이하다.
② **중앙집중적 자료 통제**: 자료가 한 곳에 통합저장되어 있기 때문에 통제하기 편리하다. 데이터베이스 관리자는 전체 자료의 사용에 관한 관리를 효과적으로 수행할 수 있다.
③ **데이터의 중복성 최소화**: 자료의 통합저장은 자료의 중복저장을 방지한다. 이는 저장장소의 낭비를 제거하고 불일치하는 자료의 발생을 근본적으로 막는 효과가 있다. 물론 데이터베이스의 경우에도 데이터 중복이 완전히 제거되는 것은 아니다. 용도에 맞게 데이터의 종류나 형식을 수정하여 중복 사용하기도 한다. 그러나 반드시 중복관리사실을 인지하고 문제점을 최소화할 수 있게 관리해야 한다.
④ **데이터의 독립성 유지**: 통합된 자료의 저장은 자료의 독립성을 보장한다. 자료의 독립성은 다른 자료에 영향을 주지 않으면서 특정 자료의 구조를 변경할 수 있는 것을 의미한다. 이를 통해 외부환경의 변화에 따른 자료수정을 쉽게 할 수 있다.
⑤ **데이터의 보안성 보장**: 자료가 한 곳에 저장되어 있기 때문에 자료관리의 보안이 쉽고, 외부 사용자 또는 자료사용의 권한이 없는 내부 사용자의 불법 사용을 쉽게 막을 수 있다.
⑥ **데이터의 일관성 유지**: 데이터베이스를 사용함으로써 데이터의 표현형태 및 개별 시스템에서 사용하는 자료값의 불일치를 제거할 수 있다.

### (4) 데이터베이스관리시스템의 종류

① **계층(나무) DBMS**: 데이터를 각 레코드가 하나의 부모 레코드와 수많은 자식 레코드를 이루는 구조를 가지며, 1:N 관계만 표현가능하다. 정보 추출을 위해서는 데이터 구조를 알아야 하고 데이터 파일은 서로 종속적이기 때문에 데이터의 중복 문제가 발생할 수 있다. 개체들이 링크로 구성되기 때문에 구조변경이 어려워 많이 사용하지는 않는다.
② **네트워크 DBMS**: 각 레코드가 여러 부모와 자식 레코드를 가질 수 있게 함으로써 이루어지는 그래프 구조이며, 계층(나무) DBMS의 확장이라고 할 수 있다. 1:1, 1:N, N:N 관계 모두 표현이 가능하다. 복잡한 구조로 인해 데이터 요소 간의 관계가 한 번 설정되면 수정하거나 새로운 관계를 생성하는 것이 어렵다.
③ **관계 DBMS**: 관계라 불리는 2차원의 테이블에 모든 데이터 요소가 존재하도록 데이터를 표현하는 DBMS로 SQL(structured query language)이 표준 데이터 언어이다.
④ **비관계 DBMS**: 데이터를 테이블에 저장하지 않는 DBMS를 말한다. 빅 데이터 기술에는 비관계형 데이터베이스인 NoSQL, Hbase 등이 분석에 활용된다.

## 2. 정보시스템 보안

### (1) 의의
정보시스템 보안은 정보시스템의 불법적 접근, 절취, 물리적 손상을 방지하기 위한 안전관리 및 기술적인 대책을 총칭한다. 즉 보안은 컴퓨터 하드웨어, 소프트웨어, 통신 네트워크, 데이터 등을 안전하게 관리하는 기술과 도구이다.

### (2) 필요요소
① **기밀성**: 인가된 사용자만 정보자산에 접근할 수 있는 것을 의미한다. 즉 정보에 대한 비인가자의 접근을 막는 역할을 한다. 방화벽, 암호, 비밀번호가 기밀성의 대표적인 예이다.
② **무결성**: 적절한 권한을 가진 사용자가 인가된 방법으로만 정보를 변경할 수 있도록 하는 것을 의미한다. 즉, 데이터가 의도적·비의도적으로 위조 또는 변조되지 않도록 하는 것이다.
③ **가용성**: 인가받은 사용자가 정보자산에 대해 적절한 시간에 접근할 수 있도록 하는 것을 의미한다.

# 출제예상문제

CHAPTER 03 경영정보시스템

## 4지선다형

**01** □□□ 2024년 군무원 7급 기출

다음 중 고품질 데이터의 특징과 관련된 내용이 올바르게 짝지어진 것은?

> ㉠ 정보에 누락된 값이 있는가?
> ㉡ 통합 정보 또는 요약 정보가 상세 정보와 일치하는가?
> ㉢ 정보가 비즈니스 필요의 관점에서 최근의 것인가?

① ㉠ 완전성  ㉡ 일관성  ㉢ 적시성
② ㉠ 완전성  ㉡ 일관성  ㉢ 고유성
③ ㉠ 일관성  ㉡ 완전성  ㉢ 적시성
④ ㉠ 일관성  ㉡ 완전성  ㉢ 고유성

**해설**

㉠은 완전성, ㉡은 일관성, ㉢은 적시성에 대한 설명이다. 정답 ①

**02** □□□ 경기평택항만공사 기출동형

다음 중 조직의 계층에 대한 정보시스템의 유형 중 낮은 단계에서 높은 단계 순으로 나열한 것은?

① TPS → MIS → DSS → EIS
② TPS → DSS → MIS → EIS
③ TPS → MIS → EIS → DSS
④ DSS → TPS → MIS → EIS

**해설**

조직의 계층에 대한 정보시스템의 유형 중 낮은 단계에서 높은 단계로 나열한 것은 '거래처리시스템(TPS) → 경영정보시스템(MIS) → 의사결정지원시스템(DSS) → 중역정보시스템(EIS)'이다. 정답 ①

## 03  ☐☐☐  2023년 서울시 7급 기출

**정보시스템 통제 중 응용통제(application control)의 하위 유형으로 가장 옳지 않은 것은?**

① 입력 통제  ② 프로세스 통제
③ 구현 통제  ④ 출력 통제

**해설**

정보시스템 통제는 통제의 대상에 따라 일반통제(관리통제)와 응용통제로 분류할 수 있다. 일반통제(관리통제)는 계획된 방법으로 정보시스템의 개발, 이행, 운용이 제대로 이루어지는지 확인하는 전반적인 통제활동을 의미하고, 자료처리 지원(하드웨어, 소프트웨어, 자료 등)에 대한 취득, 개발, 사용, 유지 등과 관련된다. 응용통제는 개별적인 거래를 처리하기 위해 응용프로그램별로 수행하는 구체적인 작업과 관련하여 적용되는 내부통제이고, 입력 통제, 프로세스 통제, 출력 통제로 구분할 수 있다. 따라서 구현 통제는 응용통제의 하위 유형에 해당하지 않는다.  **정답 ③**

## 04  ☐☐☐  2023년 군무원 7급 기출

**기업의 반복적인 과업을 수행하는 운영관리업무에 유용한 정보시스템으로서 주로 조직의 운영상 기본적으로 발생하는 자료를 신속하고 정확하게 처리하는 데에 초점을 두고 있는 정보시스템의 유형을 무엇이라고 하는가?**

① 거래처리시스템(TPS: Transaction Processing System)
② 정보보고시스템(IRS: Information Reporting System)
③ 중역정보시스템(EIS: Executive Information System)
④ 의사결정지원시스템(DSS: Decision Support System)

**해설**

기업의 반복적인 과업을 수행하는 운영관리업무에 유용한 정보시스템으로서 주로 조직의 운영상 기본적으로 발생하는 자료를 신속하고 정확하게 처리하는 데에 초점을 두고 있는 정보시스템의 유형은 거래처리시스템이다.  **정답 ①**

## 05  ☐☐☐  서울교통공사 기출동형

**다음 중 기업 내의 생산, 물류, 재무, 회계, 영업과 구매, 재고 등 경영활동 프로세스들을 통합적으로 연계해 관리해 주며, 기업에서 발생하는 정보들을 서로 공유하고 새로운 정보의 생성과 빠른 의사결정을 도와주는 경영정보시스템은 무엇인가?**

① TPS(Transaction Processing System)  ② EDI(Electronic Data Interchange)
③ ERP(Enterprise Resource Planning)  ④ EIS(Executive Information System)

**해설**

전사적 자원관리(ERP)에 대한 설명이다.  **정답 ③**

## 06 ☐☐☐ 2019년 서울시 7급 기출

**전문가시스템(expert system)에 대한 설명으로 가장 옳지 않은 것은?**

① 인간의 지식을 규칙의 집합으로 모델링한 것이다.
② 입력층, 은닉층, 출력층으로 구성되어 있다.
③ 지식베이스를 검색하기 위해 사용되는 추론엔진을 포함한다.
④ 오작동 기계의 진단이나 신용대출 여부 결정같은 업무에 적용할 수 있다.

**해설**

입력층, 은닉층, 출력층으로 구성되어 있는 것은 인공신경망(artificial neural network, ANN)이다. 전문가시스템은 지식을 저장하고 추론을 하며 인간 전문가와 유사한 작업을 하는 소프트웨어와 하드웨어로 구성되어 있다. **정답 ②**

## 07 ☐☐☐ 2024년 군무원 9급 기출

**다음 중 비즈니스 인텔리전스에 관한 설명으로 가장 적절하지 않은 것은?**

① 온라인 분석처리는 다차원 데이터분석을 가능하도록 해준다.
② 텍스트 마이닝은 대량의 구조화된 데이터 집합으로부터 핵심요인을 추출하고 패턴을 발견하도록 해준다.
③ 웹 마이닝은 웹 컨텐트 마이닝, 웹 구조 마이닝, 웹 사용 마이닝으로 분류된다.
④ 데이터 마이닝을 통해 획득 가능한 정보의 유형은 연관성, 순차, 분류, 군집, 예보 등이다.

**해설**

텍스트 마이닝은 비정형 텍스트 데이터의 가치와 의미를 찾아내는 빅데이터 분석기법이다. 대량의 구조화된 데이터 집합으로부터 핵심요인을 추출하고 패턴을 발견하도록 해주는 것은 데이터 마이닝이다. **정답 ②**

## 08 ☐☐☐ 2023년 군무원 7급 기출

**다음 중 4차 산업혁명 시대의 핵심기술에 대한 설명으로 가장 적절하지 않은 것은?**

① 빅데이터는 경쟁력 향상을 위한 중요한 자산이라는 점에서, 데이터 자본주의 시대가 도래하였다.
② 클라우드 컴퓨팅 서비스가 증가한다.
③ 사물인터넷을 통해 '현실 세계에 존재하는 물리적 사물'과 '사이버 세상에 존재하는 가상의 사물'을 결합하여 상호작용한다.
④ 가상현실(VR: Virtual Reality)이란 사용자가 눈으로 보는 실제 세계의 배경이나 이미지에 가상의 이미지를 겹쳐 하나의 영상으로 보여 주는 기술이다.

**해설**

가상현실은 어떤 특정한 상황이나 환경을 컴퓨터로 만들어 그것을 사용하는 사람이 마치 실제 주변 상황이나 환경과 상호작용을 하고 있는 것처럼 만들어 주는 인간-컴퓨터 사이의 인터페이스를 말한다. 사용자가 눈으로 보는 실제 세계의 배경이나 이미지에 가상의 이미지를 겹쳐 하나의 영상으로 보여 주는 기술은 증강현실(AR: augmented reality)이다. **정답 ④**

## 09 ☐☐☐ 2023년 군무원 7급 기출

다음 중 '네트워크의 가치는 그 이용자 수의 제곱에 비례한다'는 법칙으로 가장 적절한 것은?

① 멧칼프의 법칙(Metcalfe's Law)  ② 길더의 법칙(Gilder's Law)
③ 무어의 법칙(Moore's Law)  ④ 황의 법칙(Hwang's Law)

**해설**

'네트워크의 가치는 그 이용자 수의 제곱에 비례한다'는 법칙은 멧칼프의 법칙(Metcalfe's Law)이다.
멧칼프의 법칙(Metcalfe's Law)은 네트워크의 규모가 커짐에 따라 그 비용은 직선적으로 증가하지만 네트워크의 가치는 기하급수적으로 증가한다는 법칙이다.
② 길더의 법칙(Gilder's Law)은 무어의 법칙과 함께 정보기술의 비약적인 발전속도를 설명하는 이론 중 하나로 광섬유 대역폭은 12개월마다 3배씩 증가한다는 법칙이다.
③ 무어의 법칙(Moore's Law)은 마이크로칩의 밀도가 18개월마다 2배로 늘어난다는 법칙이다.
④ 황의 법칙(Hwang's Law)은 반도체 메모리 용량이 매년 2배로 늘어난다는 이론으로, 황창규 전 삼성전자 반도체총괄 사장이 제시하였다.

정답 ①

## 10 ☐☐☐ 2019년 국가직 7급 기출

홈페이지를 통해 피자 한 판을 주문한 고객은 피자가 배달되었을 때 변심하여 주문하지 않았다고 주장하였다. 전자상거래에서 발생할 수 있는 이러한 상황을 방지하고자 하는 정보보호 요소는?

① 무결성(integrity)
② 자기부정방지(non-repudiation)
③ 인증(authentication)
④ 기밀성(confidentiality)

**해설**

정보시스템 보안의 필요성이 강조되면서 정보시스템 보안을 위해 필요한 요소에는 무결성, 기밀성, 가용성 등이 있다. 무결성은 적절한 권한을 가진 사용자가 인가된 방법으로만 정보를 변경할 수 있도록 하는 것이다. 즉 데이터가 의도적·비의도적으로 위조 또는 변조되지 않도록 하는 것이다. 기밀성은 인가된 사용자만 정보자산에 접근할 수 있는 것을 의미하고, 가용성은 인가받은 사용자가 정보자산에 대해 적절한 시간에 접근할 수 있도록 하는 것을 의미한다. 이러한 정보시스템의 보안을 위해서 다양한 기술을 활용하게 되는데, 가장 대표적인 기술에는 암호시스템, 인증시스템, 네트워크 보안시스템 등이 있다. 여기서 인증시스템은 인증을 하고자 하는 주체에 대해 식별을 수행하고 이에 대한 인증 서비스를 제공하는 시스템으로 전자서명, 공인인증서, 생체인식시스템 등이 있다. 특히, 전자서명은 위조 불가, 인증, 재사용 불가, 변경 불가, 자기부정방지(부인방지) 등의 기능을 수행하는데, 문제에서 제시된 상황은 자기부정방지(부인방지)에 해당한다.

정답 ②

## 5지선다형

**01** □□□ 2015년 경영지도사 기출

조직의 말단부에서 이루어지는 일상적인 업무처리를 자동화하여 처리해 주는 시스템은?

① 전략계획시스템(Strategic planning system)
② 운영통제시스템(Operational control system)
③ 거래처리시스템(Transactional processing system)
④ 관리통제시스템(Managerial control system)
⑤ 의사결정지원시스템(Decision support system)

**해설**
조직의 말단부에서 이루어지는 일상적인 업무처리를 자동화하여 처리해 주는 시스템은 거래처리시스템이다.  정답 ③

**02** □□□ 2013년 공인노무사 기출

최고경영층의 의사결정을 지원하기 위한 목적으로 개발된 경영정보시스템의 명칭은?

① ERP  ② EDI  ③ POS
④ EIS  ⑤ TPS

**해설**
ERP는 enterprise resource planning, EDI는 electronic data interchange, POS는 point of sales, EIS는 executive information system, TPS는 transaction processing system이다.  정답 ④

**03** □□□ 2016년 가맹거래사 기출

정보시스템 개발을 위한 절차는?

① 분석 → 설계 → 구축 → 구현
② 설계 → 분석 → 구축 → 구현
③ 설계 → 구축 → 분석 → 구현
④ 설계 → 분석 → 구현 → 구축
⑤ 분석 → 설계 → 구현 → 구축

**해설**
정보시스템 개발은 '분석 → 설계 → 구축 → 구현'의 순으로 이루어진다.  정답 ①

## 04 여수광양항만공사 기출동형

**다음 중 시스템 개발수명주기(SDLC)를 순서대로 나열한 것은?**

ㄱ. 시스템 분석단계　　　ㄴ. 시스템 설계단계
ㄷ. 시스템 조사단계　　　ㄹ. 시스템 운영 및 보수단계
ㅁ. 시스템 구현단계

① ㄱ → ㄴ → ㄷ → ㄹ → ㅁ
② ㄱ → ㄴ → ㅁ → ㄷ → ㄹ
③ ㄴ → ㄱ → ㄷ → ㅁ → ㄹ
④ ㄴ → ㄱ → ㅁ → ㄷ → ㄹ
⑤ ㄷ → ㄱ → ㄴ → ㅁ → ㄹ

### 해설
시스템 개발수명주기(SDLC)는 '시스템 조사단계 → 시스템 분석단계 → 시스템 설계단계 → 시스템 구현단계 → 시스템 운영 및 보수단계'의 순서로 이루어진다.

**정답 ⑤**

## 05 2018년 가맹거래사 기출

**정보시스템을 구축할 때 최소 규모의 개발팀을 이용하여 프로젝트를 능률적으로 신속하게 개발하는 방식은?**

① 최종사용자(end-user) 개발
② 컴포넌트 기반(component-based) 개발
③ 폭포수 모델(waterfall model) 개발
④ 웹마이닝(web mining) 개발
⑤ 애자일(agile) 개발

### 해설
정보시스템을 구축할 때 최소 규모의 개발팀을 이용하여 프로젝트를 능률적으로 신속하게 개발하는 방식은 애자일(agile) 개발이다. 애자일 개발은 과정과 도구보다는 개인과 상호작용을 더 중요시하며, 계획을 따르는 것보다 변화에 대처하는 것을 더 중요시한다.

**정답 ⑤**

## 06 ☐☐☐ 2020년 공인노무사 기출

**경영정보시스템 용어에 관한 설명으로 옳지 않은 것은?**

① 비즈니스 프로세스 리엔지니어링(business process reengineering)은 새로운 방식으로 최대한의 이득을 얻기 위해 기존의 비즈니스 프로세스를 변경하는 것이다.
② 비즈니스 인텔리전스(business intelligence)는 사용자가 정보에 기반하여 보다 나은 비즈니스 의사결정을 돕기 위한 응용프로그램, 기술 및 데이터 분석 등을 포함하는 시스템이다.
③ 의사결정지원시스템(decision support system)은 컴퓨터를 이용하여 의사결정자가 효과적인 의사결정을 할 수 있도록 지원하는 시스템이다.
④ 위키스(Wikis)는 사용자들이 웹페이지 내용을 쉽게 추가·편집할 수 있는 웹사이트의 일종이다.
⑤ 자율컴퓨팅(autonomous computing)은 지리적으로 분산된 네트워크 환경에서 수많은 컴퓨터와 데이터베이스 등을 고속 네트워크로 연결하여 공유할 수 있도록 한다.

### 해설

지리적으로 분산된 네트워크 환경에서 수많은 컴퓨터와 데이터베이스 등을 고속 네트워크로 연결하여 공유할 수 있도록 하는 것은 그리드 컴퓨팅(grid computing)이다.

**정답 ⑤**

## 07 ☐☐☐ 2022년 경영지도사 기출

**네트워크 전송 중 지켜야 할 규칙과 데이터 포맷을 상세화한 표준은?**

① 프로토콜(protocol)  ② 패킷 교환(packet switching)  ③ 토폴로지(topology)
④ 라우터(router)  ⑤ 허브(hub)

### 해설

프로토콜(protocol)은 컴퓨터 간에 정보를 주고받을 때의 통신방법에 대한 규칙과 약속을 말한다. 따라서 네트워크 전송 중 지켜야 할 규칙과 데이터 포맷을 상세화한 표준은 프로토콜이다.
② 패킷 교환(packet switching)은 전송하는 자료를 일정한 단위길이(패킷)로 구분하여 전송하는 통신 방식이다.
③ 토폴로지(topology)는 네트워크에 있는 컴퓨터, 케이블 및 다른 구성요소의 배치를 말한다.
④ 라우터(router)는 서로 다른 네트워크를 연결해 주는 장치이다.
⑤ 허브(hub)는 컴퓨터들을 LAN에 접속시키는 네트워크 장치이다.

**정답 ①**

**08** ☐☐☐ 2020년 가맹거래사 기출

무선 PAN(personal area network) 기술로 휴대전화, 컴퓨터 및 다른 장치들 사이의 짧은 거리에서 신호를 전송해 주는 근거리 무선통신기술은?

① 블루투스(bluetooth)   ② 와이브로(wibro)   ③ 웹브라우저(web browser)
④ 텔레매틱스(telematics)   ⑤ 소셜네트워킹(social networking)

**해설**

무선 PAN(personal area network) 기술로 휴대전화, 컴퓨터 및 다른 장치들 사이의 짧은 거리에서 신호를 전송해 주는 근거리 무선통신기술은 블루투스(bluetooth)이다.

정답 ①

**09** ☐☐☐ 2020년 가맹거래사 기출

Web 2.0의 4가지 규정적 특징이 아닌 것은?

① 상호작용성
② 실시간 사용자 통제
③ 사회적 참여 및 정보공유
④ 사용자 생성 콘텐츠(user-generated content)
⑤ 시맨틱 검색(semantic search)

**해설**

Web 2.0은 정보 개방을 통해 인터넷 사용자들 간 정보공유와 참여를 이끌어 냄으로써 정보가치를 지속적으로 증대시키는 것을 목표로 하는 일련의 움직임을 말한다. 즉 Web 2.0은 개방적인 웹 환경을 기반으로 네티즌이 자유롭게 참여해 스스로 제작한 콘텐츠를 생산, 재창조, 공유하는 개념이다. 이는 네티즌들이 직접 질문과 대답을 올려 공유하며, 이를 검색해 자신에게 유용한 정보를 개방된 공간 속에서 습득하도록 하는 것이 주된 내용이다. 또한, 시맨틱 검색은 검색 사용자가 입력한 문장의 의미를 분석해 정보를 제공하는 기술을 의미하기 때문에 Web 2.0의 특징에 해당하지 않는다.

정답 ⑤

**10** ☐☐☐ 2020년 가맹거래사 기출

컴퓨터가 다룰 수 있는 데이터의 가장 작은 단위는?

① 비트(bit)   ② 바이트(byte)   ③ 필드(field)
④ 레코드(record)   ⑤ 파일(file)

**해설**

컴퓨터가 다룰 수 있는 데이터의 가장 작은 단위는 비트(bit)이다. 또한, 8비트(bit)가 1바이트(byte)이다.

정답 ①

## 11  2014년 가맹거래사 기출

**데이터 용량을 측정하는 단위를 오름차순으로 바르게 나열한 것은?**

① GB - TB - PB - EB
② GB - PB - EB - TB
③ TB - EB - GB - PB
④ GB - PB - TB - EB
⑤ GB - TB - EB - PB

**해설**

데이터 용량을 측정하는 단위를 오름차순으로 배열하면 'GB(기가바이트) - TB(테라바이트) - PB(페타바이트) - EB(엑사바이트)'의 순이다.

정답 ①

## 12  2022년 경영지도사 기출

**다양한 업무 데이터베이스로부터 정보를 모아 비즈니스 분석활동과 의사결정 업무를 지원하는 것은?**

① 자료중심적 웹사이트(data-focused website)
② 데이터웨어하우스(data warehouse)
③ 비즈니스 프로세스 관리시스템(business process management system)
④ 의사결정지원시스템(decision support system)
⑤ 관리통제시스템(managerial control system)

**해설**

다양한 업무 데이터베이스로부터 정보를 모아 비즈니스 분석활동과 의사결정 업무를 지원하는 것은 데이터웨어하우스이다.

정답 ②

## 13  2021년 경영지도사 기출

**정보기술을 전략수행이나 경쟁우위 확보를 위해 활용하는 정보시스템은?**

① EDP(electronic data processing)
② ES(expert system)
③ SIS(strategic information system)
④ DSS(decision support system)
⑤ TPS(transactional processing system)

**해설**

정보기술을 전략수행이나 경쟁우위 확보를 위해 활용하는 정보시스템은 SIS(strategic information system)이다.

정답 ③

## 14 ☐☐☐ 2020년 경영지도사 기출

**정보를 자신의 컴퓨터가 아닌 인터넷에 연결된 다른 컴퓨터들을 이용하여 처리하는 기술은?**

① 매시업(mashup) 서비스
② 클라우드 컴퓨팅(cloud computing)
③ 사물인터넷(IoT)
④ 크라우드소싱(crowdsourcing)
⑤ 정보 사일로(information silo)

**해설**

클라우드 컴퓨팅(cloud computing)은 PC 또는 개개의 서버가 대규모의 컴퓨터 집합(구름)으로 옮겨간 형태를 말하는 것으로, 굳이 PC에 소프트웨어를 내장해 놓지 않아도 인터넷에서 프로그램을 이용할 수 있기 때문에 개인 저장매체에는 기록을 남길 필요가 없어 보안성이 보장되고 비용을 절감할 수 있다.
① 매시업(mashup) 서비스는 웹으로 제공하고 있는 정보와 서비스를 융합하여 새로운 소프트웨어나 서비스, 데이터베이스 등을 만드는 서비스를 말한다.
③ 사물인터넷(IoT)은 인터넷을 기반으로 모든 사물을 연결하여 사람과 사물, 사물과 사물 간의 정보를 상호 소통하는 지능형 기술 및 서비스를 말한다.
④ 크라우드소싱(crowdsourcing)은 대중(crowd)과 아웃소싱(outsourcing)의 합성어로, 기업활동 일부 과정에 대중을 참여시키는 것을 의미한다.
⑤ 정보 사일로(information silo)는 하나의 정보 시스템이나 하위 시스템이 다른 관련 시스템과 상호 간의 운영을 할 수 없는 배타적인 관리 체제이다. 따라서 정보는 적절히 공유되지 않고 각 시스템이나 하위 시스템에 격리되며, 이는 마치 곡물이 사일로(저장탑) 안에 갇히는 것처럼 컨테이너 안에 갇히는 것으로 비유된다.

**정답 ②**

## 15 ☐☐☐ 2020년 가맹거래사 기출

**클라우드 컴퓨팅(cloud computing)에 관한 설명으로 옳지 않은 것은?**

① 비즈니스 데이터 및 시스템 보안에 대한 우려를 없애준다.
② 자신 소유의 하드웨어 및 소프트웨어에 많은 투자를 할 필요가 없다.
③ 사용자는 광대역 네트워크 통신망을 통해 클라우드에 접속해 업무를 수행할 수 있다.
④ 필요한 IT자원을 빌려 쓸 때 용량 등에 있어 확장성이 있다.
⑤ 인터넷을 통해 원격으로 제공되는 자원이나 응용프로그램을 사용하려는 것이다.

**해설**

클라우드 컴퓨팅(cloud computing)은 인터넷 상의 서버를 통하여 데이터 저장, 네트워크, 콘텐츠 사용 등 IT 관련 서비스를 한 번에 사용할 수 있는 컴퓨팅 환경이다. 따라서 비즈니스 데이터 및 시스템 보안에 대한 우려가 발생할 수 있다.

**정답 ①**

## 16 ☐☐☐ 2020년 가맹거래사 기출

인공지능 시스템 중 실제 세상 또는 상상 속의 행위를 모방한 컴퓨터 생성 시뮬레이션은?

① 인공신경망(artificial neural network)
② 전문가시스템(expert system)
③ 지능형에이전트(intelligent agent)
④ 영상인식시스템(visionary recognition system)
⑤ 가상현실시스템(virtual reality system)

**해설**

인공지능 시스템 중 실제 세상 또는 상상 속의 행위를 모방한 컴퓨터 생성 시뮬레이션은 가상현실시스템(virtual reality system)이다. **정답** ⑤

## 17 ☐☐☐ 2022년 가맹거래사 기출

빅데이터를 포함한 기업환경에서 발생한 데이터를 저장, 결합, 보고, 분석하는 인프라를 통칭하는 포괄적 의사결정 응용프로그램을 지칭하는 용어로 하워드 드레스너(H. Dresner)가 사용한 것은?

① 비즈니스 인텔리전스(Business Intelligence)
② 비즈니스 빅데이터(Business Big Data)
③ 비즈니스 지식(Business Knowledge)
④ 비즈니스 공학(Business Engineering)
⑤ 비즈니스 어낼리틱스(Business Analytics)

**해설**

빅데이터를 포함한 기업환경에서 발생한 데이터를 저장, 결합, 보고, 분석하는 인프라를 통칭하는 포괄적 의사결정 응용프로그램을 지칭하는 용어는 비즈니스 인텔리전스이다. **정답** ①

## 18 ☐☐☐ 2013년 공인노무사 기출

다음 네트워크 용어들의 밑줄 친 P에 해당하는 영어 단어는?

- TCP / IP
- HTTP

① program
② process
③ procedure
④ profile
⑤ protocol

**해설**

TCP(transmission control protocol) / IP(internet protocol), HTTP(hypertext transfer protocol)이므로 밑줄 친 P에 해당하는 영어 단어는 protocol이다. **정답** ⑤

**19** ☐☐☐ 2021년 공인노무사 기출

급여 계산, 고객주문처리, 재고관리 등 일상적이고 반복적인 과업을 주로 수행하는 정보시스템은?

① EIS
② DSS
③ ES
④ SIS
⑤ TPS

**해설**

급여 계산, 고객주문처리, 재고관리 등 일상적이고 반복적인 과업을 주로 수행하는 정보시스템은 거래처리시스템(transaction processing system, TPS)이다. EIS는 중역정보시스템(executive information system), DSS는 의사결정지원시스템(decision support system), ES는 전문가시스템(expert system), SIS는 전략적 정보시스템(strategic information system)이다.

정답 ⑤

**20** ☐☐☐ 2015년 공인노무사 기출

USB는 컴퓨터와 주변장치(키보드, 마우스, 메모리스틱 등)을 연결하는 장치이다. 여기서 USB는 U = Universal, S = Serial, B = (    )의 약자이다. 괄호 안에 들어갈 단어는?

① Bit
② Bus
③ Box
④ Boot
⑤ Base

**해설**

USB는 Universal Serial Bus의 약자이다.

정답 ②

**21** ☐☐☐ 2022년 공인노무사 기출

컴퓨터, 저장장치, 애플리케이션, 서비스 등과 같은 컴퓨팅 자원의 공유된 풀(pool)을 인터넷으로 접근할 수 있게 해 주는 것은?

① 클라이언트/서버 컴퓨팅(client/server computing)
② 엔터프라이즈 컴퓨팅(enterprise computing)
③ 온프레미스 컴퓨팅(on-premise computing)
④ 그린 컴퓨팅(green computing)
⑤ 클라우드 컴퓨팅(cloud computing)

**해설**

클라우드 컴퓨팅(cloud computing)은 PC 또는 개개의 서버가 대규모의 컴퓨터 집합(구름)으로 옮겨간 형태를 말하는 것으로, 굳이 PC에 소프트웨어를 내장해 놓지 않아도 인터넷에서 프로그램을 이용할 수 있기 때문에 개인 저장매체에는 기록을 남길 필요가 없어 보안성이 보장되고 비용을 절감할 수 있다. 따라서 컴퓨터, 저장장치, 애플리케이션, 서비스 등과 같은 컴퓨팅 자원의 공유된 풀(pool)을 인터넷으로 접근할 수 있게 해 주는 것은 클라우드 컴퓨팅이다.
① 클라이언트/서버 컴퓨팅은 계산, 데이터베이스, 프린트, 통신 등의 자원(리소스)을 각각의 서버를 공유하여 그룹 전체의 업무 목적을 분산 처리하는 형태이다.
② 엔터프라이즈 컴퓨팅은 단일 기관 또는 그룹이 아니라 하나의 조직 전체에 대한 운영과 지원 역할을 하는 컴퓨터 체계이다.
③ 온프레미스 컴퓨팅은 클라우드 컴퓨팅의 반대 개념으로 자체적으로 보유한 전산실 서버에 직접 설치해 운영하는 방식이다.
④ 그린 컴퓨팅은 컴퓨팅에 이용되는 에너지를 절약하자는 개념이다.

정답 ⑤

## 22 ☐☐☐ 2019년 가맹거래사 기출

데이터 웨어하우스에 관한 설명으로 옳지 않은 것은?

① 데이터는 의사결정 주제 영역별로 분류되어 저장된다.
② 대용량 데이터에 숨겨져 있는 데이터 간 관계와 패턴을 탐색하고 모형화한다.
③ 데이터는 통일된 형식으로 변화 및 저장된다.
④ 데이터는 읽기 전용으로 보관되며, 더 이상 갱신되지 않는다.
⑤ 데이터는 시간정보와 함께 저장된다.

**해설**

대용량 데이터에 숨겨져 있는 데이터 간 관계와 패턴을 탐색하고 모형화하는 것은 데이터 마이닝(data mining)이다.

정답 ②

## 23 ☐☐☐ 2019년 가맹거래사 기출

인터넷 비즈니스에서 성공한 기업들이 20%의 히트상품보다 80%의 틈새상품을 통해 더 많은 매출을 창출하는 현상과 관련된 용어는?

① 파레토(Pareto) 법칙
② 폭소노미(folksonomy)
③ 네트워크 효과(network effect)
④ 롱테일(long tail)
⑤ 확장성(scalability)

**해설**

① 파레토(Pareto) 법칙은 전체 결과의 80%는 전체 원인의 20%에 기인한다는 법칙이다.
② 폭소노미(folksonomy)는 'Folk(people) + order + nomos(law)'의 합성어로, 사람들에 의한 분류법 정도로 해석할 수 있다. 즉 태그(tag)를 이용한 분류법이라고 할 수 있으며, 자유롭게 선택된 키워드를 사용해 구성원이 함께 정보를 체계화하는 방식을 의미한다.
③ 네트워크 효과(network effect)는 인터넷의 특정 사이트를 이용하는 사람이 증가할수록 그 사이트의 가치가 더욱 높아지는 것을 말한다.
⑤ 확장성(scalability)은 운용 중인 시뮬레이션 모형이 시스템(하드웨어, 소프트웨어)의 용량을 변경해도 그 기능을 계속 유지할 수 있는 능력을 말한다.

정답 ④

## 24 ☐☐☐ 2022년 공인노무사 기출

특정 기업의 이메일로 위장한 메일을 불특정 다수에게 발송하여 권한 없이 데이터를 획득하는 방식은?

① 파밍(pharming)
② 스니핑(sniffing)
③ 피싱(phishing)
④ 서비스 거부 공격(denial-of-service attack)
⑤ 웜(worm)

**해설**

① 파밍(pharming)은 사용자가 올바른 웹페이지 주소를 입력해도 가짜 웹페이지로 보내는 피싱 기법이다.
② 스니핑(sniffing)은 네트워크의 중간에서 남의 패킷 정보를 도청하는 해킹 유형의 하나이다.
④ 서비스 거부 공격(denial-of-service attack)은 네트워크 붕괴를 목적으로 다수의 잘못된 통신이나 서비스 요청을 특정 네트워크 또는 웹 서버에 보내는 방식이다.
⑤ 웜(worm)은 네트워크를 통해 자신을 복제하고 전파할 수 있는 악성 프로그램이다.

정답 ③

## 25 ☐☐☐ 2017년 경영지도사 기출

**사용자가 올바른 웹페이지 주소를 입력해도 가짜 웹페이지로 보내는 피싱 기법은?**

① 파밍(pharming)  ② 투플(tuple)  ③ 패치(patch)
④ 쿠키(cookie)  ⑤ 키 로거(key logger)

**해설**

사용자가 올바른 웹페이지 주소를 입력해도 가짜 웹페이지로 보내는 피싱 기법은 파밍(pharming)이다. 키 로거(key logger)는 컴퓨터 사용자의 키보드 움직임을 탐지해 ID나 패스워드, 계좌 번호, 카드 번호 등과 같은 개인의 중요한 정보를 몰래 빼가는 해킹 공격을 말한다.   **정답 ①**

## 26 ☐☐☐ 2023년 공인노무사 기출

**일반 사용자의 컴퓨터 시스템 접근을 차단한 후, 접근을 허용하는 조건으로 대가를 요구하는 악성코드는?**

① 스니핑(sniffing)  ② 랜섬웨어(ransomware)  ③ 스팸웨어(spamware)
④ 피싱(phishing)  ⑤ 파밍(pharming)

**해설**

일반 사용자의 컴퓨터 시스템 접근을 차단한 후, 접근을 허용하는 조건으로 대가를 요구하는 악성코드는 랜섬웨어(ransomware)이다.
① 스니핑(sniffing)은 네트워크의 중간에서 남의 패킷 정보를 도청하는 해킹 유형의 하나이다.
③ 스팸웨어(spamware)는 불특정 다수에게 무차별적으로 발송하는 악성코드이다.
④ 피싱(phishing)은 개인정보(private data)와 낚시(fishing)의 합성어로, 피해자를 기망 또는 협박하여 개인정보 및 금융거래 정보를 요구하거나 피해자의 금전을 이체하도록 하는 수법이다.
⑤ 파밍(pharming)은 사용자가 올바른 웹페이지 주소를 입력해도 가짜 웹페이지로 보내는 피싱(phishing) 기법이다.   **정답 ②**

## 27 ☐☐☐ 2018년 공인노무사 기출

**네트워크 붕괴를 목적으로 다수의 잘못된 통신이나 서비스 요청을 특정 네트워크 또는 웹 서버에 보내는 방식을 의미하는 것은?**

① 스푸핑(spoofing)
② 스니핑(sniffing)
③ 서비스 거부 공격(denial-of-service attack)
④ 신원도용(identity theft)
⑤ 피싱(phishing)

**해설**

네트워크 붕괴를 목적으로 다수의 잘못된 통신이나 서비스 요청을 특정 네트워크 또는 웹 서버에 보내는 방식은 서비스 거부 공격이다. 스푸핑(spoofing)은 승인받은 사용자인 것처럼 시스템에 접근하거나 네트워크상에서 허가된 주소로 가장하여 접근 제어를 우회하는 공격이고, 스니핑(sniffing)은 네트워크의 중간에서 남의 패킷 정보를 도청하는 해킹 유형의 하나이다.   **정답 ③**

## 28 ☐☐☐ 2024년 가맹거래사 기출

합법적인 웹사이트로의 요청경로를 바꾸어 가짜 웹사이트로 연결시키는 수법은?

① 피싱(phishing)
② 파밍(pharming)
③ 도스(Dos: Denial of Service)
④ 디도스(DDos: Distributed Denial of Service)
⑤ 백도어(back door program)

### 해설

합법적인 웹사이트로의 요청경로를 바꾸어 가짜 웹사이트로 연결시키는 수법은 파밍(pharming)이다.
① 피싱(phishing)은 개인정보(private data)와 낚는다(fishing)의 합성어를 의미하고, 피해자를 기망 또는 협박하여 개인정보 및 금융거래 정보를 요구하거나 피해자의 금전을 이체하도록 하는 수법이다.
③ 도스(Dos: Denial of Service)은 네트워크 붕괴를 목적으로 다수의 잘못된 통신이나 서비스 요청을 특정 네트워크 또는 웹 서버에 보내는 방식으로 서비스 거부 공격이라고도 한다.
④ 디도스(DDos: Distributed Denial of Service)는 Dos가 발달된 형태에 해당한다.
⑤ 백도어(back door program)는 음성조작을 의미한다.

정답 ②

## 29 ☐☐☐ 2024년 가맹거래사 기출

인간의 시각시스템을 모방하여 실제 이미지에서 정보를 추출하는 방법으로 옳은 것은?

① 딥러닝(deep learning)
② 로봇공학(robotics)
③ 컴퓨터비전(computer vision)
④ 자연어처리(natural language processing)
⑤ 지능형 에이전트(intelligent agent)

### 해설

인간의 시각시스템을 모방하여 실제 이미지에서 정보를 추출하는 방법은 컴퓨터비전(computer vision)이다.

정답 ③

## 30 ☐☐☐ 2018년 공인노무사 기출

**다음에서 설명하는 것은?**

> 지리적으로 분산된 네트워크 환경에서 수많은 컴퓨터와 저장장치, 데이터베이스 시스템 등과 같은 자원들을 고속 네트워크로 연결하여 그 자원을 공유할 수 있도록 하는 방식

① 전문가 시스템(expert system)
② 그린 컴퓨팅(green computing)
③ 사물인터넷(internet of things)
④ 그리드 컴퓨팅(grid computing)
⑤ 인트라넷(intranet)

**해설**

지리적으로 분산된 네트워크 환경에서 수많은 컴퓨터와 저장장치, 데이터베이스 시스템 등과 같은 자원들을 고속 네트워크로 연결하여 그 자원을 공유할 수 있도록 하는 방식은 그리드 컴퓨팅(grid computing)이다.

**정답 ④**

## 31 ☐☐☐ 2014년 공인노무사 기출

**클라우드 컴퓨팅에 관한 설명으로 옳지 않은 것은?**

① 인터넷기술을 활용하여 가상화된 IT 자원을 서비스로 제공하는 방식이다.
② 사용자는 소프트웨어, 스토리지, 서버, 네트워크 등 다양한 IT 자원을 필요한 만큼 빌려서 사용한다.
③ 조직의 모든 정보시스템의 중앙집중화로 막대한 IT 자원을 필요로 한다.
④ 사용자 주문형 셀프서비스, 광범위한 네트워크 접속, 자원 공유, 사용량 기반 과금제 등의 특징을 갖는다.
⑤ 단기간 필요한 서비스, 규모의 변화가 큰 서비스, 범용 애플리케이션을 구축하는 경우에 효과적이다.

**해설**

클라우드 컴퓨팅(cloud computing)은 PC 또는 개개의 서버가 대규모의 컴퓨터 집합(구름)으로 옮겨간 형태를 말하는 것으로, 굳이 PC에 소프트웨어를 내장해 놓지 않아도 인터넷에서 프로그램을 이용할 수 있기 때문에 개인 저장매체에는 기록을 남길 필요가 없어 보안성이 보장되고 비용을 절감할 수 있다.

**정답 ③**

## 32 ☐☐☐ 2024년 가맹거래사 기출

**클라우드 컴퓨팅과 관련된 개념으로 옳은 것은?**

① Saas: 사용자들은 클라우드 컴퓨팅 제공업체의 컴퓨터 자원을 활용하여 자신들의 정보시스템을 가동시킨다.
② Paas: 사용자들은 기존의 애플리케이션을 실행할 수 있고, 새로운 애플리케이션을 개발하여 테스트할 수도 있다.
③ Iaas: 클라우드 컴퓨팅 제공업체가 사용자들의 요구사항에 특화된 소프트웨어를 제공한다.
④ On-demand self service: 클라우드 컴퓨팅 시스템을 최적화하기 위해 데이터를 네트워크 말단의 서버에서 처리한다.
⑤ Edge Computing: 사용자들은 자신만의 서버 타임이나 네트워크 저장소와 같은 컴퓨터 역량을 얻을 수 있다.

### 해설

Paas는 Platform as a Service이다.
① Saas(Software as a Service): 사용자들은 자신만의 서버 타임이나 네트워크 저장소와 같은 컴퓨터 역량을 얻을 수 있다.
③ Iaas(Infrastructure as a Service): 사용자들은 클라우드 컴퓨팅 제공업체의 컴퓨터 자원을 활용하여 자신들의 정보시스템을 가동시킨다.
④ On-demand self service: 클라우드 컴퓨팅 제공업체가 사용자들의 요구사항에 특화된 소프트웨어를 제공한다.
⑤ Edge Computing: 클라우드 컴퓨팅 시스템을 최적화하기 위해 데이터를 네트워크 말단의 서버에서 처리한다.

정답 ②

## 33 ☐☐☐ 2021년 가맹거래사 기출

**기업과 조직들이 중앙집중적 권한 없이 거의 즉시 네트워크에서 거래를 생성하고 확인할 수 있는 분산 데이터베이스 기술로 옳은 것은?**

① 빅데이터(big data)
② 클라우드 컴퓨팅(cloud computing)
③ 블록체인(blockchain)
④ 핀테크(fintech)
⑤ 사물인터넷(internet of things)

### 해설

기업과 조직들이 중앙집중적 권한 없이 거의 즉시 네트워크에서 거래를 생성하고 확인할 수 있는 분산 데이터베이스 기술은 블록체인(blockchain)이다.
① 빅데이터(big data)는 기존 데이터베이스 관리도구로 데이터를 수집, 저장, 관리, 분석할 수 있는 역량을 넘어서는 대량의 정형 또는 비정형 데이터 집합과 이러한 데이터로부터 가치를 추출하고 결과를 분석하는 기술을 총칭한다.
② 클라우드 컴퓨팅(cloud computing)은 PC 또는 개개의 서버가 대규모의 컴퓨터 집합(구름)으로 옮겨간 형태를 말하는 것으로, 굳이 PC에 소프트웨어를 내장해 놓지 않아도 인터넷에서 프로그램을 이용할 수 있기 때문에 개인 저장매체에는 기록을 남길 필요가 없어 보안성이 보장되고 비용을 절감할 수 있다.
④ 핀테크(fintech)는 이름 그대로 '금융(finance)'과 '기술(technology)'이 결합한 서비스 또는 그런 서비스를 하는 회사를 가리키는 말이다. 여기서 말하는 기술은 정보기술(IT)이다.
⑤ 사물인터넷(internet of things)은 인터넷을 기반으로 모든 사물을 연결하여 사람과 사물, 사물과 사물 간의 정보를 상호 소통하는 지능형 기술 및 서비스를 말한다.

정답 ③

## 34  □□□ 2017년 경영지도사 기출

개인 사용자, 비즈니스 프로세스, 소프트웨어 응용프로그램을 대상으로 반복적이고 예측 가능한 특정 작업들을 수행하기 위해 구축되거나 학습된 지식 베이스를 이용하는 소프트웨어 프로그램은?

① 지능형 에이전트(intelligent agent)
② 유전자 알고리즘(genetic algorithm)
③ 신경망(neural network)
④ 기계학습(machine learning)
⑤ 퍼지논리(fuzzy logic)

**해설**

개인 사용자, 비즈니스 프로세스, 소프트웨어 응용프로그램을 대상으로 반복적이고 예측 가능한 특정 작업들을 수행하기 위해 구축되거나 학습된 지식 베이스를 이용하는 소프트웨어 프로그램은 지능형 에이전트(intelligent agent)이다.

**정답 ①**

## 35  □□□ 2019년 공인노무사 기출

스마트폰에 신용카드 등의 금융정보를 담아 10~15cm의 근거리에서 결제를 가능하게 하는 무선통신기술은?

① 블루투스(Bluetooth)
② GPS(Global Positioning System)
③ NFC(Near Field Communication)
④ IoT(Internet of Things)
⑤ 텔레매틱스(Telematics)

**해설**

NFC(Near Field Communication)는 가까운 거리에서 다양한 무선 데이터를 주고받는 통신 기술을 말한다. 따라서 스마트폰에 신용카드 등의 금융 정보를 담아 10~15cm의 근거리에서 결제를 가능하게 하는 무선통신기술은 NFC이다.
① 블루투스(Bluetooth)는 휴대기기를 서로 연결해 정보를 교환하는 근거리 무선 기술 표준을 의미한다.
② GPS(Global Positioning System)는 GPS 위성에서 보내는 신호를 수신해 사용자의 현재 위치를 계산하는 위성항법시스템이다.
④ IoT(Internet of Things)는 인터넷을 기반으로 모든 사물을 연결하여 사람과 사물, 사물과 사물 간의 정보를 상호 소통하는 지능형 기술 및 서비스를 말한다.
⑤ 텔레매틱스(Telematics)는 텔레커뮤니케이션(telecommunication)과 인포매틱스(informatics)의 합성어로 자동차와 무선통신을 결합한 새로운 개념의 차량 무선인터넷 서비스를 의미한다.

**정답 ③**

## 36 ☐☐☐ 2023년 공인노무사 기출

**다음에서 설명하는 기술발전의 법칙은?**

- 1965년 미국 반도체회사의 연구개발 책임자가 주장하였다.
- 마이크로프로세서의 성능은 18개월마다 2배씩 향상된다.

① 길더의 법칙
② 메칼프의 법칙
③ 무어의 법칙
④ 롱테일 법칙
⑤ 파레토 법칙

**해설**

문제에서 설명하는 기술발전의 법칙은 무어의 법칙(Moore's Law)이다. 즉 무어의 법칙은 마이크로칩의 밀도가 18개월마다 2배로 늘어난다는 법칙이다.
① 길더의 법칙(Guilder's Law)은 무어의 법칙과 함께 정보기술의 비약적인 발전속도를 설명하는 이론 중 하나로 광섬유 대역폭은 12개월마다 3배씩 증가한다는 법칙이다.
② 메칼프(Metcalfe's Law)의 법칙은 네트워크의 규모가 커짐에 따라 그 비용은 직선적으로 증가하지만 네트워크의 가치는 기하급수적으로 증가한다는 법칙이다.
④ 롱테일(long-tail) 법칙은 파레토 법칙의 반대되는 개념으로 롱테일은 작은 결과들로 이루어진 다수의 원인들을 의미한다.
⑤ 파레토(Pareto) 법칙은 전체 결과의 80%는 전체 원인의 20%에 기인한다는 법칙이다.

**정답 ③**


## 37 ☐☐☐ 2024년 공인노무사 기출

**다음에서 설명하는 것은?**

- 데이터 소스에서 가까운 네트워크 말단의 서버들에서 일부 데이터 처리를 수행한다.
- 클라우드 컴퓨팅 시스템을 최적화하는 방법이다.

① 엣지 컴퓨팅
② 그리드 컴퓨팅
③ 클라이언트/서버 컴퓨팅
④ 온디멘드 컴퓨팅
⑤ 엔터프라이즈 컴퓨팅

**해설**

엣지 컴퓨팅(edge computing)은 중앙 집중 서버가 모든 데이터를 처리하는 클라우드 컴퓨팅과 다르게 분산된 소형 서버를 통해 실시간으로 처리하는 기술을 말한다. 즉 방대한 데이터를 중앙 집중 서버가 아닌 분산된 소형 서버를 통해 실시간으로 처리하는 기술이다. '엣지'는 가장자리라는 의미로, 중앙 서버가 모든 데이터를 처리하는 클라우드 컴퓨팅과 달리 네트워크 가장자리에서 데이터를 처리한다는 의미이다. 사물인터넷(IoT) 기기가 본격적으로 보급되면서 데이터 양이 폭증했고, 이 때문에 클라우드 컴퓨팅이 한계에 부딪히게 됐는데, 이를 보완하기 위해 에지 컴퓨팅 기술이 개발되었다. 즉 모든 데이터를 클라우드로 보내서 분석하는 대신, 중요한 데이터를 실시간으로 처리하기 위한 기술이다.
② 그리드 컴퓨팅은 지리적으로 분산된 네트워크 환경에서 수많은 컴퓨터와 저장장치, 데이터베이스 시스템 등과 같은 자원들을 고속 네트워크로 연결하여 그 자원을 공유할 수 있도록 하는 방식이다.
③ 클라이언드/서버 컴퓨팅은 계산, 데이터베이스, 프린트, 통신 등의 자원(리소스)을 각각의 서버를 공유하여 그룹 전체의 업무 목적을 분산 처리하는 형태이다.
④ 온디멘드(on-demand) 컴퓨팅은 클라우드 컴퓨팅 제공업체가 사용자들의 요구사항에 특화된 소프트웨어를 제공하는 방식이다.
⑤ 엔터프라이즈 컴퓨팅은 단일 기관 또는 그룹이 아니라 하나의 조직 전체에 대한 운영과 지원 역할을 하는 컴퓨터 체계이다.

**정답 ①**

**38** ☐☐☐ 2024년 공인노무사 기출

### 비정형 텍스트 데이터의 가치와 의미를 찾아내는 빅데이터 분석기법은?

① 에쓰노그라피(ethnography) 분석
② 포커스그룹(focus group) 인터뷰
③ 텍스트마이닝
④ 군집 분석
⑤ 소셜네트워크 분석

**해설**

텍스트마이닝(text mining)은 비정형 데이터에 대한 마이닝과정이다. 따라서 비정형 텍스트 데이터의 가치와 의미를 찾아내는 빅데이터 분석기법은 텍스트마이닝이다. 추가로 에쓰노그라피(ethnography) 분석은 특정 집단구성원의 생활방식, 행동 등을 그들의 관점에서 이해하고 기술하는 연구방법이다.

**정답 ③**

---

**39** ☐☐☐ 2023년 가맹거래사 기출

### 정보 및 정보시스템 보안에 관한 설명 중 옳지 않은 것은?

① 방화벽은 네트워크에 승인되지 않은 사용자가 접근하는 것을 막는 장치이다.
② 방화벽은 하드웨어, 소프트웨어 혹은 그 두 개의 결합으로 구성된다.
③ 암호화는 텍스트나 데이터를 송신자와 수신예정자 이외의 다른 사람이 읽을 수 없는 형태로 변경하는 프로세스이다.
④ 암호화 방법은 대칭키 암호화와 공개키 암호화 방식이 있다.
⑤ 대칭키 암호화 방식은 공개키와 비밀키를 사용한다.

**해설**

공개키와 비밀키를 사용하는 것은 공개키 암호화 방식이다. 대칭키 암호 방식에서는 암호화에 사용되는 암호화키와 복호화에 사용되는 복호화키가 동일하다는 특징이 있으며, 이 키를 송신자와 수신자 이외에는 노출되지 않도록 비밀히 관리해야 한다. 우리가 일반적으로 사용하는 암호라는 의미로 관용암호라고도 하며, 키를 안전하게 보관해야 한다는 의미로 비밀키 암호라고도 한다.

**정답 ⑤**

## 40 ☐☐☐ 2021년 가맹거래사 기출

**암호화(encryption)에 관한 설명으로 옳지 않은 것은?**

① 암호화 기술은 디지털 정보를 저장하거나 인터넷을 통해 전송할 때 이를 보호하기 위해 사용된다.
② 공개키 암호화 방식은 공개키만으로 편리하게 사용된다.
③ 전자인증서는 전자거래에서 사용자의 신원과 전자자산의 고유성을 확립하기 위해 사용된다.
④ 암호화란 원래의 메시지를 의도된 수신자를 제외한 누군가에 의해 읽힐 수 없는 형태로 변형시키는 것이다.
⑤ 인증기관은 디지털인증서를 발급하고, 인증서의 진위와 무결성을 확인해준다.

> **해설**
> 공개키 암호화 방식에서는 공개키와 비밀키 두 개의 키를 사용하는데, 공개키를 이용해서 암호화하고 비밀키를 이용해서 복호화(decoding)한다. 공개키를 이용해서는 복호화할 수 없다. 따라서 여러 사람이 공유하는 공개키가 유출되어도 아무런 문제가 발생하지 않는다.  **정답 ②**

## 41 ☐☐☐ 2022년 가맹거래사 기출

**기업의 정보보안 취약성 증가 요인에 해당하지 않는 것은?**

① 신뢰성 높은 네트워크 환경
② 더 작고, 빠르고, 저렴해진 컴퓨터와 저장장치
③ 국제적 범죄조직의 사이버 범죄 진출
④ 점점 복잡하며, 상호 연결되고, 의존적인 무선 네트워크 환경
⑤ 관리적 지원의 부족

> **해설**
> 신뢰성 높은 네트워크 환경은 기업의 정보보안 취약성을 증가시키는 요인이 아니라 감소시키는 요인이다.  **정답 ①**

## 42 ☐☐☐ 2017년 경영지도사 기출

**기업정보자원의 이용목적 및 정보접근권한 보유자를 규정하는 것은?**

① 인증정책
② 보안정책
③ 재난 복구계획
④ 비즈니스 연속성 계획
⑤ 위험도 평가

> **해설**
> 기업정보자원의 이용목적 및 정보접근권한 보유자를 규정하는 것은 보안정책이다.  **정답 ②**

# 해커스공기업 쉽게 끝내는 경영학 기본서 | 2권

개정 2판 2쇄 발행 2025년 6월 9일
개정 2판 1쇄 발행 2024년 10월 31일

| | |
|---|---|
| 지은이 | 이인호 |
| 펴낸곳 | ㈜챔프스터디 |
| 펴낸이 | 챔프스터디 출판팀 |
| 주소 | 서울특별시 서초구 강남대로61길 23 ㈜챔프스터디 |
| 고객센터 | 02-537-5000 |
| 교재 관련 문의 | publishing@hackers.com |
| | 해커스잡(ejob.Hackers.com) 교재 Q&A 게시판 |
| 학원 강의 및 동영상강의 | ejob.Hackers.com |
| ISBN | 2권: 978-89-6965-526-4 (14320) |
| | 세트: 978-89-6965-524-0 (14320) |
| Serial Number | 02-02-01 |

저작권자 ⓒ 2024, 이인호
이 책의 모든 내용, 이미지, 디자인, 편집 형태는 저작권법에 의해 보호받고 있습니다.
서면에 의한 저자와 출판사의 허락 없이 내용의 일부 혹은 전부를 인용, 발췌하거나 복제, 배포할 수 없습니다.

**취업강의 1위,
해커스잡(ejob.Hackers.com)**

**해커스잡**

- 시험장까지 가져가는 **경영학 핵심이론/OX 정리노트**
- **NCS 온라인 모의고사 & 경영학 온라인 모의고사**(교재 내 응시권 수록)
- **기초 경영학 강의 & 기초 경영학 용어 강의**(교재 내 할인쿠폰 수록)
- 경영학 전문 스타강사의 **본 교재 인강**(교재 내 할인쿠폰 수록)

헤럴드 선정 2018 대학생 선호 브랜드 대상 '취업강의' 부문 1위

# 누적 수강건수 550만 선택
# 취업교육 1위 해커스

### 합격생들이 소개하는 **단기합격 비법**

**삼성 그룹 최종 합격!**
**오*은 합격생**

**정말 큰 도움 받았습니다!**
삼성 취업 3단계 중 많은 취준생이 좌절하는 GSAT에서 해커스 덕분에 합격할 수 있었다고 생각합니다.

**국민건강보험공단 최종 합격!**
**신*규 합격생**

**모든 과정에서 선생님들이 최고라고 느꼈습니다!**
취업 준비를 하면서 모르는 것이 생겨 답답할 때마다, 강의를 찾아보며 그 부분을 해결할 수 있어 너무 든든했기 때문에 모든 선생님께 감사드리고 싶습니다.

### 해커스 대기업/공기업 대표 교재

**GSAT 베스트셀러**
**266주 1위**

**7년간 베스트셀러**
**1위 326회**

[266주 1위] YES24 수험서 자격증 베스트셀러 삼성 GSAT분야 1위(2014년 4월 3주부터, 1판부터 20판까지 주별 베스트 1위 통산)
[326회] YES24/알라딘/반디앤루니스 취업/상식/적성 분야, 공사 공단 NCS 분야, 공사 공단 수험서 분야, 대기업/공기업/면접 분야 베스트셀러 1위 횟수 합계 (2016.02.~2023.10/1~14판 통산 주별 베스트/주간 베스트/주간집계 기준)
[취업교육 1위] 주간동아 2024 한국고객만족도 교육(온·오프라인 취업) 1위
[550만] 해커스 온/오프라인 취업강의(특강) 누적 신청 건수(중복수강·무료강의포함/2015.06~2023.07)

| 대기업 | 공기업 |
|---|---|
|  |  |

**최종합격자가 수강한 강의는?**
**지금 확인하기!**

해커스잡 **ejob.Hackers.com**